国家档案局与国家财政部重点档案开发项目

陕西省档案局（馆） 编

国立西北联合大学档案史料选编（上册）

王建领 主　编
郑惠姿 姚　远 王展志 副主编

西北大学出版社

图书在版编目(CIP)数据

国立西北联合大学档案史料选编:全2册 / 王建领主编. —西安:西北大学出版社,2018.11
ISBN 978-7-5604-4278-5

Ⅰ.①国… Ⅱ.①王… Ⅲ.①国立西北联合大学—史料—汇编 Ⅳ.①G649.29

中国版本图书馆CIP数据核字(2018)第261528号

国立西北联合大学档案史料选编(全2册)

| 主　　编:王建领
| 出版发行:西北大学出版社
| 地　　址:西安市太白北路229号
| 邮　　编:710069
| 电　　话:029-88302590　88303593
| 经　　销:全国新华书店
| 印　　刷:中煤地西安地图印刷有限公司
| 开　　本:787毫米×1092毫米　1/16
| 印　　张:93.25
| 字　　数:1625千字
| 版　　次:2018年11月第1版　2018年11月第1次印刷
| 书　　号:ISBN 978-7-5604-4278-5
| 定　　价:480.00元

如有印装质量问题,请与本社联系调换,电话029-88302966。

《国立西北联合大学档案史料选编》
编辑部组成人员

主　编	王建领
副主编	郑惠姿　姚　远　王展志
编　辑	张文峰　王立成　杨辉祥　伍小东　刘小燕　姚　璐
	战　涛　王　沛　李　楠　武小菲　徐婷婷　杨婷婷
	郑　立　张若筠　邱晓艳　李　艳　杨凯雯　李　晓
	罗维央　张一诺　尹　恒　杨慧洁　闻　婕
审　稿	张惠民　李维东　梁严冰　赵大良

《国立西北联合大学档案史料选编》
执笔分工

姚　远（西北大学西北联大研究所所长，西北大学科学史高等研究院特聘研究员，博导）：大纲、凡例、图片、概述与全书统筹、组织实施、终审统校，副主编

伍小东（西北大学高等教育研究中心／科学史高等研究院在读博士）：协助副主编统筹全书，增补第二章国民政府相关章则训令、增补第三章学校概况、增补第十章学生（上）。

刘小燕（西安财经学院副教授、博士）：协助副主编统筹全书，第十三章学术演讲文选、第十四章高等教育专题文选。

姚　璐（西北工业大学明德学院讲师、硕士）：第一章大学西迁的酝酿、第三章学校概况、第十章第一节部分知名学子的学籍档案、补充第十四章高等教育专题文选。

战　涛（西北工业大学明德学院讲师、硕士）第二章国民政府相关章则训令、第五章大学制度建设、增补重要会议记录、增补第十二章学术期刊。

王　沛（西安邮电大学研究生院副院长、高工、博士）：第六章校本科教学与研究生教育。

李　楠（陕西广播电视大学副教授、博士）：第七章教职员（上）、第八章教职员（下）。

武小菲（长安大学副教授，西北大学科学史高等研究院在读博士）：第十二章学术期刊。

徐婷婷（西北大学硕士／山东中磁视讯股份有限公司）：第九章抗战与军训。

杨婷婷（西北大学硕士／浙江诸暨海亮股份有限公司）：第十章学生（上）、第十一章学生（下）。

郑　立（西北大学高等教育研究中心博士）：增补第七章教职员（上）。

国立西北联合大学影壁（原位于陕西城固县考院）

1937年冬，国立西安临时大学部分学生赴延安学习，临行前合影

1938年3月，国立西安临时大学迁陕南途中

国立西安临时大学翻越秦岭南迁途中的第一中队（包括 220 名女生）

国立西北大学大门（今陕西城固县考院，西北联大校本部旧址）

国立西北工学院城固古路坝校址远眺

国立西北农林专科学校—国立西北农学院主楼
（1934年建成，1941年曾遭日机轰炸）

1938年,国立西北联合大学法商学院教职员合影
(前排左五为时任法商学院院长的许寿裳)

1938年,时任国立西北联合大学工学院教授的张伯声在秦岭考察

1939年，国立北平师范大学理学院毕业生（国立西北联合大学师范学院）合影
（背景可见国立西北联合大学校牌、国立西北联合大学文理学院院牌）

1939年国立西北师范学院教育系同学在城固合影

1940年，国立西北大学足球、排球、垒球锦标队合影

1943年6月14日，国立西北大学法商学院卅二年度毕业学生合影

国立西北大学欢送志愿从军学生合影（城固 1945-01-06）

1946年国立西北农学院从军学生复员回校的部分学生合影

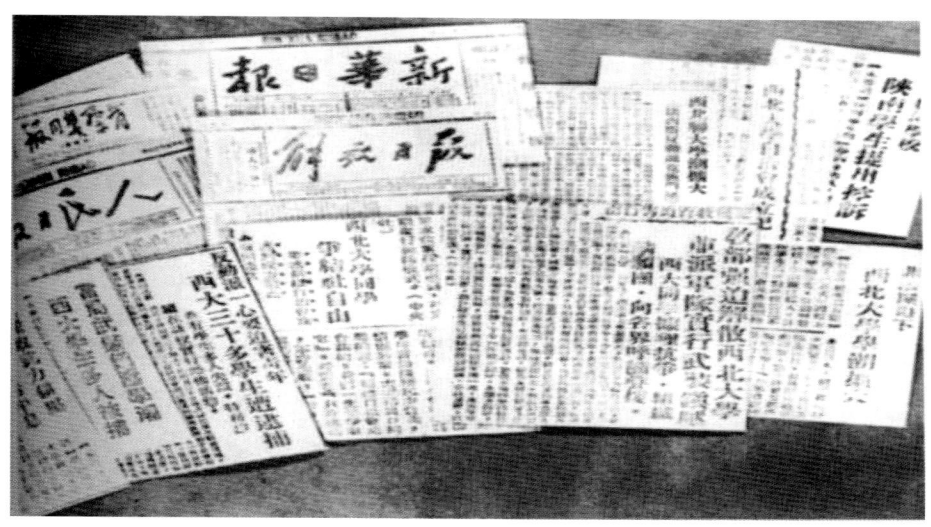

1946年,《解放日报》《新华日报》等报刊有关国立西北大学城固学生运动的报道

国立西北联大常委徐诵明与医学院教师和部分学生在南郑东郊医学院本部马家庙前合影。前排:左二眼科副教授刘新民、左三病理学副教授毛鸿志、左四儿科学教授颜守民、左六法医学教授林几、左七医学院院长兼皮肤花柳科教授蹇先器、左八西北联大常委徐诵明教授、左九药理学教授徐佐夏、左十内科学教授陈礼节、左十二儿科学专任讲师厉裔华（徐佐夏之子徐襃珍藏）

独立设置后的国立西北医学院及其附属医院

迁兰州后的国立西北师范学院

1939年5月6日,7日,敌机轰炸国立西北医学院,杨其昌教授与四年级学生栾汝芹和学生陈德麻因头部重伤而亡。图为办学地地汉中被日机轰炸后留下的弹坑(汉中在1938年冬至1944年8月曾遭日机30余次轰炸)

1940年8月30日,1941年8月5日,1941年11月3日,国立西北农学院相继三次遭日机轰炸。图为遭日机轰炸后的西农主楼(三号楼)外景

 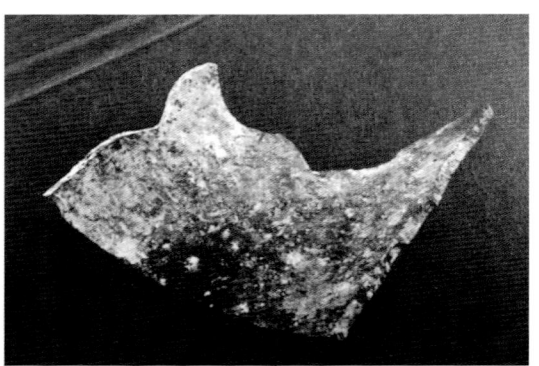

1997年西农基建时从地下挖出的日军未爆炸弹和炸弹残片

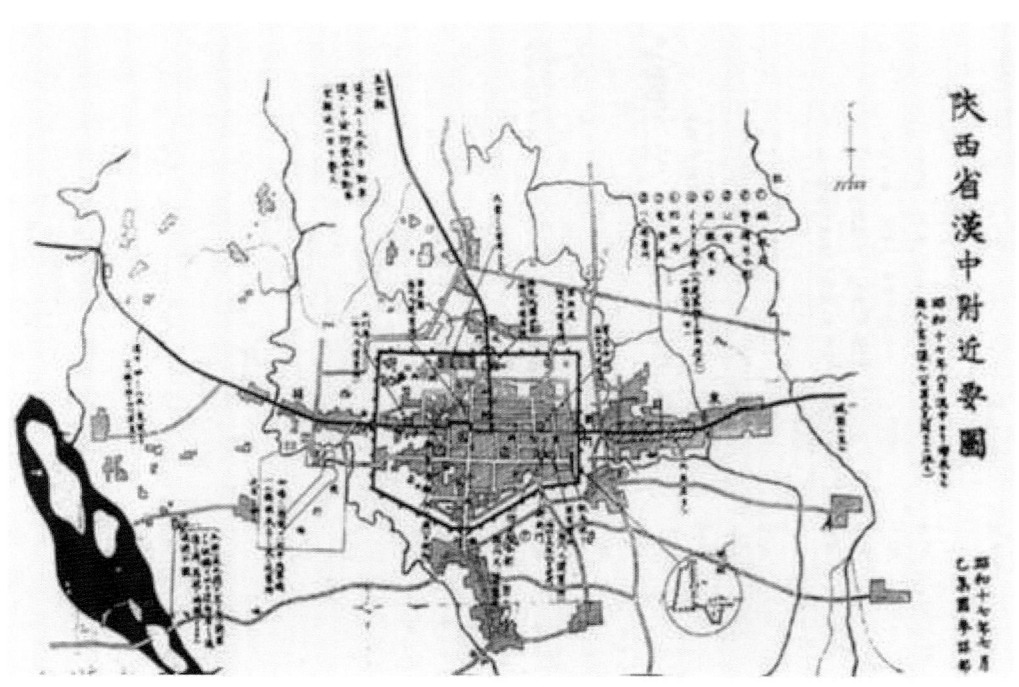

日军使用的《陕西省汉中附近要图》（昭和十七年七月）

国立西安临时大学筹备委员会关防（1937年9月启用）和西安临时大学筹备委员会常务委员名章（从上至下为李书田、陈剑翛、徐诵明、李蒸，1937年10月9日启用）

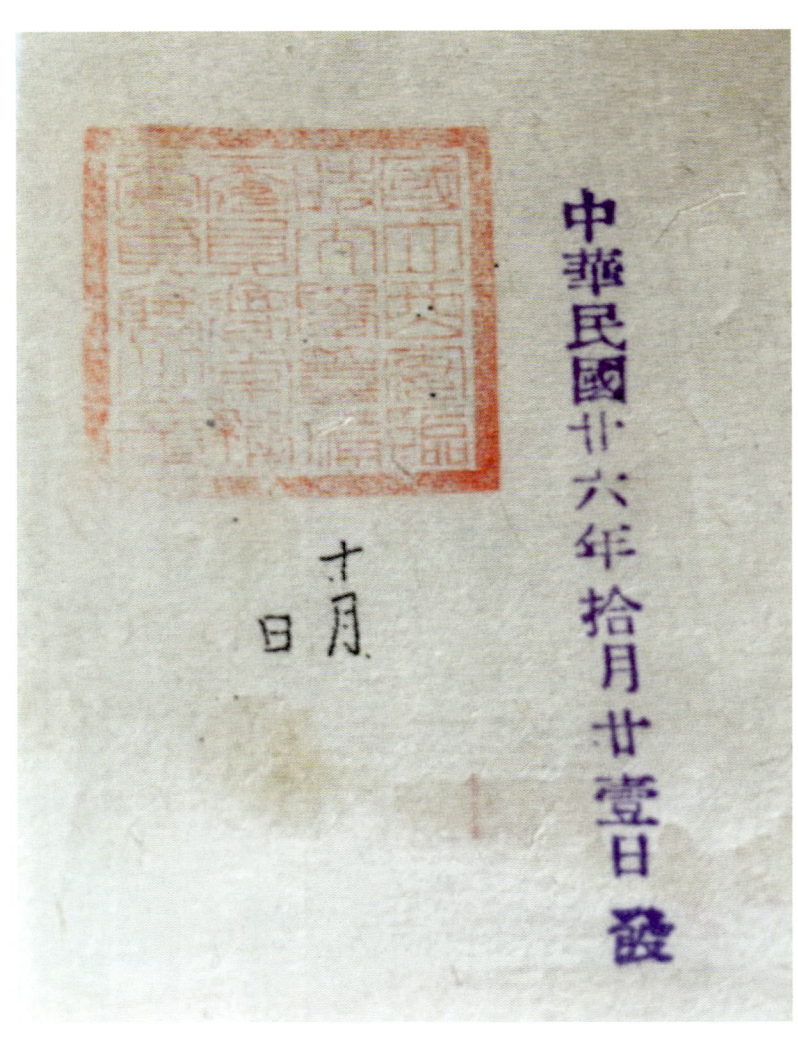

国立西安临时大学筹备委员会常务委员会之章（1937年10月21日启用）

国立西北联合大学关防（1938年4月启用）

国立北洋工学院关防（1938-09-07）

 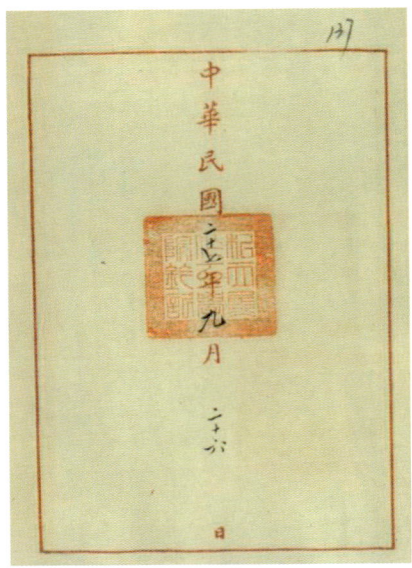

中福两公司联合办事处印信和私立焦作工学院钤记

国立东北大学关防（1937-11）

国立西北工学院筹备委员会钤记（1938-12-09）

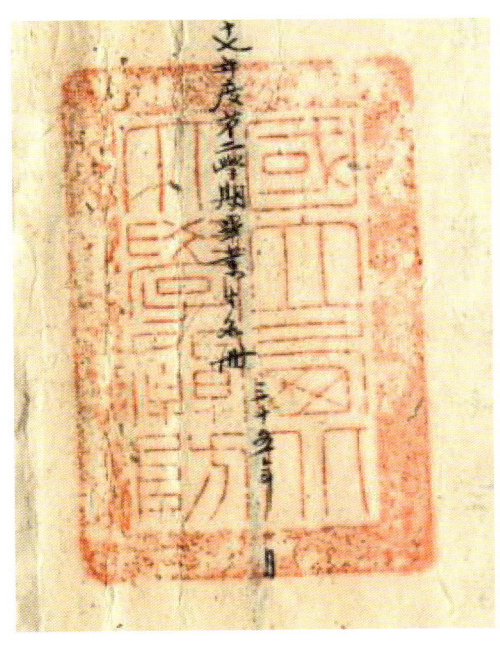

国立西北大学关防（1939年8月启用）

国立西北农学院筹备委员会钤记

国立西北农林专科学校关防

国立西北医学院关防（1939年8月启用）

国立西北师范学院关防

国立西北师范学院兰州分院钤记

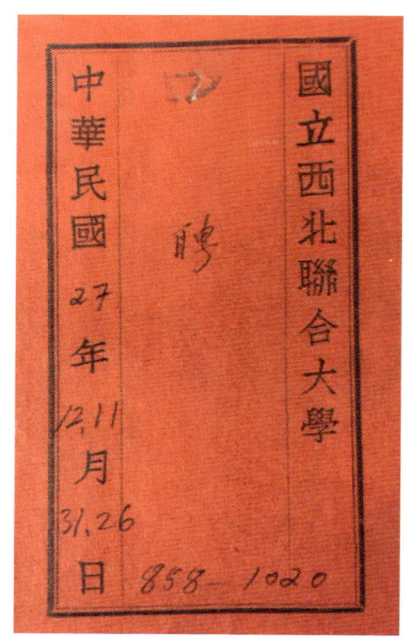
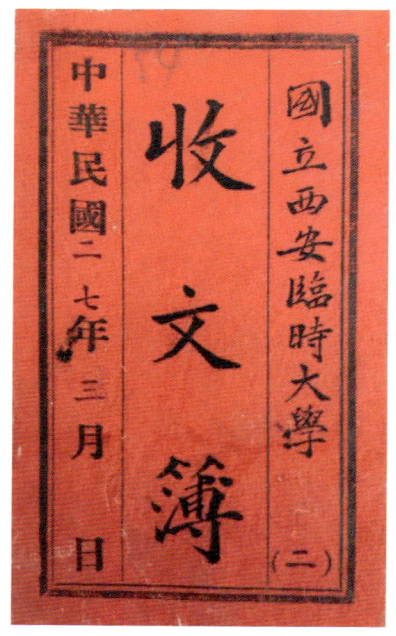

国立西安临时大学收文簿和国立西北联合大学收文簿

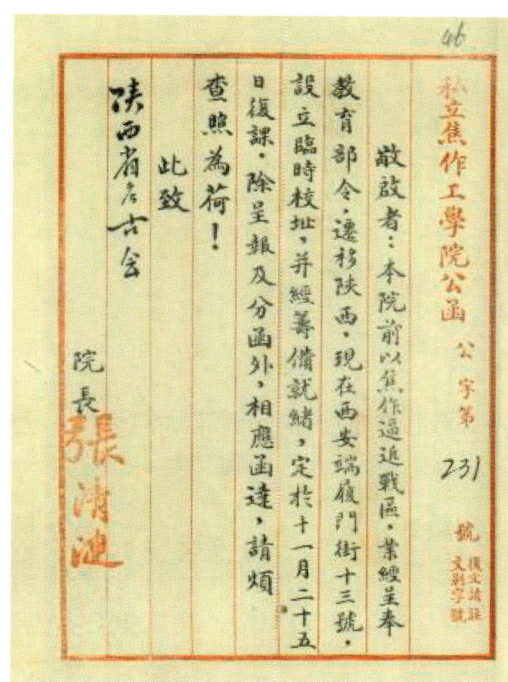

1937年11月25日私立焦作工学院在西安端履门开学

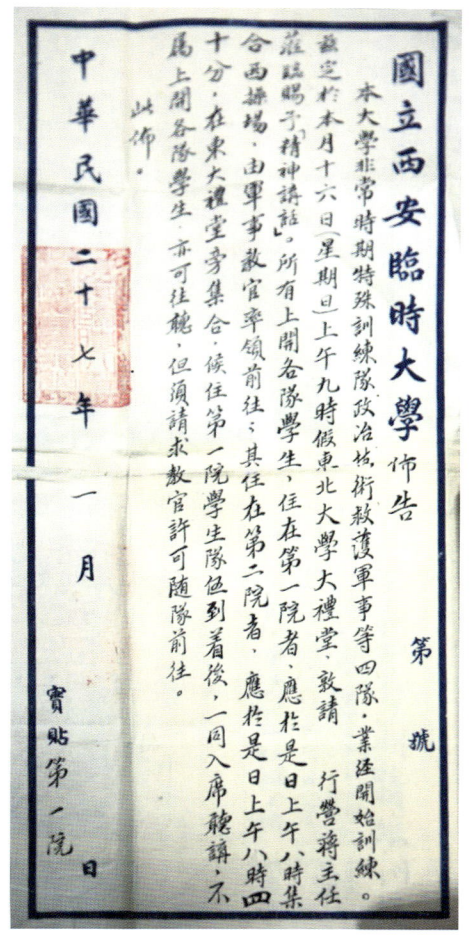

国立西安临时大学布告（1938-01）

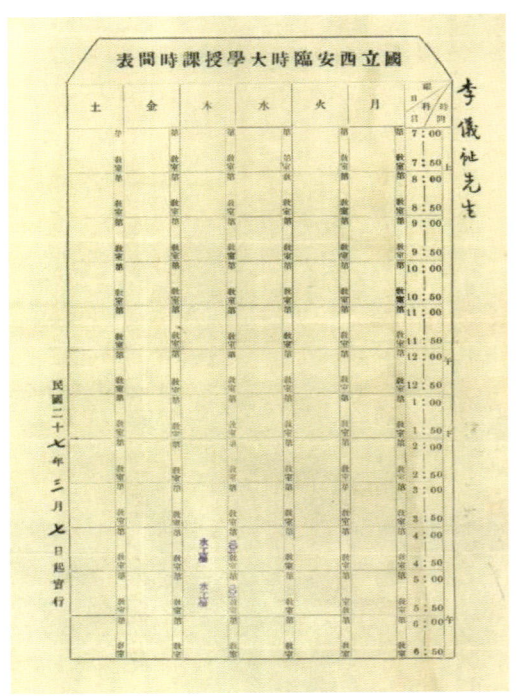

李仪祉教授逝世（1938年3月8日）前一日使用过的国立西安临时大学授课时间表（1938-03-07）

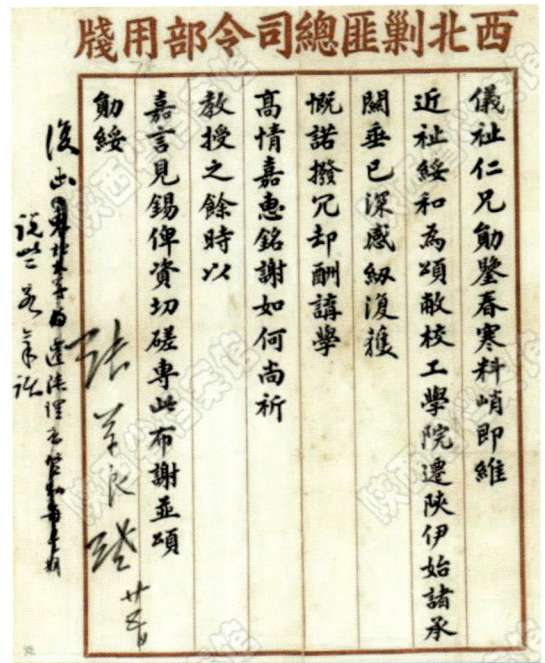

张学良感谢李仪祉同时为国立西安临时大学工学院和国立东北大学工学院授课信函

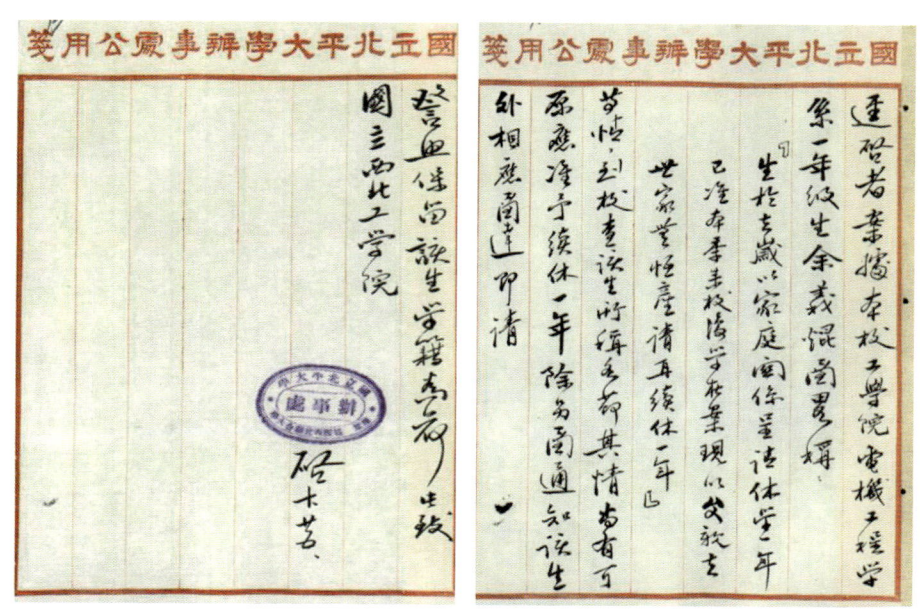

组成国立西安临时大学—国立西北联合大学的前身学校国立北平大学办事处公用笺

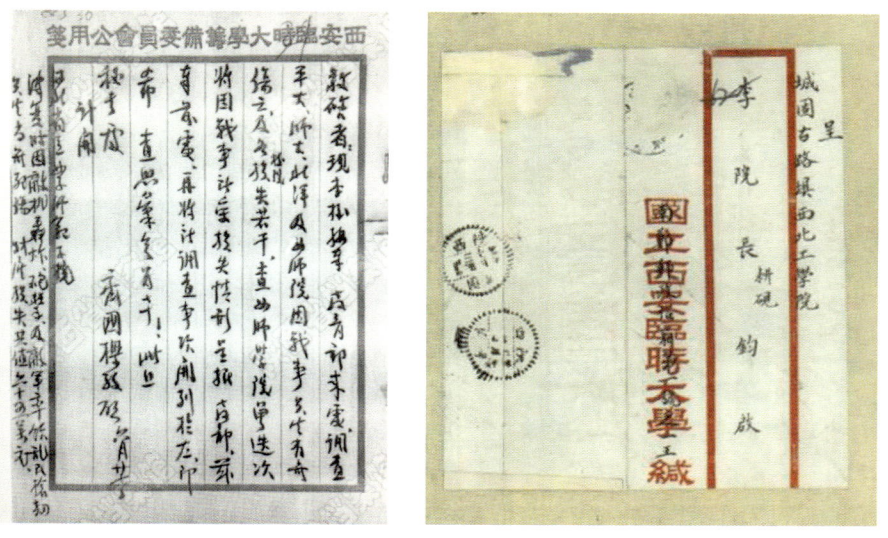

国立西安临时大学筹备委员会公用笺和信封

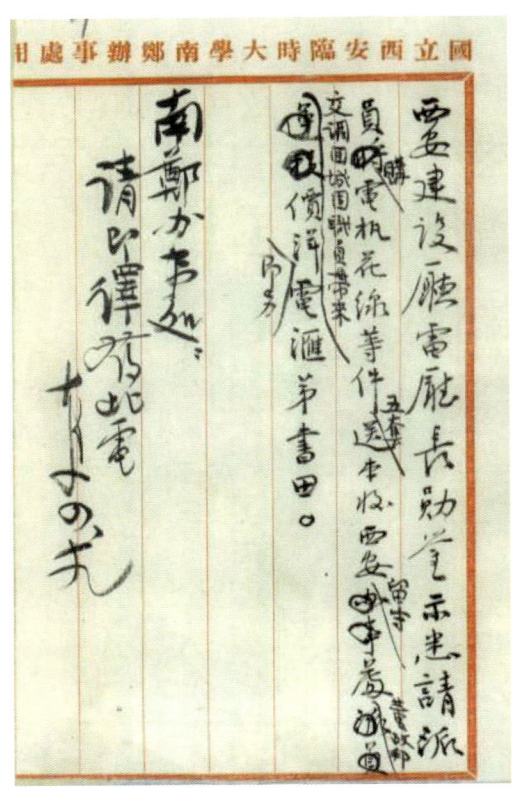

国立西安临时大学南郑办事处用笺

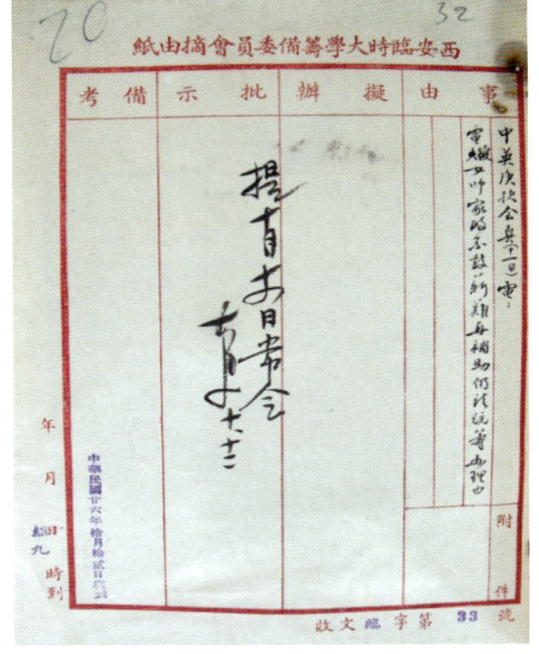

1937年10月12日，中英庚款董事会关于河北省立女子师范学院家政系并入国立西安临时大学的电报

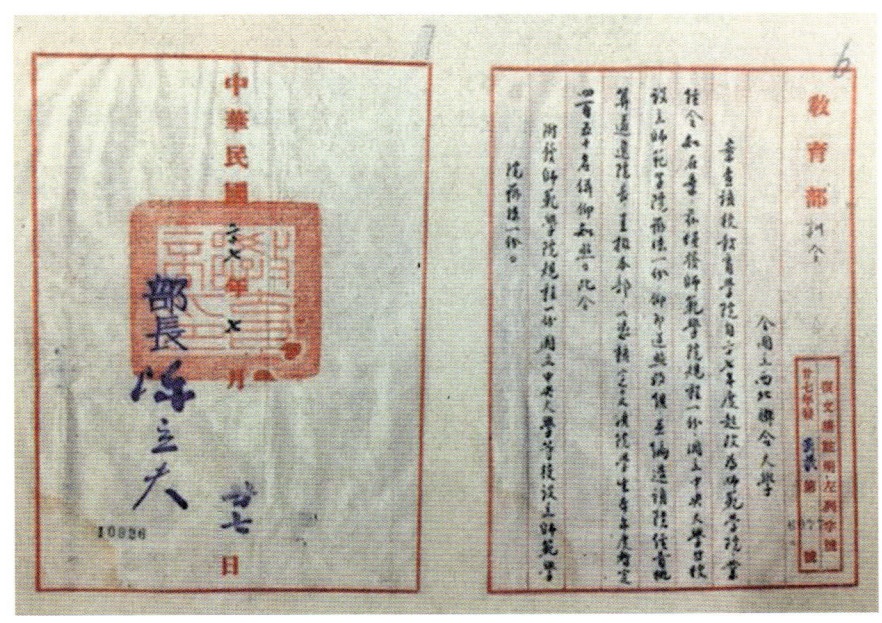

1938年7月27日教育部部长陈立夫令国立西北联合大学教育学院改为师范学院

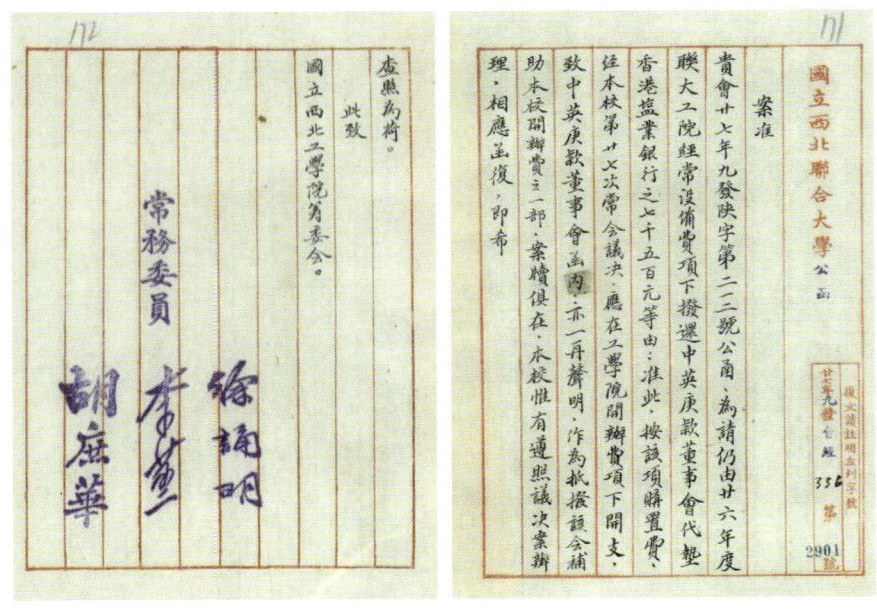

国立西北联合大学公函（1938-09-21）

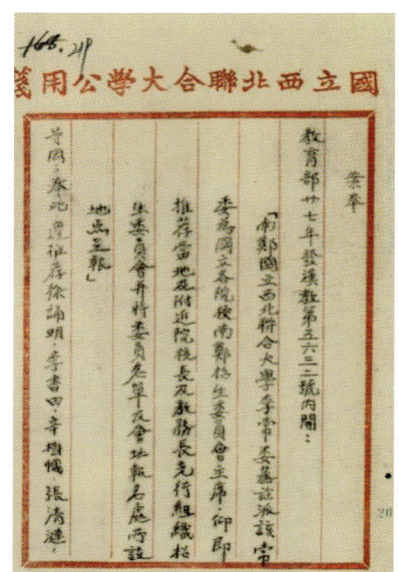 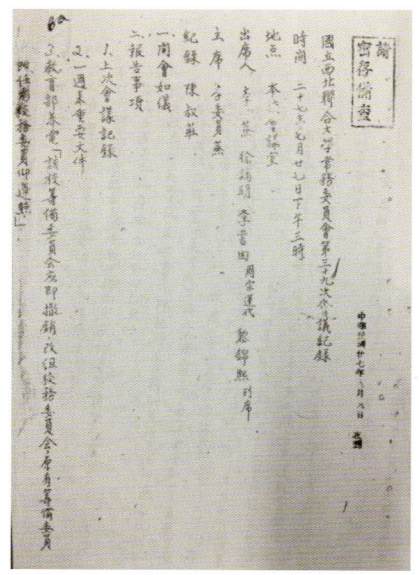

国立西北联合大学招生文件和国立西北联合大学常务委员会第29次会议记录（1938年7月7日，由此日，撤销筹备委员会，改为校务委员会）

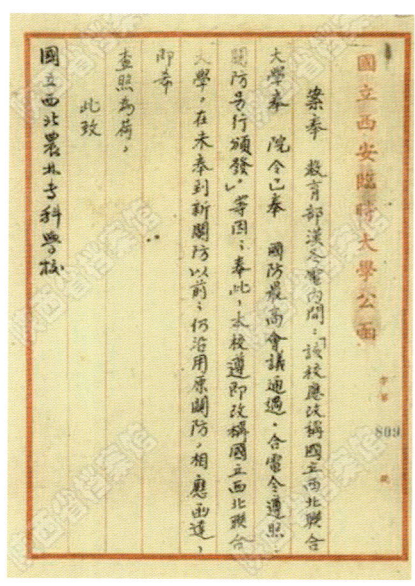

国立西安临时大学公函就改称国立西北联合大学致函国立西北农林专科学校（1938-04-02）

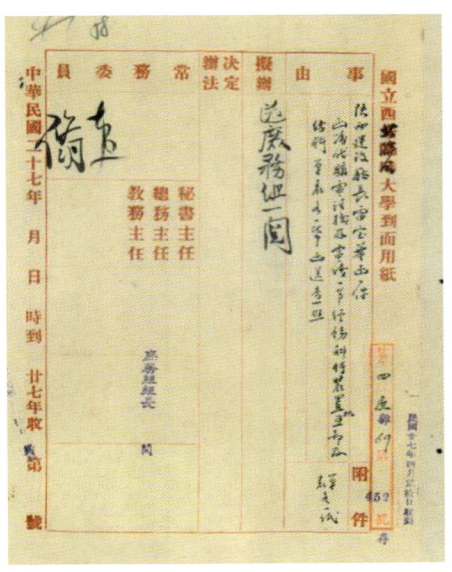

国立西安临时大学—国立西北联合大学过渡期的公文（1938-04-20）

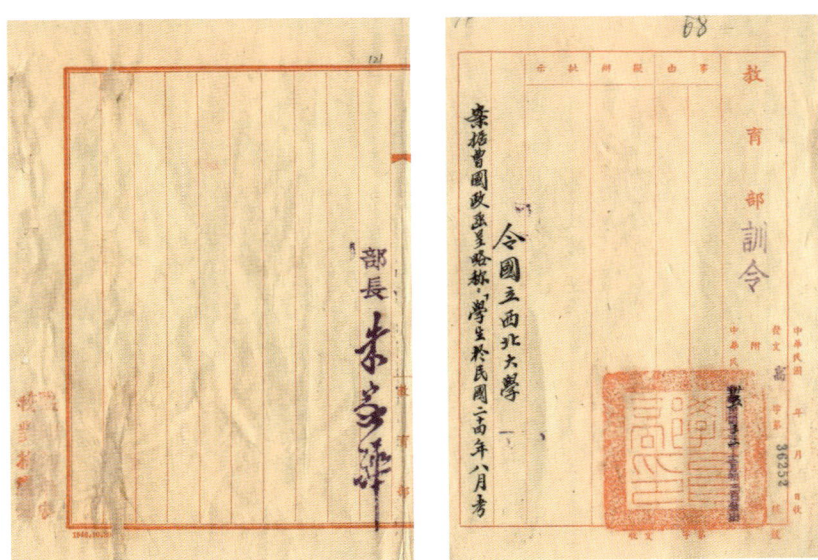

1946年12月3日教育部部长朱家骅令（发文高字第36252号）国立西北大学补发国立西北联合大学时期的毕业证

1946年9月,国立西北联合大学三常委徐诵明、李蒸、胡庶华,文理学院院长刘拓签署名章,国立西北大学校长刘季洪签署名章和国立西北大学关防,教育部核验章(第80689号)的原国立西北联合大学文理学院化学系毕业生的毕业证

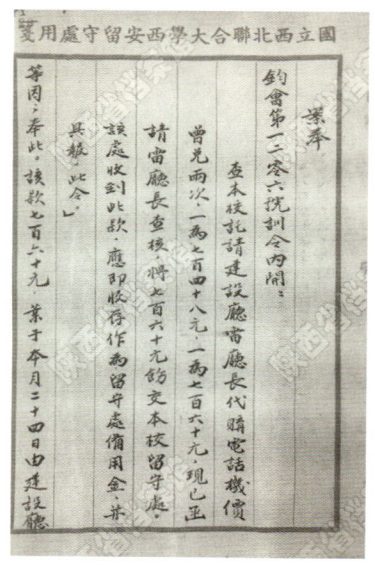

国立西北联合大学迁陕南后在西安设留守处(图为留守处用笺)

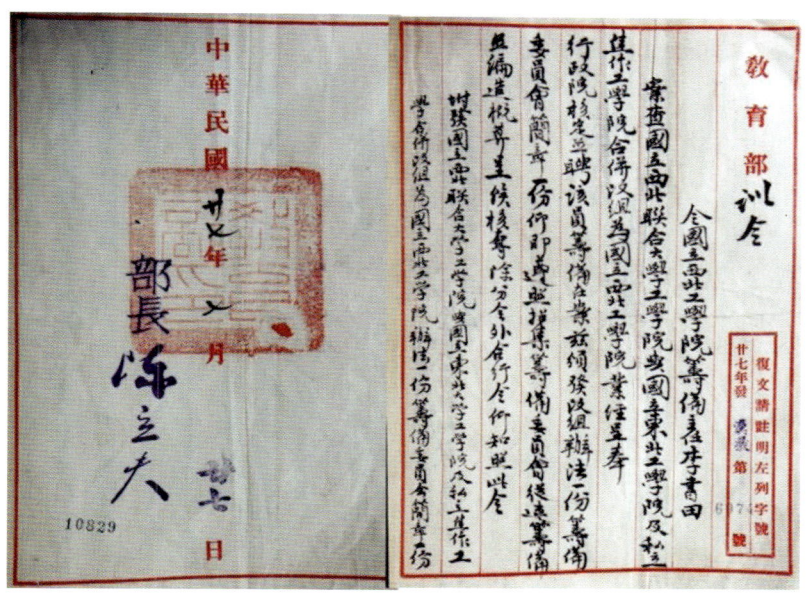

1938年7月27日，教育部部长陈立夫令国立西北联合大学工学院（国立北平大学工学院、国立北洋工学院）、国立东北大学工学院、私立焦作工学院合组为国立西北工学院

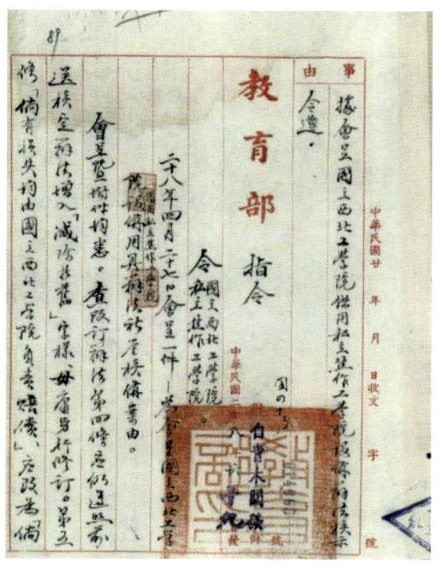

教育部准国立西北工学院借用私立焦作工学院设备

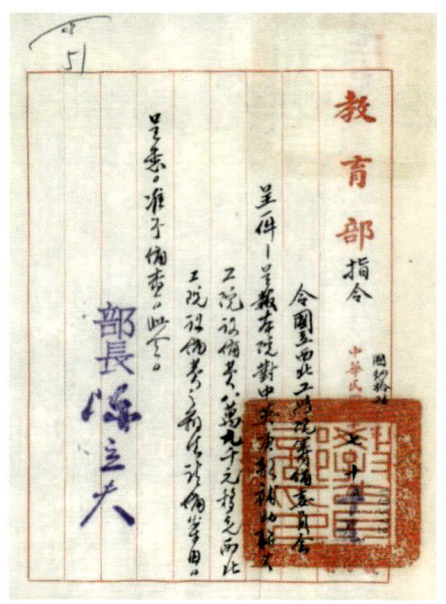 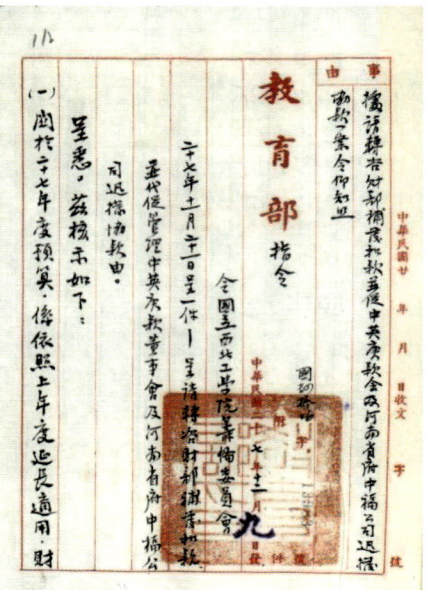

教育部就庚款和中福公司协款给国立西北工学院筹备委员会的指令（1938-10-15；1938-12-09）

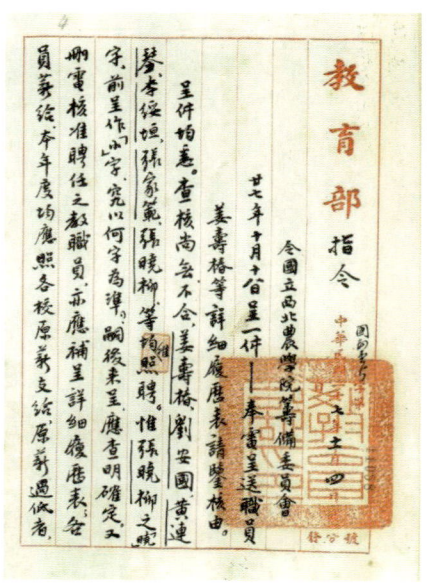

教育部就呈送的职员履历表合格一事给国立西北农学院筹备委员会的指令（1938-11-04）

国立西北农学院筹备委员会曾济宽聘陕西省水利局局长孙绍宗为农业水利系名誉教授，同时聘总工程师刘辑五为特约讲座

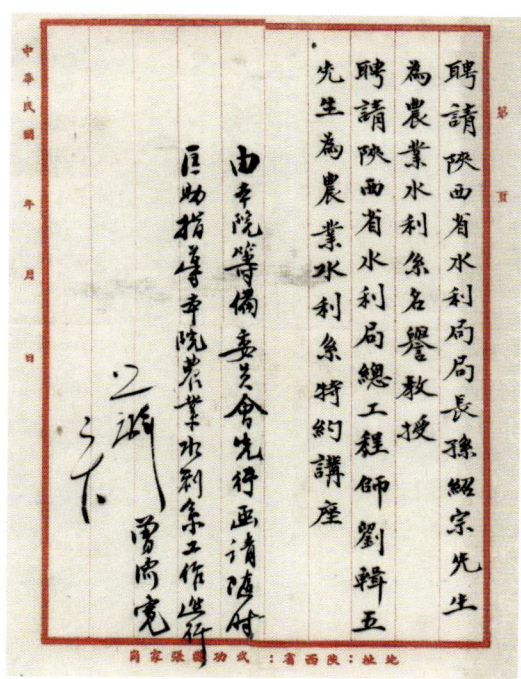

原西北联大农学院院长周建侯在国立西北农学院筹备期间要求未正式成立前继续接受西北联大管理，联大则回复继续由院长主持

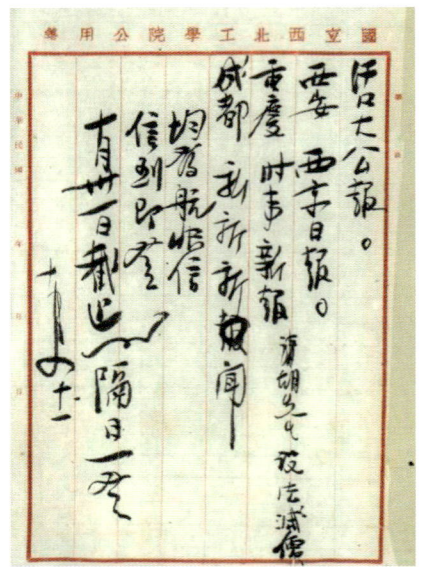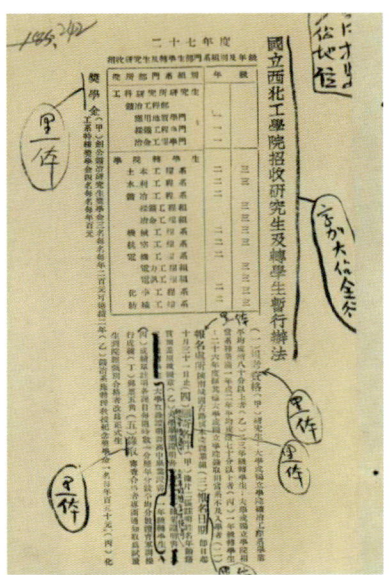

国立西北工学院招收研究生办法和招生广告草稿以及李书田拟登报的批示

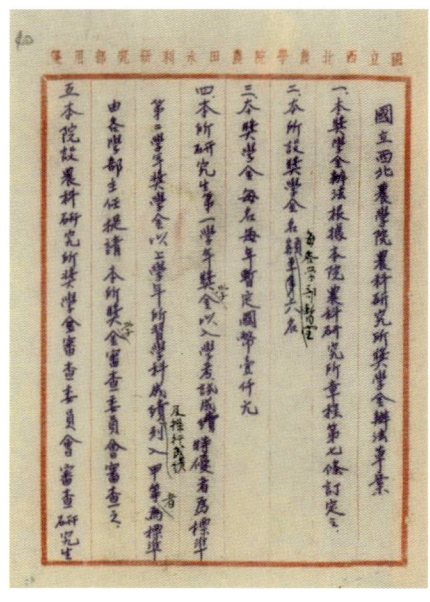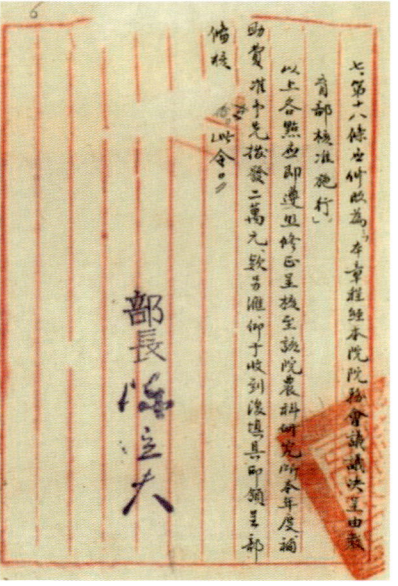

教育部核准的国立西北农学院设立农科研究所和国立西北农学院农科研究所奖学金草案

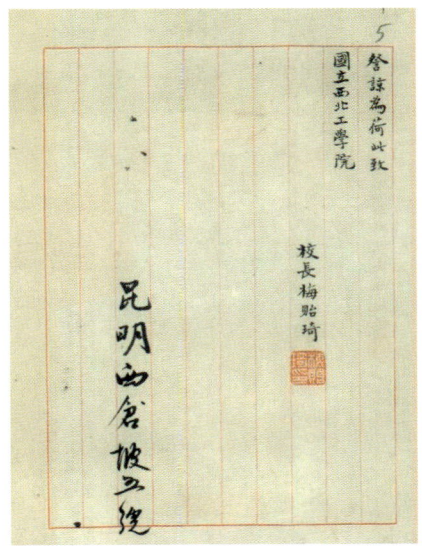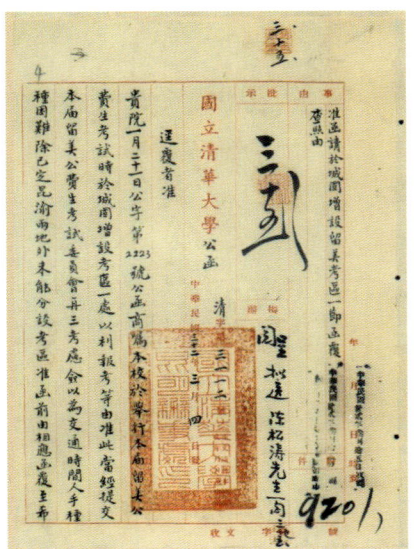

1943年3月4日国立西南联合大学常委、国立清华大学校长梅贻琦就在城固增设留美考区公函国立西北工学院院长赖琏

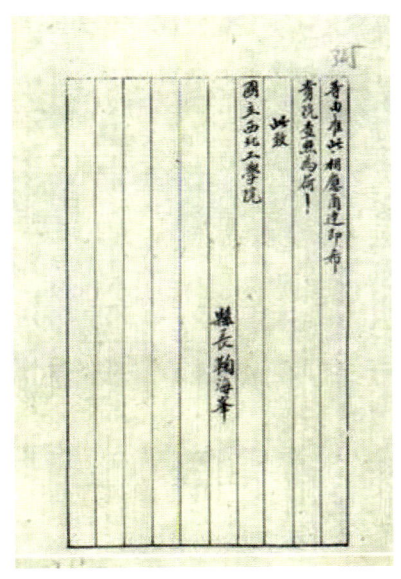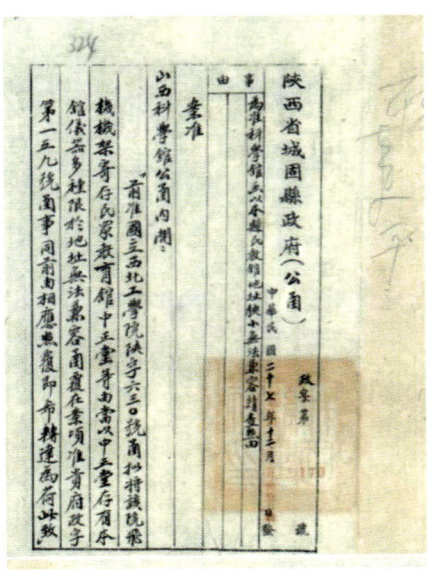

城固县政府准国立西北工学院存货物于城固民众教育馆的公函（1938-01-12）

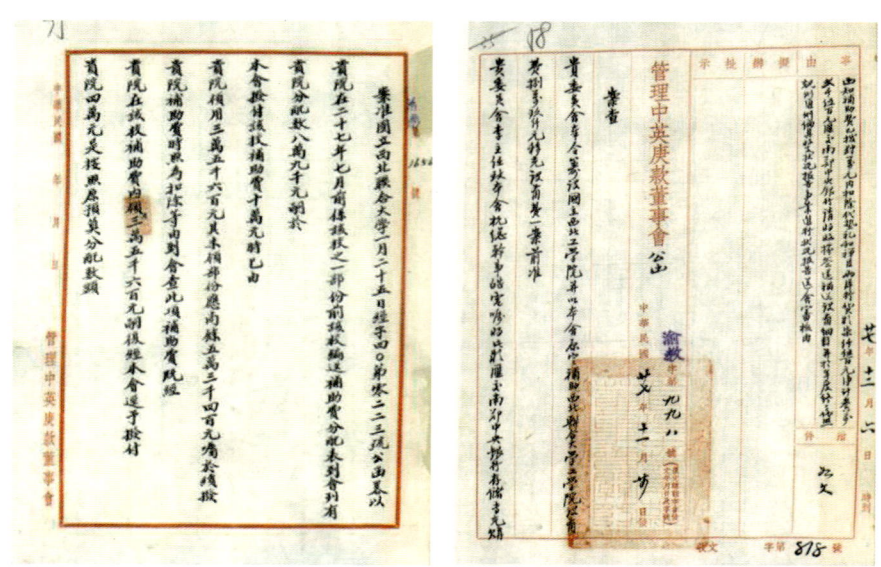

管理中英庚款董事会关于国立西北工学院经费的公函(1938-12-06)

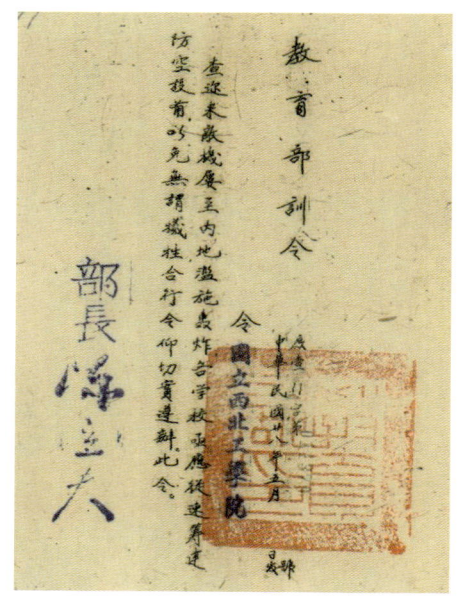

国立西北工学院遭日机轰炸后,教育部部长陈立夫要求西工从速筹建防空设备(1939-05)

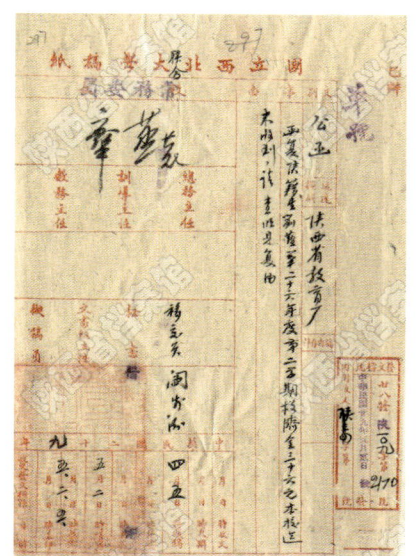
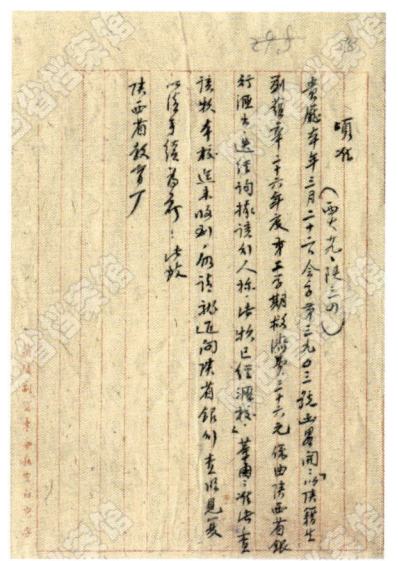

1940年5月2日国立西北大学公函陕西省教育厅查询陕籍学生刘蕴华（柳青）救济金

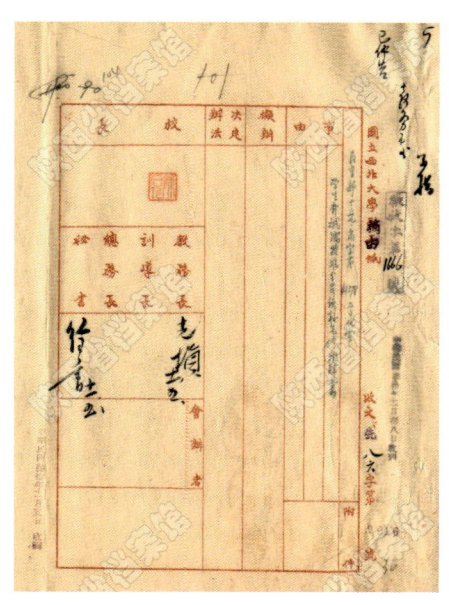
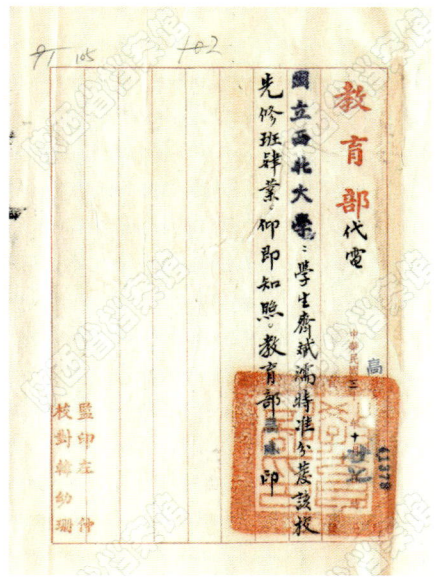

教育部准予国立西北大学先修班学生齐斌濡（齐越）肄业的代电

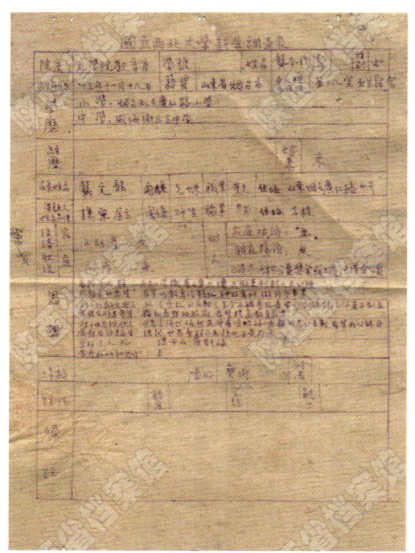 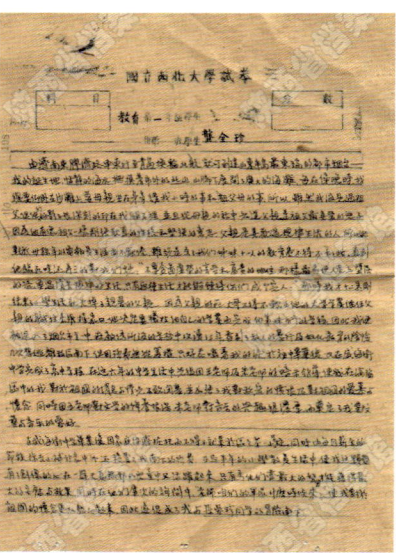

国立西北大学文学院教育系 1949 级毕业生龚全珍的新生调查表和 1945 年入学时的第一份试卷（自传）

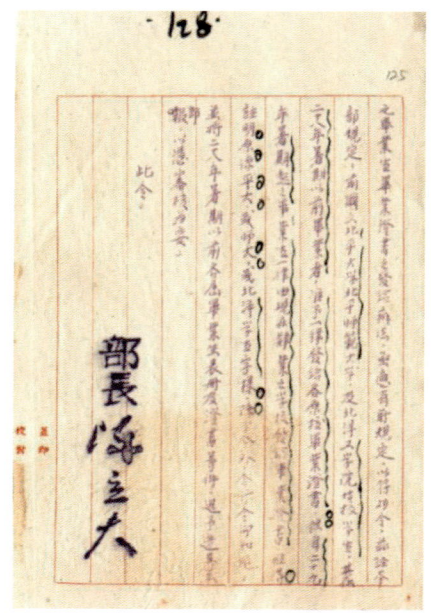 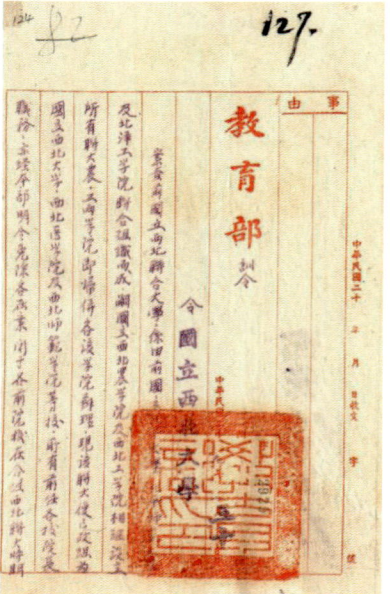

教育部训令：国立西北大学为 1939 年前国立西北联合大学毕业生补发毕业证

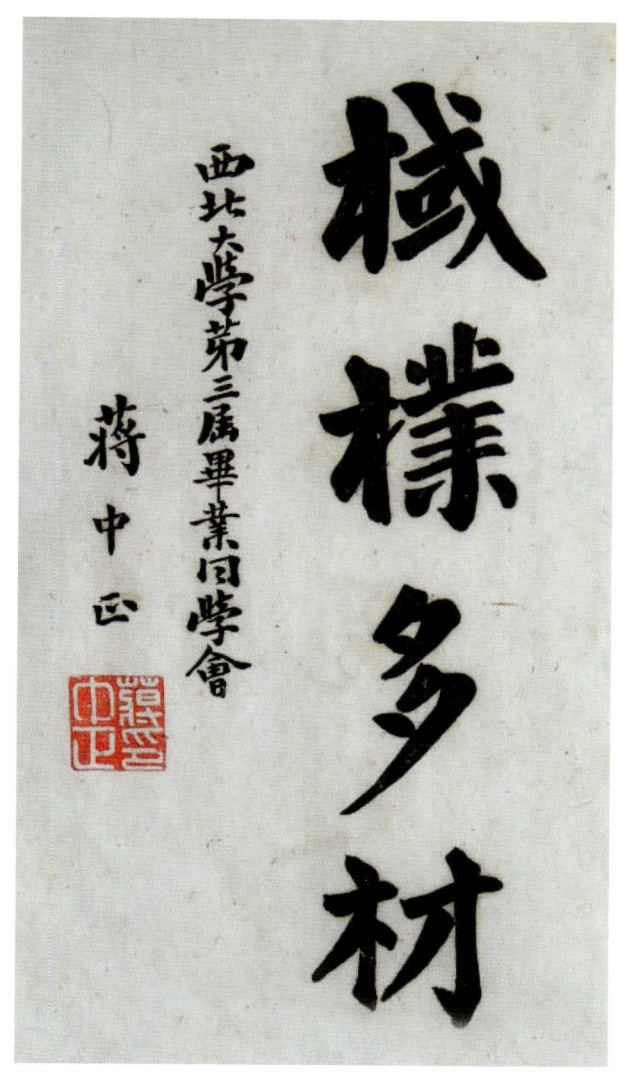

1940年，蒋中正为国立西北大学第三届同学会题词"械朴多材"（相继为西北大学、西北师范学院同学录7次题词，内容皆相同）

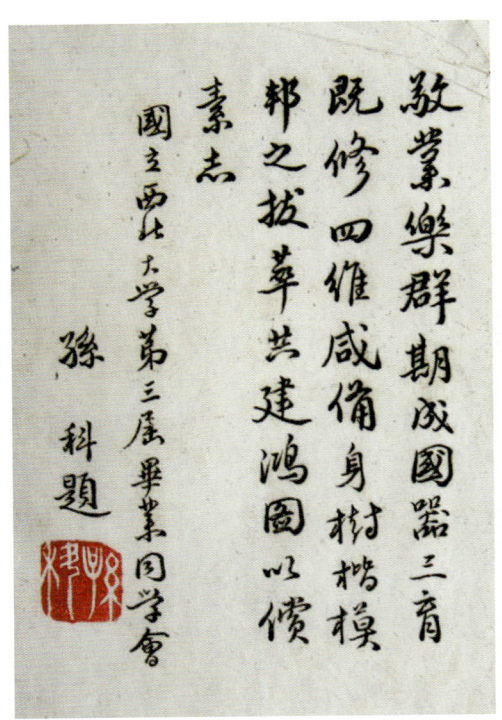

1940年，孙科为国立西北大学第三届毕业同学会题词

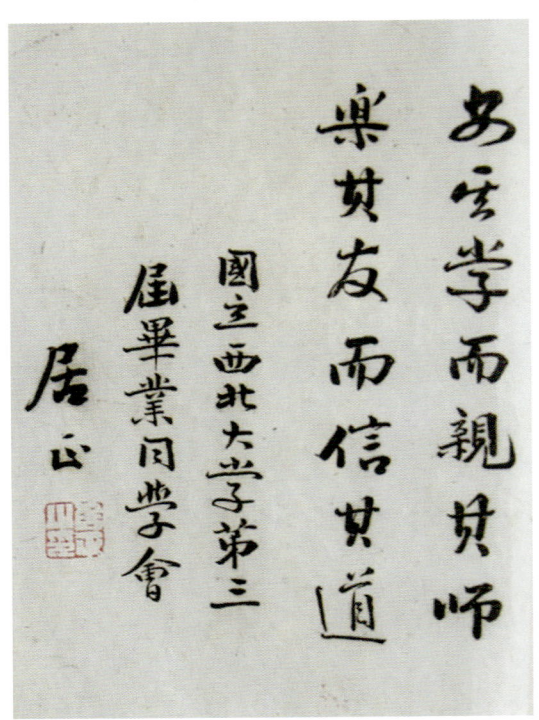

居正为国立西北大学第三届毕业同学录题词

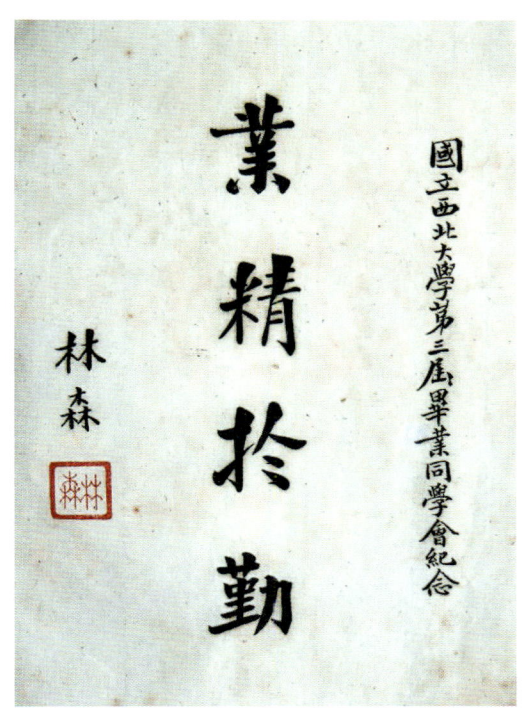

林森为国立西北大学第三届毕业同学录题词

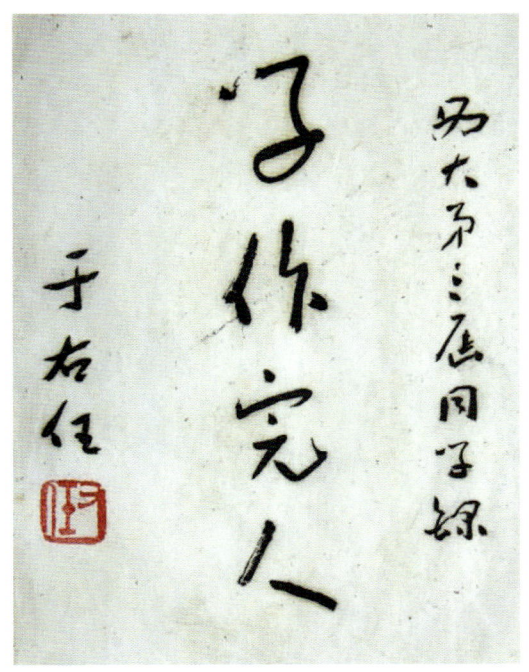

于右任为国立西北大学第三届毕业同学录题词

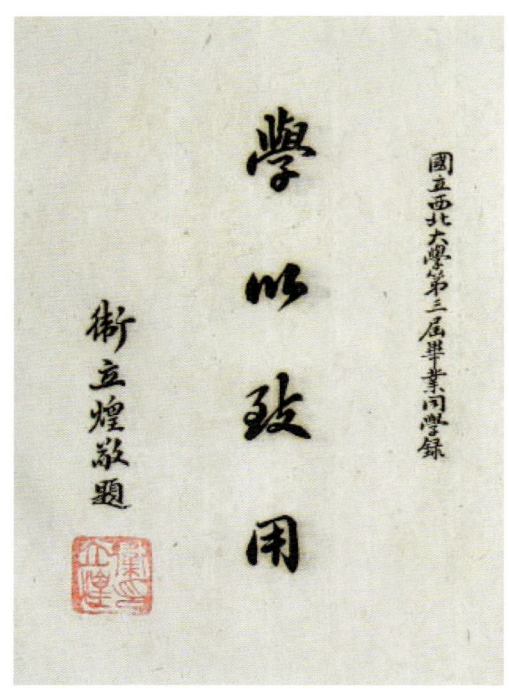

卫立煌为国立西北大学第三届毕业同学题词

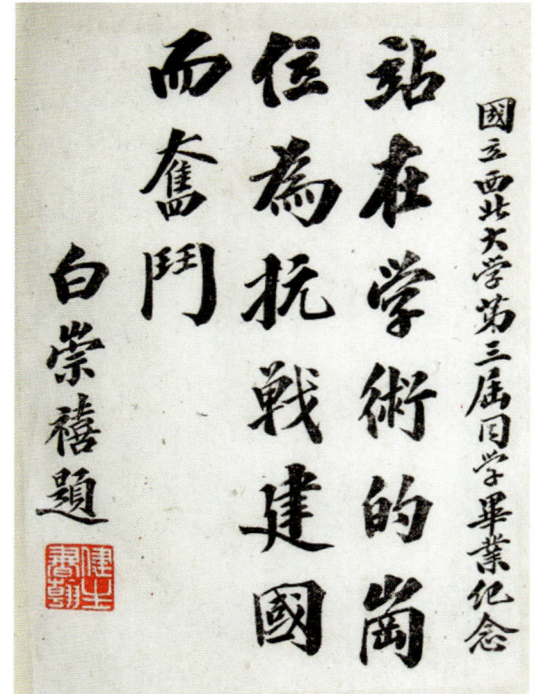

白崇禧为国立西北大学第三届毕业同学题词

1943年，陈立夫为国立西北大学第四届毕业同学题词

题赠
西北大学第四届毕业同学
学成致用
各尽所长
经营西北
固我边疆
陈立夫

朱家骅为国立西北大学第七届毕业生题词

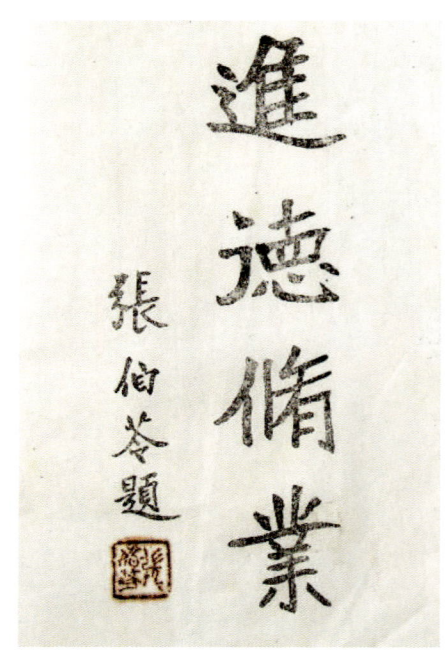

张伯苓为西北大学第五届毕业同学录题词

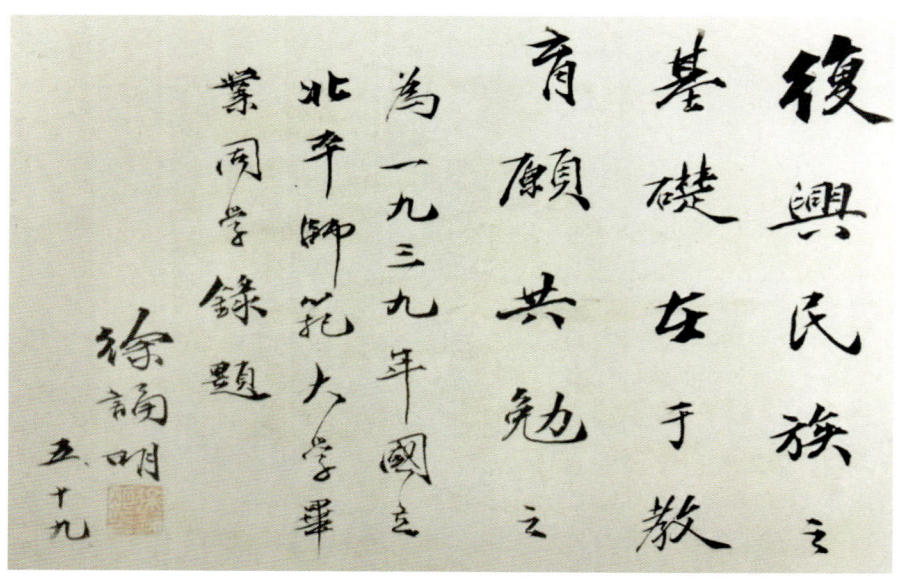

国立北平大学校长、西北联大常委徐诵明为1939年国立北平师范大学(即国立西北联合大学师范学院)毕业同学题词

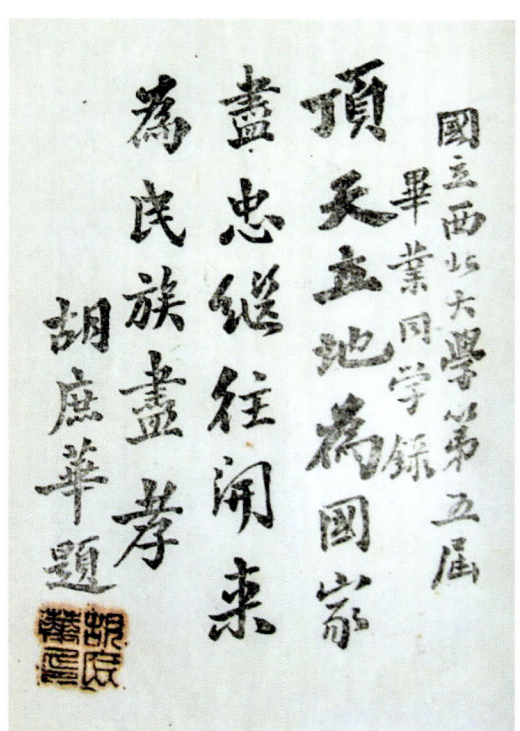

1944年，国立西北大学第一任校长胡庶华为国立西北大学第五届毕业同学录题词

赖琏为国立西北大学第七届毕业同学题词

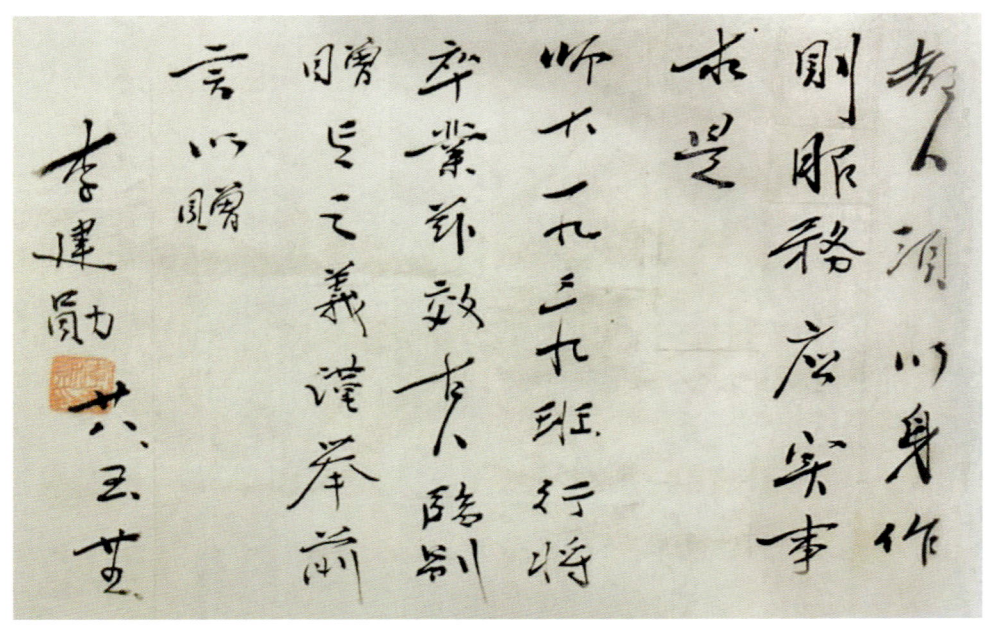

李建勋教授为1939年国立北平师范大学（即国立西北联合大学师范学院）毕业生题词

序

西北联大是在国家民族危难之际特殊时期、依国民政府应对抗日之特殊政策应运而生的,这不但对提振国人共赴国难士气、保证中华文明血脉延伸具有重大意义,而且对开大学国际化办学理念先河、完善我国教育布局意义重大。

西北联大与其后继院校具有远大抱负和理想,提出了立足西北、融汇世界的办学理念,从诞生之日起,即与西南联大一南一北交相辉映,成为中国抗战史、教育史上的辉煌记忆!早在抗战时期,西北大学、西北工学院两校校长赖琏即指出:"远观周秦汉唐之兴盛,近见西北区域之雄伟,不但对于先民的功绩,表示无限的敬仰,而且对于祖国的前途,更具无穷的希望。我们应该以恢复旧的光荣,建设新的文化为己任,为最高理想"。黎锦熙教授在阐释校训时指出:"四千年使华夏之雄风,宁以遇暴敌而遂摧挫?惟在西北,必借教育学术之力,努力铸成'国族',以发扬之。"为适应战局之变,在战火中实现凤凰涅槃的西北联大,分分合合,先后化为国立西北大学、国立西北工学院、国立西北农学院、国立西北师范学院、国立西北医学院五所均冠以"国立西北"名称的史实表明,它与生俱来,即带有"西北"区域的"胎记",更凸显了国家层面高等教育区域布局的一种战略思考。正如同姜琦教授所说,是要"化成为西北自身所有、永久存在的高等教育机关"。难能可贵的是,西北联大与后继各院校在确定自己立足西北办学的同时,尤其重视面向世界办学。陕源西北大学校长李仪祉提出了"为世界和平计,为将来大同计","教育家的眼界","不能不注射于世界教育"的思想;西北联大常委、国立西北师范学院院长李蒸提出:"当本'天下一家'与'世界大同'之理想,努力争取人类的互助合作与各民族文化的交流"。一时"研究东西学术,融汇现世界之思想"成为重要的办学理念。这个战时大学联合体,一路西拓,西北至大漠边缘,西南至古邛都大凉山,将现代高等教育制度和理念,深深植根于大西部,奠定了近现代西北高等教育格局,夯实了西北文化根基,推动了西部的社会现代化进程。其705名教授、副教授和2 169名教职员工的师资队伍,培养了9 015名文理工农医师范各科毕业学生,为西部、为中国培育了大批人才,诸如柳青、申健、齐越……群星灿烂,成为高等教育参与世界反法西斯战斗、投身民族解放运动的一个典型案例,不论从教育学、历史学,还是社会学角度,西北联大都是一座学术富矿,具有巨大的研究价值。

目前,虽有姚远主编的《西北联大史料汇编》(西安:西北大学出版社,2012)和刘基主编的《国立西北师范学院史料摘编》(北京:中国文史出版社,2014),但一部限于以《西安临大校刊》和《西北联大校刊》为主要史料来源,一部限于以甘肃地方档案为主要史料来源,难以客观全面反映西北联大。陕西省档案局依据丰富的西北联大相关档案资源,适时将《国立西北联合大学档案史料选编》作为国家重点档案保护开发项目,成立编纂委员会,由局长王建领任主编,并聘姚远教授等专家,成立精干编纂团队,去汉中、下江南,重走西北联大耕耘之路,遍寻中国第二历史档案馆等的馆藏档案,历时两年编成西北联大《国立西北联合大学档案史料选编》,非常切合实际需要,支持了对西北联大的深入研究,是陕西档案工作者对抗战文化和战时高等教育文化研究的一个重要贡献。

这部百万余字的档案史料选编,坚持辩证唯物主义史观,尊重历史事实,坚持实事求是的原则,坚持从史、从真、从鉴加以记述。文风朴实无华,实而不繁,简而不空,考证翔实,特色鲜明,用档案说话、让历史告诉未来,从西北联大缘起分合,到学校体制、管理制度、办学成果、师生风貌,客观再现,是一部值得向读者推荐的优秀学术著作。该书首次公布全国道德模范龚全珍校友的学籍档案,读来颇感亲切,她1945年10月的第一份试卷和《国立西北大学新生调查表》中,即有"希望我国能自强起来,世界各弱小民族也不受压迫";"希望国家能树立一个真正为人民福利着想的政府,希望提高教育标准";"希望以教育作精神的寄托,做终身事业",让人们看到了这位全国道德模范的心路历程。因此,这部著作所选虽为历史资料,但却与新时代中华民族的伟大复兴,却与高等教育如何推进"双一流建设",却与如何建设新的道德秩序密切联系,因此是一部既有历史意义又有现实意义的优秀著作。

诚如习近平总书记所说:"不忘历史才能开辟未来,善于继承才能善于创新。

只有坚持从历史走向未来,从延续民族文化血脉中开拓前进,我们才能做好今天的事业。"档案是再现历史真实面貌最重要的载体,尤其是抗战时期形成的档案,是记录国难当头之际中华民族文脉赓续、中国高等教育兴替最为原始的文献,能将注意力集中到这样的一项工作,实为幸事。作为西北联大后继院校的一员,我由衷地向他们表示祝贺,同时也感谢所有关注西北联大的各界朋友,希望有更多关于西北联大学术研究的成果问世。

张岂之

2018 年 10 月 25 日于西北大学

前 言

国立西北联合大学档案是陕西省档案馆的重要珍藏。馆藏以其后继校院国立西北大学、国立西北工学院、国立西北农学院的类目保存。其中在国立西北大学目下,存有国立西安临时大学、国立西北联合大学案卷,另存有1946年8月并入的国立西北医学院、1949年并入的陕西省立师范专科学校、陕西省立医学专科学校、西安政治学院的部分档案。目前,纸质档案和数字化的西北联大与其后继校院档案有:国立西北大学纸质档2 019卷,数字化档1 031卷,17 829件;国立西北工学院纸质档963卷,数字化档1 062卷,7 357件;国立西北农学院纸质档2 001卷,数字化档2 044卷,9 613件。总计纸质档4 983卷,数字化档4 137卷,34 799件。

编纂人员在南京大学图书馆和档案馆、中国第二历史档案馆、清华大学图书馆和档案馆、北京、天津有关部门,西北大学图书馆和档案馆、西安交通大学图书馆和档案馆作了长期的文献调研与积累。《国立西北联合大学档案史料选编》（以下简称《选编》）工作启动后,重点在陕西省档案馆、汉中市档案馆、城固县档案馆、上海市档案馆、江苏省档案馆、中国第二历史档案馆、西北农林科技大学图书馆和档案馆及古农史研究所,作了进一步的史料搜集和调研。搜集的史料以中国第二历史档案馆所藏"由上而下文档"为主要来源,以陕西省档案馆所藏"由下而上文档"为主要来源。

《选编》全部内容与已经出版的同类书籍——姚远主编、西北大学出版社2012年出版的《西北联大史料汇编》和《国立西北师范学院史料摘编》最大的不同是,该两部史料汇编大多依据的是期刊或校方汇编过的二手资料,而我们依据的是政府和当时校方历年积累的第一手档案,并以"上级训令"和"学校呈文"为主线,辅之以教师、学生、学术、教学、抗战与军训、期刊目录、教育演讲稿和高等教育专题文献等,形成了纵横互补的完整文献体系。

其特色主要有:

一是新增"大学西迁的酝酿"一章，反映了七七事变之前，西北地区与平津高校的接触、初步合作，以及与国民政府行政院就北平大学或北洋工学院迁陕事先协商等历史过程，使七七事变后的高校大规模西迁变得水到渠成、合理自然，也使西北联大"一分为五"展布西北和扎根西北，显得顺理成章。

二是发现了西安临大—西北联大第一次常委会议至第八十二次常委会议记录中的67次常委会议记录的档案，加上与教育部的往来文档，较完整地反映了战时大学常委议决制的诞生、运行和结束过程，成为反映我国战时大学治理机制的完整档案文献。

三是新增西北联大与后继五校历任教职员、历届毕业生名单，注重反映著名教授的聘任和杰出毕业生的学籍档案，所涉：首次提出"转化温度"概念及活度理论，奠定中国冶金物理化学学科的魏寿昆院士；首创地壳波浪镶嵌构造学说的张伯声院士等教师；开国大典播音员齐越；习近平主席接见的全国道德模范龚全珍；著名作家柳青；被毛泽东赞为"救了大半个新中国"的赵洪璋；打破核垄断的吴自良等杰出学子，都作了重点反映，从而奠定了广泛的读者基础。

四是首次列入抗日战争期间西北联大前身北平大学、北平师大、北洋工学院，后继院校西北农学院、西北工学院、东北大学，以及汉中办学地遭受敌机轰炸的档案，是以前各校校史或有关史料汇编未曾有过的内容，从而使人深切地感触到战时办学的艰难，即便远迁秦巴山间盆地，亦免不了敌机轰炸，激励今人珍惜来之不易的和平办学环境。

五是在省馆发现一本《青年军第三大学补习班同学录》（含官佐简历名册），反映了战时"十万青年十万军"运动中青年远征军在陕驻军和参战前培训补习的历史线索，以及国立西北大学、国立西北工学院、国立西北农学院、国立西北医学院、国立西北师范学院学生从军、教授从军的概貌，可了解高校师生投笔从戎积极投身抗战的历史过程，也由此开启了陕西抗战史研究的新视角。

六是期刊发刊词和目录，以及教育演讲稿和教育学论文的选择列入，大大增强了本书的学术性和思想性，学者可由此研究西北联大的战时教育思想，研究西北联大培养9 000余名学生、养成700名教授和2 000余名教职员队伍的巨大办学成就是如何取得的；何以在如此艰难困苦的条件下，做出70余项影响人类或影响中华文明的重大成就。

本《选编》也有一些不足之处：其一是国立西北大学（含并入的西北医学院）档案较完整，研究基础较扎实，而其他院校的档案则零散不全，故实际上形成了

"国立西北五校"以国立西北大学为主的现状;其二是1937年9月10日成立时的教育部16696号令等暂付阙如;其三是在整体结构上,国民政府教育部有关西北联大文档、学校呈文、中共地下党活动、国民党活动、三青团活动、进步学生运动、重要学潮、学生社团和西工、西农、西医、西师校政等部分尚较薄弱,有待进一步增订。

张岂之先生多次呼吁重视西北联大史料的发掘整理,并为本书写了充满真知灼见的序言;省档案局王建领局长、郑惠姿副局长从项目策划申报、项目立项、项目启动、项目实施给予全程指导;编研处王展志处长、张文峰副处长具体推动项目的实施,亲自带队远赴沪宁,以及汉中、杨陵等地查档阅档,搜集资料,及时解决实施中的各种困难;编研处张竹筠副处长、杨凯雯、杨慧杰,具体参与查档阅档和选注校对,档案局各处室给予积极配合;省档案局特聘专家、西北大学西北联大研究所所长姚远研究员与其博硕士研究生伍小东、刘小燕、姚璐、战涛、武小菲、李楠、王沛、杨婷婷、徐婷婷、郑立等,参与具体选档、阅档、选注、审核、录入、排版和校对等具体工作,以其辛勤劳动和聪明才智保障了书稿如期高质量完成。对此,我们表示由衷的感谢!

编 者
2018年9月20日

凡 例

一、坚持辩证唯物主义史观,尊重历史事实,坚持实事求是的原则。以真实为生命,以客观事实为标准,坚持从史、从真、从鉴,不为贤者隐,不为尊者讳,做到爱不虚美,恶不毁功。对所选内容和材料,无不加以认真考证,去粗取精,去伪存真,力求真实、准确。按照事物本来面目,客观地加以记述。文字力求简明扼要,文辞朴实无华,不做渲染,实而不繁,简而不空。有明显党派攻击、谩骂诽谤、吹捧领导人的词语删去或用省略号"……",或不选。

二、本选编收入的是陕西省档案馆所保存的国立西安临时大学—国立西北联合大学与其子体"国立西北五校"在1937年9月10日至1949年9月30日形成的有关档案资料,包括母体院校与子体院校两部分。其母体为:国立西安临时大学(1937-09-10—1938-04-01);国立西北联合大学(1938-04-02—1939-08-07)。其子体院校为:国立西北大学(1939-08-08—1949-09-30);国立西北工学院(1938-07-27—1949-09-30);国立西北农学院(1938-07-27—1949-09-30);国立西北医学院(1939-08-08—1949-09-30);国立西北师范学院(1939-08-08—1949-09-30)。其中,部分档案资料来源于中国第二历史档案馆、西北大学图书馆、西北农林科技大学图书馆。

三、承姚远主编的《西北联大史料汇编》(以《西安临大校刊》和《西北联大校刊》为主要史料来源,西安:西北大学出版社,2012)和刘基主编的《国立西北师范学院史料摘编》(以甘肃地方档案为主要史料来源,北京:中国文史出版社,2014)体例。凡是以上两书中出现过的史料,除非特别需要外,一般不再选用,但在可能造成史料断档、缺憾时,选用了部分重复内容,但以本馆档案为先、为准,并尽量突出本选编的特色。

四、本选编依据档案史料所反映的内容分类,以历史发展阶段为纵轴,以问题为横轴,尽量做到时有顺序,事有本末,纵有始终,横有关联。章节内各条目以历史顺序展开,如先西安临大(1937-09-10—1938-04-01),次西北联大(1938-04-02—1939-08-07)……个别情况特殊处理。文中出现的高校排列顺序,遵从教育部有关高校排序的惯常做法,即:文、理、工、农、医、师范。如:国立西安临时大学、国立西北联合大学、国立西北大学、国立西北工学院、国立西北农学院、国立西北医学院、国立西北师范学院。原档使用原全称,注释叙事时使用"西安临大""西北联大""西大""西工""西农""西医""西师"等简称。

五、原则上所辑史料使用原标题,无标题或标题较繁者,则根据其主要内容酌拟标题。原文标点符号、错别字、漏字、倒置字、断句不当,予以纠正,括注( )正确用字;旧式写法中的"如左""同右""左列",相应改为"上""下";模糊、缺字用□表示;原文中的繁体字、异体字,均改为简化汉字、通用字,按国家语委会颁布的《简化字总表》执行;保留原文中的中华民国纪年,但注释部分采用公元纪年;国名、地名、人名、汉字数字基本保持原貌,但表格中,或十以上数字,为省版面改为阿拉伯数字;人名有名、字号不同用法时,可括注( )通用名。收录的档案均尽可能保持原有面貌,根据编辑要求,对于缺少标点符号的语句,作了断句处理,对标点符号标注错误的,重新标注正确地标点符号。

六、为方便读者阅读,对重要人物、事件、背景,经考证确实的档案史料形成的时间,以页下注的形式作了简要注释、延伸说明。对于史料的出处,以文末括注的形式作了简要标注;对从官方角度有政治倾向的档案史料,尽量以新的研究成果或亲历者的回忆,给予多视角说明,以反映历史原貌;对于成组案卷形成的背景、缘由、案件核心人物、重大事件,尽量以"附件"的形式,组成一个条目,以反映其事件的全过程。

目 录

概 述 ··· 1
  一、全面抗战之前大学西迁的酝酿 ································ 2
  二、西安临大合组中的几个问题 ··································· 10
  三、西北联大合组中的几个问题 ··································· 16
  四、国立西北五校的形成 ·· 30
  五、一分为五后几个问题的重新认识 ······························ 36
  六、结论 ·· 47

第一章　大学西迁的酝酿 ··· 50
  第一节　陕西地方兴办大学的愿望 ································ 50
    一、开发西北之声对教育的关注 ··································· 50
    二、在西安恢复或设立国立西北大学的呼声 ····················· 53
    三、陕西建议平津大学西迁和保护既有高校 ···················· 57
  第二节　甘青兴办大学的愿望 ······································ 62
    一、甘肃建议西北大学设于兰州 ··································· 62
    二、马步芳建议在青海设立大学 ··································· 65
  第三节　国立北平研究院与陕西的合作 ··························· 67
    一、国立北平研究院与陕西省政府合组陕西考古会 ··········· 67
    二、国立北平研究院与国立西北农林专科学校的合作 ········· 76

第二章　国民政府相关章则训令 ································· 86
  第一节　国民政府文件 ·· 86
    一、国民政府行政院关于西北联大预算的训令 ················· 86

二、国民政府行政院关于三常委请辞给教育部的笺函 ………………………… 87
三、国民政府行政院关于胡庶华的任命 ………………………………………… 89
四、国民政府关于三校院经费的训令 …………………………………………… 91
五、国民政府行政院关于赖琏的任命 …………………………………………… 91

第二节　国民政府教育部文件 ………………………………………………… 92
一、国民政府教育部设立临时大学计划纲要 …………………………………… 92
二、教育部与各方商洽长沙与西安两临时大学 ………………………………… 93
三、教育部关于西安临时大学筹委会文档 ……………………………………… 96
四、教育部关于西北联大文档 …………………………………………………… 114

第三节　国民政府其他部门文件 ……………………………………………… 125
一、与地方党军政部门往来文档 ………………………………………………… 125
二、与其他部门往来文档 ………………………………………………………… 127

第四节　学校呈教育部文 ……………………………………………………… 128
一、临大—联大呈教育部文 ……………………………………………………… 128
二、河北省立女子师范学院函件 ………………………………………………… 141
三、其他呈文 ……………………………………………………………………… 144

第三章　学校概况 …………………………………………………………… 157

第一节　国立西安临时大学—国立西北联合大学 …………………………… 157
一、抗战中的国立西安临时大学 ………………………………………………… 157
二、抗战中的国立西北联合大学 ………………………………………………… 159
三、中国各大学的西迁 …………………………………………………………… 164

第二节　国立西北大学 ………………………………………………………… 166
一、《全国专科以上学校要览》中的"国立西北大学" ………………………… 166
二、1941年的国立西北大学调查 ………………………………………………… 169
三、1942年的国立西北大学概况 ………………………………………………… 180
四、1946年的国立西北大学概况 ………………………………………………… 184

第三节　国立西北工学院 ……………………………………………………… 185
一、1939年间的国立西北工学院视察报告 ……………………………………… 185
二、《全国专科以上学校要览》中的"国立西北工学院" ……………………… 187

三、《抗战中的学生》中的《抗战的产儿——国立西北工学院》 …………… 191
四、1940年时的国立西北工学院概要 …………… 208
五、1948年时的国立西北工学院概要 …………… 214

第四节　国立西北农学院 …………… 216
一、《全国专科以上学校要览》中的"国立西北农学院" …………… 216
二、1947年时的国立西北农学院概况 …………… 221

第五节　国立西北医学院 …………… 227
一、《全国专科以上学校要览》中的"国立西北医学院" …………… 227
二、1944年的国立西北医学院视察报告Ⅰ …………… 229
三、1944年的视察国立西北医学院报告Ⅱ …………… 230

第六节　国立西北师范学院 …………… 236
一、《全国专科以上学校要览》中的"国立西北师范学院" …………… 236
二、《抗战中的学生》中的《抗战期间的国立西北师范学院》 …………… 241
三、1941年时的国立西北师范学院调查 …………… 251

第四章　学校重要会议记录 …………… 256

第一节　国立西安临时大学筹备委员会常委会会议记录 …………… 256
一、根据零散资料对国立西安临时大学筹备委员会常务委员会第一次至第十六次会议记录的近似复原 …………… 256
二、国立西安临时大学筹备委员会常务委员会第二十三至第二十四次会议记录 …………… 259
三、常务委员谈话会记录 …………… 264

第二节　国立西北联合大学校务委员会常委会会议记录 …………… 266
一、国立西北联合大学常务委员会第二十五次会议记录 …………… 266
二、国立西北联合大学常务委员会第二十六次会议记录 …………… 266
三、国立西北联合大学常务委员会第二十七次会议记录 …………… 270
四、国立西北联合大学常务委员会第三十一次会议记录 …………… 273
五、国立西北联合大学常务委员会第三十二次会议记录 …………… 274
六、国立西北联合大学常务委员会第三十四次会议记录 …………… 274
七、国立西北联合大学常务委员会第三十五次会议记录 …………… 274

八、国立西北联合大学常务委员会第三十八次会议记录……274

第三节　工农两院分出后的西北联大会议记录……275
　　一、1938年9月至12月常务委员会会议记录（第四十次至第五十六次）……275
　　二、1939年1月至7月常务委员会会议记录（第五十七次至第八十二次）……308

第四节　其他重要会议记录……347
　　一、国立西北工学院筹备委员会第一至第十九次会议记录……347
　　二、国立西北农学院筹备委员会第一至第十二次会议记录……355
　　三、国立西北联合大学、国立西北大学、国立西北师范学院、国立西北医学院移交记录……358

第五章　大学制度建设……364

第一节　国立西安临时大学—国立西北联合大学规章制度……364
　　一、西安临时大学军事管理办法……364
　　二、国立西安临时大学布告……369
　　三、本大学组织系统说明……370

第二节　国立西安临时大学—国立西北联合大学各部门规章制度……371
　　一、本校学生生活指导委员会简章……371
　　二、本校训导大纲……372
　　三、训导处组织章程……375
　　四、国立西北联合大学导师制施行细则……376
　　五、导师会组织章程……377
　　六、本校导师会常务委员会办事细则……377

第三节　五校合分办法……378
　　一、国立西北工学院筹备委员会接收国立西北联合大学工学院办法……378
　　二、国立西北联合大学工学院与国立东北大学工学院及私立焦作工学院合并改组为国立西北工学院办法……380
　　三、国立西北工学院筹备委员会简章……381
　　四、国立西北工学院借用私立焦作工学院设备用具办法……382

五、国立西北联合大学农学院与国立西北农林专科学校合并改组为国立西北农学院办法 ………………………………………………………… 383

六、国立西北联合大学改组为国立西北大学、国立西北师范学院及国立西北医学院办法 ………………………………………………………… 384

第四节 综合性大学制度建设（以1947年时的国立西北大学为例） ……… 385

一、国立西北大学组织章程 ………………………………………… 385

二、本大学教务处组织规程 ………………………………………… 388

三、本大学训导处组织规程 ………………………………………… 390

四、本大学总务处组织规程 ………………………………………… 391

五、本大学学则 …………………………………………………… 393

六、本大学教员服务规则 …………………………………………… 399

七、本大学职员服务规则 …………………………………………… 400

八、本大学学生奖惩规则 …………………………………………… 401

九、本大学图书馆图书借阅规则 …………………………………… 403

十、国立西北大学附设大学先修班章程草案 ……………………… 405

第五节 综合性工科大学制度建设（以1947年时的国立西北工学院为例） ………………………………………………………………………… 408

一、国立西北工学院组织大纲 ……………………………………… 408

二、本院学则 ……………………………………………………… 411

三、本院图书馆图书借阅规则 ……………………………………… 415

四、本院学生借用仪器规则 ………………………………………… 416

五、本院损坏仪器赔偿办法 ………………………………………… 416

六、本院仪器组各试验室管理规则 ………………………………… 417

七、本院试场规则 …………………………………………………… 417

八、本院机械工厂实习简则 ………………………………………… 418

第六章 本科教学与研究生教育 …………………………………………… 420

第一节 课程设置 ……………………………………………………… 420

一、西北联合大学时期的共同科目 ………………………………… 420

二、大学各学院共同必修科目表 …………………………………… 423

三、国立西北大学课程设置 ·· 425
　　四、1940 年国立西北工学院课程一览 ································· 426
　　五、1948 年国立西北工学院课程设置 ································· 448
第二节　教学与训导文选 ·· 462
　　一、国立西北联合大学教育系导师制训导纲要及实施办法 ···· 462
　　二、本校各院一年级共同必修国文课本学期实施情形 ··········· 475
　　三、论大学国文教学 ·· 480
　　四、新生训练 ·· 488
　　五、一年级同学的教学 ·· 492
第三节　实习与社会实践 ·· 495
　　一、人文与自然科学实习 ·· 495
　　二、农学实习 ·· 502
第四节　研究生教育 ·· 504
　　一、师范研究所与研究生 ·· 504
　　二、罗仲言：国立西北大学筹设经济研究所计划书 ············· 508
　　三、刘亦珩：国立西北大学筹设数学研究所计划 ················· 512
　　四、工科研究所 ·· 514
　　五、农科研究所 ·· 518

第七章　教职员（上） ·· 530
第一节　教职员的聘任 ·· 530
　　一、解聘风波 ·· 530
　　二、国立西安临时大学—国立西北联合大学时期的聘任 ······ 539
　　三、国立西北工学院筹备前后的聘任 ···································· 548
　　四、国立西北大学教职员聘任 ·· 551
　　五、国立西北农学院教职员聘任 ·· 570
第二节　福利与抚恤 ·· 571
　　一、教职员死亡抚恤 ·· 571
　　二、三校院争取教职员待遇 ·· 575
第三节　国立西安临时大学—西北联合大学教职员名录 ········· 587

一、国立西安临时大学教职员名录…………………………………… 587
　　二、国立西安临时大学教职员人数统计………………………………… 598
　　三、国立西安临时大学教职员职务变动及人数增减表………………… 599
　第四节　国立西北联合大学教职员名录……………………………………… 601
　　一、国立西北联合大学职员一览（二十七年度）……………………… 601
　　二、国立西北联合大学教员一览（二十七年度）……………………… 630
　第五节　国立西北大学教职员名录…………………………………………… 668
　　一、1943年国立西北大学教职员名录…………………………………… 668
　　二、1947年西北大学教职员名录………………………………………… 677
　　三、1947年6月国立西北大学的前任教职员名录……………………… 710

第八章　教职员（下）……………………………………………………………… 713
　第六节　国立西北工学院教职员名录………………………………………… 713
　　一、1939年国立西北工学院教职员名录………………………………… 713
　　二、1948年国立西北工学院教职员名录………………………………… 727
　　三、1948年以前国立西北工学院离校教职员名录……………………… 736
　第七节　国立西北农学（院）教职员名录…………………………………… 738
　　一、1939年国立西北农学院教职员名录………………………………… 738
　　二、1944年国立西北农学院教职员名册………………………………… 752
　第八节　国立西北师范学院与国立西北医学院教职员名录………………… 763
　　一、1940年国立西北师范学院教授名单（与国立西北大学合聘）…… 763
　　二、1940年国立西北医学院薪俸人员名单……………………………… 765
　　三、国立西北大学医学院教授理事会名单……………………………… 772

第九章　抗战与军训……………………………………………………………… 779
　第一节　敌机轰炸与损失……………………………………………………… 779
　　一、各学院教学实习受到干扰…………………………………………… 779
　　二、教育部令报抗战公私财产损失……………………………………… 781
　　三、本校前身——国立北平大学、国立北平师范大学、国立北洋工学院
　　　　所受损失……………………………………………………………… 782

  四、国立北平师范大学所受损失 ………………………………… 783

  五、国立东北大学所受损失 …………………………………………… 787

  六、国立西北工学院所受损失 ………………………………………… 788

  七、国立西北农学院第三次被敌机轰炸损失 ………………………… 789

 第二节 抗战大迁徙 ……………………………………………………… 806

  一、由全国向西安—陕南迁移 ………………………………………… 806

  二、部分学生奔赴延安 ………………………………………………… 807

  三、南迁汉中 …………………………………………………………… 809

  四、战后回迁复员 ……………………………………………………… 813

 第三节 军训演讲文选 …………………………………………………… 821

  一、从军学生训练讲词——中日历代战史 ………………………… 821

  二、战时经济 …………………………………………………………… 823

  三、成吉思汗之战略及战术 …………………………………………… 826

  四、国人何以贱视兵 …………………………………………………… 829

  五、近代战史 …………………………………………………………… 832

 第四节 军训与从军 ……………………………………………………… 837

  一、从军办法 …………………………………………………………… 837

  二、军事训练 …………………………………………………………… 842

  三、青年从军运动纪事 ………………………………………………… 846

  四、国立西北大学从军学生来鸿 ……………………………………… 858

 第五节 青年从军名单 …………………………………………………… 867

  一、国立西北农学院附设高级农业职业学校三十三年度十一月份

    志愿从军学生名册 …………………………………………………… 867

  二、青年军第三大学补习班官佐简历册 ……………………………… 872

第十章 学生(上) ………………………………………………………… 898

 第一节 部分知名学子的学籍档案 …………………………………… 898

  一、国立西北大学教育系龚全珍简历 ………………………………… 898

  二、国立西北大学外国语文系齐越文档 ……………………………… 901

  三、国立西北联合大学大学柳青文档 ………………………………… 902

四、国立西北农学院赵洪璋文档 …………………………………………… 902
　　五、国立西北工学院吴自良文档 …………………………………………… 906
　　六、国立西北工学院史绍熙文档 …………………………………………… 907
　　七、国立西北联合大学医学院黄日聪学籍文档 …………………………… 908

第二节　国立西北大学的两次学潮 ……………………………………………… 910
　　一、"驱李事件" ……………………………………………………………… 910
　　二、国立西北大学的两次学潮相关文电 …………………………………… 911

第三节　国立西安临时大学—国立西北联合大学毕业生 …………………… 921
　　一、国立西安临时大学—国立西北联合大学二十七年度毕业生 ………… 921
　　二、国立北平大学农学院二十七年度、二十八年度在国
　　　　立西北联合大学的毕业生 ……………………………………………… 931
　　三、1946年国立西北大学补发的二十六年度、二十七年度毕业证 ……… 931

第四节　国立西北大学历届在校生 ……………………………………………… 934
　　一、国立西北大学二十八年度在校学生名录 ……………………………… 934
　　二、国立西北大学三十一年度在校学生名录 ……………………………… 940
　　三、国立西北大学三十二年度在校学生名录 ……………………………… 945
　　四、国立西北大学三十三年度在校学生名录 ……………………………… 951
　　五、西北大学三十四年度在校同学名录 …………………………………… 956
　　六、国立西北大学三十五年度在校学生名录 ……………………………… 963
　　七、国立西北大学三十六年度在校学生名录 ……………………………… 969
　　八、国立西北大学三十七年度在校学生名录 ……………………………… 976
　　九、国立西北大学三十八年度在校学生名录 ……………………………… 984

第五节　国立西北大学民国二十九年至三十八年度毕业生 ………………… 991
　　一、民国二十九年国立西北大学第一届毕业同学录 ……………………… 991
　　二、民国三十年国立西北大学第二届毕业同学录 ………………………… 998
　　三、民国三十一年国立西北大学第三届毕业同学录 ……………………… 1006
　　四、民国三十二年国立西北大学第四届毕业同学录 ……………………… 1014
　　五、民国三十三年国立西北大学第五届毕业同学录 ……………………… 1023
　　六、民国三十四年国立西北大学第六届毕业同学录 ……………………… 1034
　　七、民国三十五年国立西北大学第七届毕业同学录 ……………………… 1043

八、民国三十六年国立西北大学第八届毕业同学录 …………………………… 1054

九、民国三十七年国立西北大学第九届毕业同学录 …………………………… 1064

十、民国三十八年国立西北大学第十届毕业同学录 …………………………… 1075

十一、国立西北大学三十一年度学生人数统计表 ……………………………… 1088

十二、国立西北大学三轮历届毕业学生人数统计表 …………………………… 1089

第十一章　学生（下） …………………………………………………………… 1090

第六节　国立西北工学院历届毕业生 …………………………………………… 1090

一、二十八年班第一届毕业生同学录 ……………………………………… 1090

二、二十九年班第二届毕业生同学录 ……………………………………… 1091

三、三十年班第三届毕业生同学录 ………………………………………… 1093

四、三十一年班第四届毕业生同学录 ……………………………………… 1094

五、三十二年班第五届毕业生同学录 ……………………………………… 1096

六、三十三年班第六届毕业生同学录 ……………………………………… 1097

七、三十四年班第七届毕业生同学录 ……………………………………… 1099

八、三十五年班第八届毕业生同学录 ……………………………………… 1100

九、三十六年班第九届毕业生同学录 ……………………………………… 1102

十、三十七年班第十届毕业生同学录 ……………………………………… 1104

十一、历届毕业生统计 ……………………………………………………… 1113

第七节　国立西北工学院在校生 ………………………………………………… 1114

一、三十八年班在校同学录 ………………………………………………… 1114

二、三十九年班在校同学录 ………………………………………………… 1116

三、四十年班在校同学录 …………………………………………………… 1118

四、三十学年度第一学期学生数据、班级简表 …………………………… 1120

五、三十学年度第一学期国立西北工学院班级报告简表 ………………… 1120

六、三十学年度第二学期学生数据、班级报告简表 ……………………… 1121

七、三十一年度第一学期学生数据、班级报告简表 ……………………… 1122

八、三十一年度第二学期学生数据、班级报告简表 ……………………… 1123

第八节　国立西北农学院历届毕业生 …………………………………………… 1124

国立西北农学院三十五年毕业生名册 ……………………………………… 1124

第九节　先修班同学录、陕西同乡录（1939—1941） …………………… 1130
　　一、1939—1940 国立西北大学先修班同学录 ………………………… 1130
　　二、1941 届毕业陕西同乡 ……………………………………………… 1134
　　三、在校陕西同乡 ……………………………………………………… 1135

第十二章　学术期刊 ………………………………………………………… 1141
　第一节　国立西安临时大学—国立西北联合大学期刊发刊词与目录 …… 1141
　　一、《西安临大校刊》发刊词与目录 …………………………………… 1141
　　二、《西北联大校刊》发刊词与目录 …………………………………… 1150
　　三、《地理教学》发刊词与目录 ………………………………………… 1170
　第二节　国立西北大学期刊发刊词与目录 ……………………………… 1173
　　一、《西北学报》发刊词与目录 ………………………………………… 1173
　　二、《国立西北大学校刊》发刊词与目录 ……………………………… 1182
　　三、《西北月刊》发刊词与目录 ………………………………………… 1191
　　四、《西北学术》发刊词与目录 ………………………………………… 1194
　　五、《西大学生》（要目） ………………………………………………… 1195
　　六、《地质通讯》目录 …………………………………………………… 1196
　第三节　国立西北工学院期刊发刊词与目录 …………………………… 1197
　　一、《国立西北工学院季刊》 …………………………………………… 1197
　　二、《国立西北工学院月刊》 …………………………………………… 1198
　　三、《纺织通讯》目录 …………………………………………………… 1201
　　四、《化工通讯》目录 …………………………………………………… 1201
　　五、《西工友声》目录 …………………………………………………… 1201
　第四节　国立西北农学院期刊发刊词与目录 …………………………… 1202
　　一、《西北农报》发刊词与目录 ………………………………………… 1202
　　二、《国立西北农学院院刊》目录 ……………………………………… 1208
　　三、《西北农林》发刊词与目录 ………………………………………… 1209
　　四、《西北水声》发刊词与目录 ………………………………………… 1218
　　五、《西农青年》目录 …………………………………………………… 1219
　　六、《西北畜牧》目录 …………………………………………………… 1221

七、《昆虫与艺术》目录 …………………………………………… 1222
　　八、《西北农专周刊》要目 ………………………………………… 1223
　第五节　国立西北师范学院期刊发刊词与目录 ……………………… 1237
　　一、《国立西北师范学院校务汇报》目录 ………………………… 1237
　　二、《国立西北师范学院学术季刊》发刊词与目录 ……………… 1256
　　三、《师声》目录 …………………………………………………… 1264
　　四、《纪念专刊》目录 ……………………………………………… 1265
　　五、《国立西北师范学院院务概况》目录 ………………………… 1267
　　六、《国立西北师范学院近况》目录 ……………………………… 1268
　　七、《中等教育季刊》编辑后记与目录 …………………………… 1269
　第六节　国立西北医学院期刊发刊词与目录 ………………………… 1273
　　一、《国立西北医学院院刊》目录 ………………………………… 1273
　　二、《西大医刊》创刊词与目录 …………………………………… 1278

第十三章　高等教育演讲文选 …………………………………………… 1280
　第一节　部长、校长教育演讲 ………………………………………… 1280
　　一、校训与学风 ……………………………………………………… 1280
　　二、安定第一　纪律至上 …………………………………………… 1286
　　三、教学与卫道 ……………………………………………………… 1289
　　四、负继往开来的使命，做顶天立地的国民 ……………………… 1291
　　五、学校组织的重心 ………………………………………………… 1295
　　六、同学相处之道 …………………………………………………… 1298
　　七、回顾与前瞻 ……………………………………………………… 1300
　　八、劝本届毕业同学 ………………………………………………… 1301
　　九、校庆献辞：本校之现在与将来 ………………………………… 1303
　　十、成功之道 ………………………………………………………… 1305
　　十一、现今中国教育改进上之重要问题 …………………………… 1308
　　十二、复员期间我国高等教育上所急需之补救办法 ……………… 1310
　第二节　教授教育演讲 ………………………………………………… 1316
　　一、休闲教育活动特刊献词 ………………………………………… 1316

二、战前大学每集中一隅 致地方文化有畸形发展 …………………… 1317

三、论教育应否入宪与应否独立成章 ………………………………… 1319

四、婚姻与恋爱 …………………………………………………………… 1321

五、教育价值与历史修养 ………………………………………………… 1326

六、大学之起源与理想 …………………………………………………… 1328

七、英国大学之学生生活 ………………………………………………… 1332

八、大学为学术渊薮 ……………………………………………………… 1333

九、一个人生观 …………………………………………………………… 1334

十、动乱时期的心理健康 ………………………………………………… 1334

十一、大学之文史研究与现代科学 ……………………………………… 1335

十二、论大学训导 ………………………………………………………… 1336

十三、为学与做人——为第九届毕业同学赠言 ………………………… 1339

十四、人才教育的基础 …………………………………………………… 1340

十五、人与事 ……………………………………………………………… 1343

十六、大学须养成学术研究风气 ………………………………………… 1346

十七、振发教师之专业精神——为庆祝张小涵教授讲学二十五周年而作
……………………………………………………………………… 1348

十八、论乐教 ……………………………………………………………… 1349

十九、广博与专精 提高与普及 ………………………………………… 1353

二十、教师的社会责任 …………………………………………………… 1361

二十一、中国之道德教育 ………………………………………………… 1363

第三节 大学生教育文选 …………………………………………………… 1367

一、论治学 ………………………………………………………………… 1367

二、明日之大学教育 ……………………………………………………… 1371

三、西北重建问题与西北大学 …………………………………………… 1379

四、大学生之修养 ………………………………………………………… 1386

第十四章 高等教育专题文选 …………………………………………… 1389

第一节 李蒸等论师范教育 …………………………………………… 1389

一、李蒸有关师范教育的三篇序文 ……………………………………… 1389

二、今后教育建设之路 …………………………………………………… 1392
　　三、职业与师范教育的当前问题 ………………………………………… 1398
第二节　李蒸等论西北高等教育 …………………………………………… 1401
　　一、略谈西北文化建设 …………………………………………………… 1401
　　二、西北建设与青年 ……………………………………………………… 1404
　　三、论我国西北高等教育之建设 ………………………………………… 1406
　　四、西北最高学府的风光 ………………………………………………… 1417
　　五、建设大西北首在研究西北 …………………………………………… 1418
第三节　李建勋等论教育行政 ……………………………………………… 1420
　　一、师道论 ………………………………………………………………… 1420
　　二、专科以上学校训育问题 ……………………………………………… 1423
　　三、论教育行政之改进 …………………………………………………… 1428
　　四、吾国督学制度之缺点及其改进 ……………………………………… 1429
　　五、如何使学校教育民主化 ……………………………………………… 1431
　　六、当前教育行政效率问题的商榷 ……………………………………… 1437
第四节　章文才等论农业教育 ……………………………………………… 1441
　　一、今后我国农业教育之使命 …………………………………………… 1441
　　二、农业、农学与农学生 ………………………………………………… 1445
　　三、农业教育与社会改造 ………………………………………………… 1447
　　四、大学农学生治学之精神及方法 ……………………………………… 1450
第五节　青年教育与修养 …………………………………………………… 1455
　　一、青年教育内容 ………………………………………………………… 1455
　　二、论青年修养 …………………………………………………………… 1457
　　三、漫谈青年修养问题 …………………………………………………… 1458
　　四、青年训练与六艺教育 ………………………………………………… 1462

概述

九一八事变与七七事变相继爆发之后,中华民族处于生死存亡的危急关头。我民族最根本的文脉所系——高等教育,面临国破校亡、根基沦丧的空前灾难,尤其是大学数量接近全国半数、在校大学生占全国三分之二以上的东北与平、津、沪三地,面临的危险最为严峻,遂先有东北大学自东北向北平、向西北的颠沛流离,再有平、津高校史无前例的大迁徙。1937年9月10日,国民政府教育部第16696号令:以"北京大学、清华大学、南开大学和中央研究院的师资为基干,成立长沙临时大学;以北平大学、北平师范大学、北洋工学院和北平研究院等院校为基干,设立西安临时大学"(1937年10月复并入省立河北女子师范学院)。

国立西安临时大学(简称"西安临大")于1938年4月2日迁陕南后改称国立西北联合大学(简称"西北联大");1938年7月27日,以西北联大工学院(含国立北平大学工学院和国立北洋工学院)、国立东北大学工学院、私立焦作工学院合组为国立西北工学院(简称"西工"),由国立西北联大农学院与国立西北农林专科学校合组为国立西北农学院(简称"西农"),1939年8月8日,国立西北联合大学改为国立西北大学(简称"西大")、国立西北医学院(简称"西医")、国立西北师范学院(简称"西师")。战后,北平师范大学(今北京师范大学)和北洋工学院(今天津大学)复员平津办学,以其部分融入西师(今西北师范大学)、西工(今西北工业大学)永留西北,而北平大学则整建制永留西北,文、理、法商三学院为西大(今西北大学)所继承,工学院、农学院、医学院,分别为西工、西农(今西北农林科技大学)、西医(今西安交通大学医学部)所继承,其中文理学院、法商学院、医学院整建制地被西大和西医所继承。

从其母体与子体的成立至1949年中华人民共和国成立前夕的各自回迁复校或永留西北办学,具有特殊的整体性、连续性和统一性,是一个扎根西北、分而有合、子母血脉相连的高等教育共同体。其母体与子体在大西北历时十余载艰苦卓绝的办学过程,形成705名教授、副教授和2 169名教职工队伍,培养了9 015名学生,在人文与科学领域成就 70 余项重大发现,以完整的学术体系和高等教育体系奠定中国西北高等教育的基础,是世界反法西斯民族解放运动史、中国人民抵御外侮史和中国近现代高等教育史不可分割的一部分。

对其历史脉络[①][②]和办学思想[③][④],已有一些论述。在此,主要依据陕西省档案馆、中国第二历史档案馆等馆的民国档案作一概述。

一、全面抗战之前大学西迁的酝酿

(一)在民国开发西北热潮中提出教育开发

在 1937 年 9 月大学西迁之前,整个西北地区的高等教育极为薄弱:陕西在 1902 年创建陕西大学堂,1912 年由陕西高等学堂等五学堂改组为省立西北大学,1915 年改为陕西法政专门学校,1923 年改为国立西北大学,1927 年改为西安中山学院,次年改为西安中山大学;1934 年成立国立西北农林专科学校;甘肃在 1909 年开办法政学堂,1913 年改为甘肃公立法政专门学校,1928 年改为兰州中山大学,1930 年改为甘肃大学,次年改为省立甘肃学院;新疆在 1924 年创建新疆俄文法政专门学校,1935 年改建为新疆学院。抗战全面爆发前夕,西北仅有国立西北农专、客居西安之东北大学、甘肃学院和新疆学院 4 所高等学校,且大多气息奄奄,如新疆学院一度仅余土木工程系一年级 5 名学生。这就是大学西迁之前西北高等教育的基本状况。

于是,要求改变西北地区落后的教育状况和开发西北的社会舆论逐渐高涨。马鹤天早在 1924 年就在北京发起成立中华西北协会,并创办《西北半月刊》。九一八事变发生后,举国一致有开发西北之议。仅南京即有西北周刊社、开发西北协会、西北问题研究会、西北文化社、西北刍议社、中国边疆文化促进会等,上海有西北公论月刊社、西北问题研究会等,北平有西北研究社、西北杂志社、西北公学

---

① 姚远.国立西北联合大学的分合及其历史意义[J].西北大学学报(哲学社会科学版),2012,42(13):1-10.

② 姚远,王展志,张文峰,伍小东.基于西北联大档案的几个历史疑点澄清[J].陕西档案,2018(1/2/3):26-29,24-29,17-21.

③ 姚远.西北联大融汇世界的办学思想与实践[J].河北师范大学学报(教育科学版),2017,19(1):45-54.

④ 姚远.西北联大与其后继院校定位西北办学思想的形成[J].西北工业大学学报(社会科学版),2018(3):85-96.

社、西北论衡社、西北春秋社、西北协社等,开展开发西北研究。

1932年5月,戴季陶提出《建设西北专门教育之初步计划》,拟先办国立西北农林专科学校,再办西北理学院、工学院、医学院、农学院、西北大学、天文气象台、西北地质调查所、西北生物研究所等。

1932年8月10日,国立同济大学训育长郭维屏在1932年1卷3-4期《新西北研究》上发表的《开发西北谭》一文中指出,可集中现有人才、延聘外国人才和为西北派出实科留学生解决西北建设人才缺乏之弊,他建议:将"农林、气象、畜牧、病菌、土壤、害虫、兽医、制革、制毛、洗染、采矿、冶金、园艺、垦殖、水利、工程诸专家","集中一处","随时介绍西北,从事各项工作",并"将西北各省及国内大学理科毕业有志开发西北之青年,派赴外国,指定专科,俾获有精深之研究","同时,在西北各地,多设殖边学校、矿务学校、牧畜改良学校"。① 1932年11月29日,天津《大公报》发表题为《西北教育》的社评:"首望政府在此各省中至少须各办一完备之专科学校。国家教育经费,动以千百万计,然用于西北者几何?沿江沿海,大学如毛,而从未在西北省区创一规模宏阔之国立大学,此政府教育行政上之大缺憾也。"②国立暨南大学学生商洪若在1932年1卷3-4期《新西北研究》上发表的《建设西北之路》一文中指出:"设立诸种专科学校及国立大学。西北教育破产,不可言状,尤其是高等教育,直等于零,故西北缺乏建设人才,亦毋庸讳言,兹为提高西北人民智识,养成各种专门技能和训练建设人才计,政府急宜设立农科、工科、纺织科以及其他专门学校,以适应西北的特殊环境,且为百年树人之计,此诚刻不容缓之伟举。"③

1932年12月,刘昭晓有《条陈开发西北之意见书》,提出"广兴学校,以资造就,并宜注重军事教育与生产教育"④的建议,刘守中、张继⑤、马步芳⑥、王超凡⑦等

---

① 郭维屏.开发西北谭(1932-08-10于郑州陇海路陕西实业考察团招待所)[J].新西北研究,1932,1(3/4):8-14.
② 西北教育之总病原在于贫穷[N].大公报,1932-11-29.
③ 商洪若.建设西北之路[J].新西北研究,1932,1(3/4):12-16.
④ 行政院秘书处抄送刘昭晓《条陈开发西北之意见书》致内政部等函,1932-12,民国档案,中国第二历史档案馆.
⑤ 刘守中、张继等拟《开发西北提案》,1932-12,民国档案,中国第二历史档案馆.
⑥ 马步芳.关于开发西北应在青海边地设立工厂、学校等问题的提案,1933-11,民国档案,中国第二历史档案馆.
⑦ 行政院关于王超凡等在国民党五全大会上提《拟请组织健全机关集中人力财力积极开发西北以裕民生而固国本案》,1936-01,民国档案,中国第二历史档案馆.

人有关开发西北的提案亦涉及教育。关于设国立西北大学的意见,最早见于康天国1932年发表于《新西北》的《西北应设立一国立大学》,建议在西北"由中央经费来创办一法学、理学、教育、文学、工学、农学、医学、体育八学院完备之一国立西北大学"。① 1935年11月29日,杨一峰等的《请设国立西北大学 以宏造就而免偏枯案》,在国民党第五次全国代表大会上通过,"交国民政府核办"。② 1936年8月20日,安汉等也在开发西北协会第三届年会上,提出《请中央筹设国立西北大学案》和《从速筹设国立西北大学一案》等。此后,《中国学生》《图书展望》等报刊相继发表《西北大学将设于西安》的报道。

(二)邵力子建议北平大学、北洋工学院迁陕

1936年1月,陕西省政府邵力子主席函陈行政院,指出:

> 西北自中央主持开发以来,物质建设成就渐显,惟教育一端依然落后,诚以陕甘宁青新等省,人口总数在二千万以上,乃竟无一所大学作高深之培养,实不足以应事实上之需要。前者五全大会有筹设西北大学之建议,西北人士同声欣喜,盼其实现,期望之殷,可以想见。第兹事体大,须有充分之设备,复须有相当之教材。衡以中央财政现况,恐难点正多,窃谓与其另创新基,不如利用故物。查北平一隅,国立大学居四所之多,实嫌供过于求,似可酌迁一所入陕,易名西北大学,即以旧有图书、仪器、教材作新校基础,中央但筹购地暨建筑校舍之费,预计为数不过一百万元左右,如财力艰难尚可分期拨给。以此办法,全国学区既免畸形畸重之弊,西北方面亦省另起炉灶之劳,一举两利,莫过于此。复查北平大学现有农工医法商及女子、文理等五学院,学生共一千五百余人,教授百余人,机器、仪器、标本、书籍等约值三百万元,规模素称完备,以该校环境论,迁移西北尤为适宜。如蒙谕允,拟请钧座令饬教育部,就此项原则与该校徐校长妥商详细办法,逐步进行。③

行政院在致教育部函中指示"西北教育依然落后,北平一隅,国立大学居四所之多,请酌迁一所入陕,即以旧有图书、仪器、教材作新校基础一案,应交教育部统筹办理"。④

1936年1月3日,邵力子再次致函行政院,提议将国立北洋工学院西移:

---

① 康天国.西北应设立一国立大学[J].新西北,1932(创刊号).
② 杨一峰等.请设国立西北大学 以宏造就而免偏枯案,1935 – 11 – 21,民国档案,中国第二历史档案馆.
③ 邵力子致行政院函,1935 – 12 – 28,民国档案,中国第二历史档案馆.
④ 行政院关于邵力子请将北平四所大学迁移一所进陕致教育部函(笺函 第298号),1936 – 01,民国档案,中国第二历史档案馆.

顷接国立北洋工学院院长李书田函,以此次五中全会有设立国立西北大学之提案,拟将该学院移至西安,以为西北大学之基本,并附意见书一份。详核所拟计划,颇为赞同,惟职日前曾上书请以北平大学迁陕改为西北大学,谅邀钧鉴。北洋工学院只工学一部分,与平大其他各学院自无重复,惟平大亦有工学院,是否该院一并迁陕。

行政院在致教育部函中指示:

陕西省政府邵主席函陈以接国立北洋工学院院长李书田函,拟将该院西移,为西北大学之基本。详核所拟计划,颇为赞同,该院与北平大学其他各学院自无重复,唯平大亦有工学院,是否该院一并迁陕,请统筹办理,并赐复,等情。应交教育部统筹办理。

(三)陕甘青争办西北大学

与此同时,甘肃、青海要求改设国立西北大学于兰州的社会舆论,也此起彼伏,传递了西北地区对高等教育急切需要的民心、民声。其中以甘肃省立临洮师范学校发给教育部的《电恳改设西北大学于甘肃由》为最早:

顷阅《西北文化日报》载,现在钧部欲为西北各省提高文化及便利学生求学计,筹设一西北大学,校址拟在西安。阅读之余,不胜欢忭。窃以现在国情趋势与西北关系,校址在西安似不若在甘肃之较为适切。查甘肃地处西北要冲,与宁青连省,与蒙新为邻,疆川藏康绥实成接壤,汉蕃蒙回互相杂居,形势扼要,种族繁复,一言交通阻塞弗便,一言文化风气较迟,令欲开发西北与中央联为一气,莫先于提高文化为复兴民族之基础,大兴教育为收拾人心之工具,化除畛域,消灭隐患,立百年树人大计,定万代立国之方针,端资培植文教高程度,建立中心在此一举,故以大学校址设立在甘肃似较为适切。①

之后,在1936年5月30日,甘肃省农会、省妇女会、兰州市教育会、兰州市商会、兰州市各职业公会、兰州市各同业公会、河西学会、崆峒学会、洮阳学会、甘肃学院学生自治会、农校学生自治会、工校学生自治会、女师学生自治会等13个团体,亦向教育部发出类似内容的快邮代电。青海省代主席马步芳也提出在青海设立大学的建议。②

(四)北平研究院先期赴陕开展历史学和植物学合作

北平研究院初称国立北平大学研究院,与北平大学实为一体,后来才与平大

---

① 电恳改设西北大学于甘肃由,1936-05-25,民国档案,中国第二历史档案馆.
② 马步芳,建议在青省设立大学院一处,1936-06-26,民国档案,中国第二历史档案馆.

分开,因此与后来迁陕和永留西北的北平大学有着难以割舍的联系。

1933年2月间,北平研究院派史学研究会编辑徐炳昶,助理员常惠赴陕实地调查历史遗迹,从事考古工作。由北平研究院函商陕西省政府拨借民政厅房舍,以资办公。仿照《中央研究院与河南、山东两省政府合组河南、山东古迹研究会办法》,由北平研究院与陕西省政府合组陕西考古会。① 其工作暂分为调查、发掘、研究三步。其科学指导之责,由北平研究院任之。其保护之责,由陕西省政府任之。工作费用,则暂由北平研究院担任。1932年11月间,双方决议考古会办法八条,各聘委员五人。至1933年2月1日,陕西考古会在西安成立,当即依据合组办法,着手进行发掘工作,暂定以宝鸡县为试办区,徐炳昶、何士骥、张嘉懿等在宝鸡县开始实地工作。1936年辛树帜任职西北农林专科学校期间,鉴于西北植物资源丰富和发展农林须先由调查研究西北植物着手,遂与北平研究院院长李煜瀛、李书华商议合组植物研究机构,双方不谋而合。由北平研究院于1936年10月拟就简约,以113号公函嘱请农专查核。10月24日,农专复函"本校完全同意",即行开办。此简约签定后13年间,虽数次续签,或改简约为章程,但无太大变化,一直执行至1949年。②

1937年9月,北平研究院最终未能按教育部令并入西安临大,但从1932年至1949年在史学、考古、植物学调查方面与西北农专、西安临大—西北联大,以及西大的合作,却同样为西北高等教育的奠基作出了贡献,并成为大学西迁的先声之一。

(五)教育部令西北农专筹设国立西北大学理学院

这也是在国立西安临大—国立西北联大和国立西北农学院未形成之前,国民政府教育部在西北展布高等教育和陕西地方热切期盼恢复陕源国立西北大学或创建"陕西大学"的一个重要前奏。在1931年陕源国立西北大学缩编为西安高中附设水利工程专科以后,陕甘抢办西北大学的声浪迭起,陕西地方再次将恢复"国立西北大学"的希望寄托于国立西北农林专科学校,遂促使教育部将恢复或筹设国立西北大学提上议事日程。

为此,教育部王世杰部长于1937年相继发出第13446号、第14565号训令,拟议拨款14万元建筑专款,先行筹设国立西北大学理学院化学馆与生物馆。国

---

① 国立北平研究院与陕西省政府合组陕西考古会办法,1934-02-01,民国档案,陕西省档案馆.
② 国立北平研究院关于送合组中国西北植物调查所章程请盖章分别留存事给国立西北农学院筹备委员会的公函,1939-01-24,民国档案,陕西省档案馆.

立西北农林专科学校校长辛树帜,以14万元不足以建筑化学、生物两馆,拟先建筑化学馆,并于1937年8月12日向教育部提出《筹设西北大学理学院化学馆计划书》。

教育部训令筹设国立西北大学

(二十六年赍壹4第14565号)

案查关于二十六年度建设事业专款收支及审核办法一案,业经本部于本年七月十二日第一三四四六号令行遵照办理在案。所有各机关应行编送之经费分配表及事业进行计划,亟待汇送呈核,应即遵照前令,于文到六日内,将分配表及进行计划各编造六份呈部核转。

此令

部长　王世杰(教育部印)

中华民国二十六年七月二十八日

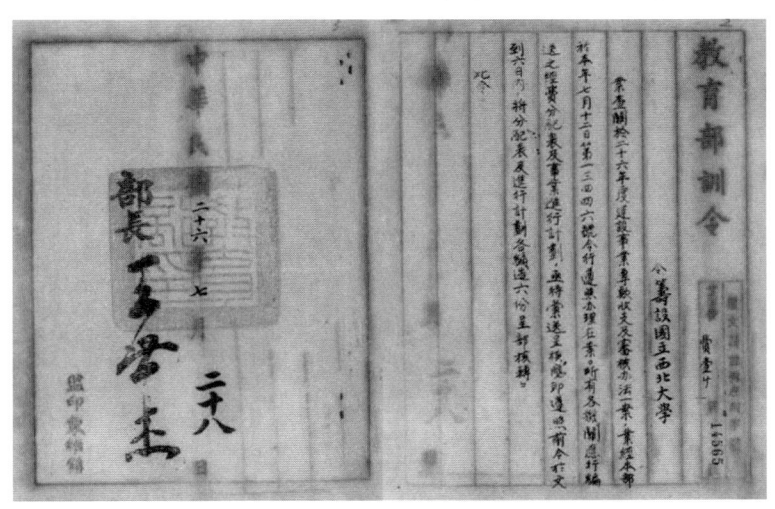

图1　教育部令筹设国立西北大学

奉令呈赍筹设国立西北大学理学院化学馆计划书

案奉

钧部二十六年赍壹4第一四五六五号密训令筹设国立西北大学文内开:"案查关于二十六年度建设事业专款收支及审核办法一案,业经本部于本年七月十二日第一三四四六号令行遵照办理在案,所属各机关应行编送之经费分配表及事业进行计划,亟待汇送呈核,应即遵照前令,于文到六日内,将分配表及进行计划各编造六份呈部核转。此令"等因。奉此,遵查树帜前在京时,曾与钧部接洽筹设国立西北大学建筑费,有十四万元之议,奉令前因,兹具筹设国立西北大学理学院化学馆计划书,并缮就六份,是否有当,理合备文呈赍。

钧部鉴核示遵,实为公便。

谨呈

教育部部长王

计呈赍

筹设国立西北大学理学院化学馆计划书

校长辛树帜

中华民国二十六年八月十二日

附:筹设国立西北大学理学院化学馆计划书

二十六年度教育部筹拨专款国币14万元,备为筹设国立西北大学建筑之用。该款自奉令后,即拟建筑理学院化学馆及生物两馆。惟经估价之后,仅化学馆之建筑,至少亦需十万余元,再加以基本设备,不符甚巨。且目前国难严重,平津破碎,本校理学院所负使命,将益为重大。故乃久远计,拟将本年度之14万元,先建筑化学馆,至生物学馆及数理学馆则分期增筑,期于三年内完成。计理学院之筹备,拟分下列三期。

第一期 本年度拟先建立化学馆,计实验室大小11间,教室大小4间,教员研究室、图书室、储藏室、天平室等共计24间,估计建筑费约需国币10.8万。暖气(如暖气设备从缓装置,先装煤气以备实验更佳)、电灯、自来水、卫生设备等约需国币四万元,总计14.8万余元,与本年度所拨临时费相差甚微,其不足之数,当由本校□谋挹注。在理学院成立之第一年内,化学馆可供化学、数理及生物各系合用。第二、第三年内可供化学及物理二系合用。故首先建立化学馆,不仅供化学一系之用,且可补助其他各系次第的发展也。

第二期 化学馆成立后一、二年内,拟建筑生物学馆,计实验室大小3间,教室大小4间,标本室、储藏室、温室、饲养室等共计14间,约需建筑费国币九万元,暖气、电灯、煤气、水管等共计约三万元。此馆成立后第一、第二年并可供地质、土壤学系之用。

第三期 化学馆成立三年后,当筹建数理馆。该馆成立后,化学馆即可归化学系专用。惟如经费不足时,则化学系之工业化学及农业制造等所需房屋,可另建平房,暂时应用。化学馆可仍由化学及数理二系合用,以待将来之发展。故理学院各系之建设,在第二期生物学馆成立后,即可不受建筑问题之拘束矣。

上列建筑,拟在本年度十二月以前完成。

1937年9月17日,辛树帜再呈文教育部长王世杰,提出"筹设国立西北大学理学院临时费用预算分配表"。同时,辛树帜也于1937年10月11日回复国立西安临时大学筹备委员会拟迁武功办学的要求,借此说明学校尚在建设中,无法接纳西安临大农学院和文理学院生物系共八系迁到武功办学的理由,其中数处提及"本校前奉部令筹设西北大学理学院",包括化学馆与生物馆两项建筑。

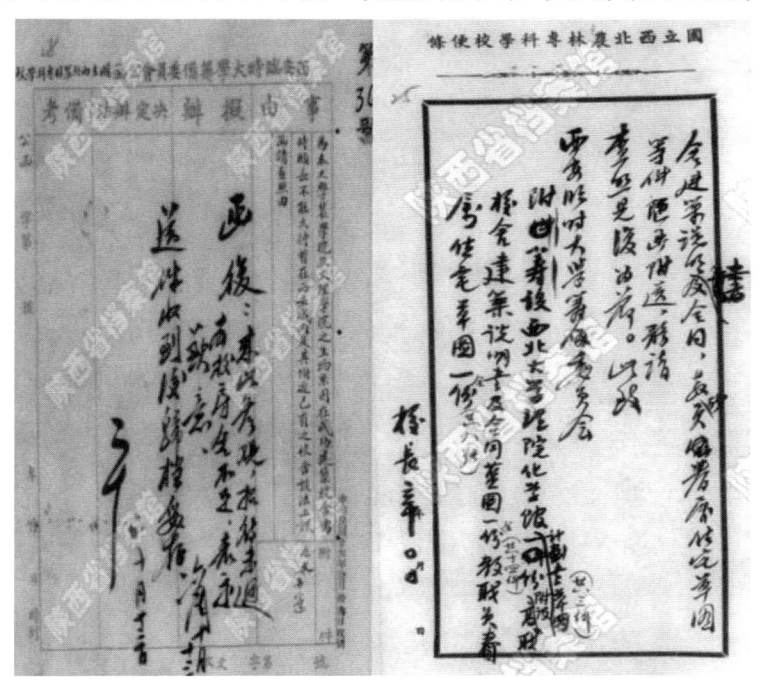

图2　西农辛树帜校长和西安临大来往函件中提及教育部令西农筹设西北大学理学院

此事因档案不全,尚难理清原委,但它说明几个问题:一是教育部于1937年7月12日发出第13446号令筹设国立西北大学理学院,到1937年9月17日国立西安临时大学已经成立第七天,表明国立西北大学理学院的筹设稍早于西安临大的筹设,但到临大成立后,此计划仍在同步进行,从而为两年后的1939年8月将国立西北联大改称为国立西北大学埋下伏笔;二是"国立西北农林专科学校"在建校之初,如同暂时停辍的陕源西北大学一样,被陕西地方寄予太多的复兴梦想,不能容忍陕西无大学的局面,与陕甘争办西北大学、多次提出议案恢复西北大学或由西北农专"筹设西北大学理学院"即反映了此种情结;三是国立西北农林专科学校筹设之年适逢陕源国立西北大学——西安中山大学改为西安高中和附设大专水利工程班之际,西北农专的成立正好填补陕西无大学的空白,因此将筹设"国立西北大学理学院化学馆、生物馆"或创设"陕西大学"的愿望寄予农专是合理的,而且农专和将来西北大学的化学、生物有交集,可共用;四是当抗战全面爆发、西安临大迁陕后,将农专校长辛树帜也列为筹备委员之一,并且农专与临大有很多交往,为日后农专与联大农学院的合组埋下伏笔,其中"恢复陕源国立西北大学"和后来的将"国立西北联合大学"改为"国立西北大学",也具有因应民呼、开发西北和向西北展布高等教育的前后一贯的思考。此事说明筹设一所西北地区的综合性大学——西北大学,在西安临大未到西安之前,已被局部付诸实施。

这是全面抗战爆发前夕,大学迁陕和后来将国立五校展布西北的重要酝酿。在此基础上,看待之后国立北平大学、国立北洋工学院等校的西迁入陕和国立西北五校在西北的展布,就顺理成章了。

二、西安临大合组中的几个问题

1937年10月11日教育部长王世杰发布《西安临时大学筹备委员会组织规程》,以教育部、北平研究院、北平大学、北平师范大学、北洋工学院、东北大学、西北农林专科学校、陕西省教育厅等代表组成筹备委员会。王世杰兼任主席,聘任李书华、徐诵明、李蒸、李书田、童冠贤、陈剑翛、周伯敏、臧启芳、辛树帜等9人为委员,随后又指定徐诵明、李蒸、李书田、陈剑翛4人为常委,不设校长,由常委商决校务。

1938年1月10日为学生到校最后期限。据1938年2月10日的统计,全校学生总计为1 472人(含借读生151人)。全校分为第一院、第二院、第三院三大院,再分为:文理(国文、历史、外国语、数学、物理、化学、生物、地理八系);法商(法律、政治经济、商学三系);教育(教育、体育、家政三系);农(农学、林学、农业化学三系);工(土木工程、矿冶工程、机械工程、电机工程、化学工程、纺织工程六系);医(不分系)六大学院,24个系。学生以文理学院(439人)、工学院(386人)、法商学院(279人)居多。全校分为三院,分布在西安的三个地方:校本部、第一院的国文系、历史系、外语系、家政系在西安城隍庙后街四号;第二院的数学系、物理学系、化学系、体育学系,以及工学院与东北大学工学院共处一院(今西北大学太白校区);第三院的法商学院三系、农学院三系、医学院和教育系、生物系、地理系在北大街通济坊。

其教授计有106名。其中,文理学院有黎锦熙、许寿裳、陆懋德、赵进义、傅种孙、曾炯、张贻惠、岳劼恒、刘拓、张贻侗、金树章、黄国璋、殷祖英等35人;法商学院有沈志远、寸树声等12人;教育学院有李建勋、马师儒、袁敦礼、董守义、齐壁亭、王非曼等15人;农学院有周建侯、汪厥明、虞宏正等16人;工学院有李书田、周宗莲、李仪祉(兼)、李俨(兼)、魏寿昆、张伯声、潘承孝等22人;医学院有吴祥凤、严镜清等6人。

历史学家侯外庐、著名学者梁漱溟,水利学家、西安临大兼任教授李仪祉,西北战地服务团团长、女作家丁玲,作曲家贺绿汀,漫画家张仃,杨虎城的夫人、西安中山学院毕业生谢葆真,在此期间到校讲学或演讲。

华北战场失利,太原失守后,日寇沿同蒲铁路南下,窜抵晋陕交界的黄河风陵渡口一带,与西安东部135公里处的潼关仅一河之隔,西安东大门告急。为此,蒋介石西安行营主任蒋鼎文遂命西安临大再迁汉中。1938年3月16日,西安临大正式迁离西安。全校千余师生历时月余,以沿途社会调查、军事训练、强身健体为三大目标,编为1个参谋团,1个大队,常委徐诵明为大队长,下分3个中队14个区队106个分队,每个中队500至600人,先乘火车西行至宝鸡下车,再徒步,过渭河,渡柴关,涉凤岭,翻越秦岭到达陕南汉中,全程近500公里。

(一)"临时大学"设想酝酿于1937年8月21日至9月9日

过去,仅见有1937年8月的《国民政府教育部设立临时大学计划纲要》抄件[①],并未见到原始文档。这次在中国第二历史档案馆所见教育部长王世杰致浙江省政府主席兼中英庚款董事会董事长朱家骅电、朱家骅致教育部长王世杰电和王世杰致陕西省主席孙蔚如电,应为迄今所见酝酿在长沙、西安两地设立"临时大学",并与地方洽商的最早文档。首先是与胡适、傅斯年、朱家骅的洽商[②]:

省政府朱主席骝先兄:

惠鉴应密。战区扩大,全国高等教育多受影响,平津尤甚,近与适之、孟真诸兄细商,拟在长沙、西安两处筹设临时大学各一所。长沙一所已租定圣经学校房屋为校址,拟由北大、清华、南开三校合并办理,并由中研院予以赞助;西安一所拟由平津国立他校合办,俾平津优良师资不至无处效力,学生不至失学。其经常费拟就各原校原有经费酌量扩充,惟开办费须另设法。拟恳兄主持由中英庚款拨长

---

① 国民政府教育部设立临时大学计划纲要,1937-08,当时抄件,现存清华大学档案馆.
② 教育部长王世杰致浙江省政府主席朱家骅电,1937-08-23,民国档案,中国第二历史档案馆.

沙、西安两所开办费共一百万元。其中,有若干成可即以中英庚款会原助平津各学校及其他机关之款移充,余请另引筹拨,并盼能分两期拨款。此事意在集中原有力量,于内地创造一二学术中心,以求效力国家,务恳吾兄予以鼎助。再此事原拟请孟真兄偕锡朋赴杭面商,以交通不便,用特电商,敬祈电示尊意。

弟　世〇锡〇炳〇同叩　马印
中华民国二十六年八月二十一日发

其中骝先为朱家骅的字,时任浙江省主席兼中英庚款董事会董事长;适之为胡适的字,时已受命赴美寻求援助;孟真为傅斯年的字,时任国民参政会参政员、中央研究院史语所所长。由此可见:在长沙、西安两处筹设临时大学的设想,是由王世杰、胡适、傅斯年、朱家骅、孙蔚如等人最先拟议的;一百万元开办费由中英庚款提供;目的在于"集中原有力量,于内地创造一二学术中心,以求效力国家"。之后,王世杰先后于8月25日①、8月28日②致电陕西省政府主席孙蔚如、西安行营主任蒋鼎文、行政院长蒋介石等人,落实了西安校址。

(二)短暂的西安临时大学常委辞职风波

国立西安临时大学筹备委员会成立于1937年9月2日,教育部聘李书华、臧启芳、李书田、童冠贤、周伯敏、徐诵明、李蒸、辛树帜、陈剑翛为委员,王世杰为主席委员。③ 教育部召集,于1937年9月6日下午在南京朝天宫故宫博物院礼堂举行了首次筹备委员会会议,童冠贤、徐诵明、李蒸代表袁敦礼等出席。④ 教育部在首次筹备会议两天后,即1937年9月8日,"设西安临时大学常务委员会",指定李书华、徐诵明、李蒸、李书田、陈剑翛为常委、童冠贤为秘书主任,确立"开会时互推一人为主席"的常委商决制。⑤

1937年9月13日,教育部长王世杰告知于右任院长,在李书华常委未到任的情况下,聘监察使出身的"童冠贤为筹备委员会常委","兼主持筹委会各种事项

---

① 教育部部长王世杰致电陕西省政府主席孙蔚如,1937-08-25,民国档案,中国第二历史档案馆.
② 国民政府教育部部长王世杰致电行政院蒋院长,1937-08-28,中国第二历史档案馆.
③ 教育部聘李书华等函(二十六年高壹7字第16390号),1937-09-02,民国档案,中国第二历史档案馆.
④ 教育部致童冠贤等笺函(发文高壹字26第16472号),1937-09-30,民国档案,中国第二历史档案馆.
⑤ 教育部就指定常务委员及秘书主任致筹委(二十六年教高字第16608号),1937-09-08,民国档案,中国第二历史档案馆.

之执行"。1937年10月11日,教育部正式聘任童冠贤为常务委员。这就与"长沙临大组织不相同",遂致三位校院长出身的徐诵明(国立北平大学校长)、李蒸(国立北平师范大学校长)、李书田(国立北洋工学院院长)三常委向教育部王世杰部长请辞(见下文)。

教育部王部长钧鉴:

顷奉大部训令,颁发西安临时大学筹备委员会组织规程并指定童冠贤为常务委员兼主持筹委会各种事项之执行,均谨奉悉。校院长等奉命来陕合组临时大学,原为收容三校院学生,培植人才,奠复兴国家民族之基。到陕以来,竭力筹划,愧少贡献,今幸大部指派专人担负全责,既视前令组织加密且与长沙临大组织亦不相同,校院长三人至今以后无能为役校院长等,应即日电请辞去西安临时大学筹备委员会委员兼常务委员及原三校院长职务,敬祈鉴察并即派员接替,以重职守。

徐诵明 李 蒸 李书田 同叩巧
中华民国二十六年十月十八日

1937年10月22日,教育部王世杰致电西安临时大学三常委:

徐轼游、李云亭、李耕砚:

临大筹委会规程,湘陕一致,并系同时令知。西安临大原为收容北方学生,并建立西北高等教育良好基础,政府属望殷切。校事照章应由常务会议商决,系共同负责之合议制度。正赖诸兄及其他委员协同主持,何可言辞!大难当前,务希继续积极任事,不胜企感。

世 杰
中华民国二十六年十月二十二日

三常委似乎并未理会王世杰的解释和挽留,复向行政院蒋介石院长提起辞职。

南京行政院蒋院长钧鉴:

暴日入寇,平津沦陷,校院长等问道南来,奉教育部令将北平研究院、北平大学、师范大学及北洋工学院迁移西安合组临时大学。部聘校院长等为筹委会委员兼常委,另派童冠贤为秘书主任,遵即来陕,积极筹划,粗具端倪。原冀集合平津各校院学生加紧训练,奠复兴国家民族之基,巧日忽奉教部令函,取消李书华筹委会常委职务,改派童冠贤为常委兼主持筹委会各种事项之执行,更特订规程多方牵制,与长沙临大组织迥不相同,此间校舍、校具百端草创,原有学生及请求借读学生数近千人,定于十一月一日开学。今既蒙教部改派专员担负全责,主持校务,校院长三人自今以后,深愧素餐,无能为役,不得已电陈教育部,恳请辞去平大、师大及北洋工学院校院长原职,并西安临大筹委会委员兼常委职务,谨电呈明,敬祈鉴察。

代理国立北平大学校长徐诵明　国立北平师范大学校长李蒸　北洋工学院院长李书田同叩效印

中华民国二十六年十月二十六日

自10月26日向行政院发出电报起,"常委均不到校"。① 陈剑翛、臧启芳、周伯敏委员亦于1937年10月22日联合致电教育部长王世杰:"组织规程增定之第五条,似不适宜,日来校务几乎陷于停顿,可否速饬修正,以利事功。"就在三常委再次向行政院请辞的当日,教育部长王世杰致电西安临时大学童冠贤:"第五条已另电筹委会准缓实施,请并告臧、周、陈诸委员,至因监院促返,请辞秘书主任一节,应照准,并盼来京一洽。"②次日,教育部长王世杰又电西安临时大学筹备委员会:"部颁该校组织规程第五条暂缓实施"。③ 1937年11月3日,教育部高教司收到童冠贤电报:"常委均已到校办公,贤旬日内返京。"④一场历时半个月的三常委请辞风波遂风平浪静。

(三)西安临大常委商决制虽有短暂波折但整体上有效运行

王世杰既是"临大常委商决制"的缔造者,也是导致其短暂与长沙临大常委商决制分道扬镳的主要责任人。然而,王世杰还是及时予以纠正,从而使西安临大常委商决制得以正常运行。他虽然担任主席委员,可能仅出席过第一次筹备委员会会议,其余均以函电往来掌控运行,因此在主席缺席的情况下第一线常委的轮值和集体"商决"就显得特别重要。

这一"常委商决"的主要任务为校址之勘定、经费之支配、院系之设置、师资之遴聘、学生之收纳、建筑设备之筹置、其他应行筹备事项等。其特点:一是在常委商决的机制下,周伯敏委员(陕西省教育厅)、臧启芳委员(东北大学)、辛树帜(西北农林专科学校)三委员在辅助常委、拥护常委商决制、校址勘定、协助建设

---

① 童冠贤致王世杰电报,1937-10-26,民国档案,中国第二历史档案馆.
② 教育部长王世杰致电西安临时大学童委员冠贤,1937-10-26,民国档案,中国第二历史档案馆.
③ 教育部长王世杰电西安临时大学筹备委员会,1937-10-27,民国档案,中国第二历史档案馆.
④ 教育部高教司收到童冠贤电报,1937-11-03,民国档案,中国第二历史档案馆.

校舍、教学实习材料借用等方面发挥了积极作用;二是常委商决制符合三校院合组的实际情况,颁发各校院毕业证书,设立原各校院办事处、尊重各校差异、平衡制约,有效合作,并未出现领导层间的校际矛盾;三是坚持常务委员会议制度,从1937年9月30日至1939年7月19日召开了82次常委会议,运行至1939年10月26日行政院孔祥熙院长训令"将国立西北联合大学即行改组为国立西北大学,废除委员制,采用校长制"①为止,大致每周例会一次,必要时值周常委可召集临时会议,形成秘书主任、教务主任、总务主任列席或替代请假常委参会的惯例,实职常委和替代常委一视同仁,保障任何时候常委商决制的正常运行;四是实行每周轮值担任主席,民主协商解决校内一切重大事项,尽职尽责,有事请假,回校销假,集体出席教育部会议,并未发生任何徇私舞弊的失职事件;五是会议议程大致分为报告事项、议决事项、讨论事项和临时动议四大类型;六是议决事项包括教育部训令落实、机构设置、人事任免、校舍建筑、图书仪器设备购置等。今见其收发文簿、布告、呈文、来往文档、建档存档、常委会82次会议记录和重大事项的议决、处理,井然有序。

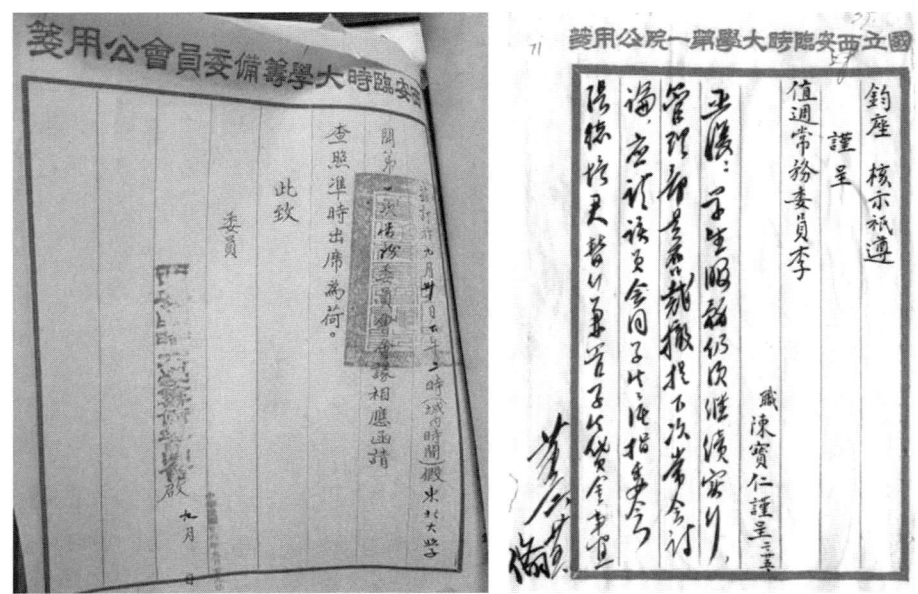

图3　1937年9月29日国立西安临时大学第一次常务委员会会议通知和1938年2月25日值周常委李蒸和常委陈剑翛在呈文上的阅示记录

1937年9月2日至1938年4月2日,西安临大筹备委员会和常委会与地方

---

① 国民政府行政院关于西北联大预算的训令(国民政府行政院字13582号),1939-10-26,民国档案,中国第二历史档案馆.

政府接洽校址、与铁路部门接洽教学用品装运、与兄弟院校接洽合作、收纳战区学生、考试招生、学生救济、招聘师资、确定各院系主任、教授支援云南等边远省区、落实导师制等方面作出积极贡献,使其于11月1日如期正式开学。1938年3月16日至4月26日,又以军事拉练、强身健体、社会调查和抗日宣传为目标,成功地组织实施了从西安往汉中的千里大迁徙,徐诵明常委、李蒸常委身先士卒,与第一中队学生同行,徒步翻越秦岭,安置于三县六地,奠定了八年办学的的基础。应该说,常委商决制发挥了积极作用。

三、西北联大合组中的几个问题

国民政府行政院第350次会议通过之《平津沪战区专科以上学校整理方案》提出:"国立北平大学、国立北平师范大学及国立北洋工学院,原合并成西安临时大学,现为发展西北高等教育,提高边省文化起见,拟令该校各学院向陕甘一带移布,并改称国立西北联合大学。"据此,1938年4月3日教育部令:国立西安临时大学改为国立西北联合大学。1938年5月2日,西北联大在陕南城固校本部补行开学典礼。同年联大第四十五次常委会通过决议,以"公诚勤朴"为校训,并聘请黎锦熙、许寿裳教授撰成校歌歌词。其词曰"并序连黉,卅载燕都迴。联辉合耀,文化开秦陇。汉江千里源嶓冢,天山万仞自卑隆。文理导愚蒙;政法倡忠勇;师资树人表;实业拯民穷;健体明医弱者雄。勤朴公诚校训崇。华夏声威,神州文物,原从西北,化被南东。努力发扬我四千年国族之雄风"。校歌将平津三校联合、立足秦陇的文化使命,以及文理、法商、教育、农、工、医六大学院的办学目标等作了高度概括。

西北联大沿袭西安临大旧制,学校不设校长,由常委商决校务。1938年7月22日,教育部长陈立夫令,撤销原筹备委员会,改组为校务委员会。常委有徐诵明、李蒸、李书田、陈剑翛。因陈剑翛请辞,教育部复派胡庶华接任常委。同年10月,又派张北海任校务委员。许寿裳亦一度被任命为校务委员会委员。

学校初设6个学院23个系:文理学院有国文系、外国语文系、历史学系、数学系、物理学系、化学系、生物学系、地理学系;法商学院有法律学系、政治经济学系、商学系;教育学院有教育学系、体育系、家政系;农学院有农学系、林学系、农业化学系;工学院有土木工程学系、矿冶工程学系、机械工程学系、电讯工程学系、化学工程学系、纺织工程学系;医学院,不分系。1938年7月工学院与农学院分出独立后,有文理学院、法商学院、医学院、师范学院四个学院,除各学院原有系科外,新增医科研究所、师范研究所。

各院系教授大致与西安临时大学各院系教授一致。

1938年12月1日,师范学院师范研究所成立后,李建勋教授任主任,并开始招收研究生10至15名,期限两年,考试及格者授予硕士学位。其以研究高深学术,训练教育学术专才,及协助师范学院所划区域内教育行政机关研究教育问题,并辅导改进其教育设施为目的。

1937至1939年,西北联大毕业学生665人,仍发给原校证书。其中北平大学251人,北平师范大学307人,北洋工学院39人,河北省立女子师范学院11人,他校转学借读生57人。

(一)国立西北联合大学与国立西南联合大学同时筹划、同日成立和同日改名

过去很多文献以为是1938年4月3日由西安临大改为西北联大,档案记载表明,确切时间是与长沙临大同一天改名,次日又单独电令西安临大改名。但是,长沙、西安两个临时大学一纸命令同时改为联大亦为事实(见下文),并且经国防最高会议和国民政府行政院批准。

教育部电[①]

(汉教字1654号)

事由:该校应改称国立西南、西北联合大学由

昆明、陕西南郑 专员公署转:国立长沙、西安临时大学:

该校应改称国立西南联合大学、国立西北联合大学,奉院令已奉国防最高会议通过。合电令遵照。关防另行颁发。

教育部　汉冬印

中华民国二十七年四月二日

在此,是"国立西安临时大学"改称"国立西北联合大学",亦即不过是改名而已,绝不应将其视为两所学校,换言之,西北联大的创建时间只能从西安临大创建之日算起。国民政府行政院的《平津沪地区专科以上学校整理方案》(行政院第

---

① 国立西北大学档案,1938-04-02,陕西省档案馆.

350次会议通过)亦有:国立北平大学、国立北平师范大学及国立北洋工学院,现为发展西北高等教育起见,拟令该院校逐渐向西北陕甘一带移布,并改称国立西北联合大学,院系仍旧。经费自民国二十七年一月份起,由国立北平大学、国立北平师范大学、国立北洋工学院各原校经费各支四成,为国立西北联合大学经费。因此,认为"西北联大"名称仅存一年半的说法,显然与史实不符。

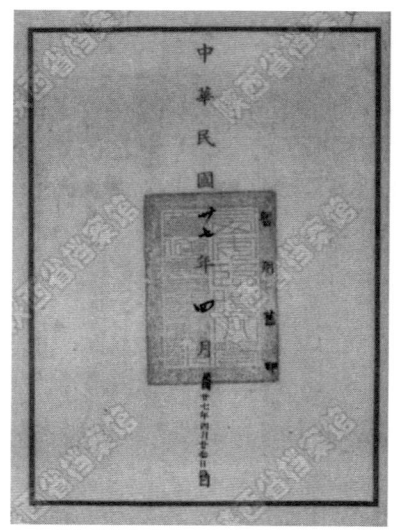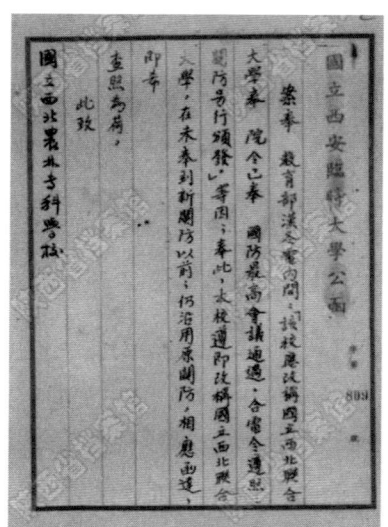

图4　国立西安临时大学改称国立西北联合大学后通知各方,仍用旧印

(二)"国立西北联合大学改为国立西北大学"的重新认识

"改",一字的基本释意有以下几种:一是变更,更换,改变,改革,改朝换代;二是纠正错误;三是修改、更改、整改等。"改为"一词,有"改成""改换""变动"之意。《墨子·经下》:"景不徙,说在改为。"西北联大著名教授谭戒甫注:"改为,意为变化。"宋司马光《学士院试李清臣等策问》有:"庸人之情,喜因循而惮改为,可与乐成,难与虑始"。由此可见,"改"的本意是在一定基础上的"变更""变化",国立西北联合大学改为国立西北大学,只是名称的变更,绝不意味着"解体""解散"。工、农两院与东工、焦工、农专再联合后,北平大学文理、法商、医学三学院的主体尚按学院整建制地被继承,且皆为综合性大学,一脉传承。

1939年8月14日,教育部关于国立西北联合大学结束移交的训令有:

"案查国立西北联合大学改为国立西北大学、国立西北师范学院及国立西北医学院一案,业经本部呈奉行政院核准"。①

---

① 教育部关于国立西北联合大学结束移交的训令(渝字197号),1939-08-14,民国档案,陕西省档案馆.

1939年10月26日,国民政府行政院字13582号关于西北联大预算的训令有:

"案准行政院吕字第11531号函开,查前据教育部呈拟将国立西北联合大学即行改组为国立西北大学,废除委员制,采用校长制,并将原有之医学院与师范学院一并独立设置,分别改组为国立西北医学院与国立西北师范学院。"①

1940年7月31日,国民政府关于三校院经费的训令有:

"教育部函称,国立西北联合大学改为国立西北大学、国立西北师范学院、国立西北医学院等三校。"②

因此,国民政府各文件从未有过"解散""解体"等字眼,最频繁的是使用"改为"或"改组为"。比如对西北大学是"将国立西北联合大学即行改组为国立西北大学",西医和西师则为从西北联大分出"独立设置",稍有区别。

在学者中,也广泛使用西北联大改为西北大学的这种表述。比如著名俄罗斯文学翻译家李毓珍(余振)有"一九三九年学校迁汉中附近城固,改名西北联合大学(后来又改为西北大学)"③;著名文学家、原西北联大讲师吴世昌有"九月初在兰州看报,见到西北联大改为西北大学"④;顾学颉有"曾任国立西北联大(后改为西北大学)副教授、教授"⑤;许寿裳后人有"八月八日,先君以西北联大奉行政院令改为西北大学"⑥;原西安临大教师、后任国立山西大学校长徐士瑚有"便到西安参加了西安临时大学(后改为西北大学)的教学工作"⑦;谭修有"一九三九年夏西北联大改为西北大学"⑧;等等。

---

① 国民政府行政院字13582号关于西北联大预算的训令,民国档案,中国第二历史档案馆.
② 国民政府关于三校院经费的训令(渝文字第六七一号 二十九年七月三十一日),中华民国国民政府公报153,成文出版社,第13页。
③ (俄)莱蒙托夫,(俄)普希金,(苏)马雅可夫斯基著.余振译.余振翻译文集·第四卷·马雅可夫斯基诗文选[M].上海:上海社会科学院出版社,2014:638.
④ 吴世昌.哀悼许季弗先生[M].//绍兴市政协文史资料委员会,浙江省政协文史资料委员会编.浙江文史资料 第51辑 绍兴文史资料 第7辑,许寿裳纪念集.杭州:浙江人民出版社,1992:164.
⑤ 高增德,丁东.世纪学人自述(第四卷)[M].北京:十月文艺出版社,2000:339.
⑥ 倪墨炎,陈九英编.许寿裳文集(下卷)[M].北京:百家出版社,2003:1093.
⑦ 徐士瑚.缅怀老友杜任之[M].//山西文史资料编辑部.山西文史资料全编 第6卷 第61-72辑,1999:1013.
⑧ 谭修.教育家胡庶华[M].//攸县政协文史资料研究委员会.攸县文史:第4辑,1987:77.

历史学家周传儒①教授在《西北联大始末记》一文中,将西安临大、迁陕南后的西北联大、相继一分为五的国立西北五校,从头至尾,统统称为"西北联大"。在"城固的西北联大"标题下,他指出:

西北联大在城固八年(1938—1946)。……1939年秋,西北联大刘拓院长,电邀我到城固教书。当时校长是胡庶华,教务长是张贻惠,张死后是赵师轨,文理学院院长刘拓,法商学院大概是李宜琛。当时国文系是黎劭西领导,吴世昌教了几天走了,卢伯玮教普通国文;历史系有陆懋德、黄文弼、蓝文徵、许重远;地理系有殷伯西;数学系有赵希三、蔡钟瀛;物理、化学两系有张少涵、张小涵、刘拓、赵师轨;生物系有雍克昌、刘某;教哲学的有马师儒、汪奠基;政治系有王治焘;法律系有李宜琛、刘某,这些大部分是北平有名的老教授,学识很渊博,教书也很负责任,教学质量很不差。

其实,1939年8月8日西北联大已经改为国立西北大学等国立西北五校,因此他在此所说的"西北联大"就是"西北大学",并且明确地将西北联大的下限下延至西北大学回迁西安。他又在"西北联大改西北大学"标题下指出:

1946年秋,……回到西安。因为西北联大接到中央命令,迁回西安,并且正名为西北大学,取消那个名不副实的"联"字……从名称、从教职员学生说来,西北大学不同于西北联大。西北联大的历史使命是战时收容流亡学生——北平各院校的学生,完成他们的学业。在抗战胜利以后,它的历史使命完成了……刘季洪知道自己不满人心,再干不下去了。保荐师大毕业、留德回来的马师儒(陕北米脂人)做校长。留法的岳劼恒(陕西长安人)做教务长。以陕西人办西北大学教育,似乎持之有故,言之成理。②

在此,周传儒教授表达了三层意思:一是"正名为西北大学,取消那个名不副实的'联'字",是说在1939年至1946年间西北联大并未结束,只是其名称"国立西北联合大学"中去掉了"联合"二字,正名为"国立西北大学"而已;二是西北联

---

① 周传儒(1900—1988),号书舱,四川江安人,祖籍湖北孝感。王国维、梁启超、陈寅恪的弟子。1928年清华研究院毕业,赴东北大学任教。1931年英国用所得庚子赔款招收赴英公费留学生,考取第一名,遂入剑桥大学、柏林大学史学科习近代史,获博士学位。1937年毕业回国,次年入陕相继任西北联合大学、西北大学教授,旋又赴山西大学、东北大学任教授、文学院院长、训导主任、历史系主任。著有《中国古代史》《书院制度考》《甲骨文字与殷商制度》《意大利现代史》《西伯利亚开发史》《新撰世界史》等。

② 周传儒.西北联大始末(1964年征集)[M].//政协陕西省委员会文史和学习委员会编.陕西抗战史料选编.西安:三秦出版社,2015:1046-1050.

大改称为西北大学后,各有不同的使命,前者是"战时收容流亡学生——北平各院校的学生,完成他们的学业";三是要将西北大学逐渐融入陕西,过渡到"以陕西人办西北大学",使其真正地化身为西北永久的教育机关。

在西北联大的后继院校中,唯有西北大学整建制地继承了北平大学的文理学院(1939年西北大学分设为文学院和理学院)、法商学院、医学院(1946年并为国立西北大学医学院)三个学院。按教育部《国立西北联合大学改组为国立西北大学、国立西北师范学院及国立西北医学院办法》:"原有西北联大之教职员由国立西北大学、国立西北医学院及国立西北师范学院尽量聘用";"原有国立西北联大文理学院及法商学院学生一律改为国立西北大学学生;原有国立西北联大文理、法商两学院应用之一切图书仪器设备,均由国立西北大学接收应用。"[①]战后,除北平师范大学和北洋工学院回迁平津复校以外,北平大学永留西北,主体即今西北大学,不仅如此,西北大学还留存了北平师范大学、北洋工学院相当的师资。据《西北大学学人谱》,在1946年迁回西安现址办学后至50年代初的教授先后有210人,北师大、北平大学的教授或毕业生有110人,占总数的52%。其中北师大几占1/3,刘季洪、马师儒、侯外庐、陈宗兴等四任校长均出自北师大,侯外庐在1951年任西北大学校长时,还同时兼任北师大历史系主任。[②]这说明西北大学的确传承了西北联大的主体,应将西北联大—西北大学视为一个整体。

(三)因12名教员解聘和徐常委辞职致西北联大解体的说法依据不足

1938年9月2日,新学期开学时,校常务委员、法商学院兼院长徐诵明,请辞代院长职务,并经联大第三十八次常务委员会议决定,聘请鲁迅挚友、历史系主任许寿裳继任法商学院院长。在欢迎许寿裳院长履新大会上,一些三青团成员首先发难,对许先生进行无理攻击,而进步同学则起而驳斥,据理力争,双方各不相让,险些酿成肢体冲突。教育部对徐诵明聘许寿裳先生为法商学院院长一事,罕见地以重新任命张北海为法商学院院长来表达立场,激起全校进步师生的强烈反对。法商学院曹靖华、沈志远、章友江、彭迪先、黄觉非、韩幽桐、刘及辰、李绍鹏等十余名教员开会,挽留许寿裳,反对张北海履新,并立即发出油印传单"快邮代电"送全国各报社、各大专院校和各机关团体,公开反对教育部的决定。为平息事态,教

---

① 教育部关于国立西北联合大学结束移交的训令(渝字197号),1939-08-14,民国档案,陕西省档案馆.

② 郭立宏.西北联大—西北大学一流史地学科的建设、传承与启示,在第五届西北联大与中国高等教育发展论坛开幕式上的讲话,2016(北京).

育部加聘许寿裳为西北联大校务委员会委员,学校亦聘为建筑设备委员会主席。同时,张北海也极力对抗师生。1938年底,教育部亦同时要求解聘法商学院俄文课教授曹靖华等12人,一批进步教员先后被解聘、低聘或给假架空。

1938年9月16日,国立西北联合大学常务委员会第四十次会议记录有:

史学系许兼主任寿裳函称法商学院事务繁忙,无暇兼顾,恳请准予辞去史学系主任兼职案。

决议:照准。聘请李季谷先生兼任历史学系主任。

法商学院许院长寿裳函称发现两次匿名宣言,内容荒谬,请予严密查究,并分别呈报中央党部及教育部案。

决议:函许院长深致宽慰之意,并请其勿重视此种藏头露尾从事挑拨之匿名文件。①

1938年10月26日国立西北联合大学常务委员会第四十六次会议又有:

本大学组织大纲,刻已草拟完竣,请核定案。

决议:即送各处主任及各院长签注意见后再行提会核定。

训导处签送本大学导师制施行细则、导师纲要两草案,请核定案。

决议:送请许寿裳、张贻惠、杨立奎三位先生签注意见后再行提会核定。

这表明国立西北联合大学常务委员会1938年9月2日第三十八次会议后,许寿裳教授已经到任并开始工作近两个月,还在1938年10月26日国立西北联合大学常务委员会第四十六次会议提议"聘胡元懿先生为法商学院法律系教授,月薪四百元,王捷三先生、吴联辉先生为政经系教授,月薪各三百二十元,彭迪先先生为政经系教授,月薪三百元,请追认案",一并获得常委会通过,并非过去所传"法商学院院长一直空悬"。

1938年11月4日收到"教育部宿电一件——该校各院聘用或更换教职员,应由常委共同遴选商讨决定,并须共同负责,仰遵照"(说明教育部对许的任命已有微词);1938年11月12日国立西北联合大学常务委员会第四十八次会议报告收到:"教育部微电一件——兹加聘张北海为该校校务委员会委员";"徐委员诵明函告本日会议不能出席,拟请张教务主任贻惠代表";"本校校歌业经黎锦熙、许寿裳两先生拟就,请核定案。决议:通过。歌词报部备核,并函许寿裳、齐国樑两先生查照第三十七次常会决议案,请其介绍专家编制歌谱"。然而,就在同一次会

---

① 国立西北联合大学常务委员会第四十次会议记录,国立西北大学档案,陕西省档案馆.

议上：

法商学院院长许寿裳先生一再函请辞去院长及兼代政经系主任职务案。

决议：(1)准其辞职。(2)聘许寿裳先生为本校建筑设备委员会主席。(3)聘张北海先生为法商学院院长。

许寿裳致函昔日同事谢似颜教授回忆此次风波时，说："秋，弟兼长法商学院时，教部长别有用意，密电常委，谓院长宜择超然者，弟闻之，愤而立刻辞职，从此不与陈（立夫）见面，以弟之孤介，实难与此公周旋。"①这次解聘与反解聘激起了一场影响深远的学潮。许寿裳先生辞去行政职务，专任国文系教授。此时，西北联大原体育教授、时任汤恩伯三十八军机要室主任的谢似颜，代转汤恩伯邀许任汤所创办的中正学院院长一职，儿子许世瑮收到国立西北农学院邀任讲师的聘书，但忧于西农院长周伯敏由陈立夫任命，又是于右任的外甥，考虑儿子去后会使自己与陈立夫的纠葛再添变数，也"不满于党内有党"，厌于政治，故婉拒谢似颜和西农聘请。之后，许并未离校，曾于1938年12月游汉王城，于1939年4月6日出席西北联大师生祭扫张骞墓，于5月7日出席钱玄同先生追悼会，1939年8月8日西北联大改为西北大学时仍为西北大学文学院史学系教授。1939年9月16日，自汉中乘汽车入川，19日抵四川成都，10月5日抵重庆，后任中山大学师范学院教授。

张北海自11月12日开始到法商学院履新，唯一一次列席了1938年11月30日召开的国立西北联合大学常务委员会第五十一次会议，并通过聘李浦先生为法商学院法律系教授，荆磐石先生为法律系讲师；请聘江之泳、汪奠基、凌乃锐、王希和、罗仲言五先生为法商学院政经系教授；翟桓、刘世超两先生为政经系副教授，吴我怡先生为政经系专任讲师；聘刘泽荣、张永奎两先生为法商学院商学系教授；改聘政经系讲师孙宗钰先生为商学系教授；聘许兴凯先生为法商学院政经系兼文理学院伦理学教授。同时，提请常委会解聘政经系教授沈志远、改聘曹靖华为文理学院国文系讲师；准章友江教授学术休假（自二十七年八月一日起至二十八年七月底止，研究抗战政治问题）；解聘教授刘及辰先生、副教授韩幽桐先生、讲师张云青（常委会记录写明是"法商学院张院长北海函请解聘"）。在1939年2月14日提交常委会的函中提到李绍鹏教授时，与其他常委的一再挽留形成强烈对比，有"所任俄文课程缺授瞬逾一月，既未请假，形同罢教""现该项课程旷废遏久，不

---

① 许寿裳.许寿裳日记(1941-03-21)[M].//北冈正子,陈漱渝,秦贤次,黄英哲主编.台北：台湾大学出版中心,2010-11

使罢教之风未宜坐视,北海辱承委托主持院务,未敢再行容忍,有负职守,拟恳即日准其辞职,俾便另聘替人以免虚耗国家公帑";对于学生也很粗暴,在1939年1月27日的法商学院布告中就有"如仍有怙恶不悛,应即查照,为首者予以开除学籍处分"的激烈言辞;在列席联大常委会时,事涉一些法商学院的任免时,也多少有些霸道和与身份不符,如1938年11月30日列席第五十一次常委会时,一共讨论了10项问题,有8项为"张院长北海"的聘任、解聘提案,1938年12月9日又向第五十三次常委会提出解聘黄觉非教授法律系主任由自己取代的议案;1939年3月10日的第六十五次常委会,他又提出"签称商一学生李金明侮慢师长,应予开除学籍"。直到1939年7月5日,张北海向国立西北联合大学常务委员会第八十次会议提出辞职,决议"照准,聘请戴修瓒先生为法商学院院长,并电部报告,在戴院长未到校前,推徐委员诵明暂行兼代"。1938年11月12日,张北海被教育部加聘为国立西北联大校务委员会委员,到1939年7月5日辞职,总共任职237天。从此,西北联大再不见其身影。

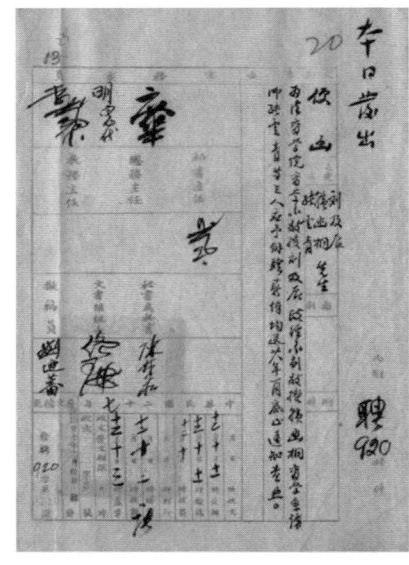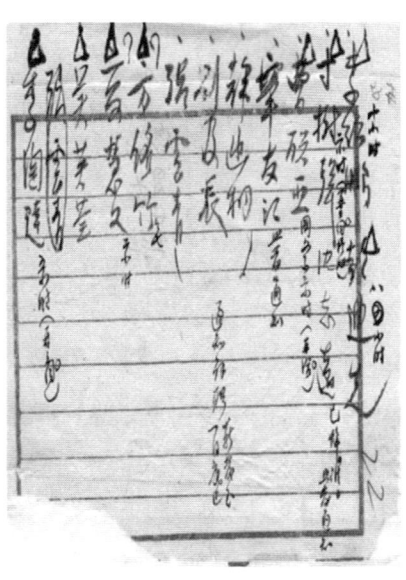

图5 西北联大常委会有关解聘12教员的文档(左为解聘刘及辰、韩幽桐、张云青的文件;右为一张会议草稿,自右至左书有李绍鹏、彭迪先、寸树声、沈志远、曹联亚、章友江、韩幽桐、刘及辰、张云青、方铭竹、夏慧文、吴英荃、季陶达(幸免)的姓名)

在此期间,徐诵明常委实际上从许寿裳准辞院长的1938年11月12日的第四十八次常委会议的前一日(11日),即请假离校两个月(期间又延假半月)赴渝到教育部汇报和聘请师资,常委职由张贻惠代理,直到1939年1月13日举行的国立西北联合大学常务委员会第五十八次会议亲自出席。1939年2月22日国立西北联合大学常务委员会第六十四次会议按教育部指令,常委得全体赴渝参加全国教育会议,"徐委员诵明报告,即日应召赴渝出席全国教育会议,常务委员一职,拟请张主任贻惠代理"。直到1939年3月30日的国立西北联合大学常务委员会第六十七次会议,始亲自出席。1939年5月26日第七十四次常委会再次由张贻惠代为出席,5月31日第七十五次亲自出席。1939年7月5日国立西北联合大学常务委员会第八十次会议决议,在张北海辞职、戴修瓒接任期间,徐诵明兼代法商学院院长(以后教育部又令任国立西北医学院院长,此事应在1939年8月8日之后)。最后一次常委会记录为1939年7月19日第八十二次会议,徐诵明仍出席,并任主席。可见徐诵明常委起码在1939年7月19日尚在学校。

这就是基于民国档案,特别是基于西北联大常委会会议记录的法商学院院长任免和12名教员解聘事件中许寿裳、张北海、徐诵明三位主角的真实情况。其实这些解聘教师共有曹靖华、章友江、沈志远、彭迪先、黄觉非、寸树声、刘及辰、李绍鹏等8名教授、韩幽桐副教授,以及方铭竹、吴英荃和夏慧文夫妇、张云青等4名讲师,而且有学术休假、有挽留、有降为讲师,还有一位幸免解聘(季陶达),并非全部解聘。总数加上幸免的季陶达,共有14位教员。看来,"遂使法商学院院长一职空悬""徐诵明批准许寿裳辞职,自己亦向教育部提出辞职离校而去""12名教授被解聘离校,联大遂解体"等说法,皆与档案所记载的史实有出入。这说明口述史,哪怕是亲历者的回忆,皆会因政治立场、所处时代氛围等,会带有倾向性偏见或对全局缺乏准确记忆,不可全信,但如果与经过调查研究的真实档案两相印证,就能更接近于史实原貌。

(四)因国共在联大势不两立,互相渗透,故刻意迫其远迁陕南,并致其解体的说法依据不足

这一说法目前仅见于国民党方面于鸣冬的说法和共产党方面李可风的说法。于鸣冬校友就法商学院院长任免事件指出:

常委徐诵明为左倾分子所包围,竟于二十七年七月向常委会提议聘请左倾教授许寿裳为法商学院院长,许就职后,要求常委会停发吴西屏等的聘书,并新聘……邓和民、吴清友、彭迪先为教授,因他获得常委徐诵明的支持,常委会予以同意。因此,西北联合大学顿时充满了陕北抗日大学的气氛。①

---

① 于鸣冬.忆西大[M]//国立西北大学建校30周年纪念刊.台北:西北大学校友会,1969:17-18. 于鸣冬为临大时法商学院政治经济系专任讲师,1939年为西大日文教授,1946年赴台为中兴大学教授。这是迄今所见将西北联大与陕北抗大相提并论的唯一文字。

李可风校友回忆：

西安临大迁校……害怕延安影响西安，西安临大越变越红。终于三月上旬强行下令临大南迁……临大党组织和民先队部考虑各方面的需要，并照顾部分同学的意愿，动员大多数进步分子随校南迁，一面学习，一面开展抗日运动。同时，介绍了一部分骨干力量分赴河南、山西前线参加战地工作。另外，还挑选了一部分民先队员，分批送往抗日军政大学和陕北公学学习。我们民先队员几十人分两批步行北上，背负行装，在黄土高原高歌快步，来到革命圣地延安。①

西安临大南迁时，虽有300余名学生选择奔赴延安，如杨守正②、郑代巩③、柳青④、黄树则⑤等即选择去了延安，但中共西安市学委，仍鼓励绝大部分学生随校南迁完成学业，再从事革命工作，西安临大法商学院申健（申振民）⑥即按照党组织的安排随校迁陕南完成了全部学业。回忆者李可风校友，1938年9月与在延安抗大毕业的学员百余人分派至武汉工作。武汉沦陷后的1940年春，几经曲折，又回到城固国立西北大学复学。

西安临大文理学院外国语文系二年级学生崔润珊和同班同学方澄敏也是这批选择去延安抗大的学生，被分配至延安抗日军政大学第三大队第三队第十班学习。为以休学名义保留西北联大的学籍，崔润珊于1938年6月16日参加陕西省各界抗敌后援会举办的妇女工作特别干部班时特地致函西北联大常委。

---

① 李可风.从抗日救亡蓬勃发展的西安临大到白色恐怖笼罩的西北大学[M].西北大学校史编写组.西北大学校史资料汇编（第一辑），1987:31－46

② 杨守正（1915—2012），本名田冲、田大聪，1935年考入北平大学农学院，1937年10月转入西安临大农学院。他在西安临大1938年3月南迁汉中时，到了延安。后任驻索马里、苏丹、埃塞俄比亚、莫桑比克、苏联大使（1964—1970）。

③ 郑代巩（1915—1942）于1936年9－10月间考入北平大学法商学院商学系俄文先修班，1937年复转入西安临大求学，在校期间为中共地下党负责人，亦于1938年到了延安。曾任全国学联主席。

④ 柳青（1916—1978），原名刘蕴华，1937年秋考入西安临时大学俄文先修班学习。后为著名作家，有《创业史》传世。

⑤ 黄树则（1914—2000），1932年入北平大学医学院，应在1938年自西北联大医学院毕业（发北平大学医学院毕业证）。1943年在延安任毛泽东的保健医生。建国后任卫生部副部长。

⑥ 申健（1915—1992），原名申振民，申健是刘少奇所改。1937年夏考取国立北平师范大学，后随校转入国立西安临时大学法商学院经济系。1938年初本拟去延安，在中共地下党的劝说下，仍随校南迁汉中，入国立西北联合大学。1938年10月，党组织指示申健去胡宗南所部工作，被称为中共隐蔽战线"后三杰"之一。中华人民共和国成立后相继任驻古巴大使、中联部副部长。

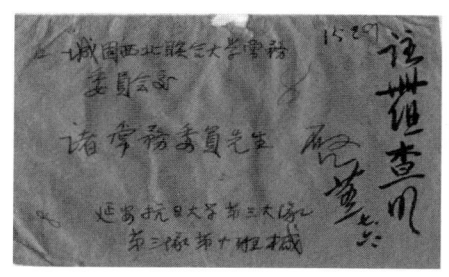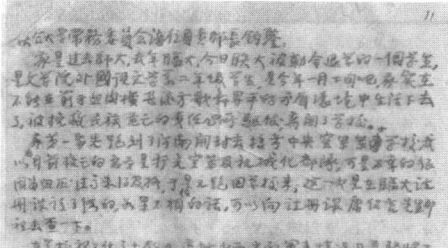

图 6　延安抗日军政大学第三大队第十班崔润珊呈请休学来函局部与信封

这封信是一件反映全面抗战初期西安与延安间、国共间、国立西安临时大学与延安抗日军政大学间的关系，以及反映进步学生奔赴延安投身革命和思想变化的重要文物。当西安临大常委收到这封信时，学校已迁至陕南改为国立西北联合大学。西北联大常委们的最后处理结果是：李蒸常委于 1938 年 7 月 6 日指示注册组查明崔润珊学籍无误，并复函崔润珊告知处理结果："所请休学，碍难照准"。然而，"请发给修业证明书一节，或可通融。来函请求时可照发"。①

李可风与崔润珊等少数学生自愿奔赴延安，后又回到学校复学或要求保留学籍并获准发给修业证明，这说明无论延安方面，还是西安方面，并无刻意肢解西北联大之意。虽然，校内也曾发生数次学运，也曾有进步学生被捕，以及孙科、邹韬奋、周恩来、徐诵明常委等出面营救学生，但均未成为联大解体的主因。在 1942 年春，甚至还有毛泽东在陕北接见西北联大后继院校国立西北大学文学院院长马师儒教授，允其在抗大发表演讲、询问陕南高等教育、托其问候远在陕南的黎锦熙老师，寄赠《论持久战》的一段佳话。国立西北大学校长赖琏也曾在重庆与周恩来副主席有过接触和交流。在中华人民共和国成立前夕，国民政府再令西大、西工、西农三校南迁时，均曾有过积极有效的护校运动，甚至陕西省参议会也以"陕省文化落后，最高学府为数无几""若各校院一旦迁川，则一般青年学子将更少求学机会，文化愈将低落"的理由，致电教育部反对三校再次南迁。② 这些均说明，无论是冯友兰的"三个人穿两条裤子"③致内部分裂说也好，还是于鸣冬、李可风国共互防说也好，抑或陈海儒先生"内部矛盾和防共控制在将西北联大解散分立的决策和执行过程中也是发挥了一定作用的"④等说法其实都有某种偏颇，这些

---

①　陕西省各界抗敌后援会(3594)公函. 民国档案,国立西北大学档案,陕西省档案馆.
②　陕西省参议会请转电教育部缓迁国立西北大学等三校,1948 - 12,陕西省参议会档案,陕西省档案馆.
③　冯友兰. 三松堂自序[M]. 冯友兰. 三松堂全集. 郑州:河南人民出版社,2012.
④　陈海儒. 西北联大为什么被解体分立？[J]. 天下,2012(3):11 - 14.

说法最多影响个人情绪,而不会影响国家层面的战略决策,也没有任何档案支持这些说法。

(五)西北联大"一分为五"展布西北是国家层面的战略部署

西北联大在 1939 年 8 月 8 日最终"一分为五",化身为皆冠以"西北"的国立五校。

从大学西迁酝酿时期的社会舆论来看,1932 年即有"上海一地即有国立大学六所,而西北六七省地方除前已所云兰州公立之甘肃大学外,国家并未丝毫顾及西北之教育……亦国家当局之失职与损失"①和"国家教育经费,动以千百万计,然用于西北者几何?沿江沿海,大学如毛,而从未在西北省区创一规模宏阔之国立大学"②的批评;有国民党第五次全国代表大会通过的"从速设置国立西北大学,培植服务西北之人才,树立复兴民族之基础"③的决议;有陕、甘、青政府、民间争办西北大学的高涨热情;有陕西省政府主席邵力子与行政院、与北平大学、与北洋工学院在全面抗战之前即积极接触,欢迎平津高校迁陕和"拟将北平大学和北洋工学院西移,为西北大学之基本"的预案。当西北师范学院迁兰、北洋工学院西京分院面临归并,以及 1949 年西北大学、西北工学院和西北农学院拟迁四川时,陕西省政府、陕西省参议会均极尽挽留,阻挡迁移。北平研究院与陕西省合作成立陕西考古会,以及与国立西北农林专科学校—国立西北农学院合作成立中国西北植物调查所等,则为大学西迁的先声。

在 1937 年 8 月的《国民政府教育部设立临时大学计划纲要》④《教育部长王世杰致浙江省政府主席朱家骅电》中,已有"为非常时期训练各种专门人才以应国家需要起见,特选定适当地点筹设临时大学","集中原有力量,于内地创造一二学术中心,以求效力国家"⑤"于学术文化上根基较为稳固,文化着眼似宜注意于西北,即在政治上所关亦甚大"的战略考量。1937 年 9 月 28 日,行政院与教育部对平津高校的西迁专门作了部署:

关于平津专科以上学校之处置:平津专科以上学校教职员学生为数极众,势非借读办法所可完全救济。本部为使优良教授得以继续服务,并使学生得完成学

---

① 康天国. 西北应设立一国立大学[J]. 新西北,1932(创刊号).
② 大公报. 西北教育之总病原在于贫穷[N]. 大公报,1932-11-29.
③ 杨一峰等. 请设国立西北大学 以宏造就而免偏枯案,1935-11-21,民国档案,中国第二历史档案馆.
④ 国民政府教育部设立临时大学计划纲要,1937-08,当时抄件,现存清华大学档案馆.
⑤ 教育部长王世杰致浙江省政府主席朱家骅电,1937-08-21,民国档案,中国第二历史档案馆.

业,且为内地高等教育扩大规模起见,业经呈奉蒋院长核准,先在长沙、西安等处设立临时大学各一所,近已分别成立筹备委员会,派员分赴长沙、西安积极筹备,期能早日开学,并定就平津各校院原有经费划拨一部分充各该临时大学经常费。所有开办费亦经商得管理中英庚款董事会同意协助五十万元。关于校舍业经觅定暂时需用之房屋。至于图书仪器,则除利用平津各校院业经迁出之设备外,并正一面另行设法补充。战区教职员及学生之登记与救济:自平津失陷以后,平津专科以上学校教职员,多数南下,本部为接洽通讯起见,在部内设立平津国立校院通讯处,办理登记事宜。①

王世杰部长致陕西省政府主席孙蔚如电亦有"为使平津各校师生迁地研习,并发展西北高等教育起见,决定在西安设一临时大学"②的说法。在西安临大筹备期间,常委们也认可了这些说法,并自觉作为办学目标,明确表示是为了"培植人材,奠复兴国家民族之基",③"以在抗战时期战区内教授学生不应失教失学,并当训练各种专门人材,以应国家非常之需要,特设临时大学以资救济,意远旨宏,洵为国家百年教育至计"。④

在此前后,国民政府行政院的《平津沪地区专科以上学校整理方案》(行政院第350次会议通过)中有:国立北平大学、国立北平师范大学及国立北洋工学院,现为发展西北高等教育起见,拟令该院校逐渐向西北陕甘一带移布,并改称国立西北联合大学,院系仍旧。经费自民国二十七年一月份起,由国立北平大学、国立北平师范大学、国立北洋工学院各原校经费各支四成,为国立西北联合大学经费。

1939年1月,教育部在国民党五中全会、六中全会教育报告中,已有"现设陕西各国立大学及学院,如因战事关系有迁移之必要,拟令迁甘肃及青海以树发展西北高等教育及社会文化之基础,以后私立专科以上学校如呈请迁移,亦拟令其迁移于现有学校较少者省区如西康、青海等省以求分布之合理化";"为谋奠定西北高等教育基础起见,教育部经将原有平津各校合并组织之国立西北联合大学改

---

① 教育部对于战事发生前后各级学校之措置总说明及有关文书,1937-09-28,民国档案,中国第二历史档案馆.
② 教育部部长王世杰致电陕西省政府主席孙蔚如,1937-08-25,民国档案,中国第二历史档案馆.
③ 徐诵明、李蒸、李书田三常委致电教育部长王世杰请辞十八日电,1937-10-18,民国档案,中国第二历史档案馆.
④ 呈报两月来筹备经过各情形请鉴核由,1937-11-06,《西安档案馆史料》,转自北洋大学—天津大学校史编辑室.北洋大学—天津大学校史资料选编[M].天津:天津大学出版社,1991:356-357.

组,分为国立西北大学、国立西北医学院,国立西北师范学院三校,使成为永久之西北高等教育机关"的明确表述。

教育部在战后教育复员计划中,有"战后专科以上学校之设置宜先谋全国各地合理之分配",还有具体的迁移计划:

内迁学校迁移计划:内迁专科以上学校为求合理分布起见,拟定迁移办法如次。第一,分全国为东、南、西、北、中及东北、西北、西南八个区域。第二,各区之中心点及拟迁移或设置之国立专科以上学校校数拟订如下。西部:重庆,国立大学及专科学校各一校;成都,国立大学一校;西昌,国立专科学校一校;雅安,国立专科学校一校;自贡,国立专科学校一校。西北部:西安,国立大学一校;兰州,国立大学一校;迪化,国立学院一校;武功,国立学院一校。①

其中,西北地区有在西安、兰州、迪化、武功设校的计划。在教育复员计划中也有在"西安,国立西北大学;宝鸡,国立西北工学院;武功,国立西北农学院;兰州,国立西北师范学院,甘肃学院,西北医学院、西北畜牧专科学校,交通大学甘肃分校"等计划。1946年2月1日教育部的《国立专科以上学校调整地点一览表》中,已有"西北大学迁西安,西北工学院迁西安,西北农学院仍武功;西北师范学院、甘肃学院、西北医学院(南郑),该三校拟合并扩充改为国立兰州大学"。

这些均充分说明,西北联大一分为五展布西北,决非一时权宜之计,而在战前、战后的国家层面均有缜密的战略规划,而其他原因均难以获得档案史料的支撑。

四、国立西北五校的形成

(一)国立西北工学院

1938年7月21日,教育部首先发出5942号训令,始有自西北联大分出工、农两院之议。1938年7月27日,教育部训令(二十七年发汉教第6074号),"附发国立西北联合大学工学院与国立东北大学工学院及私立焦作工学院合并改为国立西北工学院办法一份,筹备委员会简章一份"。由此,西北工学院成为第一个自西北联大母体分出并独立设置的学院。李书田初任筹备主任,赖琏、潘承孝相继任院长。教育部附发的西工改组办法规定了其经费的三个来源:一是以西北联大

---

① 教育复员计划,教育部教育复员计划及有关文书,中国第二历史档案馆.

原有工学院及北平大学工学院实支经费 266 400 元充为其经费;二是以私立焦作工学院的教育部补助费实支 31 500 元及原有学院经费移充为其设备费及迁移费;三是以中英庚款会补助西北联大工学院设备费原额 89 000 元移充为其设备费。其教职员、学生、院产等均为西北联大工学院等三院校原师生和财产,包括全部学生成绩、设备、文卷等。

其地址教育部初定设于岷县或天水,但实际上一直以在西北联大借用的意大利天主教堂之一部作院址,即汉中城固县东南部的古路坝天主教堂(今城固县城南 20 公里处董家营乡古路坝村)。1938 年 11 月 10 日筹备委员会迁古路坝院址办公。筹备期间约有学生 600 余人。1938 年 12 月 11 日开始上课。初设有土木、电机、化工、纺织、机械、矿冶、水利、航空八系,后又增设工业管理系。1939 年 2 月,教育部撤销筹备委员会,聘秦瑜为院长,未到任,复聘赖琎为院长;3 月 16 日赖琎就职后,增设工科研究所与工程学术推广部;8 月 21 日第一届 144 名学生毕业;二十八年(1939)度第二学期毕业 143 人,这两届学生的大部分学业应在西安临大和西北联大完成。至 1939 年 6 月,有教职员 159 人,学生共计 828 人(含正式生 811 人,研究生 1 人,借读生 10 人,特别生 7 人)。据姚远《西北联大简史》的统计,到 1949 年,先后有教授、副教授 67 人,讲师、助教 55 人,教师总数 122 人,教职员总数 208 人。至 1948 年,共毕业学生 1 992 人。抗战胜利后的 1946 年 3 月,西工迁至陕西咸阳。西工成立有工科研究所,1939 年又成立矿冶研究所。其中矿冶研究所分设采矿、冶金、应用地质三组,先后招收研究生 46 人,研究期限两年。开设有外国语(德、法、俄)、高等数学、高等金属矿床开掘法、采矿术、物理冶金学、高等冶铁学等 40 余门必修课和选修课程。

西北工学院前承北洋工学院、北平大学工学院,复汇入东北、中原工学高等教育,形成了土木、矿冶、机械、电机、化工、纺织、水利、航空、工业管理,以及从本科生到研究生的完整工程高等教育体系,其工程学术推广部测绘南郑城区,测量设计改进五门堰水利,并调查凤、徽两县矿产等,从而奠定了西北工程高等教育和工程学术的基础。

(二)国立西北农学院

西安临大农学院的前身为京师大学堂的农科,1912 年改为北京农业专门学校。1922 年改为国立北京农业大学。1928 年并为北平大学农学院。在西安临大时设于西安通济坊,与法商学院、医学院和教育系、生物系、地理系同在一地。时有农学、林学、农业化学三系。周建侯教授任院长。汪厥明教授任农学系主任,教授有易希陶、夏树人、王益滔、陆建勋、李秉权;覃成章教授任林学系主任,教授有殷良弼、周桢、王正;刘伯文教授任农业化学系主任,教授有虞宏正、王志鹄、陈朝玉,副教授罗登义等。

西北联大农学院在汉中时,设于沔县(今改为勉县)武侯祠。三系未变。周建侯教授继续任院长。教授新增姚鋈等。周名崇教授因体弱,翻越秦岭抵达汉中即不幸去世。

1938年6月始议,西北联大农学院、河南大学农学院畜牧系与西北农林专科学校合并,合组为西北农学院。1938年7月21日,教育部训令(二十七年发汉教第5924号):"自下年度起该校农、工两学院应与国立西北农林专科学校……分别合并改组为国立西北农学院。"1938年7月27日,再发(廿七发汉教第6076号)《令发该校工、农两学院合并改组办法》:"国立西北农林专科学校:案查该校自二十七年度起与国立西北联合大学农学院合并改组为国立西北农学院,业经呈奉行政院核定电知并聘请该校长与曾济宽、周建侯等为筹备委员各在案,该校所有校产及学生成绩文卷等项应即造册点交筹备委员会接收。除分令外,合行检发合并改组办法一份。"1939年4月国立西北农学院正式成立。设有农艺学、森林学、农田水利学、畜牧兽医学和农业化学等六系和农业经济专修科。1940年增设植物病虫害系、农业经济系。1941年增设农业科学研究所农田水利学部。1946年增设农业机械学系和农产制造学系。历任院长有辛树帜、周伯敏、章文才、唐得源等。

其办学"重视结合西北实际,为西北的农、林、园艺等事业服务"以及西北农作物栽培育种、西北家畜品种改良、西北兽医预防、西北造林、护林、森林利用等。1941年,西农农田水利研究部成立,开始招收研究生。修业年限两年,助教兼研究生者3年。其必修课有高等数学分析、流体力学、土力学、高等水文学、高等水工设计、模型试验、水工流体学、专题讨论等,选修课有水利机械、水质分析、黄河问题研究、田间技术、植物生理及病理、作物遗传、棉作学、食用作物等。在科学研究方面,先后育成棉花、小麦、谷子、大豆、玉米、高粱、马铃薯等各种优良品种22种,并以农业推广处、改良作物品种繁殖场等开展了卓有成效的农业技术推广工作,举行过三次农产品展览会、举办过农民训练班、新旧农事讨论会、农民夜校,辅导扶风、武功两县成立棉麦生产合作社170个和信用合作社265个,为教化民风、开发西北作出重大贡献。

西农奠定了西北农学高等教育体系。据姚远《西北联大简史》的统计,到

1947年,先后有教授、副教授68人,讲师、助教70人,教师总数138人,教职员总数265人,毕业学生1 657人。虞宏正、林镕、盛彤笙、涂治等十余名教授后来成为院士。王绶、周尧、刘慎谔、李赋都、石声汉、李仪祉等教授曾在此任教。西农形成了农艺、植物病虫害、森林、园艺、农田水利、畜牧兽医、农业化学、农业机械、农产制造、农业经济,以及从专科生、本科生、研究生到职业技术教育的完整农学高等教育体系,奠定了西北农学高等教育和西北农学与农业技术的基础。

(三)国立西北大学

1939年8月8日,国民政府教育部令:国立西北联合大学改为国立西北大学,同时将原有之师范学院和医学院分出独立设置为国立西北师范学院和国立西北医学院。1939年8月14日,教育部训令(渝字197号)颁布《国立西北联合大学改组为国立西北大学、国立西北师范学院及国立西北医学院办法》。1939年9月1日,国立西北大学在城固宣布正式成立。1939年12月2日,国民政府行政院院长孔祥熙准教育部1939年11月24日呈文,正式任命胡庶华为国立西北大学首任校长,"照叙简任三级,月俸六百元"。按照《国立西北大学组织规程》,学校"以研究高深学术,陶铸健全品格,培养专门人才为职责"。赖琏校长补充提出:"远观周秦汉唐之兴盛,环视大西北区域之雄伟,应以恢复旧的光荣,建设新的文化为己任,为最高理想。"1940年4月,教育部决定西安为国立西北大学永久校址。

1939至1949年间,胡庶华、陈石珍、赖琏、刘季洪、马师儒、杨钟健、岳劼恒等相继任校长或代理校务,均由行政院任命,其中赖琏为"实授核叙简任一级,俸六百八十元",待遇最高。张贻惠、姜琦、杜光埙、杨宙康、杜元载、高明教授相继任教务长。文学院院长相继由刘拓、马师儒、于赓虞、萧一山教授兼任;理学院院长相继由刘拓、赵进义教授兼任;法商学院院长相继由刘鸿渐、卢峻、赖琏、曹国卿教授兼任;医学院院长相继由侯宗濂、汤泽光教授兼任。

西大初设文学院(中国文学系、外国语文学系、历史学系)、理学院(数学系、物理学系、化学系、生物学系、地质地理学系)、法商学院(法律系、政治系、经济系、商学系)三院12个系,另有与西工、西农合办的一个先修班。1944年9月奉教育部令,文学院添设边政学系。1945年奉教育部令增设教育学系。1946年5月奉教育部令,西医汉中部分自1946年度起并入西大。8月1日,自联大分出的西医正式并入西大,为医学院,院址设于西安崇礼路西北化学制药厂旧址(今西安交通大学第二附属医院北院)。1947年初,报教育部批准,理学院地质地理系分为地质、地理两系。1947年12月报经教育部批准,原隶属文学院之边政学系,改属法商学院。

据姚远《西北联大简史》的统计,至1948年6月,先后有教授、副教授342人,讲师、助教283人,教师总数625人,教职员总数957人。至1948年,共毕业9届学生2 804人(含医学院396人)。

1939年8月8日,国立西北大学在陕南的成立和在战后迁建西安陕源西大原址办学,标志着京陕两源的合流。它激活了已中断5年的陕源西北大学,汇聚京陕两源,形成了文学、史学、哲学、经济学、法学、社会学、数学、物理学、化学、生物学、地理学、地质学等完整的基础高等教育体系,奠定了西北高等教育和人文社会科学、基础自然科学学术的基础。

(四)国立西北医学院

西北医学院由前身京师大学堂医学实业馆、北京医学专门学校、北京医科大学、北平大学医学院发展而来,是我国最早培养高级医学人才的学校。1937年9月10日,国民政府教育部将北平大学医学院并为西安临大医学院,院址位于西安北大街通济坊,与临大法商学院三系、农学院三系,以及教育系、生物系、地理系同在一地。吴祥凤任院长,教授有徐佐夏、严镜清、蹇先器、王晨、林几等,副教授有毛鸿志、王同观等。在西安时,以徐佐夏教授、王同观副教授为正副队长,组成30余名师生的赴陕南抗日宣传队,于1937年11月底自西安出发,经宝鸡、凤县、褒城,到达南郑,宣传抗日,讲解防空知识、为群众诊病,1938年2月返回西安。随即于1938年3月开始南迁,临大医学院高年级学生组成救护队随行。

1938年4月迁汉中南郑县,改为西北联大医学院,先借南郑联立中学校舍一部分为校址,复租陕西省银行南郑中学巷九号为院址。1939年3月因日机飞南郑频繁轰炸,又迁南郑城东孙家庙、马家庙(二三年级,院本部)、黄家坡、黄家祠(四五年级)、城固校本部(一年级)等处为临时课堂。此间,与南郑县卫生院成立临大医学院附属诊所,又与迁南郑的洛阳军分区医院联系作为实习基地。附属诊所于1939年夏迁至南郑东关黄家坡文庙内,改称西北联大医学院附属医院,儿科颜守民教授任附属医院院长。1939年蹇先器继吴祥凤任医学院院长,全院有正副教授8人,专任讲师和助教6人。

1939年8月8日自西北联大分出独立为国立西北医学院。徐佐夏、侯宗濂、刘蔚同、万福恩、李之琳教授等相继任院长或代理院务。此时,新增教授有马中魁、李佩林、汪美先、颜守民、陈天启、杨其昌等。

抗战胜利后,医学院师生要求回迁北平未果。1945年兰州的西北医学专科学校并入,并设西北医学院兰州分院。1946年8月1日并入西大,并由汉中迁回西安,为国立西北大学医学院①。由此,有了较大发展,联合国总部及国民政府教育部医教会拨赠病床设备110套、X光等各种治疗器材多套,药品60箱;美国红十字会捐赠药械3卡车;教育部增拨医疗器械经费3 000美元,使其初具规模。1947年,始下设医学研究所。1947年11月在西安建成西北大学附设医院并开诊,王立础、颜守民、王同观、赵清华、陈阅明、马载坤等教授相继任院长。1949年9月将陕西省立医学专科学校并入西北大学医学院。迁回西安后,以西安总医院为实习基地,并聘刚时、马志千、孙大光、张时等为西北大学医学院兼职教授或讲师。

在西北联合大学医学院时期,有教职员工74人,其中教授、副教授11人,学生196人,含有南通医学院、河南大学医学院等104名借读生。抗战时期日机数次轰炸汉中教学区和居民区,1940年夏,医学院教务长兼耳鼻喉科教授杨其昌和四年级学生栾汝芹、陈德麻被日寇炸弹夺去生命。据姚远《西北联大简史》的统计,迁回西安后,到1949年时,先后有教授副教授51人,教职员147人,学生为396人。西北医学院保存我国最早的医学高等教育火种,汇入陕甘医学教育,奠定了西北医学高等教育和西北医学科学的基础。

(五)国立西北师范学院

1939年8月,西北联大师范学院分出独立为国立西北师范学院,校址仍在汉中城固文庙旧县学内,与西北大学为邻。李蒸、黎锦熙先后任院长,袁敦礼、黎锦熙相继任教务主任,黄国璋、袁敦礼相继任训导主任。1940年西师拟分年迁移兰州,李蒸赴甘勘定校址,购置土地。1941年在兰州黄河北岸十里店设立西师分院并开学,原河北女子师范学院院长、西北联大家政系主任齐璧亭(国梁)教授任主任,同年城固校本部停止招生。1942年本部由城固迁兰州,而城固改为分院。1944年11月西师②全部迁移兰州。1944年城固分院学生全部毕业,宣布撤销城固分院。1946年7月下旬,教育部电令西师继续独立设置。其相继设有国文、英语、史地、数学、理化、教育、体育、家政八系,及劳作、国文、史地、理化、国语、体育5个专修科,以及师范研究所、附中(由西北联大高中部改称)、附小、附中师范部、

---

① 1950年再独立为西北医学院。1956年9月改为西安医学院。1985年6月改为西安医科大学。2000年改为西安交通大学医学部。其校史追溯至北平大学医学院以及并入北平大学的北京医学专门学校。

② 1945年抗战胜利后,西北师范学院中的北平师范大学师生300余人返回北平复员,至1949年8月兰州解放,有教职员工72人,学生360余人。1958年改为甘肃师范大学。1981年复名为西北师范学院。1988年改名为西北师范大学。

劳作师资班、优良教师训练班和先修班等。是年,全校教职员 225 人,学生 1 010 人。至抗战胜利,"北平师范大学西迁陕甘有九年之久,毕业学生 1 300 余人"。据姚远《西北联大简史》的统计,到 1947 年 2 月,西师先后有教授、副教授 64 人,讲师、助教 101 人,教师总数 165 人,教职员总数 147 人。到 1949 年,西师共毕业学生 1 677 人。

城固时期的西师与西大隔壁为邻,可以说完全处于合而未分的状态。其"文、理、教育和各科学生的宿舍、教室、图书馆、操场都是与西北大学合用。长时期西大、西师相关系科及其课程是合班讲授。一因西师建校之初,并无单独的校舍;二因西大文理科学生多为西北联大教育学院(师范学院)的学生。其中许多学生原是北平师大的学籍"。"至于教授、讲师,虽各有专任,但大多数始终是在西大和西师互相兼课"。其主要教授,如黎锦熙、罗根泽、杨晦、谭戒甫、刘朴、何士骥、易忠箓、许寿裳、陆懋德、黄文弼、李季谷、周传儒、杨人梗、张舜琴、李建勋、齐国樑、马师儒、程克敬、胡国钰、郝耀东、唐得源、包志立、鲁世英、方永蒸、金澍荣、袁敦礼、董守义、徐英超、王耀东、罗章龙、黄国璋、谌亚达、殷祖英、李镜湖、邹豹君、郁士元、刘拓、张贻惠、张贻侗、蔡钟瀛、岳劼恒、杨立奎、赵学海、赵进义、傅种孙、张德馨、杨永芳、刘亦珩、郭毓彬、刘汝强、雍克昌、汪堃仁、李中宪、吴世昌、王汝弼等,今皆被列入两校学人谱。汪堃仁院士曾回忆指出:"西北大学与西北师院仅一墙之隔,两校都设有生物系,两系教授均不齐全。我带头先为西北大学生物系讲授动物生理学等课程,仪器设备也互通有无,使两系的学生都得到益处,提高了教学质量。""西北师范学院独立建校时,原来北平师范大学的教师和毕业生,有一部分留在了西北大学。"实际上这一部分教师远比预计的要多,他们几乎成为西北大学从 1939 年至 20 世纪末文理科教师的主干。即便以上所列两校共有的 55 名教授,已经占到北平师范大学—西北师范学院和西北大学从 20 世纪三四十年代至七八十年代文理科教授的 90% 以上。西北大学第一部校史由黎锦熙教授 1943 年在城固完成,今西北大学校训"公诚勤朴"、西北联大校歌歌词亦由黎锦熙教授担任西北联大秘书主任时提出。

西北师范学院为陕南地方文化与西北文化作出过重要贡献,奠定了西北地区高等师范教育的基础。

五、一分为五后几个问题的重新认识

(一)西工、西农、西大、西医的再联合

国立西北工学院和国立西北农学院是第一批自西北联大母体分出并独立的两个学院,时在 1938 年 7 月 21 日。消息传出,工学院先有拟乘机恢复"北洋"之议,原北平大学农学院师生亦觉复校无望,亦起维持现状之议。为此,徐诵明、潘承孝等 59 人《为农工两院教授聘书如不续送恐各教授他往语示》致电教育部①,表示反对。西北联大农学院全体学生亦于 1938 年 7 月 27 日联名呈件《呈请维护西北联合大学组织完整,恳请诸公同心协力据理力争》。② 1938 年 12 月 15 日,国立西北农学院筹备委员会向教育部报告了 1938 年 8 月至 11 月底的筹备工作,表明接收重组工作已经大致完成。

1936 年 9 月开始的西北农专与北平研究院的合作,延续至西北联大和西北农学院成立之后。其中北平研究院植物研究所的金树章、刘汝强、林镕、汪德耀先后在西北联大文理学院生物系任教,复转西农任教。刘慎锷、孔宪武等被聘为西农教授,既为调查所的研究员,又为西农兼课,后来孔宪武又被聘为西北师院教授,长期留在了大西北。加上北平研究院历史研究所黄文弼、何士骥等人留在西北联大文理学院历史系,这在某些程度上维持了与北平研究院的联系,弥补了该院最终未能成为西北联大一部分的缺憾。

对于工农两院的分出,教育部的解释很明确:一是工、农两院的分立,是"调整国立各校院系计划和抗战建国纲领"的一部分,其目的是要"谋全国高等教育机关设置之合理"和"确立西北农工教育基础之计";二是"农、工两院设备简陋,不易发展,令与附近院校合并改组成独立学院,使人力物力集中办理",使其更为充实;三是关于战后复校问题,"至北平收复后如有设立两院必要时,仍得照旧设置,此时勿庸过虑"。当然,战后的实际情况是,教育部关于"仍采维持""仍得照旧设置"的承诺并未兑现,北平大学的工、农两院以至全部北平大学并未复校,这是后话。但是,这显然已经从国家层面拉开了"致力于发展西北教育既定方针"和"确立西北农工教育基础之计"的帷幕。

1939 年 8 月 8 日,西大、西师、西医最后自西北联大母体分出。1946 年 8 月西医复并入为国立西北大学医学院。1949 年,陕西省师专、师专南郑分校、商专、医专等又并入西大,实现了新的联合。

---

① 呈请维护西北联合大学组织完整,恳请诸公同心协力据理力争. 国立西北大学档案,陕西省档案馆.

② 呈请维护西北联合大学组织完整,恳请诸公同心协力据理力争. 国立西北大学档案,陕西省档案馆.

(二)同出一源三校训

"西大"的"公诚勤朴","西工"的"公诚勇毅"和"西农"的"勇毅勤朴"校训,同出一源——西北联大"公诚勤朴"的校训。

西大直接继承了西北联大的校训。2002年1月25日,西北大学百年校庆筹备委员会全体会议研究确定:沿用1938年10月国立西北联合大学第四十五次会议提出的"公诚勤朴"校训为西北大学校训。"公",即公正,公平,无私,天下为公;"诚",即真心实意,心口相副,开心见诚,无所隐伏,诚者天之道,思诚者人之道;"勤",即劳,出力,取必以渐,勤则得多;"朴",敦厚、质朴,原始的自然质朴的存在即"道"。西北大学前校长方光华的简要解释是:"公",即"天下为公";"诚",即"不诚无物";"勤",即"勤奋敬业";"朴",即"质朴务实"。蒋介石以"械朴多材"四字为"西大"第一至六届毕业同学和西北师范学院的七次重复题词、居正以"菁莪械朴,邦国之桢"为"西大"第一届毕业同学的题词,以及陈立夫以"学问在于济世,勤俭乃能服务"为"西大"第一届毕业同学的题词,也反映了对于"朴""勤"的理解。黎锦熙在释解西北大学校训时指出:"'公诚勤朴'校风之养成,盖与西北固有优良之民性风习相应";"西北民族杂居,异于东南,而其开化亦久,异于西南;融为'国族'正学府之任务矣。四千年使华夏之雄风,宁以遇暴敌而遂摧挫?惟在西北,必借教育学术之力,努力铸成'国族'以发扬之。西大之责,无可旁贷"。

公字楼、诚字楼、勇字楼、毅字楼,在今西北联大后继院校之一西北工业大学的校园内,四座颇具特色的标志性建筑端庄典雅,时刻提醒着师生铭记"公诚勇毅"校训。"公",即公为天下、报效祖国;"诚",即诚实守信、襟怀坦荡;"勇",即勇猛精进、敢为人先;"毅",即毅然果决、坚韧不拔。"公诚"定为人处世准则,"勇毅"明探求真理精神。国立西北工学院的院训"公诚勇毅"确立于1939年,成为师生在抗日烽火中严谨求知、教育报国的精神支柱。这与之后西北工业大学在长期办学中形成的"热爱祖国、顾全大局、艰苦创业、献身航空"的西迁精神、"一中二主三严"("以教学为中心""以学员为主、以教师为主""严谨严密严格")的办学理念,以及"三实一新"(基础扎实、工作踏实、作风朴实、开拓创新)校风,一脉相承,积淀了丰富的内涵。

今西北农林科技大学的校训"勤朴勇毅",同样源于西北联大的后继院校国立西北农学院的校训。1938年11月11日国立西北农学院筹委会第三次会议决议以"勤朴勇毅"为校训,但经当时的教育部审核,最终确定为"诚朴勇毅"。以

"诚"字起首并以之为核心,又结合学校"农"的特色,同时有追求科学、追求真理、向往光明、勇往直前的精神。"诚":诚者,信也,真实无妄之谓,为人处世,须以诚为本;"朴":朴者,质也,少私厚道之谓,博学经世,须以朴修身;"勇":勇者,气也,刚心锐志之谓,创新创业,须以勇求进;"毅":毅者,力也,不达不止之谓,任重道远,须以毅建功。"诚朴勇毅"四字校训,集中反映了西农师生践行"经国本、解民生、尚科学"的办学理念,立志为我国农业科教事业发展全力奉献的精神风貌。古农史学家和教育家、被毛泽东称赞为"辛辛苦苦独树一帜"的辛树帜教授,被毛泽东称赞"用一个小麦品种挽救了大半个新中国"的著名小麦育种学家、中国科学院首批学部委员赵洪璋教授,以及被昆虫学界誉为"蝶神"的著名昆虫分类学家周尧教授被誉为践行西农校训的化身。

(三)西工、西大在两年间共有一位校长

西工与西大等西北五校关系极为紧密,一度甚至两校共有一个校长。赖琏于1939年3月任国立西北工学院代院长。1942年10月31日起又兼任国立西北大学校长,至1944年8月1日卸任。直到1943年底潘承孝继任西工院长后,教育部始准予他辞去院长兼职。

国民政府行政院关于赖琏的任命[①]

令知　国府明令任命赖琏为国立西北大学校长。

令教育部

准国民政府文官处三十一年十月二十一日渝文字第五四三五号公函开:

准铨叙部三十一年十月十四日简字第三〇号通知书,为拟任国立西北大学校长赖琏业经审查合格,实授核叙简任一级俸六百八十元,请转陈任命等由,当经转陈奉 国民政府十月二十一日明令开:"任命赖琏为国立西北大学校长。此令等因在案,除由府公布及填发任状外,相应录案函达查照并转饬知照"等由,准此,合行令仰知照,此令。

院长　蒋中正
中华民国三十一年十月三十一日发

[①] 教育部总务司于中华民国三十一年十一月二日收到,文号编为:第52828号. 民国档案,中国第二历史档案馆.

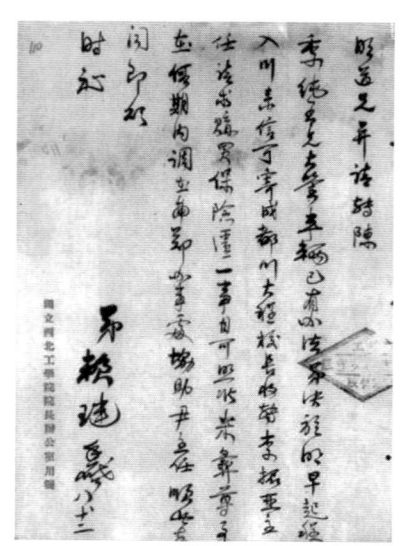

图7 赖琏在国立西北工学院任上的办公文书

赖琏在1969年在台北回忆兼掌两校的这段经历时说:"一生不过数十寒暑,一个人每每如意的事少,而失望的时候多。当我国对日抗战最艰苦的阶段,我在西北六年,初长西北工学院继兼西北大学,我乃始终记忆不衰地保留一个最愉快的回想。在那六年当中,我能赢得两校师生的信任与合作,克服许多非言语所能形容的困难,既解决了两校的严重学潮,复建立了两校的健全基础,使在烽烟遍地、炮火喧天的战争时期,得在西北那个角落,弦歌不绝,生气益然。……我在那三年当中,一面主持西大,一面兼顾古路坝的西北工学院和七星寺的先修班,三方面的员生合算起来几将三千人。"①这说明,在教育部看来,虽然联大已经分立,但学校共处城固,仍有很多共同点,仍有很多联系,以致一位校长执掌两所大学,而且还"赢得两校师生的信任与合作"并使两校"生气益然",成为"一个值得纪念的贡献"和"一生最愉快的回忆"。

(四)西大与西师合聘教授,共用校舍与设备

1939年8月,西大与西师虽已分为两校,但由于学科专业相似,皆有综合性大学的某些特性,故自迁城固以后,即长期合聘教授,所见合聘教授表就有黎锦熙、罗根泽、谭戒甫、曹鳌、吴世昌、张舜琴、包志立、叶意贤、金保赤、张万里、陆懋德、蓝文征、许重远、蒋百幻、何竹淇、谌亚达、黄国璋、赵进义、刘亦珩、张德馨、杨立奎、蔡钟瀛、刘拓、李中宪、马师儒、胡国钰、郝耀东、唐得源、鲁世英、郭鸣鹤、许兴凯、刘月林、罗爱华、李鹤鼎、姜玉鼎、曹配言、王镜铭、朱汝复、杨宏论、杨柏森、蔡

---

① 赖琏. 一个最愉快的回忆[M]. 台北:国立西北大学建校三十周年纪念刊,1969.

英藩、温忠理、卢宗澨、傅种孙、邹豹君、李问渠、顾学颉、赵兰庭等47名教授、副教授与助教。这使西北大学直到20世纪五六十年代，教授出自北师大和北平大学者几占半数以上，而出自北师大者则占教授总数的1/3。①

除此以外，西大与西师还互相兼课、共用教室、共用宿舍、共用图书馆，甚至西大、西师与西医三校共用一辆小轿车等紧密的合作办学历史。西师1942年至1944年陆续迁往兰州后，又在教育部主持下将城固的全部校舍赠予西大。

西农、西大也有很多合作。1946年5月20日在南京发生"五二〇血案"，国统区60余所院校的大中城市学生联合举行罢课，西农（武功）、西大（西安）、西工（咸阳）亦联合举行罢课。1949年6月，放弃西安西撤的胡宗南复自陕甘边境东进拟收复西安时，西农于6月11日奉命迁西安，寄居西北大学，7月27日扶眉战役结束后返回武功。西农与西大两校教授亦有密切联系：西农教授周尧曾任西北大学生物系主任三年；虞宏正院士曾任西北大学仪器委员会委员，长期在西农、西大两地兼课。先后在两校互相兼课或曾在两校任职的教授还有汪厥明、王志鹄、王恭睦、唐得源、甄瑞林、邢润雨、刘鸿渐、季陶达、李伯泂、毛鸿志、李中宪、李萃麟等多位教授。

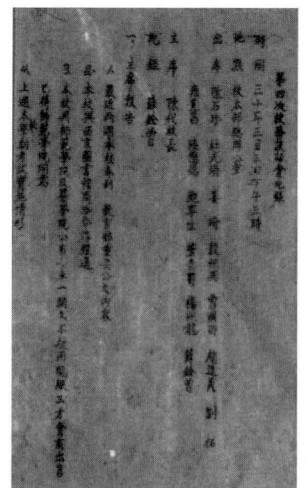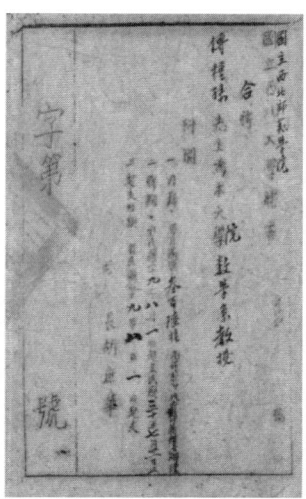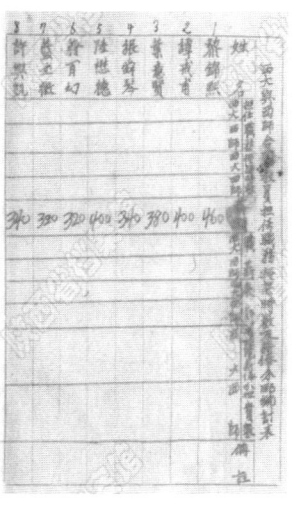

图8　西大西师合聘42名教授名单、西师西大合聘傅种孙教授聘书和西大第四次校务委员会议决处理西大、西师、西医共用的小轿车的会议记录

---

①　2016年，姚远据《西北大学学人谱》统计：在1946年迁回西安现址办学后至20世纪50年代初的教授先后有210人，北师大、北平大学的教授或毕业生有110人，占总数的52%。其中北师大几占1/3，刘季洪、马师儒等四任校长均出自北师大，侯外庐在1951年任西北大学校长时，还同时兼任北师大历史系主任。

国立西北五校在联合招生、联办先修班、联办社会教育、联合创建西北学会、中国物理学会西北分会、中国化学学会西北分会等学术社团，以及联合对外共同争取权益等方面也有很多合作。

李仪祉（1882—1938）的聘任也表明后继院校间的密切联系。李仪祉是联系"西大""西农""西工"和"东工"等联大后继院校的一个重要人物。李仪祉创办的三所学校均与"西大"有关：一是1912年创办的三秦公学留德预备班，于1914年并入陕源西北大学；二是1922年在水利道路技术传习所基础上创办的水利道路工程专门学校并为陕源国立西北大学工科，并任工科教授兼主任，成为"西大"乃至整个西北第一个工科，1925年5月至1927年复任陕源国立西北大学校长；三是1932年，"西大"前身西安中山大学改为西安高中，李仪祉于西安高中附设水利工程专科预备班，将陕源"西大"的高校身份延续到1935年该班并为"西农"水利组为止。

与"西农"前身"农专"的关系，即1934年，将西安高中附设水利工程专科预备班并入国立西北农林专科学校，成为该校水利系的创始，李仪祉兼任西北农林专科学校水利组讲座教授。

与"西工"的关系，李仪祉于西安临大创设之初，即任西安临大工学院土木工程系名誉教授。他除在1937年临大工学院（今西北大学太白校区大礼堂）作《抗战力量》的演讲之外，土木工程系课表中第二学期的"最小二乘方"必修课，估计即为其所开。在1938年3月7日他逝世前一天的"国立西安临时大学授课时间表"中，周四下午4:00—4:50和5:00—5:50，还排有他的"水工学"课。1938年5月9日，西安临大常委会还致函李仪祉家属李赋林（陕西水利局）到校领取其代课车马费，并加送车马费，两项共计250元，经家属同意设立"国立西北联合大学水利工程教授李仪祉先生纪念基金"，"转款存储中央银行南郑办事处，年息八厘，每年利息贰拾元，作为奖励水利工程最优毕业论文之用"。①

与东北大学工学院的关系，张学良致李仪祉信，感谢为东北大学工学院"却酬讲学"，表明李仪祉在为西安临大工学院兼课的同时也为东北大学工学院兼课。

---

① 为已故名誉教授李仪祉先生未领之车马费作为纪念李先生基金希查照传谕由（1938-05-13）.现存陕西省档案馆.

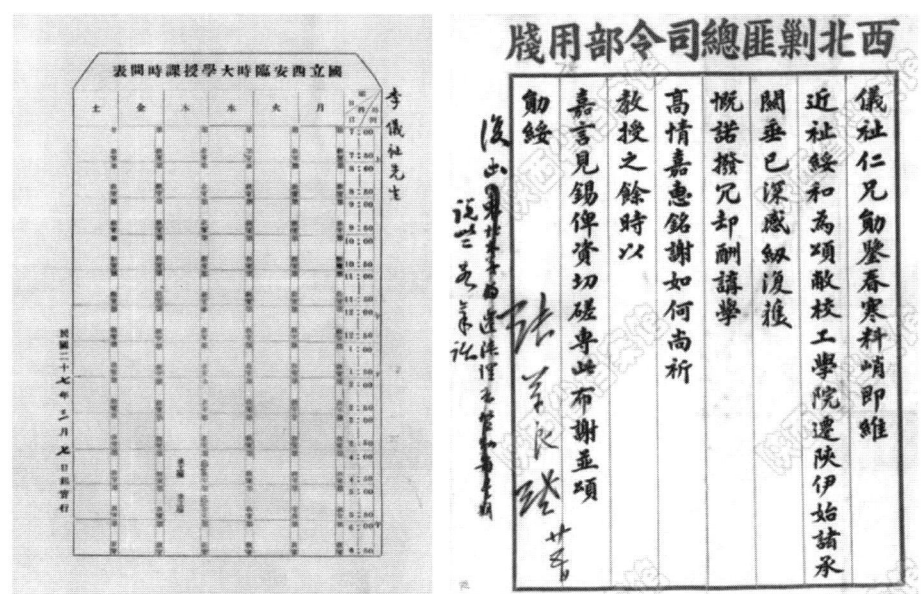

图9 国立西安临时大学授课时间表(1937-03-07,周四"木"下午有李仪祉的"水工学"课,以及张学良致李仪祉信(现存陕西省档案馆)

(五)西大、西工、西农三校联席会议

针对面临的物价上涨、再次迁校等共同问题,国立西北大学、国立西北工学院、国立西北农学院,不仅屡次采取共同对策,联名向行政院、监察院、教育部等机构反映面临的严重生活困难,而且于1948年5月5日建立了"国立西北三校院行政联席会议"制度。

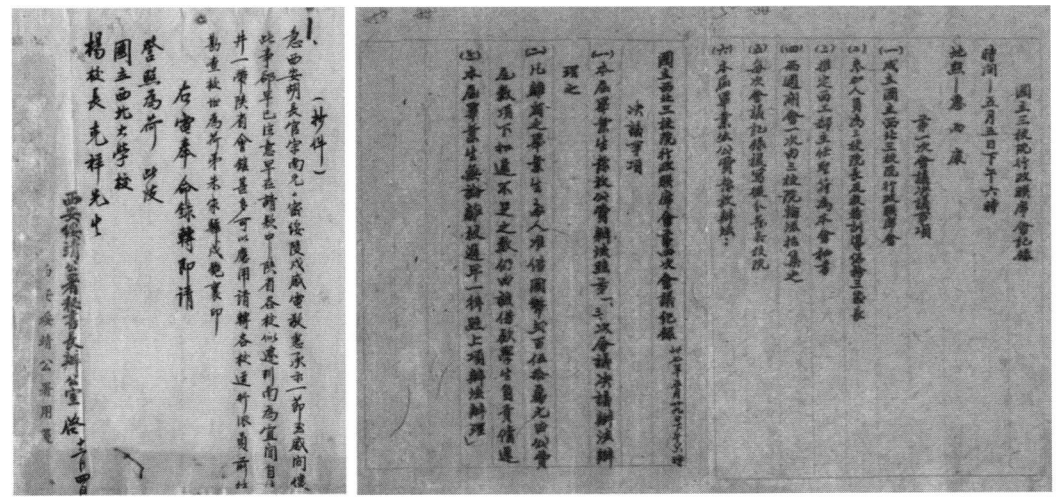

图10 1948年12月4日胡宗南要求陕省各校迁四川南部自流井一带的抄件和1948年5月5日国立西北三校院行政联席会议记录

该会议的参会者为"三校院长及教务、训导、总务三处长;推定西工郝主任圣符为本会秘书;两周开会一次,由三校院轮流召集之"。① 其联席会议先后举行了22次,讨论了毕业生公费总发放办法;毕业生救济金管理办法;凡经传讯学生的学籍处理办法;教授、副教授、讲师、助教加课钟点费发放办法;就中央银行透支款利率联合呈报教育部减息;教职员薪俸补发办法;三校院呈教育部按实际物价增加办学经费、学生公费和员工薪津;国立西北四校馆在京存书运回(推测还有西师和陕西省图书馆);在西安商议三校院派员赴川南勘察校址;三校院分别组织迁校委员会和在成都成立"国立西北三校院联合办事处";呈请教育部速拨迁校经费;推西大赵进义、西工王健庵、西农虞宏正各为勘察校址首席委员等问题。

"国立西北三校院行政联席会议"制度在杨钟健校长等的主持下,三校院密切配合,一边呈请拨发迁校经费,一边派人赴川勘察,一边给学生放假,有效地拖延和阻止了又一次迁校。其中,特别是在成都成立"国立西北三校院联合办事处"等拟议,隐约可见一个新的西北联大呼之欲出。

(六)国立西北大学奉教育部令于 1945 年、1946 年分两批为 220 名临大—联大毕业生补发毕业证,表明教育部对西北联大与其后继院校关系的认可

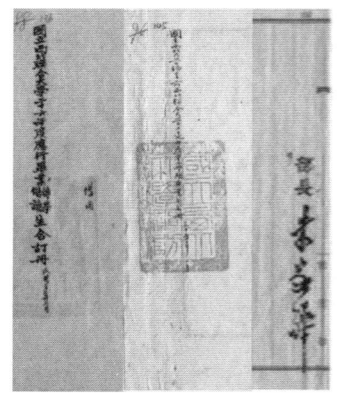

图 11 教育部令国立西北大学于 1946 年、1947 年分两批为 200 余名临大—联大二十六年、二十七年、二十八年、二十九年毕业生补发毕业证的训令和西大合订的名册

这些学生如曹国政,"北平私立辅仁大学文学院西洋语言文学系肄业两年后借读于西安临大外文系,旋临大迁移城固,校名改为西北联大,生亦经过考试而正式转入联大于二十八年六月二十一日考试及格领得胡庶华、徐诵明及李蒸三位常务委员之毕业证明书。迄今六七年矣,但正式证书尚未领得"。② 在曹国政致函

---

① 国立西北三校院行政联席会议记录,1948 - 05 - 05. 国立西北大学档案,陕西省档案馆.
② 教育部训令(发文高字第 36252 号),1946 - 12 - 02 发出. 国立西北大学档案,陕西省档案馆.

教育部后,教育部长朱家骅训令国立西北大学校长刘季洪,补发曹国政等的毕业证。

1946年由西北联大后继院校国立西北大学补发1937、1938年度西北联大借读生、转学生60人,1947年补发1939、1940年度西北联大毕业生160人,总计220人的毕业证,均有西北联大四常委签名、联大文理学院院长刘拓签章、西北大学校长刘季洪签章、西北大学印和教育部核验章。这表明,教育部认可了国立西北大学与国立西北联合大学间的"名称改换"关系和直接继承关系。

(七)西北联大最后一次分化过后两年,便有恢复大学联合体模式的呼声

《西北晨钟》1941年2卷1期发表董恩的《西北大学与西北各独立学院有合并的必要》一文。主要从"集中人力""集中财力""集中物力",以及文理工农医大学同处可互相借鉴、互通有无,促使文理融合等方面的理由,提出"西北大学与西北各独立学院有合并的必要"。兹择其要点如下:

西北大学与西北各独立学院皆战时的产物,因教育部本着抗战期中集中财力物力起见,而使从战区迁移到后方的大学实行合并,其目的善矣。

如果各院校合并而为一,那么认识同学集会增多,将来在社会上各种人材皆有,做起事来亦较方便,这不是对于建设西北有莫大的利益吗?总之,西北各院校合并有利无弊,关于利的方面,实在太多,不仅上述而已。

要想达到永久的基础起见,则只有把学校迁到关中沿着陇海铁路而设立。武功为陇海铁路必经之地,当宝鸡至西安中心点,为农学院校址所在。把学校合并后,建设于此,再好也没有。那时,我们可以建设一个大学城,此在德国即盛行。

客岁西北政务视察团来西北考察,该团由教育部陈部长率领,历经陕甘宁青诸省,对于西北各大学现状,及西北地理环境、交通、文化、建设各方面,当深切明了,西北各院校是否应该独立而分散,抑应该合并而集中,对于今后西北建设效力大小,当有更确切的指示,以不负设立西北各院校的目的。

从"脱稿于渭水河水文站"以及文中多涉西农的语气来看,这可能是西北农学院毕业学子的一个建议。当然,其所言无谬,合分皆有利弊,自不待言。这位先生的建议肯定代表了受尽奔波之苦求学的相当一批学子的心声,也从另一个侧面反映了人们对逝去的"西北联大"这种大学联合体的怀念。

图 12 《西北晨钟》1941年2卷1期发表的《西北大学与西北各独立学院有合并的必要》

其实,刚刚得知西北联大要再次分立的消息时,来自于四校的西北联大师生似乎已经适应了这种模式,特别是可以继续获得北平大学等原校毕业证的做法,给人的感觉是,北平大学等校虽然戴了一顶同样的联大的"帽子",但各自的母校仍在运行。这无论是北洋的李书田、平大的徐诵明、平师的李蒸、女师的齐璧亭,皆有此心。原北平大学校长徐诵明为《国立北平大学一九三九年毕业同学纪念册》所作的序中,即有:"光复河山,重返北平,不失旧物,此心未尝一日忘也"的说法①。

因此,当联大要在继工农两院独立设置后再一次最后分立时,立刻在校园引起一场轩然大波。首先发难的是北平大学农学院的学生。1938年7月27日,西北联大农学院即原北平大学农学院全体学生联名呈件:《呈请维护西北联合大学组织完整,恳请诸公同心协力据理力争》:

自本大学成立以来,设教西北启发边陲,当此之时,使命綦重,此所以最高国

---

① 徐诵明. 国立北平大学一九三九年毕业同学纪念册·序[M]. 城固,1939.

防会议将本大学改称西北联合大学以重其使命而健其组织也,考其意义盖欲西北之各独立学院各专科学校次第并入本大学,集中人力财力以共负其使命耳,今教育部电令本大学农学院与武功农专合并改称国立西北农学院显系与最高国防会议决议案之意旨相左,此应据理力争者一;按国防方针、名流意向、高等教育之实施率以综合大学为依归,良以节省经费便于教学,我国实施以来颇著成效,兹教育部所命显有背于国防方针失检于实际效果,此应据理力争者二;西北联合大学乃平津三校院合组而成,现虽平津失陷,然吾校尚存西北,而能于最高领袖领导之下其意义之深何可言喻,况来此者翘仕平津更坚定抗战之志,滞平津者系念吾校常怀南下之心,故西北联大之高最高国防会议亦谆谆言其使命也,且以三校历史彪炳全国,当如何获其存在,今而若是实有失于抗战之意,此应据理力争者三。我西北联合大学既经联合当为一体,彻理任当共负之,联大之荣即三校之荣,联大之辱即三校之辱,昔既联合而负其使命,今背其联合是则联大之蠹,此所以恳诸公同心协力者一,我三校按校址之处在以往历史之光荣以及其在我国所负使命……大类皆仿佛……之复宜如何图其共存共荣而希于抗战胜利之后重回故土乎?唇齿之意虞果之迹诸公明哲何待言,此所以恳诸公同心协力者二。①

从其中"我西北联合大学既经联合当为一体","联大之荣即三校之荣,联大之辱即三校之辱,昔既联合而负其使命,今背其联合是则联大之蠹"等炙热语气来看,"西北联大"之称确已为大家所认可,其"联合"之"初心"的确已经深入人心。这也可能正是西北联大之所以至今仍然被人们关注、被人们怀念的原因所在。

六、结　论

合亦是分,分亦是合,合中有分,分中有合,分分合合本无常;合分皆有利弊,合分不分好坏,合久必多见合之弊,分久必多见分之弊。

1938年7月,正当全面抗战爆发周年之际,国民政府重整全国专科以上学校,促使立足未稳、黉舍稍安的国立西北联合大学母体诞生了两个最早的子体——工、农两院,并开始了新一轮的分分合合:以当时国内仅有的两所工科独立学院"国立西北工学院"的名义(另一所为国立交通大学唐山工程学院),实现了华北、东北、中原的国立北平大学工学院、国立北洋工学院、国立东北大学工学院、私立

---

① 农学院全体学生联名呈件,1938-07-27.国立西北大学档案,陕西省档案馆.

焦作工学院的新一轮联合；以当时国内唯一的独立农学院"国立西北农学院"的名义，实现了西北、华北、中原的国立西北农林专科学校（1932年12月归并上海劳动大学农学院和1934年9月归并陕西省水利专科）、国立北平大学农学院、国立河南大学畜牧兽医系的新一轮联合。这不仅成为"国立西北五校"架构的先声，而且同时形成了我国战时最强大的综合性工程技术和综合性农业技术的两所独立学院。

国立西北大学作为民国时期西北唯一的一所综合性大学，继承了北平大学、北平师范大学和西北联大综合性的衣钵，一度名列民国十大著名学府，在发展西北高等教育方面，发挥了重要的"高等教育母机"作用。

民国年间，西北地区盼望创设大学的愿望日益高涨，尤其是随着开发西北重心的西移，甘肃发展高等教育的愿望尤其强烈，陕甘间在1923年、1936年曾两次争办西北大学，直至国民党五全大会、行政院、蒙藏委员会均作出了有利于甘省的决议，后因预算未能通过而流产。这为稍后国立西北师范学院迁设兰州，国立西北医学院与国立西北医学专科学校合组国立西北医学院兰州分院，国立西北农学院协助创建西北技艺专科学校和国立畜牧兽医学院、国立西北工学院拟设平凉或天水，以及国立西北大学有意在乌鲁木齐设立分校等谋划奠定了民意基础。同时，这些意见为将西北联大改为国立西北大学，并将工、农、医、师分别独立设置和在陕甘的展布作了重要的舆论铺垫，也因应了陕甘宁青新地方政府和民间团体渴望兴办高等教育的强烈愿望。其中，尤其是西师迁兰，意味着发源于晚清北京的我国最早的师范高等教育由平津向西推进了1000公里，至西北的东大门西安，再由西安向南翻越秦岭推进250公里至与成都平原接壤的汉中盆地，再以其传承者国立西北师范学院迁兰，一路向西，将现代高等师范教育制度再向西推进了1000公里，直抵邻近新疆的敦煌，真正实现了在陕甘展布高等教育的初衷。西师实际上肩负了厚植西北基础教育、培植中等教育师资及广开社会教育的重大使命。当然，西医最终落地西安，也将我国发源于北京的最早国立西医高等教育传承光大，从而奠定了西北区域医疗中心的地位，开拓了西北医疗卫生事业的新纪元。

九一八事变与七七事变之后，先有东北大学成为第一所流亡大学移徙古城长安，再有国立北平大学、国立北平师范大学、国立北洋工学院、河北省立女子师范学院，以及国立北平研究院之历史所、植物所等西迁陕西，"并序连黉"，合组成国立西安临时大学—国立西北联合大学这一战时高等教育命运共同体，一度在民国十大著名学府中仅次于中央大学、西南联大，位列全国第三位，凸显了"连黉合纵"的最高办学成就。再临日寇逼近长安东大门之际,复经又一次史无前例的千里大迁徙,徒步翻越"蜀道难,难于上青天"的秦岭险关,南迁陕南办学,复经第二轮"联辉合耀",与国立西北农林专科学校、国立西北医学专科学校、甘肃学院、国立西康技艺专科学校、国立西北畜牧兽医学院、私立焦作工学院、河南大学畜牧兽医系、陕西省立师范专科学校、陕西省立师专南郑分校、陕西商业专科学校、陕西医学专科学校等校相继分立或联合,形成国立西北大学、国立西北工学院、国立西北农学院、国立西北医学院、国立西北师范学院等"国立西北五校"在西北大地的展布。这不仅在民族危亡之际,保留了我国东北、华北高等教育的薪火,实现了文脉绵延和薪火相传,使我国第一所大学、第一所师范高等学校、最早的女子师范教育和最早以拿破仑帝国大学为蓝本的大学区制试验成果等,得以完好保存和发扬光大,而且将一个理工农医综合师范配套齐全的高等教育体系永久地留在西北、扎根于西北,从而根本上改变了我国高等教育在平津等地"重床叠屋"式的畸形发展,实现了中国高等教育由大河流域或铁路沿线的"点线"布局向西北区域"面"上布局的一个历史性转折,为21世纪的西部大开发、一带一路建设和中华民族复兴奠定了重要的人力资源基础。

(姚远 2017年10月27日第一稿于西北大学桃园校区格致斋;2017年12月6日第二稿于陕西省档案局编研处)

第一章 大学西迁的酝酿

第一节 陕西地方兴办大学①的愿望

一、开发西北之声②对教育的关注

行政院秘书处抄送刘昭晓《条陈开发西北之意见书》致内政部等函

(笺函 第二八五号)

径启者：奉代院长谕：刘昭晓条陈开发西北之意见请予采择一案，应交内政、实业、军政、教育四部参考，等因。除分函外，相应抄同原件，函达查照。此致

　内政部、实业部、军政部、教育部。

---

① 1937年9月大学西迁之前，整个西北地区的高等学校甚少：陕西省在1902年创建陕西大学堂，1912年由陕西高等学堂等五学堂改组为西北大学，1915年改为陕西法政专门学校，1923年改为国立西北大学，1927年改为西安中山学院，次年改为西安中山大学，1934年成立国立西北农林专科学校；甘肃省在1909年开办法政学堂，1913年改为甘肃公立法政专门学校，1928年改为兰州中山大学，1930年改为甘肃大学，次年改为省立甘肃学院；新疆1935年在俄文法政专门学校(1928年建校)的基础上成立新疆学院。抗战全面爆发前夕，仅有陕西的国立西北农专、"九一八"后客居陕西之东北大学、甘肃的甘肃学院和新疆学院4所高等学校，且大多气息奄奄，如新疆学院一度仅余土木工程系一年级5名学生。这就是大学西迁之前西北高等教育的基本状况。

② 1924年马鹤天就在北京发起成立中华西北协会，并创办《西北半月刊》。九一八事变发生后，举国一致有开发西北之议。仅南京即有西北周刊社、开发西北协会、西北问题研究会、西北文化社、西北刍议社、中国边疆文化促进会等，上海有西北公论月刊社、西北问题研究会，北平有西北研究社、西北杂志社、西北公学社、西北论衡社、西北春秋社、西北协社等，开展开发西北研究。

计抄送意见书一份。

行政院秘书长　褚民谊

条陈开发西北之意见书(节选)

……

一宜普及教育,以资造就而广宣传也。西北为吾国民族之发源地,溯自唐虞三代以至于成周,文物已臻盛轨,其政治制度、道德文章、学术工艺亦莫不造诣极端。迨至亡清同治年间回民革命,所有城市几皆焚戮殆尽,幸经左文襄公凤鸣率带湘军前往平靖,迄今该地人民多感其再造之德。惟回汉杂处,文化东移,诸事落后,亟宜饬令广兴学校,以资造就,并宜注重军事教育与生产教育。盖学校者,文明进化之源也。先总理云:"学校之目的,于读书识字学问智识之外,当注意于双手万能,力求实用",尤为对症下药之语,伏乞饬令行之。

……

湖南溆浦县公民
前国民革命军第四十七军参议
现属钓鱼台南京市立义务小学校
刘昭晓
中华民国二十一年十二月
(民国档案,中国第二历史档案馆)

刘守中、张继等拟《开发西北提案》(节选)

开发西北,在今日已为时人通常套语,……人民喁喁仰望于政府者迫不及待。

……

丁、教育　察绥边地为蒙汉杂居之所,汉人教育既未普遍,而蒙旗教育中央不遑远及。地方政府亦未为设施,遂致蒙人失学,视同化外。汉蒙既为一家,利蒙即所以利国。……将来弦诵兴作,而蒙旗子弟晓然于国家缔造之艰难,汉蒙一体之利益,福国利边莫大于此。

……

提案人：刘守中　张　继　吴敬恒
　　　　张人杰　于右任　居　正
中华民国二十一年十二月
（民国档案，中国第二历史档案馆）

马步芳关于开发西北应在青海边地设立工厂、学校等问题的提案

呈为建议事。……

（一）蒙藏学校请设青海边地

理由：青海蒙藏回族各方杂处，知识落后，各种事业自无发达之理，甚因不受教育之故，语言不通，感情隔阂，每于种族间不免误会。为化此种界域，冶各族于文明之炉，似宜多设蒙藏学校，尤其注重教育之普及。青海回教俱进会成立中等学校一处，初级小学2 000余所，汉蒙回藏各族子弟兼收并蓄，不分界域，近且日有成绩。由此观之，若藉中央补助之力，因地制宜，因人教育，化獉狉为文明，其效最宏。

……

青海省政府委员　马步芳　呈
中华民国二十二年十一月
（民国档案，中国第二历史档案馆）

行政院关于王超凡等在国民党五全大会上提《拟请组织健全机关集中人力财力积极开发西北以裕民生而固国本案》

（行政院密令　字第二六八号）

令财政部

案奉国民政府二十五年一月六日密字第四号训令内开：为令饬事。奉中央执行委员会二十四年十二月二十五日敬字第1025号密函开：查第五次全国代表大会关于王超凡同志等二十五人提议"拟请组织健全机关，集中人力财力开发西北以裕民生而固国本"一案，经大会决议，交国民政府参考在案。相应检同原提案一件函达，即希查照，等因。奉此，除函复并分令全国经济委员会外，合行抄发原附提案，令仰该院查照参考，此令等因。奉此，除分行实业、交通、铁道、内政、军政各

部外,合行抄发原件,令仰该部查照参考。此令

计抄发原提案一件

院长　蒋中正

中华民国二十五年一月十五日

附件:拟请组织健全机关集中人力财力积极开发西北以裕民生而固国本案(密字第三十三号)

理由:查西北为我民族发祥地,自黄帝以降,握中国政治经济文化总枢纽者垂两千年。嗣后自西向东,政治势力开展,此古老伟大之西北反为国人所遗忘,视作边陲,无关紧要。

……

(三)人材。开发西北之首要问题为经费,其次为人材,尤其需要专门人材。我国各项专门人材颇不乏人,惟以实业不振,政治未上轨道,学非所用已成今日之普遍现象。政府应极力搜罗关于矿业、工业、交通、水利等专门人材,组织各种专门委员会,研讨设计,逐步施行,而后款不虚糜,事有成效。

……

提案人:王超凡

连署人:潘延年　等

(民国档案,中国第二历史档案馆)

二、在西安恢复或设立国立西北大学的呼声

西北应设立一国立大学[①]

(康天国　中华民国二十一年)

吾人试观江苏一省除八院齐全之中央大学所在外,其上海一地即有国立大学六所,而西北六七省地方除前已所云兰州公立之甘肃大学外,国家并未丝毫顾及

---

① 1928年西北大学改为西安中山大学后,于1931年改为西安中学和附设陕西省水利工程班,陕源西北大学日渐式微,抗战全面爆发前陕西仅有国立西北农林专科学校、侨寓西安的东北大学、1931年改组的省立甘肃学院和1935年改组的新疆学院。

西北之教育！此则固西北人之不幸与失望，同时亦国家当局之失职与损失，此则事理昭昭，毋庸多赘。故吾人以为今后我国当局欲谋整个中国文化程度与夫人民知识程度之提高，须由中央经费来创办一法学、理学、教育、文学、工学、农学、医学、体育八学院完备之一国立西北大学于西北不可也。

（1932年《新西北》创刊号）

西北教育之总病原在于贫穷

（《大公报》社评，中华民国二十一年）

吾人之见，西北教育之总病原在于贫穷。然此为整个的问题，如何救济农民破产，事属政治，兹姑不论，以教育言，则首望政府在此各省中至少须各办一完备之专科学校。国家教育经费，动以千百万计，然用于西北者几何？沿江沿海，大学如毛，而从未在西北省区创一规模宏阔之国立大学，此政府教育行政上之大缺憾也。

（1932年11月29日天津《大公报》题为《西北教育》的社评）

请设国立西北大学 以宏造就而免偏枯案[①]

（杨一峰等，中华民国二十四年十一月二十一日国民党第五次全国代表大会通过）

理由：查我国兴学数十年，于国立大学之设置，对地域分布向未重视。据教育部最近统计，全国国立大学及独立学院共18校，而北平一城即占其五，上海一市即占其六，院系重叠，效率低减，畸形发展，识者病之。自顷国立武汉及中山两大学新校舍先后落成，内容大加充实，国立四川大学之进展，复指日可期，此种种弊端，渐就铲除。惟西北数省，广袤万里，迄今无一国立大学，以素称文化落后之区域，又无高等学府之设置，衡以教育平等之义，讵得谓平？矧国难以还，开发西北，万不容缓，百废待举，动需专才，而西北连年困于兵荒，固有教育尚难维持，创办大学更属于望。将欲借才异地，则他处人士或不习风土裹足而不前，或不耐苦寒浅尝而辄止，以故开发西北之呼声高唱入云，而实际工作仍未曾着手。溯其往事，深用慨叹，故宜从速设置国立西北大学，培植服务西北之人材，树立复兴民族之基

---

① 此案通过后"交国民政府核办"。其中，诸如杨虎城早在1926年就曾捐助陕源西北大学，还有于右任的外甥周伯敏，后任西安临大筹备委员，一直积极参与西北高等教育的筹划。

础,不仅使全国高等教育获平均发展已也。

办法:就河南、陕西、甘肃等省专科以上学校改为国立西北大学,校址设西安,而于开封、兰州等处各设分校或学院,如教育经费急切难筹,无妨暂由各校原有经费垫支一部,渐次减少,由国库分年弥补,渐次增加,至完全担负为止,如是则国库无骤增大量担负之虑,而西北大学得以逐渐充实。事轻易举,莫善于此。是否可行,谨请公决。

决议:原则通过,交国民政府核办。

杨一峰、杨虎城、周伯敏、张钫、吴敬恒、张学恭、陈泮岭、杜松延、阎秉乾、李东圆、刘志平、邓鸿业、潘秀仁、李天民、燕化棠、范争波、韩克温、胡伯岳、李汾、梁贤达、翟宗涛、凌子惟、翟玉航、朱贯三、杨集瀛、苏振甲、曹启文、马绍武、余凌云、谷曙吟、张善兴、邵华等 32 人联署

中华民国二十四年十一月二十一日

(民国档案,中国第二历史档案馆)

教部筹设西北大学

南京来消息:"教育部因西北各省尚无大学,为提高文化及便利学生求学计,决筹设国立西北大学,把地址拟在西安,所有各院系设置,皆照其他国立大学办理,开办费预算已在草拟中,不久将呈行政院核示。"

筹设西北大学,这消息我们对之颇觉兴奋,这些年来,开发西北的口号,唱入云霄。可是,据曾经到过西北实地观察回来的人的论调,一般皆很悲观。悲观的原因是:第一,没有钱财;第二,没有人材。西北是太大了!太荒了!

没有钱财资本以进行开发建设事业,固极困难,但不足悲观。没有人材,有资本而无人去干,这真是够悲观的。两害相较,后者又远过于前者。我们对于西北大学筹设之意,所以感觉兴奋,便是希望能因此大学之设,能解决最大困难的人材问题。现在沿江海都市各大学毕业学生,姑无论其所学是否适合建设西北事业之用,即就生活一项论,要想现在过惯都市生活的学生,以之趋赴西北穷荒中,与风沙冰雪苦斗,这是何等困难事!?西北大学之设,如能造就一批可以在黄土层里生活的青年,那便是最大的成功!我们对于未来西北大学创设计划,倒不希望其与其他国立大学一般规模,只希望其能在西北环境中创造出一种适合于西北环境的大学,在学生生活方面,尤须表露出一种崭新的姿态,为全国大学做一些新榜样!

(鸣)

(《中国学生》1935,2(19):2.)

西北大学将设于西安

最近,国府拟设立西北大学,已经行政院令交教育部办理。现悉教部拟与国立西北农林专科学校筹备委员会、东北大学及其他方面商榷,已决定在西安筹备,刻正在进行中。

(《图书展望》中华民国二十五年三月三十一日出版,1936(6):70.)

请中央筹设国立西北大学案
(安汉,中华民国二十五年八月二十日开发西北协会第三届年会)

开发西北,应以经济与文化相辅而行,庶免畸形病态不均之现象发生。查西北地域,幅员辽阔,以与全国所有教育发达之各地作面积之比例、人口之比例,则学校量、质二量,皆有霄壤之别,而高等教育之设置,亦尚付阙如,以事实与需要而论,固应有积极设立大学之必要。

　　　　　　　　　　　　开发西北协会第三届年会
　　　　　　　　　　　　中华民国二十五年八月二十日
　　　　　　　　　　　　(民国档案,中国第二历史档案馆)

从速筹设国立西北大学一案[①]
(开发西北协会第三届年会,中华民国二十五年九月二十六日)

谨呈者窃以开发西北,应以经济与文化相辅而行,庶免畸形病态不均之现象发生。兹以幅员辽阔之西北与全国所有教育发达之各地按面积之比例,则学校数量质量皆有霄壤之别,而高等教育之设置亦尚付阙如。民国元年西安虽曾有陕西省立西北大学之设,而终以地方财力有限设备未周,不久即行停办,以致年来中学

---

① 开发西北协会第三届年会再次向行政院院长蒋介石提出"从速筹设国立西北大学一案",1936-09-26,存中国第二历史档案馆。该会于1936年8月20日在西安陕西省建设厅中山堂举行第三届年会,并由此次会议改为"西北建设协会"。

毕业学生有志深造者每感远途升学之苦。敝会有鉴及此,爰经第三届年会一致决议,呈请中央从速筹设国立西北大学在案,理合连同上述理由备文呈请钧院采纳施行,在二十五年度教育经费预算项下拨款派员,即行筹办,并于西北适中地点选定校址,从速进行,以应事实需要,实为公便。

谨呈

行政院院长蒋

开发西北协会第三届年会谨呈

中华民国二十五年九月二十六日

(民国档案,中国第二历史档案馆)

三、陕西建议平津大学西迁和保护既有高校

行政院关于邵力子请将北平四所大学迁移一所进陕致教育部函

(笺函 第二九八号)

奉院长谕:

陕西省政府邵主席函陈西北教育依然落后,北平一隅,国立大学居四所之多,请酌迁一所入陕,即以旧有图书、仪器教材作新校基础一案,应交教育部统筹办理,等因。相应抄同原件,函达查照。此致

教育部

计抄送原函一件。

中华民国二十五年一月

附邵力子函

院长钧鉴:敬呈者:西北自中央主持开发以来,物质建设成就渐显,惟教育一端依然落后,诚以陕甘宁青新等省,人口总数在2 000万以上,乃竟无一所大学作高深之培养,实不足以应事实上之需要。前者五全大会有筹设西北大学之建议,西北人士同声欣喜,盼其实现,期望之殷,可以想见。第兹事体大,须有充分之设备,复须有相当之教才。衡以中央财政现况,恐难点正多,窃谓与其另创新基,不如利用故物。查北平一隅,国立大学居四所之多,实嫌供过于求,似可酌迁一所入陕,易名西北大学,即以旧有图书、仪器、教材作新校基础,中央但筹购地暨建筑校

舍之费，预计为数不过100万元左右，如财力艰难尚可分期拨给。以此办法全国学区既免畸形畸重之弊，西北方面亦省另起炉灶之劳，一举两利，莫过于此。复查北平大学现有农、工、医、法商及女子文理等五学院，学生共1 500余人，教授百余人，机器、仪器、标本、书籍等约值300万元，规模素称完备，以该校环境论，迁移西北尤为适宜。如蒙谕允，拟请钧座令饬教育部，就此项原则与该校徐校长妥商详细办法，逐步进行。除径函王部长外，谨此奉陈，伏乞裁夺。

  即颂崇安。

职　邵力子　手启（印）
十二、二十八
（民国档案，中国第二历史档案馆）

行政院关于邵力子提议将国立北洋工学院西移事致教育部笺函

（笺函第三二九号　中华民国二十五年一月三日）

  奉院长谕：陕西省政府邵主席函陈已接国立北洋工学院院长李书田函，拟将该院西移，为西北大学之基本。详核所拟计划，颇为赞同，该院与北平大学其他各学院自无重复，惟平大亦有工学院，是否该院一并迁陕，请统筹办理并赐复，等情。应交教育部统筹办理，等因。相应抄同原件，函达查照。此致

  教育部

  计抄送原函一件。

  院长钧鉴：顷接国立北洋工学院院长李书田函，以此次五中全会有设立国立西北大学之提案，拟将该学院移至西安，以为西北大学之基本，并附意见书一份。详核所拟计划，颇为赞同，惟职日前曾上书请以北平大学迁陕改为西北大学，谅邀钧鉴。北洋工学院只工学一部分，与平大其他各学院自无重复，惟平大亦有工学院，是否该院一并迁陕，尚祈钧裁，统筹办理并赐示复，不胜盼祷。肃此。

  祗请钧安。

职　邵力子　谨启（印）
一月三日
（民国档案，中国第二历史档案馆）

为陕省中等教育师资缺乏并为冀鲁晋豫等省学生就学便利计仍请将国立西北师范学院分设陕甘两地以宏造就由

（宋联奎等致教育部长陈立夫，中华民国三十一年十二月三十日）

窃查上年五月联奎等以师资缺乏，请将国立西北师范学院长久分设陕甘两地，以宏造就等语，上陈钧部。嗣奉钧座六月十一日函开：

"接奉五月十五日来文，敬悉先生等关怀陕省中等学校师资训练，至深钦佩。关于师范学院之设置，本部正统筹全局，逐年推广。西北区域辽阔，甘宁青师资缺乏，远较陕省为甚。为改进各该省中等教育起见，故本应饬西北师范学院在兰筹设分院，惟为经费所限，城固本院不得暂停招生，将来当视实际需要，再行调整，俾陕甘各省所需中等教育师资均无缺乏之虑也"，等因，奉此，仰见钧部注重师资统筹兼顾之至意，荚名感佩！惟近闻西北师范学院有于明年暑期迁甘之说，谨再申前请，详悉陈之：

一、自北平沦陷，失去文化重心。凡冀豫鲁晋皖鄂各省人士，多携眷流寓陕境，青年亦多只身前来，以故在陕就学者，日有增加。普通大学之外，陶铸人才，延续文化实为需要。观二十九年度西北师范学院在校学生统计表，全院521人，河北124人，河南104人，鲁晋苏皖赣鄂辽吉黑等省126人，共354人，占全额3/5犹强。缘沦陷各省中学毕业生，不甘受奴化教育，而远来后方依恋中央。若国家嘉其远道来学，授以三民主义教育，使归而转教其省，则民族精神，心理建设，即寄寓于其间，较之普通大学，尤能发挥效能。至就学地点，自以陕省为较接近，若兰州固亦西北重镇，道路遥遥，交通不便。或惮于长征，望尘兴叹；或限于经济，有志难酬。将使依恋之诚中沮，而沦陷省份，亦有脱离三民主义教育之危，故西北师院之在陕境，实为吾国沦陷区域造就复兴建国之人材，不宜西行迁去者也。

二、近年物价腾踊，建筑匪易。西北师院在陕有年，修筑校舍，所费不赀，若去而之他，原有建筑，弃之可惜。如赓续进行，需款有限，而收效甚宏。为国家节省经费计，西北师院亦宜存留陕境也。

三、陕省向无高等师资学校，虽在北洋政府时代，有西安筹设高师之计划。而曾在北平沈阳等处毕业者，为数无多，是以中等学校教员，非研究教育之士。近年中等教育校数人数，增加日多，而教员增加数不能与校数、班级相适应。各校聘请教员，确属困难问题，钧部时有人员来省视察，此种情形，谅早鉴及，为适应目前之需要,西北师院亦宜存留陕境也。

四、师院附中,为教育实验场所,亦为中等学校模范。抗战以来国立中学、沦陷区域公私立中学,均集中陕境,而以附中为唯一表率,相观甚宏。此种关系,尤为至巨,若独处远境,只能自行教成少数学生。能收渐渍观摩之益,此又视院之存在与否,以定去留,而企望长期存在也。

以上诸端,均系实际情形。伏愿钧部于提倡甘青宁文化之中,对于沦陷区域教育之精神,与陕省中等师资需要之迫切,兼筹并顾,俾其共存共荣,奠定复兴建国之基础。是以再陈管见,恳请俯赐垂察,仍将国立西北师范学院分设陕甘两地,以宏教育而广师资,无任感幸待命之至,再具呈人分处各地,如蒙指示,请寄陕西城固县新绣巷六号陕西省立西京图书分馆代收。合并陈明。

谨呈

教育部长陈

陕西在籍士绅

宋联奎 高祖宪 寇陈纲 陈　瑾 王化溥 李挺生 余崇德 傅鹤峰 马师儒 郝耀东
高文源 岳劼恒 曹配言 卢怀琦 龙　文 高元白 张永宣 高道天

中华民国三十一年十二月三十日

附件1:陕西省参议会秘书处公函

顷准提请转咨教部将国立西北师范学院长久分设陕甘两地等由到会。查此事已由本会宪参议员树勋采纳原意,向第五次大会提出专案矣。特复,即希知照。

此复

高祖宪先生等

（民国档案,陕西省档案馆）

请教育部主张勿令师范学院迁甘由

（中华民国三十二年二月十七日）

陆一监察使勋鉴:

近闻国立西北师范学院有于本年暑期自城固全部迁移兰州之说,联奎等为健全陕省中等教育师资并为冀鲁晋豫等省学生就学便利起见,已于上年十二月三十日呈文教部请将师院分设陕甘两地以宏造就。兹将原呈稿抄上。敬祈费神主张俾师院得长留陕境,实深盼祷,专肃敬颂勋祺。

寇陈纲 宋联奎 高祖宪 马师儒(签章)等 同启
中华民国三十二年元月十四日
(民国档案,陕西省档案馆)

教育部代电
（高捌拾柒总第 37063 号）

事由:准电嘱勿归并北洋工学院西京分院电复歉难照办由。

陕西省临时参议会:

敬电祗悉,北洋工学院西京分院设置未久,经费设备诸多困难,应予归并办理。

中华民国三十四年七月二十七日

附件1:陕西省临时参议会秘书处收到陕西省政府公函(议1716 号)

奉行政院令以贵会电请免并北洋工学院西京分院一案请查照由(秘书处于十月六日收到,批示"已报第四次例会")。

中华民国三十四年十月一日

附件2:陕西省临时参议会收到教育部代电(议141 号)

教育部代电:

准电嘱勿归并北洋工学院西京分院,电复歉难照办由(秘书处于八月四日收到,秘书处八月八日在文电摘由纸上批示"已报第二十七次例会")。

(陕西省参议会档案,陕西省档案馆)

陕西省参议会请转电教育部缓迁国立西北大学等三校
（陕西省参议会代电 参总字第 号）

陕西省政府公鉴:

近闻国立西北大学、西北工学院及西北农学院等三校院有迁移四川之议。查陕省文化落后,实由于教育未能普及,最高学府为数无几,每年招收新生以数额限制,致多数青年皆遭失学,若各校院一旦迁川,则一般青年学子将更少求学机会,文化愈将低落。高级教育应求各地平均发展,若以时局关系而迁移,则西安目前之情形远较平津为安谧,而平津各校院犹未闻有南迁之举。各该校院等之迁移不仅影响陕省教育前途至巨,抑且使西安人心惶惑不安。为此,电请贵府转电教育部,准国立西北大学等三校院暂缓迁移,亦维陕省教育而安人心为祷。

陕西省参议会 （37）亥哿印

中华民国三十七年十二月

（陕西省参议会档案,陕西省档案馆）

第二节 甘青兴办大学的愿望

一、甘肃建议西北大学设于兰州

电恳改设西北大学于甘肃由[①]

（甘肃省立临洮师范学校,中华民国二十五年五月二十五日）

教育部钧鉴:

顷阅《西北文化日报》载现在钧部欲为西北各省提高文化及便利学生求学计,筹设一西北大学,校址拟在西安。阅读之余,不胜欢忭。窃以现在国情趋势与西北关系,校址在西安似不若在甘肃之较为适切。查甘肃地处西北要冲,与宁青连省,与蒙新为邻,疆川藏康绥实成接壤,汉蕃蒙回互相杂居,形势扼要,种族繁

[①] 就在抗战全面爆发和国立西安临大在西安组建前一年的1936年5月25日,甘肃省立临洮师范学校向教育部发出快邮代电。1936年5月30日,甘肃省农会、省妇女会、兰州市教育会、兰州市商会、兰州市各职业公会、兰州市各同业公会、河西学会、崆峒学会、洮阳学会、甘肃学院学生自治会、农校学生自治会、工校学生自治会、女师学生自治会等13个团体,亦向教育部发出快邮代电。其中提出新的理由:"慨自东北沦胥,国难日亟,我中央政府励精图治,杰出忧患,力谋开发西北""吾国文化程度发展畸形,西北各地落伍尤甚,虽欲开发取材维艰,推厥原因,沿海内地大学林立,造诣自宏,如能使西北朴实聪颖之士子获完美教育之淘溶,养成边疆专材,树立开发基础,则人文蔚起,国本永固""西北各省,灾祸频仍,民穷财尽,已至于极终岁辛勤温饱难继,有志之士虽负笈深造,仰事俯蓄,望洋兴叹而已""西安过去曾设国立西北大学,办理未几,因以停顿,国帑虚掷,影响匪浅,兴念及此,不无遗憾,鉴往古来,当更易处。"

复,一言交通阻塞弗便,一言文化风气教迟。令欲开发西北与中央联为一气,莫先于提高文化为复兴民族之基础,大兴教育为收拾人心之工具,化除畛域,消灭隐患,立百年树人大计,定万代立国之方针,端资培植文教高程度,建立中心,在此一举,故以大学校址设立在甘肃似较为适切。盖西安为关中古郡,文化昌明,蔚为先进,且东连豫晋,南接川鄂,咫尺邻境,俱有完全大学,学子求学,往还甚便;又陇海路通京平沪汉,朝夕可达,岂若甘青宁新多寒畯子弟,往西安求学,既感道途遥远,又虑川资困难,于民族国家之关键与事实难易之情势,两相比较,孰得孰失,了若指掌,尤觉西北大学校址之设立甘肃似较在西安为适切。刍荛管见,桑梓曲情,痛切陈词,谨电恳祷伏,祈体念急需,谅予嘉纳,俾遂私衷,实深感盼。临电迫切,曷胜待命之至。

> 甘肃省立临洮师范学校全体教职员叩有印
> 中华民国二十五年五月二十五日发
> (民国档案,中国第二历史档案馆)

请一致主张将西北大学校址设立兰州以应需要①

(甘肃省立天水中学,中华民国二十五年六月四日)

南京教育部王部长钧鉴:

顷阅报端,教育部为提高西北文化,便利边区学生求学计,决设西北大学一处,校址拟在西安等语。逖闻之下,曷胜庆幸,窃以现在国情趋势,甘肃为将来经济政治之重心,校址亦应设立兰州,似较西安为尤妥。查甘肃地当西北冲要,种族复杂,因交通之梗塞,形同乎治外。今欲启迪文化,复兴民族,非提高教育程度不为功,若将校址设立兰州,不仅造就师资,发扬教育,且可化除畛域,减免中央重视西北之隐忧,一举数得,莫此为善。西安为关中古郡,人文蔚起,地接豫晋川鄂,邻省既有大学,交通亦甚敏捷,学子求学,颇称便利,岂若甘青宁新之穷寒子弟困于经济,无力出外求学,以致半途中止者相距何啻天壤。务恳俯念国家民族之关键与事实之难易,准将校址设立兰州,以应需要而重舆论,是为至祷。临电迫切,不胜待命之至。

---

① 甘肃省立天水中学向教育部发出快邮代电:请一致主张将西北大学校址设立兰州以应需要. 1936-06-04,中国第二历史档案馆。

甘肃省立天水中学全体教职员叩支印
中华民国二十五年六月四日发
(民国档案,中国第二历史档案馆)

请将西北大学设在兰州[①]

(公函第 194 号)

　　案据崇兰学会、枝阳学会、汝遮学会、清源学会、夏光学会、北屏学会、栖云学会、洮厔学会、平襄学会、北辰学会、水南学会、广武学会、乌兰学会、兰山学会等呈称呈为恳请转咨教育部改设西北大学于兰州事。窃惟西北文化落伍,甘宁青新学生特别开放,俾得适用修正待遇蒙藏教育学生章程破格予以深造机会,实为提高西北文化必须就地作育人材。此盖亦为教部决定设立西北大学之本意也,只缘西北辽阔,交通梗涩,甘宁青新分设大学实为国家财力所不许,然如偏设一所于陕西又失西北之意义,远不如设立于兰州之为愈也。请言其故:第一,陕西虽亦处于西北,但与甘宁青新相距甚远,设大学于陕西,直等于仍设平京,因陕西交通便利与物质较比进步之中国各大都市相差无几,而各大都市有规模学校因较为先进之故,其内容自比陕西新设之大学格外充实。陕西学子,与其就学当地,毋宁就学平京,而甘宁青新学子如能负笈陕西,定当驰往平京沪汉一带,似无疑义。兰州则不然,因其处于西北腹地中心之故,以现下各种情况论,西北大学如设于兰州则有陕西之长无陕西之短。此吾人稍加思索,即可了然者也。第二,学校多多益善,吾人自不反对,惟当国难日急,财政奇绌,现下中国之情形,陕西既有农林专校,似不应再设立西北大学于该省,致蹈平京一带重叠架屋之覆辙,而甘宁青新各省学子依然仍兴向隅之叹,不惟于情于理有所不合,即衡之政府开发西北之政策亦似有南辕北辙之嫌,大不可也。根据以上理由,爰恳钧部转咨教育部改设西北大学于兰州,则甘肃幸甚,西北幸甚,国家前途幸甚。谨呈等情据此查来呈所称不无理由,除指令外,相应函请

　　查照办理为荷。此致

[①] 这将甘省争办西北大学的民情推向高潮。接着,甘肃省教育会、甘肃省农会、甘肃临洮县教育局、甘肃省临洮师范学校、青海省教育会、新青海社兰州分社、甘宁青三省旅京同乡会等,亦向中央政治委员会、国民政府行政院秘书处、教育部等机关发出相同内容的快邮代电。国民党甘肃省区党部公函第 194 号,"请将西北大学设在兰州由",1936 – 06 – 16,中国第二历史档案馆。

教育部

      常务委员　张民权　凌子惟　汪　震
      中华民国二十五年六月六日
      （民国档案，中国第二历史档案馆）

二、马步芳建议在青海设立大学

请将西北大学设在兰州①

（青海省教育会致教育部快邮代电）

中央将筹办中之西北大学设在兰州，确系体察西北实际需要，深知民众心理之主张，本会一致赞同，伏祈俯准采纳。俾边疆青年得就近能受大学教育，则西北之福，亦国家幸也。

      青海省教育会
      中华民国二十五年六月十六日发
      （民国档案，中国第二历史档案馆）

赞同在兰州设立西北大学

（马步芳，中华民国二十五年六月二十六日）

青海平原辽阔，民族复杂，以距内地遥远，每年毕业学生，既感生活之穷蹙，又乏省款之补助，种种困难，不一而足。如在青省设立大学院一处，俾各族人民均有受高深教育之机会，则造福边疆者无穷矣。

---

① 青海省教育会接甘肃省区党部电报后，亦于1936年6月16日向教育部发出"请将西北大学设在兰州"的快邮代电。至此，甘肃、宁夏、青海的官方和民间都发出了盼望中央在当地设立大学的声音。1936年6月26日，蒙藏委员会黄慕松委员长亦支持西北大学设在兰州，并曾将设立西北大学预算案提交行政院，但未能通过。教育部函复指出"查筹设西北大学，本部原有此拟议，惟该项预算未能通过，现时暂从缓办"。教育部并将此结果函复甘肃省和青海省，由此，西北大学设立兰州事，以及青海设大学院事，遂告流产。

青海省代主席马步芳

中华民国二十五年六月二十六日

（民国档案，中国第二历史档案馆）

青海报道：西北大学与西北教育①

  从前的西北大学，已成过去了。然而，现在的西北大学开始被政府注意筹设。据《大公报》三月二日报载："关于设立西北大学案，教部拟会同西北农林专科学校筹委会及东北大学等在西安筹设，刻正在进行中"云云。吾人知此案于五全大会通过，但迄今毫无消息，以为又成决而不行的老习惯了。欣喜得很，最近听到开始筹设的佳音，当然造福于西北者不少！

  以整个西北论起来，其教育之落后，用不着我们再说，不但大学谈不到，就是一个差强人意的高级中学，也还有谈不到的地方呢！初中呢？一团糟，说不起现代之教育——特别在青、宁、康等省，实在冤人得很。因此，有许多西北的青年们，跑到东南去求学，有些人就怪生气地说："程度太差，脑子太坏，怪可怜的"。固然，程度之差，毋庸讳言地我们承认是不仅差而且是过差，可是你说脑子太坏，这一点不仅我们——西北青年不能承认，就是你说话的中国人，也自己应该羞愧自己了。欧洲人对未开化的野人或者对其他有色人，常是这样骄傲的，可是西北人并不是未进化的野人，而是处的地域不同之故也。假使西北人有东南人之教育环境，我相信有过而无不及者，不但不太差，还有许多列前茅的，所以证明他们说的这句话是错的。每年各大学招生时接受边疆学生的保送，乃是中国教育目前情形如此，所以整个国家要负此责。

  西北大学要负起挽救此种笑话的重大责任，从地方教育上培养出有能力的人才来，步步地充实起西北的教育，办一个学校，像一个学校；出来一个学生，在学校里要训练成一个干才。如此的话，将来西北教育会不好吗?！同时，西北青年得到充实的教育后，绝不会再被人说"程度太差，脑子太坏，怪可怜的"的口吻了！同时，我们希望全国青年的教育程度提齐以后，到那时候，大家彼此比一比，看看到底谁的程度太差。真才不会灭没，公论自在人间呢。

  设立西北大学是西北教育的前锋，中国教育的开展——那是真正复兴中华民

---

① 据现在语法习惯，有删节和修正。

族的大本营,希望早日筹设成功,英才得救,化雨均沾耳。(飞)

(《新青海》1936,4(3).)

第三节 国立北平研究院与陕西的合作

一、国立北平研究院与陕西省政府合组陕西考古会[①]

公函陕西省政府

径启者：

查贵省历史遗迹皆具有研究之价值,西安附近材料尤多,本院史学研究会关于史学及考古工作有前往贵省实地研究藉资考证之必要。

兹派史学研究会编辑徐炳昶、助理员李至广前往筹备。

务希赐予接洽详为指导,并请于西安城内拨借房舍一所以备应用。将来该研究会前往实地工作时并希予以协助,以利进行。至深感祷,相应函达,统祈查照办理为荷。

此致
陕西省政府

国立北平研究院
中华民国二十二年二月三日
(民国档案,中国第二历史档案馆)

[①] 1933年2月间,北平研究院派史学研究会编辑徐炳昶、助理员常惠赴陕实地调查历史遗迹,从事考古工作。由北平研究院函商陕西省政府拨借民政厅房舍,以资办公。仿照《中央研究院与河南山东两省政府合组河南山东古迹研究会办法》,由北平研究院与陕省府合组陕西考古会。其工作暂分为调查、发掘、研究三步。其科学指导之责,由北平研究院任之。其保护之责,由陕省府任之。工作费用,则暂由北平研究院担任。1933年11月间,双方决议考古会办法八条,各聘委员五人组织。至1934年2月1日陕西考古会在西安成立。当即依据合组办法,着手进行发掘工作,暂订以宝鸡县为试办区,徐炳昶、何乐夫、张嘉懿等在宝鸡县开始实地工作。这与此后的西北植物调查所一起,是为全面抗战爆发前夕,北平研究院与陕西省政府的重要合作项目,也成为大学迁徙的重要先声之一。罗宏才的《陕西考古会史》(陕西师范大学出版总社有限公司,2014)对此有系统研究。

陕西省政府公函

（字第一三二号）

径复者：

顷准贵院函开史学研究会。现拟派员来陕实地工作，嘱予接洽并拨借房舍一所以备应用等由。

准此自应照办，除俟徐、李二君到时商酌办理外，相应函复，即希查照。

此致

国立北平研究院

中华民国二十二年二月七日

（民国档案，陕西省档案馆）

陕西省考古会公函陕西教育厅

径启者：

查陕西历史遗迹皆具有研究之价值，西安附近材料尤多，本院史学研究会关于史学考古及发掘等工作有实地研究藉资考证之必要。兹派史学研究会会员兼编辑徐炳昶、助理员常惠前往筹备。

务希贵厅予以协助接洽一切，并盼设法拨借房舍备用，以利进行。至深感纫，相应函达，即请查照为荷。

此致

陕西省教育厅

中华民国二十二年二月十八日

（民国档案，陕西省档案馆）

陕西省考古会公函教育部

径启者：

本院史学研究会拟定派该会编辑徐炳昶等到陕西实地研究历史遗迹及从事考古工作。现徐君偕助理员常惠赴陕先行调查，并筹备一切事关学术研究。恳由钧部电陕西省政府,并令该省教育厅协助进行,至深感荷。
此致
教育部

中华民国二十二年二月二十八日
(民国档案,陕西省档案馆)

教育部公函
(字第一九二九号)

径启者:

顷准贵院总字第二六号公函,以派徐炳昶等赴陕从事考古工作,请电该省政府并令该省教育厅协助进行等由。除分别电令办理外。相应函达,即希查照为荷。

此致
国立北平研究院

朱家骅
中华民国二十二年三月七日
(民国档案,陕西省档案馆)

陕西考古会公函
(字第一号)

径启者:

本会业于二月一日奉陕西省政府函召集开会成立,当即推举张扶万为委员长,徐旭生为工作主任,梁午峰为秘书,并启用新刊篆文钤记文曰:"陕西考古会钤记"。除分函陕西省政府外,相应函报,即希查照为荷。

此致
国立北平研究院

委员长 张扶万
中华民国二十三年二月七日
(民国档案,陕西省档案馆)

呈教育部

案查本院史学研究会于上年二月间,派编辑徐炳昶偕助理员常惠前赴陕西实地研究历史遗迹及从事考古工作。先从调查入手,其主要目的,在搜求周秦两民族初期之历史材料。

业经函请钧部电陕西省政府,并请令饬该省教育厅协助进行。旋奉函复:"已分别电令办理"在案。嗣由本院与陕西省政府协商,仿照《中央研究院与河南山东两省政府合组河南山东古迹研究会办法》,由北平研究院与陕省府合组陕西考古会。其工作暂分为调查、发掘、研究三步。其科学指导之责,由北平研究院任之。其保护之责,由陕省府任之。工作费用则暂由北平研究院担任。上年十一月间,经本院与陕西省府双方决议考古会办法八条,由本院与陕省府各聘委员五人,组织斯会。至本年二月一日,陕西考古会在西安开成立会,当即依据合组办法着手进行。发掘工作暂订以宝鸡县为试办区,因该区为秦民族发祥地,有首先整理之必要,并非发掘坟墓。现徐炳昶等已到宝鸡县实地工作,在未赴宝鸡县以前,曾于西安城内民政厅院中掘得唐太极宫图残石及唐兴庆宫图残石,当经抚拓印存,以备参考。理合将成立陕西考古会及现在工作经过情形,并检同合组陕西考古会办法,唐兴庆宫太极宫拓片暨陕西古迹调查报告一并随文呈请鉴核。

谨呈

教育部

附合组陕西考古会办法一份拓片两份计　张

陕西古迹调查报告一册

国立北平研究院院长　李煜瀛
中华民国二十三年五月十七日
(民国档案,陕西省档案馆)

教育部指令

(教字第六一五〇号)

令国立北平研究院

呈一件报告,陕西考古会成立及现在工作情形暨附件,请鉴核由。呈件均悉,附件准予存查。此令。

> 部长王世杰
> 中华民国二十三年五月二十六日
> （民国档案,陕西省档案馆）

国立北平研究院与陕西省政府合组陕西考古会办法
（1933年11月7日北平研究院拟订,1934年2月1日考古会
成立大会议决,委员会议通过）

一、兹经国立北平研究院之提议,由国立北平研究院与陕西省政府各聘委员2人至5人组织陕西考古会。

二、国立北平研究院所聘委员由国立北平研究院史学研究会推荐之;陕西省政府所聘委员由陕西省政府教育厅推荐之。

三、本会设委员长1人,工作主任1人,秘书1人,由委员互选之。

四、本会工作暂分调查、发掘、研究三步,其科学的指导之责由国立北平研究院任之,其保护之责由陕西省政府任之。

五、本会会址设于长安,并于发掘处设立办事处。

六、本会工作经费暂由国立北平研究院独任之,将来得由国立北平研究院、陕西省政府分任之。

七、发掘所得古物均存置本会内,以便研究。惟因研究之方便得由本会通过,提出一部分在他处研究,但须于一定期内交还本会。

八、发掘工作以宝鸡县为试办区。

附录五：

陕西考古会办事细则
（1934年2月5日考古会委员会议通过）

第一章　组织

一、本会依照国立北平研究院暨陕西省政府合组陕西考古会办法,设委员四人至十人组织之。

二、本会设委员长1人,工作主任1人,秘书1人,由委员互选之。

三、本会委员长负执行本会决议、处理本会常务及代表本会对外一切责任。

四、本会工作主任根据本会决议,商承委员长主理调查、发掘、研究等事项。

五、本会秘书商承委员长主理本会文书、会计、庶务及古物保管等事项。

六、本会设干事1人至3人,襄助工作主任、秘书办理本会一切事务。

七、本会于必要时得酌用雇员。

八、本会得聘请国内外与考古有关系之学者为本会名誉顾问。

第二章　会议

九、本会常会每半年一次,于必要时得开临时会,俱由委员长召集之。

十、本会开会时以委员长为主席,委员长因事不能出席时得委托其他委员代理之。

十一、本会会议以过半数委员之出席为法定人数。

十二、本会会议以出席委员过半数之同意表决之。可否同数,取决于主席。

十三、本会委员因事不能出席时,得用书面委托其他委员代表之,但一委员只许代表一人。

十四、本会决议须分别报告国立北平研究院及陕西省政府。

第三章　工作及保管

十五、本会工作主任可临时躬亲或派员前赴陕西各处调查古迹、古物。

十六、本会工作主任如认为某处有发掘之需要时,得拟具意见书报告本会。

十七、本会工作主任之发掘意见书须具备下列各项:

　　甲、发掘处所。

　　乙、发掘理由。

　　丙、发掘计划。

　　丁、发掘准备。

　　戊、其他。

十八、本会每于发掘前,得函请陕西教育厅派员协助。

十九、本会发掘所得古物,须由工作主任协同教育厅派员逐件登记3份。除报存本会一份外,并转送国立北平研究院及陕西省政府各1份。

二十、本会古物在研究期间,由本会保管之。

二十一、本会古物如需要送往他处研究时,须事前提出本会会议通过。

二十二、本会古物于研究终了时,应请陕西省政府指定处所,或设立历史博物馆陈列之。

二十三、本会研究成绩,得以刊物发表之。

二十四、本细则如有未尽事宜,得随时提出本会会议增修之。

（民国档案，陕西省档案馆）

陕西考古会会务报告

陕西为我国文化发祥之地，周秦汉唐均建都于此。地下埋没之古代文物，不知凡几。陕省政府于二十三年与国立北平研究院合组陕西考古会，历年先后发掘西安及宝鸡斗鸡台各处，所获良多。对我国古代之文化颇多发见，该会特于本月十六日在西安举行第三届年会。除在陕各委员均出席外，北平研究院委员李书华、徐炳昶等均到陕与会，邵力子亦列席会议，决议定明春继续发掘斗鸡台，并通过该会会务报告。关于年来发掘之成绩报告尤详，凡在各处所发掘之结果，均有记录。关系西北古代文化殊巨，兹特录其报告如下：本会自民国二十三年组织成立，光阴荏苒，迄今行将三载，在此数年中，本会会务在研究方面，有工作组徐主任主持，关于事务方面，因人力财力两感缺乏，惟在可能范围内，勉尽绵薄，兹值召开大会，特将经过情形撮要报告如下：

（甲）调查事项

一、调查陇海路出土古物

陕西为周秦汉唐历代建都之地，史迹遗留，乃极丰富。本会成立后，辄感研究材料缺乏，陇海路展修入陕，难免不无古物发现，当经派员协同铁路工程人员赴施工区域调查。承工程李段长乐知（李俨）及各当事人竭力相助，计发现送交来会者，有米家崖出土陶器60余号，密村出土陶器11号，西安车站掘获最多，陶器、铜器、石器共190余号，其中有白石残佛一尊，雕工极妙，尤为不易得之古物。最近该路在斗鸡台附近兴工，本会以该地系历史名迹，复派员前往调查，计得出土古物有铜钫、铜镜、古泉等10余号。

二、调查渭惠渠出土古物

本年郿县渭惠渠动工所经区域如常兴、绛帐等地，多属前代胜迹，省政府邵主席函嘱本会派员前往调查，经函商陕西水利局厘订发现古物办法八条，依照实行。调查所获古物，历次运回者共计150号，约分陶器、铜器、铁器三种，大抵皆为殉葬器物，其中有带彩陶、壶鼎、瓦仓数件，花纹精细，最堪珍贵。

（乙）发掘事项

本会斗鸡台发掘工作，由工作组徐主任率领人员负责进行，所得古物一部分，运往北平研究，一部分存放本会，至研究结果，现正从事整理，此外莲湖公园及兴

龙巷发现已盗古墓,由本会派员整理编有报告,兹再将经过略述于后:

一、莲湖公园发掘

二十四年一月,本埠莲湖公园北湖北岸发现古砖壁一段,该地在唐代为承天门之嘉德门,因疑系宫墙遗址。有关唐代宫城考证,经开会议决,派人发掘,九日结束,查系古墓,且已被盗,在学术上无大关系。根据葬物中五铢钱,鉴定其时代为汉灵帝以后墓,计捡得古物 25 号,可作再究参考。

二、兴龙巷发掘

本年四月西京筹备委员会函告本会,城内兴龙巷东发现古砖,当经派员查勘后,从事发掘,以明究竟。计工作 5 日,考得该处有殉葬物,且形凌乱,及间有人骨之情形,可断为汉墓,已经盗发,墓室形态及殉葬器物大致与普通汉墓无异,但所获泉货有小五铢钱,乃东晋时铸,则其时代当在晋后,然全部葬物未能尽视,殊不能为详确之判定。出土古物,有含玉蝉破陶器古泉等共 18 号。

(丙)整理事项

一、古物之整理

本会二年来由发掘、调查、购买、捐赠所得古物,总计 980 余号,分部陈列三室,以供阅览,其重号或无学术意义者,则置储藏室。

共日常整理工作如下:

1. 清查全部古物;

2. 施行总登记;

3. 修补破烂陈列品;

4. 鉴定陈列品之名称;

5. 黏贴标笺。

二、修理东岳庙壁画

西安东岳庙殿内绘有古代壁画,因房屋年久失修,阴雨渗漏,致将壁画冲毁,浮土拥挤凸出,势将脱落。本会准省政府公函估计修理工作,分两段,关于修葺房屋,招商承包,八月间兴工,业经完竣,用洋 919.7 元;壁画则由本会工作组白万玉负责修理,估计需洋 827 元,现未告藏。

(丁)拓印事项

一、拓印碑刻

陕西历代碑刻文字,从无专书,本会拟搜集周、秦、汉、唐以逮明、清石刻文字,印成巨帙,然此项工作,非短时期所可藏事,拟先由拓碑着手,年来从事准备赴各地拓印,计已得 400 余种。

二、拓印寺庙古钟

寺庙古钟文字所载当时宗教风俗、官秩名称,在历史文化上,颇可作为参证资料。此类记载,殊无专书,本会有鉴于此,搜拓陕西唐、宋、元、明古钟,拟就其形式、文字,编列印行,特派工拓印,已得关中各县 39 份。

(戊)编撰陕西金石一览

本省金石之多,为他省所不及,而时代变迁,散佚甚多,著录文书,多不完备。本会拟先就有关金石之载籍及省府州县各志所记载之金石器物,编录名称,然后分别派员,或委托当地士绅,驰赴所在实地考证,记录其实在情形,期成陕西较完备精确之金石目录,以供历史家之参考。但非短时间内能完成,草册陕西已经编妥,考证尚未着手,未便付印。

(《新北辰》1936 年第 2 卷 12 期)

审计部陕西省审计处公函陕西考古会[①]

(中华民国二十六年七月二十二日字第 55 号)

函送二十五年七月至十二月份经常费支出计算书类审核通知,请查照办理由。

案准财政厅省字第六六号函转,贵会二十五年七月份至十二月份经常费支出计算书类准此当经依法审核,内有应行剔除补送注意事项,相应缮具审核通知书一件。即希查照办理为荷。

此致

陕西考古会

附审核通知书一件。

处长　张维城

中华民国二十六年七月二十二日

(民国档案,陕西省档案馆)

---

① 陕西省考古会系由国立北平研究院与陕西省政府在七七事变前合作成立的机构,由北平研究院历史研究所执行。

二、国立北平研究院与国立西北农林专科学校的合作

合组中国西北植物调查所简约①

一、本所定名为"中国西北植物调查所"。

二、本所由国立北平研究院(以下简称院方)与国立西北农林专科学校(以下简称校方)共同组建之,以自二十五年度起,先后合办二年,满期后,经双方同意得继续合作。

三、本所以谋院方植物学研究所植物研究上及采集上之便利,与校方植物研究及教材上之供给为主旨。

四、院校双方由院长及校长对于本所工作,负监督指导之责。

五、本所设所长一人,由院长及校长聘任之,所长下设研究员若干人,助理员若干人,均由所长推荐,由院长及校长聘任之。

六、本所经常费,每月定为国币 4000 元,由院方及校方平均担任之。

七、本所临时设备,由双方分别供给,但均为借用性质,由院方供给者,为标本、书籍及仪器;由校方供给者,为房舍及木器之类,惟本所自二十五年设立以后,所采之标本,双方各得一全份。

八、本所开办后添购图书仪器等,由院校所拨经费项下平均开支。其由院方经费项下购置者,为院方所有;其由校方经费项下购置者,为校方所有。每半年将所购图书仪器造册分向院校清报一次。

九、本所调查工作,应于每年年度终了时,分向院校提出工作报告。

十、本所账目每月分向院校报告一次。由院方所领经费,向院方报账;由校方所领经费,向校方报账。

十一、本所由院校双方交换公文后,正式开办。

---

① 1936 年辛树帜任西北农林专科学校校长期间,鉴于西北植物资源丰富和发展农林须先由调查研究西北植物着手,遂与北平研究院院长李煜瀛、李书华商议合组植物研究机构,双方不谋而合。此简约由国立北平研究院于 1936 年 10 月拟就,以 113 号公函嘱请农林专科学校查核。10 月 24 日,农林专科学校复函"本校完全同意",即行开办。此简约签定后 13 年间,虽数次续签,或改简约为章程。但无太大变化,一直执行至 1949 年,是大学西迁前夕陕西学界与北平学术机构合作的重要先声。

（民国档案，陕西省档案馆）

国立北平研究院关于送合组中国西北植物调查所[①]章程请盖章分别留存事给国立西北农学院筹备委员会的公函[②]

（国立北平研究院 明字第三一号）

案查中国西北植物调查所原由本院与国立西北农林专科学校合组而成,已自二十五年度起先行试办两年期满。兹据该所刘所长函称,农校现已改为国立西北农学院,仍拟再继续合作二年等语,并附送章程草案到院。查该所自合组成立以来,成绩甚佳,拟继续合作二年一节,自当同意。兹缮具章程二份,加盖院章,随函送上为荷。

赞同即希盖章以一份留存。贵院以一份送还本院。除分函中国西北植物调查所外,相应函达即希查照见复为荷。此致

国立西北农学院筹备委员会

附章程二份。

附：国立北平研究院、国立西北农学院合组中国西北植物调查所章程

一、本所定名为中国西北植物调查所。

二、本所由国立北平研究院（以下简称研院）与国立西北农学院（以下简称农院）共同组织之。已自二十五年度起,先行试办两年满期,今经双方同意得继续合作二年。

三、本所以谋研院植物学研究所植物研究上之便利,与农院植物研究及教材上之供给为主旨。

四、研院与农院双方院长对于本所工作有监督指导之权。

五、本所设所长一人,由研院农院两院长聘任之。所长以下设研究员若干人,

[①] 1936年11月18日,国立北平研究院与国立西北农林专科学校联合组建了中国西北植物调查所。国立北平研究院于1936年9月30日致函农专,提出联合建所,并附有简约11条。其主旨表明为：国立北平研究院植物研究所为了植物研究及采集方便,农专为了植物研究及教学的需要。辛树帜校长于同年10月24日复信北平研究院,表示"本校完全同意"。经双方商定,于1936年11月18日在西北农林专科学校召开成立大会。当日,李书华、杨亦周、杜庭修、徐炳昶、顾颉刚、齐敬鑫、吴耕民、南秉方、李林海、刘依仁、石声汉、陈国荣,以及刘慎谔与职员30余人出席大会。至1937年,该所植物园亦在农专二道原苗圃初步建成。

[②] 国立西北农学院筹备委员会于中华民国二十八年一月二十六日收到此函。

助理员若干人,均由所长推荐,由两院院长聘任之。

六、本所经常费每月定为国币 2 000 元,由研院及农院平均担任之。

七、本所必须之设备,由双方分别供给,但均为借用性质,由研院供给者,为标本、书籍及仪器,由农院供给者为房舍、木器之类。

八、本所添购图书仪器等,由研院农院所担经常费项下开支,其由研院经费项下购置者,为研院所有;其由农院所担经常费项下开支,其由农院经费项下购置者,为农院所有。每半年并将所购书目分向两院清报一次。

九、本所调查工作,应于每年年度终了时,分别向两院清报一次。

十、本所账目,每月分向两院报告一次,由研院所领经费向研院报账,由农院所领经费向农院报账。

十一、本章程经双方正式签定后,即发生效力。

(国立北平研究院关防)

中华民国　年　月　日

院长　李煜瀛(签章)

中华民国二十八年一月二十四日

(民国档案,陕西省档案馆)

国立西北农林专科学校聘为植物调查所所长由[①]

(笺函,中华民国二十五年十一月十八日发)

径启者:本校为调查西北植物起见,拟与国立北平研究院合组中国西北植物调查所。素仰台端学问渊博,经验丰富,经由校院双方函商,分别敦聘先生为合组中国西北植物调查所所长。除由院另聘外,兹具备聘书一件,随函奉寄。即希登收是荷。

此致

刘慎锷先生

(盖校条戳)

十一月十六日

(民国档案,陕西省档案馆)

---

① 送达国立北平研究院植物学研究所所长刘慎锷先生。1936 年 11 月 18 日发。

国立西北农林专科学校聘书

（聘书第 200 号）

敦聘

刘慎锷先生为国立北平研究院、国立西北农林专科学校合组中国西北植物调查所所长。

校长　辛树帜

中华民国二十五年十一月十八日发

（民国档案，陕西省档案馆）

国立西北农林专科学校关于聘刘慎锷为合组中国西北植物调查所所长事给国立北平研究院的公函

（发文字第 141 号）

国立北平研究院：

案准贵院处字第一二二号公函略开："以拟聘本院植物学研究所所长刘慎锷先生为合组中国西北植物调查所所长，由校院双方分别函聘为荷，赞同请由贵校补具聘函即致送。本院当同样办理。希查照见复"等由。准此，自应照办。除由本校径行函聘外，相应函复，即希查照是荷。

此致

国立北平研究院

校长　辛树帜

（国立西北农林专科学校关防）

中华民国二十五年十一月十八日发

（民国档案，陕西省档案馆）

国立北平研究院、国立西北农学院合组中国西北植物调查所职员一览

刘慎锷　　士林　　所长

林　镕	君范	兼任研究员
孔宪武		兼任研究员
夏纬英	修五	副研究员
王振华	健公	副研究员
钟补裘		副研究员
郑学经	季通	助理员
田甲生		助理员
王作宾		采集员
刘继孟		采集员
王锡珍		标本管理员
傅坤俊		标本管理员
王宗训		图书管理员
蒋杏墙		绘图员
蒋嘉型	范宇	庶务员
沈康家	吉士	会计员

（民国档案，陕西省档案馆）

国立西北农学院附设中国西北植物调查所人员清册

职别	姓名	性别	年龄	薪额	到职年月	备注
副研究员	夏纬英	男	47	240	二十五年九月	兼森林系教授
	钟补裘	男	38	140	二十五年九月	
	王振华	男	34	140	二十五年九月	兼植物病虫害系副教授
助理研究员	崔友久	男	32	120	二十九年四月	
采集员	刘继孟	男	32	110	二十五年九月	
标本管理员	傅坤俊	男	30	95	二十五年九月	
绘图员	蒋杏墙	男	34	160	二十五年九月	
绘图技术员	郭芝亭	女	30	110	二十九年三月	

小计：8员

（民国档案，陕西省档案馆）

西北植物调查所致西北农院学院院长周伯敏

径启者：

本所前领地110余亩创办植物园，冀集秦岭一带植物于方地，俾便教学与实习，使教者、学者勿须登山涉水，即得窥关中区植物之全豹，省时节费，事半功倍，允称良举。原计辟领之半为分类区，使观者一目了然，得有系统之概念；另半为生态区，临之者如履山林，藉瞻物竞之奥。初拟三五年内必至蔚然可观，岂意物价飞涨，致与愿违，两年来之惨淡经营，仅分类区略具规模而已。所中经费院长洞悉，即此分类区，今日亦感维持之难矣。客秋生态区暂时无力兴举，而抗建期间任地荒芜尤觉非宜，乃与附近农民约以分种。其办法为种地者出劳力，所中出籽种，收获后除稿杆归种地者外，各分一半。故今夏分得小麦12石1斗（武功县斗），扣除籽种2石8斗，净余9石3斗，此项收入理应全部奉缴钧院，奈本所植物园经营维持，即无经常费，而临时费亦因所中经费困难，无从筹措，是否可以将此项收入之半拨归植物园应用，而另半奉缴钧院，供作校警服装补助费，并斯种办法是否可继续施行，均祈钧裁，并希核示为荷。

此上
西北农学院周院长

中国西北植物调查所　启
中华民国三十一年十月六日

附注1：此件为西北植物调查所代理所长王云章按时在昆明的刘慎锷授意所拟，西北农学院周院长回复："本年照此办理，嗣后按照实际情形再行酌办"。

（国立西北农学院档案，陕西省档案馆）

国立北平研究院十年来工作概况（节选植物学、史学研究部分）

（1928年11月—1938年11月）

国立北平研究院为国立学术研究机关，学理与实用并重，以实行科学研究，促进学术进步为其任务。民国十七年十一月开始筹备，民国十八年九月九日正式成立。兹将其组织及十年来工作概况约略叙述如次。

（甲）组织

北平研究院于院长（李煜瀛）、副院长（李书华）之下，设有总办事处处理总务事宜，总办事处分设文书、会计、庶务、出版等课，关于学术研究设有各研究所，每所设所长一人，研究员、助理员、技术员、练习生各若干人。计有：物理学研究所（所长严济慈）、镭学研究所（兼所长严济慈）、化学研究所（所长刘为涛）、药物研究所（所长赵承嘏）、生理学研究所（所长经利彬）、动物学研究所（所长陆鼎恒）、植物学研究所（所长刘慎锷）、地质学研究所（所长翁文灏）、史学研究所（所长兼考古组主任徐炳昶、历史组主任顾颉刚）等九研究所，此外并设有经济、水利、字体、海外人地等研究会及气象台、博物馆、测绘事务所等附属机关。

镭学、药物两研究所系与中法大学合办。地质学研究所与实业部地质调查所（现属经济部）合作。植物学研究所与国立西北农林专科学校（现改为国立西北农学院）合组中国西北植物调查所（所长刘慎锷兼），史学研究所与陕西省政府合组陕西考古会，动物学研究所曾与青岛市政府合组胶州湾动物采集团，近与云南建设厅合组云南水产试验所（动物学研究所专任研究员张玺兼水产试验所所长）。

北平研究院经费原定为每月国币5万元，嗣政府实发每月国币3万元。中英、中法各庚款机关，对于理化、镭、药各研究所均予以补助（中比庚款机关于北平研究院成立之初亦有补助），中美庚款机关对于史学研究所亦予以补助。

……

植物学研究所

注意我国北部、东北部、西部植物之调查分类分布之研究。民国二十五年该所与国立西北农林专科学校（现改为国立西北农学院）合组中国西北植物调查所，故近年来该所之工作以研究西北植物为主，尤注重于经济植物之调查及农林问题之探讨。该所采集标本约6万余号，已发表论文共60余篇，登载于该所丛刊、中国植物杂志及生物学杂志等刊物，又编纂之《中国北部植物图志》，已出版5巨册。兹略述该所主要工作于下：

（一）调查与采集

该所历年派员至河北、河南、山东、陕西、甘肃、山西、辽宁、吉林、热河、察哈尔、绥远、宁夏、青海、新疆、西藏、内蒙古、湖北、四川、云南、安徽、浙江、江苏、及闽粤等地调查采集。足迹所至，东及长白山，西至天山、昆仑山、西藏草原、喜马拉雅山，南至滇粤，北达蒙古，中经太行山、秦岭、伏牛山、巴山、黄山等处，前后共获标本6万余号。关于中国北部植物之调查工作已略告完备，近数年对西北数省之植物更作精详之调查,尤以秦岭之太白山为最,先后派员前往调查已十余次之多,而太白山之植物图志亦正在赶编之中。

(二)编纂《中国北部植物图志》

该图志依科分别编纂,已出版者计有下列5册:

(1)旋花科(刘慎锷、林镕);

(2)龙胆科(林镕);

(3)忍冬科(郝景盛);

(4)藜科苋科马齿苋科商陆科(孔宪武);

(5)蓼科(孔宪武)。

(三)关于高等植物之研究

关于高等植物研究论文已发表者有下列各篇:

(1)旋花科二篇,刘慎锷、林镕;

(2)忍冬科四篇,郝景盛;

(3)茄科二篇,刘慎锷、王云章;

(4)玄参科三篇,白荫盛;

(5)桔梗科一篇,钟补求;

(6)紫葳科一篇,白荫元;

(7)龙胆科三篇,林镕;

(8)大戟科一篇,刘慎锷;

(9)田麻科一篇,郝景盛;

(10)蓼科二篇,孔宪武;

(11)藜科一篇,孔宪武;

(12)苋葳科一篇,孔宪武;

(13)谷斗科二篇,刘慎锷;

(14)桦木科一篇,夏纬瑛;

(15)豆科二篇,孔宪武;

(16)禾本科一篇,孔宪武;

(17)杨柳科一篇,郝景盛;

(18)卫矛科二篇,王振华;

(19)槭树科一篇,郝景盛;

(20)小檗科一篇,郝景盛;

(21)松柏科二篇,孔宪武、夏纬瑛;

(22)单子叶植物一篇,孔宪武。

(四)关于地下等植物之研究

(1)地衣二篇,刘慎锷、朱彦成;

(2)苔藓植物一篇,陈伯川;

(3)锈菌九篇,刘慎锷、王云章;

(4)炭菌三篇,阎玫玉;

(5)鬼笔菌二篇,刘慎锷、黄逢源;

(6)散尾菌一篇,刘慎锷、黄逢源。

(五)关于植物地理

(1)中国南部及西南植物地理二篇,刘慎锷;

(2)陕西植物分布概要一篇,刘慎锷;

(8)黄山有花植物名录一篇,钟补求;

(4)小五台山有花植物一篇,孔宪武、王作宾;

(5)太白山植物概要一篇,王作宾;

(六)关于药用植物之研究

以科学方法整理旧有之本草,钟观光。

(七)植物园之建设

该所为谋教材取用及研究参证上之便利,由西北植物调查所在武功西北农院内建立一小规模之植物园,现有苗禾6000余株,其中大部系移自秦岭。

……

史学研究所

该所为史学研究会所改组者。史学研究会原聘陈垣、顾颉刚、沈兼士、朱希祖、张星烺等十余人为会员,以吴敬恒为常务会员。嗣于民国二十五年七月改组为史学研究所,分考古、历史两组。兹将其调查、整理及研究工作分述于下。

(一)关于考古者:

(1)陕西丰镐、大邱、雍、阿房宫、陈宾祠等遗址之调查(徐炳昶、常惠、何士骥);

(2)发掘唐中书省旧地(西安民政厅前院),得宋吕大防所刻唐大明、兴庆两宫图残石(何士骥);

(3)发掘陕西宝鸡县斗鸡台遗址,自民国二十三年春开始至民国二十六年夏止,共发掘三次。遗址内容包括新石器时代之人民居址及三代秦汉各时期之古墓多处(徐炳昶、何士骥、苏秉琦、自万玉、龙元忠等);

(4)整理斗鸡台发掘结果并调查陕西省境之古迹遗址(徐炳昶、苏秉琦、何士骥)。

(国民政府教育部档案,中国第二历史档案馆)

第二章 国民政府相关章则训令

第一节 国民政府文件

一、国民政府行政院关于西北联大预算的训令

(国民政府行政院字 13582 号)

令发二十八年度国立西北联合大学改组后调整预算书,仰知照。

　　令教育部[①]案奉国民政府二十八年十月二十一日渝字第五九五号训令开:"为令饬事,据本府主计处二十八年十月十四日渝岁字第四二六号呈称,案准行政院吕字第一一五三一号函开,查前据教育部呈拟将国立西北联合大学即行改组为国立西北大学,废除委员制,采用校长制,并将原有之医学院与师范学院一并独立设置,分别改组为国立西北医学院与国立西北师范学院。改组以后之国立西北大学及国立西北医学院暨国立西北师范学院之经费,仍就二十八年度原列之国立西北联合大学经费概算数调整扩充,不另增加国库负担等情,经提出本院第四二六次会议决议通过。呈奉国民政府渝字第一四六八号指令,准予备案,并奉分令贵处暨监察院转饬审计部查照在案。兹据教育部呈送二十八年度国立西北联合大学改组后调整预算书,请核转到院。除令知财政部暨指令外,相应检同原件,函请查核办理等由,计检送二十八年度国立西北联合大学调整后预算书二份,准此。查教育部编造二十八年度国立西北联合大学改组后调整预算书内所列调整预算数计为(一)国立西北联合大学 490 109.28 元;(二)国立西北大学 115 054.72 元;

[①] 教育部总务司会计室于中华民国二十八年十月一日收到,文号编为:二十八年国丙 2 第 32895 号。

(三)国立西北师范学院 8 万元;(四)国立西北医学院 5 万元,合计 735 164 元,核与同年度原预算数列数相符,似可准予备案,理合检同原附调整预算书一份,备文呈请钧府鉴核备案,并令行行政、监察两院分别转饬知照等情,据此,应准照办。除指令并分行外,合行抄发原附件令仰该院转饬财政、教育两部知照。此令"等因。奉此,除分令财政部外,合行抄发原附件令仰知照。此令。

计抄发二十八年度国立西南联合大学①调整预算书一份。

院长　孔祥熙

中华民国二十八年十月二十六日

监印　毕继沅

校对　张名燫

附件 1:二十八年度国立西北联合大学改组后调整预算书

教育部部长 陈立夫　　代理会计主任　郭良俊

科目	调整预算数	原预算数	备注
国立西北联合大学	490 109.28	735 164.00	调整预算书系一月至八月每月 61 263.66,合计如上数
国立西北大学	115 054.72		九月至十一月每月 28 763.66,十二月 28 763.74,合计如上数
国立西北师范学院	80 000.00		九月至十二月每月 20 000.00,合计如上数
国立西北医学院	50 000.00		九月至十二月每月 12 500.00,合计如上数
合计	735 164.00	735 164.00	

(民国档案,中国第二历史档案馆)

二、国民政府行政院关于三常委请辞给教育部的笺函

(二十六年第弍—五二六四号)

奉

---

① 此处显然为国立西北联合大学之误。

院长谕："代理国立北平大学校长徐诵明等效电陈,辞去平大、师大及北洋工学院校院长原职及西安临时大学筹委会常务委员兼职情形,敬祈鉴察一案,应交教育部核办"等因。相应抄同原电,函达查照。

　　此致
教育部
计抄送原电一件。

行政院秘书长魏道明（签章）
中华民国二十六年十月二十八日

抄原电

南京行政院蒋院长钧鉴：

　　暴日入寇,平津沦陷,校院长等问道南来,奉教育部令将北平研究院、北平大学、师范大学及北洋工学院迁移西安合组临时大学。部聘校院长等为筹委会委员兼常委,另派童冠贤为秘书主任,遵即来陕,积极筹划,粗具端倪。原冀集合平津各校院学生加紧训练,奠复兴国家民族之基,巧日忽奉教部令函,取消李书华筹委会常委职务,改派童冠贤为常委兼主持筹委会各种事项之执行,更特订规程多方牵制,与长沙临大组织迥不相同。此间校舍、校具百端草创,原有学生及请求借读学生数近千人,定于十一月一日开学。今既蒙教部改派专员担负全责,主持校务,校院长三人自今以后,深愧素餐,无能为役,不得已电陈教育部,恳请辞去平大、师大及北洋工学院校院长原职,并西安临大筹委会委员兼常委职务,谨电呈明,敬祈鉴察。

　　代理国立北平大学校长徐诵明、国立北平师范大学校长李蒸、北洋工学院院长李书田,同叩效印

中华民国二十六年十月二十六日

　　附件1：教育部部长王世杰核定李书华、李蒸（未到京前袁敦礼代）、徐诵明、李书田、臧启芳、辛树帜、周伯敏、童冠贤等为西安临时大学筹备委员会委员。中华民国二十六年九月一日。

　　附件2：教育部部长王世杰收到童冠贤电报：陈已抵西安,一切正向各方接洽。中华民国二十六年九月十五日。

　　附件3：教育部聘函：西安临时大学筹备委员会委员李书华因故未能到校,其兼任知常务委员一职,改请台端担任。此致童冠贤先生。中华民国二十六年十月十一日。

附件4：陈剑翛、臧启芳、周伯敏委员联合致电教育部部长王世杰：组织规程增定之第五条，似不适宜，日来校务几乎陷于停顿，可否速饬修正，以利事功。中华民国二十六年十月二十二日。

附件5：教育部部长王世杰致电西安临时大学徐轼游、李云亭、李耕砚：临大筹委会规程，湘陕一致，并系同时令知。西安临大原为收容北方学生，并建立西北高等教育良好基础，政府属望殷切。校事照章应由常务会议商决，系共同负责之合议制度。正赖诸兄及其他委员协同主持，何可言辞！大难当前，务希继续积极任事，不胜企感。世杰。中华民国二十六年十月二十二日。

附件6：教育部部长王世杰收到童冠贤电报：常委均不到校，事务照常进行。中华民国二十六年十月二十六日。

附件7：教育部部长王世杰致电西安临时大学童委员冠贤：因监院促返，请辞秘书主任一节，应照准。中华民国二十六年十月二十六日。

附件8：教育部部长王世杰电西安临时大学筹备委员会：部颁该校组织规程第五条暂缓实施。中华民国二十六年十月二十七日。

附件9：《西安临时大学筹备委员会组织规程》第五条："本委员会主席指定常务委员一人主持本委员会各种事项之进行。"

附件10：教育部高教司收到童冠贤电报：常委均已到校办公，贤旬日内返京。中华民国二十六年十一月三日。

（民国档案，中国第二历史档案馆）

三、国民政府行政院关于胡庶华的任命[①]

（二十八年吕字15778号）

转知任命胡庶华为国立西北大学校长。

令教育部

准国民政府文官处二十八年十一月二十九日渝字第三九八二号公函开：

"案准铨叙部二十八年十一月二十四日甄字第一五五六号公函，为拟任国立西北大学校长胡庶华一员，业经审查决定，认为合格，应予实授，照叙简任三级，月俸600元，请转呈督核，予以任命等由。当经转陈，奉国民政府十一月二十八日命令开：'任命胡庶华为国立西北大学校长。此令'等因在案，除由府公布及填发任

---

① 教育部高等教育司于中华民国二十八年十二月四日收到，文号编为：二十八年国第36970号。

状外,相应录案函达查照,并转饬知照"等由。准此,合行另仰知照。

此令

监印　毕继沅

院长　孔祥熙

中华民国二十八年十二月二日发

公务员任用审查表

任用审查表格式及说明

机关	国立西北大学							
姓名	胡庶华	号别	春藻	性别	男	年龄	53	籍贯	湖南省攸县
住址	现住陕西城固盐店巷七号			党籍	宁字05241			
出身	前北京译学馆毕业,德国柏林工业大学毕业,得有冶金工程师学位							
经历	历任湖南公立工业专门学校教授二年,国立武昌大学教授一年,国立同济大学、湖南省立湖南大学、四川省立重庆大学校长各三年,国立西北联合大学常务委员一年,现任陕西省党部执行委员、三民主义青年团陕西支团部——南郑区团部筹备主任							
其他	曾任农矿部技监兼司长,立法院委员,著有《铁冶金学》《冶金工程》及《中国战时资源问题》			证明文件	以前证明文件存在长沙者被毁于火,存在重庆者被毁于轰炸,现缴呈出版著作三本。			
中华民国二十八年九月十五日				被任用人员签名盖章	胡庶华(签章)			
拟任官职	国立西北大学校长			担任职务				
拟叙级俸	简任三级			实支俸额	600元			
性行	诚挚勤劳			主管长官署名	职务	姓名	盖章	
体格	健强							
粘贴最近二寸半身相片	照片			备考				
机关信件 中华民国　　　年　　月　　日								

(民国档案,中国第二历史档案馆)

四、国民政府关于三校院经费的训令①

（渝文字第六七一号　二十九年七月三十一日）

令　行政院　监察院　本府主计处

为令饬事，案据本府文官处签呈称："准国防最高委员会秘书厅二十九年七月二十六日国议字第八零七六号公函开，准主计处函以西北医学院二十九年度经常费预算短列6 000元，应否改正增列，抑由教育部另案追加之处，请转陈核示等由一案。当经呈奉发交财政专门委员会审查，兹据该会签称，本案主计处函转教育部函称，国立西北联合大学改为国立西北大学、国立西北师范学院、国立西北医学院等三校，其经费即将该联大经费分别支配，经奉核列二十九年度中央总预算有案，兹查三校预算共支729 164元，较二十八年度联大原额735 164元少6 000元，系国立西北医学院单位内少列之数，应请补列，本会查核此数，系在总概算进行会查阶段中笔误，兹据声明，拟请批定追加国立西北医学院经费6 000元等语。复奉批照准，相应函达，即请查照转陈分令饬遵等由。理核签请鉴核"等情，据此，应即照办。除饬复并分行外，合行令仰该院分列转饬遵照。

此令。

主　　　席　　林　森
行政院院长　　蒋中正
监察院院长　　于右任
财政部部长　　孔祥熙
教育部部长　　陈立夫
审计部部长　　林云陔

五、国民政府行政院关于赖琏的任命②

令知　国府明令任命赖琏为国立西北大学校长。

令教育部

准国民政府文官处三十一年十月二十一日渝文字第五四三五号公函开：

---

① 中华民国国民政府公报153，成文出版社，第13页。
② 教育部总务司于中华民国三十一年十一月二日收到，文号编为：第52828号。

"准铨叙部三十一年十月十四日简字第三〇号通知书,为拟任国立西北大学校长赖琎业经审查合格,实授核叙简任一级俸680元,请转陈任命等由,当经转陈奉 国民政府十月二十一日明令开:'任命赖琎为国立西北大学校长。此令'等因在案,除由府公布及填发任状外,相应录案函达查照并转饬知照"等由,准此,合行令仰知照,此令。

院长　蒋中正
中华民国三十一年十月三十一日发

监印　毕继沅
校对　张明燏

(民国档案,中国第二历史档案馆)

第二节　国民政府教育部文件

一、国民政府教育部设立临时大学计划纲要

一、政府为使抗敌期中战区内优良师资不至无处效力,各校学生不至失学,并为非常时期训练各种专门人才以应国家需要起见,特选定适当地点筹设临时大学若干所。

二、此临时大学暂先设置下列一所至三所:

(1)临时大学第一区——设在长沙;

(2)临时大学第二区——设在西安;

(3)临时大学第三区,地址在选择中。

三、各区临时大学之筹备,由政府组织筹备委员会办理之。

四、各区临时大学筹备委员会办理下列各项事宜:

(1)临时大学校址之勘定;

(2)科系之设置;

(3)师资之吸收;

(4)学生之容纳;

(5)已有各科设备之利用和新设备之置设;

(6) 其他应行筹备事项。

五、各区临时大学筹备委员会设主席一人,由教育部长兼任;设秘书主任一人,常务委员三人,分别担任秘书、总务、教务、建筑设备四部分事务。其人选由教育部就筹备委员中指定之。常务委员合组常务委员会,依照委员会决定之计划纲领商决一切具体方案。

六、各区临时大学之经费,由政府就战区内暂行停闭各校之原有经费及其他文化教育费项下拨充。其详由筹备委员会拟定,送请政府核定。

七、各区临时大学之教学应注重国防需要。其方案另行详定。

中华民国二十六年八月
(当时抄件,现存清华大学档案馆)

二、教育部与各方商洽长沙与西安两临时大学

教育部部长王世杰致浙江省政府主席朱家骅电①

杭州 省政府朱主席骝先兄:

惠鉴应密。战区扩大,全国高等教育多受影响,平津尤甚,近与适之、孟真诸兄细商,拟在长沙、西安两处筹设临时大学各一所。长沙一所已租定圣经学校房屋为校址,拟由北大、清华、南开三校合并办理,并由中研院予以赞助;西安一所拟由平津国立他校合办,俾平津优良师资不至无处效力,学生不至失学。其经常费拟就各原校原有经费酌量扩充,唯开办费须另设法。拟恳兄主持由中英庚款拨长沙、西安两所开办费共100万元。其中,有若干成可即以中英庚款会原助平津各学校及其他机关之款移充,余请另引筹拨,并盼能分两期拨款。此事意在集中原有力量,于内地创造一、二学术中心,以求效力国家,务恳吾兄予以鼎助。再此事原拟请孟真兄偕锡朋赴杭面商,以交通不便,用特电商,敬祈电示尊意。

弟 世〇锡〇炳〇同叩 马印。
中华民国二十六年八月二十一日发
(民国档案,中国第二历史档案馆)

---

① 教育部部长王世杰致浙江省政府主席朱家骅(字骝先)电。此电表明,在1937年8月,王世杰即与胡适(字适之)、傅斯年(字孟真)等商议筹备长沙临大、西安临大。

中英庚款董事会朱家骅急电教育部部长王世杰[①]

学校学生似宜移置文化较低之西安、长沙,接近武汉,于学术文化上根基较为稳固,文化着眼似宜注意于西北,即在政治上所关亦甚大也。

朱家骅

中华民国二十六年八月二十三日

(民国档案,中国第二历史档案馆)

教育部部长王世杰致电陕西省政府主席孙蔚如

本部为使平津各校师生迁地研习,并发展西北高等教育起见,决定在西安设一临时大学俟筹备委员会成立,当即派员前来办理。

弟　王世杰

中华民国二十六年八月二十五日

(民国档案,中国第二历史档案馆)

国民政府教育部部长王世杰致电行政院蒋院长

平津专科以上学校学生约1.1万名,教职员约2 800余名,本部为使优良教授继续服务,并使学生完成其学业,以应国家未来需要起见,拟先在长沙、西安等处设立临时大学各一所。长沙校址大致业经觅定,当即派员着手筹备,期能早日开学。关于平津各校院原呈经费总额,拟请钧长令知财政部自八月份起暂行按月照原数发给七成,即约略以其5/10为临时大学经费。其他5/10供救济该临时大学所未能收容之原教职员及学生之用。所拟临时大学设立缘由及经费拨用办法理合呈请。

教育部部长王世杰　谨呈

中华民国二十六年八月二十八日

(教育部关于筹设长沙西安临时大学有关文书,中国第二历史档案馆)

---

① 中英庚款董事会朱家骅与杭立武商议后,急电国民政府教育部部长王世杰。王世杰于8月24日收到。

孙蔚如复电教育部

（高壹国丙第 19782 号）

电复：平津各校师生赴西安研习，自应赞助。现有可容四五百人之临时校舍一处之应用，至另建西北高等教育校址亦经教厅勘定数处，俟派员来陕再为商决由。

孙蔚如

教育部于中华民国二十六年九月一日收到

（民国档案，中国第二历史档案馆）

孙蔚如电复教育部

（高壹 26 第 20213 号）

孙蔚如电复教育部：自应尽力协助，期早成立由。

教育部于中华民国二十六年九月四日收到

附孙蔚如电报一件：

教育部王部长雪艇兄鉴，有电敬悉。平津各校师生赴西安研习，自应赞助，现有可容四五百人之临时校舍一处，足资应用。至另建西北高等教育校址，亦经教厅勘定数处，俟派员来陕再为商决，绝无困难，特复。

弟孙蔚如 叩世

（民国档案，中国第二历史档案馆）

教育部部长王世杰致陕西省政府孙主席孙蔚如[①]

（二十六年第 17371 号）

为派定西安临时大学筹委前来筹备进行，请赐指导与协助由。

补稿：

电西安　陕西省政府孙主席蔚如兄勋鉴：

[①] 收文编号：高壹 8 字第 19782 号，档案编号：国字第丙号。送达机关：陕西省政府孙主席蔚如。

应密世电。敬悉校舍校址承转饬勘定甚感,此间已聘定筹备委员九人,开过预备会一次,并派定常委徐诵明、李蒸、陈剑翛及秘书主任童冠贤即日赴陕会同周、臧、辛各委员筹备进行,即祈惠赐指导与协助为幸。

弟王世杰　虞印
中华民国二十六年九月七日发

附件1:孙蔚如复电王世杰

教育部王部长雪艇兄:电敬悉慎密,自应尽力协助,期早成立,除令知教育厅外,谨复查照。

弟　孙蔚如　叩佳
(九)
(民国档案,中国第二历史档案馆)

教育部部长王世杰致电西安行营主任蒋鼎文①

(高壹26字第17155号)

电为本部派定筹备委员在西安筹设临时大学,敬希赐予协助由。

补稿:

电西安行营蒋主任铭三兄勋鉴:

政府为救济平津失学之大学生,经由部派定筹备委员在西安筹设临时大学,敬希赐予协助,毋任公感!

弟王世杰(马)印
中华民国二十六年九月二十三日发
(民国档案,中国第二历史档案馆)

---

① 档案编号:国字第丙号。送达机关:西安行营蒋主任。

教育部部长王世杰致西安行营主任蒋鼎文[①]

（二十六年发文高壹26字第18859号）

电复西安临大设分校一节,俟该校详陈到部时当妥为考虑由。

电西安行营蒋主任铭三兄:应密。铣电敬悉,甚感关注,俟该校详陈到部时,当妥为考虑。特复。

弟　王世杰
中华民国二十六年十一月十九日

附:蒋鼎文致教育部部长王世杰

教育部王部长雪艇先生:应密。自晋省战况变更,西安渐迫近战区,此后敌机来陕轰炸,定日益狂虐,文化机关尤为敌之目标,查临时大学设立在此,生徒日众,其中更有女生多人。弟意似可在长江上游择地另设分校一所,先将女生拨往授课,藉策安全,此意曾与该校诸常委谈及,谅经陈述到部,未谂尊意如何,用再电达,敬希察核。

弟　蒋鼎文　铣
十六日

（民国档案,中国第二历史档案馆）

三、教育部关于西安临时大学筹委会文档

教育部聘李书华等函

（二十六年高壹7字第16390号）

聘为西安临时大学筹备委员会委员由。

附件

聘函

[①] 送达机关:西安行营蒋主任。

兹聘先生为西安临时大学筹备委员会①委员。

此致

李书华 臧启芳 李书田 童冠贤 周伯敏 徐诵明 李蒸 辛树帜 陈剑翛

附发临时大学□□纲要

部长　王世杰（签名）

中华民国二十六年九月二日

附件1：西安临时大学筹备委员会组织规程

西安临时大学筹备委员会组织规程

第一条　西安临时大学之筹备,依据本规程设置西安临时大学筹备委员会（以下简称本委员会）办理之。

第二条　本委员会之任务如下：

一、校址之勘定；

二、经费之支配；

三、院系之设置；

四、师资之遴聘；

五、学生之收纳；

六、建筑设备之筹置；

七、其他应行筹备事项。

第三条　本委员会设主席1人,由教育部部长兼任,设委员7人至11人,由教育部聘任之。

第四条　本委员会由教育部就筹备委员中指定常务委员3人至5人组织常

---

① 西安临时大学筹备委员会实际组成为：

主　席：王世杰　国民政府教育部部长

委　员：

李书华　国立北平研究院副院长、院长代表

臧启芳　东北大学校长

李书田　国立北洋工学院院长

童冠贤　国民参政会参政员、监察院山西、陕西监察区监察使

周伯敏　陕西省教育厅厅长

徐诵明　国立北平大学校长

李　蒸　国立北平师范大学校长

辛树帜　国立西北农林专科学校校长

陈剑翛　教育部特派员

务委员会议,依照本委员会决定之方针商决第二条列举之事项。常务委员会议开会时本委员会委员得列席。

第五条 本委员会主席指定常务委员1人主持本委员会各种事项之执行。

第六条 本委员会设秘书、总务、教务三处,各置主任1人,由教育部就常务委员中指定兼任之。

第七条 秘书处设秘书1人至2人,事务员2人至5人,书记若干人办理关于文书、统计、印信、保管及不属于其他各处会事宜。

第八条 总务处置庶务、会计、斋务3组,每组各设组长1人,事务员3人至9人,书记若干人,办理庶务、会计及斋务事宜。

第九条 教务处置注册、图书及军训三组每组各设组长1人,事务员3人至9人,书记若干人,办理关于图书及学生注册、军训事宜。

第十条 各处之组长、事务员、书记等由各处主任提交常务委员会通过后聘任或委派之。

第十一条 本委员会暨常务委员会议议定之重要事项,应随时呈报教育部备案。

第十二条 为执行本规程,常务委员会议得制定各种施行细则。

第十三条 本组织规程由教育部公布施行。

附件2:1937年9月1日教育部部长王世杰核定李书华、李蒸(未到京前袁敦礼代)、徐诵明、李书田、臧启芳、辛树帜、周伯敏、童冠贤等为西安临时大学筹备委员会委员。

(民国档案,中国第二历史档案馆)

教育部致童冠贤等笺函[①]

(发文高壹字26第16472号)

送达机关:童冠贤先生等;袁敦礼先生;李书华先生等

事由:

一、西安临时大学筹备委员会定期举行预备会,请按时出席由。

[①] 送达机关:童冠贤先生等、袁敦礼先生、李书华先生等。此稿包含两函一电。

二、西安临时大学筹备委员会定期举行预备会,请准时代表李蒸先生出席由。

三、电知西安临时大学筹备委员会开预备会日期,请准时莅京出席由。

笺函一

径启者:西安临时大学筹备委员会定于九月六日下午三时假朝天宫故宫博物院礼堂举行预备会。

务希拨冗准时出席为荷。此致

童冠贤先生,徐诵明先生

教育部启

笺函二

径启者:兹经聘定李蒸先生为西安临时大学筹备委员会委员,在李先生未到京前,即请先生代表。该会定于九月六日下午三时假朝天宫故宫博物院礼堂举行预备会。

务希准时出席为荷。此致

袁敦礼先生

教育部启

电

△△△△(通讯处)△△△(姓名)先生鉴:兹聘先生为西安临时大学筹备委员会委员。该会定于九月六日下午三时假朝天宫故宫博物院礼堂举行预备会,务希准时出席,或指派住京代表出席为荷。

教育部(印)
中华民国二十六年九月三日发
(民国档案,中国第二历史档案馆)

教育部就指定常务委员及秘书主任致筹委[①]

(二十六年教高字第 16608 号)

奉谕西安临时大学设常务委员会,并指定常务委员及秘书主任,函达查照由。

司函

---

① 档案编号:国字第丙号,送达机关:卷内查填。

径启者:奉部长谕"西安临时大学设常务委员会,以秘书主任一人,常务委员三人至五人组织之,开会时互推一人为主席。委员俱得出席常委会议,并指定李委员书华、徐委员诵明、李委员蒸、李委员书田、陈委员剑翛为常务委员,童委员冠贤为秘书主任,余查照临时大学纲要办理"等因。奉此,除分函外,相应函达,即希查照为荷。

此致

李委员书华

徐委员诵明

李委员蒸

李委员书田

陈委员剑翛

童委员冠贤

辛委员树帜

臧委员启芳

周委员伯敏

教育部高等教育司　启
中华民国二十六年九月八日十时发
(民国档案,中国第二历史档案馆)

教育部函两临时大学关于选送教授支援边远事

径启者:

本部据管理中英庚款董事会第3298号公函内略开:

"查国内战区各大学教授,人数甚多,而临时大学仅有两所,将来合班上课,原聘教授必有多余。本会拟与贵部会商,选送一部分教授,分赴边远大学如云南、广西、四川等大学担任教席。暂以一年为期,薪俸拟仍照在各大学原额支给,另致送来往川资若干。如此,则战区各大学教授既可有充分服务之机会,而云南等三省大学,又可得优良教授,一举两得,谅荷赞同。除由本会分函云南等省各大学,征询意见及实际需要外,相应函达,即请转嘱长沙、西安两临时大学负责人,查明可以选送至云南等省教授姓名略历过会。至一切办法当由本会杭总干事另行商洽"等由。奉部长嘱:"应即函知西安、长沙两临时大学筹备委员会常务委员会,查明可以选送至云南、广西、四川等省教授姓名略历,径行送达该会,再行商洽办法"等因。奉此,相应函达查照。

此致

西安临时大学筹备委员会常务委员会

教育部高等教育司启

中华民国二十六年九月八日

(清华大学档案馆)

国民政府教育部令(节选)

(二十六年第 16696 号)

以北京大学、清华大学、南开大学和中央研究院的师资设备为基干,成立长沙临时大学。以北平大学、北平师范大学、北洋工学院和北平研究院等院校为基干,设立西安临时大学。

中华民国二十六年九月十日

(原件存台北档案局)

教育部部长王世杰致于右任院长稿[①]

(二十六年高壹 26 字第 17511 号)

送达机关:监察院于院长

为救济战区学生于西安设临时大学,本部聘童冠贤为筹备委员会常委,俾资协助为荷。

右任先生院长赐鉴:

径启者:本部为救济战区流亡学生失学起见,定于西安设立临时大学一处。日前与公谈及,曾蒙赞可。兹以童冠贤先生熟悉华北及西北方面教育界情形,本部特聘定为筹备委员会常委,俾资协助。我公素日关念西北教育之发展,至为殷切,此事想荷察允。无任企祷,专此祗颂。

---

① 送达机关:监察院于院长右任。

道安如一。

王世杰　敬上
中华民国二十六年九月十三日
（民国档案，中国第二历史档案馆）

教育部致西安临大常委快邮代电

西安临时大学筹备委员会常务委员会鉴：该临时大学收纳学生原则，兹规定如下：（甲）平大、师大、北洋三校学生约略共占70%；（乙）他校借读生及新招学生约略共占30%。甲项学生不足规定时乙项学生可酌增之，反之乙项学生不足额定时甲项亦可酌增之。甲项三校学生各应占若干，乙项两种学生各应占若干，以及收纳学生标准即由常务委员会妥定呈报。所有各项学生收纳数目与标准一经确定应即登报公告，以便周知。

教育部
中华民国二十六年九月十七日

教育部饬童冠贤电

为电知加紧筹备，俾能按照预定计划十一月初开课由（1937年9月30日收到）。

长安委员长行营第二厅刘英士兄，饬童冠贤兄函悉：蒋主任处昨已去电，救济事仍请周厅长照料，临大校舍在未开学前不许寄宿，仍盼尽速筹备，于十一月初开学。

教育部　弟琳养印。
中华民国二十六年九月二十二日
（国立西北大学档案，陕西省档案馆）

教育部聘函

西安临时大学筹备委员会委员李书华因故未能到校，其兼任之常务委员一职，改请台端担任。此致

童冠贤先生

教育部
中华民国二十六年十月十一日
（民国档案，中国第二历史档案馆）

为膳费事教育部致电西安临时大学①

（第 17475 号）

该临时大学学生借予膳费一节，电令示遵由。

代电

西安陕西省教育厅转临时大学筹备委员会：

二十九日常委会电悉，临时大学一切应遵常轨办理，不可视为救济机关。在全国抗战期中，就学者经济情形视前为差，系全国普遍现象。该大学成立后，可予免缴学费外，依公费生设置办法，酌量多设公费学额，以奖励成绩优良特别困窘之学生。普遍给予膳费办法，本部未便许可，拟留款项如何分配，容另定办法令知。

教育部高等教育司
中华民国二十六年十月四日发
（民国档案，中国第二历史档案馆）

教育部就各院系主任名单令西安临时大学

（二十六年发文字第 17919 号）

送达机关：西安临时大学

据呈送各院系主任名单核示知照由。

指令：

令西安临时大学筹备委员会

二十六年十月六日呈一件——呈送本大学各处、院系主任名单一纸请鉴核由。

呈件均悉。该会总务主任及教务主任业由部照组织规程就常务委员中指定

---

① 教育部高等教育司于中华民国二十六年收到，文号编为：高查字 26 第 21043 号，档案国字丙。

兼任在案。该临时大学开办伊始,设备缺乏,需款骤多,教职员人数应以绝对必要为限,学系可合并的应暂并。如机械工程、电机工程两系可暂并为机械电机工程系,纺织工程系亦暂可并入。各学院每系教授、讲师至多不得过五人,各系得置助教,以二人为限。其利用东北大学或西北农专设备及师资等各系,教授、讲师人数并应参照减少。合令依照上所示范围,迅再拟定各院系主任及教授名单送部备案件暂存。此令。

中华民国二十六年十月十六日
（民国档案，中国第二历史档案馆）

徐诵明、李蒸、李书田三常委致电教育部部长王世杰请辞十八日电

（教育部高等教育司于中华民国二十六年十月十九日收到,
文号编为：二十六年收高壹 26 第 21892 号）

徐诵明等,电一件。

不录由。

附件：

教育部王部长钧鉴：顷奉大部训令,颁发西安临时大学筹备委员会组织规程并指定童冠贤为常务委员兼主持筹委会各种事项之执行,均谨奉悉。校院长等奉命来陕合组临时大学,原为收容三校院学生,培植人才,奠复兴国家民族之基。到陕以来,竭力筹划,愧少贡献,今幸大部指派专人担负全责,既视前令组织加密且与长沙临大组织亦不相同,校院长三人至今以后无能为役校院长等,应即日电请辞去西安临时大学筹备委员会委员兼常务委员及原三校院长职务,敬祈鉴察并即派员接替,以重职守。

徐诵明　李　蒸　李书田　同叩　巧
十八日
（民国档案，中国第二历史档案馆）

徐诵明、李蒸、李书田三常委致电教育部部长王世杰请辞二十一日电

（教育部高等教育司于中华民国二十六年十月二十八日收到,
文号编为：二十六年收高壹 26 第 22052 号）

徐诵明等,电一件。

不录由。

附件：

教育部王部长钧鉴（二十）号电，敬悉辱承慰留，惭感交并，西安临大系平津四院校合组，本属临时联合性质，诵明等奉命来陕，本此宗旨，积极筹备，百端草创，粗具规模，承示校事应由常务会议商决，系共同负责之合议制度。诵明、书田及陈君剑翛在京时并蒙面示，由常委会代行校长职权，到陕以后，业已遵行。昨忽奉指定童君冠贤主持筹委会各种事项之执行，诵明等自应退避，贤且常委，李君书华正在路设法来陕，既未言辞遽尔免职，群情惶惑。查长沙临大仅指定原三校校长为常委，互推主任，分工合作，一切办法均系联合性质。西安临大亦当一致，国难方殷，教育责任愈重，诵明等以院校历史悠久、人才辈出为国家教育计，未敢缄默，大部对于西安临大指派专员主持，与前示办法及合议制度之精神难期符合，在大部未明令规定由常委会主持校务以前，诵明等实难继续负责。敬请迅赐裁决，以免校务中断，无任感祷。

徐诵明 李蒸 李书田 同叩　养
二十一日
（民国档案，中国第二历史档案馆）

教育部电令西安临时大学

（二十六年发文字第18117号）

送达机关：西安临时大学

密不录由

电西安临时大学徐轼游、李云亭、李耕砚诸兄钧鉴：

巧电诵悉。临大筹委会规程湘陕一致，并系同时令知。西安临大原为收容北方学生，并建立西北高教良好基础，政府属望殷切。校事照章应由常务会议商决，系共同负责之合议制度。正赖诸兄及其他委员协同主持，何可言辞！大难当前，务希继续积极任事，不胜企感！

世杰　号
中华民国二十六年十月二十一日发
（民国档案，中国第二历史档案馆）

教育部电令童冠贤准辞

（二十六年发文字第 18269 号）

送达人员：童冠贤

不录由

电西安临时大学童委员冠贤鉴：

养电悉，第五条已另电筹委会准缓实施，请并告臧、周、陈诸委员，至因监院促返，请辞秘书主任一节应照准，并盼来京一洽。

教育部（宥）

中华民国二十六年十月二十六日发

（民国档案，中国第二历史档案馆）

为铁路转运事教育部电西安临时大学

（国字第丙⑨号高壹 26 字第 18039 号）

送达机关：西安临时大学筹备委员会

为平大等校教学用品业由铁道部转饬胶济等路局搭车装运。

电西安临时大学筹委会：

文电悉。平大等校教学用品由青运陕，业由铁道部电饬胶济、津浦、陇海等路局迅予搭车装运，照章收费。

教育部（号）印

中华民国二十六年十月二十三日发

附1：

接准本月十六日（铁道部）

大函以据西安临时大学筹备委员会，电为德商兴华公司代平大等校购运教学用品约 500 箱，亟待运陕，请转商令饬胶济、津浦、陇海等路局拨铁闷车，速由青运陕等情，转请查照电饬迅予办理等由。除由部电饬各该路局迅予接洽拨车，照章收费装运外，相应函复，即希查照转知为荷。

此致

教育部总务司

铁道部业务司　启
十月十八日

附件2：

教育部王部长钧鉴：

（二十四）号电奉悉，教育用品照章纳费，运陕用款太多，仍恳转商铁道部饬各路局酌量减费速运并乞赐复西安临时大学。

叩，马（二十一日）

附件3：

查运输物品运价，以教育用品运价最低，故目前焦作工学院请减免运费，铁道部只允照教育用品章程纳费，故该大学所请，未便照转。

教育部第三科 谨签（二十三）

（教育部 印）

缮写：秦绍美

监印：叶维□

附件4：

西安临时大学：

马电悉。铁道部以教育用品运价最低价，仍应照缴起运。

教育部（宥）印

中华民国二十六年十月二十六日发

（民国档案，中国第二历史档案馆）

教育部指令

（指令第18225号）

令西安临时大学筹备委员会：

二十六年十月十一日筹字第十号呈一件——为转咨外交部发给本校美籍教授沙博格（Benjimin Franklin Schabcrg）在陕西、四川二省居留证一件。教育部高教司于10月22日收到外交部部长王宠惠签署的国26字第8313号，案准西安临时大学筹备委员会请发教授美国人沙博格居留证。本部已转行陕西省政府转饬西安警察局。

> 教育部
> 中华民国二十六年十月二十六日
> （民国档案，中国第二历史档案馆）

西安临时大学筹备委员会常务委员会致王世杰部长

教育部王部长钧鉴：

平大、师大、北洋学生多属贫困战区者接济，既非战区者生计亦艰，该生等膳费无着，亟待救济，拟援东大例每生每月给予膳费六元半，但须在校服役，同时竭力少用校役，其不愿服役者膳费自理，查临时大学学生给以膳费利解决实际问题，务祈核准为祷。至所需经费除一半由经常费支外，拟请将留备救济款项内赐拨一半应用。

> 西安临时大学筹备委员会常务委员会
> 二十九日　叩
> （民国档案，中国第二历史档案馆）

教育部送达行政院秘书处公函

（国字第丙③号二十六年高查26字第22291号）

送达机关：行政院秘书处

为将代理平大校长徐诵明等请辞原职及兼职一案，并办理经过情形函后查照转陈由。

公函

案准贵处十月二十八日第215264号函，以奉谕：代理平大校长徐诵明等电辞校院长原职及西安临大筹委会委员兼常务委员职务情形一案，应交教育部核办等因，函达查照等由，并附抄原电一件。准此，查长沙、西安两所临时大学筹备委员会组织规程，条文完全一致（并无丝毫不同之处）。该项规程第三条规定筹委会主席由本部部长兼任，因事实上难以分身，乃于第五条规定由主席指定常委一人，主持各种事项之执行。此项规定，原为增进办事效率。至学校一切行政方针，依照该项规程第二及第四条之规定，仍取决于委员会及常务委员会议。李书华原为该校筹委兼常委,嗣以李君尚未能离平,乃将其兼任常委一职改派该委员会秘书主任童冠贤担任,并指定常委徐诵明、李蒸分别兼任总务及教务主任。盖依照该委员会组织规程第六条之规定,秘书主任等职应由常委兼充。最近徐君等电请辞职,童君亦电请解除常委及秘书主任职务,均认组织规程第五条有窒碍难行之处。本部以该临时大学正在积极筹备中,当即乃复电饬徐、李等三常委,嘱其继续负责,同时,电令该会组织规程第五条暂缓实施,并准童冠贤君辞去秘书主任职务。顷据电称,各该常委均以照旧供职。准函前由,相应将此案经过情形连同该会组织规程函复查照转陈为荷。

此致

行政院秘书处

附送组织规程一份。

中华民国二十六年十一月二日

(民国档案,中国第二历史档案馆)

教育部汉教第871号指令

(二十七年三收秘组47第327号)

该校教授何绪缵建议利用迁移内地剩余机械设备一节,已转经济部核办。

中华民国二十七年一月九日

教育部第三号代电

(二十七年一收秘杂16第71号)

电知:奉令特任陈立夫为教育部部长,已于一月七日到部视事。

中华民国二十七年一月十七日

教育部汉寒

(二月十四日代电)

电为本学期该校仍应设法扩充借读生学额,尚可增加额数,迅即呈报。

中华民国二十七年一月二十一日

教育部训令
（二十七年发文庚教字第三六三号）

送达机关：国立西安临时大学

事由：汇发英庚款董事会协助该大学第二批开办费5万元迅即填印领仰将该款用途遵照前令办理具复。

令国立西安临时大学

案查前准管理中英庚款董事会函送协助该大学第二批开办费5万元过部，兹将该款交由中央银行电汇，应迅填印领呈部。关于该款用途，仰即遵照第一三五节电办理具复。此令。

教育部　陈立夫

中华民国二十七年二月七日

（民国档案，中国第二历史档案馆）

教育部汉教字第340号训令
（二十七年二收会经16第181号）

关于该校本年度八月至十二月份开支实况及教职员实支俸给令即填具送部。

中华民国二十七年二月十日

（国立西北大学档案，陕西省档案馆）

教育部汉教字第344号训令
（二十七年二收会经18第184号）

令为制定专科以上学校战区学生贷金暂行办法施行，仰遵照办理具报由。

中华民国二十七年二月十日

（国立西北大学档案，陕西省档案馆）

教育部汉教字第 363 号训令
（二十七年二收会经 18 第 184 号）

汇发英庚款董事会协助该大学第二批开办费 5 万元，迅填印领呈部，并仰将该款用途遵照前令办理具复。

中华民国二十七年二月十日

（国立西北大学档案，陕西省档案馆）

教育部会计主任元电
（二十七年二收会经 20 第 202 号）

经费已于文（十二日）汇出。

中华民国二十七年二月十四日

（国立西北大学档案，陕西省档案馆）

教育部二十七年发令捌第 225 号训令
（二十七年二收秘组 29 第 238 号）

奉行政院令，各机关非有绝对需要，应一律禁拍官电。令行遵照！

中华民国二十七年二月二十二日

（国立西北大学档案，陕西省档案馆）

教育部二十七年发汉教字第 538 号训令
（二十七年二收秘组 30 第 239 号）

奉行政院令，准军事委员会代电规定办理各种干部教育权责，合行知照等因，通令知照。

中华民国二十七年二月二十二日

（国立西北大学档案，陕西省档案馆）

教育部高等教育司第539号函

为整理大学课程,拟编制大学各学系科目表,作各校设置科目之准则。祈参照拟订原则转发各系主任查照办理,并请将意见书及科目表于三月十五日以前寄交汉口本部。

中华民国二十七年二月二十二日
(国立西北大学档案,陕西省档案馆)

教育部汉教字第449号训令
（二十七年二收教组 32 第 242 号）

各校应尽量收容战区学生,对于借读生并应与正式生一律待遇。

中华民国二十七年二月二十二日
(国立西北大学档案,陕西省档案馆)

教育部《中等以上学校导师制纲要》
（二十七年教育部颁发）

一、本部为矫正现行教育之偏于知识传授而忽于德育指导,及免除师生关系之日见疏远而渐趋于商业化起见,特参酌我国师儒训导旧制及英国牛津、剑桥等大学办法,规定导师制,令中等以上学校遵行。

二、各校应将全校每一学级学生分为若干组,每组人数以5人至15人为度,每组设导师一人,由校长指定专任教师充任之。校长并指定主任导师或训育主任一人,综理全校学生训导事宜。

三、导师对于学生之思想、行为、学业及身心摄卫,均应体察个性,施以严密之训导,使得正常之发展,以养成健全之人格（训导纲要另定之）。

四、训导方式不拘一种,除个别训导外,导师应充分利用课余及例假时间集合本组学生举行谈话会、讨论会、远足会等,作团体生活之训导。

五、导师对于学生之性行、思想、学业、身体状况各项,应依照格式详密记载,每月报告学校及学生家长一次;其缴学校之报告,主管教育行政机关,得随时调阅之。

六、各级导师应每月举行训导会议一次,汇报各组训导实施情形,并研究关于训导之共同问题。训导会议由校长主持,校长因故不能出席时,得由主任导师或训育主任代表主持。

七、各组导师对于学生之思想与行为各项,应负责任。学生在校或出校后在学问或事业方面有特殊之贡献者,其荣誉应同时归于原任导师。其行为不检思想不正如系出于导师之训导无方者,原任导师亦应同负责任。其考查办法另订之。

八、导师认为学生不堪训练时,可以请求校长准予退训。其受退训之学生,得就本校导师中自选一人受其训导如再经退训时,即由学校除名。

九、学生毕业时导师应出其训导证书,对于学生之思想、行为及学业各项,详加考语。此项证书在学生升学或就业时,其关系方面得随时调阅之。

十、本部指定督学随时视察各校导师制实施情形,专案报部。各省市教育厅局应派督学随时视察指导。

十一、各专科以上学校得依本纲要另订导师制施行细则,中等学校导师制施行细则得由各教育厅局依本纲要规定之。

十二、本纲要经呈行政院备案后施行。

中华民国二十七年三月二十八日

(教育部编《教育法令汇编》第四辑 1939 年 11 月第五版)

四、教育部关于西北联大文档

教育部电

(汉教字一六五四号)

事由:该校应改称国立西南、西北联合大学由

昆明、陕西南郑专员公署转国立长沙、西安临时大学:

该校应改称国立西南联合大学、国立西北联合大学,奉院令已奉国防最高会议通过。合电令遵照。关防另行颁发。

教育部 汉冬印

中华民国二十七年四月二日

(国立西北大学档案,陕西省档案馆)

教育部汉冬电报
（二十七年四收秘组52 第359号）

奉院令①该校应改称国立西北联合大学，合行电令，遵照。关防另行颁发。

中华民国二十七年四月三日

（国立西北大学档案，陕西省档案馆）

教育部汉教第109代电
（二十七年四会经31 第360号）

垫发一月份经费一部分，计5万元，仰取款后即将印收填具送部。

中华民国二十七年四月三日

（国立西北大学档案，陕西省档案馆）

教育部稿

兰州 甘肃省教育会：

电知西安临大现暂迁汉中，所陈一节，当为备参考。

教育部

中华民国二十七年四月五日

附件1：甘肃省教育会代电 欢迎西安临大迁设兰州

汉口 教育部陈部长：

西安临时大学拟定迁移地办理，且钧部命令该校迁移范围决不能离开兰州、天水、西宁三处，闻讯之余无任钦幸。窃思兰州居西北中心，当中、俄交通要冲。自九一八事变以后东北四省相继沦亡，国内先起之士即洞酌兰州在西北之重要，

---

① 国民政府行政院的《平津沪地区专科以上学校整理方案》（行政院第350次会议通过），原件无存，此处散见文献节选：国立北平大学、国立北平师范大学及国立北洋工学院，现为发展西北高等教育起见，拟令该院校逐渐向西北陕甘一带移布，并改称国立西北联合大学，院系仍旧。经费自中华民国二十七年一月份起，由国立北平大学、国立北平师范大学、国立北洋工学院各原校经费各支四成，为国立西北联合大学经费。1938年7月22日，教育部令，撤销原校筹备委员会，改组为校务委员会，原有筹备委员均为校务委员。

群谋所以开发与建设之方策,时经六载,终因环境各种之限制致未能达原所期许之目的。迨卢案发生展开全面抗战之来,华北既濒于沦陷,京沪又相继失守,西北在地理军事上更形成国防之中心,抗战之策源。兰州地位之重要,亦因而愈形增大,欲利用抗战时机必展西北教育,以期发动全民力量完成抗战使命,亦愈迫切而愈觉刻难容缓也。近顷晋局紧张,潼关告急,西安将受敌人摧毁之可能,在校求学青年学生之生命更不时有被敌人惨杀之可虑,欲为教育前途计,为学生安全计,为建设西北中心兰州计,西安临时大学移设兰州最为适当,敝会职司教育未敢缄默,仅代表甘肃教育界人士表示万分欢迎。

中华民国二十七年四月五日教育部收到
(民国档案,中国第二历史档案馆)

教育部汉教第 936 号代电

(二十七年四收会经 34 第 402 号)

东电悉。本部业经拟具战区专科以上学校整理方案呈政院核示,财部以该方案未奉准,对于一月份经费暂缓拨发。

中华民国二十七年四月八日
(国立西北大学档案,陕西省档案馆)

教育部总务司函

(二十七年四收会经 35 第 407 号)

电汇贵校二月份四成经费 8 万元,已由中央银行电汇。兹将 3□元电费单一并寄上,即祈察收。

中华民国二十七年四月十一日
(国立西北大学档案,陕西省档案馆)

汉口教育部汉文电报

(二十七年四收会经 36 第 417 号)

电知奉院令平津沪战区专科以上学校整理方案奉国防最高委员会议核定,该校经费应按三校院原预算移拨四成,至员生救济费应另案呈核。各该校实支救济、保管费,希开列概算呈送名单,一并呈核。

中华民国二十七年四月十三日
(《教育公报》,1938 年 4 月)

教育部电胡军长宗南、西北联大

西安 中央军校胡军长宗南兄:

西北联合大学在城固校舍闻曾由贵校第二学生总队预借,该队现虽不在城固,恐一旦需要彼此发生困难,拟请将该校舍长期拨借联大,俾该校师生得安心教学。

教育部
中华民国二十七年五月一日
(民国档案,中国第二历史档案馆)

教育部电西北联大

城固 西北联大:

西北医学教育机关现仅有该校医学院一所,若迁往西康是脱离西北范围,不能再附于该校,故于必要时只能向甘肃择地迁校。

批示:查国立大学多数迁设西南,现留西北者仅三校,除西北农学院外,多设陕南,社会人士正望本部对于西北各省之高等,注意推进,现该校地址尚称安全,其医学院设在西北,足可应陕甘一带改进医学事业之需要。前甘肃省朱主席电请在甘肃省增设国立医学院时,本部即以此意电复在案。该校所请事节,教育部函复已令西北联大医学院暂缓迁康。

教育部
中华民国二十八年一月三十日

附件 1:西北联大医学院迁移事承电告刘主席,并蒙后电欢迎。惟西北方面医学教育机关仅有该校医学院一所,如迁往西康,则陕甘一带必感缺乏,且该院单独迁康脱离西北范围,势难再附联大。

(民国档案,中国第二历史档案馆)

教育部关于国立西北联合大学结束移交的训令

（渝字 197 号）

令国立西北师范学院院长李蒸：

案查国立西北联合大学改为国立西北大学、国立西北师范学院及国立西北医学院一案，业经本部呈奉行政院核准。国立西北师范学院院长一职，并经本部聘任该员充任各在案。除令西北联大结束移交，并呈请行政院转呈国民政府颁发关防及小官章外，合行令发改组办法一份，仰即就职接收会报，以凭查核。此令。

附发国立西北联合大学改组为国立西北大学、国立西北师范学院及国立西北医学院办法一份。

部长　陈立夫

中华民国二十八年八月十四日

附件1：国立西北联合大学改组为国立西北大学、国立西北师范学院及国立西北医学院办法

一、经费支配（自本年八月至十二月）

（甲）经常费

除依二十八年度预算数735 164元，按月分配于国立西北大学、国立西北师范学院及国立西北医学院外，本会计年度内并由部另拨5.5万元补充改组后不足之数。其分配如下：

（一）国立西北大学每月28 763.67元（以全年345 164元计），八至十二月计共143 818元，另由部特别补助3万元，合共173 818元。

（二）国立西北医学院每月12 500元（依全年15万元计），八月至十二月共62 500元，另由部特别补助1万元，合共72 500元。

（三）国立西北师范学院每月2万元（以全年24万元计），八月至十二月共10万元，另由部特别补助1.5万元，合共11.5万元。

（乙）建置费及各项补助费

西北联大原有之建置费及庚款补助费等，仍应依原定各学院分配办法分配于各该校院。

二、院系编制

（一）国立西北大学　文学院：设中国文学、外国语文、历史三系。外国语文系

设英国语文及俄国语文两组。理学院：设数学、物理、化学、生物、地质地理五系。法商学院：设法律、政治、经济、商学四系。

（二）国立西北医学院　不分系。

（三）国立西北师范学院　仍照国立西北联大师范学院原有编制设国文、英语、数学、理化、教育、体育、家政、博物、公民训育等十系及劳作专修科。并设师范科研究所。

三、教职员

原有西北联大之教职员由国立西北大学、国立西北医学院及国立西北师范学院尽量聘用。呈部核定。

四、学生

原有国立西北联大文理学院及法商学院学生一律改为国立西北大学学生。原有国立西北联大医学院学生一律改为国立西北医学院学生。原有国立西北联大师范学院学生一律改为国立西北师范学院学生。

五、校产

原由国立西北联大文理、法商两学院应用之一切图书仪器设备，均由国立西北大学接收应用。原由西北联大医学院应用之一切图书仪器及其他设备均归国立西北医学院接收应用。原由西北联大师范学院应用之一切图书仪器及其他设备归国立西北师范学院接收应用。其余由联大各学院公共应用之一切设备应由各校院会商决定，分别接收应用。

六、校舍及校址

西北联大文理、法商两学院及医学院、师范学院现有院舍院址暂分别作为国立西北大学、国立西北医学院及国立西北师范学院校（院）舍校院址。其各该院永久院址由本部另行统筹决定之。

本办法未经规定事项，由教育部随时决定之。

（民国档案，陕西省档案馆）

教育部关于发出二十八年度国立西北联合大学改组后调整预算书的训令
二十八年度国立西北联合大学改组后调整预算书

科目	调整预算数	原预算数

国立西北联合大学	490 109.28	735 164.00
国立西北大学	115 054.72	
国立西北师范学院	80 000.00	
国立西北医学院	50 000.00	
合计：	735 164.00	735 164.00

教育部长陈 代理会计主任郭

中华民国二十八年九月九日

（民国档案，中国第二历史档案馆）

附件1：西北联大呈教育部 为校舍破旧近因霪雨连绵漏坏甚多呈请核拨校舍修理费一万元由

本校校舍校本部及文理学院系借用城固考院，法商学院系借用城固城外职业学校，医学院系租用南郑民房，各处房屋建筑既不坚固，而且年久失修。本校移至城固以后，仅将各处房屋芟除无积，装补窗户房顶，即行上课办公居住。近月以来霪雨连绵，两旬有余，各处房屋破漏坍塌相继不绝，已达188间，若不大事修葺，将来无法上课，估计修理费用款约2万元。本校经常费内修缮营造预算月仅1 000余元，不负过巨。除一面紧急动工外，兹特备文呈报，拟请拨给校舍修理费1万元。

国立西北联合大学

中华民国二十八年□月二十四日

协助办理前国立西北联合大学结束情形由[①]

案奉

钧部国丙9字第23370号密令，略开前国立西北联合大学改组，由国立西北大学、西北师范学院、西北医学院分别接收，饬前往协助办理接收事宜，并查明前北平大学、师范大学之存款及存储地点，具报核办等因事。此遵。即驰抵城固，分

---

① 黄德馨.协助办理前国立西北联合大学结束情形由(1939-11-13).西北联合大学改组由国立西北大学西北师范学院西北医学院接收前北平大学遗失印信公物收支计算书查处情形，三十九年三月二十号，存中国第二历史档案馆.

别办理。兹谨报告如次。

一、西北大学等三校院接收前西北联大情形

查国立西北大学、西北师范学院、西北医学院曾于九月十八日开联席会议一次，商讨接收前西北联合大学事宜，关于分配原则及办法有所决定（附原记录一份），但因联大图书组债务与移交图书，本为两事，不能混为一谈，惟前西北联大经常费亏空将逾10万元以上，实无力清偿。此项书债为顾全事实计，西北大学提出书债由分得图书之各校院负责偿还之意见。经职向各方商洽，均可同意。于十一月六日各校院开第二次联席会议，议决分配图书及解决债务之办法（附记录一份），按照先后决定之原则及办法实行分配，当无问题。惟前西北联大图书组主任何日章现因赴西安，俟其返回后，始可整理图书，开出清单，分别移交。

前西北联大由筹办起，至结束止，除筹备费3万元已造报外，经常费均未报销。职抵此后，据前常委胡庶华云，联大亏空在10万以上，庚款补助费、救国公债、飞机捐、所得税，均有挪用，但支出之确实数目，常委与会计主任均不知之。经职再四催促结算，前会计主任苏雅农于十一月十一日始造出由二十六年九月份起至二十八年十月份止全部收支对照表（原表附后）。由此表可知：

1. 经常经费超支数为119 540.86元。其中，最大部分系二十八年一月至八月超支，计达11万余元。据苏前主任云，暂付款约可收回1/3，计6 400余元，代家政系所付薪水，可收回5 300余元，实超支107 800余元。

2. 救国公债18 000余元，飞机捐27 000余元，所得税7 900余元，均被挪用。

3. 开办费，即庚款补助费挪用57 000余元。

4. 贷金支付数较领得数超过12 164.79元。

5. 二十七年度建筑专款被挪用21 000余元。

此项经常费亏空之款，自应设法弥补：

1. 二十七年度财政部扣发该校岁入款27 000元，实际收入只3 300余元，二十八年一月至八月共扣发55 920元，实收不过2 000元，故尚应补发77 600余元，似应由该校赶速造送收入计算书，呈请如数补发。

2. 借入款20 500元中，包括前北平大学9 000元，前北平师范大学8 500元，家政系3 000元，前平大、师大之借款，似可不还。

3. 不足之一万二、三千元，似可将修缮费及设备费，分别移拨一部分于二十七年度建设专款及庚款补助费内报销，以资弥补。

4. 垫付农学院之13 000余元，似应由该院如数归还。

5. 贷金超过之 12 000 余元,似可由此次部发该三校院 60 000 元贷金内拨还或另行拨发归垫。

如按上述各点办理,则经常费亏空问题即可解决,挪用之款可以归垫分别缴解。

二、前北平师范大学存款情形

据前北平师范大学校长李蒸报告,该校自二十六年七月至二十八年十月收入共为 238 095.05 元,支出 162 276.41 元,结存 75 818.64 元,原表附后。其所列收支数目,并无账簿登记,拨付北平各款,合计 130 741.00 元,系秘书汪如川经手支用。据云,"只剩余款 200 余元,一切支出凭证及账簿均齐全,现存天津英租界"。驻陕师大办事支用之 25 435.41 元,系由会计课长高鸿图经手,有日记账,但其中尚记有其他款项,分类账未过齐,此 25 000 余元中有借还教职员飞机捐款 4 300 元、毕业生借就职旅费 1 500 元,均非实际开支。借还飞机捐已属不合,所收飞机捐若干,并未列收,而由经常费中付还,尤为不当。据前李校长云,所收飞机捐已挪用,但挪用作何用,则不知之。至于拨付天津及长沙之款,如何支用,则无法考核。结存之款,存于成都中国银行之 62 340 元,系用李校长私人名义。据高鸿图云:"二十五年度计算书已造送至二十五年十一月份,二十六年一月至六月之账簿表册单据,意均存于天津",有无余款,无从悬揣。

三、前北平大学存款情形

职于十月二十九日抵城固,前北平大学校长徐诵明已赴重庆,未曾晤见。据该校会计吕士珍报告,其所经管账簿收支情形,计收入 272 421.90 元,支出 264 923.46 元,结存 7 498.44 元,原表附后。所列收支数目,根据吕士珍之流水账簿核算尚符汇平之 16.7 万余元,据前不久于北平来城固之该校前会计组职员李汉堃云:"二十六年七月份经费 11 万元汇平后,即转发各学院具领,以后陆续汇到之 5 万余元,均分发留平教职员,所有单据账簿,现均存北平,无法带出"。并谓:"二十五年度簿据书表等,原分存北平东交民巷中法工商银行、德华银行,及西什库法国教堂。其存于法国教堂之部分,已被倭伪宪警抄扣"。汇蓉之 4.25 万元,据吕士珍之流水账,有 3 万元系汇存成都中央银行,1 万元汇存成都中国银行,其余 2 500 元系驻蓉办事处经费,但吕士珍云:"此项汇存银行之 4 万元,徐校长曾否取用,则不得而知"。补发八月份四成薪及救济金 180 00 余元中,有 3 360 余元系借还教职飞机捐,该校所收飞机捐并未列收,而由经费中借还,自属不合;发还学生保证金 2 000 余元应在所收保证金项下付还,不能由经常费中支付。究竟以前所收保证金若干,存于何处,均不知之。毕业生借川资2 000余元,垫支教授会旅费5 000余元,均非实际开支,应可收回。校院借支9 000元,系前西北联大借用,暂付款3 200元,系平大教职员合购汽车一辆抵借之款。据吕士珍云,此款即可收回。吕士珍经管结存之款有7 448.67元,存于南郑中央银行,系用国立北平大学名义,至该校二十五年度收支情形及汇平16万余元实际支用数目,因账簿均不在此,无法盘查,究竟有何余款,未便臆断。

事令前因,理合将遵办情形具文呈报,仰祈钧鉴核办。

谨呈

　　部、次长

职 黄德馨 谨呈

中华民国二十八年十一月十三日

(民国档案,中国第二历史档案馆)

教育部训令①

（会字发第 53877 号）

事由:据请将前西北联大追加经费 24 088.47 元拨作其他急需费用,未便照准,仰仍遵前令办理并将该款缴部。

送达机关:国立西北大学

令国立西北大学

呈一件为请将保管前西北联大追加经费 24 088.47 拨作其他急需费用由。

呈悉事关案款,所请未便照准,仰仍遵前令查明前西北联大支垫情形(编具计算书表)报核,并将该款如数缴部核办。此令。

附记:附国丙26会4605号卷一件。

教育部长　陈立夫

中华民国三十一年十二月二十九日发

(民国档案,中国第二历史档案馆)

---

① 　国立西北大学收文字第51863号。

电知西北师范院城固校舍已饬全部总归该校应用
函复西北师范城固校舍已拨交西北大学应用拟请贵院另觅地址

国立西北大学：

三十三年四月二十五日发杂72字第0591号代电悉。查国立西北师范学院城固分院本年时期迁设兰州,该分院校舍全部拨归该校应用一案,业于本年四月二十六日以高字第19810号指令,饬知立案,仰即遵照前令办理。

教育部长　陈立夫
中华民国三十三年六月十四日

附件1：国立西北大学快邮代电

青木关　教育部钧鉴：

案查为国立西北师范学院于本年度迁移兰州后,拟将该院城固校舍全部拨归本校应用一案,曾经迭次呈报拨用在卷并经函准陕西省政府本年三月二十七日府教一字第355呈公函开：案准贵校三十三年三月漏日发杂50字第0364号公函略开,以原有校舍不敷分配、学生多居校外教管均极不便,国立西北师范学院所用城固文庙旧址,房屋颇多,现在行将迁移,嘱将此项校舍全数划拨贵校以维教育等因查属可行。除分函国立西北师范学院并令饬城固县县长于该院迁移时遵照拨让外,相应函复查照等因,查本校校舍不敷应用,钧部早所洞悉,拟恳俟西北师范学院迁兰后准予将该院城固所有校舍全部拨归本校应用,实为公便。

国立西北大学代理校长杨宙康
中华民国三十三年四月二十五日

附件2：陕西城固地方法院院长刘汝湘函陈立夫：西师决迁兰州所遗房舍甚多,内有城内旧教育署一院,原系城固县政府依法主管之公产,前经拨与西师占用者,西师迁后应行交还实为当然之事,该坊又颇合敝院院址之用,是以先与该县政府商妥继并呈由陕西高等法院函准陕西省政府令将该房拨为敝院院址。

中华民国三十三年五月十五日

附件3：笺函汝湘院长：国立西北大学院系众多,员生达千余人,原有校舍,确系无法容纳,战时国家财政困难,不易筹拨巨款,从事建设。国立西北师范学院城固校舍,已令全部移交西北大学接收应用,并拨该校呈报函准陕西省政府照拨在案。仍希贵院另觅新址,本部已饬该大学酌予补助经费矣。　陈立夫附件4：令西北师范学院：三十三年五月二十三日发17第1839号呈一件，为呈复奉拨迁建费不敷应用，城固校产势须价让，又城固分院总办公室房屋系借用城固县公产，况该县参议会迭请交还。呈悉。该院城固校舍，仍应遵照前令全部拨交国立西北大学应用，不得价让，迁兰建设费已呈请行政院核拨。

附件5：教育部函赖校长景瑚

景瑚校长大鉴：九月六日惠书奉悉 拟收用西北师院校舍事，俟明年该院迁兰时再行酌办。

陈立夫 中华民国三十一年十月九日

附件6：赖琏函立夫

立夫先生赐鉴：径陈者西北大学发展迅速，课堂宿舍无法容纳，教职员尤为困苦，一再请款加建房屋亦难成为事实，近闻西北师范学院已奉部令于明年全部迁兰州，可否将该校舍明令拨归西大。

赖琏 中华民国三十一年十月八日
（民国档案，中国第二历史档案馆）

第三节　国民政府其他部门文件

一、与地方党军政部门往来文档

军委会西安行营关于西安临大开学典礼的笺函
（二十七年一收秘杂8第42号）

函复 贵校开学典礼影片一幅已经收到。

中华民国二十七年一月十一日
（国立西北大学档案，陕西省档案馆）

中国国民党陕西省党部族字 70 号公函

（二十七年二收秘杂 30 地 203 号）

为派牛传钦等为直属国立西安临时大学区党部筹备委员，希查照由。
此致
国立西安临时大学筹备委员会

中华民国二十七年二月十四日
（国立西北大学档案，陕西省档案馆）

西康建省委员会教字第 0029 号公函

（二十七年二收教统 7 第 220 号）

准函请检寄非常时期教育方案及教材等，以供研究一案，除检送国难时期中西康义务教育实施计划一份，并请赐教以资遵循。
此致
国立西安临时大学筹备委员会

中华民国二十七年二月十八日
（国立西北大学档案，陕西省档案馆）

胡军长宗南电

（二十七年四收秘参 94 第 477 号）

复贺本校南迁，校址有着，弦歌重兴，西北文化将见一新期段之开展。
此致
国立西安临时大学筹备委员会

中华民国二十七年四月二十八日
（国立西北大学档案，陕西省档案馆）

二、与其他部门往来文档

陈剑翛电杨振声关于临大免收学费事①

（1937年秋）

临时大学杨今甫兄鉴：化密。巧电悉。本学期本校概免学费。弟陈剑翛代。哿。

（清华大学校史研究室，清华大学史料选稿第三卷（下）——西南联合大学与清华大学（1937—1946），北京：清华大学出版社，1994：38）

国民政府主计处公函②

（渝岁字1337号）

为国立西北联合大学二十九年度追加经费24 088.47元应准予改作三十年度支出案办理复函，查照转知由。

案准贵部会字四〇〇二八号函以据西北大学呈报前国立西北联大二十九年度追加费24 088.47元，国库迄未照发等情转请函知财政部照案迅予拨发等由。查国立西北联合大学二十七年度坐支不敷经费24 088.47元，业经国防最高委员会核定，改作二十九年度追加支出，惟该款既未照拨，二十九年度国库收支又早结束，所有此项追加经费应准迁转三十年度支出案办理，除函财政部外，相应函复查照转知为荷。此致

教育部

主会计长 陈其采

监印　范教鸿
校对　任仲麟

中华民国三十年十一月十四日发

（民国档案，中国第二历史档案馆）

---

① 陈剑翛为国立西安临时大学筹备委员会常委，杨振声为国立长沙临时大学秘书处主任。这是所见唯一一次两个临时大学间的通讯。
② 教育部中华民国三十年十一月十七日收，编为三十年第50617号。

财政部致教育部公函①

（文号35447号）

事由：准函逐拨发二十九年度追加前国立西北联大经费24 088.47元复请查照。

案准贵部十月十八日会字40027号公函，以拨国立西北大学呈请转催迅拨二十九年度追加前国立西北联大经常费24 088.47元，随函检还本部代填缴款书及直字第15229号支付书，通知联嘱查照等由，旋准主计处十一月十四日渝岁字1336号公函，以前项追加经费准予改作三十年度支出通知到部。

查前项追加经费抵解手续业拨国库总库账转入库账，分列报告在案，准函前由无法再行变更，相应将原缴书及支付通知联随函奉还，即希查照转知为荷。

此致
教育部

附检还原缴款书一联，支付通知一联。

财政部长 孔祥熙
中华民国三十年十二月八日发
（民国档案，中国第二历史档案馆）

第四节 学校呈教育部文

一、临大—联大呈教育部文

西安临时大学筹备委员会呈主席委员王②

（二十六年高壹26 第21498号）

呈送本大学各处院系主任名单一纸请鉴核备查由。

---

① 教育部会计处于中华民国三十年十二月十日收到，总务司会核，文号编为：三十年第55006号。
② 西安临时大学筹备委员会秘书主任童冠贤致教育部部长兼西安临时大学筹备委员会主席委员王世杰的呈文。

查本大学各处院系主任人选,业经本会常务委员会第一次会议决定:除分别函聘外,理合缮具所聘各员名单一纸,备文报请鉴核备查。

谨呈

主席王

附:各处院系主任名单一纸。

西安临时大学筹备委员会秘书主任童冠贤(签章)
中华民国二十六年十月十三日(教育部收到日期)

附件:西安临时大学各处院系主任名单

职务	姓名	备注
教务主任	张贻惠	平大
总务主任	袁敦礼	师大
文理学院院长	刘 拓	师大
国文系主任	黎锦熙	师大
历史系主任	许寿裳	平大
外国语文系主任	陈 慧	平大
数学系主任	胡濬济	平大
物理学主任	张贻惠	平大
化学系主任	刘 拓	师大
生物学主任	金树章	平大
地理系主任	黄国璋	师大
法商学院院长	余启昌	平大
法律系主任	石志泉	平大
政治经济系主任	江之泳	平大
商学系主任	王之相	平大
教育学院院长	李建勋	师大
教育系主任	李建勋	师大
体育系主任	袁敦礼	师大
农学院院长	周建侯	平大
农学系主任	汪厥明	平大

职务	姓名	备注
林学系主任	贾成章	平大
农业化学系主任	周建侯	平大
工学院院长	李书田	北洋
土木工程系主任	方颐朴	北洋
矿冶工程系主任	李 达	北洋
机械工程系主任	项任澜	北洋
电机工程系主任	梁引年	平大
应用化学系主任	余阑园	平大
纺织工程系主任	张汉文	平大
医学院院长	吴祥凤	平大

（民国档案，中国第二历史档案馆）

西安临时大学筹备委员会呈教育部①

（高壹26 第21770）

拟请转令武汉大学、中央大学、湖南大学、浙江大学以及金陵女子文理学院商借各系科需用之图书复本，敷余仪器以及体育系用图书由。

查本大学筹备工作，正在积极进行，下月一日，即行开学，不久并即上课。惟以值此抗战期间，交通阻塞，图书仪器等项，无从购备。现除将北洋工学院所存天津一部分图书仪器，及北平大学、师范大学寄存外国商行一部分仪器，设法起运来陕外，尚不敷甚巨，拟请钧部转令武汉大学、中央大学、湖南大学等校，商借各科系需用之图书复本，以及敷余仪器一部分，暂资应用。

又关于体育系用各项图书，国内购置，极感困难。查浙江大学存有此项图书甚多，该校并未设有体育系；金陵女子文理学院所存图书亦多，该院如因时局关系未能开学时，本大学并拟暂行借用，拟请钧部转令各该校院知照。

如果各该校院原则上予以赞同，希径函本大学，以便函送各项清单，直接商酌借用办法。至金陵女子文理学院体育系学生，如愿来本大学借读，自应予以容纳。

以上所有拟请转令各该校院商借图书仪器各节，是否可行？理合备文呈请。

---

① 教育部高等教育司中华民国二十六年十月十八日收到，文号编为：高壹26 第21770。

鉴核分别转令,并请指令示遵!

谨呈

教育部部长王

西安临时大学筹备委员会常务委员

李书田(签章) 陈剑翛(签章) 徐诵明(手写签名) 李蒸(签章)

教育部于中华民国二十六年十月十八日收到

(民国档案,中国第二历史档案馆)

西安临时大学筹备委员会呈教育部[①]

(二十六年呈文筹字第 15 号)

呈复本校聘用教职各员及设立各学系情形由。

案奉

钧部高壹二六第 1791 号指令,以据本会呈送各处院系主任名单一案,内开:"呈件均悉。该会总务主任及教务主任业由部照组织规程就常务委员会中指定兼任在案。该临时大学开办伊始,设备缺乏,需款殊多。教职员人数应以绝对必要为限度。学系之可暂并者应暂并。如机械工程、电机工程两系,可暂并为机械电机工程系,纺织工程系亦暂可并入。各学院院长应由一学系主任兼任。每系教授、讲师,至多不得过五人。各学系有设置助教之必要时,始得置助教,仍每系二人为限。其利用东北大学或西北农专设备及师资等各系,教授、讲师人数并应参照减少。合令依照以上所示范围,迅再拟定各院系主任及教授名单送部备案件暂存,此令"等因。奉此,查本校聘用教职员,现系以绝对必要为限度,各学院院长除工学院院长系由常务委员会公推常委李书田兼代,以资熟练计划进行外,其余文理、教育、法商、医、农五学院院长,均系系主任兼任。教授教师亦以每系不超过五人,助教不超过二人为原则。查与钧部指示各点尚无不合。自应本此规定,设法不多聘用教职各员,以期节省经费。至教务、总务两主任,因西安物资设备较差,筹备工作较繁,各常委为集中心力,提高行政效率起见,另就系主任推举二人,分别担任。关于与东北大学教学合作问题,因本校土木工程系人数已多,而各年级课程,两校先后排列不同,未能合班讲授。本校只能借用其一部分房屋与设备,并

---

① 教育部高等教育司于中华民国二十六年十月二十八日收到,文号编为:二十六年收高壹 26 第 22249 号。

未借重其师资。西北农林专校位处武功,环境极佳,本校筹委及教职员十余人曾联袂前往参观,甚愿将农学院及文理学院之生物系,迁往上课。惟该校创设未久,房舍不敷应用,尤以暑假后添招新生,极感拥挤,实不足以容纳本校预拟迁往之人数。若临时建筑,又因该处距城市较远,运载工程材料,费时太久,殊恐赶办不及,现已决定不再迁往。至学系之合并,已尽可能范围办理,惟机械工程、电机工程与纺织工程,因课程内容繁颐,且其性质类多不同,学生人数亦多,未予合并。复按国立学校,设纺织工程(毛织)科系者,只本校一处,似应特予继续办理,以示提倡,又清华大学电机工程、机械工程两系,学生人数并不如本校之多,并未合并办理,本校事同一律,自亦应予分别设立。

奉令前因除将各院系主任及教授名单另行呈报外,理合备文申叙经过各情形。恭请钧部鉴核

谨呈
教育部部长王

西安临时大学筹备委员会常务委员(联名签章)
教育部高等教育司于中华民国二十六年十月二十八日收到
(民国档案,中国第二历史档案馆)

呈报两月来筹备经过各情形请鉴核由[①]

(中华民国二十六年十一月六日)

案奉

钧部以在抗战时期战区内教授学生不应失教失学,并当训练各种专门人材,以应国家非常之需要,特设临时大学以资救济,意远旨宏,洵为国家百年教育至计。委员等承命为西安临时大学筹备委员,并被指定为常委,体念斯旨遂尔驰驱,莅陕以来,不觉将届两月。此两月中考察地方环境之情形,与夫古代文化成规及现时科术设备之利用通盘计划积极进行,并得西安党政军当局及地方人士之协助共同努力筹备,暂局偏安,差幸告成。关于临时校舍之择定(城隍庙后街四号为第一院,通济坊洋房为第三院,东北大学新建屋舍为第二院),院系之紧缩裁并,三校院原有各种设备之转运及新设备之设置业经呈报在案。至于师资之延聘亦曾附

---

① 《西安档案馆史料》,转自北洋大学—天津大学校史编辑室.北洋大学—天津大学校史资料选编[M].天津:天津大学出版社,1991:356-357.

带略为陈述。惟其时平津交通梗阻，敌人于南来教育界人士检查甚严，而此间筹备情形，往往不为困处平津者所尽悉，不免观望迟迟其行。故前此除各院长系主任外，教授之人选及人数无法详细计及，兹幸旧教员冒险而来者络绎于途，迄至今日为止，教员（包括院长、系主任、教授、讲师、助教在内）已到70人，职员亦到50人。虽各系处组偶有多寡不一之现象，然以有余补不足，自不至有过分超越预定数目之虞。三院校内部之调整应尽力弥纶，以求其薪资总额于部定经常费分配标准不甚差池，其概算预计书现正在赶速编送中。学生方面日来报到注册者亦极踊跃，尤以工学院法商学院为最，统计至今日全校共有男女学生700人，均令分住本校各宿舍。新生试验已举行完竣，投考者竟达600余人，其成绩刻正由各教授分别评阅，择优录取，借读生申请人数亦在500以上，南北各省各大学学生所在皆有。但已设临时大学之原校学生，只准其经过转学试验及格后方可入学，系一例外。拟即组织借读生审查委员会严格甄别，庶不使学生分子因数量之增加致素质之降落，影响学风殊失教育意义。总之，战时教育不应遂失平时教育模型。至于应付抗战与国防之特殊知识与技术，自应随时因势利导、集收标本，兼顾相得益彰之效。现本校教授学生达到西安已近预计之数，而一切教学上管理上初步之设备布置亦将逐渐完成。委员等感到筹备工作虽繁，此可告一小段落，即于本月一日宣告正式开学，并定十五日实行上课，以树三校院临时联合设立大学之规模。但自审两月来筚路蓝缕，苦心经营，殆足以上答政府维护战时教育之微意，而自慰同人服务教育之初衷。教育为国家命脉所系，应保持一成不变之经费，临时大学为战时教育所寄，尤宜有创立建筑之基金（或专款），两者之权责皆属于教育当局。今本校仅以原三校院三成五之款项，办理从前具体而微之事业，加以西安生活及物价之昂贵，远过往日之平津，以彼移此虑有不敷，而来日方长，欲挖肉以补疮恐力劳而事败。瞻念前途不无忧虑，此对于教育经费应保持原款，不便分割折扣，为苟且目前之图其理甚明。况本校僻处西安，一切物质建设均赖自力创造。原有高大房屋洵不多观，即偶有洋式新房，亦与学校实验装置仪器不太适宜，辟作教室授课，则噪杂之声相闻，空气光线不足，均不易勉强利用。以较长沙临时大学之能借用圣经学校房屋与设备，事半功倍，不啻霄壤之别。本校为比较永久计划，不得不于城垣附近地方觅地建筑新校舍以敷实用。西安为汉唐旧都，郊外禾黍故宫荒烟祠宇皆成广无垠之区，购用民地需价固不低廉，然分期购置由小而大扩充并非难事。且集全校6院23系于一处，行政管理既较周密，教学研究亦无困难，其便利莫过于此。本校因有拟用英庚拨助之法币25万元之一部分，在城外杜公祠或未央宫附近建筑第一期文理农工各院校舍之计划,详细预算早已编制呈送。比年以来,国内大学动辄建筑瑰伟堂皇之校舍宫墙美富以示来学。本校非敢驰骛建筑之名,洵有需用校舍之实。此举确有益于本校发展前途至重至大。委员等近察实状远虑未然,实觉有此必要,他日校舍设计构筑只求坚实,毋取奢靡。俾西北偌大地方有此一所简单朴素切合实用之黉舍,足容千百学生弦诵学习于其中也。以上情形确系事实,除由本会童常委冠贤面陈外,合将两月筹备经过备文呈请。

  鉴核令遵
  谨呈
  教育部

西安临时大学筹备委员会常务委员
童冠贤 李蒸 徐诵明 陈剑翛 李书田
中华民国二十六年十一月六日

国立西安临时大学快邮代电

（二十七年发会经三二第 449 号）

  为恳请函促中华教育基金会迅速拨付本校航空讲座费及设备费,以免切关民族独立之航空工程教育工作受其阻碍由。

汉口 教育部武汉办事处陈部长立夫先生钧鉴：

  北洋机械系航空工程组由临大赓续办理,学生人数相当众多。中华教育文化基金会原补助之航空讲座费 6 800 元、设备费 3 万元,均有定案,尚未拨付,影响进行至为巨大。惟闻该会应付北平图书馆生物调查所经费及燕京之补助费均未停付,而独对于本校关系延续民族生命之航空教育补助费暂予停发,致进行万分困难,殊为遗憾。航空教授原任秦大钧请假后曾遴聘有罗明燏博士。罗博士学验丰富,堪以担任讲座,益以秦教授近允返校应更无问题。至于添造风洞设备,暑前已向德国订购材料,尤待领到此项补助费交付提货。钧部统筹全国教育文化事业,监督庚款支配,恳请准即函促该会迅依定案照付,以免切关民族独立之航空工程教育工作受其阻碍而减弱抗战力量,不胜企祷。该会仍在沪九江路花旗银行四楼办公,合并陈明。

国立西安临时大学常务委员

陈剑翛 徐诵明 李蒸 李书田 叩　效

中华民国二十七年二月十九日发

(民国档案,中国第二历史档案馆)

国立西北联合大学呈教育部[①]

事由:为呈送本校二十六年度迁移费支付预算书并请赐拨迁移费由。

附件:迁移费支付预算书一份

　　查本校(前西安临时大学)前在西安因敌机肆虐,地方吃紧,经呈奉电准迁移南郑一带早经竣事。兹将由西安迁移至城固所各费整理完竣,计共支国币61 409.31元,谨依照实支数目,呈请鉴核。除前蒙钧部已拨发1万元外,尚请赐拨51 409元,以资弥补。如追加预算困难,钧部亦无款可筹拨时,查本校二十六年度经费预算内,尚有69 900元之坐支款,因学生学费奉准核免,农林场及附属医院筹备伊始,均无收入可抵,拟恳祈转咨财政部赐予照数拨足,则此项迁移费尚可弥补,否则本校迁移费俱系移用各项收入款及开办费无法筹还,必立陷于困难不能维持状况。所有迁移费亟待筹拨情形,理合备文陈述,连同迁移费支付预算书赍请鉴核,赐予拨发,以资维持,实为公便。

　　谨呈

教育部

　　附呈迁移费支付预算书三份。

国立西北联合大学校务委员会常务委员

徐诵明(签章) 李蒸(签章) 胡庶华(签章)

中华民国二十八年一月十八日发

(民国档案,中国第二历史档案馆)

[①] 教育部总务司、会计室于中华民国二十八年一月二十六日收到,文号编为:二十八年国丙26第2634号。

国立西北联合大学呈文[①]

（二十八年一发经三三第 0196 号）

为呈复家政系设置经过及经费困难情形，再请特拨家政系辅助经费并咨询中英庚款董事会继续拨发家政系补助费由。

案奉

钧部二十七、十一、十发国丙 26 字第 11522 号训令开："案据该校家政系主任齐国樑电陈：'家政系一年级奉令组织师范学院已有经费，惟二、三、四年级经费仍属无着，现开学在即，亟待添聘本系专任教授 2 人，万恳先准补助教薪年 6000 元，并予电示，以便订约，而解除教学上特殊困难。其余经费及家事研究事，亦请统核示遵'等情。关于增拨该校师范学院经费，业经另令核示，家政系各年级所需用费，应由师范学院经费内统筹支配。仰即遵照此令"等因。奉此，查本校家政系原系河北省立女子师范学院之一系，经于二十六年九月三十日本校第一次常务委员会议通过设立，隶属于教育学院。并经商准以中英庚款辅助女师学院之设备费，每年 1.5 万元，每月合 1250 元（该项补助费总数 4.5 万元，自二十六年度起，分三年平均拨给）。大部移作本校家政系有关各科设备费，由本校照移拨之数，代出该系教薪，计每月 900 余元，而以每月余款 200 余元，作为家政系本系设备及实习之用，本属不敷。且以前项移拨之款，只足换支该系主任及教授 2 人之薪俸，因之该系除主任外，只能聘请专任教授 2 人，以致多数科目不得不在本校其他各系随班上课，时数相差标准不同，教学进行倍感困难。此外，该系并有少数科目，如工艺、洗染等本校所未有，该系亦无力自设，竟付阙如。前以本校奉令组设师范学院，规定家政系（由一年级起）为师范学院之一系，本校因该系经费困难，业于二十七年十二月二十七日第五十五次常务委员会议通过：家政系主任及教授一人之薪俸，由本校支付，略资挹注，藉以腾出款额，为该系二、三、四各年级辅聘工艺、洗染讲师各 1 人，并切实辅行各该科及烹饪、缝纫等科实习，虽不充裕，尚可勉强支持。惟对二、三、四各年级家庭看护卫生、儿童保育、食物化学、营养化学等科，仍无款添聘专任教授。致此等科目，或仍与各系合班，或尚虚悬。故急需该系二、三、四各年级增拨经费，以便添聘专任教授，藉图补救。查本校师范学院年度经费，以大

[①] 教育部总务司、高等教育司于中华民国二十八年一月三十日收到，编为二十八年国丙 26 第 3038 号。会计室会核。

部补助贷金 5 万元,始能勉强维持,实无余力再为家政系二、三、四年级分拨补助经费。再三筹思,惟有恳请大部于师范学院预算外,另由高等教育费内,为家政系二、三、四年级拨补助费,年约七八千元,或由大部每年补助省私立专科以上学校经费内,分拨前数至该系二、三、四各年级毕业为止。俾该系为该年级添聘专任教授 2 人以充实教学,而解除困难。再该系前藉中英庚款之补助,移设本校,年来购置设备,换支教薪,均取给于此。但此项补助费原定以 3 年为限,至二十九年六月即行截止,届时该系现在之二年级,距毕业尚有一年,仍须藉该款之补助,以资维持。且中英庚款董事会补助该系之目的,原为充实设备,辅助教学,以谋家事教育之改进,然以战事发生,该系移地开课,致该款之大部用以换支教薪,该系之设备,尚未得充实,庚款董会改进家事教育之目的,犹未达到。此后家政系续招班级,改属师范学院,正可逐渐腾出庚款补助费,多购设备,以符该会提倡家事教育之初旨。拟并恳大部咨请管理中英庚款董事会,自二十九年度下半年起(照该会规定须于年度开始前五个月,即本年七八月间申请)仍继续拨给前项补助费,一以维持该系旧有班次,以至毕业;一以赓续充实该系设备,以达改进家事教育之目的。所有恳请大部特拨家政系补助经费,并咨请中英庚款董事会继续拨发家政系补助费各缘由,理合备文呈请鉴核,准如所请,实为公便。

  谨呈
教育部部长陈

国立西北联合大学校务委员会常务委员
徐诵明(签章) 李蒸(签章) 胡庶华(签章)
中华民国二十八年一月二十三日发
(民国档案,中国第二历史档案馆)

国立西北联合大学呈教育部文[①]

(二十八年一经 47 第 027 号)

  为准中英庚款会复询已领开办费开支及未拨补助费分配情形,分条答复并请速拨该款报请。鉴核转函由。

  案查本校于二十八年一月二十日收到中英庚款董事会渝教 1290 函开:"案准

---

① 教育部总务司于中华民国二十八年二月初六收到,高等教育司会核,文号编为:国丙 26 第 3816 号。

贵校二十七年十二月十九日经475第3816号公函:以贵校业经开课,需购图书仪器,附送前领开办费开支情形表暨未拨补助费分配表,嘱予审查,并核发未拨补助费15万元备用等由,准此,查本会辅助贵校设备费25万元一案,前准教育部于上年七月间转送贵校所编预算到会,当经函复照予备案,并先后照拨10万元;嗣准教育部函:嘱将原定辅助贵校工学院8.9万元移充国立西北工学院设备费,亦经一面函复同意,并先拨付4万元,一面函知贵校各在案。顷查此次所送前领开办费开支情形表,及未拨补助费分配表,核与本会已拨数额,及贵校前送预算所列分配表,均有不符,兹特将应行询明各点开列如后:

一、本会先后拨付贵校计10万元,但表中仅列77 460.79元,未知余数是否转款存储。

二、工学院补助费,原定为8.9万元,除由本会径拨4万元外,尚有4.9万元可资续拨。自应就未拨之15万元内,提出保留。兹查来函所附未拨补助费分配表载明工学院占5.34万元,若连同已拨4万元合并计算,则较原预算有超出,工学院分配数究为几何。

三、农学院补助费原定为3.35万元,兹查未拨部分,载明农学院占2.01万元,相差1.34万元,是否已由农学院就已领部分项下支领用讫,或原定数额复有变更。

四、已领补助费开支情形表所列图书设备等项,各农学院应如何分配,原预算有无变更。

五、垫付西安第二院建筑费1.9739万元,应如何归还,俾来充贵校够建筑设备之用,以符原案。

上述各点,应请详晰示复,以凭办理。至农学院补助费,以前既未划分,将来续拨时,除另有接洽外,仍当汇交贵校具领转发,并此附及。准函前由,相应函复查照办理为荷"。

等因。准此,当经复函内开:

"案准贵会二十八年一月十二日发渝教1290函:以本校所送前领开办费开支情形表,及来拨补助费分配表,核与贵会已拨数额,及本校前送预算所列分配数目,均有不符,特将应询各点开列等由。准此。查本校于二十七年八月四日曾经奉到教育部汉教第六〇七五号训令:令发本校工农两院合并改组办法,指明中英庚款会辅助西北联大工学院设备费原额8.9万元,移充国立西北工学院设备费。惟先拨付4万元,一面函知本校一节;本校并未接到此项函件,亦未奉到教育部同

样令文,兹将查询各点分条答复如下:

一、本校前承贵会拨发开办费 10 万元,除已支用 77 460.79 元外,余 2.2 万元,系在中央银行转款存储,已订购图书仪器待付。

二、工学院补助费分配数确为 8.9 万元,前函所附未拨补助费分配表所载:工学院未拨部分占 5.34 万元,系就全部已拨及未拨各款混合分配之比例。因工学院在二十七年七月前系本校之一院,在贵会已拨本校之 10 万元内,已由工学院用去 3.56 万元,故该院应得补助费总数 8.9 万元,应扣除已由本校支用之部分,余为 5.34 万元。

三、农学院补助费为 3.35 万元,并无变更。该未拨部分分配表,农学院列为 2.01 万元,亦系就全部混合比例而言,因农学院在二十七年七月前亦系本校之一院,在贵会已拨付之 10 万元中,该院已支用 1.34 万元,故该院应得补助费总数 3.35 万元中,应扣出已由本校支用之部分,余 2.01 万元,农学院补助费由本校具领转拨亦可,否则请代本校扣除已支用之 1.34 万元。

四、已领补助费所列图书设备费,由本校按各院分配预算统筹支配,对于原预算,亦无变更。

五、西安第二院建筑费,系用之于工学院全部及理学院之一部校舍建筑之用,当由该两院就经常费内撙节拨还,或俟教育部拨发本校自西安迁汉中之迁移费;或补发经费内无收入之坐支款,即行归还,以专用之购置设备。

六、附带声明,本大学前曾请贵会代汇香港之 7500 元,此系工学院支付已订购仪器货款,尚希于拨西北工学院款内扣除。

如上所述,应请贵会查照,将未拨之 15 万元,除去西北工学院占 5.34 万元——内已经拨该院 4 万元,下余 1.34 万元,其内应扣除前请代汇香港之 7500 元外(西北农学院占 3.35 万元,已支用 1.34 万元,下余 2.01 万元,以及前请就近拨给王景槐代办医学院仪器费 2.46 万元,均照暂不扣除计算),共为 9.66 万元,从速续拨,以应急需为荷"

等语,理合备文陈报,敬祈鉴核转函中英庚款会从速续拨,以应急需,实为公便。

谨呈
教育部

国立西北联合大学校务委员会常务委员

徐诵明（签章） 李蒸（签章） 胡庶华（签章）

中华民国二十八年一月二十八日发

（民国档案，中国第二历史档案馆）

国立西北联合大学呈教育部文

（二十八年八发经三七一第 1970 号）

为奉　令规定本校本年度建设费 5 万元不敷支配，陈述需要拟具预算增加 3 万元，祈核准由。

本校平大、师大自平津转徙西安，原有设备完全遗置，及自西安再迁城固，尤属因陋就简，故为适应长期抗战需要，造就优秀人才起见，亟应增加经费，扩充设备。案奉

钧部二十八年发高壹 21 字 014264 号训令略开：该校本年度建设数额为 5 万元，指定用途师范学院建设费为 3 万元，其他建设费为 2 万元。按照规定手续，该校应造具使用计划表及预算分配表各 3 份，送部核转发费等因。仰见钧部早见及此，业经遵照于七月二十一日呈复在案。查上列 5 万元之数内，除指定师范学院建设费 3 万元外，下余以之分配于文理、法商、医三学院，甚感拮据。查文理学院物理、化学、生物三系教员实验准备室，及男生盥洗沐浴室、女生游艺接待室等之建筑，各系仪器标本图书杂志之购置；法商学院图书阅览室、教室之建筑，及设备图书之购置；医学院各科诊察室、大手术室之建筑，及外科器械之设备，在前项使用计划书内，均属切要必需。但在前项使用计划书以限于定额，无法计划在内，若不陈明情由，请求增加，则前项 2 万元，徒资点缀，无补艰巨，且恐款项零散，效用减少，有失钧部特设建设费之本意，兹谨将前述三院应设建设费分列预算，共计 3 万元呈送，敬请鉴核拨款，实为公便。

　　谨呈

教育部

　　附呈文理、法商、医三学院建设费预算表各一份。（无附件）

国立西北联合大学校务委员会常务委员

徐诵明（签章） 李蒸（签章） 胡庶华（签章）

中华民国二十八年八月四日发

（民国档案，中国第二历史档案馆）

二、河北省立女子师范学院函件

齐国樑致西安临大常委函

轶游、耕砚、云亭、冠贤、剑修诸位仁兄先生大鉴：

久违教益，无任企仰！

径启者：

关于敝院请在贵临时大学附设家政系事，近晤教育部周次长、黄司长及中英庚款董会杭立武先生，知各方面意见尚未趋于一致。兹特叙述此事经过，并建议简易解决办法。尚祈仰察为幸！

弟上月到京之初，敝因各大学无家政系之设置。敝院此系之员生无法安身，曾向杭立武君接洽，请将该会补助敝院之款拨给，以便觅地续办家政系。杭君深表赞同，并主张在甘肃设校。嗣以甘肃交通不便，乃商定请在贵校附设一系。旋由弟拟具计划，已特函贵校审核，送会之计划，则由杭君邀同周次长共同审议，尝议定庚款董会仍照原案拨给。本年度拨 1.5 万元，并议定董会应拨给前之补助敝院之 5 000 元，统交贵校作为家政系设备费，另请贵校支给该系教薪，即由杭先生及周次长根据此据分函电贵校请予照办。旋贵校函复高等司，谓设备费教薪有着，家政系当可附设，复公之电，又重申复部之意，而以另支教薪为？闻杭君拟仍电贵校勉为其难。如是，各方面意见未趋于一致，弟甚感不安。当初杭君商洽："可否名义上请临时大学支给家政系教薪，而实际上由大学将所发教薪数目由贵会及文化基金补助费中照数扣下，以作临时大学科学设备费，而以其存之款购置家政系设备。"杭君云："贵院与西安临时大学如此通融，敝会当可不加过问。"窃以为按照部意办理，在贵校即可不垫出家政系教薪，在庚款董会亦可形式上不变更原敝院家政系并可速得救济，诚一举而三得也，尚希俯予采纳是幸！对于杭君第二电，尤盼暂勿致复！至杭君电荐弟往贵处帮忙，弟事前并未闻知。乃谬蒙诸兄不弃，闻之弥为惭愧。弟此次南来，本为敝院员生谋出路，今家政系员生既得救济，他系员生亦得借读及均予延用，于愿已足。弟个人如得滥竽贵校教职，予以家政系准备任务。俾迁素志！弟不日启程西上，把晤非遥，余俟面罄。

专此虔颂教祺！

弟 制 齐国樑 敬启

中华民国二十六年十月十二日

附:

中英庚款会真(十一日)电:电复女师家政系教薪难以补助仍请统筹办理

中华民国二十六年十月十二日西安临时大学筹备委员会收到

南京发长安(电文):

临时大学:

教育部高等教育司函:

函送河北省立女子师范学院请将家政系附设于西安临时大学。为设备费及教员薪金亦由庚款会供给一案提常务委员会。于本大学筹委会常委会第一次会议通过。

奉部长嘱:关于河北省立女子师范学院呈请将该校家政系暂行附设于西安临时大学内,请由管理中央庚款董事会供给家政系特殊设备费及家事教员薪金一案,应由司函西安临时大学筹备委员会酌办等因。奉此,相应抄送该校。所拟请求附设家政系于西安临时大学办法节略,函达查酌为荷。此致

抄办法节略

一、班次:二三四年级各一班,并招收一年级新生一班,共计四班。

二、教薪:全系共聘家政教授5人,技术教员2人,系主任兼教授1人,每月薪金共计1 930元,按八折计算,实合1 544元,由本年十月份起薪,至明年七月份止,共十个月,合计1.55万元。

三、设备费:家政系重要特殊设备,拟用2.956万元从事购置。以上教薪及设备费,共计4.5万元,请中英庚款董事会将补助属院家政系设备费4.5万元,挪移拨给。

四、普通准备课目:关于家政系公共必修课目及准备课目,如国文、外国语、普通化学、生物学、经济学、社会学、家事看护学之教学,拟请临时大学与他系合并办理。

五、本系行政管理及员生食宿,拟请临时大学统筹办理。

1937年9月28日收到教育部高等教育司1937年9月23日函。1937年10月2日复教育部高等教育司:

贵司九月二十三日函开:"奉部长嘱:关于河北省立女子师范学院呈请将该校家政系暂行附设于西安临时大学内,请由中英庚款董事会供给家政系特殊设备费及家事教员薪金一案,应由司函西安临时大学筹备委员会酌办等因。奉此,相应抄同该校。望拟请求附设家政系于西安临时大学办法节略,函送查酌办为荷"等因。附抄办法节略一份。准此,经提交本会常务委员会第一次会议通过。

1937年10月6日电复中英庚款董事会杭立武。

交通部电报局电报——南京发长安。南京杭立武陷电:请本校容纳女师家政系由

临时大学徐诵明、李云亭、李耕砚、陈剑翛、童冠贤诸先生钧鉴:河北女师学院为国内冠,如任停顿,殊为可惜,意拟恳贵大学惠予容纳该系教授,每月最低薪俸仅一千数百元,并请维持至设备费。敝会可予补助。该校齐院长现在京,如有相需,乐愿效力。仍乞裁酌示复。弟杭立武叩陷印。

1937年10月6日电复南京管理中英庚款董事会杭立武先生台鉴陷电:

敬悉河北女师家政系附设本校一案,前准教育部高教司函送该系附设本校办法节略到会。其设备费及教薪统由庚款拨给,业经本委员会第一次常委会议决照办,并函复在案。尊电所示,该系教薪由本校支给一节,因经费支绌,实难照办,仍希按照原办法办理。至齐院长肯予以帮忙,无任欢迎,并希转达为荷。

西安临时大学筹备委员会印

1937年10月19日,西安临时大学筹备委员会回复齐璧亭:

致敬复者:

顷接十月十二日大函,知台端对于河北省立女子师范学院家政系附设于本校一案,擘划周详,至深感佩!敝会自应照办。仍希从速命驾来陕,共策进行,无任盼祷。

此致
齐璧亭先生

中华民国二十六年十月二十日

三、其他呈文

长安彭昭贤[①]电教育部陈部长

事由：西北联大农工改组宜发表与校院无关之人任校长

汉口　教育部陈部长钧鉴：

　　云密部令将北洋工院、平大工院、东北工院、焦作工院合组西北工院，以武功农专、平大农院合组西北农院。据报平大对此甚为不满，已开会数次商量应付办法，恐闹成风潮，颇与公威信有关。最好从速发表与原校院均无关系之人充任校长，则可免去许多纠纷，特电奉阅。

彭昭贤
中华民国二十七年七月十四日教育部收到
（民国档案，中国第二历史档案馆）

李蒸托徐诵明转陈立夫信函

立夫部长先生赐鉴：

　　近奉部令教育学院改称师范学院，在详细办法未奉颁发前，本不当发表个人之意见，惟"教育"与"师范"之涵义迥乎不同，本校教育学院内分设教育、体育、家政三系，改称师范学院后仍分设此三系乎？抑将此三系另行改隶或亦更改名称乎？师范学院之组织应根据中学课程之需要设置科系，其规模当与师范大学相同，至于师资训练应注重精神训练，自以独立设置为宜，今大部重视中等学校师资训练，于六大学内设师范学院，想必已有妥善缜密办法，至希速行颁，以免校务之停顿，无任盼祷。

　　专此奉虞　并颂暑祺。

李　蒸
中华民国二十七年八月一日
（民国档案，中国第二历史档案馆）

---

① 1938年7月至1939年1月，任陕西省民政厅厅长。

国立西北联合大学呈教育部[①]

事由:为奉令造具单独建筑师范学院学生宿舍计划书请鉴核

教育部:

案于二十七年九月十二日奉到钧部训令二十七年八月十五日发费壹6字第04714号内开:案查关于该校增设师范学院一案,业经本部令饬遵办在案。兹为便得训导与管理起见,准单独建筑学生宿舍,以应需要,特拨1万元充该项建筑费,仰即造具建筑学生宿舍,详细计划呈核,以凭发款等因。奉此,遵即勘得本校本部迄南新街集官地一段,东西约60公尺,南北约40公尺,再南为民地及穷陋民房,可以按照需要给价收买,计划于该地建筑宿舍4组,每组对面2排,每排14间,合计112间,每间可供4人住宿,为448人之用,视男女生人数之比如何再行划分。另建连带斋务员住室等房舍共54间。现在抗战期间力求节省财力物力,此项建筑拟祇用坯墙砖基草顶,注意采光坚实。斋舍计为7 840元,连带房舍54间,每间40元,计为2 160元,两共1万元。理合将计划书一份备文送呈。

常务委员　徐诵明　李蒸　胡庶华
中华民国二十七年九月二十一日

附件1:电复核准西北联合大学师范学院学生宿舍建筑计划由。

南郑　西北联合大学:

据呈拟师范学院学生宿舍计划,应照准。惟房屋结构布置似再于采光方面多加注意,酌加修改。通常每窗光线,以供给两桌至多三桌应用为宜,接电后即用此方式招工建筑,并补填建筑计划表件送核,表格另发。教育部 中华民国二十七年十月二十四日

附件2:查该联大二十七年度建置于原核定为7万元,其中2万元移拨西北工院,该联大实得5万元。昨据呈报修缮旧舍需款3万余元,兹分配师范学院2万元,合计5万余元已超过全额,添置设备费用将无着落,此5万余元应如何统筹支配之处尚迷离,核复为荷。此致 高等司　益 十月十八日。

附件3:查建筑计划书所拟做法,如泥墙、草顶、土地等,未免过于简陋,现时学校因不须华美,但亦不宜仅作临时之计,纵本校将来或须迁徙,所建校舍仍应留

[①] 教育部于1938年10月6日收到。

备他校继续应用。质地坚固之重要原则必须顾及,屋顶宜用瓦,墙宜用砖,隔壁及铺地宜用板料,如建筑所需在 1 万元以外,得由部酌予增拨。本年度建设专款中西北联大建置费 5 万元,拟分配 2 万元充该院建筑费。又所拟斋务结构布置,亦不适宜,并应酌加修改。房间面积可改小,似以 3 人一室为宜。部定建筑规则即可印发,拟全依照该规则重拟计划呈核签请核示。 请总务司会计室核。中华民国二十七年十月十四日。

附件 4:陈立夫指示:准照来呈一万元建筑。十月十九日　印

(民国档案,中国第二历史档案馆)

原北洋工学院教职员刘锡瑛周宗莲魏寿昆李廷魁曾炯等四十人致函教育部

事由:南郑原北洋工院教职员等电陈李耕砚先生不辞劳怨办事认真,闻有要求易人主院传闻,用特史陈实况。

诸事入轨,自筹委开会以还,只闻少数委员以位置人员屡加薪水等私人利益为前提,未闻谋及工院前途,乃散播谣言,设词攻讦。近闻蒙蔽钧部,要求易人主院,果如所传,则今后只见营私者敷衍因循,学风日下,课业日疏,观乎今日焦工、东工学生之成绩,不禁为西北工院前途寒慄。

原北洋工学院教职员　刘锡瑛　周宗莲　魏寿昆　李廷魁　曾炯　等 40 人同叩
中华民国二十七年十二月十四日
(民国档案,中国第二历史档案馆)

西北工学院呈报聘任各主任情形请鉴核备查由

聘潘承孝为教务主任,黄其弼为训导主任,仍以胡光焘为总务主任。至各系主任为土木金宝桢、矿冶任殿元、机械潘承孝、电机刘锡瑛、化工萧连波、纺织张汉文、水利周宗莲、航空罗明燏。

院长　赖琏
中华民国二十八年十一月二十三日

附件 1:南郑任殿元等望西北工学院能采用常委制

教育部工部长钧鉴:钧部顾念战时需要合并改组各工学院无任钦佩,惟望国立西北工学院能采用常委制,将更利于进行,当否恳请钧裁。私立焦作工学院校董任殿元李余庆叩　十九日

中华民国二十七年八月二十二日教育部收到

附件2:南郑胡庶华张北海电复工学院拟聘各系主任教授均知当乞核,至法商学院问题解决办法容再详报。

中华民国二十七年十月六日教育部收到

附件3:南郑李书田等电陈拟乃恩准以北海任训导主任,在整顿法商期间,拟请其就本院教授中委托一人暂代。

中华民国二十七年十一月十六日教育部收到

附件4:兹据西北工学院筹备主任李书田,委员胡庶华、张北海来电,分别摘要如下:一、该校采院长制或委员制? 二、如采委员制,委员定三人或五人? 如定三人,是否定李书田、胡庶华、张北海三人? 三、张委员北海暂任训育主任,但至上课三月后,请准回部供职。四、胡委员庶华,兼任联大训导主任及工院推广部主任,推荐现任工院机械系主任潘承孝为工院教导主任。教育部

附件5:南郑胡庶华、张北海电陈工院筹委会通过院长制,拟恳钧座定一目前过渡办法暂用院委制。

工院筹备会昨讨论院长制或委员制,结果票数相同,后主席加入表决通过院长制,但为减少纠纷起见,拟恳钧座定一目前过渡办法。暂用院委制,但书田意见必须指定院委三人,由庶华、北海充任,彼始能办事顺利云。如承俯允,乞于开学后发表。至感电所示一节,北海可暂时担任至开学课后三月为止。届时返部供职,事先乞予准许。庶华则因已兼联大训导处主任及工院推广部主任,势难再兼他职,可否以前平大现工院教授兼机械系主任潘承孝任教务主任,当能与各方合作,至文华曾表示愿就推广部总干事。

中华民国二十七年十月六日教育部收到

附件6:南郑李书田汇报十月五日会议结果。采院长制,将来学院成立后果授院长以院务之全权,则统驭有序,困难自灭。如更为免除枝节,则暂以部令设置院务委员,仅限三人,果当其选过渡。春藻、北海善尽折冲,最适环境,倘一时难觅他人而为期? 短期书田亦可勉为暂充未议。假使院委增至五人则意见纷歧,流弊滋多,难收至效。

附件7:西北工学院筹备委员会呈教育部部长陈。

经本会第十次会议通过记录在案:秘书处主任周宗莲,秘书雷祚雯;总务处主任张清涟;教务处主任张贻惠;训育处主任王文华。 中华民国二十七年九月二十一日发出。

陈立夫指示:教务处主任胡庶华,副主任潘承孝;训育主任李书田兼代;总务处主任张清涟;研究所主任李书田;推广部主任王文华。十一月二十二日。

附件8:教育部电张清涟。天水 焦作工学院张院长清涟:西北工学院筹备工作形将完成,仍盼协力共济,幸勿谦辞。陈 十二月二十九日。

十二月二十三日 张清涟电部长请辞去西工筹备委员职。

附件9:程潜电教育部。国立西北工学院闻采常委制,可否以焦作工学院院长张清涟列入常委,请酌夺办理。教育部八月二十五日收到。

附件10:南郑李书田电教育部。受命以来深觉材轾任重,拟电请让贤,弟恐旷时迟误开学遂即如今筹委积极推进,惟筹备主任与筹备委员权责尚未蒙钧部明确规定,定于执行部颁合并改组办法及维持合作上殊感困难,尤其部示就旧教职员尽量选聘,应依贤能岂必各院再蹈联大覆辙,关于取舍似应请电令特予筹备主任以相当裁决之权。苟有益于奠定西北工院良好基础者,书田虽摩顶放踵亦奚辞,若徒负主任名义而无由本良知良觉与九载办理工程教育之经验,而展布莫名及早退休,免贻筹备不善之咎。中华民国二十七年八月二十四日教育部收到。

附件11:南郑王文华等电教育部。建议依照各联合大学例,采用常委制,除详呈外先此电开。批示:查西北工学院已由本部决定采用院长制,组织大纲业经颁发。该员等迄今亦未有详呈到部此件。 十月二十六日

王文华等电文:李筹备主任刚愎自用,领导无方,业于东电呈明。西北工学院将来如以李为院长则不但将引起重大纠纷,且与钧部树立西北良好工程教育之旨决难符合。谨建议依照各联合大学例采用常务委员制。 工学院筹备委员王文华、张贻惠、张清涟同叩庚

附件12:教育部电李书田。

南郑西北联大即转李书田先生:北洋工学院教职员魏寿昆等马电请聘周宗莲、刘锡瑛为西北工学院筹委,碍难照准,希转知。 中华民国二十七年八月二十三日。

城固魏寿昆等电教育部:西北工学院筹委原奉聘五人均仰处置,现各院均有代表委员,惟北洋独无。筹备主任例不参加表决,遇有争执,即首先牺牲北洋权益,同人等凤夜彷徨,深虑43载北洋高尚优美校风消失。谨依据此次并组西北工

院,以北洋成绩最著教授、学生及经费均最多,敬请电聘本院前总务长兼土木系主任周宗莲及资望最老教授兼电机系主任刘锡瑛为筹委,藉收中流砥柱之效,并树良好工院之基。同人等非敢谬参校政,实欲共挽狂澜。魏寿昆、王翰辰等35人。

马电二十一日

(民国档案,中国第二历史档案馆)

国立西北联合大学呈教育部文

事由:呈复本校各学院一年级共同必修科目应行注意或改正各点请鉴核由。

一、文理学院所开之数学、物理、化学、生物、地质等五科,国文、外国文、历史三系可选修一科,其他各系应规定于二年级时再选修一科。

二、法商学院所开之数学、生物、地质等三科,法律及政治经济两系可选修一科,政治学、经济学、民法概要等科,该两系应规定于二年级时再选修一科。上述各科目除经济学一科外,其余各科及中国通史、伦理学两科,商学系无庸规定修习。至算学、商业史、会计学及经济地理等四科,只限商学系必修,其他系无庸必修。

三、医学院英文、日文每周各授四小时,德文每周八小时,较部颁科目表规定时数走出甚多,且不应规定修习两种第二外国语;数学、物理、化学等科教授时间,又较部颁科目表时数过少,未免太重视外国语,而忽视基本科学,应即照常分别予以增删。

现遵将指示应注意及改正各点,拟具意见陈于后:

一、查文理学院所开之数学、物理、化学、生物、地质等五科,国文、外国文、历史三系学生系按照部颁规定令其任选一科,并未令其全修。理学院各系自当其另选一科。

二、法商学院所开之数学、生物、地质等三科,法律及政经两系系遵照部颁规定,下学年如未选满二种者,再令实行一科。商学系除经济学外,均未令选修,法律及政经两系亦未令选修,算学、商业史、会计学及经济地理等四种。

三、医学院除以德文为主,日文、英文系令学生任选一种外,德文规定为四小时,其余四小时为课外实习,以上三点前呈漏未声明。数学因学生程度不齐,较部颁规定全年仅增二小时,以资练习;物理因实验仪器缺乏,故讲授时数,较部颁规定全年增三小时,其不足之实验时数,拟俟下学年一期补充时补授。至于化学,本构规定讲授时数为全年四小时,四学分,实验全年 12 小时,6 学分,较部颁规定全年仅差四小时,其不足时数拟予下学年补授。

国立西北联合大学
中华民国二十八年五月十五日
(民国档案,中国第二历史档案馆)

国立西北联合大学、国立西北工学院、国立西北农学院呈教育部

(二十六年第 19126)

事由:会衔呈请转咨财政部补发本校院等二十七年度经费扣除坐支款项由。

查二十七年度本大学经费,原工、农两学院划拨本工学院、本农学院经费,钧部转发财政部发放经费,仍依照前国立北平大学、北平师范大学、北洋工学院二十六年度原报岁入预算每月 6 990.00 元延长扣发。关于此项坐支计分扣本大学 4 573.64 元,本工学院 1 739.78 元,本农学院 676.58 元,共为 6 990.00 元。谨按前各校院原报二十六年度岁入预算,乃须依当时情形预计可能收入之岁入。迨抗战军与各该校院播迁陕省,本大学由各该校院合并改组,情境变迁,实际并无收入可资坐抵。迨本大学原农、工两院分出合并改组为本工学院、本农学院对于该项划拨经费之坐支款项,亦无收入可资坐抵,而本校院等一切开支辄需巨款,俯恳钧部体念本校院等经费困难情形,准予转咨财政部补发二十七年度财政部上项全年度扣发坐支款项。所请是否可行,理合备文呈请鉴核办理。

谨呈
教育部部长陈

国立西北联合大学常务委员
李蒸(签章) 徐诵明(签章) 胡庶华(签章)
国立西北工学院院长
赖琏(签章)
国立西北农学院筹备委员会主任委员
辛树帜(签章)
委员:曾济宽(在假) 周建侯(签章) 张丕介(在假)
中华民国二十六年七月十一日教育部收到
(民国档案,中国第二历史档案馆)

胡庶华致教育部部长陈立夫函

立公部长钧鉴：

此次来渝，迭承指示，并援盛宴且佩且感。华本拟今日返陕，因同行者有事未了，改为明日启程，满拟趋辞，又恐公忙而止。兹有四事奉呈：一、孙晓楼①君业已晤谈，渠有先赴西北之意，但请假以一月之考虑，因福州学院及其他一处正在相邀，华返陕后即将聘书寄来，并请部长代为敦促或可成行；二、卫聚贤已接洽妥当，已先任文学院长；三、俄文教授已由张淮南兄推荐杨涧钟君（系苏联莫斯科大学暨哈尔滨俄国法政大学毕业，后充中东路处长及哈尔滨法学院教授，华已见送聘）；四、西北大学（有学生1 000余人），经费只较东北大学（有学生300人）为多，较其他完全三院之大学均少，拟恳部长特予多加，并在考古经费及添加回文、蒙文项下，并添加地质教授及设备项予以多拨经费，方可维持。祈部长嘱总、高两司特别注意，并盼部长早日驾临西北视察为幸。专肃

敬请崇安

胡庶华 谨上
中华民国二十九年一月二十七日
（民国档案，中国第二历史档案馆）

国立西北大学呈教育部②

（三十年发 第三一三字第1960号）

事由：呈请转请财政部迅拨二十九年度追加本校经常费24 088.47元请鉴核由。

国立西北大学案奉钧部二十九年十一月五日会字第36893号训令：以奉令核定二十九年度追加本校经常费24 088.47元，并饬编其分配表七份呈候核转等因。奉此，当经编造追加经费预算分配表七份，于本年三月七日呈送鉴核，业奉钧部会字13955号指令准予存转在案。查该款业经本校到作学术研究费以订购图书仪器急待应用，理合备文呈请鉴核转请财政部迅予拨发，实为公便。

谨呈

---

① 1940年4月12日，因孙晓楼任为行政院参事，未能到校，改聘刘鸿渐任西北大学法学院院长。
② 教育部总务司中华民国三十年九月二十七日收到，编为42888号。

教育部

> 国立西北大学
> 中华民国三十年九月二十日发
> 教育部九月二十七日收到
> （民国档案，中国第二历史档案馆）

拨还前国立西北联合大学购书费

案准西北大学公函内开：以奉钧部代电，嘱补具英庚款会拨还前联合大学购书费收据一案，遵即照补以清手续。

谨呈

教育部

附印收一纸（签章）

> 前国立西北联合大学常务委员 徐诵明 李蒸（签章）胡庶华
> 中华民国三十一年四月十二日
> 借国立西北师范学院印（签章）
> （民国档案，中国第二历史档案馆）

西北工学院呈教育部[①]

事由：呈为本院建筑教职员学生宿舍等工程，早经完竣，补呈建筑工程合同等，请鉴核准予派员验收由。

查本院因教员学生日渐增加，原有借用意国天主教堂房屋及自行添建之院舍一部，均感不敷应用，而院址僻处山乡，院外附近各处又无可资租赁房屋，为应事实需求，故有添建院舍之必要，遂于二十九年春，招商包建教职员学生各项工程，历时数月，业经完成。彼时以会计室主任迭经更换，主持无人，故未能遵照钧部前颁专科以上学校建筑校舍暂行规则，编造建筑概算，送请审核。

> 赖 琏
> 中华民国三十一年七月二十八日
> （民国档案，中国第二历史档案馆）

---

① 中华民国三十一年八月二十日收到。

国立西北师范学院呈文

（三十一年发 99 第 1962 号）

事由：为呈明前西北联大尚有待还款项，请转饬西北大学将前拨款 24 088.47 元交出，以资结束请鉴核照准由。

案准国立西北大学函开："查接管卷内，陈前校长曾于本年一月间收入前国立西北联合大学库拨不敷坐支款 24 088.47 元，并经呈奉教育部本年二月五日会字第四六零五号训令开，查该款原系前西北联合大学二七年度坐支不敷之追加经费。现事隔三年，前项不敷经费既已移用其他款项弥补，自无复需要该款为之挹注，前据该校编送预算分配表，经复核与原案不合，应于注销。该校未便据以开支，准函前由合行令仰该校知照并径向就近国库具领等因。查该款应如何开支，本校正呈部核示中，兹准易价先生询问该款情形，相应先行函复，即希查照为荷"等由。准此。查西北大学陈前校长领到前款 24 088.47 元，并未通知驻在城固之前西北联大常务委员复查前西北联合大学账册内，尚需补还保管款一项计 30 654.86 元，久悬未结，无法清理，所报前项坐支不敷之追加经费已移用其他款弥补，全与事实不符，恳请钧部饬令西北大学将前款 24 088.47 交出，以资结束，理合备文呈明。敬祈鉴核照准，实为公便。谨呈

教育部

前西北联合大学常务委员　李蒸（签章）

中华民国三十一年十月一日发

（民国档案，中国第二历史档案馆）

国立西北大学呈教育部文[①]

（三十一年发七七字第 0534 号）

事由：为保管前西北联大追加费 24 088.47 元，拟拨作本校急需费用请鉴核示遵由。

案查接管卷陈前校长任内，曾奉钧部本年二月五日会字第四六零五号训令，

[①] 教育部高等教育司于中华民国三十一年十月二十八日收到，文号编为：51863 号，总务司于中华民国三十一年十月三十日收到。

为追加前西北联合大学二十七年度经费 24 088.47（元），径转本校三十年度支出，并饬仍将前西北联大支垫情形，编同详细对照表及二十七年度收支计算书呈送等因。当经于三月二十日以费四七六字第二五八八号呈请经饬前西北联合大学常务委员查明支垫情形，编造详明对照表及二十七年度收支计算书呈核，并声明该款暂为保管在案。查该款 24 088.47 元，拟请拨作本校事业费或其他急需费用，如蒙核准，即编造计划书等件呈核是否有当，理合备文呈请。

鉴核示遵。

谨呈

教育部

国立西北大学校长 赖琏（签章）

中华民国三十一年十月十五日发

（民国档案，中国第二历史档案馆）

西北工学院呈教育部①

案据本助教萧庆毅称："窃家父萧连波，原任化工系教授兼系主任，去年奉令出国进修，应于本年元月出国，年底进修期满仍返原职，而在进修期中，所有原领薪俸权充家属生活之用。惟因家父于三月二十日始在中央训练团受训期满，至四月二十三日首途出国，抵美后已六月中旬矣，如仍限年底回国，不但往返徒劳又失国家遴选进修之真义，即以一年进修计划，亦必须于明年暑假始能返国。因前接本院通知，案奉教育部令至明年元月份起停发家父俸薪，职以八口之家，生活皆赖家父薪俸维持，一旦停发，则冻馁立至。想国家为发展工业而培养技术人才，以期实现建国大计，方有遴选技术人员出国进修之举，为使其安心研究，贡献国家计，必须使其无冻馁之患。职迫于生活之高，实无法维持，乃转请教部，准于三十四年元月份起，至进修期满回家任职时止，其原职俸薪仍发给，以维全家之生命，则感戴多多矣"等情前来，经查所陈各节，尚属实情，理合具文呈请教部。

院长　潘承孝

中华民国三十三年九月十四日发

（民国档案 中国第二历史档案馆）

---

① 教育部中华民国三十三年九月二十九日收到。教育部十月八日指令西北工学院，准由该院按月发止三十四年七月为止。

西北工学院呈教育部

钧部本年一月三日人字第00053号训令内开:查国立西北工学院院长赖琏辞职照准,遗缺聘该员继任。奉此,承孝遵经于三月一日就职视事。

潘承孝

中华民国三十三年三月一日

附件1:潘为院长后,五月十六日去电,选定电机系教授王际强及机械系教授程干云为教务主任。教育部六月五日批示:以王际强为教务主任。

附件2:教育部指令:三十三年十二月一日房言第229号呈一件。该院长志愿从军,离院后院务暂由教务主任代行,仍将离院日期具报。中华民国三十四年一月六日。

附件3:教育部指令:国立西北工学院潘承孝院长:三十四年二月五日呈一件,为恳请辞去院长兼职,保留教授本职以便安心入伍由,呈悉,该员应即返院主持,所请辞去院长职务一节,着毋庸议。中华民国三十四年三月二日

西北工学院呈为恳请辞去院长兼职保留教授本职以便安心入伍由。奉钧示准于从军期间院长职务由教务主任代行各在案,自行遵办,惟查本院员生众多,事务繁重,院长一职实难久悬,仍恳钧座简派贤能主持院务,俾职早日移交安心入伍,实为公便。 二月五日

附件4:赖琏函教育部:转交吴公权教授来函,嘱签意见。查刘锡瑛先生为前北洋老教授,现任电机系主任,平日埋头教书,不问外事,并无反党言论,更无若何政治背景。吴君年少气盛,所以力争赴美考察,未获如愿,竟对他人随意诋毁,殊觉未当,至于所谓西工黑幕重重,所谓本人被迫辞职均为不值一笑之词。以资者言,自应以罗系主任为适宜,但罗员是否愿于此时出国尚不可知,且罗员一去,航空系务有瓦解之虞,此亦不可不稍加虑,琏已遵面谕,电请西工潘新院长请教授互推一人,否则即由教部指派,拟俟潘主任电复后再行签呈。三十四年元月十日。

附件5:吴公权 电机系主任刘锡瑛常公开发表反对政府之言论,此次航建协会征调教授出国经奉系务会决议推选,传罗明燏运动院方召开非法之审议否决系务会决议。

立公部座:晚为国民党党员,对于此间反动分子态度素严,电机系主任刘锡瑛常公开发表其反党反总裁反政府之荒谬言论,晚即照例加以申斥致引起彼等怀

恨。此次中国航建协会征调航空教授一人出国,经航空系系务会议议决推晚应比将航空系(主)任职务移交于罗明燏。罗新随国父实业计划委员会考察团考察新疆归来,原系唐山土木出身,对航空学术完全外行,为人又极糊涂。因此间乏航空教授,以彼在西工历史较久,推彼任系主任,并由彼在钧部代电上具名盖章签开:"经航空系系务会议议决推吴公权教授出国考察,附上吴教授相片,即请函送该会并请报部"。孰知院方一再拖延,刘锡瑛竟唆使罗明燏运动院方召开非法审议会否决系务会议议定案,改推罗明燏应选,秘密电部并暗将名单送中国航建协会。西工为一最高工程学府,其中黑幕重重,实驾军阀时代之最认购机关,有过之而无不及,赖院长景瑚即因此迫而辞职。晚身属工程师之师表,目睹陋习安敢缄然,为此据情呈请钧座俯赐。 呈奉劝权 中华民国三十二年十二月二十二日。中华民国三十三年一月四日教育部收到。

(民国档案,中国第二历史档案馆)

第三章 学校概况

第一节 国立西安临时大学—国立西北联合大学

一、抗战中的国立西安临时大学

西安临时大学各项实际状况

（中华民国二十七年二月十八日）

一、筹备经过

教育部于上年八月底组织西安临时大学筹备委员会，聘李书华、徐诵明、李蒸、李书田及陈剑翛为常委。九月初筹委会在西安成立，着手进行。十一月一日开学，十五日起上课。

二、院系设置及校舍分配

该校设文理、法商、教育、农、工、医六学院，除医学院不分系外，共设23学系。校舍共分三院：第一院（国文、外国文、历史、及家政四学系）设城隍庙后街前陕西省立一中旧址。第二院（数、理、化、及工学院土木、矿冶、电机、机械、化工、纺织六学系）设东北大学，由该校自建校舍，并借用东大一部分教室。第三院（生物、地理、教育、法律、政经、商学、农学、林学、农化各系及医学院）设通济坊，由该校租赁房屋。

三、学生及教员人数

文理学院学生425人，教员（教授及讲师）48人。法商学院学生313人，教员

25人。教育学院学生153人，教员27人。农学院学生140人，教员17人。工学院学生426人，教员31人。医学院学生96人，教员11人。总计学生1553人，教员159人。

四、行政组织

该校常务委员会之下设秘书、教务、总务三处。秘书处分设文书及出版两组。教务处分设注册、图书、军训三组，总务处分设斋务、庶务、会计三组，每组各设组长一人，组员若干人。

五、课　程

各系课程仍参照原组成该大学之各校院旧课目酌为修改，以适应时势之需要，其性质相同者，则酌量合并，其性质特殊者，则仍予保留。法商、农、医各院课程，沿平大之旧，惟极力减免重复科目，归并各系，至高年级得酌予分组，学生修习之学分，仍照旧办理。文理、教育各院课程，多沿师大之旧，仍分为：（一）公共必修科，16至36学分。其中又分修养类与专业类两类。（二）主科50至60学分，以供教授中等学校教科所需之教材与能力为主。（三）副科16至24学分，以供给兼任初中教科所需之教材与能力为主。（四）自由选修科，8至16学分，以研究高深学术为主。惟原平大女子文理学院、农学院，与原师大合并之各系，则酌量损益课目，以期各保持其原有精神。工学院为北洋及平大工学院所合组，除合并之系，其课程参照两院原订课程标准酌量修改，学生选习特殊训练，得减数学分外，其余课程均大体照旧，无所变动。

六、图书仪器

该校因图书仪器缺乏，开学后除由常务委员议决购置急需应用图书外，各系主任教授分别向校外接洽借用，并与西京图书馆及迁湘之国立北平图书馆分别商订合作办法。工厂实习与陕西省机器局合作，电机实验与东大合作。化学实验与建设厅化验所合作。

七、军事训练及军事管理

全校学生施行军事管理，由教务处会同军事教官拟订办法，提请常务委员会核准旋行。全校男生受军事训练，女生受看护训练或参加特殊训练之看护队。

八、特殊训练

该校为训练学生参加抗战工作起见，特组织军事、政治、救护、技术各训练队，由学生报名参加，均已分别成立。计军事队44人，授以较高深之军事学识。救护队48人，授以医药及实际救护知识与技能。政治队152人，授以政治理论宣传及训练民众方法及防毒防空常识。技术队396人,分军事测绘、军事、工程、军事机械、军事电讯、军事化学各组,分别授以各该组应习之学识与技能。

九、学生生活指导

该校全体学生除少数借读生外,均在校住宿。特组织学生生活指导委员会,以该校常委会常委秘书、教务、总务三主任,各院院长及教授五人为委员,五教授为常委。每星期开会一次,讨论指导学生工作及审核学生请求事项。

十、下乡宣传

该校为唤起民众实际参加抗战工作起见,组织学生下乡宣传队。就国文、外国文、体育三、四年级及医学院二、三、四、五年级学年混合编制。每队20人至30人。推定教授董守义、佘坤珊、罗根泽、徐佐夏、王同观等分任领队,负责指导。第一队至南郑(今汉中市),第二队至褒城,第三队至留坝及附近各乡,实行宣传工作,启发民众全体动员抗敌。对于当地知识分子及民众领导人员,特别加以训练,使长期担任本地宣传工作。又矿冶系教授三人,率领矿冶系三、四年级学生,即于日内出发赴陕西安康区从事地质调查,并探验该区砂金矿带,研究开发。

十一、延长学期,认真执行课业

该校以本学期开始时,尚为筹备时期,上课较迟,特由常务委员会议决定,将本学期延长至二十七年二月底为学期终了期。所有寒假、年假一律不放,仅于二十七年元旦停课一日,以申庆祝。又对于学生平日听课笔记、习题、实验以及临时学期试验,亦认真执行,按照规定成例办理,并布告学生严格自律,毋稍疏忽。

中华民国二十七年二月一八日,《中央日报》
《教育杂志》第二十八卷第三号,中华民国二十七年三月十日出版

二、抗战中的国立西北联合大学

一、西迁经过及教职员学生旅行情形

二十六年七月七日,日寇炮击卢沟桥,华北局面岌岌可危。政府令北平之国立北平大学与国立北平师范大学及天津国立北洋工学院,迁往西安,合设临时大学。惨淡经营,自十一月起勉强上课。二十七年二月,晋南战事不利,潼关吃紧,敌机时飞西安附近袭炸,警报频传,无法上课。校当局以百年树人,应计久远,学术文化机关似须迁至后方,方能完成使命,乃呈准教部再行迁往南郑一带。

在筹备迁移之初,先组校址勘查委员会,派员应往南郑、城固、沔县、古路坝等

地,分头勘查校舍。承南郑行政专员公署及各该县政府之协助,及中央军校方面之让借,得在城固城内旧考院旧址设大学本部文理学院、教育学院、工学院,城外2里许设法商学院,城南35里古路坝天主教堂内设文理教工分院及高中部,并在南郑联立中学内设医学院,在沔县武侯祠设农学院。各地房舍分散,院系未能集中。

本校全体学生自西安至汉中之行军办法规定:

1. 依照本大学军训原有组织编为一大队三中队若干区队,行军时以中队为单位。

2. 教职员编为独立区队,由常务委员率领,所有行动,以能取得全队行动之联络与协调为原则。

3. 全队学生之整理及指挥,由军训及体育人员分队负责,商承常务委员会执行之。

4. 行军运输,膳食,由本大学运输委员会膳食委员会随时分别办理。

5. 沿途停留宿舍,由本大学沿途布置委员会先期出发准备。

6. 全队之住宿警卫及有关事宜,由军训人员负责办理。

7. 全队设参谋团,辅导一切行军事务之进行。

8. 凡由大队部或中队部所规定之事宜,学生不得任意更改。

9. 凡行进中不受管理不听指挥之学生,得由大队部或中队部停止其行进中之优待权利,其情节较重者,得由大队部请求本大学常务委员会停止其在校之权利:一时的或永久的,一部或全部,情节重大若由本大学予以开除学籍之处分。

运输委员会规定学校公物及教职员学生行李集中地点、接收手续、起运方法、以及分配职务、招雇车辆、沿途警卫等事宜。决定三月十五日在第一院点收第一院及第三院学生行李,每人一件为限,有两三件合并者一大件者一律予以点收;第一及第三两院公物,由各处系组装箱后点交本会。第三院学生行李,由本会职员督率学生分组编号,先期运至车站附近。第二院公物,另编一组与学生行李同时运至该处。教职员行李每人限期两件,有家眷者增加一件,于出发之下午在车站点收。以上各项办法,由学校分别通知或布告。当时军事紧张,交通运输,至感困难,又以本校迁移,时间匆促,事务纷繁。本会职员或奉派离校,调任其他职务,或因在校原职繁剧,无暇兼顾。私人在迁移时期,亦须各自准备,故实际负责参加本会工作者,人数日渐减少,不得已临时增聘职员,设法补充。至押运行李人员,由运委会签请常务委员核定,计教职员学生工友各50人,本会另由西安雇大车60

辆,共分三批起运,每批派教职员工友各二人押运,由西安步行出发,直达汉中,历时十日或十二日。有时风餐露宿,夜间还需轮流警卫,负重事繁,劳苦殊甚。

三月十六日,本校大队出发,下午二时开始运输行李,分配职员,分组担任发放行李、照料脚夫装车、押运及点收各项职务。先期由运委会确定胶皮大车14辆,由第一院装运行李送至车站,至九时许搬运完毕。十时起分别装置闷车4辆,至十二时竣事,由运委会押运员分住各车看守,同人半日不得饮食,至是始各取点心茶水,以解饥渴。

十七日晨一时许,大队乘专车出发,上午十一时半抵宝鸡,由押运员轮流看守行李车辆,运委会主席与宝兴货栈接洽存放行李,商定办法。十八日晨七时开始卸车,将本校公物及员生行李分类排别,点交脚行总理。至九时许,正在交点之际,忽传空袭警报,一时警号齐鸣,人声鼎沸,车站群众纷纷逃越。运委会除留少数职员在站看守外,余均避去。及警报解除,继续工作,至下午八时始起运完毕,由宝兴货栈将行李分类移交后,出具正式收据,至是西安宝鸡段之运输工作告一段落。

十九日起,运委会即开始接洽汽运,惟因军运频繁,交通工具,均经军事当局统制,颇费周折,始雇到卡车二三辆,将行李分批起运,历时一月,始全部运至汉中,寄存天主堂及县党部两处。由会派员驻守,随时点收清理。教职员行李,即在该处发还,学生行李分别运至各学院,再行发还。关山险阻,长途跋涉,行李不免少有损坏,幸无遗失,皆由运委会同仁不辞劳苦,积极负责,有以致之。

膳食委员会议定行军时早晨食粥,中午打尖食自带之锅饼咸菜,晚间食干饭汤菜。锅饼者,相传为明丞戚继光发明,行军时所特制之麦粉烘制干粮。此物滋养耐饥,易存不腐,流传至今。为纪念戚继光,故又称光饼。此次本校行军,亦购食此物,缅怀前贤,不胜感奋。当出发时膳食委需分头于各中队到达各该站以前,预为布置,以便各中队到达时,即有饮食。除西安至宝鸡系乘火车外,自宝鸡至龙门镇、大坝铺、观音堂、东河桥、草凉驿、凤县、双石铺,每站二人。自双石铺再南如南星、庙台子、留坝、马道、褒城各站,由前半段各站人员按自北向南顺序,于第一、二、三中队经过完了后,陆续赶往南星以下各站分驻。每位前站膳委于到达各站后,即预先与保甲长接洽,号定宿舍,购存木柴,迨各队到达时,即分别导引各队搬入指定宿舍,随即购置猪肉、青菜、豆腐、粉条,协助督促伙夫预备膳食。各队去后,并需按照以往人数,以每人每日五分计价,分付各房主房租,或捐助学校款项。事毕又需骑驴、骑车或步行,赶往前站照旧办理。无间昼夜,不避风雨,极为辛苦。

由宝鸡至南郑,现为西汉公路,古为褒斜栈道,马道□□,行人无不兴蜀道难之叹。三国时,诸葛伐魏,屡次取道于此。中间需过秦岭及酒奠梁等。过秦岭时,适值雨,尚未放晴,道路泥泞行路艰难,乃觅取捷径,努力攀登,讵翻过一岭又逢一岭,重峦叠嶂,层出不穷,足现秦岭之伟大磅礴。沿途翠峰披雪,白石枕流,景致幽美,随山旋转,随时变换而云雾低迷,人如行于雾上,雾逐人移,距离稍远,即时隐时显。酒奠梁较秦岭为低,而道路难行过之。公路修筑,较秦岭盘旋尤多,汽车迂回公路,似不若人行小道之捷,故同行中有与当时所遇汽车争先者,汽车与人,旋合旋离,互呼互应,宛若于次而后已。

此次行军全程,自宝鸡至汉中,共 255 公里,费时约 12 日,同行教职员学生,除极少数因公或疾病搭乘汽车或大车骡驮外,其余均始终徒步旅行,至堪纪念。

附注:国立北平大学之工、农两院及国立北洋工学院自中华民国二十七年七月奉令分出另设。

二、本校概况

1. 组织:本校因系联合性质,由教育部指派常务委员三人,主持全校校务,代行校长职权。

设秘书、教务、训导三处,分掌全校行政事宜。

全校共设文理、法商、师范、医学四学院。文理学院设国文、外国语文、历史、数学、物理、化学、生物、地理八系;法商学院设法律、政治经济、商学三系;师范学院设国文、英文、史地、数学、理化、教育、体育、家政八系及劳作专修科(此系工、农两院分设后之组织)。

2. 教员人数:教授 82 人,副教授 13 人,讲师 34 人,助教 27 人,专任讲师□□人,兼助教 3 人,助教兼讲师 3 人,军事训练教官 3 人,歌咏指导员 2 人。

3. 职员人数:□□3 人,秘书 3 人,处员 3 人,组长 4 人,室主任 6 人(办事处主任在□□□□内),组员 20 人,佐理员 3 人,出纳员 3 人,庶务员 5 人,事务员 45 人,干事 2 人,书记 50 人,共 148 人(军训教官助教未列内)。

4. 学生人数共 1 114 人(内女生 219 人)。

5. 全校经常费,本年 720 328 元,每月 60 027.33 元。

三、本校各项活动

本校在西安时,曾于课外举办政治、技术、军事、看护四种训练班,训练本校愿受此项训练之学生,颇著成绩。二十七年暑假,本校各系四年级学生毕业者,均蒙政府分发各机关学校服务。在城固时,暑假时中,面召集陕南之南郑、城固、洋县、西乡、沔县、褒城六县小学教员,开设讲习会。由本校师范学院各系师生办理,为期一月。本校全体学生,于九、十、十一三个月奉令前往南郑受集中军事训练,由南郑中央军官学校分校主办,分为一月或三月,是时正值陕南雨季,学生淋雨踏泥,领受军营生活。又本校于二十七年七月、十二月开始兼办社会教育,由教职员领导学生办理之,推行之事业规定为:

1. 文理学院主办

(1)国语及注音符号讲习班(办理两期每期一个半月)。

(2)防空防毒讲习班(办理两期每期一个月)。

(3)科学常识讲习班(办理两期每期一个半月)。

(4)调查陕南城固、南郑两县风俗民情及协助各县改良陋俗(会商两县政府计划进行)。

2. 法商学院主办

(1)法律常识讲习班(期限两个月)。

(2)地方自治讲习班(期限两个月)。

(3)商业讲习班(期限三个月)。

3. 师范学校主办

(1)小学教员讲习会(暑期奉办限期一个月)。

(2)小学教员通讯研究部。

(3)民众学校(指导学生办理)。

(4)体育训练班(期限三个月)。

(5)民众业余运动会(春季举办一次)。

(6)家事讲习班(期限三个月)。

4. 医学院主办

(1)教护训练班(期限一个月)。

(2)公共卫生训练班(南郑、城固各办一期每期一个月)。

(3)乡村巡回医疗队。

并规定:

A. 本校履行社会教育,在抗战期间随时组织宣传队,由全校师生中慎选若干人,担任宣传工作。特别注重关于防空、防毒、征兵、教护、公共卫生、节约劝导等及其他有关抗战之各项宣传事宜。

B. 本校推行社会教育,在抗战期间随时举办伤兵及难民教育与救济事宜。

C. 本校推行社会教育，以与地方政府及各社会机关或团体合作为原则，必要时得会同组织合作机关或团体促进之。

D. 于旧历春节举行"出征军人家属慰劳会"，教职员学生全体捐款购置礼品，分赴城固机关慰劳出征军人家属，约计数百家。四月六日就城固小西门外张骞墓前举行民族扫墓祭，同时举行抗敌公约宣誓典礼，并倡导历次献金运动，本校区党部所办献金达 5 000 余元，已奉陕西省党部令转。

蒋委员长谕"转谕嘉奖"，现正在筹备与陕西教育厅合办陕南中等以上学校春季运动会。平日上课均用讲义或笔记，图书仪器除由西安运来一部分外，一面向香港、重庆购置，一面：（甲）图书与西京图书馆合作，迁移借阅手续；（乙）仪器药品已借到若干应用，其简单者，并由教员助教自行制造。教授于授课外多研究实际问题，以适应抗战建国之需要，如造纸、造碱、造烛、战时与战后教育、汉药之功效、西北地政力治改良问题共 40 余项。每日办公 10 小时。

本校在城固所借校舍，均为前清末造之考院、县学、孔庙、天主堂。稍加修理，勉强应用。教室办公室极为简单，学生宿舍不敷，采用连架式床铺，最近始添建茅草房数十间。教职员学生衣着多为土布制服，学生伙食每月仅 6 元，刻苦耐劳之精神，已有所表现。

（本校前身——国立北平大学、国立北平师范大学、国立北洋工学院所受损失——移至第九章 抗战与军训）

（宋如海编著《抗战中的学生》）

三、中国各大学的西迁

在 1937 年 7 月间，天津南开大学就被敌机炸毁，把校舍都夷成灰烬了。跟着在 8 月间，上海各大学都被敌人付之一炬，自七七事变以后，平、津一带的学生，都陆续逃到上海来，所以到同年 9 月，上海一隅便集拢成千成万的学生，流离失所，想找一个地方继续求学，在当时可没有人会梦想到历史上空前未有的"教育移民"已经在开始了。

同年 10 月间，战局紧迫，沪上的工厂、商店多半成了瓦砾之场。一般学子都和自己的家庭隔绝起来，而经济来源也渐渐地断绝了，他们被迫迁移到公共租界继续攻读，可是这里没有宿舍住，生活又高，一切设备与书籍更需要重新补充，这时期他们所遭受的痛苦，是不难想见的。同时，因为战争的扩大，其他各地的大学也渐罹浩劫了。杭州、苏州、南京、安庆、保定、太原、开封、济南、青岛这些城市的学校,都为战争所波及,学生们没法继续上课。一直到了广州失守和武汉的撤退,全国各校员生,差不多一致感觉到,若想恢复弦诵生活,势非迁移到四川和云贵等省不可。于是,整个中国教育集团的西迁工作,便从此更积极地展开了。

各校的迁移工作整体上可分为四个时期:第一期由1937年9月间起,这里所包括的是平津一带各校员生。他们的办法是先要碰运气,假如能通过了天津敌军的警戒线后可以搭乘外国轮船到青岛或是烟台,然后再乘汽车或火车到济南,再转车南下。这班同学经过相当的困难,多数到达了南京、上海、开封、西安或汉口。为救济他们起见,当时教育部在西安与长沙设立了两所临时大学,专门收容平津来的学生。

第二期是从同年12月起。这时候,苏、杭以及首都,都相继陷落了。江浙等省大批学子,不得不避地求学。他们在组织上已经比第一期要完善了。因为各校当局都认真负起责来,每迁到一个地方去,学生们还没有到,一切都早已预备好了,所差的只是种种设备和大量书籍,有的学校是没有力量携带的。较好的办法是几个目的地相同的学校,在运输上大家合作起来,例如内地各校,有的一同迁入公共租界,有的迁往长沙与西安,加入那两所临时大学。

第三期是从1938年春天起。这是因为长沙、西安的临时大学也感觉到有内迁的必要了,首先长沙的一个要迁到云南,大多数的同学们都绕了一个大圈子,取道香港与海防到达昆明。但是,有300多名教职员和同学,决定步行入滇。他们是2月20日出发,路程共有3 000多里,他们走了68天,便安抵昆明,沿途受尽了千辛万苦,因为中间除了4天,他们是坐汽车和木船,其余完全是步行的。

广州的失守与武汉的撤退,可以说是第四期的开始。这时候,广西一省突然成了莘莘学子们的乐土了,广东以及华中各省的同学们都逃到这里来。一共有7个大学搬到广西来,弄些简陋的房舍与设备,便都开课了。内中有几校的师生,饱尝一年以上的流离生活,现在才喘息稍定。

在七七事变起时,中国共有108个大学与独立学院,共有1 892个中学。战事起来不到两年,就有54校院被破坏,或占领,以致完全没有恢复的希望了。仅是财产损失的总值据估计已达法币217 401 743元的惊人数字。还有许多学校因为逼近战区而自动放弃了,这种损失还没有计算在内。

大体上看来,全国各大学3/4是分布在平津一带、沿海各大埠和长江下游的诸城市里。这些地区都是最早就受战事影响的,因此各校院的厄运,是绝难避免。

他们不是毁于敌机的狂炸,便是受倭军的焚烧。至少也是要被敌军所强占,充作兵营,或其他用途。

在学校被毁灭以后,学生们立刻变成难民,他们只好跟着学校走,搬到新的地方去,或者进了旁的为沦陷区学生而设的学校,还有的不堪环境的压迫,暂时放弃了自己的学业。不过中国的学生,素来是讲替国家服务的,今值抗战方殷,国家正在需用人才,青年们更不可自暴自弃了。因为有这种观念,许多脱离了学校生活的人们,后来又各自找到相应的学校。所以在战争开始第一年内,各校学生登记总数锐减,这两三年来,又逐渐恢复到战前的数字了。

现在全国的大学校,在内地的是分布在昆明、成都、重庆、贵阳这四个中心区域。此外如四川的嘉定、峨眉,云南的辰江、大理,福建的长汀,贵州的遵义,陕西的城固、延安等小城镇里,也都有一所或一所以上的大学校。有的大学几个合在一起组织所谓联合大学,意思是对于比较完美的校舍与设备,尽量予以利用,同时对于好的教授彼此也可以互相交换的。不过整个地讲,这些学校都是设备简陋,房舍狭隘。破旧的庙宇和宗庙之类,多被拿来做教室或学生宿舍,还有的学校,简直是在山洞里上课。

上面是抗战中各大学内迁的简单叙述。以下诸章更要对学生们所经过的艰难困苦,教职员们筹划复课的经过,以及达到目的地后再度播迁的情形,加以更详尽的记录,藉以指出中国抗战必胜的光明前途。

(宋如海编著《抗战中的学生》)

第二节　国立西北大学

一、《全国专科以上学校要览》中的《国立西北大学》

(1942年)

(一)沿　革

本校为前国立北平大学、国立北平师范大学、国立北洋工学院三校院于七七事变后在西安合组而成,初名国立西安临时大学,设有文理、法商、教育、工、农、医六学院。二十七年春以西安时受敌机威胁,乃迁至陕西城固、南郑、沔县等处,而设校本部于城固,改名西北联合大学。改教育学院为师范学院,院系同前。是年夏季,奉令将工、农两学院独立设置,西北联大设文理、法商、师范、医四学院。二十八年秋师范、医学两学院复奉令独立设置,而将文理学院分设两院,合法商学院改组为西北大学。

(二)行政组织

校长综理全校校务,其重要之学术设备事宜,则由校务会议议决,校长负责执行。校长之下,设有校长办公室,置秘书一人,下分设教务、训导、总务三处;分置教务长、训导长、总务长各一人。教务处之下,分设注册、出版、图书三组;训导处之下,分设生活指导、军事管理、体育卫生三组;总务处之下,分设文书、庶务、出纳三组;以上九组,各置组主任一人。关于会计事宜,另设会计室,置会计主任一人。校务会议由校长、教务长、训导长、总务长、各系系主任、会计室主任及教授选举之代表组织之,为全校最高议事机关。

(三)校址及校舍

城固校址,为抗战期间临时校址,校本部及文理两学院在城固旧考院,各办公室及教室、男女学生食堂、女生宿舍等,皆利用原有房屋,建筑多系旧式,另外新建图书室、物理、化学、生物各实验室,比较适用。男生宿舍在文庙内,系利用两廊及配殿等原有房屋,距校本部甚近,光线尚佳,然因学生人数过多,稍感拥挤。城固为一小县,城内面积狭小,而城外则平畴沃野,禾苗青葱,南临汉水,北瞰秦岭。校址邻接东城,辟有便门,出城极便,课余之暇,闲步城外,饶有乡野别趣,兼之沟渠纵横,流水清漪,尤能令人心旷神怡。法商学院在城外西北数里之前城固县立职业学校旧址,所有建筑,较为新式。另于其后添建学生宿舍若干座,校外四野空旷,空气新鲜,门前新修大操场分置各种运动器具,学生运动于大自然中,堪称锻炼体格之优良处所。交通方面,因沿汉白公路,东至白河,以达湖北之襄樊;南至汉中仅30公里。自汉中有公路经褒城西北达宝鸡,衔接陇海铁路至西安;西南过宁羌、广元以达成都。有西北公路局汽车,尚称方便。

(四)院　系

现有文、理、法商三学院。文学院分设:中国文学、外国语文及历史三学系;理学院分设:数学、物理、化学、生物、地质地理五学系;法商学院分设:法律、政治、经济、商学四学系。二十八年度文学院有学生237人,其中中国文学系80人,外国语文学系68人,历史学系89人;理学院有学生234人,计数学系38人,物理学系49人,化学系73人,生物学系28人,地质地理学系46人;法商学院有学生387

人,就中法律学系80人,政治学系89人,经济学系159人,商学系59人;此外附设大学先修两班,131人。文学院有教职员34人,中国文学系主任黎锦熙,外国语文学系代理主任叶意贤,历史学系主任陆懋德。理学院有教职员39人,院长刘拓,数学系主任赵进义,物理学系主任张贻惠,化学系主任系院长刘拓自兼,生物学系主任雍克昌,地质地理学系主任黄国璋。法商学院有教职员35人,代理院长刘鸿渐,法律学系代主任刘之谋,政治学系主任杨柏森,经济学系代理主任曹国卿,商学系主任沈筱宋。现任校长暂由教育部参事陈石珍代理,训导长及总务长暂由教育部专员杜光埙代理,教务长由姜琦担任。

(五) 学　生

1. 学生之日常生活,本校学生皆受严格之军事管理,早晨起床后,即集合举行升旗礼及早操,日间除正课外,并由生活指导组指导学生参加各种团体活动,如演说会、球类比赛、棋赛等,故一般生活情形,颇有规律而感兴奋。

2. 学生每年所需用费,每人每年需缴学费10元(战区学生免缴),伙食每月约30元,书籍衣服杂用每期约50元,合计全年用费约300元。

3. 公费免费生及贷金

公费:公费生每年每名由学校补助150元,分两期发给。其名额暂定为每系正式生人数2%。

请领公费生条件:

(1) 请求公费生以本校正式生为限;

(2) 请求公费生学生,须呈交地方机关出具之清贫证明书,如籍隶战区者,须请教授二人负责证明;

(3) 公费生之学业成绩须在75分以上,操行成绩,须在乙等以上,并经查明未受学校记过及惩戒之处分者,方为合格。

免费:凡家在战区者,免缴学费。

贷金:分膳食贷金与零用贷金两种:膳食贷金分全膳、半膳两种,凡家已沦陷,或受战事影响,经济来源断绝者,皆得呈请贷金审查委员会发给贷金。

零用贷金:其名额暂以各系现领膳食贷金人数1/10为准,各系应得零用贷金之学生,由各该系全体学生投票证明,再由贷金会核定。

4. 学生之团体生活。本校学生颇喜参加团体活动,如戏剧、远足、球赛等,故能养成守纪律、责任、爱时间、惜公物、勤奋勉、耐劳苦之精神。

5. 课外活动及劳动服务社会服务等。本校训导处生活指导组设有:三民主义研究会、领袖言论实践社、各种科学研究会、诗文社、书画会、棋社、国剧社、新剧社、劳动服务队、国术社、音乐会、游泳队等,限定全校学生,每人至少参加一种。此外,训导处每学期举行国语演说竞赛、英语竞赛、体育竞赛、论文竞赛、音乐会、棋赛各一次,由学生自由报名参加,优胜者发给奖品;至于社会服务多由本校训导处与区党部三民主义青年团,联合领导进行。如扩大兵役宣传、慰劳出征军人家属、清洁大扫除、为前方将士募捐以及各种纪念会等。劳动服务则由军事管理组领导进行,如协助地方造林植树运动及开挖游泳池等,皆富有极浓厚之兴趣。

(六)学术研究

1. 教员研究贡献或重要著作。本校教员富研究兴趣,其著作较多者为黎锦熙、刘拓、刘朴、许兴凯、罗仲言、郁士元、何士骥等教授。书名繁多,不及备述。

2. 本校及学生出版之刊物。本校出版刊物,计分丛书、季刊、校刊三种,惜以纸张印刷价值太昂,稿件虽已编齐,而斯项经费难筹,尚未付印,故各学系皆以壁报方式,各出学报一种,以供学生阅读,至学生编辑之刊物种类颇多,亦以无款不能付印。现在编印之壁报,计有剪编《精诚》《西北青年》《西北漫画》、英文《西北青年》《街头壁报》《新生》《前矛》《齐鲁》《展望》《学习》《自励》等十余种。

(七)本校将来计划

本校现有文、理、法商三学院,殊不足以应广大西北之需要,拟候将来经费增加,将法商学院分为法学院及商学院,法学院增设社会学系,商学院分设工商管理、会计银行、统计保险等系。目前,校址系临时性质,永久校址拟设在西安或骊山,候抗战结束后,即请教部拨款兴建,以为永久之计,藉以奠定西北最高学府之基础。

(教育部编《全国专科以上学校要览》正中书局,1942)

二、1941年的国立西北大学调查[①]

(1941年8月24日)

---

① 这一调查材料系根据文仲三、苏农、里宁(女)、张容林等4人的谈话整理而成,以后又举行两次座谈会,由万进、越年、刘衡(女)、芦向等人加以补充。曾经过万进、文仲三等人校对。取自陕西省档案馆存档和中央档案馆、陕西省档案馆合编的《陕西革命历史文件汇集》(一九四一年至一九四二年),并纠正了其中一些笔误。

169

城固环境概况

一、自然环境

汉中北依秦岭,南接大巴山脉,西起沔县,东达洋县,中为一平原;南北阔不及百里(约40多公里),东西长约100余公里,中为汉水,城固系当此平原的中心略东。

城固县城西距南郑31公里,汽车一小时许可达,每日开车两趟,车票洋8.8元。东距洋县20公里,距安康约400多公里,有汉白公路联络,唯车行很少,交通不大便。汉水泛流而东,自沔县即可乘小船,其船只多民营,只数不定,乘船到安康,其费约60元,时间约五日。到白河则需一星期。境内交通除汽车与船只外,即为马车与小车,或用牲口驮,人行有时亦可坐滑杆,两人合抬,价亦便宜。

城固南汉水奔流,城东北尚有湑水,不及汉水大,但灌溉及水利相当普及。境内小河溪流亦非常多,汉(水)不灌田,湑水灌田两万余亩。

物产。在农作物上以产稻、麦为大宗,而高粱、玉米、菜籽、蚕豆、生姜等次之。稻麦为民食之大宗,棉花产量很少,有时依关中洋县较多。在林木上,柳、杨、杉、松为最多,而果类则以桔、桃、杏、枇杷、梨、葡萄为最多,价钱略便宜。在矿业上,唯沿汉水沿岸沙中可淘金。蓄牧业上,羊很少,不发达。居民之衣服主要以养蚕织布来解决。

工商业:

1. 兵工厂。由二战区阎锡山开,1000多工人,由张某负责,资本在300万以上。

2. 织布厂。由工合主办,30多工人,小规模手工业,资本数万元,曾不小心着火,其利润被火烧完。产量不多,每天出布约400尺。

3. 制革厂。由工合来办(规模小)。此外尚有由第二战区办的一个制革厂,规模相当大。

4. 印刷厂。建□、前马区2个,各有工人10余人,各有印刷手摇机2部,其中之前马区为托派原景信所办,资产约万元,工人10余人,为汉中一带托派机关之一。

5. 造纸坊。共有五、六十家,都是手工业,粗糙,由平民纸厂收去再转卖,平民纸(厂)详情不明。

此外城固一带手工业相当发达,各农家多织布纺纱,搓麻线,机声唧唧日夜不停。土制蜡烛有红白两种,亦很多,且普遍。

城固商业亦发展,匹头行最多,资本有 300 万以上者。街市自抗战后亦日渐繁华,交通亦发展,自西北大学、师范学院移此以后,其社会情形亦日有变更。

风俗习惯。汉中人抽大烟者甚众,迷信很深,天不雨则拜神祈雨。惟妇女缠脚者已渐少,三四十岁缠脚者亦不多,教育不大发达。由抽壮丁关系而 20 多岁男子亦有在初小或高小上学者。

土地分配。这里土地多集中在少数地主之手,所谓四大家如王小康、龚锦成、高安贤等。地主其所有土地多在 1 000 多亩(66.7 公顷)以上,而 70% 以上的土地则集中于地主之手,而农民中有 70% 左右被沦为佃农,小农兼经佃农者亦很多,中农则数量少,雇农采分红办法,惟因近年抽拔壮丁,故其数量锐减。

城固系二等县,人口在 20 多万人以上,其村落相当稠密,沃野一片,亦美县也。

城固农村概况(西北大学处在怎样的一个环境里):

联保。

沙杜(新柳合)、沈黄、南乐(南昝合)、周公、二里、龙向、□邮、五郎、博望、天明、龙头、原公、水铠、斗前、城关、半池等 21 联保。

地形。

东西狭约 20 公里,南北宽约 100 公里,北依秦岭山脉,南沿巴山山脉,东北临渭水,南临汉水,为陕南汉中平原之一盆地地带。

农作物:

除沿渭水两岸多属稻田外,由五门堰设渠灌溉 2 万余亩(1333.3 公顷),南北山地,多林木,间有植高粱、大麦者,其余均系高地,种大麦、小麦、高粱、包谷等,占耕地面积半数以上。今年天旱时,城固人谓稻田收成坏不要紧,麦子种不下老百姓就活不了。民谣中有:"包谷叶像把刀,四月出来六月高,花花开在尖尖上,勤勤收来紧紧包,若遇土匪来耗了,一家大小怎开销。"可见全年粮食多半靠杂粮来维持的。

土地多半集中在城固四大士绅和刘镇华他们手里,农民 80% 以上依靠佃种三、五亩地以维持生活。自耕农占比例甚少,并种地多为山坡石壳瘠之劣等地。租田情形据不十分精确统计,沙杜联保麦季产麦每亩约 6 ~ 7 斗,稻□□谷约 3 ~ 4

斗石，佃户每年向地主缴纳租谷约 2 石左右①，约占总收获量 50% 以上（且主、佃各半）。南沓联保剥削程度更甚，差不多到了 70% 以上（即主七佃三）。新柳联保多为山地，产杂粮和包谷、红薯等，每年要缴给地主大麦、黄豆等高贵粮食 4~5 斗，有时佃户所种之地不出此等粮食还要设法另购豆麦，以供缴纳，贱卖贵买，一来回间农民损失更重，但剥削程度约在 55% 左右。此由于山地，民情强悍，易起反抗，故地主对此采缓和态度。

农民负担除租税外，尚有其他苛什摊派，重重压迫，困苦不堪。摊派名目繁多，如义壮费、枪械修理费、墙城修补费、送丁费、民工代用金等，按亩多少强迫征收，人民痛感抽壮丁、纳租税种种压榨之苦，对此多抱怨恨。

农村状况。农民生活困苦不堪，衣不蔽体，住破屋中，四壁萧条，除了一灶一床外，什么也没有。这种人家在农村中的确不少，尤以被抽壮丁之抗属家庭为最，他们吃的是包谷稀饭，油盐菜更谈不到。因此，光靠种几亩地是不能维持生活的，种地而外，还要打草鞋、纺纱、挑菜等额外劳动，以补生活之不足。对天主教信奉甚深，教堂力量很大，神父可以干涉到农民的私生活，甚至诉讼事件也为神父判断，婚丧喜庆，必得神父参加，特别在古路坝一带，周围数百亩地地权完全为天主教堂管理，人民对之多存敬畏之心。据闻教堂内有无线电装置，与外界通消息，作间谍活动。

城固征兵制度和大后方各地的黑暗情形差不多，根本就没有一定办法，随保长、联保主任的私人意见，要怎么干就怎么干，不经过政治动员，用武力强拉硬作。对付壮丁，如重要囚犯，半夜破门而入，从梦中拖出带上镣铐，捆上绳索，带到联保处监禁起来，不许壮丁家属去看。晚上脱去壮丁身上的衣裤，以防壮丁逃跑。甚至有意使壮丁挨饿，弄到四肢无力半病半死状态，这样就可以不费力监视，省去管理不住的麻烦。出丁人家多属贫农佃农，占 90% 以上，有钱有势的家里有三五个儿子也不用服兵役，贫苦的不但是独子，或者是已经抽去了两三个仅仅剩下一个还是要抽。一个姓张的人家有 3 个儿子，大的抽去不到 3 个月，保长又要抽他的第二个，结果花了 200 多块钱雇人顶替，并且对保长还要送上一笔贿赂费，才算了结。有一家是独子，有一老母已六七十，儿子到地方去做活，被别处的联保拉去，可是在那一联保的壮丁册上根本就没有他的名字。这种种黑暗事情在城固各联保都普遍的存在，因此农村劳动生产力大大的减退，田地荒芜。谁也不想好好的

---

① 石（读 dàn），为古代重量单位，十斗为一石，每石重约 60 公斤。现一市担为 100 市斤，即 50 公斤。

去耕种,甚至有被迫逃入南山流为匪盗者。

在城固四乡,住有第一及第八两伤兵教养院,人数在3 000左右;第一残废军人教养院,系一等伤兵,分10队,一、二队为内战时负伤之士兵官佐,对抗战不关心,有时谈到"剿共"情形,多抱消极态度;三队以下为抗战后南北各战场负伤者,情绪较为激烈,对国事特别关心,士兵中思想进步,同情我党者亦不乏人;第八教养院一队为伤官队,生龚家堡;二队以下为伤兵队,平常演剧、宣传,参加合作生产,情绪尚佳,据闻全院青帮组织势力甚强,院长为领导之老大。

二、政治环境

(一)县政府

县长丁耀中,30多岁,皖南安庆人,有太太。先曾在皖做工作,安庆失陷后,曾打过一次游击,一九四零年三四月到陕西任城固县长。其太太系由皖某高中毕业,皖人会讲话,在城固组织妇女工作队,做妇女运动,以后任新运总会城固分会工作,"三八"妇女节当大会主席。

社关:

高瀚相(陕西参议会议员,代表城固);

宋联奎(省参议长,现住城固);

王小康(当地四六士绅之一);

与以上三人关系很密切,常相往来。

党派:

由中央政治学校毕业,因政治关系而与陈立夫发生关系,因参加CC,任该县CC领导工作,很得CC信任。

活动:

1. 关于政务上是爱表面粉饰太平,修街头路,做国旗要商户悬挂,常到各学校讲演,治理学校很认真。天旱时为人民祈雨跪神,对县政务相当认真。

2. 各方拉拢

(1)经常到西北大学、师范学院等校去联络同学,拉拢安徽同事,在私人感情上、物质上帮助,以取得同学的拥护,并将失业的同事或同学委任以某督学或科长,月薪60元,以培植自己势力,巩固地位,并于每学期开始或结束,他总请客欢送旧的,欢迎新的,以建立与同学亲密的联络。

(2)与县党部。该县党部白希安(CC),因同一系统,经常捧他,且关系非常密切,党政步调一致。

(3)与地方要人士绅,如宋联奎、刘镇华、王小康等建立关系,常请他们吃饭、演讲、参加会议,因此很得一般上层分子的信仰,城固士绅曾为其做执政一周年纪念庆祝大会,并为挂国旗开大会。

3. 反共:

(1)安徽为新四军活动区域,他在安徽时即常有冲突,因此对新四军非常不满,曾慨然曰:"安徽被新四军已蹂躏矣"。

(2)说"新四军共产党到一地常扰民放枪,公正士绅逃去,由流氓地痞执行"。

(3)曾捕回南郑城一中学生,说是共产党。除此以外,他对于李宗仁、白崇禧所领导之五路军亦表示不满,因为他曾在皖省做事被挤出来。

丁的地位相当稳固,自去年到现在无人反对他,其原因:

(1)上下级关系很好;

(2)与 CC 小组织关系很好,且密切。

(3)与杨立奎也拉上关系,和各大学好些教授也有关系。

(4)与安徽同学关系好,能得人帮助。

但丁并不满足现状,而要向上爬,他曾对人表示做县长是暂时的,不久即有人请他到甘肃任专员,这主要大概是他后台之功。

县府秘书丁××,系丁耀中叔,很坏,昏庸,生活腐化,贪污。

私人秘书张伟,20 多岁,皖南青年,表面很进步,现做视察员。

丁的哥哥也住在城固,无事成天玩。

教育科长余元章,30 多岁,城固人,老局长,无能力,无所谓,自己无权,许多都由县长决定。

西大校长曾介绍一学生名叫谢钧者(在西大讲田赋)到县府工作,由县长保荐到民厅,已加委为该县地政科长,但谢因恋爱失败而精神受打击而发疯,未到任,现在宝鸡住。

禁烟科长范耀华,系西北大学教育系毕业,亦因恋爱而半疯。县长曾出招贤榜,他自己揭榜以献,即由县长委为禁烟科员。他还领政警队各处去查烟,非常努力,疯疯张张人都怕,他一点面情不看,把许多教授及地方士绅家中烟都挖出,使许多人当面丢丑。因战绩卓著而受县长赏识。

现城固县府已为皖系所把持,许多要角均系皖人而由县长亲自委任与联络,同时因县长本人能力很强,办事有办法,故一切都形成家长主义,当他们渎污县长的时候,将许多带来的佣人随时打板子。丁耀中因本人为 CC,与党部关系很密切,其手段又高明,为 CC 一般人所佩服。他强迫许多镇长、甲长入国民党(可是凡入过三青团的人不准入党,其系统有不同),不入党则以撤差相要挟,对县府公务员亦如此,也仿省府合室办公,定办公时间,在一起办公。

(二)国民党及其小组织的活动:

县党部。书记长兼博望中学(CC 办的)校长白希安,30 多岁,豫北涉县人,家已陷落,现由晋冀豫边区来管。家人为破落户的富家。先在朝阳大学法律系,未毕业转入西北大学,1940 年毕业在校内训导处当训导员,在振中剧社当社长(由 CC 来办的,以后社长陆松年负责),由张北海介绍到省党部,1941 年 4 月委为城固县党部书记长。

社关:

陆松年(陆懋德的儿子)。

王大鹏,东北人,西大政治系毕业,CC 送去美国留学。

赵金铭,渤东人,教育部视察员,战区教育巡回督导团团员,现在重庆。

党派:

CC,在北平时即参加,由朝阳转西大后,与张北海正式发生关系(张现为教育部当督学),为 CC 在城固主要人物之一,后台即张北海。

活动:

1. 领导振中国剧社,有 30 多社员,西大和师范学院学生参加得很多,唱京剧唱得很不差,曾到西安、宝鸡、南郑一带出演。现由孔广良负责。

2. 办博望中学,有 100 多学生,男女兼收,在城固西关外博望村,白任校长,由 CC 中之失业者任教员,例如程秀刚,事务主任;王葆存,教务主任,陕西临潼人,西安民立毕业入高中,后入东北大学,转西大,1941 年由西大历史系毕业,现到博望中学;姚德仁,陕西人,西安高中二六级毕业入联大到西大历史系毕业,姚曾参加民先活动。

开办费共 3 000 多元,系由演剧筹来,以后教育部曾津贴一次,约计数千元,但基金始终缺乏,教员一点钟 5 角大洋,生活费都不易维持,现白希安对之无多大兴趣,常不到校,而实际负责者则为程秀刚、王葆存、姚德仁等。

3. 特务活动。白希安 1939 年尚当西北区党部委员,因反张北海罢课,他曾捕去民先三负责人(都是同志)。现尚为 CC 做特务。

私生活:

1. 贪污国剧社基金 3 000 元,几个负责人分掉。

2. 贪污教育部给剧团津贴 400 元,由于此洋由教育部寄城固时他知道,即以另外一印信汇票取出该洋 400 元,以后有人到银行去查银行印信不符,人多知道这是白希安干的,于是剧团的几个负责人即公开在校内出布告谓"有人偷以假章在银行取去教育部津贴 400 元,要求学校调查"等语,同时在该剧团大会上大家提出批评谓:有人去取津帖,其卑鄙无耻已极。陆懋德在教堂上公开地提出白希安来骂,谓党内出此分子实卑鄙已极,我们不要这些人。

3. 经常到汉中去嫖妓女。

附:白希安前之城固党部书记。

(1)石远峰,1938 年任书记,陕西人。

(2)胡超吾,1940 年走,任书记,白即接他职。

(三)城固教育界概况:

1. 大学:

(1)国立西北师范学院;

(2)国立西北大学;

(3)国立西北工学院(医学院现在南郑)。

2. 中学:

(1)师范附中;

(2)文治中学;

(3)五三中学;

(4)国大中学;

(5)乐育中学;

(6)博望中学;

(7)城固中学;

(8)太原平民中学;

(9)师院简师。

3. 高级小学:

(1)集灵小学;

(2)考院小学;

(3)自强小学;

(4)佛家巷女子小学;

(5)抗属子弟学校(最近成立的)。

此外各乡镇差不多都有一所小学,共计小学数目当在 30 多个数目。

………

国立西北大学概况

一、国立西北大学由来

抗战以后,由前国立北平大学、国立北平师范大学、国立北洋工学院三校组成移西安,称国立西安临时大学,校址设在城隍庙后街、东北大学及北大街通济坊三处。当时学校组织系统如下:

常务委员会:原平大校长徐诵明,原师大校长李蒸,原工学院院长李书田,陈剑脩,共常委四人,处理临大一切事务。总务处长:袁敦礼。教务处长:张贻惠,曾在经济部做过工作,挂名 CC,历任师大、工学院等校院长,老学阀,在教育界有地位,研究物理很有名。

注册组组长:许重远。

农学院院长:周建侯,四川成都人。下分园艺、农林、农业、化学系、农艺系,共 800 多学生。在通济坊住,一部分在外面。

工学院院长由李书田兼,内分土木工程、机械、化学、纺织等系,教授有潘承孝(西工学院教务长),严肃非常。学生共 300 多名,住东北大学址。

文理学院(院长)刘拓,分国文、历史、外国文、数、理、化、生物、地理等系,教授有黎锦熙、佘坤珊、黄国璋、张贻惠等,当时住城隍庙后街,有 300 多个学生。

法商学院(院长)徐诵明兼,有政经系、商学系、法律系。政经系主任尹文敬,四川人,30 多岁,中央政治学校高材生,CC 系,想当院长,自己活动,拉四川同乡。

教授:

沈志远,浙江人,30 多岁,平大老教授,曾留学莫斯科。联大解聘乃到重庆生活书店,以后到香港任生活书店总编辑,政治部文化委员会委员,中苏文化理事会委员。系脱党分子。

章友江,江西人,30 多岁,曾留美,任平大副教授,现在贸易委员会做工作,系进步文化人士。

季陶达,浙江人,40 多岁,曾在大革命时任陈诚团政治委员,过去系共产党员,现无关系。进步教授。

陈建晨(女),30 多岁,国民党员,自称与杨秀琳有关系。做讲师,教汇兑学、银行业务等,能活动,参加民先,每次大会都有她参加,对同学很体贴。其丈夫于振瀛,老国民党员。

教育学院院长:李建勋,教育、家政、体育等系。

医学院院长:徐佐夏,CC。学生共100多人。

临时大学学生当时共1 000多人,其中抗协负责人为邓运生(湖南人,临大教育系毕业,复兴派)、赖云(湖南人,临大历史系毕业,复兴派)。其次尚有杨芝奎(复兴派,自称有200多人,实际仅数十人)。

民先:郑代巩(临大商学系,贵州人,现在到重庆,已被捕)、郑芝才(临大商学系,福建人,系华侨)。当时人数共约300多人。

1938年春天搬陕南城固,称联合大学。陈剑翛去,常委由胡庶华代理。行政事务,教授人员照前。

地质地理系、体育系、工学院一部分住古路坝。农学院在沔县,独立,称国立西北农学院。文理教育学院在城固。北洋工学院、东北工学院、焦作工学院合并为西北工学院。农学院独立后合并于国立西北农学院①。师范学院独立,由李蒸任院长。1939年暑假联大改西北大学。

二、西北大学组织系统

(一)至(九)略去

(十)本校的特点

1. 分子复杂,是西北大学政治斗争的中心,各派干部都集中在这里,在校外住的学生有七八十人。

2. 功课松、不上课的多,学校教育差。

3. 学生力量强,各派的活动都相当的强,一般的学生活动力也大些。

4. 国民党当局注意,政治环境日渐恶化。

地方党政当局批评:"法商学院左倾分子多。"社会上一般又认为法商学院出路好,教育部认为法商学院是整顿西北大学的中心点。

附:其他两院

文学院:学生150人,政治斗争不明显,中间派最多,学生到外边带课的很多。出路主要的是当教员。

理学院:学生200人以上,功课繁重,学生对功课认真。CC势力很大,政治斗

---

① 应为:国立西北联大农学院与国立西北农林专科学校合组为国立西北农学院。

争不剧烈。出路是当教员及实业界。

国立西北大学教职员各种情形统计表(籍贯统计)

省别	人数
江苏	6
浙江	2
山东	5
河北	5
河南	1
湖北	6
湖南	7
广东	2
辽宁	3
安徽	1
福建	1
江西	2
山西	1
未详	7
合计	49

年龄统计:20-29,2人;30-39岁,9人;40-49岁,29人;50以上,9人,合计49人。

学历统计:美国16人;德国3人;英国2人,法国3人;苏联2人;日本5人,未留学13人,不详5人。合计49人。

教授情形统计:好,14人;坏,9人;平常,21人;不详,5人;合计49人。

党派后台统计:CC,18人;复兴,6人;不详,3人;无党派,22人。合计49人。

对我党关系统计:反共最顽固者,10人;反共不甚或稳重者,8人;无所谓者,18人;同情者,4人;中间分子,7人;不详,2人。合计49人。

附:刘镇华近况

刘镇华,原安徽省主席,1937年来城固,住邸家村。闲住与西大国文系教授谭戒甫相友善,谭常为刘教易经八卦等古董学,刘特别与之亲昵。1938年曾经常来西大演讲,对反共特别厉害。

在城固各界反汪大会上,刘讲:"太极生两仪,两仪生四象,四象生八卦,一切

事物都从这里来,科学中国早就有了,放枪总离不了空气。"又说:"汪精卫提不上口号。"(意思是值不得交)

英文原教授张舜琴(女),是国民党员,罗隆基的老婆。刘镇华看中她,常到张那里玩,但他并不懂得恋爱,只拿上笔在纸上乱写什么"关关雎鸠,在河之洲……",又写什么"钟致学生……",但张并不知这些情形。张最好骑马,刘拓想捧刘镇华,遂介绍张到刘处骑马,张遂去刘那里骑马,刘以为事情已成功,张已找上门来。刘侍待非常殷诚,搬凳子,倒茶,献果子点心,两人私着闹,不理刘拓,刘拓遂别去。刘(镇华)更闹得厉害,但张心在骑马,并不知道刘对她什么意思,看到刘的样子已察觉几分,又骑马不成,乃干脆走开,但刘却天天骑上他那瞎马到张那里去。

刘以后曾对人讲说:"有一个看命的给他看命说,百年之后继续委员长事业的就是他……委员长能成功的原因,就是因有一个懂得外国文的宋美龄当太太。"这大概就是张被刘追逐的原因。

其次,刘自己早有太太孩子,其弟媳现在师范家政系和国文系旁听。

刘镇华曾给希特勒写信,上面写:"希先生特勒。"又给墨索里尼写信,上面写:"墨索里尼吾兄。"信从城固发出,到重庆邮局被检查,以有伤国体而退回原处,当时传为笑话。

邸家村是个很大的村子,离城不远,刘系国民政府委员之一,故该村常驻一特务连,有百余人,机枪数挺保卫他,日夜放哨,负刘出入警戒责任。刘现赋闲无事,囤积大米,做投机操纵生意,骑瞎马,前呼后拥,非常威武,有时他也去参加县府会议,谁也不敢得罪他。

(根据陕西省档案馆存档,并根据《陕西革命历史文件汇集》(一九四一年至一九四二年,中央档案馆、陕西省档案馆合编,1993年)作了核对和删节,并纠正了其中一些笔误)

三、1942年的国立西北大学概况

国立西北大学概况

(一)概 况(1942年11月29日)

沿革:本校系于民国二十八年秋奉命改组原西北联大而成,西北联大乃由前北平师范大学、北平大学、天津北洋工学院合组而成,盖自抗战军兴,平津沦陷,昔日莺歌之地,顿陷敌手,以故各公私立院校均先后迁出。时师大、平大、北洋三院校适俱集于西安。9月奉部令成立"国立西安临时大学"于西安。迨二十七年春,敌人于台儿庄崩溃之前夕,敌机乃不时出动轰炸后方各大都市,西安为西北政治文化之中心,故竟为敌机轰炸目标之。三月十六日临大奉令南迁,择定陕南南郑、城固、沔县等地为校址,计文理学院、法商学院设城固,工学院设城固县南20公里的古路坝,医学院设于南郑,农学院设于沔县,临大亦适于斯月改称联大,校本部设于城固考院小学。初创之始,一切率皆因陋就简,而师生勤奋之精神从未懈怠。二十八年八月,政府既定抗建并进为国策,为树百年大计,乃为取消暂时性之"联合"字样,而改组本校为"国立西北大学",并指定西安为永久校址,至此本校基础方臻巩固,目前仍在城固上课,战后即迁西安。

组织:本校自二十八年改组后,行政组织悉秉部颁法令,现任校长为中委赖琎先生,本校设秘书一人,现任秘书长为袁明道先生,教务长为杨宙康先生,教务处直辖注册组、出版组、图书馆三组。训导长为张清涟先生。训导处直辖生活指导、军事管理、体育卫生组等三组。

院系:本校现设三院十二系,教员135人,学生1 000余人。文学院长由教总长暂代,理学院长由总务长兼代,法商学院长由校长暂兼。文学院下设三系,计中国文学系,系主任为谭戒甫先生;外国语文学系(分俄英两组),系主任为李贯英先生;历史学系,系主任为黄文弼先生。理学院下设五系,计数学系,系主任为赵进义先生;物理系,系主任为岳劼恒先生;化学系,系主任为刘拓先生,刘先生本年度休假由朱有宣先生暂代;生物系,(系)主任为雍克昌先生,目前请假由刘汝强先生代理;地质地理系(分地理、地质两组),系主任为殷祖英先生。本校现鉴于事实之需要,拟请增设边政系,又为毕业生继续研究起见,并拟于短期内成立研究所,务期对西北稍有建树,无负国家设置之初旨。

校舍:本校自于城固成立后,即借用考院小学旧址为文理学院院址,以城外前职业学校为法商学院院址,文庙为男生宿舍,校本部则设于文理学院。年来本校人数日益增加,原有房舍已不敷应用,除图书馆大厦、大礼堂、各实验室已先后增建外,本年暑假复将升旗台广场扩大,并于法商学院兴工建房10间,更以所有房产墙壁年久失修,春风秋雨时有损坏,亦秉暑假之便重新修刷洗;校本部久经封锁之正门,亦已辟通,于此则斯因陋就简之校舍,不特容貌焕然一新,而显庄穆严肃之象。

学生生活：本校虽设于西北，然学生则包容全国各地青年，除陕甘川宁一带外，大都来自战区，故大部学生仰贷金生活，此外尚有部颁之中正奖学金、林主席奖学金以及各省市资助之补助费、贷金等，然均限于名额及费用数目，多数学生仍甚困苦，惟努力向学之固未因此而稍泯。学生团体活动除有区党部及青年团统筹外，尚有12学系之系会，以及歌咏队、戏剧队等。体育则备凡篮、足、棒、排球等项运动，成绩亦均斐然可观。此外，以本校附近环境甚佳，学生短途旅行之风甚盛。春秋佳日，汉王城、霸王寨、张骞墓等地，男女学生相偕往游，络绎不绝，而横卧城南之汉江，尤为夏日天然浴场，夕阳西下时，长桥曲影，清波荡漾，以故本校学生虽于物质条件极端困苦之下，而精神则仍能怡然自得也。

余论：本校自目前而言，乃西北为唯一之大学，其所负使命之重大，自不待言，且本校之诞生，适值我民族争生存之际，年来毕业生分布各地工作，率能秉其所学，献身国家，今后本校必一本作育群伦之旨，努力迈进，而为吾国家之新史页涂一光辉也。

校长、教授、副教授名册

校长赖琏，文学院院长杜光埙，理学院院长王文华，法商学院赖兼。

(二)国立西北大学三十一年度学生人数统计表(1942年12月)

院别	系别	学生数													附注
		共			一年级			二年级			三年级			四年级		
		计	男	女	计	男	女	计	男	女	计	男	女	计	男	女
总计		1023	916	107	264	228	36	216	201	15	301	269	32	242	218	24
文学院	合	183	151	32	56	44	12	33	27	6	49	41	8	45	39	6
	中	43	37	6	10	8	2	6	5	1	17	14	3	10	10	0
	外	78	62	16	32	24	8	14	10	4	19	16	3	13	12	1
	历	62	52	10	14	12	2	13	12	1	13	11	2	22	17	5
理学院	合	252	233	19	64	59	5	64	62	2	70	62	8	54	50	4
	数	29	29	0	8	8	0	8	8	0	5	5	0	8	8	0
	物	39	39	0	11	11	0	9	9	0	13	13	0	6	6	0
	化	92	85	7	20	19	1	23	23	0	29	26	3	20	17	3
	生	33	26	7	18	14	4	4	3	1	5	3	2	6	6	0
	地	59	54	5	7	7	0	20	19	1	18	15	3	14	13	1
法商学院	合	588	532	56	144	125	19	119	112	7	182	166	16	143	129	14
	法	93	86	7	26	25	1	21	20	1	35	32	3	11	9	2
	政	115	112	3	30	30	0	25	25	0	29	27	2	31	30	1
	经	241	216	25	45	37	8	56	50	6	76	70	6	64	59	5
	商	139	118	21	43	33	10	17	17	0	42	37	5	37	31	6

一、本表系按已正式注册人数填列,分发迟到学生不计
二、本大学附设先修班学生未计入

(三)国立西北大学三轮历届毕业学生人数统计表

(中华民国三十一年十二月)

院别	系别	共计	二十八年度	二十九年度	三十年度
总计		610	187	205	218
文学院		176	64	55	57
	中国文学系	59	25	20	14
	外国语言学系	48	17	15	16
	历史学系	69	22	20	27

院别	系别	共计	二十八年度	二十九年度	三十年度
理学院		162	54	64	44
	数学系	28	10	11	7
	物理学系	37	11	15	11
	化学系	52	21	17	14
	生物学系	17	4	10	3
	地质地理学系	28	8	11	9
法商学院		272	69	86	117
	法律学系	72	25	32	15
	政治学系	62	20	12	30
	经济学系	91	19	33	39
	商学系	47	5	9	33

（国立西北大学档案，陕西省档案馆）

四、1946年的国立西北大学概况

国立西北大学校史概况

本校原为国立北平大学、国立北平师范大学、国立北洋工学院三校院合组而成。缘民国二十六年"七七"变作，平津沦陷，国立各校院相率南移。九月，教育部乃令平大、师大、北洋工学院三校院合组为国立西安临时大学，迁设西安。聘任徐诵明、李蒸、李书田、童冠贤、陈剑翛、臧启芳、周伯敏、辛树帜诸先生为筹备委员，并批定徐诵明、李蒸、李书田、童冠贤、陈剑翛五委员为常务委员，组织常务委员会，商决校务。十一月十五日开课。二十七年三月十六日迁离西安，四月奉部令改校名为国立西北联合大学，校本部及文理学院、法商学院设城固城厢，工学院设城固古路坝，医学院设南郑，农学院设沔县，分别部署，先后上课。七月部令撤销筹备委员会改组为校务委员会，原有筹备委员改为校务委员，先后增聘胡庶华、张北海两先生为校务委员，指定李蒸、徐诵明、胡庶华三先生为常务委员。又令农、工两学院分别独立，改设为国立西北农学院及国立西北工学院。教育学院则改称为师范学院。二十八年八月，复奉令改组为国立西北大学，同时师范学院、医学院亦独立设置为国立西北师范学院、国立西北医学院。

　　以上自临大而联大,而西大,原分 6 院 23 系,联大时农、工两学院分立;改组为西大时,师、医两学院又分立后,本校文理学院奉令分为文学院及理学院,合法商学院共为 3 学院。二十九年八月,调皮宗石先生任本校校长,未就职,校务由教授王治燾先生代行。十月,部令派参事陈石珍先生代理校长。三十一年三月十二日行政院决定准免皮校长职,任命赖琏先生为本校校长,五月四日赖校长就职。三十二年八月奉令于法律学系内增设司法班。三十三年二月,赖校长以在中央另有任务,一时不克返校,部派教务长杨宙康先生代理校务。七月,行政院决议任命刘季洪先生为校长,刘校长于八月二十六日到校接收视事。即自三十三学年度起于文学院内增设边政学系,并于训导处下改设生活管理、课外活动、体育卫生三组。三十三年十月中央发动十万知识青年从军运动,本校遵令于十一月一日成立本校青年志愿从军委员会,计共送志愿从军男生 52 人,女生 2 人。本校自改组成立迄至三十四年暑期,计共毕业男女学生共六届 1 636 人。本校前奉二十九年四月部令,指定西安为永久校址。三十四年八月,奉部电令指定东北大学西安校址拨与本校使用。三十五年五月迁设西安。八月,国立西北医学院奉令并入本校,购定崇礼路西北制药厂为院址。

第三节　国立西北工学院

一、1939 年间的国立西北工学院视察报告

国立西北工学院

(一)视察概况

　　该院本部设于城固之古路坝,二、三、四年级学生在此,分院设于七星寺,专收一年级及先修班学生。古路坝除利用天主教堂房屋外,另建宿舍数十间,七星寺除利用全部寺庙外,另建宿舍教室及膳厕十余幢,勉强敷用。七星寺场地尤为宽敞,全院分土木、矿冶、机械、电机、纺织、化学、水利、航空工程及工业管理九学系,

规模颇大，学生948人，此外先修班学生38人，矿冶研究部学生1人，共987人。教员专任者130人，兼任者6人，计136人，待遇情形与西大同。职员专任者106人，兼任者6人，合计112人，两共248人，约每4个学生占教职员1人，工警共201人。古路坝学生568人，究其实际容量，教室至少可容780人，宿舍也称是。七星寺现有学生508人，其中89人为西北大学之先修班学生，与工学院先修班合并办理，教室可容632人，宿舍可容652人。该院学生听课颇认真，对于课业均知注意，一年级学生尤称勤学，教本缺乏，酌以讲义补充，或各年级互相借用，颇有互助精神，先修班学生对于功课，比较不甚注意，选择教材或有问题。教员教学颇热心，缺课极少，学生请假亦不多，各种作业尚称认真，各科平时考试次数，视其学分多寡定之，凡二学分者考两次，三学分以上者考三次，殊少例外，考试亦极严格堪供他校参考。各科教员对于校务尚能关心，惟少数教职员迫于生活，难免消极，各系均有几位著名教授，颇受学生欢迎，虽时有半途离职他就者，但所缺课业多由同系中其他教员代理，尚少缺课情事，因之少数教授常有任课至十六七小时者，助教离职者颇多。盖鉴于待遇菲薄，兴趣不浓故也。

该院教学设备，以矿冶、土木两系及物理仪器最佳，航空水利系次之，其他如机械、化学、纺织等系似不敷应用，极须设法。纺织系毫无实习设备，仅于暑假内指定一二纱场为学生实习场所，实际经验殊嫌不足，因之一般认为学理尚可，经验不足，不如抗战前平大学生之受人欢迎也。书中西文共1.6万余册，西文专门杂志在一九三九年以前颇称完备，中文杂志甚少专门性质，各科教授鉴于新书之缺乏，专门研究兴趣之淡薄，暇时多借阅中文古籍，可知其梗概矣。

本院学生内务欠整洁，分院较好，盖一年级及先修班管理较严，无过去不良习惯之传染也。学生思想一般尚无问题，党团组织亦无不合，惜少活动。学校为提倡节约起见，谢绝一切不必要之酬应，由教职员以身作则，任何集会以茶点为限，贷金学生中如有发现吃烟者，取消其贷金权利。学生膳食以当地菜蔬太贵，不及西大及分院远甚，致颇有生肺病者，营养不良为其只要原因之一。学生礼貌尚好，分院更佳。对体育不甚重视，半由场地狭小设备欠佳，半由功课繁重所致。

与校外合作事业不甚多，比较以资源委员会委托办理之油□化验及陕南炼焦原料之试验，最为重要。其与毓文铁工厂订定借□机器规约，仅供一部分学生实习之用，将来机械科工厂设备完善时，此约即可作废。关于学生研究学术组织，记有建设、土方、矿冶、电机、机械、化学、水利、航空、纺织等工程学会。黎明机工、天枢、电工、团契、合乐等音乐会，正风、金风两读书会，国风、天虎、金戈三剧社，晨光、青声、建设、挖掘、西风暨各系壁报 13 种,以及其他 3 种。五光十色,应有尽有,课外活动则有各种社会教育活动,如夜校、补习学校以及各种比赛,多以限于经费不能尽量开展。本年度经费支出,撑持为难,特订定□依方案计 23 条,严格依照预算,认真执行,以期收支符合,殊为可取。

(二)视察意见

该院学风尚优,教学亦颇认真,虽一般教员困于经济,不能提起研究精神。院长赖琏常住分院,不常来院,本部一切院务由教务主任潘承孝处理。惟诸事按部就班,考试十分严格,绝少缺课情事,殊为难得。各系大部分设备良莠不一,矿冶则多向焦作工学院借用,土木则向东北大学借用,所有其他如机械、电机、纺织、化学等,仪器则殊缺乏,不敷应用,影响学生实际技能颇巨。图书尚勉强足用,惜少最近刊物。与校外机关合作事业,尚须增多种类,加强联系,以期学生获得实际经验,对于抗战有更大贡献。

少数教员因中途离职者颇众,临时增加钟点十五六小时之多,不能专心致力于原有课业,助教变动过大,不能安心工作,殊与培养未来大学师资之目的有背。院本部内务颇嫌散涣,体育活动尚须多于提倡,学生膳食不及分院办理之善,致生病者时有所闻,均须随时注意,设法改良。

(民国档案,中国第二历史档案馆)

二、《全国专科以上学校要览》中的"国立西北工学院"

(1942 年)

(一)沿 革

民国二十七年七月,教育部令将国立西北联合大学原有之北洋工学院、平大工学院与东北大学工学院及私立焦作工学院,合并改组为国立西北工学院。并聘李书田氏为筹备委员会筹备主任,胡庶华、张清涟、王文华、张贻惠、张北海、雷宝华诸氏任筹备委员。八月十日,本院筹备委员会成立于城固考院,遵照部颁改组办法,开始筹备。同月,勘定陕西城固古路坝为本院院址。古路坝院址,原系西北联大借用意国天主堂之一部,本院仍旧借用。惟以宿舍不敷分配,仍计划添建师生新宿舍 96 间。十月二十三日,接收西北联大工学院院产学生成绩及有关文卷,同时东工移交之设备及学生成绩,一并接收,焦工之图书、仪器、机械等,商定由本院借用。十一月十日,筹备委员会迁古路坝院址办公。十二月十一日,本院开始上课,分设土木工程、矿冶工程、机械工程、电机工程、化学工程、纺织工程、水利工程、航空工程八系。土木系以原东工、北洋、焦工之土木系合组,矿冶系以原北洋、焦工之矿冶合组,机械系以原平工、北洋之机械系合组,电机系以原平工、东工、北洋之电器系合组,化学纺织二系则是平工原有学系,水利系航空系由北洋土木系水利组,机械系航空机械组分出组成。筹备期间,约有学生600余人,十一月底一切就绪。

二十八年二月,部令以本院筹备完竣,着撤销筹备委员会,聘秦瑜氏任本院院长。在秦院长未到院前,特聘中委赖琏氏代理。赖代院长于三月十六日宣誓就职,同日开学。五月中充实工科研究所,暨工程学术推广部,俾对工程学科多作高深研讨,并辅助西北生产事业之推进。七月秦院长留欧未返,教部正式聘请赖琏氏为院长。八月一日分地上课学生全体返院,同时举行第一届毕业典礼,毕业生共144人:计土木系65人,矿冶系21人,机械系13人,航空系12人,电机系20人,化工系6人,纺织系7人。十二月二十三日,由院务会议,修正本院组织大纲,订定各项章则,而法规乃具。二十九年元月,呈奉教部指令,以本院系于二十七年七月二十七日,由部令饬合并改组,定是日为本院成立纪念日。

(二)行政组织

本院设院长一人,院长办公室设秘书、助理员各一人,分设教务、训导、总务三处及会计室。教务处设主任一人,体育组及卫生室,各置主任一人,分设注册组、仪器组、出版组及图书馆各置主任一人,组员、馆员、教务员、助理员、书记各若干人。训导处设主任一人,分设生活指导组、军事管理组,组员、训导员、军事教官、军事助教、医士、护士、司药、书记各若干人。总务处设主任一人,分文书组、出纳组、庶务组,各置主任一人,组员、事务员、助理员、书记各若干人。会计室设主任一人,佐理员、事务员、书记各若干人。此外分设:迁运、建筑、编译、审查学生贷金、审查学生公费各种委员会,各设委员若干人。总干事一人。

(三)院 舍

本院于二十七年八月,觅定陕西城固古路坝为院址,其地东北距城固县城20公里,西北距南郑(汉中)40公里,道路均属平坦,而由宝鸡至南郑有西北公路,由成都至南郑有川陕公路,由天水至南郑有天双公路,南郑至城固有汉白公路,交通亦称便利。远隔市尘,气候温和,环境岗峦起伏,风景清幽,颇适修学,院舍是借用意国天主堂之一部,由本院稍加修缮。二十七年度添建师生宿舍96间,现复添建学生浴室,均系普通建筑。

(四)设 备

本院现有设备概况如下：

1. 图书馆设备：类别为总类、哲学、宗教、社会科学、语文学、自然科学、应用技术、美术、文学、史地 10 种。其中属于中国文者计 11 370 册，属于外国文者计 3 807册，共计 15 177 册。内借自焦工者 13 101 册，余系北工、平工、东工所移交及本院所购入。惟焦工图书，以运输困难，尚有一部分未能运到。而本院因经费拮据，所购图书，为数亦微，刻正设法购运，充实图书设备。

2. 测量仪器室设备，除北工、平工之仪器，因受战时影响，全部未能运出外，现仅运到东工及焦工测量仪器之一部应用。计有：经纬仪 12 架，水平仪 9 架，平板仪 7 架，六分仪 2 架，手擎水平仪 5 架，罗盘仪 3 具，流速计 3 具，标尺 31 根，气压表 2 个，钢尺及皮尺 27 个，标竿测深竿 39 根，铁针 100 根，三角镜 3 个，锁链尺 4 条，及镖旗铜垂球、分度器、测速器、绘图仪器等。以上仪器，每种分 6 组，每组 8 人，同时足供 140 名学生作不同测量实习，并可作简单之天文观测。

3. 矿冶陈列室设备，现有：岩石、化石、矿石、吹管分析、玻璃结晶模型、本质结晶模型、实习应用矿石材料等，共 1 716 种。多系购自德美者。矿冶设备，比较完全。

4. 化学实验室设备，现有：精细天秤 7 架，普通天秤 4 架，刻度量筒 27 个，量瓶 27 个，烧瓶 109 个，各式漏斗 97 个，烧杯 120 个，瓶类 176 个，量管 43 个，镍锅 21 具，比较表 3 具，温度表 2 具，蒸发器 19 个，古磁干锅 29 个，滴定管 74 根，煤气灯 2 盏，喷灯 11 盏，铁锅 5 个等。各种实验药品，可作定量分析与定性分析之用。

5. 电信实习室设备：本院成立后，始有无线电实验之设备，现经设法收集所得之材料，计有：六灯外差收音机 3 管，收音机各 1 具，真空管 41 个，耳机 8 副，各种表计 4 个，喇叭 2 个，电话机 1 具，储电器 86 个，阻力器 75 个，各号漆皮线 500 米，天线 3 份，蜂音练习机 8 具，管座 20 个，各式罗线 2 匣，插销 2 匣，各种工具 2 套等。可作普通简单实习之用。

6. 航空系设备：现有航空应用仪器 19 种，飞机模型 2 架（系旧坏飞机），及飞机上应用各种图表，均可供学生参考。

7. 电机系设备：所有电工仪器，尚存绵阳，现正设法迁运，一俟运院，即可应用。

(8) 机械系实习工厂之仪器，有车床 8 架，钻床 1 架，桌钻床 1 架，刨床 1 架，牛头刨 1 架，磨轮 1 架，机器锯 1 架，及 18 匹煤气发动 1 架，现存宝鸡，拟与陕西建设厅合办机厂以供后方生产,又可供学生实习之用,现正计划中。

此外尚有物理仪器采矿试金仪器及化学仪器之一部,均分存凤翔、宝鸡等处,现在迁运中。

(五)院系情形

本院现设:土木、矿冶、机械、电机、化工、纺织、水利、航空及工业管理九学系,暨工科研究所矿冶研究部与学术推广部,共开设32班,各系所部各设主任一人,土木系主任聘教授金宝桢兼任,矿冶系主任聘教授任殿元兼任,机械系主任聘教授潘承孝兼任,电机系主任聘教授刘锡瑛兼任,化工系主任聘教授萧连波兼任,纺织系主任聘教授张汉文兼任,水利系主任聘教授刘德润兼代,航空系主任聘教授罗明燏兼任,工科研究所主任聘教授刘锡瑛兼任,矿冶研究部主任聘教授雷祚雯兼任,推广部主任聘教授王文华兼任。全院教职员共159人,现有学生:土木系214人,矿冶系112人,机械系145人,电机系116人,化工系56人,纺织系51人,水利系50人,航空系83人,研究生1人,共计828人。内正式生811人,借读生10人,特别生7人,各系设备,已详前项,兹不赘述。

(六)学　生

1. 本院学生日常生活:每日上午6点起床,7点升旗,7点15分早餐,8点至11点50分上课,12点午餐,下午1点至4点50分上课,5点晚餐,7点至9点30分自习,10点就寝。每月举行国民精神总动员月会一次。

2. 本院学生团体生活有下列各会社团:(1)新生活运动促进会;(2)各省市同学会;(3)讲演会;(4)座谈会;(5)小组讨论会;(6)国剧社;(7)音乐会;(8)合唱团;(9)口琴队;(10)文诗社;(11)话剧社。其课外活动则有:各种球类比赛、越野比赛、爬山比赛、清洁比赛及太极拳研究班。关于劳动服务,则组织劳动服务队,办理植树,提倡农村副产。关于社会服务,则办理民众阅览室、民众夜校、民众施诊所及壁报社。

3. 本院学生每年所需用费:原订膳费每月9元,现因物价飞涨,增至20余元。书籍图书仪器算尺约费200元,零用杂支约100元。

4. 本院学生贷金名额:二十八年度共有605名,依照部订办法办理,其手续须具有申请书,向本院审查学生贷金委员会申请,并附证明,确系战区学生或原籍不在战区而家在战区,且用费来源断绝者,经审查合格后,始得请领贷金。关于公费生名额,定为全院学生总数2%,应有17名,抗战期间学生经济困难除膳费外,应缴各费全免。

5. 本院第一届毕业 144 人(详沿革中),第二届于二十八年度下学期毕业,有 143 人,计土木系 50 人,矿冶系 19 人,机械系 15 人,电机系 30 人,化工系 10 人,纺织系 5 人,航空系 14 人。前届毕业生出路,除由教育部及本院分别介绍于陇海铁路管理局、军政部制呢厂、兵工署、电力厂、中央广播电台、探矿工程处、黔桂铁路工程局、中国汽车制造公司中央机厂等处工作外,其他各生产机关,亦纷纷延聘,大有供不应求之势。

(七)学术研究

1. 本院教员对于学术研究,除改良土制洋烛、肥皂及淘沙金土法研究外,因缺少仪器,颇难进行,本院教授著作,登载本院季刊发表。

2. 本院出版物,现有本院季刊一种,年出四期,著论由教员撰述,第一期已于二十八年七月出版,第二期在付印中,每期印行 500 份。

3. 本院各系学生组织:土木、矿冶、机械水利、航空、化学、纺织、电机、各种工程学会,共同研究学术。

(教育部编《全国专科以上学校要览》正中书局,1942)

三、《抗战中的学生》中的《抗战的产儿——国立西北工学院》

(1942 年)

(一)伟大的时代——中华民族的最伟大的时候

中华民族为了本身的生存,东亚的和平与世界的正义,向它凶暴的敌人,英勇地展开了全面的、持久的、全民的生死斗争。中国的青年们,有些抛开了他们的课本,离开了他们的学校,参加到军队里去,用他们的血肉去保卫伟大的中国;有些组织起游击队来,领导着战区的民众,抵抗敌人的蹂躏,配合着前线的军队作战;另外有些人则随了政府迁到内地来,继续他们的研究和学习,预备充实起自己的力量,再去担当抗战建国的大任。总而言之,这个伟大的民族,已经觉醒而且负起了他在全世界的正义与和平而应负的重大任务了。

既战争不能不有牺牲,在前线上和敌人作战的,受风霜,忍饥寒,血染了每一个村庄,每一个角落。在战区里和敌人争斗的,不顾一切困难和危险,留下了许多可歌可泣的事迹,他们的勇气和志节,将永为人们所怀念。迁到后方的呢,一面支持着抗战,一面准备在任何时间去为国效命。

有许多青年学生,怀着报国的热诚,参加了军队,他们经历了许多艰险,并且为国家尽了他们的力量,不过因为他们感觉到自己的力量的不够,所以又回到了学校里。另外,还有参加游击队的青年,他们英勇地抵抗着敌人,虽然敌人一再施用毒计,实行扫荡,然而他们依然健在,因为战区的地方政府当局,觉得他们年纪轻轻的,然他们在战区中都负有重大的责任,但国家还有更大的任务要他们去完成,所以也选出一些来,送到后方,以求深造。

吴永清便是属于这种情形的一个学生。

他个子不甚高,身体极为强壮,不大发言,除了是做有意义的谈话,他的性格和他的面貌一样,是沉默而且严肃。他虽然是一个很富于感情的人,但是因为以前没有离开过家庭,离开过父母,所以不大喜欢交际,待人好像是很冷淡,但和他处久了的,却都认识到他是一个坦白热心的人。他虽然不很聪明,但在中学时代还可以听到教师们的称赞。不过,这我们与其说是因为他的勤奋,还不如说是因为他的家庭教育很不错,他小的时候,在家里念些书。

在卢沟桥事变未发生之前,他在北平某工学院里(那名字因为他不愿让别人知道,所以作者只好删掉了)。事变后,因为他是河北人,于是就和他的一些同学,参加了本乡的游击队,他们办理国民动员,发行报纸,以鼓励民众的抗战情绪和勇气,并且还领导着武装的民众,得过几次光荣的胜利。

工科学生在抗战中的工作有一种显著的特质:在学校里他们都不大活动,不喜欢参加什么开会游行这一类的事,这一则因为他们太忙,再则因为他们认为这样离实际太远。他们是丢下了书本就工作,他们大都不爱替自己吹嘘,因之他们并不大为人知道。他们都认识自己是平凡的人,在需要他们的时候,就默默地担负起他们的工作。他们做工作和做功课一样,他们只能尽力去做,他们从不踌躇。总之,他们做些实地的工作,而且是些讲究实际的人。

继续求学,当然是吴永清很愿意的,但他没有想回避个人的责任,实在说,他回到学校里,他自己以前也未料到的,因为他以前是读工科,所以就入了国立西北工学院。

(二)院 史

国立西北工学院是抗战中成立的,论起它本身的历史,不过只有短短的两年。它是合国立北洋工学院、国立北平大学工学院、国立东北大学工学院、私立焦作工学院四个工学院而成的。所以,如果我们要叙述西北工学院的历史,必须先来追述这四个工学院的历史。

中国自从鸦片战争以来,对外交涉,着着失败,一直到清朝末年的时候,几乎要不能存在了。一般稍有学识的人,才认识到"天朝"的武力,确实比不过"洋人",当然中国的"礼仪"和"纲常",是洋人所不懂的,但是论到"兵戈之利"和"器械之精",中国还有效法外人的必要。他们提的主张是:"中学为体","西学为用",换言之,一方面要提倡中国的旧道德,一方面要学习"洋人"的本领。所以光绪时许多学堂就纷纷成立了,那时学习的范围不过是"军事""器械""法律"和一些关于西洋的知识,不若现在的人以为什么都是外国的好。

北洋工学院和平大工学院就是这样成立起来的。

照过去的历史来讲,北洋工学院很可以自豪的,其开办的时间最早(1895),造就的人才也特别多,如前驻美大使王正廷和现在的教育部长陈立夫便都是他的学生,特别是前些年,北洋大学的学生,是很受一般人所崇敬的,即在近年来北洋工学院功课之严,仍旧很驰名的,下面是它的略史。

1895年,盛宣怀(晚清一位有名政治家)在天津设立中西学堂,除背诵课程(经学)之外,学生尚需兼习工程、电学、机器、矿务、律例之一种。后来改了北洋大学堂,有工、法二科。民国六年法科并入了北京大学,然北京大学的工科合并给北洋,但是名称则仍沿用以前之北洋大学。北伐完成以后,北平大学成立,北洋大学被合并称北平大学第二工学院。民国十九年,脱离北平大学独立,而称北洋工学院。

北平大学工学院是1903年成立的,最早的名字是京师实业学堂,民国成立以前改成北京高等工业学校,不过,在改立工业大学以前,还只是一个高等实业学校,不能叫做工学院的。民国十二年正式成立了北京工业大学,民国十八年北平大学成立以后,即成了北平大学的工学院。

北平大学工学院所造就的工程人才,历年通共不到2 000人,但他们已经遍布到全国的各工业机关,对于中国的建设工作,发生了很大的力量。

焦作是一个镇子,隶属于河南省的修武县,因为附近有煤矿的关系,一天天地繁荣起来,形成了一个著名的地点,满清曾将采矿权让于英国人,不过后来是收回了。

焦作工学院本来是焦作路矿学堂,后来又叫福中矿务大学——福中是两个煤矿公司的名字——民国二十年才正式成立了焦作工学院,有土木矿冶两系。

焦作工学院,虽然不算怎样赫赫有名的学校,但从成立工学院后,锐意改进,日趋进步,如果不发生事变,前途大有希望呢!

所谓"东北",是指辽宁、吉林、黑龙江、热河四省而言。

许多不明中国情形的外人,因为受了日本人的欺骗,还以为"东北"真的有满人,其实东北的 3 000 万人,早已没有汉人、满人的区别了,即便是移到关内来的满人,也早已和汉族混合。请读者注意①,民族国家是工业革命以后才有的,中国历史上就没有同化异族的事,只是民族的混合生成新的民族,现在早已没有人说汉人满人了,汉满已经没有行迹上的区别,而都自己说是"中国"人了。

东北大学成立在民国十二年,沈阳事变发生以后迁到北平,1936 年 2 月工学院先迁西安,次年 6 月,正在卢沟桥事变之前,其他学院也陆续迁至西安了。

(三) 告别了北平

古路坝是隶属于陕西省城固县的一个小村庄,位置在万山丛中,风景绝美,距汉中约 35 公里,从汉中出发向东南走,渐渐到了山脚下,沿着蜿蜒的小道,越爬越高,翻过一个个的小山丘,沿途经过些狭长的山谷,耳听些潺潺的水声,有时还可以见到小的竹林,偶然也有人家,但不过是三两间茅舍,人烟稀少的令人几乎疑惑是探索桃花源去了。约行 10 余公里,豁然开朗,有一个大的建筑矗立在前面,附近有一个小的村镇——这便是古路坝了。

从古路坝向周围看,只见些高山,向南望去,气象巍峨的,那便是有名的巴山。到天阴时,巴山便被云遮住,或者只看到云下的山腰。

山上的树,虽然近来被人伐掉的已经不少,但距古路坝稍远一点的山,仍可看到一片片的葱郁。山上的树,大都是松柏杉之类,冬日也不落叶的。若站在山坡边,向山谷中望去,则是一块块的方形稻田,一级级的,好像天然的梯子,山坡上也有垦成田,种小麦的。

国立西北工学院的院址,是借用天主教堂的建筑,就在一个小山顶上。教堂的教主是意大利人,建筑若旧日的中国书楼,雕栏,漆柱,粉墙,相当的华丽。房子不够用,便在山坡上又修了一排排的宿舍,鳞次栉比,排列得很是整齐,旧日的建筑则做教室等用。

工学院的学生,多数在晚饭后,三五成群,到附近的山坡边去散步,这一则因为散步是一种有益的运动,再则可以就此和几个知己的朋友,谈谈心互慰各人的寂寞。所以,吴永清来到以后,不久也就染上了这种习惯。大多数的人,总爱回忆过去,而从北平、天津出来的学生,大家总是爱提到北平和天津。

"卢沟桥事变的时候,我正在北平",吴永清说。这天他正和他的一个旧日同

---

① 这是对外国读者而言。

学与一个新认识的朋友方朋,在山坡边散步,而他们谈话的题目,不久转到了过去。

"我也是正在北平",方朋说:"你是什么时候离开那儿的?"

"8月8号,平津通车的第二天",吴永清道。

"那我们还是一趟车",方朋说:"那一天在微雨中我告别了北平,车是晚间12点才到的天津的东站,残暴的敌人,对我们的同胞任意地呼喝、打骂,那种态度……出了站,我便进了法租界,仗了我天津有几位亲戚,后来便搭了英国的轮船到了烟台。

"我走的完全是另外一条路线",吴永清说:"我是在总站下的车,住在一个侥幸未被炸中的小旅馆里,第二天我转了一趟,看一看劫后的情形呀!真惨!街上是堆满了破砖乱瓦,一切大的建筑都被炸毁了,只剩四面的高墙,兀自地矗立在那儿,街上的行人,非常的稀少,大家低了头,匆匆地走着,只有狞恶的日本兵,持着枪和明晃晃的刺刀,傲然地站着。一到晚间七八点钟,街上就断绝了行人了,黑黝黝的,好像鬼世界似的。后来我和逃难的百姓一块儿出来,回到本国的怀抱里。"

"那时候他们恐怕没有想到。"伍昭笑着说:"我们中国会愈战愈强,那儿日本兵,我想,恐怕早就作了'圣战'的牺牲了。"

"那还有问题?"方朋道:"实在说,他们也怪可怜的,离开他们的父母和妻子,被强迫来中国送死,死也死的不明白。"

早先他们总以为不会打得怎样久,所以他们占了北平、天津,还觉得怪得意的。吴永清说:"现在怎么样呢,他们常对我们中国哭,说他们此生回不得家了;战区的人们,见他们哭过的,真是太多太多了。"

方朋说:"我想,照这样打下去,明年这时候我们大概可以回北平了。""这我倒不敢说",伍昭说:"不过我以为战争的时间越延长,敌人崩溃的就越快,战争的延长是与我们有利的"。

"那当然。"吴永清说:"回想起来,也怪有趣的,开战的时候,日本吹牛说要两个星期亡中国,现在不但证明了中国是不能征服的,日本的'国运'恐怕不久还要输掉了呢!"

(四)国立西北工学院是怎样成立的?

"我于8月中到了济南",方朋说:"住了几天,就和许多学生一块儿去到南京,看到许多令人兴奋的地方,各方面的进步真快,和我前几年到南京时大不相同了。一切战时设备和我们的空军等,使我一方面佩服政府的努力,一方面才认识了我们中华民族的伟大的建设能力,从那时起,我就知道我们的最高领袖,对于抗战确实是有决心,有计划,有把握的。以我们这样伟大的民族,这样的领袖……不能得到胜利?……后来,教育部的人告诉我们,北平大学、师范大学和北洋工学院,要成立西安临时大学了。他们并且表示,如果愿意参加军队,当然是可以,不过最好还是回到学校里。一则因为中国有能力的人太少,再则我们一方面要抗战,一方面还要建国,建设的人才是很需要的,结果虽然参加军队的学生很多,我则选择了后者,来到了西安。"

"我也是这样的意思",伍昭说:"所以我从家里直接赶到西安来了,不多时,敌人沿平汉线进攻了,焦作工学院也就搬来西安,西安市上突然添了两三千大学生,煞是热闹,空袭警报虽也有时有,但总算安安稳稳地上了两个多月的课,一个学期告了结束。"

"我有一次忘记是什么地方见了一本破杂志,上面有人写了一篇□□□□你们的迁移,说你们是怕死,说什么敌人未来就先逃跑了,说的最响的是□□□□的也是学生。"吴永清说:"对于那种说法我是不能赞成的。"伍昭说:"无谓的牺牲是削弱自己力量,换言之,无异是增加敌人的力量,如果大家应该照他说的那样,硬了头皮充好汉,为什么政府还要命令疏散居民呢?而且在西安也不能算好汉哪,还是到前线上去。既不去杀敌,又不能读书,就算在西安干什么?"

"你们在搬家的时候恐怕和游牧民族差不多?"吴永清说:□□□□的意思。"也许",伍昭说,很正经的,"游牧民族未见得就是一个□□□□我们是3月20号左右离开西安的,是不是,老方!"

"啊,是的",方朋答道:"从3月起,西安的警报开始多了。"

"乘车到宝鸡以后。"伍昭继续说:"焦作工学院的学生,坐汽车往天水去了,我们和东北大学的学生是徒步;东北大学路比较远,走得很快,学校里买了些帐篷和锅,行李和锅都交给汽车前面走,我们是一队队的,好像古时候的军队,中午野餐,晚上会了汽车后埋锅造饭。"

"我想那是一种很有趣的生活。"吴永清说:"真的,太有趣了,使我们有一个机会度一度野外生活,对于我们是很有益处的。因为恐怕路上会发生事故,每一队发了几只枪,我们便用来白日抓野鸡,夜间防狗熊,野鸡肉味很美,我们吃得很痛快,白天走一天,夜间便宿在深山□□里,因为是春天,风景很美,真是看不尽的高山流水,赏不尽的奇卉异草,十几天的时间,我们身体强壮了不少。"

"工学院是什么时候分出来的呢?"吴永清问:"就在是年暑假。"方朋答道:

"教育部 5 月中来了一道命令是:西安临时大学改成西北联合大学。7 月间,又一道命令叫农学院和工学院独立,同时焦作工学院和东北大学工学院也奉令和西北联大工学院合并,成立了独立的国立西北工学院。"伍昭对于这种几月几日的小事,向来都记得很清楚的。

"原来北洋工学院有五系:土木、电机、机械、航空、矿冶;平大工学院有四系:化工、纺织、机械、电机;东大工学院两系:土木、电机,焦作工学院两系:土木、矿冶,所以我们是共有八系:化工、纺织、矿冶、土木、水利、机械、电机、航空;全院共有 1 000 多人,可以说是全国最大的工学院了。"方朋作了一个结论。

院长赖琏说:"本院创立于国家民族存亡绝迹之际,合四大工学院而成,其学生之众多与系别之完备,堪称全国工程学府之冠,足征青年报国情绪之殷,而政府期待青年之初也。"

(五)困难与进步

吴永清才来到工学院的时候,总觉得有些不大对劲,原因是什么呢? 他自己也有些说不出。"一个人进到一个新环境里",他想,"大概总有些不惯,也许时间久了,可以好些"。于是他又仔细去分析,觉得在某几点上,工学院确乎还未能合乎他的理想,"不过他又发现,无论学校的办事人,教授或同学,虽然不大说什么,但他们却有一个共同的地方——这就是乐观和紧张。办事人一天到晚忙忙碌碌。他们的共同目标是要使学校的设备完善起来,学生的功课充实起来。教授们一天忙忙碌碌,他们一方面是在努力研究,一方面是想尽自己所会所能的完全教给他们的学生。学生们一天天忙忙碌碌,是做实验,作测量,演习题,他们的希望是尽可能地多学些技能。所以,渐渐地他由不满意而变成佩服,由不习惯渐变而为去学习了。他觉得很奇怪,难道我以前观察的完全不正确吗"? 他常这样问自己。

一天,他又去找伍昭,伍昭恰好没有课,两人开始闲谈起来,他便把他这种感想告诉给伍昭听了。

这是很自然的,伍昭听完了以后,点了点头说:"以前在北平天津过惯了大学生生活的,初来了,自然要有些不惯。设备方面啊,享受方面啊,当然比不上以前。因为希望不能完全实现,自然要有不满意的,当然,现在我们怎能有满意的一天呢? 要想满意除非把敌人完全赶出去,我们把现代化的国家建设起来。"

不过,抗战期间的学校,就是有这样一个特点——我们要用精神战胜物质,每一件东西,总得要尽量利用。例如有一件东西坏了,但是我们还可以利用做其他的东西,就说那两架破飞机吧,改成了多少零件! 实在不能利用了,还可以做标本,叫同学们去观察它的构造。再譬如我们的书籍,是不怎样够用,但是图书馆可以借给一部分,同学们对于自己的书也爱惜了,自己用完了,还可以借给别人用。

对于时间,现在大家说也是不肯放松的。实在说,在现在这种环境办教育的、教育人的和受教育的,不能不算是在忙里偷闲。别人都去拼命,去流血去了,我们还是安安稳稳地在这儿一天价上课、运动、睡觉,怎可不趁这机会努力,准备将来更大的变故来到,我们好把力量用出来,做一份工作——负一份责任呢?

"就学校的实际状况来说,除了现在的土木矿冶有一批东西,物理化学的实验的全部设备,今年夏天可以全部完成以外,水工实验馆可以同时落成。至于电机、机械、航空的设备,一方面在把旧日焦作、东北的东西,陆续运来,一方面购置新的东西。"

"各位教授先生的薪水,比抗战以前都要少了,然而谁有怨言!各位先生差不多每天都是看书,看杂志,做研究。"

"这种态度",吴永清说:"不但是必要的,而且是应该的"。

"当然",伍昭说:"抗战中凡是中国人都觉醒了。我们这个工学院每年毕业出去的要有200多人,这200多人都是战士。他们虽不能执戈陷阵,但他们是这发展抗战的物质力量,他们就是些建国的柱石。试想他们都跑到工厂里去,使每一个齿轮都转动起来,每一件引擎,每一具摩托都送出能力,制作出衣服、汽车和武器来,跑到矿坑里去,把我们的富源开发出来,试想那些钢铁煤油,对于抗战,该有怎样重要的关系"?

"工学院的学生自然不能率领着军队,把敌人杀个大败,也不能和文法科的学生一样,去做政治上的宣传。比较好的,如果能有新的发明,当然是极好了,否则也还可以做齿轮上的一齿,绝不致失了他的职责。工程上的发明,不是和做文章一般,不管好坏,人人都可以做得上来的。"

"建国的大道理",吴永清说:他听见下课号吹了,站了起来,"实在说起来,还不就是些老生常谈"!

"有课吗?"

"嗯"!吴永清告辞了,走了出来。

(六)刻![1]

冬天到了,天黑的很早,每吃完了晚饭,天就暗了,学生们不能再去散步,大多

---

[1] 刻:即刻苦,战时工学院学生通用的一个术语。

数回到自己的宿舍去,稍微活动活动自己的肢体,或谈两句天,然后有人就点起蜡烛来。另外有些人因为嫌宿舍中人太多,就跑到教室里去。每到晚间教室里固然是灯烛辉煌,而从宿舍外远望,各排宿舍放出的光亮,也都使宿舍的附近一片通红。

蜡烛是学校里发给的,所说的灯则是用白铁片做的,盛了菜油,给大宿舍中公用,每层里有两盏或者三盏。凡是太用功的学生,蜡烛都不大够用,比较有钱的人,就自己去买一些,有些人就利用那些灯,好在晚间本来宿舍里有人点蜡,灯是不必要点的。有些人则另外找一个破碗,把灯的油倒在碗里点,因为这样可以任意用几根灯芯,比较亮些。

吴永清的宿舍里,大家对于用油好像是有默契的,有三四个是不点油的,另外一两个人是主张早起的,他们的蜡是足够用的了。几个用油的人,大家轮流着倒,即使有人倒得次数多些,也不至于发生争执。

一天早晨,起床号吹了,大家都从温暖的被窝里爬了出来,他们是时常一面着衣,一面谈话的。

"老吴",一个绰号小胖子的,和吴永清同屋睡的说,这时候他已经离开了床,正扣着扣子,而吴永清则还坐在被窝里刚披上衣服。"老吴",他说:"你昨晚上什么时候睡的。""不怎样晚。""还不怎样晚?昨天我睡的时候,已经过十二点了,你还没有回来。""我见他了",另外一个姓杨的学生说,他是主张早起的,这时候他早已洗完脸,坐着看了一段书了。"我睡了一觉起来小便,见他刚要睡觉,恐怕是一点多钟了。""小心啊,老吴。"小胖子说:"不要太'刻'了,前几天不是才有一个同学死掉了?"

"不是的",吴永清说:"因为昨天我向一个同学借了一本参考书,他说过两天就要看,所以我要赶快看完了。我刻什么?我们屋里恐怕以老李最'刻'了,他哪一天不是开夜车开到快一点才睡?"

"你们又要拿咱们开心了。"老李说:"咱这笨脑筋,不多看一会儿怎么办?又是五天一小考,十天一大考,不念拿什么及格?"

"老李是真有恒心,一天到晚,没有见随便说笑过,没有跑到运动场里,老是抱着书本子'刻'。喂,老李,死到这里,不如死到前线上去有代价。"小胖子半玩笑,半正经地说。

"实在说",吴永清说:"工学院的学生哪个不够瞧,不信,你看学生们的脸上有血色的有几个?很明显地,都是睡眠不足"。

"营养方面也差了一点。"小胖子加上一句。

"这种小地方",老杨说:"哪里能赶上大都市那样方便!要吃什么就有什么"。

"喂,喂,还发什么怨言!"吴永清说:"要不是前线上的将士拼命,哼,你还在这儿享受,早叫鬼子把你赶到喜马拉雅山没有人住的地方去了。你倒是想吃什么,每天要吃肉,吃的饱饱的,想发什么牢骚,看就该把你送到前线上去!"他的脸因激动而发了红色,脖子上的青筋暴起来。

"说玩话,你又要当真了!"小胖子半抱歉,半恼怒地说。

"不怪老吴说",老李好像要替吴永清解释似的,"抗战抗了要三年了,到现在肉尽你吃——只要你有钱买——饭尽你吃,战区的学生还领着贷金,来供给他们的读书费。看欧洲几个国家,一作战,哪个不实行统制。德国人在未作战的时候,就嚷'紧裤带'。咱们是战时跟不战时一样,有钱的照样西服革履,大鸡大鱼,其实以前内地哪里赶得上现在。现在好,宝鸡又是扩马路,又是盖洋房,汉中也是修,修,真是一面抗战,一面建设,再抗上两年,宝鸡汉中恐怕都成了全国的一二等都市,超过济南、郑州一类的都市了呢。不胜利?骑着骡子看书,走着瞧吧。"正说着,"帝大,帝大"的号声送过来了!"预备号",吴永清说:"要升旗了"。大家蜂拥地走出宿舍。

(七)战时生活

说是战时和不战时一样吧,却也未必尽然。

几天来,天朗气清。

上午第一课,教员正讲,学生正用心地听着。

"噔……噔……噔……"锣声响。

不知是谁说了一句"是警报!"

学生们都把书拿起来夹在腋下一个个地走出教室,向校门外走去。

吴永清和他的两个同班,一边走,一边谈着。

"真讨厌,上着课来警报!"

"我们这地方是没有关系,在山丛里,不容易找到。"

"找着又会怎样?炸他也炸不够本!"

"就是能让我们补课。"

他们出了校门,转下一个坡,下面是一道沟,一人多深,沟的下部因为水冲刷的关系,容量很大,上面则是一条很狭的缝,生在沟里,也刚可以望见天。他们走过去,便坐在沟边,田里的稻子已经很不矮了。

"飞机来了,我们就下去,这种天然的地下防空洞,请他们来炸吧!"

"除非炸弹恰好垂直下来,冲着你的脑袋。"

"古路坝的地势是真好,崎岖的坡、沟,满山的树,任意一个地方都是防空胜地。"

"敌人就是会炸文化机关,重庆大学听说又炸了。"

"他也不想想,我们不是怕炸的!"

他们谈了几句,便各人打开自己的书去看。

……隐隐地听见校里"喳喳喳……"急促的枪声。"紧急了,"不在意地。"唔",吴永清的腿上跳上了一个小虫儿,及至他去赶,一下又跳走了。大家仍低着头,读各人的书。

过了十几分钟,听到远处有飞机的声音了,渐渐近了。"五架",吴永清抬头望了望,飞机并没有往他们头顶这方向来。一会儿,又远了,大家仍去看自己的书。

又过了有二十分钟,山头上送来洪亮的号声。"解除了。"大家立起来,拂一拂土,书依旧夹在腋下。

"我们回去了!"

学生们都回来了,三三两两的,且走且谈着。

"前天上午,过去了八架,也没有警报,你听了没有?"吴永清听在他前面的两学生谈着,一个较矮的学生向另一个学生问。

"那是我们的飞机,今天送来的报,你还没有见吧?轰炸运城敌人的飞机场。"那一个说。

"以其道还治其人之身!"矮子说。

那一个道:"我们如果真得到日本去炸一炸,那他们可真要吃不消了。"

吴永清看清了那两个学生,他从后面把矮子的学生的肩膀拍了一下,他们两人都回过脸来。

"喂,你也出来了。"矮的说。

"我为什么就不出来?"他反问,"我刚才听你们谈的高兴。"

"我们刚才谈去炸日本",高个子说。

"我想我们决不会和敌人一样,滥炸平民"。

我们不用怎样炸,高个子说:"他们就不得了了,只要他们的几个工业都市被毁掉了,他们的心脏,就算停止作用了,他们就要崩溃。对于我们,情形就大不同了。我们是一个农业国家,没有太重要的经济据点,我们的许多城市,不过是政治上重要的和商业上比较繁盛的地方罢了,而这些都是可以随意迁移的。所以即使把城市炸掉了也没有什么。我们真正的生产力量——小规模手工业和农业则在农村中,那他们一些办法也没有的。抗战以后,金融资本的内迁,使内地倒进步起来,这种情形,如果是不明白中国情形,没有到'自由的中国'来看一看的,真是做梦也想不到。资本的内迁,民族工业的内迁,使内地的繁荣,有一日千里之势,因了战时的需要,我们的工业再也不集中了,同时一批批工程人才,也集中力量去开发富源,要知道,这才是真正我们的工业。我们以前都是'东施效颦',结果材料也是外国的,机器也是外国的,工程人员成了专门的外货推销员。现在才明白了,那是不适合于我们的国情的,我们现在的新兴工业,才是合乎我们的需要的,才脱离了'完全的依赖性'。物质缺乏吗?我们有的是富源,只要我们拿出力量去开发,一切都不成问题。现在的中国,正是我们青年人用武的时候,才正是青年人用武的地方!"

"现在听说已经有很多地方来向学校要人了"。

"这可以证明我们的新式工业发展得怎样快了。去年哪一个毕业生不是十几个职业候着,中国现在工科学生每年毕业的比抗战前要多多少?然而更加供不应求起来,这就是象征我们'新中国'前途的光明,也就证明我们的力量愈战愈强的话是怎样有根据了"。

"只是怕我们本身不能负起责任来,负了国家民族的热望!"

(八)学生与国家

庄严的升旗典礼。

一千颗心儿,都注定在伟大的国旗上,在悠扬的军号声中升了起来,高高飘起在空中。

学生们刚要散去,院长转过身来,简单地说了几句话:"现在本院要扩大'伤病之友'的运动,希望各位同学踊跃参加,过去各种运动,同学们都很热烈,这次希望能有更好的成绩。"

是的,对于凡与国家民族有益的事,他们都是"踊跃而且热烈"的。

大家在饭厅里,一面用早餐,一面还谈着伤兵的事情。

"没有到过伤兵医院的",一个学生说:"想象不到受伤的战士是如何地凄惨的光景,断了胳膊的,坏了腿的,那呻吟,血……他们不也是一样有父母妻子的吗?

他们是为了全中国的人,为了我们大众!受那样的痛苦!"

"医药又困难,外国药品又运不进来!"一个说。

"我的贷金虽然不够用,但我要先捐上2元,过两天再想法子!总不至于一点办法想不出来。"一个说。

……

吃完了饭,一个一个地走出饭厅,一个学生一步步地踱着,吴永清在后面因为走得快的关系,不久两个人并肩了。

"喂!密斯特苏",吴永清说:"我记起来,上学期我们举行兵役宣传的时候,你画得漫画太好了!"

"过奖!过奖!"姓苏的学生说:"倒是你们老同学伍昭演剧,装日本人装得很像。"

"那些50多岁的老教授们也跑几十里路去宣传,那样冷的天,我觉得感动得很!"

姓苏的学生想了一想,"是的,前两天刚下过雪,本来说如果雪不止就不出去的,那一天是冷得厉害,好在雪没有化,走起路来还不至于怎样吃力"。

"可是",吴永清说:"你以为我们这次伤兵之友的运动能收集多少捐款?"

"那不敢说一定,不过两千几百元是不成问题,我们的葡萄酒,还要卖二千几百元咧!"

"什么葡萄酒?"

"就是办公室前面的大葡萄架,出的葡萄很多,我们拿来做成酒,去年卖了二千几百块钱,捐给前方的将士,作为慰劳,今年我们还要做的。"

"同学们不偷吃吗?"

"如果不是贡献国家的,同学们自然要吃了,这样,你要吃,同学们也不愿意,而且也没有人肯去损害那贡献给国家的东西!"

"的确",吴永清说:"抗战教育了我们,大家都已经认识到国家和个人的关系是如何密切了。当然我们的爱国并不是偏狭的国家主义,我们都是从困苦艰难中度过来的,知道一个没有国家保护的人,怎样悲惨地受着敌人的欺凌,任意的杀辱,战区的敌人对于我们的同胞怎样,只要从敌人要到某一个村庄去的时候,我们的同胞那种扶老携幼,儿啼母叫,那种没命奔逃的惨状……哎呀!我在战区里2年多,没有见过飘荡着的国旗,你想不出我来的时候,第一次看到我们的国旗飘荡着的时候的那种心情,真的!就和多年的游子一日见了久别的慈母一样。"

"我们应该时时反省,我们还有很多的同胞,受不到国家的保护,望不见我们的飘荡着的国旗,这实在是天下最悲惨的事了。希望不久的将来,我们的国旗仍可以飘荡在鸭绿江边!"

"我想这个日子是就要来到的了。"吴永清很有把握的说。

吹上课号了,吴永清和那个学生,互相点了点头,各人往各人的教室里去。

(九) 送 别

四年来的辛苦,一朝到了尽头,而学校生活要结束了,心头的滋味应该是怎样呢?

毕业典礼的会场上,来宾、学生挤得满满的,毕业生的行列,一队队的,穿得整齐的礼服,从一边转了过来,步入了场中。

全场是热闹的掌声。

开会之后,部长、来宾、院长……训诫勉励。

各人领到了自己的文凭,从此以后,要去担负起艰巨的责任了。

伍昭也毕业了,他已经决定到某某的某某工厂去,吴永清因为和他是老同学,而且二人的家乡也离得不甚远,来在西北工学院以后,感情又很不错,决定在伍昭离校的前一天晚上,和伍昭做一次长谈。

他去的时候,伍昭已经把东西都收拾好,只余一点被褥,留着晚上盖,正坐着休息他的疲劳。

他看见吴永清去了,连忙立了起来,笑着说:"可惜你来的晚了,我已经把东西都收拾好了。你们功课太忙,学年考试又要到啦,你又跑来做什么?"

"一晚上不看书不至于发生很大的关系",吴永清说:"我想我们这一离别,以后见面,相当困难,很想再和你谈一谈,我们走一走好吗?"

伍昭穿了件衣服,两人走下楼来。

各教室里的学生,都正在静心地做他们的功课,两人掇一条凳子,坐在葡萄架下。

"你最近有没有收到家里的信?"吴永清问。

"前几天家兄来信说,敌人时常下乡骚扰。"伍昭说:"他们是无恶不作,杀人放火劫掠,老百姓苦得没有办法,前些时发生一次战争,很激烈,虽然打死他们一个伪顾问,我们老同学张鸿陆却牺牲了。"

"张鸿陆牺牲了,呀!一位有为的青年!"

"我们这个时候,也不必为死者悲痛了,最要紧的是为死者复仇。"

两人静默了一会儿,一个萤火虫儿掠过他们的面前。

"这次英法联军的失败,法国的屈服,恐怕要使我们回家的时期更要晚些了!"吴永清从胜利与还家的问题,想到国际上的变化。"也许",伍昭说:"不过我以为不会发生太大的影响。"

"英国或者要被迫停止对于我们的帮助吧?"

"我想不会的",伍昭说:"英国人是很重信义的,同时美国是我们最好的朋友,一定要一步步加紧对日本的封锁,并且遏止他们向英法属地侵犯的野心的。凡是英国人、美国人一定都了解我们是一个真正的和平力量,为了世界的和平,及保护本身的一切在太平洋上的权益,都非要援助中国的抗战不可。一个具有正义感,不怕强权的民族,一定不会因日本人的威吓而放弃了其对于中国的支持的。"

"尤其美国人向来肯为我们帮忙,最对我们抱同情。中美的关系,历来都是十分友好的。"

"日本人对于他们的侮辱,各地美侨生命财产的损失,尤其是'巴纳号'事件更使他们增加对于日本人的厌恶,想他们一定不会忘却的,最近的将来,他们恐怕要采取更进一步的行动。"

"他们只要把他们的新式武器给了我们",吴永清说,用拳捶了一下自己的腿,"我们不成问题地立刻把日本人干掉"。

"我这次离开学校",伍昭说:"总觉得好像丢了什么东西似的,学生生活实在是很可羡慕的,从此要到社会上去了,希望你有什么指示给我!"

"惭愧!"吴永清想了一想,"我虽然在社会上两年多,也不敢说有了什么经验,不过,我觉得,现在的社会和以前是大不同了,抗战改变了一切!只要你诚恳地为国家民族服务,无论到什么地方都是受欢迎的。你以前不是说过吗?现在抗战中的毕业生,一个个都是战士,希望你时时温习这句话,拿出战士的精神来,等到我们抗战胜利,建国成功的时候,我们到鸭绿江边,当痛饮一醉。从此世界上有了我们伟大的民族来主张正义,维持和平,自然就可以免去战争的浩劫,而世界的文化也可以有了保障了"。

伍昭听完了他的话,用手握着他的手诚恳的说:"好,我们要先走了,请你们一批批地来做我们的后援,将来我们就是战场上相见了。"

吴永清也握着他的手说:"我们即便不能见面,然而我们的精神是在一起的,再会。"

(十) Drop!

学年考试来到了,这个考试对于工学院的学生的确是一个"大典"。考试之后,就要把全年的成绩结算下来,如果不及格的课程够了三门,那就要留级了;如果在五门以上,那就只好请你走路;如果不及格的功课是一门或者两门,那就要补考,补考不及格之后,当然还是要留级(一个学生不能留两次级,否则就要退学)。很多的学生每年所习的科目,重要的有十几门,三两门不及格并不是怎样困难的事。

平日的考试,当然是重要的,但是学期终了的两个考试,都要占一学期的1/2,所以尤其重要。上学期如果成绩不及格,还可以在下学期特别努点力。学年考试则就是最后的机会了,这是学生们所以重视学年考试的理由。

在考试未来到之前,学生当然就要日夜加班了,而学校之重视这个考试,则亦不下于学生,因为一来分数的多少,对于学生的关系太重要,不能够太随随便便;再则学校想要办得好,必须要考试严格,标准逐渐提高,毕业学生有真实本领,在社会上自能得到好评,而学校愈好,则愈易办得更好,能得到各方面的帮助。除此之外,更因为工科学生在这个抗战建国的时候,是太重要了,如果不好好地造就一些优秀的学生,不惟对不起学生,更对不起民族和国家。

转眼考了一个礼拜,考试算结束了,教授阅卷,注册组结算分数,忙,忙,日夜的忙,阅完了。

学生们呢?考试成绩很好的,心里有了把握,知道个人不至于不及格,便也不把通知不通知放在心上。还有一种人是自己□得不成了,便也安心去温习准备补考,或等第二年再念,甚至于就自己离开学校另找出路去了。不过这两种人,都是极少数,大多数的人都是在焦急地候着,他们一时觉得自己可以及格,一会儿又觉得很是危险,60分就是生死关头,于是发生了种种的传说及□□如什么从某某人谈今年要有多少人Drop咧,什么某某功课预定要有多少人不及格咧,以及什么去年某某是差一分没有及了格咧,什么某某功课很好,然而也没有及了格咧……学生互相传说,互相猜疑,互相恭维,又互相挑剌……一片是不安的空气。

吴永清便是这之后一类中的一个,他也是和其他的学生一样,时而忧,时而喜的。有时他做了梦,梦见通知送到了,自己是三门不及格,许多的人都对他露出瞧不起的神气;他有些恍惚地回到了家里,见了自己的父母,他的父亲也板着脸不理他,他觉得该向他母亲哭诉一下;又恍惚觉得自己是该及格,然而因为什么没有及格的,满心的委屈,突然,好像有一个教授满脸抱歉的神气,自己又像是及格了……

终于,通知送到了,真的,他竟是三门不及格!

他觉得很难过,但又说不出个所以然来,有时也会想到自杀,但他觉得还不应该。他蒙着头睡了几天,心头只是烦乱,随后,留心观察,觉得别人对于他也并没有异样,过了些时,理智渐渐恢复过来,自己才决定了"要重干!"

一天,他和小胖子一块儿晚饭后出去散步,两人谈起来,很是投机,后来便找了一个地方坐下继续谈着,天色昏了,两人却都不愿意动,最后,吴永清谈起他的降级,他的悲伤以及他的决定。

小胖子说:"我听得说,今年凡有不及格的科目的人数都算上,总数有300多人。你知道,毕业的同学走了以后,我们共总还有600多人,这就是说,要有一半人不及格。这其间3科以上的,有80多人,难道这80多人都能去自杀吗?将来补考之后,这余下的200多人最低限度还要有100多人不及格,那些人要怎样办?你的决定,我认为是十分正确的。你本来并不愚笨,而且也不是不用功,主要的原因,不过是因为你在战区时间太久了,功课疏久了,免不了有些遗忘,而且学校是打算要提高标准,非这样办不成。老李和我老同学,在中学时也是很好的学生,成绩常是甲等,这次不也是一门不及格吗?经过一次打击,应该增一分决心,遭一次失败,只有更加一分努力,决不会不成功!"

"是的!"吴永清很感动地说:"而且老李也是那样用功,其实,我也是很希望学校往好处办的。我得了这种宝贵的教训,是应该感谢学校的,我不但不怨恨,反而为了我们学校的进步而欢喜!"

(十一) 瞻　望

学校放暑假了,学生就要休息了吗?不,不,要补考的学生固然要趁此机会秣马厉兵;不过,学校并不能为他们特意留出读书时间来。抗战中,光阴是宝贵的,一分一秒也不可不紧张,尤其是负着艰巨的工科学生,所以三年级学生是实习去了,往各大电厂、机械厂、铁路、矿厂、飞机厂、纺织工厂……实地去在工厂、矿厂中工作,为将来真正担任责任的准备。一年级的学生,学校要他们特别补课,加紧他们的普通训练。二年级学生则大多数是参加了青年的夏令营以训练自己的体格,同时过一过更为严格的生活,对于他们的将来,自然也是大有裨益的。

在抗战中,中国的"西南"和"西北"已经成了民族复兴的根据地,而广大的"西北"的开发,当然是西北工学院的责任,所以,西北工学院的飞跃的进步,也正象征着新中国的前途的光明,表示抗战胜利,建国成功的时间就要来到了!

最后,作者有几句话要说:工程科学原来是为人类谋福利的,不幸,现在的各侵略国家,却用来做成了破坏世界文化的工具,这真是我们一切学习工程的人的污点！读者们哪，难道真的"人类创造了文化,而文化反要毁灭人类"吗？为了世界的正义与和平,让我们大家挽起手来,打击侵略的国家,来支持世界上最酷爱和平的中国民族的英勇的抗战！

大同的世界是应该由我们学工程的人来创造的！

（宋如海编著《抗战中的学生》重庆:世界学生会中国分会,1942 年 7 月出版）

四、1940 年时的国立西北工学院概要

序 言

国有掌故,载历代之制度典章也；人有传赞,述一生之言论行事业；办学亦然,过去之历史,现在之实况,与夫将来之愿望,是不可以不书也。慨自事变以还,暴敌肆虐,最高学府,横被摧残,幸弦诵未辍。本院合四大工院组成,弹指迭更寒暑,其时代使命,在树立西北工程教育之基础,与推进西北工业之建设。班承乏斯院,对于幅员辽阔,蕴藏丰富,世称我国文化发祥地之西北,心期发扬而光大之。信念在抱,经久弥坚,纵感缔造之艰难,益深弘济之功力。用是因枝振叶,沿波讨源,挈领提纲,循序迈进。首先健全组织,使人尽其才,事无偏废；次整顿教务,使课程提高,考试严格；复次推行训导,使思想纯正,人格高尚；再次则充实设备,筹立工厂。繁椎轮之未备,正待逐渐完成耳。至两届毕业学生,则皆已效命邦家,绝无撷囊之士,学以致用,于义应尔也。比因海内外时以院务概况见索,爰乃钩玄提要,成集此编,撰录从真,不稍掩着。关于本院之沿革、现状,暨将来之愿望,胥有扼要之记载。俾阅者对于本院获一简明之概念,更辱进而教之,是则此编之微意也。

赖 琏
中华民国二十九年十月二十九日

（一）沿 革

民国二十七年七月,教育部令将国立西北联合大学原有之北洋工学院,北平大学工学院,与东北大学工学院,及私立焦作工学院,合并改组为国立西北工学院,并聘李书田氏为筹备主任,胡庶华、张清涟、王文华、张贻惠、张北海、雷宝华诸氏任筹备委员。八月十日,本筹备委员会成立于城固考院,遵照部颁改组办法,开始筹备。同月,勘定陕西城固古路坝为本院院址。古路坝院址,原系西北联大借

用意国天主堂之一部,本院仍旧借用,惟以宿舍不敷分配,乃计划兴工添建师生新宿舍96间。十月二十三日,接收古路坝西北联大校产;所有东工之一切设备及学生成绩有关文卷各项,亦归本院接收,焦工之设备用具,则归本院借用。十一月十日,筹备委员会迁古路坝院址办公。十二月十一日,本院开始上课,分设土木工程、矿冶工程、机械工程、电机工程、化学工程、纺织工程、水力工程、航空工程8系。土木系以东工、北洋、焦工之土木系合组;矿冶系以北洋、焦工之矿冶系合组;机械系以平工、北洋之机械系合组;电机系以平工、东工、北洋之电机系合组;化工纺织二系则系平工原有学系;水利系由北洋土木系水利组分出组成;航空系由北洋机械系航空机械组分出组成。筹备期间,学生600余人,一切大致就绪。

二十八年二月,部令以本院筹备完竣,着撤销筹备委员会,聘秦瑜为本院院长,在秦院长未到院前,特聘中委赖琏代理。三月一日,赖院长偕曾养甫、李书田二氏由渝至广元,并由赖氏率领本院留广一部学生回城固,暂择龙头镇、七星寺二处分地上课。三月十六日,赖院长正式就职,同日开学。五月中,充实工科研究所,暨工程学术推广部,俾对工程学科多作高深研讨,并辅助西北生产事业之推进。七月教部以秦氏留欧未返,正式聘赖氏为院长。八月一日分地上课学生全体返院,同时举行第一届毕业典礼,毕业生共144人,十二月二十三日,开第一次院务会议,修正本院组织大纲,订定各项章则,而法规乃具。

二十九年元月,呈奉教部指令,以本院系于二十七年七月二十七日,由部令饬合并改组,定是日为本院成立纪念日。六月十日,举行第二届毕业典礼,教部陈部长亲临致训,毕业生共143人。

(二) 现 状

本院现状,分行政组织、教务概况、训导方针三项,叙述如下:

甲、行政组织

本院设院长一人,院长办公室设秘书、助理员各一人。分设教务、训导、总务三处,及会计室。教务处设教务主任一人,分注册组、仪器组、出版组,及图书馆,各置主任一人,组员、教务员、馆员、助理员、书记各若干人,学科八系各设系主任一人;训导处设训导主任一人,分生活指导组、军事管理组、体育组,及卫生组,各置主任一人,训导员、军事教官、军事助教、医生、护士、司药、书记各若干人;总务处设总务主任一人,分文书组、出纳组、庶务组,各置主任一人,组员、事务员、助理员、书记各若干人;会计室设主任一人,佐理员、事务员、书记各若干人。

此外分设各种委员会,各置委员若干人,总干事一人,兹附行政组织系统图于后。

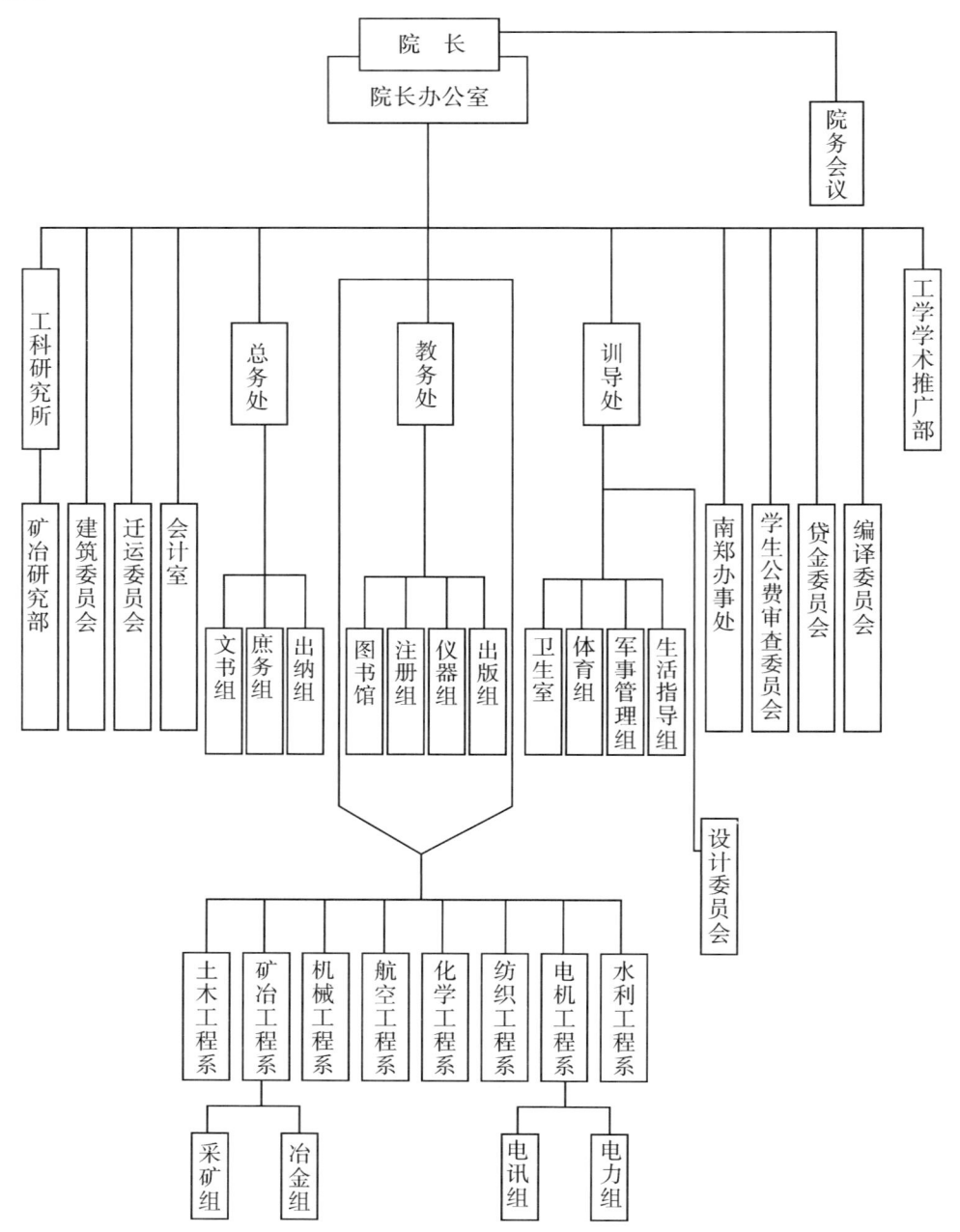

图 3-1　国立西北工学院行政组织系统图

乙、教务概况

本院现设土木、矿冶、机械、电机、化工、纺织、水利、航空八系。二十八年度，各系班次：一年级分甲乙丙丁 4 班，不分系别；二年级每系一班计有 8 班；三年级土木系分甲乙两组，矿冶系分采矿、冶金两组，其余六系每系一班，计有 10 班；四年级除水利系成立较迟未开班外,电机系分电讯、电力二组,矿冶系分采矿、冶金二组,其余五系每系一班,计有9班;又矿冶研究部有一年级一班,共计全院32班。二十九年度增收机械电机新生各一班,以适应国家需要。

本院课程,一、二、三年级业已遵照部颁新课程标准,四年级仍沿用旧标准,逐年改进,计于三十年度可以完全遵照部颁标准,各系学生修业期满,须呈交研究论文,审查及格后始准毕业。

本院学生,逐年增加,筹备期间约500余人,二十七年度终773人,二十八年度828人,二十九年度学生总数共达1 000余人。

本院除设上述八工程学系外,复有工程学术推广部及工科研究所之设置。工程学术推广部,协助推进西北一切生产事业;工科研究所于二十八年秋,呈奉部令先成立矿冶研究部,另由部辅助每年图书仪器国币3 000元,其他各研究部,正拟增设。

丙、训导方针

本院训导宗旨,在使学生之德智体三育,作平衡发展,并培育学生之军事知识与技术,以适应政府文武合一之教育方针,及抗建国策之迫切需要。

准上原则,于学生思想方面,使其确立三民主义的革命人生观,实践总理以服务为目的之遗训;坚定国家至上民族至上之信念,及工程人员对国家民族所应用之责任与决心;启发其对近代国际之正确认识,与我国在国际上所居之地位及使命。于学生生活方面,严厉督促实践青年守则,俾成为优秀健全有为有守之国民,以为他日担任企业各部门艰苦工作之准备。

就已实施各项择要而言,如实行国民精神总动员运动、新生活运动、节约运动、精神讲话、个别谈话、思想测验、严格考试,以及组织学术研究会、讲演会、座谈会、音乐会、话剧团,创办社会服务处,设立民众夜校、民众阅览室、民众施诊所、壁报社等工作。

至本院导师制尚在计划推行中,故另设有训导设计委员会,由院长及各处系主任及教授若干组织之,专司训导工作。

(三) 设 备

本院改组成立后,所有图书仪器,概系北洋、平工、东工所移交,暨焦工所借用者,除北洋、平工之仪器,因受战事影响,全部未能运出;及焦工、东工之图书仪器,因交通不便,有一部分,尚分存于宝鸡、凤翔、绵阳等处,正在设法迁运外,现经积极规划,分别设备如下:

甲、图书馆

本院图书除在陆续增购外,现已运到者,计中国文 11 370 册,外国文 3 807 册,合计 15 177 册,其类别册数如下表:

国立西北工学院图书册数价值表

中华民国二十九年三月制

类别	中国文		外国文		共计册数	共计价值（元）
	册数	价值（元）	册数	价值（元）		
总　　类	7 188	3 952.17	396	9 484.1	7 584	13 436.27
哲　　学	135	82.55	3	4.8	138	87.35
宗　　教	18	7.88	1	0.1	19	7.98
社会科学	914	991.06	71	503.56	985	1 494.62
语 文 学	70	101.12	214	569.6	284	670.72
自然科学	425	556.1	1 087	8 743.5	1 512	9 299.6
应用技术	956	989.17	1 760	17 175.63	2 716	18 164.8
美　　术	35	39	36	511.91	71	550.91
文　　学	990	614.95	195	826.58	1 185	1 441.53
史　　地	639	519.11	44	334.1	683	853.21
总　　计	11 370	7 853.11	3 807	38 153.88	15 177	46 006.99

乙、测量仪器室

本室现有测量仪器,每种分6组,每组8人,同时足供140学生作不同测量实习,并可作简单之天文观测。其设备概况,计有:经纬仪12架,水平仪9架,平板仪7架,六分仪2架,手擎水平仪5架,罗盘仪3具,流速计3具,标尺31根,气压表2个,三角镜3个,铁针12根,锁链尺4条,铜尺及皮尺27根,标竿测深竿39根,此外尚有标旗铜垂球、分度器、测斜器、绘仪器及一切零用器具等。

丙、矿冶陈列室

本室分别化石、矿石及结晶模型实习应用矿石材料等,其设备比较完全,计有:岩石第一套125种,岩石第二套150种;化石第一套190种,化石第二套85种;矿石第一套216种,矿石第二套200种,矿石第三套315种。白特来吹管分析35种,安拿吹管分析150种;玻璃结晶模型100种,木质结晶模型100种。实习应用矿石材料50种,此外尚有各种矿物影片药品及应用仪器等。

丁、化学实验室

本室物品之重要者,列举于下:精细天秤 7 架,普通天秤 4 架,刻度量筒 27 个,量瓶 27 个,烧瓶 109 个,各式漏斗 97 个,烧杯 120 个,瓶类 176 个,量管 43 个,镍锅 21 具,比重表 3 具,温度计 2 具,蒸发器 19 个,古磁干锅 29 个,滴定管 74 根,试管 432 只,铅锅 5 个,煤气灯 2 盏,喷灯 11 盏,玻璃管 400 支,其余从略。至各种药品,可作定量分析与定性分析之用。

戊、电信实习室

本室材料,可作普通简单实习之用。其设备计有:六灯外差收音机 1 具,三管收音机 1 具,真空管 41 个,耳机子 8 副,各种表计 4 个,喇叭 2 个,电话机 1 具,储电器 86 个,阻力器 75 个,各种漆皮线 500 米,天线 3 分,蜂音练习机 8 具,管座 20 个,各式螺丝 2 匣,各种工具 2 套,此外尚有多种应用材料,因繁琐,不备载。

己、电工系设备

本院电工仪器,尚存绵阳,现正迁运中。其设备计有:大理石配电盘 3 座,直流电动机 6 座,直流发电机 4 座,交流电动机 6 座,交流发电机 1 座,电流计 11 具,电压计 10 具,瓦特具 6 具,变压器 4 具,阻力器 12 具,电闸 8 种 84 个,抽水机 1 具,计速计 3 个,应用工具 1 套。

庚、机械系实习机厂

本厂仪器,分存于宝鸡、凤翔等地,正与陕西建设厅商洽合办,以备学生实习之用。现在计划一切,预计短期中即可成立。其重要设备计有:铁镟床 6 座,木镟床 1 座,精制镟床 1 座,钻床 1 座,小精削机 1 座,手摇钻 1 支,小电动钻 1 支,大刨床 1 座,牛头刨床 1 座,磨刀机 1 座,锯床 1 座,鼓风机 1 座,炭气发动机 1 座,炭气发生炉 1 个,直流发电机 1 具,交流发电机 1 具,天轴 1 根 30m,天轴接联器 1 具,轴钩 1 个,轴承 1 个,墙轴架 1 个,皮带轮 16 个,定位圈 13 个。

辛、航空系设备

本系现有航空仪器 19 种,飞机 2 架(系旧坏飞机),飞机发动机 4 个,空军机枪 1 支,炸弹架 1 付,无线电 1 具,木制螺旋桨 1 个,变矩螺旋桨 1 个,飞机模型 1 具,均可供学生参考。

壬、水利系水工实验室

本院为造就实用之水利工程专门人才计,特于今年夏先在院内建置水工实验室一座,所有水渠、水管、水堰、泄水孔、流速计以及一切普通模型试验器具,除借用焦工一部机件外,概由本系设法制造,足供学生实习暨教员探求新学理之用。至大规模之水利实验室,拟设于汉江之滨,尚在计划中。

此外尚有物理仪器、水利试金冶金仪器及化学仪器之一部,均分存于凤翔、宝鸡等处,现在迁运中。

癸、纺织系纺织工厂

本院为造就纺织专门人才计,现拟自办小型工厂一所,以事实际生产,而图自给之需,已函请迁移后方之停办工厂酌借一部分主要纺织机器,以供实验之用。

(《国立西北工学院概要》,1940)

五、1948年时的国立西北工学院概要

中华民国三十七年六月

(一)院　旗

(二)国立西北工学院院歌

历汝尚 制词,阎绍华 制谱

西岳轩昂,北极辉煌,泽被万方,化育先翔。

巍哉学府,焕乎文章,厚生教养,国乃盛强。

千仞之墙,百炼之钢,镂木铄金,唯工所长。

公诚勇毅,永矢毋忘,光华灿烂,西工无疆。

(三)院　训

公诚勇毅

(四)院　址

本院自三十五年六月,由城固古路坝奉令北迁,院址即设于西安城内西北隅早慈巷公字一号,南邻建国公园,清静幽雅,毫无都市嚣烦之气。惜地址狭小,不能开展预定之计划,爰复勘定新址于咸阳北郊,系资源委员会咸阳酒精厂及财政部盐务司西安办事处咸阳分处旧址,面积共453亩(30.2公顷)。由车站北望,见佳木丛绕,高楼耸云,即学院之所在也。院内旧植桃杏树数千株,浓荫铺地,繁花如锦。登楼眺瞩,渭水环带,秦岭远屏,阡陌纵横,黍稷盈畴,景物万千,悉收眼底。而新建校舍宏敞,光线充足,空气清新,几净窗明,洵为学子讲习之佳地。至交通情形,尤称便利:计1.铁路有陇海路及咸铜支线,西至宝鸡,与宝天铁路衔接。东行27公里即达西安,北经三原、耀县至同官(今铜川)。2.公路有长咸公路,由咸阳至西安,每日有汽车往返开行三次。3.有胶轮马车,往来于西安、咸阳间,随时可供搭乘。本院院址,分设西安、咸阳两处,但相距匪遥,交通畅达,故管理教学,

尚称方便云。

（五）院史概略

抗战军兴后，华北文物，悉遭蹂躏。公私立各大学校及独立学院相继内徙。原有国立北平大学、师范大学及国立北洋工学院，奉令合组国立西安临时大学于西安，旋迁城固，改名为国立西北联合大学。二十七年七月，教育部复令将西北联合大学原有之北洋工学院、北平大学工学院，与东北大学工学院及私立焦作工学院，合组设立国立西北工学院。四校在战前，办理完善，声誉素著，本院集四大工程学府之精萃而成立，虽经乱离，而教授人选，图书仪器，亦复蔚为大观。部聘李书田先生为本院筹备主任，择定城固古路坝为院址，除借用天主教堂一部房舍外，并自建学生及教职员宿舍百间。是年十二月十一日开课，二十八年二月教部聘秦瑜先生为院长，时秦先生在国外考察未归，由赖琏先生代理，七月奉令真除。赖院长自到院后，不惮劳瘁，事皆躬亲，力求院务之进展。初设土木工程、矿冶工程、机械工程、电机工程、化学工程、纺织工程、水利工程、航空工程等八学系。二十八年五月后，充实工科研究所暨工学技术推广部，冀对工程学术多作高深之研讨，并辅助西北生产事业之推进。三十一年度，奉令增设工业管理学系，并招大学先修班两班。学系既多，学生大数亦较前激增，原有古路坝院址遂不敷应用，乃择定城固郊外七星寺为分院。就寺址先后建筑学生宿舍50余间，工厂10余间，教室8间，礼堂一所，及盥漱室厨房等。当时古路坝本院可容学生800人，七星寺分院可容学生600人。三十二年二月，赖院长调任教育部次长，部聘教务长潘承孝先生继任，殚精竭虑，艰苦迈进，院务蒸蒸日上。抗战期间，烽火遍天下，而本院弦歌之诵，未尝一日间断也。三十五年二月，奉令复员，并指定西安为本院永久院址，五月设立西安迁建筹备处。六月中旬，本、分两院师生，于胜利快愉情绪中，同时北迁。由陕西省政府拨早慈巷公字一号200间房屋为院舍，地址过小，不能开展预定之计划，复勘定新址于咸阳北郊，由资源委员会借给咸阳酒精厂全部房屋计300间，厂西空地近400亩。盐务总局借给西安办事处咸阳分处全部房屋计52间，另外其东有空地50余亩。经建筑委员会详定全部房屋计划，分期施工。计两年来已完成教室、学生宿舍、教职员住宅等600余间并修缮旧有房屋作为临时大礼堂、图书馆、阅览室、试验室、实习工厂及办公室等。新校舍仍在积极筹建中。在全部建筑未完成前，一年级及先修班暂留西安早慈巷上课，二、三、四年级在咸阳上课。本院成立迄今十载，毕业学生近2 000人，为西北之最高工程学府。

第四节　国立西北农学院

一、《全国专科以上学校要览》中的"国立西北农学院"

（一）沿　革

1. 过去情形。本院初名国立西北农林专科学校，于民国二十二年秋，由建设西北农林专科学校筹备委员会常务委员于右任、张继、戴季陶诸先生聘王玉堂先生为本校筹备主任，在陕西省武功县设立本校筹备处，采定武功张家岗为校址。即办理购买土地，采买建筑材料，进行各项工程，并成立农林园艺各场。二十三年九月，附设高级职业学校成立，招收农林两科学生共 120 名，同时陕西省政府所办之水利训练班移归本校办理，改为水利组，分本、预两科，计学生 83 名。借用陕西省立西安高中授课。二十四年春，开办附设小学；秋，水利组自西安迁移武功本校上课。二十五年秋，筹委会结束，同时本校筹备处亦奉令结束，教育部发表辛树帜先生为校长，招收农艺、森林、园艺、畜牧、农业经济、水利等六组新生共 106 名。是年冬，国立北平研究院与本校合组之西北植物调查所成立。二十七年秋，奉教育部令本校与国立西北联合大学农学院合并为西北农学院，设立本院筹备委员会，聘辛树帜为主任委员，曾济宽、周建侯、张丕介为委员。二十八年秋，筹委会结束，教育部聘周伯敏先生为本院院长。

2. 抗战以来，行将三载，本院以接近战区，为防备万一计，前将重要仪器、图书、文卷、校具等移置汉中，仍本维持至最后一课之主张，虽在风鹤频惊中，照常上课，始终罔闻。

（二）行政组织

本院设教务、总务、训导、推广四处及会计室等，各处室各置主任一人。教务处分设注册股、图书馆、仪器室，各置主任一人；总务处分设文书股、庶务股、医药股、印刷室、出纳室等，各置主任一人；训导处置军事管理组、体育组、生活指导组、卫生组等。

（三）校舍及设备

1. 校址。本院设于陕西省武功县张家岗。

2. 对外交通。本院距武功县城 15 华里,铺有汽车路,步行 2 小时可达。南至三道原经过本院各实验场有 7 华里汽车路,陇海铁路武功站距校南 2 华里,分往西安、宝鸡火车均 3 小时可达,交通尚称便利。

3. 校舍建筑。本园内有钢骨水泥大楼 1 座,楼□布置为 7 层,第一层有房 32 间,二层有房 23 间,三层有房 20 间,四层有房 4 间,五层有房 2 间,六、七两层各有房一间,全院办公室、教室及各实验室、大礼堂、图书馆、水塔均在其中。平房计有教职员宿舍、学生宿舍、工程处、机器房、浴室、汽车房、马号、校警宿舍、饭堂厨房、厕所、储藏室、工人房及理发室等 68 座,共 581 间。卜村附设小学有平房教室、教员宿舍、学生宿舍、厨房及厕所等 9 座,共 48 间。二道原园艺场有平房办公室、职工宿舍、温室、厨房及厕所等 5 座,共 16 间。三道原农场有平房办公室、职工宿舍、农具室、温室、堆肥室、厨房及厕所等 6 座,共 32 间。三道原林场有平房办公室及职工宿舍等 2 座,共 15 间。三道原法禧寺园艺场有平房办公室及职工宿舍等 3 座,共 14 间。统计平房 103 座,758 间。此外尚有武功及西安办事处、郿县、咸阳林场办公场所达 60 余间,卜村及院门外土窑 30 余面。另有运动场 3 处,再本院设于高原旷野,治安堪虑,又筑围墙一周计长 690 丈,墙上四周共置有炮楼 12 座,以备临时捍卫之设。

4. 学校环境。本院设于武功张家岗,属头道原最高地带,襟渭带漳,前挹太白之秀,后负周原之美,气势雄伟,风景尚佳;且邻马扶风之绛帐镇,张横渠之绿野亭。盩厔李颙、郿县李柏诸儒故里亦相接,且张家岗一带由北而南具有头、二、三道原不同地带,纵约 10 余里,横约五六里,直达渭滨,村落稀少,形势开拓,可代表西北各省高中下三种不同地质,便于农林上各种作物试验。而渭河北岸并有横约五六里纵约 40 里之广大草滩,堪为牧场。渡河而南,水田漠漠,可以种稻,再南而进达秦岭,树木蓊郁,天然长成,可作森林研究资料,地质土宜,洵为研究农林优越环境。

5. 现有设备。本院设有图书馆、医药室、化学实验三室、天平室、土壤研究室、植物病虫害实验室、物理实验室、畜牧兽医实验室、及解剖室、农业试验场、森林试验场、蔬菜试验场、果蔬试验场、园苗试验场、畜牧试验场,计有中外书籍 35784 册,中外杂志 78 种,化学仪器 162 种,物理仪器 101 种,生物仪器 55 种,动物标本 940 种,植物标本 1853 种,矿物标本模型 523 种,化学药品 346 种,各种实验场共占有面积 1944 亩。再本院地处高原,用水困难,特备有抽水 25 匹马力及 15 匹马力柴油机器各一架,并另备 120 匹马力煤气机器一架,专供全校发电及抽水之用,现因燃料缺乏,此机暂未使用。

(四)院系(科)情形

1. 现有院系。本院现分农学系,包括农艺、植物病虫害、农业经济三组,森林学系,园艺学系,畜牧兽医学系,农业化学系,农业水利系,附设农业经济专修科。农学系内农艺、植物病虫害、农业经济三组,已奉部令自二十九年度暑假后改系。

2. 本院系学生数。本院现有学生586人。农学系农艺组有学生85人,农学系植物病虫害组有学生8人,农学系农业经济组有学生86人;森林学系有学生77人,园艺学系有学生52人,畜牧兽医学系有学生88人,农业化学系有学生41人,农业水利学系有学生55人,附设农业经济专修科有学生94人。

3. 本院重要教职员。(1)农学系农艺组有教职员5人,代理组主任兼农场主任沈学年,是美国康乃尔大学农学硕士,曾任国立西北农林专科学校副教授。(2)农学系植物病虫害组有教职10人,组主任金树章,是法国巴黎大学理学博士,曾任国立西北联大生物系主任。(3)农学系农业经济组有教职员7人,代理组主任熊伯蘅,是日本东京帝国大学毕业,曾任北平民国大学教授。(4)森林学系有教职员9人,系主任贾成章,是德国明兴大学林学博士,曾任国立西北联大林学系主任。林场主任齐敬鑫,是德国明兴大学林学博士,曾任国立西北农林专科学校森林组主任。(5)园艺学系有教职员6人,代理主任陈锡鑫,是日本京都帝国大学毕业,研究3年,曾任金陵大学教授,本院园艺系教授。园艺场主任谌克终,是日本京都帝国大学农学士,曾任河北省省立农学院园艺系主任。(6)畜牧兽医系有教职员10人,系主任路葆清,是美国爱欧瓦省立大学畜牧学士,研究院研究一年,曾任河南大学畜牧兽医系主任。畜牧场主任盛彤笙,是柏林大学兽医学博士。(7)农业化学系有教职员7人,系主任王志鹄,是意大利皇家学院农学博士,曾任国立西北联大教授。(8)农业水利学系有教职员11人,系主任沙玉清,是德国汉诺佛工科大学修斯学院研究员,曾任国立西北农林专科学校水利组主任。(9)附设农业经济专修科有教职员6人,组主任熊伯蘅(履历见前)。(10)院长周伯敏曾任陕西省教育厅长。

4. 各院系之特别设备。农艺组除农场外,尚有果蝇实验室、温室。森林学系有林场,设于陕西武功眉县咸阳等处。园艺学系有园艺场2处,温室2所。畜牧兽医学系有畜牧场蜂场。农学院化学系有土壤研究室、农业微生物研究室。农业水利学系有水力试验室。

5. 研究所。三十年度奉令设农科研究所农田水利学部。

6.本院之推广工作。本院设有农业推广处,主持推广工作,现先就武功一县作起,俟略有成效,再向西北各省县次第推进,逐步完成,本院所负改良西北农业之使命,兹将该处之组织及工作范围,略述如下:

(1)关于内部组织。农业推广处计分四股,曰农村合作股、曰农村教育股、曰生产指导股、曰宣传编译股。

(2)关于工作范围。A.农村合作股,办理农村贷款产品推销及交换事宜。B.农村教育股,办理农村教育、农村卫生、学术讲演、青年及家政指导事宜。C.生产指导股,办理农事访问技术指导,如推广本院及西北各省农事机关之优良种子、森林苗木、种畜、果苗以增加农民收益,并提倡采取实用之农业科学方法,减少农产损失,提倡农村副业,增加农民收益。D.宣传编译股,办理宣传调查编译事宜,如编印各种浅说,举办农村调查,宣传本院研究结果及制作标本模型,设立陈列室,举办农产品比赛会等。

7.其他。(1)本院与国立北平研究院合组西北植物调查所,设于本院,所长刘慎锷是法国襄西大学理学博士,曾任北京大学教授,该所有职员8人。(2)附设者有农业经济专修科,附设高级职业学校,分森林、园艺、畜牧、普通高中四科。

(五)学　生

1.学生之日常生活。本院学生,就籍贯言,以陕西、河南两省为最多,山西、河北、四川、山东、江苏、湖北次之,浙江、湖南、甘肃、宁夏、青海、察哈尔、辽宁又次之,其余各省为数则少。就家庭职业言,多是农家子弟,来自各省农村,其生活习惯,虽因各省之略有不同,然就大体言之,均尚相差不远。故日常食粮,仍以面食为主。抗战以来几占三分之二以上之学生家庭,沦入战区,因之大半经济来源已告断绝,故学生之日常生活,极为清苦,而奋发图强与努力求知之风气,亦因之而造成。

2.学生每年所需用费。甲、缴费项目:本院每学期规定缴费项目如次:(1)赔偿损失费5元(多退少补,战区生由教职员担保)。(2)制服费15元(多退少补,战区生免缴)。(3)膳费每学期约需60元,伙食由学生自理。乙、学生每年个人生活约需款数:(1)膳费约120元。(2)书籍费约需50元(视学生经济情形而定,贫苦生多写笔记)。(3)制服费约需40元。(4)杂费约需60元,每年学生个人生活约需款共计270元。

3.公费免费及贷金。公费:(1)名额19名。(2)款数每名每年144元。(3)应具备之条件:A.每学期学业平均成绩积点须列1.3(76分以上主要学科须完全及格)。B.操行成绩须列甲等。C.每学年开始前二星期内呈缴家境清贫证明书。D.如领得原籍省市县或其他公私机关之任何津贴或补助金即取消其资格。贫寒服务生:(1)名额20名。(2)款数每名每年120元。(3)应具备之条件:A.学生绝对贫寒无法维持生活者;B.操行成绩列乙等以上者;C.学业成绩在70分以上者。贷金生:名额现领者计347名,款数及手续,均依部订办法办理。

4.学生之团体生活。本院学生团体生活,兴趣极为浓厚,本年已备案成立之学生团体,计有北农农学研究会、园艺学会、农业经济学会、畜牧兽医学会、青年体育会、青年壁报社、国术研究会等。查以上各种学会,均有实际工作,除各种研究会日常从事研究工作外,并经常敦请名教授作学术讲演并出有各种刊物。

5.学生之课外活动。本院学生课外活动,具有两种明显之现象,即课外时间,不在运动场上,即在图书馆中。每星期六晚上及星期日,多为各种学习之活动时间。

6.学生之社会劳动服务。本院学生从事社会服务或劳动服务,本年中,有以下几种实际工作:

(A)关于社会服务者:

1)农村种子改良及农作物之培养之指导;

2)农村合作事业之协助;

3)农村畜牧事业之指导;

4)农村植树工作之指导;

5)农村社会教育之推行;

6)农村兵役工作之宣传;

7)抗战军人寒衣之征募与慰劳品之征集;

8)过境伤兵之慰劳与扶助。

(B)属于劳动服务者:

1)校内外环境之清洁扫除;

2)校内外之植树;

3)膳食之轮流管理。

7.在校学生总数。学院部492人,经济专修科94人。

8.历年毕业人数及其出路。二十七年度毕业学生46人,多服务于农本局及川陕各农业机关;二十八年度第一学期农业水利系毕业生28人,分发至川陕水利机关服务。

(教育部编《全国专科以上学校要览》正中书局,1942)

二、1947年时的国立西北农学院概况

(中华民国三十六年四月)

(一) 沿 革

西北农学院前为国立西北农林专科学校,于民国二十七年与国立西北联合大学农学院合并成为今日之国立西北农学院。西北农林专科学校创始于民国二十一年秋,中央政治会议通过,筹备建设西北专门教育,初期计划议案任于右任、张继、戴季陶、朱家骅、王世杰、李石曾、王陆一、王应榆、吴敬恒、邵力子、杨虎城、沈鹏飞、焦易堂、辛树帜等为筹备委员。十二月正式成立国立西北农林专科学校筹备委员会于教育部,公推于右任、张继、戴季陶三氏为常务委员。民国二十二年一月着手校址之采择,并慎重规划,初由陕西省政府拟定于咸阳高堡子一带,南京筹委会曾派员履勘,准备购置土地事宜,并开始经营草滩农场。旋于是年五六月间,复经筹备委员戴季陶、焦易堂及农林专家多人,一再履勘,认为该地与设立农校条件不合,即中止购地计划。又复向盩厔楼观台、郿县贞元镇、武功张家岗等处采择基地,当时倡议颇多:有主张武功贞元镇者,有主张校舍建于盩厔楼观台及马台之间,而仅辟农场于武功境地者,后经常务委员会张继复勘,决定校址设立武功张家岗。七月遂由筹备委员会聘王玉堂为该校筹备主任,于武功成立筹备处,并计划成立农艺、森林、园艺各场。二十三年三月,又公推于右任为校长,于校长以事实关系未克到校就职,一切工作计划仍以常务委员名义指挥进行。四月,筹委会常务委员戴季陶及筹备委员王应榆、焦易堂等同来武功,在张家岗校址举行大楼奠基典礼。九月该校附设高级职业学校成立,招收林科农科补习班学生。同时陕西省政府举办之水工训练班亦于是时移归该校办理,改班为水利组,分本科与预科,借用陕西省高级中学房屋授课。二十四年一月,大楼工程开始,二月,开办附设小学,七月,中政会确定该校经临两费,八月,水利组自西安迁武功。二十五年七月,筹备委员会及该校筹备处结束,部聘辛树帜为校长,大楼工程、学生宿舍及教职员住宅等建筑逐渐完成,农、林、园艺场亦略具规模,遂开始招收农艺、森林、园艺、畜牧兽医、农业经济、农业水利等六组新生。九月,制定图书馆、仪器室、实验室、标本室、印刷室及各研究室各种章程。十一月,国立北平研究院与该校合组之中国西北植物调查所成立。二十六年一月,水利组第一届毕业。二十七年,该校以七

七事变后为防万一计,将重要图书、仪器、标本及印刷机等陆续运往沔县存置。是年七月,部令自二十七年起,该校与国立联合大学农学院合并,改组为国立西北农学院。先设筹备委员会,以辛树帜为主任委员,曾济宽、周建侯、张丕介等为筹备委员。二十八年二月,部令增设附设农业经济专修科,聘熊伯蘅为主任,招收学生一班。四月该院正式成立,聘辛树帜为院长。六月农学系之农艺、农业经济、植物病虫害三组及森林、园艺、畜牧、兽医、农业、化学等系第一届毕业。九月,部令调辛树帜赴渝任党政训练班第四期教育人员训练班工作,聘周伯敏为院长。十月,该院与军政部兵工署共营国防林,设总场于宝鸡黄牛铺。十二月,农业水利系第二届毕业。二十九年四月,该院与经济部中央农业试验所合作,举行田间肥料实验,计560区。五月,又与经济部水工试验所合设武功水工试验室于武功二道原。六月,农艺、农业经济、植物病虫害三组及森林、园艺、畜牧、兽医、农业化学、农业水利等系第二届毕业。八月,农艺、农业经济、植物病虫害三组改系,畜牧兽医系分畜牧、兽医两组。十二月,该院附设农业经济专修科第一届毕业。三十年三月,部令修正该院组织大纲。四月该院与农林部陕西改良作物品种繁殖场本教建合作原则,订立租地契约。六月,农艺、植物病虫害、农业经济、森林、农业化学、农业水利等系、畜牧组、兽医组第三届毕业。陕西省农业改进所与该院举行粮食增产运动,调二、三年级同学分赴关中汉南工作。九月农科研究所、农田水利研究部成立。三十一年元月,农业经济专修科第二届毕业。四月,该院与陕西省防疫处合办血清制造厂。六月各系组第三届毕业。三十二年元月,农业经济专修科第三届毕业。六月,本院各系组第五届毕业。三十三年元月,农业经济专修科第四届毕业。五月周院长辞职,部派邹树文、沈亦珍、周伯敏、沈鲁生、王友直等为整理委员会委员,以邹树文为主任委员,七月整理委员会结束,部聘邹树文为院长。八月,部令将该院森林及畜牧兽医两组改为双班招生。三十四年元月,农业经济专修科第五届毕业,三月,该院场务委员会成立。五月邹院长退休,部令教务主任邹钟琳兼代院务,成立院产及场务整理委员会,九月部令田培林兼该院院长。三十五年元月,农业经济专修科第六届毕业。田兼院长辞职。四月,部聘章文才为院长。五月本院各系组第八届毕业171人,打破以往纪录。六月,成立编辑出版委员会,创刊《西北农报》,扩充出版组印刷效率。七月,增办农产制造及农业机械两系开始招生。九月,院产及场务委员会结束,成立农林试验总场。十一月,建筑高职校舍于二道原。三十六年元月,农业经济专修科第七届毕业,部令停止招生。二月,章院长辞职,部聘唐得源代理院长。

现在校址为陕西省武功县张家岗。

(二)院科系数

1. 农艺学系;

2. 植物病虫害学系;

3. 农业经济学系;

4. 森林学系;

5. 园艺学系;

6. 畜牧兽医学系畜牧组;

7. 畜牧兽医学系兽医组;

8. 农业化学系;

9. 农业水利学系;

10. 农产制造学系;

11. 农业机械学系;

12. 特设农业经济专修科;

13. 农科研究所农田水利学部。共九系两组及一科一部。

(三)教职员人数

教员(包括教授、副教授、讲师、助教)共176人。职员(包括各处组主任及组员、书记、雇员、技术员等)共121人。(三十六年三月一日教务处统计)。

(四)学生人数

已毕业生数,计农艺学系17人,植物病虫害学系24人,农业经济学系21人,森林学系98人,园艺学系7人,畜牧兽医学系20人,畜牧兽医学系畜牧组81人,畜牧兽医学系兽医组48人,农业化学系15人,农业水利学系152人,特设农业经济专修科234人,共合717人。现在校学生,总计743人,内男生676人,女生67人(三十五年十二月二十五日注册组统计)。

(五)经费

三十五年度经常费为国币5 878.6万元,增班费为国币440万元,共计国币6 318.6万元。三十六年度原核定6 229万元,七月间追加15 573万元,十月间又追加16 352万元,十二月间第三次追加7 267万元,全年共为45 421万元。

(六)图书设备

有公共图书馆及各系组研究室,除农业经济研究室各系组研究室书籍及各种杂志不计外,图书馆有西文书籍5 417册,中文书籍32 980册,共计38 937册。

（七）研究工作

1. 农艺系

（1）举行小麦纯系育种及杂交育种，并对小麦、黑麦杂交小麦成熟期抗雨生长促短遗传及栽培，作理论及应用之探讨。

（2）举行棉作育种试验及棉作研究试验。

（3）举行杂粮方面大麦、大豆、玉米及马铃薯育种试验。

（4）举行旱作育种及抗旱育种，并作作物之田间需水量测定，黄土水分研究，旱地适应性栽培，中国旱区之调查统计，成立食用作物标准区。

（5）举行蚕之育种及饲育方法之改良。

（6）选获武功之17号小麦产量较农家种高出10%，引进优种武功14号产量高出武功27号11%。

（7）获得棉花较优种4个。

（8）获得优良品种大麦武功3102及3120号大豆、武功白玉米及马铃薯Chippema旱作育种，其他各项多已获有成果。

（9）育成优良蚕种西农一、西农二至西农一三、西农一五。

2. 植物病虫害学系

（1）关中昆虫相之调查；

（2）关中植物相之调查；

（3）昆虫标本之采集（包括经济昆虫）；

（4）病菌标本之采集；

（5）关中经济作物病虫害之调查；

（6）豌豆象之生活史及其防治试验；

（7）金龟子生活史之研究；

（8）除虫菊栽培试验；

（9）蚜虫之研究；

（10）太白山、楼观台、华山之植物标本采集大部已竣事；

（11）经济昆虫标本约60余种；

（12）病菌标本约80余种；

（13）渭河流域植物社会之研究；

（14）透明介壳虫之重记载；

（15）中国产介壳虫之一新种；

(16)陕西之昆虫。

3. 农业经济系

(1)关中区各项调查;

(2)编制武功县乡村物价指数;

(3)出版《关中农村人口调查》《关中区土地制度调查》《关中区土地利用调查》;

(4)编有《农产品农用品价格指数》及《张家岗生活费指数》二种;

(5)已出丛书《土地经济学》(刘潇然著)及《农场管理学》(王德崇著)二种,刊行《农经汇刊》及《农经通讯》,以上各研究工作均有论文发表。

4. 园艺学系

(1)《陕西邠县之梨》《河南灵宝之枣》《山西清源之葡萄》《陕西关中之柿种》《秭归毛坪甜橙》等之调查;

(2)术之研究及其实验差误之分析;

(3)白菜品种比较及种植时期试验;

(4)茄子肥料三要素试验;

(5)葡萄田间试验之区形大小及重复次数之研究;

(6)苹果枝条之成长测定;

(7)武功之气候与桃之栽培;

(8)Colchicine在花卉育种上之应用;

(9)西北风土与葡萄之栽培;

(10)武功苹果之生长与花芽分化;

(11)苹果之生理的花芽分化;

(12)苹果贮藏试验;

(13)已出《蔬菜园艺学》(吴耕民著),《桃之栽培》(路广明著),及《温室园艺》(章君瑜著)三种,通讯、园艺及西北园艺等刊物。

5. 森林学系

(1)从事树木标本、木材标本、树木种子标本、森林昆虫生态标本、森林动物标本、木材分类标本、森林副产物标本之采集与制作;

(2)调查秦岭各区天然林之森林状况;

(3)播种发芽以及苗木移植之研究;

(4)实验沙滩造林;

(5)森林育苗、苗床整理以及各种苗木土壤之适应性研究;

(6)气象测候。

6.畜牧兽医系畜牧组

(1)牧草栽培及保藏之研究;

(2)《土种鸡与白色单冠来航鸡生产能力之比较试验》,与孵化育雏等试验;

(3)武功土种猪与盘克猪生殖能力之比较试验;

(4)《影响乳用山羊产乳量及乳脂含量因子之研究》。

7.畜牧兽医系兽医组

(1)数种市售普通染料对于细菌之染色试验;

(2)数种市售普通染料之防腐灭菌及治疗能力试验;

(3)新法制造牛瘟脏器苗之试验;

(4)牛瘟绿脏器苗之制造;

(5)抗黄牛出血性败血病血清之制造;

(6)液体石蜡在制造家畜出血性败血病血清之应用;

(7)制造兽医防治血清菌苗。

8.农业化学系

(1)关于电解体吸着之一新公式;

(2)表面平衡热力学之研究;

(3)荆峪沟土壤之土性与水土保持;

(4)脂解酵素作用之动力学;

(5)张家岗发面酵母之分离;

(6)渭水灌溉与土壤性质及增肥之研究。

9.农业水利学系

西北黄土区之水文、水理、水工、灌溉、防冲、土工、工程材料、水力机械之研究。

10.农科研究所农田水利学部(略)。

(国民政府教育部档案,中国第二历史档案馆)

第五节　国立西北医学院

一、《全国专科以上学校要览》中的"国立西北医学院"

（一）沿　革

本院前设北平后孙公园,是民国元年成立,初名国立北京医学专门学校。十一年后改名国立北京医科大学。十五年后改名京师大学医科。十七年改名国立北平大学医学院。二十六年七月北平沦陷,迁西安为国立西安临时大学医学院,二十七年四月迁南郑改为国立西北联合大学医学院。二十八年八月,改组独立,始称今名,并设有医科研究所。

（二）行政组织

院长下设教务、训导、总务三处,各设主任一人。教务处设注册、出版、图书等三组;训导处设生活指导、军事管理、体育等三组;总务处设文书、庶务、出纳及仪器药品管理等四组。各设组员若干人。又设秘书室,置秘书一人。设会计室,置会计主任一人,佐理员二人。设附属医院,置医院院长一人,事务会计各一人。设公共卫生教学区办事处,置主任一人。

（三）校舍及设备

校址在陕西省南郑县新民乡。北有汉宝公路,通西安。东有汉白公路,通湖北。西南有川陕公路,通四川。校舍是旧有祠庙民房加以修改或重新建筑。计有教室、实习室、办公室、学生宿舍及医院诊室病房等,共约150余间。环境方面,北望秦岭,南临汉江,山环水抱,邻近旷野,风景佳丽,空气清新,于卫生疗病颇为适宜。设备方面本院是事变后由北平迁出,所有图书仪器均未携带,现有设备,仅图书1 500余册,解剖、组织、药理、生理、病理各种仪器一部分。惟医院临床各科,设备较为完善。校舍现有解剖、病理、生理、药物、细菌寄生虫、内科、外科、产妇科、眼科、小儿科、耳鼻喉科各教室。并有附属医院一所,卫生教学区一处。

（四）学　生

1. 学生之日常生活

每天早六点半起床,举行晨操及升旗礼,八点后上课。或实习六七小时,午后课余作打球并其他运动游戏。

2. 学生所需用费

每人每年所需生活费约 300 元左右,非战区学生每人每学期缴纳学费 10 元。

3. 公费免费及贷金

本院公费生 2 名,每月每人领国币 15 元,使用公费条件,以家境清贫学业成绩分数在 85 分以上者,为合格。战区学生一切费用均免,并视本院所在地生活程度之高低,每月领用膳食贷金,零用贷金,其经济来源完全断绝者,并得请领特别贷金。

4. 学生团体生活

有青年剧团、医学进修社、并各科研究会远足旅行队等组织。

5. 学生之课外活动及劳动服务社会服务等

学生每日课外作篮球、排球或垒球运动。于假期中组织兵役及卫生宣传队,赴乡作宣传运动,并施种牛痘。一年级生并做修路及平治运动场等劳动工作。

6. 历年毕业生人数及其出路

历年毕业生自民国五年起至二十八年止,共计 317 名。毕业后或在公共机关作教授及医师,或自己开医院营业,均服务医药界,无赋闲。

(五)学术研究

1. 教员研究贡献或重要著作计

(1)院长兼药理学教授徐佐夏有:A. 肝内蛋白溶解酵素之提取法;B. 泸纸对于酵素之吸收作用;C. 细胞内游子平衡之研究(均在德国生物化学杂志发表);D. 异性同性凝集现象之研究;E. 温热对于蛙心之影响(均载德国药理学杂志);F. 浮萍之研究(载北平研究院杂志);

(2)教务长杨其昌先生之著作有:A. 神经性鼻炎对于涂布之过敏现象(载德国耳鼻喉科杂志);B. 嗅觉与人生;C. 肺结核与国民病(均载北平医光社出版);

(3)公共卫生教学区主任兼公共卫生教授黄万杰之著作有:A. 北平市饮水并污染来源及其改善方策(载北平市第二卫生事务所年报);B. 北平市学龄前儿童死亡决算之一页(见中华民国医药学会《新医学》杂志);C. 北平市卫生稽查行政之经纬(见北平第二卫生事务所年报);

(4)皮肤花柳科教授王耕之著作有:先天性畸形之原因其病理。其他如洪式间及李赋京等教授著作亦多,不及备述。

2. 学校及学生之出版刊物名目

(1)学校之出版刊物有北平大学医学院年刊。

(2)学生之出版物有《艾酉》杂志,北平医刊社出版之半月刊及医光社出版之《日光》年刊等。

(教育部编《全国专科以上学校要览》正中书局,1942)

二、1944 年的国立西北医学院视察报告 I

(一)视察概况

该院设在南郑马家庙,利用原有庙屋为院本部及学生宿舍,租用附近民房以补充之,分院设于离庙二里许之新建校舍,高年级学生在焉。附属医院以利用文家庙原有房屋加以修葺,勉强应用。一至六年级学生共只 220 人,男生 163 人,女生 57 人。教员 40 人,职员 34 人,附属小学教员 4 人,附属医院职员、技手、练习生等共 19 人,医生则由教授讲师兼充。工警 88 人,以校舍及学生宿舍分散,故院警有 22 人,厨夫 13 人,水夫 10 人。

该院教学设备颇嫌简陋,图书共 2400 册,显微镜 4 架,其解剖实验器具及标本等,也都不敷应用。教员教学尚称认真,学生听讲也知注意,各科师资以解剖科目为比较齐全,耳鼻眼科、妇产科、小儿科等学科或无正式教授,或不得其人担任课业,学生表示不满。教员中如毛鸿志、颜守民、王顾宁、翟之英、周海日、王有竹等尚有研究精神,而毛、翟、颜、周及王顾宁颇得学生信任。

学生一般尚健康,膳食办理亦颇得法。厕所欠清洁,女生宿舍存积污水太多,其余房屋尚称干净。学生尚有礼貌,和蔼可亲。课外活动有德文、英文两研究会、学术进修会、青年康皋会、国剧社、音乐会等,种类虽多,惜校方无充分指导。军训管理未能认真,体育尚有设备,学生对运动亦感兴趣。

各处宿舍十分宽空,教室亦不拥挤,如能归并调整,并租用附近民房,尚可增添学生 120 人。附属医院以离城稍远,颇不便利,惟办理尚认真,病人伙食尤为注意,能得社会人士称许,惜无隔离病房,医疗设备亦嫌不足。近为适应需要起见,在南郑城内特辟门诊部,半为学生实习,半为市民便利,视察时尚未开幕也。

(二)视察意见

该院位于离城二三十里之马家庙,在目下交通条件下,颇嫌不便。附属医院尤感困难,幸年来办理尚善,居民称便,城内门诊部当已成立,更无问题。所应注意者,即成立传染病室,添置医药设备,并健全医务人员,以应需要。院本部教学设备尚需增添,解剖实习设备场所亦宜改善,图书、显微镜等不敷应用,应设法购置。学生宿舍十分宽敞,可尽量归并,改用双层床,腾出教室或宿舍,增加学生,如能将附近庙宇收用,则可扩充一百二三十名。耳鼻眼科、妇产科及小儿科教员应速补充,课外活动种类虽多,事业尚少,宜请有关教员多予指导,增加活动兴趣。军训管理尚欠认真,厕所及宿舍活水不合卫生,工警人数竟达88人,以与220人比较,殊嫌过多,应予注意。

(民国档案,中国第二历史档案馆)

三、1944年的视察国立西北医学院报告 II

(中华民国三十三年八月五日)

案奉钧令督字17790号派珍视察西北医学院,遵于六月十一日由武功启程前往。初以为该院早经复课,迨到达后方知旧院长始终被拒,未能进校,新院长虽已发表又尚未到职,院务完全停顿,且仍时起纷扰。珍目睹此种情形,当于十八日驻校就近切实处理,一切经过曾随时报告。

钧座谨再综合各节,分陈于次:

(一)院务状况

该院院本部在南郑城外马家庙,容前期部学生三班;分院在黄家坡,容后期部学生两班;附属医院在文家庙,另在城内设立门诊部。全院各部过于分散,管理不易,附属医院及门诊部房屋尚较宽敞,余则太嫌局促,不敷应用,似此情形颇难发展。

该院设备简陋,仪器方面殊欠充实,对教学及实习颇有影响;图书方面,全院藏书仅1 628册,杂志一项合共2 303册,多已陈旧,新订者极少。

各级课程编制尚合部分标准,但教学方面最严重之问题在缺少教师。以本学期而论,一年级数学教员朱秀玲为豫省战事所阻未到,一年级日文教员孙珍田中途辞职,二、三年级生物化学教员王来珍离校他去,三年级细菌学原未有人担任,三年级生理学本系徐前院长兼授,风潮发生后未再继续致又虚悬。综观各年级课务情形,以三年级所受影响较多。至于日常教务工作殊欠紧张,平日查考学生出缺席太不认真,致有任意缺课之现象。教务主任李宝田因风潮关系信誉堕失,对于复课束手无策;注册主任能力薄弱,文字亦欠清顺,不堪胜任;图书组主任年老力衰,不谙图书管理且常请假不到,图书室形同虚设。

训导方面亦甚废弛。训导处时见无人,办公训导主任王顾宁任课过多又少行政经验,殊缺领导能力;生活指导组主任康振玉家住城内,每日来回时间浪费,天雨又常不到校,对于生活指导鲜有积极推进,即以学生请假而论,亦竟无人负责,听任学生填写或事后补填;军训组主任教官因风潮而去,新派者六月中旬始到,适又患病多日,该组人员且不齐全。学生宿舍凌乱不堪,无人过问,甚至有学生在外租屋居住,学校亦不稽查流弊甚大。

再就附属医院及门诊部而言,两处营业均有可观。门诊部因在城内,交通便利更形发达,自三十二年六月至三十三年六月共收入 1 393 050 元,支出 1 311 789 元,结余 81 261 元,平均每月收入约 116 200 元。附属医院方面三十二年一月至十二月共收入 7 804 355 元,支出 74 085 698 元,结余 3 957 852 元,平均每月收入约 65 036 元。以后物价继续高涨,两处收入当更日有所增,惟收支均未能由院切实统一管理,亟需改善。人员方面,妇科、小儿科、眼科、耳鼻喉科均缺主任医师,尚待补充。

总之,该院院务废弛,人事方面多不健全,办事精神尤见松懈,此次风潮影响更大。

(二)风潮经过

该院风潮发生有其远因与近因,远因方面主要者有下列两端:

1. 设立门诊部

自上半年春季在城内设立门诊部以后,人事即起磨擦,论社会需求及为学校前途发展,门诊部实有增设必要;论行政系统,门诊部则应隶于附属医院,受其管辖,但因现任门诊部主任翟之英不甘在附属医院院长赵清华之下,且以辞职相要挟,徐前院长以外科主任教授不可无人乃竟迁就,事实将门诊部独立设置。赵清华因此极为不满,加之门诊部设立以后,附属医院营业又受影响,赵更大肆攻击,利用学生反对学校。当风潮发生之日,滋事者首先责问为何设立门诊部,由此可以窥其线索。

2. 教授不齐全

该院各科教授近年以来纷纷他去。据调查所得,颜守民部令休假赴沪未归,李赋京升任陕西省立医专校长,马馥庭部令解聘,王同观、董克恩因待遇菲薄赴西安自行开业,陈作纪则因病请假,各有原因似不能归罪于院长一人之身。加以抗战期间远在西北,聘人不易,亦属实在情形,但徐前院长因循延宕,未能多方设法补充,徒以助教、讲师充任,洵致学生群情不满,好事者从而挑拨煽动,终于激起风潮，徐前院长亦难辞其咎。

近因方面军事教官刘伯安提议惩处学生乃风潮之导火线。在三十二学年度第一学期将届终了时，刘教官主张对无故不升旗、不出席早操之学生分别记过，对升旗、早操从未缺席之学生则奖以现金，学校一一照行，实则惩戒，固属正当，而奖励现金之方式则有未合，学生闻悉后即发动攻击教官。徐前院长力予支持，训导主任王顾宁则讳言事前未得其同意，攻击目标逐一变而转向院长。

风潮发生时，适值举行期考，策划者为后期部四、五年级学生，行动者以前期部三年级学生为主体，各级河北学生又为风潮之骨干，而幕后则受赵清华、李宝田之指使（赵、李皆河北籍，赵为泄愤，李则有领袖欲），始而责问徐前院长，继而逼其召集院务会议，一面向部辞职，一面推定教务主任李宝田代理；持枪荷棍夺取校印，封闭办公场所并驱教职员于一室，通宵监视，形同暴徒。当晚学生复在饭厅召开全体大会，计划一切行动，赵清华、李宝田均参加。赵对学校攻击尤为激烈，徐前院长则于夜间由警备司令部派人护送城内，其时院本部全为学生包围，警备司令部所派人员越墙而入，示以总司令函始放行，至是学校入于混沌状态。

徐前院长两次奉命进校均遭拒绝，一次在赴重庆以前由四年级学生杜潜发出口令，全体学生向院长下跪，请其勿再蝉联，后又集队至褒城，拟步行重庆到部请愿，经祝总司令劝告始归。另一次在由重庆归来以后，赵、李初则躲避，郭总司令遍寻莫得，及至学生公然拒绝院长到校，始行露面，声明无法挽回，而拒绝之方式则愈演愈烈，印刷标语、传单遍贴城内外各处，对徐前院长任意侮辱，嗣经郭总司令严加制止，始稍敛迹。徐前院长在风潮发生以后，态度益趋消极，对滋事员生，处处退让，不与计较。反对者诬以尚思恋栈，甚至鼓动一部分学生拒绝新院长到校并非事实。

风潮发生后，教师之间与学生之间又复发生裂痕。教师方面，赵清华、李宝田原为风潮之幕后主要分子，训导主任王顾宁自成都返校后受赵、李及学生之利用与包围态度亦变，而接近院长之教职员无形中又成另一集团，彼此互相攻击，不遗余力。学生方面，据中立者所云，河北学生在风潮发生时，首先对山东学生予以打击、侮辱、谩骂，无所不至，实则希望学校改进，乃全体之要求。山东学生平时对徐前院长并无好感，因受河北学生之欺凌，反被激动形成对立之势，接近院长之教职员从中怂恿，自亦不免，惟山东学生人数不多，全校始终在河北学生控制之下。

风潮既在僵持状态，课业自受影响，由一月十九风潮发生之日起至二月十四日止，适为寒假时期。二月十五日本学期开始初，则勉强上课，三月五日以后，课又中断,部中虽一再电令严饬,复课始终有名无实,有因学生不到而无从上课者,有因人数过少而教员不愿讲授者,亦有因教员他去而无从开课者,直至六月中旬,珍到达时仍在停顿状况中。

总之,该院风潮酝酿已久,徐前院长缺少积极前进精神,措施乖方,咎有应得。赵清华、李宝田幕后策动,亦属实在,一般教员不识大体,徒斤斤于私人意气之争而滋事,学生行为越轨,目无纲纪,尤堪痛心。

3. 处理情形

六月十四日,珍由武功达到汉中,先视察全院,旋向有关各方探寻实情并与郭总司令一再商谈,深觉恢复课业常态防止再生事端最为迫切,而尤以复课更为当务之急;至于风潮方面人事处置,衡度情势,不妨待学期结束再行处理。盖距暑假过近,上学期期考尚未补行,本学期又将终了,设再拖延则乱梦更难治理,且使新院长益感棘手。乃本此方针于十八日移住学校,就近督导,当与教务主管人员商定办法,十九日上午约集全体教员谈话,宣布复课日期,请其按时讲授,下午复召集全体学生训话,剀切开导,严辞告诫。幸于二十日各级一律上课,除督促教务处认真点名外,珍并按时巡查,遇有缺席学生随时个别谈话,教员中有辞职或请假未归者,另行觅人代替,其有教员原未聘定而一时无法补充者,只得暂停,俟暑假后再为补授,目前则请校内教授及校外人士举行专题讲演,以期各级课业所受影响减至最低限度。复课以后,一切情形尚好,未再发生事端,七月六、七、八三日补行上期期考,秩序亦佳。至本学期学历因事实上未便过于延长,妨碍暑后调整,乃决定展至七月二十三日结束,并公布三年级前期,总考照常举行,告一段落。

珍驻校将近一个月,所有上学期未完之事及本学期应办各事,均经督促办竣。院务幸复常态,本拟俟新院长到,再去嗣奉。

钧电须再往西北农学院协助整理,邹院长又迭电催促,其时课已结束,考试日程并经公布,遂于七月十四日折回武功。关于院务情形,曾留有详函,供新院长参考。

(三)整顿意见

该院院务废弛,人事多不健全,学生风气又复嚣张,在均须切实调整,而尤以与风潮有关之人事处置更为重要。西北学风本甚淳朴,此次该院风潮历时几及半载,对于为首员生若不惩处,实不足以维纲纪,正社会之观听,更不足以遏乱源,防他校之效尤。谨就视察所及,参酌实际情况提供整顿该院意见如下:

1. 校舍过于零散,宜设法调整便于管理与发展;

2.图书仪器应设法充实;

3.附属医院及门诊部现状须加改善,机构与人事重新调整,一切收支并应由院本部统一管理;

4.平时院务过于废弛,教、总、训三处人事方面应切实整顿;

5.教授及临床主任医师缺额应迅予补充;

6.教务处对于学生上课应认真点名,平时考试仍欠严格,因风潮而受影响之主要学科应斟酌情形,设法补充;

7.训导工作亟须加强,生活指导主任宜令住校,学生请假应认真管理,宿舍整洁应特加注意,学生在外居住必须严格取缔,地域观念尤应设法化除;

8.教授赵清华、李宝田与风潮有关,应予解聘,滋事为首学生赵杰生应令退学,杜潜、殷宗琦、戈治理、燕图南、傅宗训从宽,记两大过,留校察看,其余姑予免议。

上陈各节,是否有当,仍乞钧裁。

谨呈

次(部)长

督学 沈亦珍(签章)

(民国档案,中国第二历史档案馆)

附录:教育部《全国专科以上学校要览》中的"陕西省立医学专科学校"[①]

(一)沿　革

本校自民国二十七年八月,陕西省教育厅以抗战军与医务人才甚为需要,委派薛健、罗瑞光、陈桂云为筹备委员,着手筹备。并将原有陕西省立医院改为本校附属医院,省立助产学校改为本校附设高级助产职业学校,并定每年添招医学专科学生一班。于同年九月招生十一月开学,至十二月奉省府令迁往南郑。至二十八年十月因学生需要实习,呈奉省府准迁回西安,又添招学生一班。

(二)行政组织

遵照部颁修正专科学校组织法,设校长一人,校长室设秘书一人,教务处、训导处、总务处各设主任一人。教育处分设注册组、出版组、图书组,各设主任一人;训导处分设生活指导组、军事管理组、体育卫生组,各设主任一人;总务处分设文书组、庶务组,各设主任一人。会计室独立由省会计处派会计员一人,佐理员四

---

① 陕西省立医学专科学校于1949年并入国立西北大学,后复为国立西北医学院的一部分,故附录于此。

人。至附属医院设主任一人,分设医务部、药物部、事务部,各课主任一人;附设高级助产职业学校,设主任一人,其教务、训育、事务三部,工作暂由本校职员兼办。

(三)校舍及设备

1. 本校校址在西安北大街西华门内。

2. 现临陇海路东通至潼关,西通至宝鸡,由宝鸡经汉中入四川,是汽车路。由西安至甘肃,亦是汽车路,统归西北国营公路局管理。飞机亦时在西安机场转运,故对外交通尚称便利。

3. 本校校舍是就原有助产学校校舍稍加改变而成,尚未建设新屋,现尚足用。

4. 本校校舍是在西安适中地点,东临北大街为陕西电政管理局,邮政电话电报汇兑均便。再来为省政府,财政、民政、建设、教育等厅,均在一处。南为钟楼、鼓楼两什字街,市面繁盛,且与附属医院大门相对,便于学生实习。

5. 现因敌机轰炸,本校移至西安东关,假民立中学校舍应用。所有设备除办公室教室宿舍外,尚有图书馆各种实验室,至临床实验,则有本校附属医院尚可应用。

6. 各种实验室除普通理化实验室外,尚有解剖、细菌等实验室及附属医院。

7. 课程方面力求按时教授完竣,实验场所逐渐设备周全。

(四)学 生

1. 学生日常生活除少数学生外,大部寄宿校内,所有膳费、灯油、茶水等概归自备,每日膳食由学生自由办理。

2. 学生每年需要 400 元(住宿不收宿费,所交费用为讲义费 8 元、茶水费 3 元、及体育费 2 元、实习费 5 元)。以上各费,学期终了有余发还,不敷补交,其余皆为个人生活费。

3. 本校无公费生,领有本校奖学金者 11 人,免费生 2 人,战区学生领贷金者 51 人。

4. 学生有战区后援会组织。

5. 学生课外活动,有课外运动及各种研究会,并利用例假和纪念日组织宣传,除宣传兵役、禁烟等工作,若有防疫种痘等工作,亦须参加。

6. 学生大部住校,另有女分院并派专人负管理之责。

7. 本校自二十七年秋设立,现未有毕业班级。

(教育部编《全国专科以上学校要览》正中书局,1942)

第六节　国立西北师范学院

一、《全国专科以上学校要览》中的"国立西北师范学院"

(一) 沿　革

1. 过去情形

本院于民国二十八年九月成立，系就国立西北联合大学之师范学院改组独立设置。西北联大系由国立北平大学、国立北洋工学院与北平师范大学合组而成，故本院实为国立北平师范大学之支衍。叙述本院过去情形，事实上不能不溯及师范大学。

师范大学自成立迄今已满三十七年，在吾国大学中历史较为悠久。毕业生先后凡4 994人，服务遍于各省区，80%任职教育界。校地原设北平，数理学院在和平门外，文学院在宣武门内石驸马大街，并有附属中学附属小学。

2. 抗战以来情形

平津沦陷后，北平师范大学即将重要图书、仪器、簿册等悉数藏护，不使资敌，以备他日复校之用。嗣奉令于西安与北平大学、北洋工学院合组西安临时大学。二十七年春，临时大学奉令移设陕南。全校员生自宝鸡徒步跋涉褒斜至于南郑、城固。嗣又奉令改称西北联合大学。二十七年暑假，工农两院改组为西北工学院及西北农学院，教育学院改为师范学院。二十八年秋，师范学院又奉令独立设置，并易为现在之名称。三十年度奉令于兰州设立分院。

(二) 行政组织

本院之组织如下图：

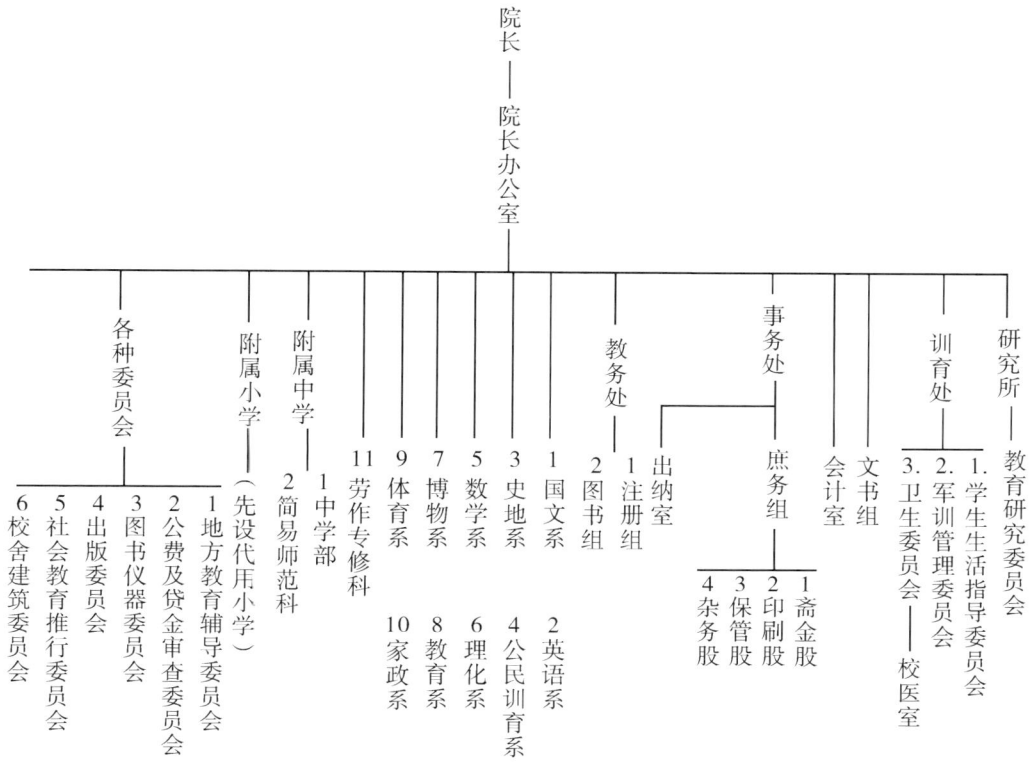

图3-2 国立西北师范学院组织系统图

(三)校舍及设备

1. 本院院址

设于城固仰止坊,当汉白公路之冲,由汉白公路至西安,由天双公路至甘肃,由川陕公路至成都,尚属便利。本校校舍建筑分为城内、城外及场圃三部分,城内系就现在校舍添设办公室8大间,校工住室3间;城外系于城东校场坝购租地27亩,第一期建筑男生宿舍32大间,第二期建筑食堂、厨房、盥洗室共15大间,劳作科土木厂一座,5大间,均已完工;场圃系在上述租购地亩除建筑宿舍等外,设升旗台一,足球场二,篮球场三,足供本校学生体育活动之用。同时,并开该处隙地为劳作科农艺园艺教学实习之用。因院址位于秦岭巴山之间,汉水之滨,天气和暖,物产丰富,又以陕南文化较为发达,故在抗战时期对于大学员生教学,尚为适宜。

2. 现有设备

(1)图书计国文系902册,英语系38册,史地系421册,数学系70册,理化系71册,博物系75册,教育系952册,体育系153册,家政系114册,研究所332册,总计2 768册。

(2)仪器甚少,但因物理化学实验室与西北大学合用,差足敷用。

(四)院系科情形

1. 现设院系

本院教育系体育系三、四年级,系北平师范大学学生,家政系三、四年级系河北省立天津女子师范学院学生,均按各该校院课程四年毕业。本院成立后所招收之新生,是按师范学院规程之规定,五年毕业。计二年级有国文、英语、史地、数学、理化、教育、家政、体育八系,一年级有国文、英语、史地、公民、训育、数学、理化、博物、教育、家政、体育等十系及劳作专修科一科。此外本院设有师范研究所及先修班。学生人数共461名。

2. 重要教职员及履历

院长兼公民训育系主任李蒸是美国哥伦比亚大学教育硕士,哲学博士,曾任中央大学副教授。教务主任兼体育系主任袁敦礼是美国芝加哥大学理学士,曾任浙江大学文学院教授。主任导师兼史地系主任黄国璋,美国芝加哥大学理科硕士,曾任中央大学地理系主任。事务主任兼庶务组组长汪如川,北京高师数理部毕业,曾任志成中学校长。国文系主任黎锦熙,前清优级师范毕业,教育部编审处文科主任。数学系主任赵进义,法国里昂大学理学硕士,数学博士,国立广州中山大学数学天文系教授。理化系主任刘拓,美国渥省大学工业农业化学博士,曾任北平大学理学院长。博物系主任郭毓彬,美国葛林乃尔大学生物学学士,曾任苏州东吴大学动物学教授。教育系主任兼研究所主任李建勋,美国哥伦比亚大学哲学博士,曾任北京高师校长。家政系主任齐国樑,美国士丹福大学文学士,曾任河北省立女子师范学院院长。

3. 各学系设备

(1)史地系添设绘图室,从事各种图表之绘制,图书按年添购,惟以交通困难,邮递迟缓,仍感不充。

(2)博物系标本自制解剖用浸制标本多种,骨体标本多架,玻璃切片数百张,蜡叶标本数百种。

(3)体育系设有小足球场三所(二所为本院与西北大学合用),篮球场六所(二所为本院与西北大学合用)。排球场六所(与篮球场混合装置,二所为本院于西北大学合用),垒球场二所(一所为本院与西北大学合用与小足球场混合装置),德国手球场二所(与小足球场混合设置),器械操场一所装设单杠三架、高低双杠及女子双杠六架,倒立双杠三架,吊环一架,木马一架,平均台(Balance)一架,平梯(Hoyizontal laddey)一架,跳箱三架,垫子八方(以上器械多数体育系专用,外系应用有单杠、双杠、跳箱、垫子等数种)。体育系测验用具有体高尺、肩宽尺、胸围尺、磅秤、纵跳架、绘影架、脊柱测绘器、探底器、跑表等各备一份或数份(本系专用)。童子军营帐及炊事用具等三份(本系专用)。舞蹈用风琴及留声机各一架(本系专用)。

(4)劳作专修科设土木实习工厂一座,内设20人同时实习用之全副手工具。园艺实习厂约二亩。

4.研究所

本所于二十七年七月西北联合大学时代奉教育部命令筹设,十二月初筹备就绪,开始工作。设主任一人总理本所一切事宜。教授若干人担任本所教学,研究教育问题及指导研究生研究工作;助教四人,助理教授从事研究工作。研究部门分教育原理、教育心理、教育行政、教材教法四部。暂因经费限制奉令先设教育学部,学生得于教育原理、教育心理、教育行政、教材教法四科范围以内,选择研究问题。

(五)学　生

1.学生之日常生活

(1)本院学生全体寄宿校内,每日上午六时起床,六时二十分早操,六时五十分升旗,七时早餐,上午八时至十二时,下午一时至四时五十分为上课时间。十二时午餐,五时晚餐,十时就寝,下午六时至九时半分别在寝室及教室自习(夏季时间略有提早)。

(2)城固为本院临时校舍,设备不甚完备,生活程度甚高,伙食简单粗陋,学生生活不但简朴并能吃苦耐劳。

(3)城固僻处乡隅,医药设备至为简陋,卫生状况极为落后,本院设有卫生委员会指导学生之健康,并有校医室办理检查治疗预防等工作,此外则西北医学院及褒城中国红十字会第一大队部予以援助,处理各种疾病。

2.学生费用

本院学生除三四年级原师大学生外,均为公费待遇不收学膳宿费,并得接受各种奖学金及津贴(如各省津贴之类)。战区学生于公费外由教育部发给贷金半数,以补公费之不足。

3.学生之团体生活

本院学生因全体寄宿,并实行军事管理,每日生活,均为团体性质,除正式上课外,多数学生每日均有一小时之课外体育活动,每星期下午全体学生参加学生生活指导委员会所组织之各种课外活动,每星期上午为校内体育比赛。除加入比赛者外,其余学生亦均往参观。

4. 学生之课外活动

各系均有学会组织,凡以各该系为主科之学生均为会员,于教授指导之下,举行讲演会、读书会、研究会等。全校课外体育活动由体育系主持,并有该系高年级学生办理各种校内比赛,参加之学生占全校30%左右,于每星期日举行之。本院组织之劳动服务队,将全体学生分为三区队,每三周轮值工作一次,工作时间为星期六下午共三小时。本院师生根据合作社法组织消费合作社一所。在寒暑假期间本院均有慰劳宣传社会服务等深入乡村之组织,全体学生均有参加机会。

5. 历年毕业生人数及出路

本院于二十八年度奉令单独设置,未满五年,尚无毕业学生。惟原国立师范大学,自民元至二十八年度前后毕业者计共4 994人。其服务状况据二十六年四月调查计:

（1）充任大学校院长7人;

（2）充任专科以上院校教职员232人;

（3）充任中等学校校长183人;

（4）充任中等学校教职员1 839人;

（5）充任小学教员79人;

（6）充任教育部职员9人;

（7）充任教育厅职员93人;

（8）充任县教育局职员16人,在党政机关服务者约200人。

（六）学术研究

本所设立不久,经费困难,研究设备尚欠完善。且地处陕南,交通阻塞,研究材料征集亦感不易,因此对研究工作,短期内难有重大贡献。兹将本所正在进行中之研究工作分述于下:

1."中等学校英语教材及教法之研究",研究者金澍荣限期三年。"中等学校毕业生英语写作错误之分析",为此研究之一部分,已完成业经出版。

2."战前与战后教育",研究者李建勋,限期二年,各项材料已征集完备,正在整理编辑中。

3."师范学校教育",研究者程克敬,限期二年。分发各校调查问卷,大部寄到,即将开始整理编辑。

4."改进西北师范区中等学校师资之研究",研究者金澍荣,限期二年。前分发各校调查表格,已陆续寄回,即将着手整理。

5."教师人格",研究者鲁世英,限期二年。研究材料正在搜集中。

6."战时民众组织与训练研究",研究者王镜铭。限期二年。现各项民训法规及材料业已征得大部,最近期间将开始整理。

(教育部编《全国专科以上学校要览》正中书局,1942)

二、《抗战中的学生》中的《抗战期间的国立西北师范学院》

一

如果英国要因为牛津、剑桥两大学,在英国的文化上,有相当的贡献而引为荣幸的话,那么,中国也要因为国立西北师范学院——也就是以前的国立北平师范大学——在中国中等教育的培植滋育上,占有绝对重要的地位,而觉得足以自豪。

然而,国立西北师范学院虽然是中国中等教育的中心,却只有38年的历史;在这短短的几十年里,它似乎很难有什么大的成就。但是,在复兴的中国,一切事业,都像旭日的初升,这38年的光阴,的确已够它树立一番事业。我们的师大,同它的附属中小学及幼稚园,在过去的几十年里,除去培养出来许多出类拔萃的教育家、科学家和文学家以外,还替中国造就了成千上万的优等中学师资;他们都终年孜孜不息的训导启迪,提携教化中国的青年。谈起这一般循循善诱,热心教务的师大毕业生,他们每一个人都愿意尽毕生之力,以从事于教育事业。他们并不好高骛远,他们也不希冀高官厚禄。所以,这一般优秀的师大毕业生,也可以说是抵御残暴日寇的基本干部,同时也可以注意到我们的师大,在过去的三十几年里,已清除了中国教育上一切根深蒂固的痼疾和阻碍,赋予中国一个新的生命而使之复兴,又复奠定了中国抗战建国伟大事业的基础。

然而,要想认识师大真正伟大的所在,必先知道师大的双重使命:在平时,师大的使命,从直接的方面看来,无疑的是造就中学教师,学生在师大学业四年后,可以获得良好品格的修养,智识的造诣和体格的锻炼;而间接方面,是影响全国的小学教育。在抗战时期,师大又负有救亡图存的重大使命,因为抗战的胜利,固然有赖于前方浴血奋战的英勇将士,而后方民众的组织和训练,更是绝对不可忽视的,这种民众训练与组织的工作,乃是和国民教育的推行互相关联的,如欲完成组训的工作,自然必须从国民教育入手。

既然明白了师大的使命,我们也就可以晓得师大在中国教育史上,所占的地位是何等的重要而显著。我们看看师大过去对国家的贡献,和它现在责任的重大,以及它将来需要完成的一切艰巨的工作,凡我们侥幸有机会能在师大学业的人,都应当觉得光荣和自豪。

这座高等师范教育的学府,诞生在西历一九〇二年,就是中华民国成立的前十年。它的诞生是不为无因的。那时的中国,仍在满洲皇帝统治之下,同时外力侵略日亟,那岌岌不可终日的满清帝国,正在努力地抄袭欧西的文化。当时传统的经典教育,已受到严重的试探,而渐证为毫无救国的力量。当时的人士,莫不自怨自艾地问道:"为何中国受外侮竟到这步田地?""我们怎样才能和列强并驾齐驱?"一些忧国忧民的志士,都说中国致弱的主要原因在于教育的腐败,而改革中国教育,乃是当务之急。他们果然看出症结的所在了。实际上,那腐化的经典教育——也就是一般人所公认的"八股文的教育"——从好的一方面说,充其量不过是能用来粉饰太平而已;而从破坏的一方面说,那种教育恰好可以用来桎梏200年来在满洲人铁蹄下呻吟的中国人的思想,哪还能倚靠这种教育,企图富国强兵,抵御外侮。当时中国既已知道除去经典的文学以外,还有多种学科,由救国的观点上看来,也是一样的重要,而当时的国人,对这些学科,毫未问津。一般有志之士,于是深感创设大学以介绍欧西文明的必要,以为这办法,乃是医治国本的一良药。京师大学堂——中国最老的一个大学——就在一八九八年应时而生。四年后,在一九〇二年(光绪二十八年)九月十七日,京师大学堂附设一个师范馆,目的是造就中等师资,这师范馆的诞生,就是我们师大的创始。其后改为优级师范科;民国元年改为北京高等师范学校;民国十二年七月改为国立北京师范大学。十六年到十八年之间,因为政局的关系,学校的名称,曾屡次更改。直至十七年七月,学校奉到教部命令,与当时的国立女子师范大学合并,改名为国立北平师范大学。

神圣的抗战,终于一九三七年七月七日,在卢沟桥爆发了。北平失陷,一切文化机关被野蛮的日本军阀摧毁殆尽。于是,师大不得不由北平迁移到内地的另一个故都——西安。

师大在西安逗留了五个多月,是西安临时大学的一部分。当时的临大,是由师大、平大、北洋工学院三校合组而成的。

  为了战局的紧张,西安的情势,渐不稳定。西安临大,又不得不再向较安全的内地迁移。一九三八年春季,临大全体师生,以及整个的师大附中,走上长约500公里的征途,而全程2/3是徒步旅行,这是因为由宝鸡而南,并无铁路,只有崎岖难行的山路。两星期后,全体到陕西南部城固县,而学校又改名为国立西北联合大学。教部当时为了重视西北师范教育,特命师大改组为独立的国立西北师范学院。同时,教部鉴于师大已往斐然可观的成绩,以及它对国家社会伟大的贡献,更知师范教育在抗建时期的重要,乃另外设立了六处师范学院,遍布中国内地各省。这也是师大对整个中国教育一种很有意义的影响。

二

  师范学院如何迁入内地,显然是有叙述即价值。在目前交通不便利的中国,生在北平的人或在那里久居的人,绝梦想不到会来到这荒凉的西北各省,但是,天道是难知的。

  卢沟桥事件爆发后,驻扎在历史悠久的卢沟桥的中国军队,开始于野蛮的日军以致命的打击。此次战争的发生,显然是表示中国人民已下决心,不再屈服和妥协了。那时,住在北平的人们,都准备去死守这座孤城。沙袋、铁丝网、机关枪等,设置在每个街头和巷口,为了保卫国土,许多爱国的大学生也都入伍,战神降临到这古城里,已迫于眉睫。但是终于不得已,中国军队转移了新阵地!唉,可惜这座古老的文化城,竟沦陷敌手!我们的母校——□□陶冶之地也遂变为狐兔盘踞之所了!

  于是,盈千盈万的青年学子,因为家乡沦陷,都开始向内地较安全的各省流浪,但他们虽过着漂泊的生涯,却都怀着一颗和日寇不共戴天的心。多数的大学生,加入了军队,走上了战场,有的树立了奇功,有的为国家捐躯,我们学校体育系一九三七班同学张连奎、刘云章二君,就先后在陕西北部前线牺牲了!

  以前说过,师大在抗战开始后奉教部命令,迁移西安。我们500多学生,历尽千辛万苦,才一批一批地到达西安,恢复课业。

  西安即古长安,是周、秦、汉、隋、唐各代的国都,然而它却不像北平、南京两个故都那样出名。自从一九三六年十二月十二日"西安事变"发生以后,这久为众人所忽略的西安,又为大家所注意。

在非战区的各大城市里，西安也还算得是可以安居的一个城。但是，由这些会度过舒适日子的学生看来，每件事情，都难使人满意，不过他们都知道如何设法来适应这种环境。初来时，理学院同学借居于城西东北大学，文学院同学就居住在城里的一所旧营房内。当时同学的寝室，是非常不舒适的：三四十个人，住在一间门户洞开的房子里，十二月里，西安的气候，寒冷到极点。寒风吹进屋来，一般衣被不足的同学，都叫苦连天。

我们的膳食较住处更坏：因为大多数同学，只能缴纳5元膳费。这5元钱，也非出自同学本身，而是学校所发给的特别贷金。我们每天吃些什么呢？两餐米饭和淡而无味的菜汤而已——这种食物，味既不美，养料又不足。说来也可笑，有些同学对这种食物，居然也觉很适当，因为他们很奇妙地肥壮起来；自然，有许多同学因营养不足，患贫血病，但是这种情形，在战时真是司空见惯，算不得稀奇了。但是，把物质上的不舒适和内心的不爽快，暂放在一旁，我们先努力我们的学问，因为只有集中精力来求学，才能达到救国的目的。同时，目前的环境，尚算不了艰难，还有十百倍艰难困苦，迎面而来，我们非努力奋发不可，才能将它克服。

当时日机的轰炸，实在是一件不可避免的事。十一月间太原失陷，敌人乃以西安为轰炸的目标。日军更向南进□□沿山西边界，建筑许多空军根据地。从那时起，无论在白昼或月夜，敌人飞机，每每进扰。因此，校内添掘了许多防空洞，又规定空袭警报时，大家应遵守的条例。

日寇采取这种滥炸的手段，目的当然是在胁迫中国屈辱妥协，但这方法已证明无效，因为这在心理上或任何方面，都是毫无影响的。反之，这举动正可暴露暴日的兽行，而增强了我们抗战到底的决心。从另一方面看，又给予我们机会学习行动敏捷，遵守纪律和临危泰然等等。所有这些精神上的收获，以及一切抗日情绪，对青年人都很必要，而决非在教室里所能得到的。

作者记得每逢空袭警报时，全校人员立刻地向各防空洞和地下室。同时，担任防毒、防火、保护等工作人员，各就岗位，以防万一。其余的人，在校警指挥之下，安然踏入那安全的地下室。

地下室的入口关好了以后，手不释卷的同学就点起蜡烛来。别的人就高谈阔论，好像是置身于茶馆酒店之间。时常我们的视线会集中在那身材矮胖，刺刺不休的注册组的书记身上——如果侥幸能靠近他的话。这位先生的手握着烟斗按在他那隆起的肚皮上，滔滔不绝地告诉我们关于他妻子留在北平的经过。其实只要有人勉强的恭维他太太几句，他立刻就会由他的身边，拿出许多他妻子的照片请我们看;因为经过了长时间的摸拿,相片四角折,形迹模糊,使人看了半天,依然莫名其妙。他太好反复地唠叨了,说话的语气,使人难受。他所说的故事,非常平凡,无聊重复,所以每当第一个故事告一段落时,立刻就可以猜到他的第二个故事。关于他那次九死一生的经历:就是一个火车站上,16个中国平民,其中包括一个怀孕的母亲同她的3个小孩,在一转瞬之间,都被一个日本炸弹炸得粉碎。这故事的本身,也真令人发指,但他说话的态度,实在非常滑稽。无论如何,他帮助了我们消磨时间,请想谁能在那公墓式的地下室,停留五六小时,而不感觉到精神上的窒息呢?

当紧急警报发出时,所有灯光,立刻熄灭,室内就变成漆黑。但是,请放心不要怕有人踏了你的脚,因为这时候大家都平心静气地站着。当听见飞机在头上飞翔的时候,炸弹和机枪的声音,就会相继而来。这时候,雄伟的建筑,或高大的庙宇,显见的会被摧毁倾覆;弱婴的鲜血,也会染红了他垂死的母亲的满怀,于是全城会变成一个大屠场,活地狱,这就是现代文明的礼物,二十世纪人类的洪福!但是,在这血泪嚎啕的里面,显然地存在着一颗永不泯灭的复仇心!

虽然警报频传,我们的课外活动,却毫不受影响,课余之暇,大家都努力救国工作。同学们自动地组织了剧团、歌咏队,在街头巷尾表演宣传。星期日大家到郊外远足旅行。一则可以探寻名胜古迹,二则可以锻炼身体,以备国用。

为了战局的紧张,西安情势,渐不稳定,学校奉教部命令,迁移陕南的城固县。经过这番仓促的准备以后,全校员生,乘火车到宝鸡,由宝鸡步行向城固出发。

在出发以前,听说沿途村镇,多是僻陋非常,购买食物,也相当困难,学校当局乃组织了膳食委员会,管理学生一切膳食问题,以及沿途住宿问题。

这次的旅行,实在是很愉快的,天气是那样晴和,风景又非常可爱。我们在崎岖的山路上,共计走了13天。山中的景色,是朝夕变幻的;晨曦才从东方露头的时候,高高的山峰都好像戴上了一顶金冠,对着这些流亡的学生打招呼。但在中午,人们在烈日下走的疲乏了,所以也不觉得这山色的可爱。可是,日落以后,一切都成恬静,庞大的山,也渐渐地一个个睡倒在黑暗的怀抱中。

这样走了五六天以后,因为所看见的总是些高山巨石,野店荒村,大家又渐渐地感觉单调起来。路上所能听见的又只有些行人的脚步声,和负担过重的骡子的叫声。羽毛华美的山禽,偶尔发出几声清脆的歌声,旅行的人继续地在谈着;时常有人说一两句笑话,其余的人随即笑了起来。路旁流水潺潺的歌声,永伴着这群流亡的人们,给予了大家很大的慰藉。

我们的校长李云亭先生,也参加了这次长途的旅行,欣然地领导着同学,度过了重叠的关山。他那沉毅果敢,不避艰险的前进,象征了他历年办教育那种坚韧不拔,任劳任怨的精神。李校长实在是一个中国教育界中流的砥柱,是值得我们景仰爱戴的。

我们所跨过的山,最高的要算是秦岭了。那天骤雨之后,开始前进,路途泥泞,异常难行;但沿途翠柏戴雪,白石枕流,景色如画。柴关岭的高度,仅次于秦岭,而斜坡崎岖,则有过无不及。

我们全校师生,在 13 天内,步行了 225 公里,最后安全的到达城固。这次旅行增强了我们每一个人的体力,增广了每一个人的见闻,在我们的校史上,添了光荣的一页,实在是值得纪念的。

三

这座小小的大学城——城固——是位于风景优美的汉江滨上。据一位在城内住了 40 年的英国老牧师说,这汉江最初是紧靠着城的南门,滚滚地流着;可是 35 年前,经过一次可怕的洪水以后,这老牧师一天早晨发现了汉江已改道于城南三里多地的地方了。它就一直在那里流着,再也未曾改道。

离城西南不远的地方,有个广大的桃园,其中桃树千株,傍江而生;每值春天花发的时节,就形成了一个大的桃红色屏风,隐蔽了那碧色油然的山麓。城西北不远叫做"神仙村"的地方,又有个大的橘树林;秋天来到了,林中马上挂起黄金色的果子。夏天的时候,城东一里多地,有个广约十亩的莲花池,可供游赏。城的四周都是些良田沃土,每亩田地每年平均可产米两三石有奇。此外豆、麦、玉蜀黍、芝麻、地黄、油菜籽等,也很丰饶。

可是城内的情形,却与环城的景象迥乎不同,实际上是和理想相差太远。城固城长约二里许,阔还不到一里。正像中国西北一般的小县城一样,全城只有一条大街。每值雨季,大街上有些地方,常常变成泥塘。城里既无电厂和自来水的设备,又无大医院和书店。黄昏时,街头挂着的菜油灯,增加了街市上的暗淡不少。这种现象,十足地表现出内地各省对近代物质文明是毫无所闻的。城内居民生病时,多半靠着本地的庸医治疗。也许偶尔在街上可以发现一二处小书店,门前摆着几本过时的杂志和贱价的小说,市民吃用的井水里,时常可以发现病菌。

但是,城内却有两所大的建筑:一是孔庙,为校本部和教职员所占用;另一个是考院,是学校一部分教室、实验室和女生宿舍的所在地。这建筑多是年久失修,破旧不堪。然而学校初到时,在经济十分拮据之情形下,除了修葺旧的建筑物以外,还造了许多木板土墙的小草房。图书馆是借用了孔庙的尊经阁;大操场和体育馆是建设在城东半里许的地方,而在操场的西端,最近又盖了许多间草房,作为男生宿舍。

但是,这些建筑和设备,并非一朝一夕所能完成的,那是近三年来惨淡经营的结果。甚至到现在,还有几处工程,尚未完竣。学校初到时,一切一切,都茫无头绪,而桌凳一类的家具,尤感缺乏。教室里只有几条笨重而粗糙的长方形桌凳。宿舍里除了一排排的双层卧床以外,简直就没有其他任何陈设。图书馆方面也是设备太差。下课以后,同学们根本没有法子去读书写字。但为了满足求知的热望,和补救已荒废过去的时间起见,同学们有的在城墙上朗诵,有的在城外柳荫下或小溪旁阅读,更有些同学常常照顾本地的小茶馆,目的不在品茶,也不是为了听些逸闻趣事,或闲谈大局,却是利用那些茶桌,写作练习,准备功课。因此,许多茶馆一时都变成了一般在任何环境下都可以专心读书的同学们的研究室。

同学们吃饭的地方,也是值得叙述一下的,起初并没有饭桌和凳子,在那广大的"饭厅"里,除了桌上摆着一排一排的竹篮子盛着竹筷子、铜勺子和瓦制的杯碗以外,更是别无长物。大家都站在那里吃饭,如果想夹一箸菜和取一匙汤的话,也就只得很费力地弯下腰来。大家都相信站着比坐着吃得多些,不过这件事还需待科学家来证实。可是,虽然艰苦到这个地步,大家也都顺利地过了几个月,现在饭厅内总算有了桌,但仍没座位。

关于学生宿舍,还有许多特点要叙述,用稻草覆盖的房子里,既没有顶棚,也没有地板,而且也没有铺砖。在那高低不平的土地上,铺着一层薄薄的沙子,是为防潮湿的。向上看,可以看见那架在木缘上的黄稻草。在这种草制的屋顶上,可以发现许多小孔,可以望见蓝天。每当雨季,雨水就从这些小孔流了进来。一天晚上,一个同学的被褥,被流下来的雨水浸湿了。他喊道:"我希望再多流些水来,那么我们可以洗个澡了!"他一边说着,一边却跳下床来,搬到一块干的地方,继续睡觉,甚至在这样艰苦的环境里,他也是毫不沮丧,他已学会了用一副笑脸,来应付一切的艰难。

每个寝室里,普通有4张双层铺,可以住8个人,而爬上"上铺"时,多少需要技巧。同学们——特别是女同学们——稍不小心,就会跌落在地上。虽然,这些物质方面的不便,毕竟算不了一回事,一般的同学都还保持着绝对的清洁和整齐。

在宿舍里可以看得到的每一件东西,都是安放地井井有条,旧的靴鞋,都是齐齐地排列在铺下;床,是用雪白的褥单盖着,被褥也都折得像木块一样的方正。室内光线充足,空气流通,当你走进一间寝室的房门,一定会起一种快感。

因为战时交通的停顿,一切书籍,都不能买到。在教室里,同学们除了用讲义以外,或是抄写笔记。最近由天津迁来一所印刷局,影印应用的课本和读物,这实在对目前的困难稍有补救。可是,我们仍希望在我们的大西北,能建设大规模的印刷所,利用土产纸墨,印刷各种应用的书籍。

教室内所用的书籍,固然是难以购得,而由外国购买化学药品和仪器,更是难能的事。然而,为了教学和实验的进行起见,物理系的同学们,在教授指导之下,已造成了许多简单而实验的仪器,类如电流针、望远镜、光凳、无线电变压器等。同时,化学系的同学们,虽然感觉药品和器具的缺乏,实验的成绩,仍是相当的满意,而且有许多教授,在同学及助教协助合作之下,居然时时有所发明,下面谈到用地黄制造草绿的方法,即其一端。

自从抗战开始以来,舶来的染料,价值高涨,货色缺乏,内地各省,急需有掩饰价值的草绿。我们理化系主任刘泛驰博士——一位中国先进的科学家并教育家——悉心研究用土产的地黄来代替舶来的草绿,因为地黄的产量,仅就城固一县而言论,每年可以产 300 万斤之多,而每斤之价值,只售八分钱。在 200 次试验之后,果然成功,用这个方法所染的毛织品,是绝对经久不变的。至于详细的染法,已在美国某杂志上发表,而怎样将这方法应用到染丝织品和棉织品上去,尚在继续研究中。

我们的中国文学系主任黎劭西先生——一位当代的国学名流,而兼语音学的权威——正在倡导一个新的运动,主张将十三经,以及史部、子部的要籍名篇,先译成标准的白话,再译成罗马字注音符号。黎先生本人,同他的热心弟子们,正在从事这艰巨的翻译工作,目的是:(1)完成国语的统一与文学的革新;(2)建立世界化的"国语罗马字";(3)阐明四千年来中国历史演进的真相(就是结算三百年来国故整理的旧账);(4)宣扬中华民族真正的文化;(5)普及历史文化与振起民族精神的教育。黎先生在他最近刊行的小册子《天下为公》里面说:"像这样的把古经典翻成白话,好有二比,比作西洋史上十六世纪德国的马丁路得,他把基督教的《圣经》,译成当代的日耳曼语,让民众不通习拉丁文的也能读,就奠定了四百年来'新教'的基础。再比作十四世纪英国的威克里夫,他把《圣经》原文,译成当代的英语,于是英国才有国语,英语才有文学。"

我们史地系的同学和教授,已曾发掘了两座古墓:其中一个是汉博望侯张骞之墓,位于城固西北四五十里路的博望村,这种工作引起同学们研究考古学的兴趣。又有一部分同学,曾沿汉江流域各县视察各产砂金地区,作有详细报告,至于如何淘金问题,也都正在研究中。

我们教育系的教授和同学们,都正在研究讨论一个含义重大的问题如"战时及战后之中国教育"。关于这个问题的各种文字,将由西师出版组汇集成册,印行专刊。

总而言之,无论现在的环境是如何的艰苦,我们西师的学术活动,总是在积极进展的!

四

青春生命的洪潮,满溢在西师的每个角落里,而且这潮流可以很容易地在这些精悍强健、□□绿衣的少年男女身上发现。他们有魄力,有精神,吃苦耐劳,热心乐观。他们的生活是简单的、朴素的,纪律化、军事化。他们有共同的信念,他们深信中国艰苦卓绝,奋斗到底……一定可获得最后的胜利。他们的相信在抗战建国时期,教育是应当绝对重视的,他们深知教育中国来日的青年,是他们自己的责任。因此,他们都焚膏继晷,孜孜矻矻的勤学苦读。无论在教室、图书馆,或实验室里,总可以看见他们在埋头研究他们自己的学科,每当集会讨论时,他们都热烈的参加,又和教授们辩论问难,以期发现真理。

这些青年们对于知识的寻求探讨,虽在课余之暇,也丝毫不懈。他们时常找到导师家中,去请求指导和教训。他们的导师,并不像一个牛津大学的教授,只知把几个学生召集在一起,对之吸烟斗而已,西师的导师,是以身作则,循循善诱的。他不但在学生知识方面,加以启迪育化,同时对学生品格方面,也是不遗余力地予以指导和纠正。以往中国的教师,多偏重知识的传授,而忽略学生品格的修养,同时,学生很少有机会和师长接近,师生的感情,乃日渐隔阂疏远。为了铲除中国教育上这点缺欠,西师当局决然地采用了导师制,施行以来,成效斐然。而一般导师对自己负责的学生,也很乐于指导,看待他们自己的学生,正如一个园丁对他亲手自栽而盛开的花一样的感觉兴趣。

处在国事日亟的今日,中国学生只有品格的修养和知识的充实,尚嫌不足,中国要求一般的青年都能具有执干戈以卫社稷的能力。"大学教育军事化"已成了一般的舆论,政府命令每一个大学生,必须参加集中军训。西师全体学生就在去年夏天受了真正军事训练的洗礼,我们在汉中中央军官学校第一分校教官领导训练之下,过了两个月实际军队的生活。

老实说,军营里最初几天的生活,真感觉有些乏味、难过,五点钟起床,就要参加早操、整理内务,再用早饭。接着就是学科、术科、野外、晚餐,八点钟点名就寝。星期日早晨上完纪念周,还要检查内务、整理服装,训话毕,方才能有半天的休息。

但是,这种生活过惯了,不但感觉得呆板,反而觉得它是最快乐、最自由,因为惟有从纪律中得来的自由,才是真自由,从紧张的生活中得来的快乐,才是真快乐。最后,我们每一个的身体,都强壮起了,我们做事的效率增加,并且能吃苦耐劳,忍饥受寒,我们由集训得来的收获,可以说是伟大而有意义的。

至于其他的课外活动,学校曾于一九三八年十二月,从事提倡普及民众教育,同学们在教授们领导之下,努力工作,现在将同学们工作的范围和组织列下:

1. 注音符号讲习班;

2. 防空防毒讲习班;

3. 普通科学讲习班;

4. 小学教师讲习班;

5. 小学教师函授班;

6. 民众学校;

7. 体育讲习班;

8. 民众业余运动会;

9. 家事讲习班;

10. 地方风俗习惯调查团。

此外,还有临时组织的各种宣传队,由教授及同学分别担任工作,宣传的目的,特别注意普遍的防空、防毒、兵役、救护,以及公共卫生等。去年的旧历元旦,举行慰劳出征军人家属大会,西师全体教职员、同学,莫不慷慨□□,且购买礼物,亲自送给出征军人的家属。一九三九年四月六日,是民族英雄扫墓节,在张骞墓前,举行纪念典礼,同时提倡献金救国,共收款5000余元,献给政府。

从上面各种课外活动来看,西师教职员同学,对于各种救国运动,向不后人。固然,在这危急存亡的时候,工作进行,不无困难,然而我们相信只要咬紧牙关,贯彻始终地做下去,一定可以完成我们教育救国的使命,而促成抗战建国的伟业!

(宋如海编著《抗战中的学生》重庆:世界学生会中国分会,1942年出版)

三、1941 年时的国立西北师范学院调查

国立西北师范学院院长李蒸,40 多岁。河北冀县人,家富,原师大英文系毕业,到美国学教育三年。回国以后任教育部高等教育司司长、师范大学校长,1940 年成立西北师范学院任院长。

社关:

黎锦熙、袁敦礼、易价、李建勋(原师大校长,李蒸给他做秘书,他培养李送出洋留学,后来他自动不干,将位置让于李蒸,而自做教育学院院长)。

党派:

1940 年参加 CC,主要为保持其地位,在北平师大校长任内以李石曾作后台,对党派活动颇冷淡,参加国民党很早,对国民党相当忠实。

为人:

官僚味很重,同学们去交涉事情,他听说来交涉就大发牢骚,说你们不要交涉,应请求才行。在师范学院中威信很高,党及三青团俱由他包办,教授中派袁敦礼去活动联络。

贪污:

1. 由师大曾撤职一次,查他账不出。

2. 私人收学校图书组基金数万元,用以囤集居奇弄大批粮食做生意赚钱数万元,而以图书主任何日章出面。

……

秘书易价,湖南人,40 多岁,地主出身,师大毕业后当附中教员,前□秘书主任,现任师院秘书,能力不强,为三青团领导人,与杨立奎、胡庶华关系很深,系复兴分子,与李蒸曾狼狈为奸,故虽派系不同,李蒸亦莫奈何他。对反共有成见,私生活非常腐化。

教务长袁敦礼,40 多岁,河北人,师大教务长兼体育系主任,人极跋扈,在师院地位威信俱高,体育系学生以家长礼待之,提倡卫生教育,在体育界很有名。CC 系,参加得很早,现又作三青团中央直属分团部主任。

教务长黎锦熙,湖南人,50 多岁,与黎锦耀、黎锦明等一家,大地主,□师毕业,研究音韵学,用国音字母,提倡罗马字,对宋之理学造诣较深,国民党常利用以反对拉丁化。任教育部国音注音字母推行委员会常务委员,现在南郑《西□日

报》同其学生赵兰庭、廖序东等办国语周刊。

党派：

无党派立场，1939年区党部曾发通知要他入党，他不参加，并将表掷于字篓中，因此区党部非常不高兴他，前教育部次长顾毓琇八月来，区党部负责人要求解聘他，谓他是非党员。后以老教授资格而罢，现三青团聘他作师范学院三青团指导员。对共无成见，不顽固，曾给人家："一般人都说什么反动学生，我看他们功课都很好，相反的党团员则功课都不好。"当曹靖华解聘（因教俄文），他代表文学系请他教书，竭力挽留曹，但曹以后到重庆，自动不干。

生活：

……他身体很坏，吃饭很简单，只馒头稀饭，喜睡早觉，还很努力研究学问。

训导处长由袁敦礼兼任。下共分七系一专修科：

1. 国文系主任黎锦熙，与西大差不多，80多学生，三年级。

2. 外文系主任张舜琴（女），广东湖州（疑为潮州）人，南洋华侨，其与罗隆基（参政员，国社党员）夫妇关系不好，已离婚。曾留学英国伦敦大学，学法律。香港女律师之一，1939年到西大任教授。

3. 历地系主任黄国璋，系朱派，现已离开，担任中国地理研究所所长，参加复兴活动很厉害，拉学生入团……但教书尚可，表面上不差。

教授郁士元，教地质，做讲师，兼文治中学校长，CC，有活动。

谌亚达，教中国地理，国民党员，不活动。

殷祖英，教西北地理，国民党员，不活动。

王钧衡，教外国地理，国民党员，不活动。

全系共三四十人。

4. 理化系主任刘拓，30多岁，湖北人，CC，活动很厉害。想活动西大校长。教书很不差。

教授赵学海。

5. 数学系主任张德馨，山东人，30多岁，德国留学生，数学博士，七七事变后回国。爱唱戏，常拉胡琴，对国民党不满意，常谈到陕甘宁边区觉得政治清明，对我党同情，谓："共产党比国民党平等些，周围团结很多群众。"但他反对拉丁化，谓中国字何必拉丁化。

教授赵锡，河化人，CC，刘拓的人。

傅种孙，江西人，无党派背景。以外尚有刘大胖子一人，详情不明。

6.公民训育系主任杨立奎,复兴康派,50多岁,皖怀远人,师大30多年,老教授。领导三青团,过去曾在北平反对新启蒙运动,"一二·九"以后鼓动新学联去打旧学联,当时参加新学联的主要角色如:王鹏(平大法学系学生,CC)、李子华(师大)、吴曙曦(平大法商学院)学生,CC、原景信(托派,城固前马区印刷所所长,平大法商学院学生)。

杨原先在师大权力很大,1940年冬陈石珍来削小其力量,夺其地位,以后托辞三青团要他回来,但陈石珍地位很巩固。

7.教育系主任李建勋(兼师院研究所所长),性耿直,自视颇高,对国内知名教育家多看不起,但稍有气节,对青年要求较苛,该系国学多畏之,如严父。对前进分子不甚歧视,今年师大毕业生欢送会上彼曾谓:"现在之青年在社会服务往往因太热心,常被人视为有作用××党,结果青年一天天消极下去,这样下去中国的教育还有什么希望?我希望你们不要陷打击"等……。与杨立奎不睦,提倡尊重师道,曾谓:"……老百姓毁掉'天地君祖'之牌位,独令百姓不毁'师'位,足见师道之深中人心。"(在汉中广播)道德观念较深。彼现亦50多岁,仍无子女。

教授:

胡国钰,40余岁,河北人,师大教育系毕业,无党派,同情我党,生活简朴,家庭负担甚重。

金澍荣,30余岁,广东人,无党派,中立,教书受欢迎。

家政系齐国樑,河北人,前天津女师学院院长,中立。

军训组(由训导处领导)王佐强,东北人,特务,由东北讲武堂毕业,1936年以前在陕北与红军作过战,参加东北军,西安事变时在西安,抗战曾参加别动队,当西安临时大学军训教官,后到军大当军(训)组长,1941年调重庆中央训练团受训,与师大对调,调到师范学院当主任教官,并领导青年剧团,其下组织有特务网及特务小组,每个人身上带小笔记册笔记学生。

总计在师范学院200多名职员中,约2/3有党派关系,而活动最厉害者则占其占其1/4,活动很厉害,但当时仍以CC力量为最大,有势力。

(二)师范学院三青团活动情形

中央直属三十分团部,一九四〇年组织筹备处,一九四一年正式成立。

1.组织系统

2.负责人

主任黄国璋(由易价代理),书记董守义,各股不详。

妇女股吕善贞（女），为吴□□的爱人，特务，复兴分子，活动很厉害。

朱施民，20多岁，皖人，西大化学系毕业，到师大作训导员，实际负三青团工作，与杨立奎关系好，三青团一些活动多由复兴杨立奎所把持。

活动：

1. 暑期读书会。

2. 出版《城固青年》，不定期刊，其内容系记"五四"，但卖不出去。

3. 组织游艺会。

4. 特务。其特务负责人与书记发生关系，直接与三青团中央有关，一年级军训特训一二星期，曾开除6人（以后4人改为试读生），他们认为思想不正确，都是些群众，后开除。

5. 发展。多半在同学中发展，对其威吓开除训练，或将开除以要挟；利用奖学金津贴、毕业出路、津贴、职业、衣服、介绍爱人拉同乡同学关系，在感情上接拢，以便进一步的拉拢入团。

其参加资格主要在无反动嫌疑，宣誓时团外人不参加，用旅行等机会进行。有时在教室出布告别人不准看，外面有人守卫。

6. 组织生活。每星期开分队部会议一次，有报告工作，检讨工作，有上级参加，有时报告国际问题，由邮所供给他些消息。订学习计划，规定一星期开会一次，不到的罚钱一元。有时举行个别谈话。团费收一毛，由分队部来收。

其团之经费由中央团部发，月30元，干事每月20元，主任和书记不发。

7. 宣传教育：

A. 订学习计划。有《大学》《中庸》《孟子》《论语》《领袖言行》《建国大纲》《建国方略》，张载的《西铭》，曾文公的《家书》《孙子兵法》《三民主义》《抗战与文化》等。

B. 夏令营。进行军事政治训练、反共训练、游泳、爬山、骑马，散发一些反共小册子《中共理论之批判》等，并进行自我批判，常着人为其写自传。

在三青团工作的人自称自己分子不纯粹，以为一定有异党打进来。

（三）师范学院的群众团体。

1. 三民主义研究会，未进行活动；

2. 领袖言行实践社；

3. 国剧社；

4. 话剧社；

5. 棋社；

6. 诗社；

7. 社教；

8. 各系各级的球队；

9. 体育学院；

10. 音乐会；

11. 各系系会；

12. 各省同乡会。

各系系会组织人数不等,其干事会由全系人来选举,由 7~11 人组织之,全体同学为会员,其内部分工为总务、交际、研究、抗战股,其作用有时能聘教授。

当选举时大多数在我把持下面,而学校却不准成立,同时各小组织或将之出席而拒绝,但在双方力量与势力差不多的情形下面,则可双方成立,但开会时,必须通知院长,出壁报则须经过训导处,而且写的文章只限于一些功课有关方面,不能写政治论文。1940 年对各系系会开始有了很大的限制,开会必须经系主任参加。以前学校在组织群众团体时比较自由,但现在则限制非常厉害,在校内不能召开大会,仅欢迎欢送大会有时尚可召开,但国民党三青团可以活动而自由组织团体。

此外,在学校中尚有姊妹团的组织,无政治活动亦无一定形式,经常在一起玩,吃酒,或出去玩。

(四)师范学院学生

共 800 多人,新招以河北籍为最多,而四川次之,内有女的 100 多人,各系都有,以家政系为最多。

此外尚有中国青年写作协会西大分会,CC 组织,复兴组织参加,1939 年下半年党团员都参加,有 70~80 人,组织干事会,内分总务、学术、出版等部。各大学和西大及师范学院等都在一起,内著名人物有李化光(西大政治系毕业)、任德济(西大),曾内部出版《今日青年》,系月刊。西大曾出壁报,但不经常。

(《陕西革命历史文件汇集》 一九四一年至一九四二年,中央档案馆,1993 年 04 月,第 182—188 页)

第四章 学校重要会议记录

第一节 国立西安临时大学筹备委员会常委会会议记录

一、根据零散资料对国立西安临时大学筹备委员会常务委员会第一次至第十六次会议记录的近似复原

国立西安临时大学筹备委员会常务委员会第一次会议记录[①]

时间：二十六年九月三十日下午二时。

地点：西安临大第二院（时与东北大学共处，今西北大学太白校区）。

出席：徐诵明、李书田、李蒸三常委，周伯敏委员（陕西省教育厅）、臧启芳委员（东北大学）、童冠贤委员出席。

议决：确定教务主任张贻惠等各处院系主任人选。确定接受河北省立女子师范学院家政系并入。

国立西安临时大学筹备委员会常务委员会第二次会议记录

时间：二十六年十月五日。

地点：西安临大城内校本部（今西安城隍庙）第一院会议室。

---

① 西安临时大学筹备委员会呈主席委员王世杰（中华民国二十六年十月十三日收，高壹26第21498号），民国档案，呈送本大学各处院系主任名单一纸请鉴核备查由，中国第二历史档案馆。

出席：李书田、李蒸、徐诵明、陈剑翛常委，臧启芳委员（东北大学）、周伯敏委员（陕西省教育厅）出席。

国立西安临时大学筹备委员会常务委员会第三次会议记录

时间：二十六年十月八日。

地点：西京招待所215号。

出席：李书田、李蒸、徐诵明、陈剑翛常委，童冠贤委员、臧启芳委员（东北大学）、周伯敏委员（陕西省教育厅）出席，以及教务处主任张贻惠、总务处主任袁敦礼列席。

国立西安临时大学筹备委员会常务委员会第四次会议记录

时间：二十六年十月十四日。

地点：西安城内校本部（城隍庙后街）第一院会议室。

出席：李书田、李蒸、徐诵明、陈剑翛常委，童冠贤委员、臧启芳委员（东北大学）、周伯敏委员（陕西省教育厅）七委员出席，教务处主任张贻惠、总务处主任袁敦礼列席。

（第五次至第九次常务委员会会议记录暂缺）

国立西安临时大学筹备委员会常务委员会第十次会议记录

时间：二十六年十二月八日。

地点：西安城内校本部（城隍庙后街）第一院会议室。

出席：李书田、李蒸、徐诵明、陈剑翛常委，童冠贤委员、臧启芳委员（东北大学）、周伯敏委员（陕西省教育厅）七委员出席，教务处主任张贻惠、总务处主任袁敦礼列席。

国立西安临时大学筹备委员会常务委员会第十一次会议记录

时间：二十六年十二月十三日。

议决:对在校学生开展军事训练,实施军事管理,以适应战时教育的需要,并公布《西安临时大学军事管理办法》。其中规定:本校学生不分年级,均实施军事管理;全体学生编为"国立西安临时大学军事训练队",设队长一人(由校常委担任),队副若干人,下辖若干中队,中队辖若干区队,区队辖若干分队,每分队由学生十余人组成。

国立西安临时大学筹备委员会常务委员会第十二次会议记录

时间:二十六年十二月十五日。

地点:西安城内校本部(城隍庙后街)第一院会议室。

出席:李书田、李蒸、徐诵明、陈剑翛常委,臧启芳委员(东北大学)、周伯敏委员(陕西省教育厅)六委员出席,教务处主任张贻惠、总务处主任袁敦礼列席。

议决:通过《本校学术讲演办法》《本校对国内外行文之程序及手续办法》《本校教职员请假规则》等章则。

国立西安临时大学筹备委员会常务委员会第十三次会议记录

时间:二十六年十二月二十二日。

地点:西安城内校本部(城隍庙后街)第一院会议室。

出席:徐诵明、李书田、陈剑翛、李蒸常委,臧启芳委员(东北大学)、周伯敏委员(陕西省教育厅)六委员出席,教务处主任张贻惠、总务处主任袁敦礼列席。

国立西安临时大学筹备委员会常务委员会第十四次会议记录

时间:二十六年十二月二十九日。

地点:西安城内校本部(城隍庙后街)第一院会议室。

出席:李书田、陈剑翛、徐诵明、李蒸常委,臧启芳委员(东北大学)、周伯敏委员(陕西省教育厅)六委员出席,教务处主任张贻惠、总务处主任袁敦礼列席。

国立西安临时大学筹备委员会常务委员会第十六次会议记录

时间:二十七年一月十二日。

地点:西安城内校本部(城隍庙后街)第一院会议室。

出席:李蒸、陈剑翛、徐诵明常委,臧启芳委员(东北大学)、周伯敏委员(陕西省教育厅)五委员出席,教务处主任张贻惠、总务处主任袁敦礼列席。

议决:本校课程,在可能范围内,应准各系学生互选。

国立西安临时大学筹备委员会常务委员会第二十一次会议记录

时间:二十七年二月十九日。

地点:西安城内校本部(城隍庙后街)第一院会议室。

决议:对原北洋、北平、平师三校参加抗战工作,在其他院校借读等原因而未复学的学生,如能出具政府抗战工作证明、借读证明与成绩单者,可准予其复学。通过《本大学收录借读生简章》。

(据《西安临大校刊》第 11 期)

(第十五次、第十七次至第二十次、第二十二次常务委员会会议记录暂缺)

二、国立西安临时大学筹备委员会常务委员会第二十三至第二十四次会议记录

国立西安临时大学常务委员第二十三次会议记录

时间:二十七年三月九日下午三时。

地点:本校会议室。

出席人:徐诵明 李蒸 臧启芳 陈剑翛 李书田(周宗莲代)张贻惠(列席)。

主席:徐委员诵明。

记录:陈叔庄。

一、开会如仪。

二、报告事项：

1. 上次会议记录。

2. 一周来重要文件。

3. 李委员书田、袁主任敦礼、张主任汉文自天水来电报告印象颇佳，本校因时局紧张，已复电请其先往南郑布置，复又接到虞电一通。

4. 教育部求电□密□于紧急时迁往南郑或天水一带。

5. 本校派赴宝鸡人员阎步洲、尹荣琨、李珂深三君来函两通，报告接洽房屋车辆情形。

6. 在安康勘察砂金矿的魏寿昆教授第四次工作报告。

7. 军政部驻陕军需局函称本校所需粮食俟汉米运到后自当备案签请价发。

8. 陆军第二十八师司令部函复本校特殊训练队队员请□向一六四团团部报到实习一周。

9. 教育部指令我校学生经济困难者，可准免缴学费。

10. 高中部现任代理主任方永蒸、卸任代理主任冯成麟呈报交接手续请□完毕。

11. 本校为准备万一已经组织学生行军并制有办法，推定进行时各项工作人选，请予备案。

决议：准予备案。

12. 张教务主任报告，此次借读生试验情形及结果。

三、讨论事项

1. 本校为筹划安全防备万一起见，已经成立"准备建设事务委员会"下辖布置运输及膳食三委员会，请遵照并拟具《国立西安临时大学准备迁移事务委员会规程草案》请公决案。

决议：追认规程修正通过。

2. 推定"准备迁移事务委员会"委员人选，请追认案。

决议：追认徐诵明、李蒸、李书田、陈剑翛、张贻惠、李冰、袁敦礼、齐国樑、周宗莲、罗根泽、佘坤珊、李廷魁、刘德润、谢似颜、郭俊卿、易价、方永蒸为委员。

3. 本校因时局紧张，着手准备迁移拟即暂停上课，请公决案。

决议：照办。

4. 本校西迁教职员及学生出发到校办法，应如何规定案。

决议：(1)本处教员已随同大队出发为原则，如因患病体弱或自愿单独前往者,得于大队出发前启程,但须于三月三十一日以前到达南郑,向本大学办事处报到。(2)本校职员须随大队同行,如确因患病或不得已事件经常务委员会核准者,得于大队出发时自行前往,限于三月三十一日以前到达南郑,向本大学办事处报到。(3)学生于注册时声明,愿随大队同行者,即日起由军事主任教官按照本大学"全体学生由西安至汉中行军办法"编队,候命出发;其余注册时声明不随大队同往,或由医生负责检查证明确定患病不能同行之学生,应于大队到达南郑后一周内,即至南郑本校报到,逾期报到者,一律令其休学。又随大队同行之学生(借读生在内)因须置备旅行需用之零星物品准每人由拨付给5元,将来由校定期通知偿还。

5. 战区借读生白希安等26人,呈请准予发给战区借读生贷金案。

决议:借读学生应与正式生同一待遇,准其请求贷金,惟关系本校经费预算,已经备文呈部请示已逢到指令后,再行核办。

6. 战区学生徐国荣等210人呈请增加贷金为每人每月12元以维生活案。

决议:学生金费贷金准改为每人每月8元。

7. 四年级学生陈静□等123人呈请准予提前毕业案。

决议:碍难照准。

8. 本大学拟成立"新迁校舍勘察及布置委员会"并经推定负责人遵请核定案。

决议:推定李书田、袁敦礼、张贻惠、贾成章、杨立奎、许寿裳、黎锦熙、张汉文、董守义、刘锡瑛、尹文敬、汪厥明、林几为委员,并以李委员书田为召集人,在召集人未到南郑之前,由张委员贻惠负责召集。

9. 西京市防空设备经费揽募委员会函请照□派数目缴付防空设备费案。

决议:照缴。

10. 物理系四年级借读生谷惠轩呈请□□生以便毕业案。

决议:准予随同本校四年级生参加□□试验,如成绩在75分以上,即准为本校毕业生。

11. 女生制服式样已经拟定,呈□采用□□案。

决议:暂从缓议。

12. 平大农学院,农化系二十三年度毕业生□祥泰呈请入农艺系肄业案。

决议:应以下学年间开始再行呈请核办。

13. 医学院一年级旁听生□□□随陈理由,并请改为正式生或借读生已深造就业。

决议:准改为借读生。

14.国文系一年级试读生王保三呈询试读生有否请求贷金与服务待遇资格,已示遵案。

决议:由教务处查明该生如是本校或原三校院入学实验而□入因特殊原因规定之试读生,得有请求贷金资格。

15.学生生活指导委员会函称田世英等四人因家庭接近战区,生活困难,恳请拟给贷金,查与贷金规程不合可否照准,请核定案。

决议:碍难照准。

16.运输委员会函送该委员会决议各案请予核夺案。

决议:准予备案。

17.膳食委员会函送该委员会决议各案请予核夺案。

决议:准予备案。

四、散会。

拟将本大学迁移期中各部分预支款项报部,务希即遵照并于五日内依照造报以便审核为荷。此本大学迁移期中各部分预支款项报账标准:

1.各中队领之款项应按学生行军用费(1)津贴,(2)膳食,(3)运输,(4)住宿,(5)杂项分日列款。

2.各委员会领支款项应按(1)任职员生工友膳宿津贴,(2)运输车辆,(3)□□□,(4)临时工友雇佣,(5)其他份额列报。

3.庶务组预支□□迁移用款应□私自分类别列报,用于经常者照常列报。

4.个人预支公用费者按用途分类别列报。

5.各人领支粮费者,应自奉命出差之日起至差毕之日止(每次奉派出差须分次计算,勿连续计算,本大学到达新迁地址为□准)填制旅费报告表及出差日记簿。按实到报,最高额仍不得超周,教员按□仕待遇,职员按所任待遇之数其属于办公费之开支另行列报。

6.各组支出均应附具正式单据,其无法取得正式单据者,应由经手人出具单据,并注明用途及无法取得单据缘由。

7.各中队或各委员会报账单及单据,应由经手人盖章,中队长或主任委员附签或盖章,各人旅费单据由出差人盖章。

8.有会计预领款者向会计组报账。

9.本办法经常委核准后施行。

国立西安临时大学常务委员会第二十四次会议记录

时间:二十七年四月十日午后四时。

地点:临时城固办事处。

出席人:陈剑翛、李蒸、徐诵明、李书田、张贻惠(列席)。

主席:陈委员剑翛。

记录:陈叔庄。

一、开会如仪。

二、报告事项(略)。

三、讨论事项:

1.本校校名今改为"国立西北联合大学"应自何时起遵用案。

决议:自即日起遵用;在新关防未奉颁以前仍暂用旧关防;新关防到后,应即分别通知各机关并登记公布。

2.上次常委谈话会将于校□分配之决定□□颇多困难,应否予以变更请核议案。

决议:(1)文理学院之国、英、□、数、理、化六系,教育学院之教育、家政二系,工学院之□、机、电、化、纺五系及土木系一年级,医学院之一年级均在城固城内上课。(2)法商学院在城固小西关外上课。(3)体育系、地理系及土木系二、三、四年级在古路坝上课。(4)农学院在沔县或古路坝上课。(5)高中部在上元观上课。如农学院在沔县高中部在古路坝亦可。(6)医学院除一年级外余均在南郑上课。(7)生物系因课程各院系均有,在城固或沔县或古路坝上课均可。如农学院与生物系不在一处时,农学院所需要之生物教员应请往农学院上课。

3.各系教员如在本系所在地以外各院系授课,应否酬送车资请核议案。

决议:应由学校预备住所,并斟酌路程远近加送每次往通车资津贴。

4.本校校舍分散各地,在各处任课之各教员,难免顾此失彼,应如何将课程予以变通,请核议案。

决议:各院系科目因校舍不在一处,本学期势须停授时,应在下学期补授。

5.本校学生自褒城往新迁校址,应否规定出发日期案。

决议:学生赴古路坝者,于本□□□□□褒城出发,赴沔县者亦于□□□,赴城固者分十七、十八两日出发,赴南郑之医学院学生于十八日出发,高中部学生赴古路坝之日起为十六日,如校址在上元观得改为十八日。

6. 凡未随大队同来之学生及由教育部分发到校之战区借读生,其报到日期应否予以规定案。

决议:限十二日以前赴南郑办事处报到,十三、十四日内到褒城归队。

7. 学生由褒城分赴新迁校址,其沿途膳食,应否予以补助案。

决议:每人每日发给膳食津贴4角。

8. 本校学生本次行军南下,应有沿途膳食由学校津贴之规定,是项津贴应何时起予以取消案。

决议:应自到达新迁校址之第二日起(赴古路坝者自第三日起)将原有之膳食津贴取消,如是战区学生,此后即依照战区学生贷金办法办理。

四、临时动议。

五、散会。

三、常务委员谈话会记录

时间:二十七年三月三十日午后七时。

地点:南郑中央银行。

出席人:徐诵明、李书田、李蒸、张贻惠(列席)。

主席:李委员书田。

记录:陈叔庄。

一、报告事项

1. 奉部令收容在教部登记合格战区专科以上学校员生借读,附有办法及学生名册。

决议:遵办。

2. 本校前在西安招收借读生,曾呈部请求补助,兹奉部令"应先将借读生名册造送,再核办"。

决议:遵办。

3. 奉部令:"据送战区学生贷金办法,请予补助一案,□□案办理"。

4. 航空委员会发函:□□□□□□□□□两飞机拨交本校以借研究,□□向第七厂领取。

5. 中英庚款会来电谈会补助兰州科学馆仪器、图书、药品共72箱,于□日运抵西安请派员照料。

6. 陕西省政府来函,以令警察局负责看守本校一、三两院舍及家具。

7. 陕西省会警察局来函,关于西安校址及保管用具,经派员与本校留守处会商定有办法。

8. 本校西安留守人董政邦君来函报告看守校舍情形,并函转各重要文件。

二、讨论事项

1. 留西安四年级生史文明等 32 人□□理由恳请准以工作报告代替学业考试,并补给毕业证明书等情,可否照准,请鉴核案。

决议:碍难照准,并通知该生等限四月十七日前赶到上课。

2. 本校文理学院院长刘拓先生等来函,为已故周修士教授请求恤金,并请从优发给薪金数月以示体恤等情,请核定案。

决议:除依照教职员恤金条例呈部请发给恤金外,并由本校发给周教授薪俸至五月底止。

3. 新迁校舍勘察委员会签送该会□及会议记录,并拟就校舍支配方案五种,请予核定案。

决议:依照该会所拟第三方案办理。

4. 秘书处签呈据经济系一年级生周玉津函称,现在本地□任后方工作,问在本校是否保留学籍,来校时能否在原班上课,否则请发给修业证书以便借读等情,应如何批复请核示案。

决议:批示该生既未注册,□得本校学籍,所请应勿庸议。

5. 前医学院四年级生舒敏敦呈称,现在后方医院服务,学校对于此种情形学生,有否议定救济办法,请核复案。

决议:批示如该生能于四月十七日以前到校,准予注册,但须持有服务证明文件,并须补课补考。

第二节　国立西北联合大学校务委员会常委会会议记录

一、国立西北联合大学常务委员会第二十五次会议记录

时间：二十七年四月二十日。

地点：城固。

决议：于南郑医学院成立本大学办事处，并由医学院院长兼办事处主任；于古路坝设文理教工分院。

二、国立西北联合大学常务委员会第二十六次会议记录

时间：二十七年四月二十八日下午三时。

地点：城固县立民众教育馆会议室。

出席人：陈剑翛、徐诵明、李书田、张贻惠（列席）。

主席：李委员蒸。

记录：陈叔庄。

一、开会如仪

二、报告事项

1. 报告上次会议记录

2. 报告一周来重要文件

3. 李值周常委蒸报告此次战区学生请求贷金审查结果。

4. 徐兼军训队长诵明报告两周前南郑举行特殊军训队出队典礼经过。

5. 注册组呈报自本月二十日起各院系陆续上课情形。

6. 庶务组呈报日来赶修城固方面校舍及教职员宿舍情形。

7. 大学高中部主任之章各一颗，仰即启用具报。

8. 本校电机工程教授王董豪先生来函介绍黄锡三大夫堪任本校校医职务。

决议：已与温校医商洽后，再行决定。

9. 陆军第一军胡军长宗南来电称贺，有"校址有着，弦歌重诵，西北文化，将见

一新……"等语。

10.甘肃财政厅梁厅长敬錞电催本校保送学员20名,于下月十日前赴甘肃会计训练班受训。

决议:本校保送甘肃会计训练班学员,应限于经济、商学两系之高年级生,并电复梁厅长,告以该生等瞬将毕业,拟俟其六月经过毕业试验后即前往兰州,请其缓期报到受训或受训期间缩短,并询明可否酌发该生等旅费以资补助。

11.总务处陈处员宝仁呈报先后核准之贷金学生共530人,已发给贷金证者共404人。

三、讨论事项

1.本大学证章图样,应请选定案。

决议:采用李委员书田所拟式样(上刻"国立西北联合大学"字样,上四字平行,下四字直写,教职员佩戴者白底蓝字,学生佩戴者蓝底白字)。

2.注册组康组长绍言呈报本学期应否收容借读生,其限期及手续如何?均请核定案。

决议:本学期除由教育部分发本校者外,不另收借读生。

3.李委员书田、陈委员剑脩提:拟用城固平民工厂之石印印刷校刊案。

决议:照办。

4.本校法商学院至小西门通道,泥泞难行,雨时尤甚,经该院事务室主任吴英荃与余县长商洽,允为修筑,但须本校补助石灰百担,呈由值周常委批准照办,请追认案。

5.本校法商学院处县城外,治安可虞,经该院事务室主任吴英荃与余县长接洽,拨请警察三名长驻院,已由校函请余县长照拨请追认案。

决议:4、5两案,均予追认。

6.本校无线电工程教授樊泽民先生及电工讲师刘□先生会送"本校无线电通讯组暂行工作计划"请鉴核案。

决议:修正通过。

7.本校校医室司药需人,拟请委王善福担任案。

决议:照委(从略)。

8.李委员蒸提:拟委鹿笃根为古路坝分院斋务组兼任组员案。

决议:照委(从略)。

9.本会第二十四次会议讨论,经决议:兼课教员上课及职员往返办公,每次应酬送车资津贴,应请即予规定数额案。

　　决议:教职员每次往返车资按照下列路程规定之:(1)城固与古路坝间两日沔县间以内往返者,3元,两日以上者4.5元。(2)城固与南郑间一律4元。(3)南郑与沔县间一律6元。(4)南郑与古路坝间两日以内往返者4元,两日以上者5.5元。

　　10. 学生请求事项有普通性涉及全校者,拟由常委会议议决后批答以免参差案。

　　决议:照办。

　　11. 李委员书田提:拟以学生生活指导委员会常务委员会执行训育主任职务案。

　　决议:照办。其不设常务委员之院系,即由各该院学生生活指导委员主持该院系训导事宜。

　　12. 加聘齐国樑、李在冰两先生为大学本部学生生活指导委员会委员,并指定为该会常务委员案。

　　决议:通过。

　　13. 工学院李兼院长书田提:拟就本院学生分组办法,并指定各组导师,送请鉴核案。

　　决议:准予备案。并函复部颁"导师制纲要"分请各导师担任。

　　14. 山西大学化学系一年级生王江呈称在陕西教育厅登记合格,分发本校,请准转入地理系一年级借读案。

　　决议:已由该生请准教育部分发到校后,方准借读。

　　15. 学生关应清、赵加均等呈请准予在大学本部设立消费合作社,在法商学院设立消费合作社分社,并请各拨空房一两间作为社址及分社社址案。

　　决议:应由该生等拟具简章,呈经学生生活委员会核准后方准设立;至请拨社址,需等学校有空房时,再行拨给。

　　16. 学生夏登宗、吴正万呈称:新自战区逃出,请予发给在校证明书,并为说明上学期成绩无法缴纳之故,以便向本省领取清寒贷金案。

　　决议:送由教务处查明后,请值周常委批示办理。

　　17. 北平辅仁大学生物系一年级学生何恩普呈请准予旁听案。

　　决议:照准。

　　18. 庶务组签呈:大学本部以外,各院庶务组均需派专员前往负责,现在本组人员不敷分配,拟恳添委组员一人,书记一人,以增进工作效率案。

决议:照准。

19.(暂不发表)

20.本校学膳人员多派往大学本部以外各院系服务,可否就地招考练习书记若干名案。

决议:交秘书处办理。

21.本校实验科目,本学期决定不排入课程表内,所有担任助理试验之助教,拟应调充他项职务案。

决议:如有担任助理实验之助教,工作堪用者,得由调充他职。

22.陈委员剑脩提:奉推草拟本大学组织系统,经拟就草案,请予公决案。

决议:送由常务委员核定施行。

23.生物系上课地点,经本会第二十五次会议决定,该系与农、医、文理、教育各院系均有关系,可在沔县古路坝或城固,嗣于大队自褒城出发时,曾饬该系学生分往指定各处,兹经详查该生等所学辅料选课情形,应请从速肯定一适当地点以利教学案。

决议:本学期该系应在城固大学本部上课,在古路坝分院采集标本实习。

24.政治经济系尹主任文敬来函并附还聘书证章等件,恳辞系主任及教授本职。

决议:推陈委员剑脩、徐委员诵明恳切面留。

25.中国国民党本校区党部筹备委员牛传钦等函请拨给房屋,以便办公案。

决议:交庶务组设法拨给房屋一间。

26.本大学迁移期中,学生行军各队各委员会及各办事处人员,支领公用款项,现已陆续造报,条目浩繁,为数亦巨,应请设立委员会,或推定专员审核案。

决议:交易秘书价,陈秘书叔庄,高处员鸿图,韩代组长同甲、吕出纳员士珍详细审查后,再送常委会核定。

27.(暂不发表)

28.教育部登记分发到校之借读生程度不济,应如何收录及考核成绩案。

决议:除由各该系主任随时加以考核外,应等学年试验结束后严格考核成绩,分别去留。

29.教育部分发到校之借读生王兴等呈请准予与本大学学生一同待遇免缴制服费案。

决议:该生等应照本校新生待遇一律缴纳制服费。

30. 出版组邰组长光谟签呈:本地向无铅印处所,嗣后印刷讲义,除纯粹外文课程用油印外,余拟改用石印,且每日印出数量有限,又不能夹写外国文字,应请由教务处函商全体教授,以后酌量少发讲义,并希将每次稿件提早交本组付印案。

决议:照该组长签叙办法通知教务处办理。

31. 易秘书价签送学生生活指导委员会简章草案请鉴核案。

决议:送常务委员核定施行。

32. 学生冷存忠呈请设立无线电收音机,以便收发新闻案。

决议:本大学已另订办法,该生所请,应无庸议。

33. 本大学各处均需设置校警,拟请函城固县政府派请愿警若干人费用由本校员担案。

决议:应即函城固县政府派请愿警察六人,分驻考院及司令部门前。

四、临时动议事项

1. 战区学生张述祖等再呈,请予补发由西安至城固行军期间内战区学生贷金案。

决议:仍照上次决议案办理。

2. 陕西抗敌后援会本大学学生支会呈请拨给房间以便办公案。

决议:交庶务组设法拨给一间。

3. 非战区学生杨向勋等再请签发给贷金每月8元案。

决议:仍照上次决议案办理。

4. 农学院贾代院长成章再函恳辞代理主任职务案。

决议:交易秘书价拟函再予恳切挽留。

5. 拟于五月二日在大学本部补行开学典礼案。

决议:照办。通知教员,布告学生,并函张专员、余县长及汉中区常务督导员、城固县党部侯委员,请其参加。

五、散会

三、国立西北联合大学常务委员会第二十七次会议记录

时间:二十七年五月三日下午三时。

地点:本大学会议室。

出席人：李书田、李蒸、陈剑翛、徐诵明、张贻惠（列席）。

主席：李委员书田。

记录：陈叔庄。

一、开会如仪

二、报告事项

1. 上次会议记录

2. 一周来重要文件

3. 教育部令发二十六年度专科以上学校学生学业结束办法，战区各级学校学生转学及借款办法，及教育部登记专科以上学校学生分发借读办法。

决议：油印本学年学生毕业结束办法□□□□处及各院长系主任查问，除抄送教务处，原件存秘书处。

4. 文理教工分院函送院务委员会及学生生活指委会本周会议记录各一件，请预备案。

决议：除导师制度仍应遵照，部令规定办理外，余准备案。

5. 学生生活指导委员会简章经由常务委员会核定送请备案。

决议：准予备案，并通知学生生活指导委员会常务委员会及各委员。

6. 胡军长宗南、顾副主任希平来电谓张教官光组经征得同意，留校服务，请惠照。

三、讨论事项

1. 本届毕业生应发给原三校院毕业证书，拟应发给西北联合大学证书案。

决议：由原三校发给毕业证书。

2. 规定本届毕业日期案。

决议：四年级生上课应至七月九日止，毕业试验七月十六日完毕。

3. 本学期学生上课日期应否延长？何时截止？请予规定案。

决议：上课至七月十六日止，学年试验七月二十三日完毕。但至六月底或七月初如果气候炎热上课或试验时间应尽早晚编排。

4. （暂不发表）

5. 本大学办公时间奉令改为每日十小时，经由分别通知导行。兹请详细规定十小时工作分配表案。

决议：上午七时至十二时办公，下午二时至六时办公，六时至七时清理本日工作，通知各院系处组职员查照。

6. 李委员蒸提派赵凯充古路坝分院,其月薪 40 元,自五月一日起薪,请追认案。

决议:追认。

7. 李委员书田提拟委董维潘为会计组组员月薪 60 元,自五月一日起薪,请通过案。

决议:通过。

8. 法商学院政经系尹主任文敬请辞去系主任及教授职务案。

决议:仍恳切慰留。

9. 张教务主任贻惠等来函拟为本大学已故教授周修士先生开追悼会请予照准案。

决议:周故教授名崇在本校工学院服务在 15 年以上,不幸积劳成疾以致不起,应予开会追悼,由常委、教务主任各院长及有关之学系主任教授颁衔发送函启,并推张贻惠、易价、刘振华三位先生担任筹备。

10. 原任第二院图书分组组长刘德人,拟仍以组员名义在本大学图书组办公,其第二院图书分组组长职务应予撤销案。

决议:照办。

11. 张教务主任贻惠签转注册组康组长绍言考核该组事务员及书记成绩开列名单及拟请增加月薪数额请予核准案。

决议:通过(下从略)。

12. 请拟体育系办公室及生物系办公室案。

决议:照拨,交庶务组办理。

13. 李委员书田函送北洋工学院前已订购运津仍存洋行货栈,尚未付款交货之设备项目及价值单一纸,拟即由本大学付款提货案。

14. 张教务主任贻惠函称平大工学院前托大华科学仪器公司向美国订购之仪器一批,早经到沪,该公司屡函催款,可否即由本大学转购案。

决议:13、14 两案合并,均应在本大学工学院开办费仪器项下开支。

15. 教务处签提:本学期经常务委员核准之旁听生李永芳等 5 名及医学院原旁听生赵心雅一名应否援照旁听生规则第三条,令其缴费案。

决议:照旁听生规则办理,不缴者不准旁听。

16. 陕西各界抗敌后援会本大学学生支会战时工作团呈恳准予缓期回校完成工作案。

决议:仍限五月十日以前回校。

17. 本校未随大队来校学生及上学期在他校借读、或在抗战机关服务而有证明文件之原三校院学生经第二十五次常委会议议决以四月三十日为到校截止期,逾期令其休学,对于抗敌后援会本校学生支会战时工作团学生,亦已限于五月十日以前返校上课。兹上述各项学生仍有函恳缓期到校者,究应如何办理案。

决议:一律限于五月十日以前返校上课。

18. 家政系齐主任国樑函称:在教部登记合格分发本校借读之刘师莲、王恒朴二生原在河北省立女子师范学院音乐系三年级肄业期满,现刘生拟请在体育系旁听,王生拟请在教育系借读,请予核准案。

决议:刘师莲暂准在体育系旁听,王恒朴暂准在教育系旁听,已呈经教育部核准后再行准予借读。

19. 平大法商学院政经系一年级生同至津呈请:于二十七年度第一学期准其来校继续学业,并请准予补行登记注册,以便取得学籍案。

决议:碍难照准。

四、临时动议事项

1. 徐委员诵明提:注册组组员朱延□因事请假,拟请委蒋暄寰暂代,长川驻农学院办理注册兼办文书事宜月薪70元,自五月起薪,请通过案。

决议:通过。

2. 李委员书田提:奉推拟具本大学预算,经拟就草案请公决案。

决议:修正通过。

五、散会

(缺第二十八次—第三十次会议纪录)

四、国立西北联合大学常务委员会第三十一次会议记录

时间:二十七年六月一日。

地点:常务委员办公室。

决议:组织成立毕业考试委员会,并由校常务委员、教务主任、各学院院长、各学系主任为委员。

五、国立西北联合大学常务委员会第三十二次会议记录

时间：二十七年六月八日。

地点：常务委员办公室。

决议：修正通过本大学导师制施行细则。

（缺第三十三次会议记录）

六、国立西北联合大学常务委员会第三十四次会议记录

时间：二十七年六月（日期不详）。

地点：常务委员办公室。

决议：委托西安商务印书馆向外代购图书。

七、国立西北联合大学常务委员会第三十五次会议记录

时间：二十七年六月二十九日

地点：常务委员办公室

决议：准医学院提请的附属诊所经费。修理建筑费应由该所已领经常费内撙节开支；所开办时，应购备之药品、器械及其他开办性质之购置，均应在医学院附属医院开办费项下支出，在该项开办费未奉拨发之前，暂由该所已领经常费内垫支；准予诊所收入留用，以补助该诊所药品器械不足之数。

（缺第三十六—第三十七次会议记录）

八、国立西北联合大学常务委员会第三十八次会议记录

时间：二十七年九月（日期不详）。

地点：常务委员办公室。

出席人：徐诵明等。

决议：准校常委徐诵明辞去法商学院代院长兼职，聘请历史系许寿裳教授兼任法商学院院长，李季谷教授改任历史系主任，聘请国文系主任黎锦熙教授兼任

国立西北联大秘书处主任。

（缺第三十九次会议记录）

第三节　工农两院分出后的西北联合大学会议记录

一、1938年9月至12月常务委员会会议记录（第四十次至第五十六次）

国立西北联合大学常务委员会第四十次会议记录

时间：二十七年九月十六日下午三时。

地点：常务委员办公室。

出席人：徐诵明、胡庶华、李蒸、黎锦熙（列席）、张贻惠（列席）。

主席：李委员蒸。

记录：陈叔庄。

一、开会如仪

二、报告事项

1. 报告重要文件。

2. 教育部指令一件——据呈请建议分发毕业生一案，应予备案办理由。

3. 教育部漾电一件——该校师范学院经选定李蒸任院长仰知照由。

4. 教育部训令一件——"令准单独建筑师范学院学生宿舍，特拨款1万元充该项建筑费……由"已转知该院事务主任，拟具详细计划呈部核给。

5. 教育部号电一件——该校工学院设备用具，学生成绩及其他有关该院文卷等应移交国立西北工学院筹备委员会接收，兹派张北海为监交委员，仰知照由。

6. 李委员蒸报告：陕南六县小学教员暑期讲习会办理经过，附送结束谈话会会议记录一册，请查核。

决议：该会费用，虽经六县津贴，尚欠国币99元，应由本校拨付，作为本校推行社会教育经费支出。

7. 国立西北联合大学印刷部函告该部已于七月二十九日正式开始工作，除讲义外，其他中西文书籍及各种零件均可承印。

决议：函该印刷部，应将名称"国立西北联合大学"之字样削除，以免引起外界误会。

三、讨论事项

1. 请派定专员办理本校专属工农两院院产移交事宜案。

决议：组织移交委员会，以胡委员庶华、汪秘书如川及有关各组长为委员，胡委员为主席。

2. 本校工、农两院奉令自本年度起分别改组为国立西北工、农两学院，自七月份起经费亦已划分，应分别通知工、农两学院筹委会，所有该两院教职员薪金及属于该两院之一切开支，完全由该两院筹委会自理，其七月份起，本校代付经费亦应由会计室核算后，分别函请该两院筹委会拨还，请公决案。

决议：上年度本校教职员聘约及一切开支，均算至七月份止，应即呈请教育部将该两院七月份经费汇拨本校，以凭开支；另函两院筹委会查照，并通知会计室查照办理。

3. 本校西安留守处拟请裁撤案。

决议：限本月月底裁撤，所有校具交由书记赵广瑞看管，不支双薪，齐剑屏调回校本部服务，通知留守处暨有关各机关。

4. 古路坝分院应即结束，除派定留守人员外，其余职员拟调回本部服务，校工分别调遣案。

决议：舒崇秀、胡铭佑二员调回校本部服务，校工分别调遣。一切结束事宜，函请袁敦礼先生主持办理，在未结束前，所有校具、文卷等请高中部暂为保管。

5. 出纳室尚未组织就绪，亟应规定成立案。

决议：应即日成立。

6. 二十六年度本校及师大平大在西安、上海、武汉、南京各处招收之一年级生未到校注册，至本年度始请求入学者，应否照准案。

决议：照准。

7. 李委员蒸提：本校社会教育推行委员会因工、农两院改组，加聘徐委员诵明、胡委员庶华为委员请追认案。

决议：通过。

8. 李委员蒸提：本校社会教育推行委员会拟定二十七年度兼办社会教育计划

大纲,并推定易秘书价为本委员会干事,请予备案案。

决议:准予备案。

9. 李委员蒸提:本校师范学院组织大纲,请核定案。

决议:送请徐、胡两委员参酌各人签叙意见,详加审核后,提下次常委会核定。

10. 李委员蒸提:请划定司令部旧址为师范学院院址案。

决议:通过。

11. 李委员蒸提:体育讲师兼注册组组员张煜之先生前月底奉派赴南郑招生委员会办事,星期休假,游览褒城石门,因同事坠水,跃入激流援救,奋不顾身,遂致灭顶。张君见义勇为,人格伟大,遽遭惨死,殊深惋惜,拟请从优给恤案。

决议:按照张先生最后之月薪数额给予九、十、十一(月)三个月薪水。

12. 胡委员庶华提:请增设训导处案。

13. 胡委员庶华提:请裁撤总务处案。

14. 胡委员庶华提:请在文理学院添设事务室案,12、13、14 三案合并讨论。

决议:(1)训导处应予设立,各学院均分设导师会,与军训组、斋务组同隶于训导处。除师范学院已规定专设主任导师外,其余文理、法商、医三院均各设主任导师一人,并在训导处设立一主任导师会。(2)总务处裁撤。(3)文理学院设事务室。(4)卫生室改为校医室。(5)庶务组改为庶务室,掌理有关全校庶务,与会计室、出纳室、校医室直隶于常务委员办公室。

15. 徐委员诵明提:文理学院拟添设体育系或体育专修科案。

决议:由徐委员拟具添设理由,呈部核示。

16. 徐委员诵明提:请聘吴之祥、冯固雨先生为医学院副教授案。

决议:照聘。

17. 农学院周院长建侯(王志鹄代)函称西北农学院尚未成立筹委会,亦未派人前来接收,在未正式脱离联大之前,一切院务,仍请主持办理案。

决议:该院已奉令改组独立,本校未便代为负责办理,该院院务在筹委会未成立之前,自应由该院长继续主持。

18. 医学院签转该院附属诊所二十七年度经常费支出预算书、预算分配表各一份暨临时支出预算书一份祈核准案。

决议:(1)经常费内所列护士主任薪俸,改由医学院支付,其余比上年度增加之数,在该诊所收入项下设法弥补。(2)该诊所经费准予二十六年十月份起支,以资挹注,所请另拨临时费一节,碍难照办。

19. 教育系签称：本系一年级部送借读生王抡魁、王丽云，三年级部送借读生李仙峰，本学年成绩不全，必修课程不及格者又均在三门以上，拟从宽令各部留级一年，以观后效，祈裁夺案。

决议：三年级借读生李仙峰有五门必修课程不及格，应予停止借读，并报部备案；一年级借读生王抡魁、王丽云有三门必修课程不及格，从宽令其留级一年。

20. 地理系黄主任国璋函请预支下年度该系仪器设备费870元，汇寄上海卢念祖君代购仪器案。

决议：由学校暂为垫付，在英庚款补助该系设备费项下动支。

21. 史学系许兼主任寿裳函请改聘本系讲师黄文弼先生为教授案。

决议：照聘。

22. 史学系许兼主任寿裳函称法商学院事务繁忙，无暇兼顾，恳请准予辞去史学系主任兼职案。

决议：照准。聘请李季谷先生兼任历史学系主任。

23. 法商学院许院长寿裳函称发现两次匿名宣言，内容荒谬，请予严密查究，并分别呈报中央党部及教育部案。

决议：函许院长深致宽慰之意，并请其勿重视此种藏头露尾从事挑拨之匿名文件。

24. 迁移费审核委员会委员易秘书价，高处员鸿图等呈报开会情形，连同迁移费及旅费单据报告表等送请鉴核案。

决议：交会计室照审核结果，专案造报。

25. 附属高中部呈称本部本届毕业生证书，应用何种名义发给，祈核示案。

决议：用西北联合大学高中部名义，由本校常务委员及高中部主任署名。

26. 会计室呈拟"国立西北联合大学所属各部分收付款项细则"，业已照办，请追认案。

决议：追认。

27. 图书组呈拟新辟书库图样及估价单，祈核定案。

决议：照办。交图书庶务两组会同办理。

28. 庶务组呈报本校房屋漏雨多处，亟待修缮，合计工料洋2 181元余，祈迅予核定，以便动工案。

决议：交汪秘书如川，高处员鸿图，斋务组郑组长文华会同审核后，送常委核定。

29. 医学院二年级旁听生崔瞻澳、吴籹呈恳准予改为正式生,经交注册组查复,该生等系因未参加借读生试验,始行请求旁听,与本校招收之旁听生性质不同,但能否改为正式生,并无明文规定,仍请核夺案。

决议:暂准改为借读生。

四、临时动议事项

1. 拟照西南联大办法,招收转学生,又一年级新生如招收人数不足,拟由校自行续招案。

2. 胡委员庶华、徐委员诵明提:发起棉背心募集运动案。

决议:教职员按照一月所得税额捐助,于发八月份薪金时扣清,其愿多捐者于一周内函知会计室垫付,学生自由捐助,布告学生并通知教职员。

3. 推胡委员庶华兼领训导处主任案。

决议:通过。

五、散会

国立西北联合大学常务委员会第四十一次会议记录

时间:二十七年九月二十一日午后三时。

地点:本校会议室。

出席人:李蒸、胡庶华、徐诵明、黎锦熙(列席)、张贻惠(列席)。

主席:徐委员诵明。

记录:陈叔庄。

一、开会如仪

二、报告事项

1. 上次会议记录。

2. 五日来重要文件。

3. 教育部训令一件——令知该校会计人员每月支薪数目由。

4. 胡委员庶华报告:"办理农工两院移交委员会"第一次会议情形暨议决事项。

决议:准予备案。

三、讨论事项

1. 师范学院组织大纲草案业经胡徐两委员参酌各教授意见审核竣事提请公

决案。

决议：照审核意见修正通过并呈报教部备案。

2. 出纳室、庶务室、校医室及各学院事务室组织章程均已草拟完竣，送请核定案。

决议：修正通过即发有关各部分存查各室及文书出版，注册图书、斋务各组办事细则交各室主任及各组长自行草拟或修正送请常务委员核定各院事务室（师范学院事务处）办事细则交汪兼主任如川、徐兼主任世度会拟呈核。

3. 职员待遇规则草案送请核定案。

决议：修正通过。

4. 请规定院长系主任任课时数案。

决议：教授兼系主任者任课八至九小时，教授兼院长或秘书、教务、训导各处主任或研究所主任者，任课六至七小时，教授兼系主任再兼院长或处所主任者任课五至六小时，教授兼性质相同之两系主任者，任课七至八小时，再兼院长或处所主任者任课四至五小时，院长或系主任由常务委员兼任者得不任课。

5. 拟呈部请核拨校舍修理费案。

决议：呈部请拨1万元作为文理、法商、医三院房屋修理费。

6. 请规定各学院事务室备用金数额案。

决议：校本部每月1 000元，文理学院1 000元，法商学院750元，医学院700元，附属诊所150元，高中部460元，南郑办事处200元，按照本校所需之收支款项细则办法，每旬向会计室实报实销并由各院查照前数编制预算送校备核。

7. 修正本校所属各部分收付款项细则案。

决议：通过。

8. 学生向校本部接洽事务，每直至常委室陈述，手续殊为不合，似应规定办法，以利公务案。

决议：学生请求事项与课业有关者如退学、转学、复学、休学、借读成绩证明等应向注册组接洽，与宿舍有关者应向斋务组或各该院事务室办理斋务人员接洽，贷金事项向贷金管理部接洽，请假事项向各该院事务室办理注册人员接洽，各省津贴救济金、奖学金、补助费等领取或询问事项向会计室接洽，请求办理毕业、修业、证明书、护照及介绍函电等向文书组接洽，讲义向出版组接洽，制服向军训组、事务室接洽，其不属于上开各项者亦应先向秘书处接洽。

9. 请推行节约运动案。

决议:为使节约运动趋于具体化,特规定办法如下:甲、关于个人方面(1)本校教职员或学生均应停止互相宴请,如招待外来宾客及彼此相约聚谈时亦须联合数人作东或仅邀便餐;(2)凡本校教职员学生遇有婚丧寿庆以不宴客为原则或以茶点代替酒席,送礼以联合赠送现金为原则,其数目为每人5角至2元止;(3)新制衣服必须用国货材料;(4)以节约所得贡献国家或投资生产事业;(5)积极提倡储金。乙、关于公务方面(1)各项纸张均用国产,学校内部通知,均用便条,不用信笺;(2)购置公用物品应采评价或询价手续,并尽量购用国货;(3)各院、处、组、室自行拟具节省消耗及减少手续办法送常委核定施行。上项办法即日通知全校教职员并布告学生切实遵行。

10. 出版组签请将校刊改为每月发行一次案。

决议:准改为半月刊。

11. 高中部呈拟另建学舍计划,请拨地价及建筑费约1.5万元并请拨迁移费650元案。

决议:该部校舍购地及建筑费应以1.2万元为限,除在英庚款补助高中部开办费下支5 000元外,其余7 000元由本校与西北工学院平均分担,并在师范学院经费项下拨给400元作为该部迁移费用。

四、临时动议事项

各院或各院附属机关请款领款单上之署名及本校与各院或各院附属机关间来往文件之程式,请分别予以规定案。

决议:各院请款领款应由院长署名,附属机关应由该机关负责人与所属之学院院长连署,本校对各院或各院附属机关用信笺不用令,以秘书处名义行之。

国立西北联合大学常务委员会第四十二次会议记录

时间:二十七年十月一日下午三时。

地点:本校会议室。

出席人:李蒸、胡庶华、徐诵明、黎锦熙(列席)。

主席:胡委员庶华。

记录:陈叔庄。

一、开会如仪

二、报告事项:

1.宣读上次会议记录。

2.报告一句来重要文件。

3.教育部号电一件——该校本年度准自行招收转学生,一年级新生勿庸续招。

4.教育部指令一件,为本校呈□四、五、六三个月战区学生贷金名册,并请准予补发欠数由——准予再行补助该项贷金 3 000 元,即予汇发,其不足之数,应由该校就经常费内撙节拨充仰知照。

5.张教务主任贻惠因病来函请假,本日会议不列席。

6.袁敦礼先生来函报告办理文理教工分院结束经过,请予备案。

决议:准予备案。李校医元复由师范学院与高中部合聘,护士赵凯调校医室,书记李维章调本部服务。

7.注册组呈送本校招收转学生办法及师范学院招收第二部学生简章请鉴核备案。

决议:准予备案。

三、讨论事项:

1.庶务室组织章程第二条拟添入下列三项:(1)全校工友之登记;(2)全校财产之登记;(3)关于中央会计制度内庶务部分各项账表之汇编,请核议案。

决议:修正通过。

2.校医室组织章程第五条,拟添入"书记一人"请核议案。

决议:通过。

3.训导处下之"主任导师会"拟改为"导师会",并设常务委员会协助训导处主任计划办理学生训导事宜,请公决案。

决议:通过。

4.本大学导师会组织章程草案请核定案。

决议:修正通过。

5.本大学师范学院研究所章程草案,请核定案。

决议:推徐委员诵明、胡委员庶华审查后,提下次常委会议核定。

6.本校学生 70 人因患病免受集训,业经返校,拟请由各系主任分别指导自修,以免荒废学业;其患病较重者,由校医室查明,令其休学治疗案。

决议:照办。

7.法商学院签拟添盖草房20间,围墙50丈,拆旧重建瓦房6间,需款2 817.4

元,挖井一口,需款562元,检同估价单4纸,送请鉴核,祈迅予照拨,以便于开课前完工案。

决议:交汪秘书如川,吴主任英荃,高处员鸿图审查后提下次常委会议核定。

8. 医学院签称:本院六年级学生在院实习,奉部抄发前令"应免收学膳宿杂等费,但不得发给津贴……",查本院附属诊所均不备膳,是项费用应如何支给,请予规定案。

决议:自到诊所练习之日起,每人每月给予膳宿杂费15元,在本大学薪俸项下开支。

9. 注册组呈拟原平大师大学生二十七年度复学办法草案,请核定案。

决议:修正通过。

10. 出版组呈拟该组办事细则草案,请核定案。

11. 斋务组呈拟该组办事细则草案,请核定案。

12. 斋务组呈拟本大学学生宿舍规则草案,请核定案。

10—12 三案合并讨论。

决议:交易秘书价审查,送请常务委员核定施行。

13. 本校办公时间自下周起拟请改为上午8时至12时,下午1时至5时,5时至6时清理本日工作案。

决议:照办。

14. 山东教育厅函为二十七年鲁籍学生救济费仅系补助各该生购置书籍衣服之需,请暂缓扣抵贷费等由,可否照办,请核议案。

决议:仍照本校常委会议决议案办理,函复该厅碍难照办。

四、临时动议:

1. 充实本校防空设备案。

决议:应积极进行,推定胡委员庶华、汪秘书如川、李主任教官在冰、吴主任英荃、郑组长文华于一周内拟具办法,送请常务委员核定施行。

2. 学生请求发证明书及成绩单,漫无限制,拟请明文规定以杜流弊案。

决议:学生请求发证明书及成绩单,应以下列三项为限:(1)向一定机关请求津贴;(2)呈准退学或休学;(3)家长或保证人签名盖章来函申请。此外均不发给。

五、散会。

国立西北联合大学常务委员会第四十三次会议记录

时间：二十七年十月七日下午三时。

地点：常务委员办公室。

出席人：胡庶华、徐诵明、李蒸、黎锦熙（列席）、张贻惠（列席）。

主席：李委员蒸。

记录：陈叔庄。

一、开会如仪。

二、报告事项：

1. 宣读上次会议记录。

2. 六日来重要文件。

3. 教育部训令一件——令发教育部全国高级师范教育会议章程一份，并定于十月十五日至十七日举行会议，仰该校师范学院院长会同主席导师如期出席。

4. 教育部训令一件——兹将文、理、法三学院共同必修科目表制就颁发，仰自本年度起就一年级开始实行，并将实行情形具报备查。

决议：分别转知教务处，文理、法商两院院长及两院系主任遵照实行。

5. 李委员蒸报告：本人奉派于本月十日赴重庆报告校务，并出席高级师范教育会议，所遗常委职务，拟请黎主任锦熙代理，师范学院院长职务拟请袁主任敦礼代理，请备案。

决议：准予备案，并分函黎、袁两主任查照。

6. 胡委员庶华报告计划防空设备情形。

决议：按照所拟计划切实办理。

7. 训导处报告计划宿舍调整及卫生设备情形。

决议：按照所拟计划切实办理。

三、讨论事项：

1. 师范学院师范研究所章程草案业经徐、胡两委员审查完竣，请核议案。

决议：通过。呈部核定施行。

2. 关于全校体育设计及主持事宜，拟设立体育委员会办理，请核议案。

决议：在教务处下设立体育委员会，由该处拟具体育委员会组织章程，提下次常委会议核定施行。

3. 遵照部颁师范学院规程之规定,拟将本校高中部改称"国立西北联合大学师范学院附属中学"案。

决议:通过。另制钤记颁发。

4. 本校一、三、四年级开课期近,各教室斋舍尚有人住宿,应令其即日迁出以便修理布置案。

决议:限本月十五日前一律迁出,由军训、斋务两组负责积极办理,逾期不迁者强制执行。

5. 南郑办事处拟独立设置,规定设主任一人,事务员、书记各一人,工友二人,并请以徐世度先生担任主任,请核议案。

决议:通过。聘徐世度先生为南郑办事处主任,毋庸兼任秘书,仍支原薪。

6. 请规定专任讲师授课时数及待遇办法案。

决议:(1)专任讲师每周授课时数定为 8 小时至 12 小时,体育专任讲师并须担任课外运动;(2)专任讲师待遇自 100 至 190 元,分为 10 级;(3)专任讲师兼任校内其他职务者,其授课时数得酌减之。

7. 请核定训导处组织章程案。

决议:修正通过。

8. 李兼院长蒸提:师范学院新生宿舍,建筑需时,现距开课期近,拟将司令部教职员寄宿舍暂改为学生宿舍,并将大门内原第一、第二两斋仍暂作学生宿舍,另在院内空地建筑简单适用办公室 10 间以应急需案。

决议:通过。并指定下会馆及教育局旧址为教职员寄宿舍,现因教室斋舍不敷分配,凡实领月薪在 200 元以上之教职员应以不住寄宿舍为原则,由师范学院事务处暨法商学院事务室帮同教职员在校外寻觅住宿处所。

9. 汪秘书如川等呈复:奉发法商学院瓦木工程估价单,遵经审查完竣,略陈意见,请鉴核案。

决议:拆旧料建造瓦房六间照办,添盖草房 20 间一节,俟统筹办理,围墙 50 丈应改打土墙以资节省,水井一眼用小工 600,似嫌稍多,应由院方经手人逐日稽查人数核实报销。

10. 注册组呈拟部送四年级借读生(上年度)改为正式生办法分别发给本校毕业证书或在本校借读证明书,抄附名单,送请核定案。

决议:交常委核定施行。

11. 注册组呈送试读生(备取生传补者)旁听生(因赶赴本校招收借读生考试

不及格,始呈准旁听者)及□□旁听生,按照部章或本校规定,应改为正式生名单,请鉴核案。

　　决议:照准。

　　四、临时动议:

　　1. 法商学院事务室主任徐世度已另有任用,拟聘该院专任讲师周永丰兼任事务室主任案。

　　决议:通过。事务室主任薪不另支。

　　2. 医学院事务室主任兼南郑办事处总干事冈如华久未任职,该职原由体育专任讲师陈仁睿暂代,南郑办事处业经议决独立设置,负责亦已有人,总干事一职,应予裁撤;并请聘任陈仁睿兼任医学院事务室主任,冈如华仍任附属诊所事务主任案。

　　决议:通过。

　　3. 请裁撤移交委员案。

　　决议:通过。工农两院移交事项,由有关各组长、室主任秉承常务委员办理,通知西北工学院及各移交委员查照。

　　4. 关于工学院移交事宜,本校常委及各组组长七日上午谈话会所决定各项,应如何执行案。

　　决议:函请张监交委员参酌办理。

　　五、散会。

国立西北联合大学常务委员会第四十四次会议记录

　　时间:民国二十七年十月十三日下午三时。

　　地点:常务委员办公室。

　　出席人:徐诵明、胡庶华、李蒸(黎锦熙代)、黎锦熙(列席)、张贻惠(列席)。

　　主席:徐委员诵明。

　　记录:陈叔庄。

　　一、开会如仪。

　　二、报告事项:

　　1. 宣读四十三次会议记录。

　　2. 报告一周来重要文件。

3. 奉教部训令"选本届毕业生若干名保送三民主义青年团受干部训练"已函训导处遵照部定手续办理。

4. 奉教部训令并颁发"甄选各大学二十六年度毕业生分发边远省区充任中等学校教员办法",已分函文理、教育两院长及各系主任,按照部定手续办理。

决议:合于部定两项资格之本届毕业生,如不足20人时得由本校于其他各系中择优保送。

三、讨论事项:

1. 秘书处拟具秘书处组织章程草案送请核定案。

决议:修正通过。

2. 教务处拟具教务处组织章程草案,送请核定案。

决议:修正通过。

3. 教务处拟具体育委员会章程草案,送请核定案。

决议:修正通过。

4. 医学院签称:本院前向陕西省银行订房屋一所作为校舍,连同修理费约需洋2 000元,已蒙第三十四次常委会议通过在案,查该房残破不全,除修理外,并拟改造门楼,添建饭厅、厕所,合计洋1 431元,检同估价单及图样送请鉴核,祈迅予拨款动工案。

决议:通过。

5. 注册组呈送"按照第三十七次常委会议规定,应在暑假期及二十七年度第一学期内,由系主任指导补修二十六年度课程,于第一学期终了时补考及格后,正式升级各生名单",并拟具关于该生等升级办法六条,以资补充,祈核示遵行案。

决议:通过。

6. 注册组呈送该组办事细则及各学院注册职员办事细则两草案,请核定案。

决议:交张教务主任审查后送常务委员核定施行。

7. 文书组呈送该组办事细则草案请核定案。

决议:交黎秘书主任审查后送常务委员核定施行。

四、临时动议。

五、散会。

国立西北联合大学常务委员会第四十五次会议记录

时间:二十七年十月十九日下午三时。

地点：常务委员办公室。

出席人：李蒸（黎锦熙代）、徐诵明、胡庶华、黎锦熙（列席）、张贻惠（列席）。

主席：胡委员庶华。

记录：陈叔庄。

一、开会如仪。

二、报告事项：

1. 宣读上次会议记录。

2. 报告六日来重要文件。

3. 教育部训令一件——自本年度八月份起该校教职员薪俸应一律改为七折发给，折后余款可移充设备费及研究费，合行令知，并将遵办情形具报。

决议：遵令办理，惟八月份薪俸业以原薪八折发放，并经决议，按照该月所得税额全体教职员各捐一月，并自由捐助合成1 000元汇寄汉口，作为前方将士棉背心捐款，其自动补行"七七"献金者为数更多，既已发放在先，应为呈部声叙，免予扣还。

4. 教育部训令一件——令发青年守则一份，仰即转印分发，务须每生均能熟读背诵，并限一个月内将办理情形及校训、校歌呈报备核。

决议：青年守则应于开学后遵令印发学生。校训制定"公诚勤朴"四字，与国训"忠孝仁爱信义和平"，制成匾额悬挂礼堂。校歌歌词仍照三十七次决议案催请黎锦熙、许寿裳两先生赶编。

5. 教育部训令一件——令发国省、私立校院专门人员荐举表十纸，仰该校对于教育行政素有才能者至少荐举一人，各科教授中对所授学科有特殊贡献者荐举若干人，据实填报。

决议：由常务委员会商荐举。

6. 训导处签转军训组遵令造具南郑办事处代付花竿费免训学生名册一份，送请鉴核。

决议：南郑办事处已垫花竿费准予报销，嗣后学生因病免训，需先回校者，每人准予津贴行李运费一元。

三、讨论事项：

1. 黎秘书主任锦熙提：奉交文书组办事细则草案，经审查完竣，请核定案。

决议：照审查意见通过。

2. 张教务主任贻惠提：奉交注册组办事细则及各学院注册人员办事细则两草

案,经审查完竣请核定案。

决议:照审查意见通过。

3. 易秘书价提:奉交学生宿舍规则及出版组办事细则、斋务组办事细则三草案经审查完竣,请核定案。

决议:照审查意见通过。

4. 文理学院事务室签呈依据斋务组整理宿舍食堂计划,考院方面,应建筑瓦房两间,草房三间,兹已招工估价,检齐合同,送请核定案。

决议:交汪秘书如川、吴主任英荃、郑组长文华审查后,送请常务委员核定。

5. 法商学院事务室声称:本院房屋修缮,关于添盖草房一层,业经常委会议议决"俟统筹办理"在案,惟是项工程业已一部分开始工作,亟待观成,仍请酌拨伍百元作为该项开支,祈核准案。

决议:照拨。

6. 医学院及附属诊所签称:为预防空袭,拟即着手防空设备,以维本院所员生及住院病人之安全,祈核示案。

决议:应以向城外疏散及在空旷地方构筑防空壕为原则,其经费在该院办公费项下撙节开支,实报实销。

7. 农学院二年级借读生张宝赞(本中法大学医前期学生)呈为呈请转入医学院二年级借读,未蒙照准,仅就批示各点,再为缕陈,仍恳俯允以遂初志案。

决议:准予在医学院二年级试读。

四、临时动议。

五、散会。

国立西北联合大学常务委员会第四十六次会议记录

时间:二十七年十月二十六日下午二时。

地点:常务委员办公室。

出席人:胡庶华、徐诵明、李蒸(黎锦熙代)、黎锦熙(列席)、张贻惠(列席)。

主席:李委员蒸(黎锦熙代)。

记录:陈叔庄。

一、开会如仪。

二、报告事项:

1. 上次会议记录。

2. 一周来重要文件。

3. 教育部训令一件——奉令关于公务人员兼职不得兼薪,及兼职者不得在其他机关支领公费或类似费用一案,仰自九月一日起切实遵照。

4. 医学院临时附属诊所签送临时支出预算书一份,建筑房屋估价单、修理房屋估价单各一份,及七、八、九三个月收入月报表各一份,祈鉴核备案。

决议:准予备案。

三、讨论事项:

1. 本大学组织大纲,刻已草拟完竣,请核定案。

决议:即送各处主任及各院长签注意见后再行提会核定。

2. 训导处签送本大学导师制施行细则、导师纲要两草案,请核定案。

决议:送请许寿裳、张贻惠、杨立奎三位先生签注意见后再行提会核定。

3. 训导处签转军训组呈送该组组织章程及军事管理办法两草案,请核定案。

决议:修正通过。

4. 训导处签转军训组呈送学生宿舍内务条规修正案,请核定案。

决议:照修正案通过。

5. 聘胡元懿先生为法商学院法律系教授,月薪400元,王捷三先生、吴联辉先生为政经系教授,月薪各320元,彭迪先先生为政经系教授,月薪300元,请追认案。

决议:追认。

6. 聘杨其昌先生为医学院教授,月薪300元,请追认案。

决议:追认。

7. 南郑联立中学西院前进房屋数栋,为本校医学院及南郑办事处借用迄今,其礼堂、教室等亦曾为本校教职员及宣传队借用颇久,拟照借用宝鸡西街小学、城固民众教育馆等例,酌送补助费案。

决议:致送400元为补助该校购置图书仪器等费用。

四、临时动议:

徐委员诵明提:拟推胡委员庶华兼任本校军事训练队队长案。

决议:通过。

五、散会。

国立西北联合大学常务委员会第四十七次会议记录

时间:二十七年十一月四日下午三时。

地点:本校会议室。

出席人:胡庶华、徐诵明、李蒸(黎锦熙代)、黎锦熙(列席)、张贻惠(列席)。

主席:徐委员诵明。

记录:陈叔庄。

一、开会如仪。

二、报告事项:

1. 宣读上次会议记录

2. 一周来重要文件。

3. 教育部训令一件——曾奉中央执行委员会第九十五次常会决议,通过全国党政各机关人员扣薪捐助前方将士寒衣办法两项,令仰遵照案。

决议:遵照中央执行委员会之规定捐助标准办理,以一个月实发薪额计算,其已按照所得税额扣除以及自由捐助之各人棉背心捐款得合并计算,款由学校垫付,于发十月份薪时扣还。

4. 教育部代电一件——抄发全国征募寒衣运动委员会总会组织大纲及全国征募寒衣办法,电仰协助办理。

5. 教育部宿电一件——该校各院聘用或更换教职员,应由常委共同遴选商讨决定,并须共同负责,仰遵照。

6. 文理学院事务室呈报:本校教职员实领薪在200元以下者,不下七八十人,旧教育局及下会馆宿舍,现已人满为患,不敷甚巨,似宜广阔宿舍以应需求,签请鉴核。

决议:与讨论事项8合并办理。

三、讨论事项:

1. 请规定三、四年级上课日期案。

2. 教务处签请规定旧生、新生及新到旁听借读各生注册日期案。

1、2两案合并讨论。

决议:(1)本年度新生及新到旁听借读各生均限于十一月七日至十二日来城固办理入学手续;(2)旧生限十一月十日至十二日来校报到,十四日至十六日选课,十八日起上课;(3)所招转学生入学期间另定之。

3. 地理系黄主任国璋签送"抗战地理资料整理计划"拟自本年度起从事于抗战地理资料之搜集与研究,计需薪资200元,图书报纸费300元,请予核准;并经黎主任锦熙签注:国文系在西安时亦拟有"抗战时期学术文艺资料搜集并整理计划",现拟与地理系合并办理,请于工作金项下多拨200元案。

决议:计划通过地理、国文两系合并办理,准予拨给事业费600元,学生工作不给薪资,但得择其有成绩者,酌予奖金,于事业费内开支。

4. 教育系李主任建勋签称,本系三年级借读生李仙峰呈恳免除退学处分,准予降级两年以完学业等情,揆诸情理,尚属可行,请裁夺案。

决议:暂准在二年级借读。

5. 学生生活指委会签称,本校学生抗敌后援支会依照陕西省各界抗敌后援会所规定之"调整学生各支会办法",应予改组为"学校抗敌后援支会",谨拟具章程并签注意见,签请鉴核,并主持办理案。

决议:应照规定予以改组,章程由常务委员审核后送请全体会员大会通过施行。

6. 学生生活指委会签称:为撙节校款,对于请求贷金之学生,应予严加限制,谨拟定战区学生贷金限制办法四项,送请核夺案。

决议:如拟办理,关于第四项,应即通知就近各银行邮局查照。

7. 会计室签呈:查本校教职员于本薪外,每多支兼课钟点薪俸,核与政府兼职不准兼薪之明令不合,拟请严予规定,以符功令案。

决议:交易秘书价拟具办法,提下次常委会议核定。

8. 拟具"教职员住校办法",请核定案。

决议:照办。

四、临时动议:

教务处签送"申请转学学生名单",计144名,内经审查合格,拟准予试读者79人候呈验证件,再核者35人,不予录取者30人,请核夺案,

决议:交由常务委员审核决定公布。

五、散会。

国立西北联合大学常务委员会第四十八次会议记录

时间:二十七年十一月十二日下午三时。

地点:本校南郑办事处。

出席人:胡庶华、李蒸(黎锦熙代)、徐诵明(张贻惠代)、张贻惠(列席)、黎锦熙(列席)。

主席:胡委员庶华。

记录:陈叔庄。

一、开会如仪。

二、报告事项:

1. 上次会议记录。

2. 一周来重要文件。

3. 教育部微电一件——兹加聘张北海为该校校务委员会委员,仰知照。

4. 徐委员诵明函告本日会议不能出席,拟请张教务主任贻惠代表。

5. 李委员蒸□电一件。

6. 陕西省立高中王校长捷三,来电商借本校西安第一院校舍校具,及西安留守书记赵广瑞呈报该校借用本校西安城隍庙后街校舍校具情形。

决议:电复准其暂借,但须写立借据。

7. 斋务组呈报视察医学院斋舍情形。

三、讨论事项:

1. 校医室签呈:对于教职员亲属就医,拟请分别予以规定案。

决议:凡属本校教职员直系亲属(如父母妻子等)来校就医者,得享受本校医药优待,如系旁系亲属,须按校医出诊例,每次收国币一元,并照价征收药费。

2. 师范学院附属中学呈送设立卫生室计划书,计需款967元,请核拨案。

决议:酌予补助。

3. 本校校歌业经黎锦熙、许寿裳两先生拟就,请核定案。

决议:通过。歌词报部备核,并函许寿裳、齐国樑两先生查照三十七次常会决议案,请其介绍专家编制歌谱。

4. 法商学院院长许寿裳先生一再函请辞去院长及兼代政经系主任职务案。

决议:(1)准其辞职;(2)聘许寿裳先生为本校建筑设备委员会主席;(3)聘张北海先生为法商学院院长。

四、临时动议。

五、散会。

国立西北联合大学常务委员会第四十九次会议记录

时间：二十七年十一月十六日下午三时。

地点：常务委员办公室。

出席人：李蒸（黎锦熙代）、胡庶华、黎锦熙（列席）、张贻惠（列席）。

主席：李委员蒸（黎主任锦熙代）。

记录：陈叔庄。

一、开会如仪。

二、报告事项：

1. 宣读上次会议记录。

2. 四日以来重要文件。

3. 教育部指令一件——据呈拟定师范学院组织大纲，请鉴核备案一案毋须单独订定由。

4. 教育部指令一件——据呈准文理学院设体育专修科或体育系一案，应毋庸议由。

5. 法商学院教员李绍鹏等函一件——为挽留许院长由。

6. 汪秘书如川、吴主任英荃签呈：奉交文理学院事务室修缮考院部分估价单一份，遵经审查竣事，附陈注意各点，祈裁夺。

决议：照签注意见办理。

7. 郑组长文华、吴主任英荃签称：奉交文理学院事务室建筑草房12间估价单3份，遵经审查竣事，附陈应须注意各点，祈裁夺。

决议：照签注意见办理。

三、讨论事项：

1. 奉教育部代电。本校本年度建设费经部呈奉核准5万元，令迅编整个计划及分配预算呈候核转拨发案。

决议：交由建筑设备委员会议定呈复办法。

2. 拟具本校教员待遇章程草案，请核定案。

决议：修正通过。

3. 地理系黄主任国璋签请改定本系助教韩宪纲薪额，并准予自八月份起薪案。

决议:地理系助教韩宪纲月薪改为60元,自九月份起支。

4.出版组呈拟学生缮写中外讲义办法,请核定案。

决议:如拟办理。

5.图书组呈拟教职员借阅"万有文库"暨大学藏书办法及整理教职员以往所借书籍办法,请核定案。

决议:如拟办理。

四、临时动议:

1.推定杨立奎、寋先器、刘拓、张北海、袁敦礼、张贻惠、黄国璋七先生为导师会常务委员案。

决议:通过。

2.请改定法商学院三、四年级学生上课日期案。

决议:自十二月一日起上课。

3.历史系教授黄文弼先生补英庚款研究费提出辞职,拟改聘胡鸣盛先生继任案。

决议:照聘。月薪320元,自十月份起薪。

4.学生在前学期曾到校上课及在外借读有证明文件者,拟请通融,予以补考之机会案。

决议:通过。交注册组查明,分别准驳,考试务从严格。

五、散会。

国立西北联合大学常务委员会第五十次会议记录

时间:二十七年十一月二十五日下午三时。

地点:本校会议室。

出席人:徐诵明(张贻惠代)、胡庶华、李蒸(黎锦熙代)、张贻惠(列席)、黎锦熙(列席)。

主席:徐委员诵明(张贻惠代)。

记录:陈叔庄。

一、开会如仪。

二、报告事项:

1.宣读上次会议记录。

2. 报告一周来重要文件。

3. 徐委员诵明于本月十一日来函请假一月,所遗常委职务,请张教务主任贻惠暂代。

4. 体育系委员签送体委会谈话会记录一份,第一次体委会会议记录一份,体育教员全体会议记录一份,请鉴核备案。

决议:准予备案。并将第一次体委会记录决议事项第二、第三、第七各项分别通知教务处各院院长及各院事务室查照。

三、讨论事项:

1. 本大学训导纲要及导师制施行细则业经张贻惠、许寿裳诸先生签注意见,请予核定案。

决议:照签注意见通过。

2. 本大学旁听生规则,兹经教务处修正,请予核定案。

决议:修正通过。

3. 体育委员会签请:关于体委会请购及领用物品除零用物件由各院事务室购置外,可否径交本部庶务室办理案。

决议:照办。

4. 拟聘饶孟侃先生为外文系教授,月薪320元,自八月份起薪,请通过案。

决议:通过。

5. 学生请求公费,照章应由地方机关出具清寒证明书,本校学生中多有因家在战区或交通阻碍无法取得证明,援照上学年例,请予变通办法者,应如何办理案。

决议:由训导处斟酌情形,拟具办法送请常务委员核定施行。

四、临时动议:

1. 各院长、系主任推荐教员,须有常务委员书面之允可方得正式聘请案。

决议:照办。

2. 拟聘吴图南先生为法商学院事务室主任兼体育讲师,任课四至七小时,月薪180元请照准案。

决议:照聘。

五、散会。

国立西北联合大学常务委员会第五十一次会议记录

时间:二十七年十一月三十日上午十一时。

地点:本校会议室。

出席人:胡庶华、李蒸(黎锦熙代)、徐诵明(张贻惠代)、张贻惠(列席)、黎锦熙(列席)、张北海(列席)。

主席:胡委员庶华。

记录:陈叔庄。

一、开会如仪。

二、报告事项:

1. 宣读上次会议记录。

2. 法商学院因新聘教员尚未到齐,展期至十二月十二日起上课。

三、讨论事项:

1. 张院长北海函请聘李浦先生为法商学院法律系教授,荆磐石先生为法律系讲师案。

决议:通过。

2. 张院长北海函请聘江之泳、汪奠基、凌乃锐、王希和、罗仲言五先生为法商学院政经系教授,翟桓、刘世超两先生为政经系副教授,吴我怡先生为政经系专任讲师案。

决议:通过。

3. 张院长北海函请聘刘泽荣、张永奎两先生为法商学院商学系教授案。

决议:通过。

4. 张院长北海函请改聘政经系讲师孙宗钰先生为商学系教授案。

决议:通过。

5. 拟聘许兴凯先生为法商学院政经系兼文理学院论理学教授案。

决议:通过。

6. 法商学院政经系教授沈会春先生函请辞职案。

决议:照准。

7. 拟请政经系教授章友江先生担任研究抗战政治问题案。

决议:章教授准予给假一年(自二七年八月一日起至二八年七月底止)研究

抗战政治问题。

8. 拟改聘曹联亚先生为文理学院国文系讲师案。

决议:通过。

9. 法商学院张院长北海函请解聘教授刘及辰先生、副教授韩幽桐先生、讲师张云青先生案。

决议:查照聘约第八条准予解聘。

10. 学生非经常务委员允许不得在校内外募捐案。

决议:照办。

四、临时动议。

五、散会。

国立西北联合大学常务委员会第五十二次会议记录

时间:二十七年十二月二日下午三时。

地点:本校会议室。

出席人:胡庶华、李蒸(黎锦熙代)、徐诵明(张贻惠代)、张贻惠(列席)、黎锦熙(列席)。

主席:胡委员庶华。

记录:陈叔庄。

一、开会如仪。

二、报告事项:

1. 宣读上次会议记录。

2. 报告一周来重要文件。

3. 教育部训令一件——令发实际问题研究报告表令仰遵照由。

4. 历史系考古指导委员会签送考古会支出报告,共计国币288.195元请予报销,其超出预算之88.195元,并拟请追认补发。

决议:账目交会计室核销,其超出预算数目准予补发。

三、讨论事项:

1. 制定本大学学生住校条规请核定案。

决议:修正通过。

2. 请裁撤学生生活指导委员会案。

决议：裁撤。关于学生生活指导由导师会办理。

3. 拟成立学生贷金审查委员会，并请以胡庶华、李季谷、齐国樑、杨立奎、李在冰五先生为委员案。

决议：通过。

4. 张贻惠先生函请辞去导师会常务委员案。

决议：照准。推李季谷先生为导师会常务委员。

5. 拟调医学院附属诊所事务主任冈如华先生为本校校医室校医案。

决议：照聘，仍支原薪。

6. 医学院副教授冯固先生月薪拟请改为240元案。

决议：通过。

7. 会计室呈七月一日后本校垫付农学院各款清单，仅开列拟办及请示各点，祈核夺案。

决议：交会计室照批示意见办理。

8. 会计室呈七月一日后本校垫付工学院各款清单，祈鉴核案。

决议：交会计室照批示意见办理。

9. 会计室签称校款支绌，各项支出亟应力求撙节，拟请(1)对于未报到及新聘之教员规定自到校之日起薪；(2)裁撤或归并非必要之骈枝室、处；(3)组织购置委员会以划一物价，统制购置，祈核夺案。

决议：关于第一项，规定：(1)凡新聘之教员未到校者不得支薪；(2)续聘讲师自八月一日起薪，新聘讲师自上课之月起薪；(3)中途聘请之教员，其起薪月份另订之。

关于第二、第三两项，交易、陈两秘书、会计室苏主任拟具调整机构办法及购置委员会组织章程，送请常务委员核定施行。

四、临时动议。

五、散会。

国立西北联合大学常务委员会第五十三次会议记录

时间：二十七年十二月九日下午三时。

地点：本校会议室。

出席人：徐诵明（张贻惠代）、李蒸（黎锦熙代）、胡庶华、张贻惠（列席）、黎锦熙(列席)。

主席：李委员蒸(黎锦熙代)。

记录：陈叔庄。

一、开会如仪。

二、报告事项：

1. 宣读上次会议记录。

2. 报告一周来重要文件。

3. 教育部指令一件——为本校呈请免予分发借读生由——该校仍应体念时难，遵照前令，设法收容，以宏救济。

4. 中英庚款董事会来函二件——请保送科学研究助理，及川康考察团团员由。

5. 致许寿裳先生函一件——奉部令加聘许寿裳为该校校务委员由。

6. 注册组呈报：本月十二日起对于上学期请假缺课及上学期试验成绩丁等学生举行补考。

三、讨论事项：

1. 法商学院许前院长以添盖草房5间，改为瓦房6间，致超出预算400元。又添盖男女厕所及女生宿舍院墙用洋146.3元，共546.3元，签请由该院事务室备用金项下开支，经交新任张院长查照去后，兹据复称：现有备用金不敷开支，实无余款可资弥补等情前来，究应如何办理，请核议案。

决议：由部拨建筑修理费法商学院应得部分项下开支。

2. 家政系签称：本系技艺科教员何锦勤女士尚无来校消息，拟请以王秀林女士代理，月薪100元，请核准案。

决议：通过。

3. 会计室签呈：查常会通过之修正本校所属各部分收付款项办法第十条及第十一条"院事"二字系"校庶"二字之误，请予照改并分知各部分以利施行案。

决议：第十一条照改，第十条全文应修改为"各部分发放工资应将名册先送本校庶务室登记，再向会计室请款"。

4. 斋务组签呈：拟就文庙前院空地建筑草房15间，以为学生宿舍之用，约需洋1 200元，祈核定案。

决议：交建筑设备委员会讨论决定。

5. 文理学院事务室签呈：本室备用金，原定每月1 000元，远不敷用，祈核增为2 750元案。

决议:交会计室拟定分院预算,在该院应得之数内留用。

四、临时动议:

1.法商学院法律系教授兼系主任黄得中先生一再恳辞系主任职务案。

决议:照准。法律系主任由张院长北海暂行兼代。

2.请修正本校校导师会组织章程第四条条文为"本校常务委员会主席兼任贷金审查委员会主席"案。

决议:通过。

五、散会。

国立西北联合大学常务委员会第五十四次会议记录

时间:二十七年十二月十四日下午三时。

地点:常委办公室。

出席人:徐诵明(张贻惠代)、胡庶华、李蒸、黎锦熙(列席)、张贻惠(列席)。

主席:徐委员诵明(张主任贻惠代)。

记录:陈叔庄。

一、开会如仪。

二、报告事项:

1.宣读上次会议记录。

2.一周来重要文件。

3.徐委员自成都来函,即日赴渝面陈校务,请自十二月十八日起续假两周。

4.李委员蒸报告在渝接洽校务经过。

5.教育部代电一件——本年度录取新生籍隶战区省市而经济确属困难者,应概予免收学杂费之待遇,各校收入预算内减收数额准照前令,据实具报。

6.教育部齐日密电一件。

三、讨论事项:

1.请改组本大学建筑设备委员会,并请以许寿裳、李蒸、徐诵明、胡庶华、刘拓、张北海、塞先器、黎锦熙、张贻惠九先生为委员,许寿裳先生为主席案。

决议:通过。

2.组织公费生免费生审查委员会,并请以常务委员各院院长、各系系主任为委员案。

决议:通过。开会时以值周常务委员为主席。

3. 医学院签称:药械设备为研究医学之必需,亦为专门医校应有之设备,拟请拨洋一万元以备陆续购置之用,祈核夺案。

决议:交建筑设备委员会于讨论本校临时费时合并办理。

4. 医学院签请聘屠宝琦先生为本校细菌及热带病学副教授,月薪260元,自十月份起薪案。

决议:通过。薪俸应照本大学教员待遇章程第四条办理,改为月薪240元。

5. 请聘教育系教授黄敬思先生暂行兼代师范学院英语系主任案。

决议:通过。

6. 请聘曹配言先生为党义副教授,月薪240元,自十一月份起薪案。

决议:通过。

7. 请聘刘竹筠先生为物理系讲师案。

决议:通过。

8. 商学系教授李绍鹏先生函请解除教授聘约案。

决议:挽留。

9. 地理系黄主任国璋函称:为明了陕南地方实情及辅助地方改良民生起见,选定紫阳县茶业产销状况为本系四年级学生研究专题之第一种,附呈调查计划大纲一份,请核拨调查费150元至200元案。

决议:准在本校兼办之社会教育经费项下文理学院部分内撙节开支,以不超过150元为原则。

10. 注册组签拟本校学生改系办法草案,祈核定案。

决议:修正通过。

11. 国立陕西中学函送该校高中第二班毕业生志愿调查表,请预留空额,准予在第二学期入校试读案。

决议:函复本校无春季始业班次,新生转学生又多,教室宿舍均感不敷,碍难照准。

四、临时动议。

五、散会。

国立西北联合大学常务委员会第五十五次会议记录

时间:二十七年十二月二十一日午后三时。

地点:常务委员会议室。

出席人:李蒸、胡庶华、徐诵明(张贻惠代)、黎锦熙(列席)、张贻惠(列席)。

主席:胡委员庶华。

记录:陈叔庄。

一、开会如仪。

二、报告事项:

1. 宣读上次会议记录。

2. 一周来重要文件。

3. 师范学院签送该院第一次院务谈话会会议记录一份,除关于经费分配及新生注册截止日期两项声明另行提会核示外,余请备案。

决议:准予备案。

三、讨论事项:

1. 本校建设费奉部核准5万元,经遵令编造计划分配预算,呈部核拨,请追认案。

决议:追认。

2. 李兼院长蒸提:师范学院本年度经费奉部拨补助费5万元,遵即造具预算,分配用途,其属于教薪、讲义印刷、图书仪器、医药军训、校警等费用,拟请由大学本部担负祈公决案。

决议:通过。

3. 李兼院长蒸提:师范学院军训教官拟请由该院主任导师负责指挥,祈公决案。

决议:本大学各学院军训教官均应受各该院主任导师或导师会常务委员之指挥。

4. 胡委员庶华提:本校教职员薪俸工资,每月逾4万余元,超过经常费75%以上,为避免继续膨胀,计应即停止再添教职员及工警,按事实需要,纵有缺额,亦不补人,请公决案。

决议:照办,并由秘书、教务两处调查各院系实际情形切实调整,以符预算。

5. 胡委员庶华提：各学院新聘教员，其到校之日，应由院长或系主任通知秘书处以便转知会计室存查案。

决议：照办。

6. 李委员蒸提：加聘张北海先生为社教推行委员会委员请追认案。

决议：追认。

7. 李委员蒸提：请规定各系一年级新生注册截止日期案。

8. 教务处签转注册组呈拟新旧各生报到截止日期，请核定案。

7、8 两案合并讨论。

决议：本年度因交通堵塞，新旧各生来校困难，姑准从宽展限至授课时日 2/5 为报到注册截止日期，逾期到校保留学籍，下年度不得升级，其愿随班听讲者听，但不给予公费或贷金。

9. 导师会常务委员会签送该会办事细则及本学期学生课外活动项目日期各一份，请核定案。

决议：准予备案。

10. 历史系签送张博望侯墓前石碑及石虎座子估价单各一份，请核示案。

决议：准予建立石碑一方，石虎座子两座，由庶务室会同历史系办理，两项用途估计以 300 元为限，刻字在外。

11. 军训组呈请对于转学生、借读生、复学生及在校旧生均予制发本届冬季制服，以资一律而肃观瞻，祈核夺案。

决议：复学生制发，其在西安已领者停发，转学生、借读生于缴纳制服费后制发，在校旧生所领冬季制服，时仅一年，所请从新再发一节，应无庸议。

12. 会计室签呈：本校各学院教员与师范学院及高中部教员，互相兼课者颇多，其薪水应如何规定以符法令而节开支，祈核定案。

决议：由常务委员核定。

13. 文理学院事务室呈称建筑风雨操棚 24 间，体育器械室 1 间，男生盥洗室 9 间，女生盥洗室 5 间半，炭房 1 间，均已招工估价，检同估价单两份送请核定案。

决议：照办。在文理学院临时建筑费项下支出，估价单送请袁主任敦礼、汪秘书如川、吴主任英荃审核决定。

14. 准中英庚款董事会函请在本校毕业生中选送科学助理 10 人，川康考察团团员 10 人，经分饬报名，汇具名单，送请核定案。

决议：由常务委员核定。

四、临时动议：

1. 家政系函请本校每月补助经费690元以应实际需要，请公决案。

决议：该系系主任及教授孙之淑先生薪俸暂准由本校经费内支出。

2. 法商学院张院长北海签称：本院最近情形特殊，教授、副教授及专任讲师之授课时间，有钟点不足定额者，拟请于明年二月底以前，不予扣薪，其不满七小时者，仍按聘约照讲师待遇送薪，祈核夺案。

决议：暂予照办。各教员所缺钟点应在下学期内设法补授。

3. 法商学院张院长北海签提：本院新聘教授、副教授及专任讲师均请自十一月份起薪案。

决议：按照路程远近，准自到校前一月或两月起薪。

4. 法商学院张院长北海签提：本院讲师孙宗钰先生已改任教授，请自十一月份起支教授薪；讲师杨宗培先生自十月份起薪，荆磐石先生自十一月份起薪案。

决议：照办。

5. 法商学院张院长北海签称：翟桓先生原聘为教授，记录误为副教授，请予更正案。

决议：照改。

6. 法商学院张院长北海签请改聘专任讲师龚锡庆先生为副教授案。

决议：准予改聘。

五、散会。

国立西北联合大学常务委员会第五十六次会议记录

时间：二十七年十二月二十八日下午三时。

地点：本校会议室。

出席人：李蒸、胡庶华、徐诵明（张贻惠代）、黎锦熙（列席）、张贻惠（列席）。

主席：李委员蒸。

记录：陈叔庄。

一、开会如仪。

二、报告事项：

1. 宣读上次会议记录。

2. 报告一周来重要文件。

3.世界学生服务社救济学生专款管理委员会陕西分会函送该会第二次会议记录,请查照。

4.本校社会教育推行委员会函送该会第二次会议记录,请备案。

决议:应予备案。

5.师范学院教务处签报本院英文戊组人数过多,教学困难,现已分为两组上课,文理学院外文系亦以同一原因,签请将丙组普通英文另开一班上课。

决议:准予照办。

6.陕西省学生集训总队部公函一件——为受训学生张耀麟一名,业经开除军训学籍,依规定并应开除学生学籍,希查照案。

决议:照办。

三、讨论事项:

1.拟成立本校卫生委员会案。

决议:通过。以胡庶华、袁敦礼、温中理、李在冰、汪如川、郑文华、李光复、冈如华八先生及护士一人为委员,袁敦礼先生为主席。

2.拟成立本校图书委员会案。

决议:通过。以值周常委教务主任、各系系主任及图书组组长为委员,教务主任为主席。

3.战区学生本年度准予免缴学费案。

决议:由公费生、免费生审查委员会审查,如确系战区学生家境清贫者,准其免缴学费。

4.李委员蒸提:据教育系主任李建勋先生签请指定教育系学生佘增寿、韩温冬二人为小学教育通讯研究助理,月各津贴10元,自二七年十二月起支,请公决案。

决议:通过。

5.师范学院签送本校大学部教职员在附中兼课及附中教职员在大学部兼课办法请备案案。

决议:准予备案。

6.法商学院签请添盖草房8间,为学生什物储藏、公物储藏、工友宿舍及诊疗所之用,连同箱架、桌椅等共需国币857.6元,附呈估价单三纸,祈核定案。

决议:照办。由该院本年度临时建筑费下开支,估价单送交汪秘书如川、吴主任英荃审查决定。

7. 胡委员庶华提：拟请补助本校区党部每月 50 元,自十二月份起支案。

决议：通过。嗣后区党部一切活动、设备费用,均需自理,不得再向本校请求。

8. 本校区党部函称：本部节约运动会委员会工作繁多,请予津贴该会办公费 40 元及一切文具器具案。

决议：照第七案办理。

9. 师范学院附属中学呈称：购地建筑新校舍,计已垫用国币 3 454.5 元,祈照拨案。

决议：本校前允拨该附中建筑费用 3 500 元,准予先拨半数。

10. 外文系四年级生张周勋在上课时,因要求未遂,竟出言不逊,侮辱师长,应如何予以处分案。

决议：由训导处严加训诫。

11. 第一、二中队及独立中队学生代表刘述先等呈请发给冬季制服、膳陈理由,祈核准案。

决议：去年所发制服,经行军服用,未免破损及为求整齐划一起见,准予发给新制服,明年不再新制,旧制服并须缴回,由寒衣运动会负责收集捐送前方。

12. 规定续聘讲师自八月份至十月份照上年度钟点送薪,十一月起照本年度钟点送薪,请追认案。

决议：追认。

四、临时动议：

1. 法商学院张院长北海签称：政经系教授王希和先生因病辞职,拟改聘陶秀先生为该系教授,待遇同王先生,祈照准案。

决议：通过。

2. 拟改聘德文讲师陈嘉琨先生为文理学院、医学院合聘教授,每周任课 14 至 16 小时,月薪 300 元案。

决议：通过。

3. 聘马振鸾先生为歌咏指导员,月薪 80 元,暂以两个月为限（一月一日起至二月底止）案。

决议：通过。

4. 胡兼主任庶华提：二十八年元旦拟举行新年共进会以志庆祝案。

决议：照办。由学校补助 50 元为购备茶点之费,交由导师会主席邀同区党部办理。

5. 国文系黎主任锦熙签送"修养日记""读书札记"及"作文"用纸格式,并请(1)将三种格纸交庶务室统筹办理;(2)每月学生呈阅札记一次,代作文一次;(3)增聘全校一年级国文教员为各该组导师案。

决议:(1)由庶务室照三种格纸估价后,再行核办;(2)(3)照办。

6. 庶务室呈送十一、十二月份购置支出统计表二纸,请准予每月支给4 000元备用金,以资试办案。

决议:除讲义费外,每月仍拨该室备用金1 000元撙节开支,嗣后员生乘坐校用汽车均需购票,以资挹注,其办法由该室拟具送核。

五、散会。

二、1939年1月至7月常委会会议记录(第五十七次至第八十二次)

国立西北联合大学常务委员会第五十七次会议记录

时间:二十八年一月六日下午三时。

地点:本校会议室。

出席人:胡庶华、李蒸、徐诵明(张贻惠代)、黎锦熙(列席)、张贻惠(列席)。

主席:徐委员诵明(张贻惠代)。

记录:陈叔庄。

一、开会如仪。

二、报告事项:

1. 上次会议记录。

2. 一周来重要文件。

3. 教育部训令一件——令知以后各校应行呈报事项,遵照规定时间提前办理,并令呈报二十六年度毕业生成绩及二十七年度应届毕业生约数备核由。

4. 教育部训令一件——抄发大学先修班办法要点及经费支配总额令仰遵办由。

三、讨论事项:

1. 乐歌课程是否必修及何时开课案。

决议：一年级生必修，自下周起开课，二、三、四年级生选修，其上课日期由教务处定之。

2. 李委员蒸提：师范研究所业于二七年十二月一日筹备完竣，开始工作，拟即聘教育系主任兼该所筹备主任，李建勋先生兼任师范学院师范研究所主任，请通过案。

决议：通过。

3. 徐委员诵明函称：前在重庆业经接洽聘定董克恩先生为医学院外科副教授，月薪210元，自二七年十二月起薪，请追认案。

决议：追认。

4. 地理系黄主任国璋签请改聘郁士元先生为本系专任副教授，月薪225元案。

决议：通过，自二七年十二月份起支薪。

5. 地理系黄主任国璋签呈本系教授王钟麟先生前奉教部令调担任临时工作，保留其原有职务，近接王先生上年十二月十五日来函声请辞职，拟予照准，其薪金即送至上年十二月份止案。

决议：照办，王先生薪金送请教育部转发。

6. 注册组呈称本校招收旁听生虽经截止，而申请者仍不乏人，兹将本校旁听生规则加以修正，以资救济，祈核定案。

决议：修正通过。

7. 出版组呈九月至十二月讲义费统计表一份，拟请将铅印、油印两项讲义费分别规定数目，并函知各教员，根据学生确数减少讲义分量，以节开支，祈核夺案。

决议：（1）每月讲义费，铅印以700元，油印石印以500元为限。（2）除国文、英文讲读教材及各科习题大纲外，一概不印，如有在此范围以外者，应由出版组组长分别送请各院长、各系主任及秘书教务两主任核定。（3）由出版组拟定各系讲义费预算，如有超过时即由该系图书费项下拨补。

8. 出版组呈本校新闻简报消费及寄送份数统计表各一份，拟请自二十八年一月一日起停止发行，以节糜费，经交庶务室查复称：简报每月费用约130元，如改订南郑南京日报，月以30余份计，可节省百元，请核议案。

决议：照办。分函校外送阅各机关查照，书记调充他职，无线电台拨旧物理系管理，原练习生由物理系主任另行指定工作。

四、临时动议：

法商学院签请准予由二十八年一月份起每月增加备用金300元案。

决议:查照五十三次决议案5,交会计室从速拟定分院预算,在该院应得之数内留用。

五、散会。

国立西北联合大学常务委员会第五十八次会议记录

时间:二十八年一月十三日下午二时。

地点:本校会议室。

出席人:胡庶华、徐诵明、李蒸、黎锦熙(列席)、张贻惠(列席)。

主席:胡委员庶华。

记录:陈叔庄。

一、开会如仪。

二、报告事项:

1.宣读上次会议记录。

2.报告一周来重要文件。

3.教育部训令一件——奉行政院核定第三次全国教育会议组织规程,令饬遵照。如该校院组织系委员制者,并将常务委员推定一人绌令报部由。

决议:推胡委员庶华出席第三次全国教育会议。

4.教育部训令一件——令送学校一览及各种章则由。

决议:关于本校一览应即通知各院系各处组供给材料,于一星期内送交秘书处由黎秘书主任及易、陈两秘书负责编纂。

5.师范学院教育系小学教育通讯研究处呈报成立,并将拟定之组织规则招生简章及一月七日小学教育研究委员会第一次会议记录各一份,送请鉴核备案。

决议:准予备案,招生简章送请社教推行委员会主席核定。

三、讨论事项:

1.推定常委一人为本校抗敌后援支会委员案。

决议:推徐委员诵明担任。

2.聘请先修班主任案。

决议:由张教务主任贻惠兼任。

3.奉教育部令于二十八年三月一日举行第三次全国教育会议,本校为集思广益起见,拟即征求提案,以便整理后提出案。

决议:(1)令文及组织规程即送各院长、各系主任,分别征集各该系教授意见编成提案,于本月底以前送交常委室易秘书价;(2)推佟学海、何日章、康绍言、阎步洲、谭文伯五先生于本月内编造学校概况表,以资报告。

四、临时动议。

五、散会。

国立西北联合大学常务委员会第五十九次会议记录

时间:二十八年一月十八日下午三时。

地点:本校会议室。

出席人:徐诵明、李蒸、胡庶华(刘拓代)、黎锦熙(列席)、杨立奎(代列席)、张贻惠(列席)。

主席:李委员蒸。

记录:陈叔庄。

一、开会如仪。

二、报告事项:

1. 上次会议记录。

2. 五日来重要文件。

3. 胡委员庶华因公赴西安,自本月十六日起拟请假二周,所有常委职务请刘院长拓代理,训导处主任职务请杨立奎先生代理。

决议:备案。

4. 体育系主任袁敦礼、教授董守义两先生奉召赴教育部出席体育委员会,请给公假,其体育系主任职务请谢似颜先生代理。

决议:备案。

5. 社教推行委员会李兼主席蒸函称:教育系小学教育通讯研究处所拟招生简章,业经核阅,准予照办,希查照备案。

决议:备案。

6. 体育委员会签送本委员会第三次会议记录一份,祈察核备案。

决议:备案。

7. 导师会常委会主席杨立奎先生报告国语演说竞赛会举行情形及结果。

三、讨论事项：

1. 图书委员会签送本委员会简章草案，并建议加聘各学院院长为本委员会委员，祈鉴核案。

决议：通过。

2. 体育委员会签称：法商学院体育课程往往与学生军训发生场地之冲突，学校又有于五月间举办运动会之议，均非另辟较大场地不可，请核夺案。

决议：由吴英荃、王毓琦两主任向县政府接洽，请在法商学院附近拨给公地作为建筑操场之用。

3. 法商学院张院长北海签请聘刘骅南先生为商学系会计学教授，祈照准案。

决议：通过函请补送履历，其月薪数额由常务委员核定之。

4. 会计室呈拟本校二十八年度概算书及师范学院本年八月至十二月概算书，请核定呈部案。

决议：通过。

5. 文理学院事务室签呈奉令在文庙建筑草房九间，送呈估单二份，祈核定案。

决议：估单交汪秘书如川、吴主任英荃、郑组长文华审查后送请常务委员核定。

6. 教育系李主任建勋签送心理仪器购置单一份，约需洋 4 212 元，请予照拨，以便购置案。

决议：交建筑设备委员会统筹办理。

7. 出版组转呈西北联合大学属托印刷部函，以百物涨价原定印件价目过低，继续为难，恳请准予实行新价目以维印刷部之生存案。

决议：交出版组调查物价，切实磋商，再请常务委员核定。

四、临时动议：

聘康绍言先生兼任教务处处员，改聘周永丰先生为教务处处员仍支原薪案。

决议：照聘。

五、散会。

国立西北联合大学常务委员会第六十次会议记录

时间：二十八年一月二十五日下午三时。

地点：本校会议室。

出席人：徐诵明、李蒸、胡庶华（刘拓代）、胡庶华（杨立奎代列席）、黎锦熙（列席）、张贻惠（列席）。

主席：徐委员诵明。

记录：陈叔庄。

一、开会如仪。

二、报告事项：

1. 上次会议记录。

2. 一周来重要文件。

3. 图书委员会签送第一次图书委员会会议记录，请鉴核备案。

决议：准予备案。

三、讨论事项：

1. 拟成立本校仪器委员会，并请以刘拓、蹇先器、张贻惠、杨立奎、郭毓彬、程克敬、黄国璋、徐佐夏、赵学海九先生为委员，刘拓先生为主席。

决议：通过。

2. 限制借读生办法，业已呈部核示，请追认案。

决议：追认。

3. 教育系签请拨款购置心理仪器案，业以"购置单外汇估价过低，应酌减拟购件数，如不超过该系在中英庚款开办费及本年度经常费仪器费内应领之款准予预支"等语笺，复请追认案。

决议：追认。

4. 请修正抗敌后援会本校支会简章案。

决议：修正通过。

5. 抗敌后援会本校支会签请每月津贴经常费50元以利工作之进行案。

决议：自一月份起，每月准予津贴40元。

6. 抗敌后援会本校支会签称本会执行委员会第一次会议议决会费由全体会员分担，学生每学期一角，于注册时缴纳，教职员自一月份起，每月由会计室照所得税额加扣1/10，作为会费，请鉴核备案。

决议：准予备案，并分函全校教职员及会计室注册组查照。

7. 先修班张兼主任贻惠签送先修班教员名单，及薪俸约数，并拟由注册组派书记二人办理点名学籍课业事项，酌加津贴，请核夺案。

决议：名单通过，薪俸应在先修班专款内开支。

8. 注册组签呈：逾期报到学生历陈交通阻滞、旅途艰苦情形，恳请宽予通融，据查尚属实情。兹拟具补救办法，请核定案。

决议：修正通过。

9. 汪秘书如川、李教官在冰等签呈：修建东城墙太平门及门外木桥事，经与县府及城工委员会接洽，商定由本校购料，由县府征工，其购料费约需洋550元，是否可行，祈核定案。

决议：准由本校补助购料费550元，由原具呈人（汪秘书负责召集）向有关方面接洽，克日进行。

四、临时动议：

1. 中央宣传部刘处长百闵函请为中国文化服务社指拨一二房间为支社社址案。

决议：函复照拨。

2. 派人到乡间购储米粮，并向县府接洽，请其协助案。

决议：交吴英荃、汪如川、王毓琦、吴图南、郑文华五先生即日会商办理，指定吴英荃先生为召集人。

3. 文理学院东操场贴近教室，学生上体育课时叫嚣之声常所难免，殊与内堂听讲有碍，应如何设法补救案。

决议：通知体育委员会尽量利用校外三操场，以期避免与文理学院东边教室上课时间冲突。

国立西北联合大学常务委员会第六十一次会议记录

时间：二十八年二月一日下午三时。

地点：本校会议室。

出席人：徐诵明、李蒸、胡庶华（刘拓代）、胡庶华（列席、杨立奎代）、张贻惠（列席）、黎锦熙（列席）。

主席：胡委员庶华（刘拓代）。

记录：陈叔庄。

一、开会如仪。

二、报告事项：

1. 上次会议记录。

2. 一周内所收文电。

3. 教育部电,为调集各校主持训育人员参加党政干训班,催照宥电先将参加者姓名职务克日报部,经电呈复,推胡兼训育主任庶华参加受训。

4. 医学院函称:本院学生组织学生自治会,已饬其查照应行手续,分别呈请导师会、常委会暨当地党部核准备案。

5. 社教推行委员会主办之防空防毒讲习班及国语注音符号讲习班,均定于二月一日上课。

三、讨论事项:

1. 本校附设先修班招生考试已发榜,共取正取生51名,备取生5名,定于下星期一上课,请追认案。

决议:追认。

2. 法商学院聘请徐褐夫先生为商学系俄文教授,月薪320元,自上年十二月份起支,请追认案。

决议:追认。

3. 文理学院拟定限制学生团体及厨房等领用消耗物品办法五条,签请鉴核备案案。

决议:准予备案,并通知其他三学院照办。

4. 二、三、四年级未缴制服费各生(转学生、借读生等)是否发给制服案。

决议:制服照发,未缴制服费者应一律补缴,并订定办法如下:(1)战区学生已缴学费者移充制服费,未缴学费者在应领贷金内分四次扣除;(2)无贷金者在担保人薪俸内扣缴;(3)其未缴学费,又无贷金或担保人者,应尽于本学期内补缴,否则下学期不准注册。一年级未缴制服费学生亦照上列三项办法分别办理。

5. 二、三、四年级旧生发给新制服时,旧制服应行缴回,是否由抗敌后援会负责收集处置案。

决议:旧制服应由军训组负责收回,换发新制服,旧制服送交抗敌后援会捐赠伤兵或难民。

6. 师范学院训导会议建议惩罚该院史地系一年级学生戴桢余办法案。

决议:史地系学生戴桢余冒渎教官,不服训诫,本应开除学籍,姑念该生自知悔过,从宽记大过二次,留校查看,以观后效;并布告全校各院学生,务须注重军训课业及生活纪律,绝对服从教官指挥。

四、临时动议。

五、散会。

国立西北联合大学常务委员会第六十二次会议记录

时间:二十八年二月八日下午三时。

地点:本校会议室。

出席人:徐诵明、胡庶华、李蒸、张贻惠(列席)、黎锦熙(列席)。

主席:李委员蒸。

记　　录:陈叔庄。

一、开会如仪。

二、报告事项:

1. 上次会议记录。

2. 一周以来所收重要文件。

3. 本届英语演说竞赛会酌奖学生姓名及题目。

三、讨论事项:

1. 社教推行委员会函请拨给总办公处所,以资应用案。

决议:准拨给文庙新建□房一大间。

2. 教务处签拟本校附设先修班招收自费生办法请核定案。

决议:修正通过,第六项以上公布。

3. 先修班张兼主任贻惠函称先修班旁听生是否限于未满 50 人时,方得收纳报请核示案。

决议:先修班已决定招收自费生无庸再收旁听生。

4. 聘代理医学院院长蹇先器先生为医学院院长案。

决议:通过。

5. 医学院签拟医学研究所组织大纲及开办费、经常费概算连同说明书,送请核定案。

决议:推徐委员参照师范研究所组织大纲审查后,再由常务委员核定呈部核夺。

6. 医学院签称学生人数增加,原有宿舍不敷分配,兹于教室楼上添修宿舍四间,并拟修建浴室及体委办公室等,共计洋 500 元,请核准拨发案。

决议:准由本年度该院应领临时建筑费项下开支。

7. 建筑设备委员会签拟该委员会简章草案送请核定案。

决议：修正通过。

8. 仪器委员会签拟该委员会简章草案送请核定案。

决议：修正通过。

9. 医学院蹇院长函称：本院生理学教授虚悬已久，兹拟请陈作纪先生担任，月薪340元，附奉履历表一纸，请核发聘书案。

决议：照聘，自到校之前一月起薪。

10. 医学院蹇院长函称：本院外科副教授董克恩先生尚未到校，王教授景槐又因公赴渝。拟请张省先生暂行担任外科学课程（附履历），按钟点送薪案。

决议：照发聘书。

11. 注册组签请规定本学期试验日期案。

决议：三月十三日起举行学期试验至十八日完毕，三月二十七日第二学期开始上课。

12. 军训组签拟本校师生斗山远足会行军办法请核定案。

决议：(1)由教务处布告全体学生于二月十一日停课一日（南郑医学院及先修班除外），雨雪顺延一周；(2)通知本校各年级导师及军训教官参加；(3)学生每人午点费照0.15元为限，由学校借给，并由庶务室及各院事务室派员先往斗山预备饮料一切；(4)余如所拟办理。

13. 本校自备汽车因汽油缺乏，拟暂停行驶案。

决议：即日起暂行停驶。

14. 本校经费支绌异常，凡非急需用品，拟一律停购案。

决议：通知庶务处及各学院事务室照办。

四、临时动议。

五、散会。

国立西北联合大学常务委员会第六十三次会议记录

时间：二十八年二月十五日午后三时。

地点：本校会议室。

出席人：徐诵明、李蒸、张贻惠（列席）、黎锦熙（列席）。

主席：徐委员诵明。

记录:陈叔庄。

一、开会如仪。

二、报告事项:

1. 上次会议纪录。

2. 一周内所发重要档。

3. 教育部电一件——该校准再设大学先修班一班。

4. 公费生、免费生审查委员会第二次会议纪录请鉴核备案。

决议:准予备案。

5. 教育系签送小学教育通讯研究处办事细则,请鉴核备案。

决议:准予备案。

三、讨论事项:

1. 李兼院长蒸提:拟聘杨人楩先生为师范学院史地系教授,月薪360元,自一月份起支请公决案

决议:通过。

2. 法商学院张院长北海函请聘赵树勋先生为商学系俄文教授,月薪300元,业已照聘请追认案。

决议:追认。

3. 本校抗敌后援会支会呈称:本会拟于旧历元旦分赴城固四乡举行兵役宣传,并随带赠品慰劳前方将士家族,请核定;又此项赠品,需款颇巨,拟请学校特予补助案。

决议:(1)为适应民情风俗起见,改定于二月十八日(本星期六)举行城固城乡兵役扩大宣传及慰劳前方将士家族。是日停课,学生全体出动,不到者以缺课论,并通知全校教职员自由组织,各带赠品,同时出发慰劳;(2)准予补助40元。

4. 鄂陕边区警备司令部函以沪医疗队奉派在汉中服务,其中女护士8人,拟请本校医学院留用,每员月给伙食津贴12元案。

决议:函复:在新运伤兵医疗队未成立前,可在本校服务(拟以一部分分派在医学院汉中巡回诊疗队服务,一部分分派在城固本校办理女生看护训练班),伙食津贴由本校供给。

四、临时动议。

五、散会。

国立西北联合大学常务委员会第六十四次会议纪录

时间:二十八年二月二十二日下午三时。

地点:本校会议室。

出席人:李蒸、徐诵明、胡庶华(刘拓代)、杨立奎(代列席)、张贻惠(列席)。

主席:胡委员庶华(刘院长拓代)。

记录:陈叔庄

一、开会如仪。

二、报告事项:

1. 上次会议记录。

2. 一周来重要文件。

3. 教育部电令一件——全国教育会议原定委员会制之校院,由常委互推一人出席,现改定用常委制者,常委得全体参加,如不能全体参加,得互推代表。

4. 陈部长快邮代电一件——(密)。

5. 胡委员庶华自广元电告:拟直接由广赴渝,出席全国教育会议,所有常务委员及训导处主任职务,分请刘院长拓、杨主席立奎代理。

6. 徐委员诵明报告:即日应召赴渝出席全国教育会议,常务委员一职,拟请张主任贻惠代理。

7. 李委员蒸报告:即日赴渝出席全国教育会议,所有常务委员及师范学院院长兼职,拟请黎主任锦熙代理。

8. 先修班张兼主任贻惠函送先修班第二班担任教员名单,请鉴核。

决议:通过。

9. 本校事务会议第三次会议记录请鉴核。

决议:分别送请常务委员及常委会议核定。

三、讨论事项:

1. 第三次事务会议建议:请函鄂陕边区警备司令部转行城固县政府在小东门、大东门及小西门、大西门之间,仿照南郑办法各开缺口,以便空袭时易于疏散案。

决议:通过。

2. 第三次事务会议建议:请选择有消防经验之人训练全校工友,以备不虞案。

决议：由庶务室及各学院事务室主任参照本校在西安时消防办法会商办理。

3. 史学系签送历史学会寒假沔县考察团讨划大纲请核定案。

决议：照办。学生每人每日津贴食宿费5角，自城固至南郑步行行李运费由学校供给。自南郑至沔县来回汽车票价由学校负担，无汽车时仍照城固至南郑例，余照常委会议第三十次决议案(8)办理。

4. 斋务组呈请将各院事务室办理斋务人员定名为股，另刊椭圆形章以资识别案。

决议：除师范学院另有规定外，各院事务室办理注册、庶务各部分人员，应称为注册员、庶务员、斋务员，无需设股或分组，各项通知应分别轻重用院长、或事务室名义发表。

四、临时动议：

化学系签，拟购置仪器药品一批，约值2 500余马克，请在中英庚款会补助本校设备费用本系应得部分项下拨付案。

决议：照医学院例，分电教育部及中英庚款董事会如数拨付。

五、散会。

国立西北联合大学常务委员会第六十五次会议记录

时间：二十八年三月十日下午三时。

地点：常委会议室。

出席人：胡庶华(刘拓代)、徐诵明(张贻惠代)、李蒸(黎锦熙代)、黎锦熙(列席)、胡庶华(杨立奎代列席)、张贻惠(列席)。

主席：胡委员庶华(刘院长拓代)。

记录：陈叔庄。

一、开会如仪。

二、报告事项：

1. 上次会议记录。

2. 两周来重要文件。

3. 教部训令一件——令知师范学院学生得参照贷金办法核发贷金。

4. 教部训令一件——令发各省市实施辅导职业学校办法大纲仰遵拟办法具报。

5. 教部代电一件——抄发兵役宣传及监督实施方案暨中学以上学校学生假期兵役宣传实施纲领,电令遵照。

决议:交导师会常委会拟具办法提下届常委会议核定。

6. 体育委员会签送第四次体委会会议记录,请察核备案。

决议:准予备案。

三、讨论事项:

1. 体育委员会签拟二十七年度本校春季运动会经费概算,并请示举行日期案。

决议:概算通过由体委会会同庶务室向城固县接洽,请拨保安队平修操场,得有具体办法后再行决定举行日期。

2. 法商学院张院长北海签称商一学生李金明侮慢师长,应予开除学籍,业经签请鉴核在案,兹据该生具呈痛自悔过,拟请从宽准其随班听讲以观后效案。

3. 师范学院训育处为该院理化系学生刘铸晋志愿不合师范呈请退学,劝导无效。签请鉴核等情前来,经以"照准但需缴还一切公费后,始能离校"等语批复,并执行在案,请追认案。

决议:追认。

4. 医学院签称,屠宝琦先生久未到校,拟请聘张效宗先生为本院细菌学教授案。

决议:照聘。月薪340元,自到校前一月起支。

5. 会计师苏主任亚农呈称:关于本校财产如何整理登记一案,经照第□次事务会议决案,召集各关系人合同讨论拟具"整理全校财产□办法"送请核定案。

决议:通过。

6. 郁士元先生函称:拟于本学期结束后率领文理学院一年级地质班赴梁山考察,藉资实习,附奉考察计划一份,请鉴核案。

决议:缓议。

四、临时动议:

物理、化学、生物三系请各添盖实验室三间,以资应用案。

决议:通过。交文理学院事务室估价送核。

五、散会。

国立西北联合大学常务委员会第六十六次会议记录

时间：二十八年三月十六日下午三时。

地点：常务委员会议室。

出席人：徐诵明（张贻惠代）、胡庶华（刘拓代）、李蒸（黎锦熙代）、张贻惠（列席）、胡庶华（杨立奎代列席）、黎锦熙（列席）。

主席：徐委员诵明（张贻惠代）。

记录：陈叔庄。

一、开会如仪。

二、报告事项：

1. 上次会议记录。

2. 六日来所收重要文件。

三、讨论事项：

1. 规定寒假期间办公时间案。

决议：星期一、三、五日上午照常办公，二、四、六日上午由各处组派员轮流值班（先修班一律放假）。

2. 导师会常委会签拟寒假兵役宣传简则及宣传提要送请核定案。

决议：修正通过，印发并布告。

3. 体育委员会签称：本校体育教员第二次全体会议议决"游泳列为下学期正课，自五月开始"，请即筹游泳池一所，以资练习案。

决议：就汉江边围筑木，以策安全。

4. 体育委员会签请在各学院添建浴室各一所，以重学校卫生案。

决议：交庶务室切实估价后再议。

5. 城固县新生活运动促进会函贵该会节约献金竞赛委员会会议记录，请本校师生即日在校献金，扣足一日所得，送由该会解省案。

决议：函请全体教职员自由捐助，于本月二十三日以前函复本人，献金数目交由会计室垫付，直接解省；如逾期不付，即认为赞成该会所提"扣足一日所得金作为献金"办法，由会计室照扣，学生献金交区党部办理。

四、临时动议：

1. 地理系黄主任国璋签称：本人五月间须赴川康考察，本系四年级考教，拟请提前举行,附奉试教办法,祈核定案。

决议:准予提前,费用照教育系办法办理。

2. 师范学院黄主任导师国璋签称于本学期结束后拟邀同本院各系导师率领全体学生前往古路坝参观本院附属中学,谨拟办法数条,请鉴核案。

决议:通过。

五、散会。

国立西北联合大学常务委员会第六十七次会议记录

时间:二十八年三月三十日下午二时。

地点:常务委员会会议室。

出席人:李蒸、胡庶华、徐诵明、黎锦熙(列席)、张贻惠(列席)。

主席:李委员蒸。

记录:陈叔庄。

一、开会如仪。

二、报告事项:

1. 上次会议记录。

2. 两周以来重要文件。

3. 教育部训令一件——抄发国民抗敌公约及宣誓实行公约办法,令仰遵照。

决议:与讨论事项(12)合并讨论。

4. 体育委员会签送体育教员第二次全体会议记录一份,请察核备案。

决议:决议事项内(1,2,3)三事项准予备案。

三、讨论事项:

1. 拟呈请教育部通令各省市保送本校师范学院下年度劳动专修科新生案。

决议:由师范学院拟具保送办法,送请常务委员核定呈部核夺。

2. 组织本校校警队案。

决议:通过。推董教授守义、谢教授似颜、李主任教官冰、王教官佐强、贺教官范理、汪秘书如川、吴主任英荃、王主任毓琦、吴主任图南九位计划推行,以董教授为召集人。

决议:仍应召五十七次常委会议临时动议(1)决议办法办理。

3. 法商学院再请由本年一月份起每人增发备用金100元,以资应用案。

决议:仍应照五十七次常委会议临时动议(1)决议办法办理。

4. 法商学院张院长北海函称:本院特殊情形尚未解除,拟请将五十五次常委会议决对于本院钟点不足额之教授、副教授、专任讲师之送薪办法,展迟至本年七月底案。

决议:根据原函转呈教部核示。

5. 师范学院函称:本院理化系学生杜世文于本月六日不经请假手续擅自外出,迄今未返校,拟请予以开除学籍之处分,并追还上学期免缴之学膳及制服等费以儆效尤案。

决议:照办。

6. 规定师范学院战区学生代金数额案。

决议:自本年四月份起,每名每月准发给代金4元。

7. 聘何佩芬女士为家政系讲师兼校医室护士,月薪120元,自二月份起薪案。

决议:通过。

8. 聘请李赋京先生为医学院病理兼生物学教授,徐苏恩先生为医学院公共卫生教授,月薪各340元,自到校之前一月薪案。

决议:照聘。

9. 学生贷金审查委员会以物价腾贵生活程度增高,签请增加战区学生贷金为每月10元,以资维持。

决议:转呈教育部核示。

10. 南郑各界节约献金竞赛会函送各次会议记录,请即日推进献金运动并推派代表于总现金日(四月四日)到场献金案。

决议:推医学院蹇院长为代表(如蹇院长未回校即派陈主任仁睿代表蹇院长)于四月二日将本校在南郑首批献金数目报告该会。

11. 注册组签拟:"应行毕业各生发给证书办法"请核定案。

决议:通过。

12. 徐委员提议:四月六日为我国民族扫墓节,拟邀集本校全体员生于是日在民族英雄、汉博望侯张骞墓前举行扫墓典礼案。

决议:四月六日停课一天,通知全体教职员并布告学生于是日上午八时齐集张博望侯墓前,九时举行民族英雄扫墓典礼,十时宣誓,实行国民抗敌公约。其不参加者应照政府所颁办法:"处以一元之罚金,仍需勒令补行宣示。"扫墓祭文撰作由历史系担任,祭品及饮水由庶务室负责筹备,是日并照前次旅行斗山办法由学校准备午点。

临时动议：

1. 部发师范学院建筑费 2 万元，计分配营造费 1.6 万元，修缮费 0.4 万元，前由本校拨付中之建筑费 0.35 万元，拟即由此项建筑费内开支案。

决议：通过。

2. 本校商学系副教授龚锡庆先生在寓所被匪扎毙情形惨酷，请从优抚恤案。

决议：呈请教部查照因公致死条例给予抚恤金，并由学校送薪至本年七月份止呈部备案。

3. 商学系教授赵树勋先生在寓所遭匪棒伤，已赴南郑医治，其医药费拟由学校负担案。

决议：通过。

国立联合西北大学常务委员会以第六十八次会议记录

时间：二十八年四月五日下午三时。

地点：常务委员会议室。

出席人：胡庶华、徐诵明、李 蒸、黎锦熙（列席）、张贻惠（列席）。

主席：徐委员诵明。

记录：徐叔庄。

一、开会如仪。

二、报告事项：

1. 上次会议记录。

2. 一周来重要事项。

三、讨论事项：

1. 本校校训改为"礼义廉耻"四字案。

决议：通过。

2. 本校校警队设计会议议决：(1)成立警卫委员会；(2)组织教职员义勇自卫队；(3)增加校警为 24 名；(4)修理旧存枪支，添购子弹 5000 发；(5)法商学院所拟自卫办法，其扩充校警名额及购置枪弹，应并案统筹外，其余由该院先行办理，请分别核定案。

决议：(1)项照办。推李、徐、胡三常委，黎、张两主任及董教授守义、李主任教官冰七人为委员。董教授兼总干事,李主任教官兼副总干事,委员会之召集与主席由值周常委担任;(2)(3)(4)各项交警卫委员计划推行;(5)项照办,通知法商学院。

3. 教务处签送"修订本校学生成绩评定办法草案,请核定案"。

决议:修正通过。

4. 本校附设城固施诊所案。

决议:每星期施诊三日,校医室准添加工友一名,以便于施诊时调往工作,开办费以100元为限,每月施诊药费资以120元为限,均实报实销,施诊所房屋函请县府拨给。

5. 秘书处签称:出版组代理组长阎步洲任职已满一学期,干练精细,不辞劳剧,现该组事务日益繁难,统筹肆应权衡不易,拟请改为实任以专责成,而资整理案。

决议:聘任阎步洲先生为出版组组长,自四月份起,月薪照110元致送。

四、临时动议。

五、散会。

国立西北联合大学常务委员会第六十九次会议记录

时间:二十八年四月十二日下午二时。

地点:常务委员会议室。

出席人:胡庶华、李蒸、徐诵明、张贻惠(列席)、黎锦熙(列席)。

主席:胡委员庶华。

记录:陈叔庄。

一、开会如仪。

二、报告事项:

1. 上次会议记录。

2. 一周来重要文件。

3. 师范学院签送第三次院务会议记录一份,其请察核备用案。

决议:准予备案。

三、讨论事项:

1. 学生节约献金竞赛已于本周纪念周举行,拟由校制就系优胜及班优胜锦标各一面,分赠平均分数最高之系班(以系班人数除该系班所献金额之平均数)其献金在 10 元以上之学生,并另给奖状以资鼓励案。

决议:通过。

2. 师范学院训育处建议:呈请教育部于下年度招收新生时,依照报考新生志愿分配各校院,如志愿名额不敷分派,准由各校院自行招生,勿分派非志愿本系之学生案。

决议:通过。连同其他关于统一招生困难情形,由教务处拟具意见,送经常务委员核定呈部。

3. 法商学院再请增发备用金每旬 100 元案。

决议:准在该院设备费项下流用,每旬以 5 000 元为限;其他各院有超出第四十一次常委会议所规定之数额,均应在各该院设备费项流用。

4. 地理系签请建筑地理绘图室以利教学案。

决议:通过。俟校款稍裕时再行开工。

5. 图书组呈拟"结束书账办法"三项,请核定案。

决议:通过。通知各院系。

6. 军训组呈拟"本校春季作息时间表",请核定案。

决议:通过。自四月十六日(下星期一)起实行。

7. 非战区转学生张宗德等 31 人呈叙理由,请准予免缴本学期学费案。

8. 文理学院暨医学院一年级非战区学生黄云兴等 53 人,呈叙理由请免交学费案。

7、8、两案合并讨论。

决议:呈部核示。

四、临时动议。

五、散会。

国立西北联合大学常务委员会第七十次会议记录

时间:二十八年四月二十二日下午二时。

地点:常务委员会议室。

出席人:李蒸、胡庶华、徐诵明、张贻惠(列席)、黎锦熙(易价代列席)。

主席:李委员蒸。

记录:陈叔庄。

一、开会如仪。

二、报告事项:

1. 上次开会记录。

2. 一旬来重要文件。

3. 教育部指令一件——据呈报二十七年度各学院一年级共同必修科目实施情形,指令遵照由。

4. 教育部指令一件——据呈报二十七年度各学院一年级共同必修国文科实施情形指令嘉奖由。

三、讨论事项:

1. 规定各年级本学期上课期限及学年试验日期案。

决议:各院四年级及医学院五年级上课至六月二十四日止。二十六日起至七月一日举行毕业考试。各院一、二、三年级及医学院一、二、三、四年级上课至七月十五日止,十七日起至二十二日举行学年试验。

2. 四年级军训拟提前结束案。

决议:约在五月中旬结束,由军训组决定办理。

3. 训导处签送第一次全体导师会议议决案,请核定案。

决议:修正第一案,加入训导处主任共大部分决定学生之操行成绩导师分数占2/7,其余五部分各占1/7,报告下次全体导师会议,余准备案。

4. 教务处签提"本校附设大学先修班招收自费生办法",请核定案。

决议:通过。

5. 文书组拟具"节约献金优胜锦标"文字及奖状格式,签请核定案。

决议:通过。

6. 注册组签呈,随班听讲生,一学年结束之课目,上学期不及格而全学年平均及格,其总平均在70分以上者,下学期得予升级;一学期结束之不及格科目,经补考及格及总平均分在70分以上者亦照此规定办理,请核定案。

决议:通过。

7. 军训组呈复,审核"无故未入队集训学生"情形及处分办法,附奉理由表证明文件共58份及周景霖呈文二件请核定案。

决议:(1)刘长松等24名各扣操行分数5分,并严予告诫;(2)陈恕人等3名除周景霖俟西安省立医院诊断书到后再行议处外,姑从宽各记大过1次;(3)王一等 4 名、(4)曹贺等 2 名、(5)李临江等 2 名,均如拟办理;(6)朱读箴等 24 名交注册组查明,除在军训组通知各该生专述理由时业已休学或请假离校另行议处外,其余一律留级处分。

8. 图书组呈请规定本年元月至十二月份购书经费总数案。

决议:俟二十八年度预算核定后再行分配规定。

9. 出版组签呈:准印刷部函,以币价蜚腾,请自四月一日起增价等由。所称尚属事实,拟在二月一日所定价格表中每 50 份各增 0.25 元,加印 10 份,各增 5 厘,予以调剂请核示案。

决议:照办。

10. 学生朱维基、张立仁呈报失窃情形,并恳予救济以维生活案。

决议:每人准予提前付给三个月贷金。

11. 各处组书记联名呈请称:物价昂贵,生活困难,请予薪俸之外,每月各发生活补助费 10 元以资维持案。

决议:俟暑假后考核成绩酌予加薪。

四、临时动议:

聘请钟道铭先生为师范学院史地系教授,月薪 340 元,因需补课,自二月份起薪案。

决议:通过。

五、散会。

国立西北联合大学常务委员会第七十一次会议记录

时间:二十八年四月二十九日下午三时。

地点:常委会议室。

出席人:李 蒸、胡庶华、徐诵明、黎锦熙(列席)、张贻惠(列席)。

主席:徐委员诵明。

记录:陈叔庄。

一、开会如仪。

二、报告事项:

1. 上次会议记录。

2. 一周来重要文件。

3. 教部训令一件——奉令发修正纪念周条例一份，令仰遵照由。

4. 教部训令一件——奉令发国民精神总动员会组织大纲一份，国民精神总动员纲领及实施办法暨国民公约誓词一份，令仰遵照由。

决议：国民公约宣誓及第一次国民月会与下周纪念周合并举行，并规定每月之第一日举行国民约会。

三、讨论事项：

1. 部令催设阿拉伯语文及伊斯兰文化讲座案。

决议：呈部代为函请各庚款会赠设阿拉伯语文及伊斯兰文化教授。

2. 五月五日为革命政府成立纪念日，依照规定，应放假一天，又五月四日已由三民主义青年团建议中央定为青年节，本校拟放假一天，拟利用该两日假期由本校抗敌后援支会策动全体学生分赴城固四乡宣传兵役并慰劳前方将士家属案。

决议：通过。由学校补助宣传慰劳队伙食及旅运费400元。

3. 本校抗敌后援支会函：拟组织"城固县抗敌后援工作促进委员会"，拟定委员分函敦聘外，并拟向全校同学征文"如何动员城固县民众参加抗敌后援工作实施方案"，请与补助征文奖金60元，以利工作进行案。

决议：通过。

4. 地理系黄主任国璋函请恢复《地理教学月刊》案。

决议：因学校经费困难，暂予出版一期。

四、临时动议：

1. 教职员及学生自行出版刊物或向外投稿，应遵照出版法及图书杂志审查办法办理，以符法定手续案。

决议：布告周知。

2. 拟具"本大学警卫委员会组织章程"请核定案。

决议：修正通过。

五、散会。

国立西北联合大学常务委员会第七十二次会议记录

时间：二十八年五月十日下午四时。

地点：常务委员会议室。

出席人：徐诵明、胡庶华、李蒸、张贻惠（列席）、袁敦礼（列席）。

主席:李委员蒸。

记录:陈叔庄。

一、开会如仪

二、报告事项:

1. 上次会议记录

2. 一月以来所发重要文电。

3. 教部训令一件——检发二十八年暑期中等学校各科教员讲习讨论会办法□奉令仰遵照由。

4. 教部训令一件(密)——摘抄"遵用原有组织发动精神总动员办法"令仰送照。

5. 教部训令一件——奉令抄发该校二十八年度经费预算数目,仰即造照编制预算分配表呈部,以凭核转由。

6. 教部指令一件——拟请拨款建筑师范学院附属中学校舍一案,核不知照由。

7. 教部指令一件——据呈未按法商学院院长签请,该院情形特殊,教授等授课钟点有不足额者不予扣薪办法,展至七月底止,指令知照由。

决议:遵令暂准在本学期内变通办理。

8. 袁敦礼先生报告此次赴渝在第一期党政训练班受训经过。

三、讨论事项:

1. 订定本大学学生操行成绩考查办法案。

决议:修正通过。

2. 四年级学生请求提前结束课业以便寻觅职业案。

决议:准再提前一星期。

3. 因敌机肆虐南郑一带,改订上课时间为上午5时30分至10时,下午3时30分至7时5分,请追认案。

决议:追认。

4. 因敌机肆虐南郑一带,派定汪秘书,李主任教官,康、郑二组长,吴、王、吴三室主任计划准备,并布置城外上课事宜,以汪秘书为召集人,请追认案。

决议:追认。

5. 组织龚锡庆先生追悼会筹备委员会,拟徐诵明、黎锦熙、张贻惠、王治泰、江之泳、徐褐夫、曹国卿、吴英荃、吴图南九先生为委员,请追认案。

决议:追认。

6.生物系郭主任毓彬签称:本系教授刘汝强先生拟在川北陕南一带作银耳之研究,请酌给津贴以便工作案。

决议:准在该系设备费项下酌给津贴,撙节开始。

7.军训组呈送二十七年度第一学期早晚点名缺席学生名册,请予分别轻重加以惩处案。

决议:交由训导处分别轻重,酌扣操行成绩。

四、临时动议:

1.师范学院史地系黄主任国璋签请聘王德荃先生为本系自然地理教授案。

决议:照聘。月薪320元,自到校前一月起薪。

2.警卫委员会拟具招募校警简章,经予照准,请追认案。

决议:追认。

3.拟具警卫委员会所属人员抚恤章程,请核定案。

4.拟具警卫委员会奖惩办法,请核定案。

决议:3、4两案均由常务委员核定施行。

5.规定保送申请世界学生救济金学生标准:(1)以审查时学生家在战区者为限;(2)凡领东北救济金之学生不予保送;(3)凡领本校公费之学生不予保送;(4)学业成绩在70分以下者不予保送,请公决案。

决议:通过。申请学生交贷金审查委员会代为审查。

6.组织本校教授甘宁青暑期考察团,由学校酌予补助川资案。

决议:通过。推张贻惠、袁敦礼、李季谷、徐褐夫、凌乃锐、殷祖英、杨其昌七先生为筹备委员,张贻惠先生为筹备会召集人。

五、散会。

国立西北联合大学常务委员会第七十三次会议记录

时间:二十八年五月十九日下午四时。

地点:常务委员会议室。

出席人:徐诵明、胡庶华、李蒸、黎锦熙(列席)、张贻惠(列席)。

主席:徐委员诵明。

记录:陈叔庄。

一、开会如仪。

二、报告事项：

1. 上次会议记录。

2. 九月以来收发文件。

3. 教部训令一件——仰于本年六月三日举行禁烟论文、演讲、图书比赛由。

决议：本年度六月三日为林公焚土百年纪念，应停课一日，上午七时开会纪念，由导师会常委会拟具比赛及宣传办法，送常务委员核定施行。

4. 教部训令一件——现行学年制应否改为历年制，应由该校详细研究克日具报由。

5. 教部训令一件——令颁各级学校学生在后方参加普及后方社会教育工作办法要点，仰遵照由。

6. 医学院签称：本院附属诊所暂移南郑东关外黄家坡文家庙内办理重伤医院，并供四、五年级学生实习，门诊暂停，请备案。

决议：准予备案。

7. 医学院签称：汉中迭遭敌机轰炸，本院为求上课安全，已在圣水寺附近觅得祠庙数处，惟房屋多属残破，须修理后方能迁往，以何处为宜亦未正式决定，请鉴核。

8. 黄主任国璋函称：不日入川参加川康科学考察团工作，所有考察期内地理系及史地系两系事务，拟请谌亚达教授代理，请鉴核。

决议：照办。

三、讨论事项：

1. 陕教厅函送"迁运图书合同草案"经复请将名称改为陕教厅与本大学合办省立西京图书馆城固分馆外，余均同意请追认案。

决议：追认。

2. 徐苏恩教授签提"设立汉中公共卫生教学区办法草案"及每月经常费预算书请核定案。

决议：原则通过。推蹇院长先器、袁主任敦礼、徐教授苏恩商同公路卫生站刚主任筹备一切，于下年度开始实行。

3. 地理系黄主任国璋函称：拟于赴川之便，为本系订购重要参考图书及仪器数种，约需洋 2 500 元，附奉仪器名单一纸，请核夺案。

决议：呈请教部转函中英庚款董事会于英庚款补助本校开办费内该系应得部

分项下拨付。

4. 黄国璋先生以职务繁重兼顾为难,函请辞去师范学院主任导师职务案。

决议:恳切慰留,在黄先生赴川考察期中,师院主任导师职务请袁敦礼先生暂行兼代。

5. 谢似颜教授以旧疾尚未痊愈,再请辞去体委会主席职务案。

决议:再行恳切慰留。

6. 图书组何组长日章呈请规定本年一月至十二月份购书经费总数以便分配案。

决议:照上年度全年图书费之半数分配。

四、临时动议:

1. 甘宁青暑期考察团筹备会签送第一次筹备会议记录,请予核定并备案案。

决议:准予备案。学校津贴数额按照团员人数多寡决定之,但以不超过2 000元为度。

2. 下星期一(五月二十二日)起上课及办公时间改为上午六时起至十时三十分止,下午二时三十分起至六时零五分止案。

决议:通过。

国立西北联合大学常务委员会第七十四次会议记录

时间:二十八年五月二十六日下午四时。

地点:常务委员会议室。

出席人:李蒸、徐诵明(张贻惠代)、胡庶华、黎锦熙(列席)、张贻惠(列席)。

主席:胡委员庶华。

记录:陈叔庄。

一、开会如仪。

二、报告事项:

1. 上次会议记录。

2. 一周来收发文件。

3. 教部指令一件——据呈请增加二十八年度经费预算,并请免予扣发及开示增加师范学院各费数额等情核饬遵照。

4. 教部代电一件——准军政部函选送各大学毕业生于七月一日起入计政人

员训练班受训三个月后,从优分派工作等由,该校应(于)本年度政治经济系、商学系学生总数中遴选1/3列表呈报以便汇案审核转送。

5. 黄国璋先生来函:对师院主任导师兼职,允担任至本年度终了为止。

6. 谢似颜先生来函:对体委会主席职务,暂允兼任,仍请在最近期间另行派人接替。

三、讨论事项:

1. 四月份经费已到,不敷开支近3万元,应如何处理案。

决议:除必须支出各项外,余均缓付。

2. 印刷讲义用之蜡纸材料,市面上奇形缺乏,不易购置,应如何设法补救案。

决议:自下周起,讲义暂行停印两周。

3. 国民精神总动员应如何推进案

决议:(1)停止本届毕业生各种酬应(如宴客之类);(2)举行夏令卫生运动;(3)劝诫吸烟饮酒;(4)取缔浪费及无谓消耗;(5)女生服装禁用华丽资料及鲜明颜色;(6)学生得请贷金而不请,与有经济来源而仍请贷金者,分别予以奖励及惩罚,以上各项应尽先实行。

四、临时动议。

五、散会。

国立西北联合大学常务委员会第七十五次会议记录

时间:二十八年五月三十一日午后三时。

地点:常务委员会议室。

出席人:李蒸、徐诵明、胡庶华、黎锦熙(列席)、张贻惠(列席)。

主席:李委员蒸。

记录:陈叔庄。

一、开会如仪。

二、报告事项:

1. 上次会议记录。

2. 五日来收发文件。

3. 教部训令二件——确定大学行政组务会,仰于下年度起遵办具报由,令□专科以上学校训导处规则,仰并切实遵办由。

决议:原令油印分送三常委及秘书教务两主任研究,签注意见。

4. 教部指令一件——核示关于该校学生缴费一节,仰知照由。

5. 教部训令一件——各学校应从速筹建防空设备,令仰切实办理由。

6. □□推行委员会函送第三次会议记录,请鉴核备案。

决议:准予备案。

7. 体育委员会签送第五次会议记录,请签核备案。

决议:准予备案。

8. 医学院报告:暑期前二、三年级在孙家庙、马家庙,四、五年级在黄家坡黄家祠堂等处暂行上课,于五月二十九日起照常上课,请签核备案。

决议:准予备案。

三、讨论事项:

1. 训导处函送战区学生自动放弃贷金请求名单,拟具奖励办法三条,请核定案。

决议:通过。

2. 社教推行委员会函请加聘李季谷、袁敦礼、齐国樑、王治焘、徐佐夏五先生为委员,并推定胡委员庶华为副主席案。

决议:通过。

3. 社教推行委员会函:奉教部令设立社会教育施教区,请核定地点及经费案。

决议:地点定在莲花池或五郎联保一带,暂以一联保区域为限,经费定为开办费200元,经常费每月150元。

4. 社教推行委员会函:参加社教事案之学生,请由学校给予奖状,以资鼓励案。

决议:通过。

5. 师范学院签送:增建校舍计划两种,请核定一种,以便进行案。

决议:采取第二种计划,应在城外建筑。

6. 本校区党部函:拟举办"暑假为难民征收寒衣运动",在职教员方面,请为指定专人负责征收案。

7. 医学院签称:本校迁移乡间上课,业经专文呈报,查各该处房屋残破,非加修葺,不能居住。兹经查勘作因陋就简最低限度之估计,约需洋500余元,请迅予拨付以应急需案。

决议:准在该院应急修建费项下先拨300元,撙节开支。

8. 体育委员会签送下学年体育用品预算表,请核定案。

决议:预算暂定为1 000元,于暑假期内购置。

9. 本校抗敌后援支会签称:奉准悬赏征文,经各评阅员评定分数汇合平均,列表送请复核给奖案。

决议:第一名伍德济给奖30元,第二名赵金铭、张方堃给奖20元,第三名徐崇寿给奖10元。

10. 军训组、斋务组及文理学院事务室合签:文理学院男生宿舍窗纸大都破损,拟改糊纱布,盖以卷窗,附呈估价单一纸,请核定案。

决议:准拨300元。

11. 注册组呈:拟本年度举行毕业试验办法经予照办,请追认案。

决议:追认。

12. 据注册组呈:本年度应行毕业生中与本校规定不合拟发给借读证明书共计11名,兹奉部令内有九名应由本校发给毕业证明书,拟请遵照。部令以西北联大名义发给,经予照办,请追认案。

决议:追认。

四、临时动议:

训导处签送"林公焚土百年纪念"应征文字及漫画请评定给奖案。

决议:漫画第一名屈履泰给奖8元,第二名周纪元给奖6元,第三名宋裕承给奖4元,张拱贵、赵于洞、冯自成、邹鲁传四名各给纸笔费2元,邓康彬、余鸿翼、胡德新三名各给纸笔费1元。征文第一名伍德济给奖8元,第二名刘曾瑞给奖6元,第三名江树森给奖4元,第四名李天新给奖2元。第一、第二两名文字并发登校刊。

国立西北联合大学常务委员会第七十六次会议记录

时间:二十八年六月七日下午三时。

地点:常务委员会议室。

出席人:李蒸、徐诵明、胡庶华(刘拓代)、胡庶华(杨立奎代列席)、张贻惠(列席)、黎锦熙(列席)。

主席:徐委员诵明。

记录:陈叔庄。

一、开会如仪。

二、报告事项：

1. 上次会议记录。

2. 一周来收发文件。

3. 胡委员庶华报告：因事赴西安，自六月五日起，请假三星期，所有常委及训导主任职务，分请刘拓、杨立奎两先生代理。

4. 教部训令一件——令催填报统计各员概括报告表由。

5. 教部高教司吴司长电一件。

6. 卫生委员会签送第二次会议记录请签核备案。

决议：准予备案。

三、讨论事项：

1. 规定本年暑假起讫日期及下学年开课日期案。

决议：暑假自七月二十四日起至九月十六日止，九月十八日起注册，二十五日开课。

2. 卫生委员会拟具本大学卫生委员会简章，送请核定案。

决议：修正通过。

3. 卫生委员会请规定每年大扫除日期，并请于暑假前举行一次案。

决议：每学期中间举行大扫除一次，本学期定于七月一日下午举行，其详细办法由卫生委员会拟定送常委核定。

4. 家政系签称：拟暂假附中新校舍，设立儿童保育实验室一处，以供儿童保育课程之实习，附奉简章一份，请核定案。

决议：简章准予备案，保育时间似宜改作半日为宜，地址由秘书处函附中商借。

5. 出版组呈称：近日油印讲义数目较前激增，为厉行节约，节省耗费，拟请组织出版委员会审核调整之责，附呈出版委员会组织章则一份，请核定案。

决议：关于印刷讲义及如何缩减讲义费办法，推请黎锦熙、张贻惠、刘拓三先生研究后，再行决定。

6. 家政系齐主任国樑、体育系袁主任敦礼、保育实验室陆主任秀函，为救济同人子女失学起见，拟假附中新校舍组织小学一所（附设幼稚班），经费请师范学院资助一部，其余由各学生家长筹措，请核夺案。

决议：开办费准由师范学院酌予补助，经常费应在学费项下支搘，校址由秘书处函附中商借,并应按照成立私立小学一切手续办理。

四、临时动议:

1. 会计室造具本校二十八年度预算分配表,请核定案。

决议:通过,呈部核定。

2. 师范学院因分配预算不敷开支,提出补救办法三:(1)本学年研究所图书费尚欠1 800元,请由本校图书费项下支付;(2)师院学生贷金本年度内八月至十二月五个月改由本校发给;(3)在本年度内自八月起每月须增加附中经费200元,简师经费每月须增加100元,请由建置专款项下拨付,准各该附校留用,请通过案。

决议:通过。

五、散会。

国立西北联合大学常务委员会第七十七次会议记录

时间:二十八年六月十四日下午三时。

地点:本校会议室。

出席人:徐诵明、李蒸、胡庶华(刘拓代)、胡庶华(杨立奎代列席)、黎锦熙(列席)、张贻惠(列席)。

主席:胡委员庶华(刘拓代)。

记录:陈叔庄。

一、开会如仪。

二、报告事项:

1. 上次会议记录。

2. 一周来收发文件。

3. 教部训令一件——定每年八月二十七日为教师节由。

4. 教部训令一件——奉令各机关依照公务人员兼职不得无薪现行法令所定之限制,切实施行,并随时检查予以纠正等因,令仰遵照由。

5. 教部训令一件——关于大学建设边疆科系一案,应由各大学各就环境需要酌量增设,并先拟具计划呈核由。

6. 教部训令一件——关于边疆学生津贴,自下学年起各校应将原有公费学额酌予扩充,注意分配于边疆学生由。

7. 教部指令一件——令知各生贷金每月准加1元由。

决议:自四月份起实行。

三、讨论事项:

1. 体育系请购置童子军账册四个及架桥搭瞭望台用杂件,约需洋364.4元,附奉估价单请核定案。

决议:因学校经费困难,应尽量缩减至260元为度,款由中英庚款会补助本校设备费该系应得部分项下开支,学校垫付。

2. 生物系签请聘汪堃仁先生为本系生理解剖副教授,月薪255元,自八月份起薪,并请预支三个月,以作路费案。

决议:照聘。准先支八、九两个月薪。

3. 拟聘左冠章先生为医学院副教授,并暂代附属诊所主任,月薪255元,自到校之月起薪案。

决议:通过。

4. 体育委员会签请于七月一日举行本校春季运动会案。

决议:因七月一日至四日为本校大扫除日期,应改在七月六日举行。

四、临时动议:

去年毕业战区学生贷金,除在校服务者业经陆续扣还外,其在校外服务者亦应个别通知,照章分期偿还案。

决议:照办。

五、散会。

国立西北联合大学常务委员会第七十八次会议记录

时间:二十八年六月二十一日下午三时。

地点:常务委员会议室。

出席人:徐诵明、李蒸、胡庶华(刘拓代)、胡庶华(杨立奎代列席)、黎锦熙(列席)、张贻惠(列席)。

主席:李委员蒸。

记录:陈叔庄。

一、开会如仪。

二、报告事项:

1. 上次会议记录。

2. 一周来收发文件。

3. 教部电令一件——二十八年度国立各院校仍统一招生,希将该校下学年各院系可容新生人数迅即详细列表具报。

三、讨论事项:

1. 奉部电询下年度本校可容新生人数,请就现有各院系分别规定名额,以便呈复案。

决议:文理学院国文、外文、历史三系各30人,数学、物理、化学、生物、地理五系各20人。法商学院法律、政经、商学三系各30人。师范学院教育、体育二系及劳作专修科各30人,国文、英语、史地、数学、理化、家政六系各20人。医学院30人。

2. 训导处拟具本校学生暑期社会服务团组织方案,请核定案。

决议:修正通过。

3. 区党部及抗敌后援会支会请议定本校教职员陕南赈灾捐款募集办法案,

决议:各捐六月份实领薪2%,由会计室扣付,月薪在30元以下者不捐。函达各教职员查照,如有愿多认或自行捐助者请于一周内通知秘书处,不复即照扣。

四、临时动议:

地理系签称:本系《地理教学月刊》前经第七十一次常委会议议决准予出版一期在案,兹经估价,计印1 000本,约需820元,500本约需洋658元,拟请在本系图书费项下先行垫付半数,以便付印案。

决议:照估价印500份,封面可改为一色,以节省印费,并准由该系图书费项下先垫半数,以便付印。

五、散会。

国立西北联合大学常务委员会第七十九次会议记录

时间:二十八年六月二十八日下午三时。

地点:常务委员会议室。

出席人:李蒸、徐诵明、胡庶华(刘拓代)、胡庶华(杨立奎代列席)、黎锦熙(列席)、张贻惠(列席)。

主席:徐委员诵明。

记录:陈叔庄。

一、开会如仪。

二、报告事项:

1. 上次会议记录。

2. 一周来收发文件。

3. 教部马电一件——本年统一招生定七月二十五日至三十日报名,八月七日至十日考试,并指定该区设武功、安康两分处由。

4. 教部训令一件——奉院令转奉国府明令公布每年七月七日为抗战建国纪念日通令知照由。

决议:原令布告并印发全校教职员遵照。

5. 教部训令一件——令编造上学年兼办社教工作报告及下学年计划由。

6. 教部训令一件——师范学院教育系、体育系应以童子军训练为必修科,令仰遵办由。

7. 师范学院签送院务谈话会第四次会议记录,请鉴核备案。

决议:准予备案。

8. 甘宁青暑期考察团筹备委员会签送第二次、第三次会议记录,请鉴核备案。

决议:准予备案。

三、讨论事项:

1. 注册组呈拟《学年试验不及格学生处分办法草案》,请核定案。

决议:修正通过。

2. 注册组呈送《修正本校学生改系办法草案》,请核定案。

决议:修正通过。

3. 医学院蹇院长先器函请辞职案。

决议:准予辞去院长兼职,改聘兼任医科研究所筹备主任,聘徐佐夏教授为医学院院长。

四、临时动议:

1. 七月六日举行校内运动会请停课一日案。

决议:通过。

2. 请定先修班结束日期案。

决议:七月十六日起举行毕业试验,试验完毕停课四星期,由各教员指导学生预备统一招生考试,自八月十四日起补课二星期。

国立西北联合大学常务委员会第八十次会议记录

时间:二十八年七月五日下午三时。

地点:本校会议室。

出席人:李蒸、胡庶华、徐诵明、张贻惠(列席)、黎锦熙(列席)。

主席:胡委员庶华。

记录:陈叔庄。

一、开会如仪。

二、报告事项:

1. 上次会议记录。

2. 一周来收发文件。

3. 教部训令一件——令知实施战时教程由。

4. 教部训令一件——在审查训导人员资格,未颁布前各院校训导处得暂以原任人员或暂选聘相当人员由。

5. 教部训令一件——该校二十八年度建设费规定5万元,仰即造具本款使用计划及预算分配表各3份,用最速邮寄方法寄部由。

决议:由常务委员会同会计室主任商定分配。

6. 教部训令二件(密)。

7. 教部指令一件——该校师范学院学生请加膳费一节,应准援照前案每名每月增加膳费1元由。

8. 教部代电一件(密)。

9. 中国国民外交协会函请将第一批义卖品于本年七月底送交本会由。

三、讨论事项:

1. 暑假期内禁止学生在教室居住案。

决议:(1)暑期内留校学生应限于七月底向军训组登记;(2)暑期内留校学生不得引校外人在校内居住;(3)暑假留校学生宿舍由军训组、斋务组指定;(4)由教务处斟酌实验需要留出教室为学生自修之用,但不得设置床铺;(5)已封锁之教室及各系办公室,学生不得擅自开启,违者以破坏校纪议惩。

2. 体育系美籍教授沙博格先生因病请假一年,拟予照准,薪水送至八月份案。

决议:通过。

3. 法商学院张院长北海函请将政经系仍旧分设政治、经济两系案。

决议：转呈教部，并请该两系补助教授薪俸及设备费每月2 000元。

4. 法商学院张院长北海函请辞职案。

决议：照准。聘请戴修瓒先生为法商学院院长，并电部报告，在戴院长未到校前，推徐委员诵明暂行兼代。

5. 医学院徐院长佐夏函请聘颜守民教授兼任附属诊所主任案。

决议：照聘。

6. 出版组阎组长步洲呈报在西安接洽印刷机经过，附奉西北印书馆承印联大讲义约定草案，请核定案。

决议：由常务委员会商决定。

7. 先修班战区学生呈恳准予发给九月份贷金以资生活案。

决议：碍难照准。

四、临时动议：

黎主任锦熙等提拟具整理印刷讲义办法及讲义预算分配表请核定案。

决议：每月印刷讲义费以2 000元为限（油印、铅印、石印均计算在内）由常委会同黎、张两主任商定分配。

国立西北联合大学常务委员会第八十一次会议记录

时间：二十八年七月十二日下午三时。

地点：常委会议室。

出席人：胡庶华、徐诵明、李蒸、黎锦熙（列席）、张贻惠（列席）。

主席：李委员蒸。

记录：陈叔庄。

一、开会如仪。

二、报告事项：

1. 上次会议记录。

2. 一周来收发文件。

3. 教部指令一件——据呈报招收自费大学先修班经过及学生名册等，碍难准予备案。

三、讨论事项：

1. 社教施教区呈筹备委员会函报第一次筹备会议决议五项,并请指定总干事及书记人选,规定施教经费以利进行案。

决议:决议五项,准予备案,自八月一日起开始进行。经费照第七十五次常委会决议数目拨给;总干事及书记人选,由社教推行委员会在席选定之,总干事以由本校教职员兼任为原则。

2. 体育系袁主任敦礼函称:本年度拟与豫陕甘川四省教育厅合办中等学校扫盲教师进修班,已征得各教育厅长同意,拟具办法九条,请核定案。

决议:应与本校师范学院区内各省教厅合办,但宁、青、新三省学员人数可不拘办法草案,请袁主任修正后,由本校单独呈部核定,并核发经费。

四、临时动议:

1. 规定暑假期内职员办公时间案。

决议:每周一、三、五日上午六时至十时照常办公,二、四、六日上午由各处系室负责人派员轮流值日,各派至少2人。庶务室、斋务组及各院事务室每日下午并须派人值日。

2. 本校经费支出前状,拟即呈部免扣并补发坐支案。

决议:即日呈部,本年度坐支款自七月份起免扣,一月份起至六月份一次补发;上年度所扣坐支,亦请查照前五,迅予补发以便清偿积欠。

五、散会。

国立西北联合大学常务委员会第八十二次会议记录

时间:二十八年七月十九日下午三时。

地点:常委会议室。

出席人:胡庶华、李蒸、徐诵明、黎锦熙(列席)、张贻惠(列席)。

主席:徐委员诵明。

记录:陈叔庄。

一、开会如仪。

二、报告事项:

1. 上次会议记录。

2. 一周来收发文件。

3. 教部密训令一件。

4. 教部指令一件——据呈代函各庚款会赠设讲座一案,指令遵照由。

决议:推教务、秘书两主任,各学院院长,研究所主任,商讨向中华文化教育基金董事会请款补助事宜,由教务主任召集之。

三、讨论事项:

1. 教务处签送各院系拟招收插班生人数表,请核定案。

决议:修正通过,由教务处拟具招收转学生办法与各院系拟招人数一并呈部核定。

2. 文理学院签送本院下学年最低限度之建设计划及预算,甲部系偏于实验等方面,需国币 6 000 元;乙部系关于学生宿舍方面,需国币 4 660 元。加建设专款不敷分配时,拟请转呈教部加拨补之,又本院仪器设备费分文无着,亦祈于呈文中特加申述,设法挹注案。

决议:呈部请予再拨建设设备费文理、法商、医三院各 1 万,共 3 万元,连同呈请在案之师范附中建设费 2 万元一并发给。

3. 物理系蔡教授钟瀛在师大担任教课已满 22 年,拟请按照师范大学规定,予以崇奖案。

决议:下学年增薪一级,另由师大办事处赠送银盾一座,以志纪念。

4. 暑假内本会应否照例每周会议一次案。

决议:例会暂停,必要时由值周常委召集临时会议。

四、临时动议:

下学年续聘之教职员何时发送聘书案。

决议:因校款支绌,一切均在调整中。凡续聘之教职员,在七月底前以学校名义发函通知,上年度所送聘约及委派书继续有效,将来如有变动,当于八月底再行通知。法商学院因戴院长尚未到校,除教授、副教授按上述办法办理外,其余须俟戴院长到校后会商决定,分别聘委。

第四节　其他重要会议记录

一、国立西北工学院筹备委员会第一至第十九次会议记录[①]

国立西北工学院筹备委员会第一次会议记录

时间:1938年8月12日上午八时。　地点:本会城固办事处。

出席:王文华　胡庶华(李书田代)　李书田　张贻惠　张清涟　雷宝华(周宗莲代)。

主席:李书田。　记录:邰光谟。

决议:(1)建议教育部改设于陕西省城固县古路坝天主堂内;(2)推张委员清涟、王委员文华、潘主任承孝、周主任宗莲于8月14日赴西乡调查有无适当空房可作本学院院址。

国立西北工学院筹备委员会第二次会议记录

时间:1938年8月13日上午九时。　地点:本会城固办事处。

出席:王文华　胡庶华(李书田代)　李书田　张贻惠　张清涟　雷宝华(周宗莲代)。

主席:李书田。　记录:邰光谟。

决议:(1)筹备主任提本会组织大纲草案请公决案,决议修正通过;(2)筹备主任拟聘张贻惠兼任教务主任,张清涟兼任总务主任,王文华兼任训育主任,周宗莲兼任秘书主任;(3)筹备主任提拟聘请金教授宝桢兼土木工程学系主任,任殿元兼矿冶工程学系主任,潘承孝兼机械工程学系主任,刘锡瑛兼任电机工程学系主任,萧教授连波兼化学工程学系主任,张教授汉文兼纺织工程学系主任;(4)筹

[①]　国立西北工学院档案,陕西省档案馆。

备主任提拟聘李书田兼任工科研究所主任,魏教授寿昆兼任工科研究所矿冶工程部主任。

国立西北工学院筹备委员会第三次会议记录

时间:1938年8月16日。　地点:本会城固办事处。

出席:王文华　胡庶华(李书田代)　李书田　张贻惠　张清涟　雷宝华(周宗莲代)。

主席:李书田。　记录:邰光谟。

决议:(1)王委员文华提请分函合并各工学院之校院迅将二十六年度学生成绩表册先行函送本委员会,由本委员会依另行规定之统一标准,核定退学留级与补考事项案;(2)筹备主任提请规定结束联大工学院、东大工学院、焦作工学院二十六年度学生成绩办法如下:一门不及格者准予补考,补考不及格者留级,补考后不及30分者退学;二门不及格者准予补考,补考不及格者留级,补考均不及40分者退学;三门不及格者留级;四门或10学分及以上不及格者退学;三门不及50分者退学,二门不及40分者退学;(3)筹备主任提兹拟定国立西北工学院各组馆室职员人数分配表;(4)筹备主任提兹拟订国立西北工学院教职员薪级表。

国立西北工学院筹备委员会第四次会议记录

时间:1938年8月17日。　地点:本会城固办事处。

出席:王文华　胡庶华(李书田代)　李书田　张贻惠　张清涟　雷宝华(周宗莲代)。

主席:李书田。　记录:邰光谟。

报告:(1)报告黎坪调查团寒代电请派考察矿务人员径往宁羌县政府集合;决议:代电复仍请依本会前电雷厂长办法由该团派员来城固先与本会商洽具体办法;(2)报告国立西北联合大学函请派员商洽移交事宜,决议:推张清涟、王文华为接收西北联大工学院委员,赵玉振、王翰辰为接收东大工学院委员,倘部派监支委员到达城固,当值张委员、王委员回天水及三台时,即由本会另推接收联大工学院委员。

国立西北工学院筹备委员会第五次会议记录

时间:1938年8月18日。　地点:本会城固办事处。

出席:王文华　胡庶华(李书田代)　李书田　张贻惠　张清涟　雷宝华(周宗莲代)。

主席:李书田。　记录:邰光谟。

报告:报告教育部删电抄发西北工学院合并改组办法,余编预算并先垫发2万元备用。

讨论事项:(1)筹备主任提为调整本学院助教薪俸,拟于下学期开学后一个月内举行助教考试,并拟定助教薪级调整基础表、助教考试成绩审查标准表及助教薪俸调整办法请公决案;助教薪级调整基础:民国二十七年毕业70元,二十六年80元,二十五年毕业90元,二十四年毕业100元,二十三年毕业110元,二十二年毕业120元,二十一年毕业130元,二十年毕业140元;助教考试成绩审查标准:毕业成绩10%、助教成绩20%、国文15%、英文15%、专门课目20%、口试20%;助教薪俸调整办法:不及60分者不继续任为助教、60—70者按以上标准降二级、70—80分者按表降一级、80—85分按表、85—90按表特增一级、90以上者按表增二级;(2)筹备主任提本院各系拟各设系务秘书一人其职务应予规定请公决案,决议推张委员清涟、周主任宗莲起草规定系务秘书职务章程提交本会决定。

国立西北工学院筹备委员会第六次会议记录

时间:1938年8月19日。　地点:本会城固办事处。

出席:王文华　胡庶华(李书田代)　李书田　张贻惠　张清涟　雷宝华(周宗莲代)。

主席:李书田。　记录:邰光谟。

报告:(1)报告教育部渝铣电准将西北工学院改设城固古路坝;(2)报告教育部铣电西北工学院教职员可由筹委会拟定随时电部核聘;(3)第五次会议调整助教薪俸案应增加两种解释如下:甲、助教薪级调整基础表系应用于毕业成绩80分以上之助教,其毕业成绩在70分至不满80分者按表降一级,60分至不满70分者按表降两级;乙、助教考试成绩审查完竣后依照调整办法应予增薪者自本年八月一日起施行,应予减薪者自审查完竣后之次月施行。

讨论事项:筹备主任提本学院教授、副教授员每周授课时数请予规定案。决议教授、副教授、教员每周担任9~12小时;教授兼系主任者每周担任6~9小时;教授兼处主任者每周担任3~6小时,教授兼研究所部主任每担任6~9小时;实验实习计划制图每3小时以2小时计,上项担任时数之规定于必要时本学院得商取教师之同意酌量增减之。

国立西北工学院筹备委员会第七次会议记录

时间:1938年8月20日。 地点:本会城固办事处。

出席:王文华 胡庶华(李书田代) 李书田 张贻惠(潘承孝代) 张清涟 雷宝华(周宗莲代)。

主席:李书田。 记录:邰光谟。

报告:筹备主任提兹拟定本学院拟聘老师名单请公决案。决议:修正通过。

国立西北工学院筹备委员会第八次会议记录

时间:1938年8月23日。 地点:本会城固办事处。

出席:王文华 胡庶华(李书田代) 李书田 张贻惠 张清涟 雷宝华(周宗莲代)。

主席:李书田。 记录:邰光谟。

报告:(1)报告胡庶华抵西安已派车往接;(2)报告教育部电张委员北海即来城固并派为监交委员;(3)张委员清涟、王委员文华、周主任宗莲报告勘查古路坝院址情形。

讨论事项:(1)组织建筑委员会负责办理本院学生宿舍及其他建筑事宜案。决议:聘王文华、周宗莲、潘承孝、刘德润、赵玉振为建筑委员,并推王为主席,刘为秘书,另聘黄秉鉴先生为监工工程师,好分别函聘;(2)建筑教职员住宅及添水井案。决议:建筑教职员住宅25所。每所4间,添水井1眼,均交建筑委员会办理;(3)张委员贻惠提管理中英庚款董事会原定二十六年度补助北洋工学院矿冶系及平大工学院纺织系设备费尚未领出,现二十六年度会计年度已告终了,应否由本会函请将该项补助费保留移拨国立西北工学院请公决案。决议:公函管理中英庚款董事会请将该项补助费保留移拨国立西北工学院。

国立西北工学院筹备委员会第九次会议记录

时间:1938年8月24日。 地点:本会城固办事处。

出席:王文华 胡庶华(李书田代) 李书田 张贻惠 张清涟 雷宝华(周宗莲代)。

主席:李书田。 记录:邰光谟。

报告:报告国立西北联合大学函通知奉教育部电派张委员北海为监交委员。

讨论:(1)筹备主任提国立西北工学院设立工程学术事业推广部案,通过;(2)王文华提关于设立工程学术事业推广部办法如下请公决案;(3)推定委员草拟各项章则案。决议:推张贻惠草拟本学院学则,推周宗莲草拟本学院组织规程,推张清涟草拟本学院各处组室馆办事通则及办事细则;(4)推举代表向国立西北联合大学接洽古路坝院址问题案。决议:推张贻惠、周宗莲代表前往。

国立西北工学院筹备委员会第十次会议记录

时间:1938年8月24日下午四时。 地点:本会城固办事处。

出席:王文华 胡庶华 李书田 张贻惠 张清涟 雷宝华(周宗莲代)。

主席:李书田。 记录:邰光谟。

讨论:筹备主任提兹拟定国立西北工学院职员名单请公决案。通过。

国立西北工学院筹备委员会第十一次会议记录

时间:1938年8月25日。 地点:本会城固办事处。

出席:王文华 胡庶华 李书田 张贻惠 张清涟 雷宝华(周宗莲代)。

主席:李书田。 记录:邰光谟。

报告:(1)胡委员报告教育部设置国立西北工学院原旨为谋工学院之易于发展,值此时局更可集中设备、集中人才,增加效率,务望本国家之立场,奠定西北工程教育之优良基础;(2)张委员贻惠、周主任宗莲报告向国立西北联合大学接洽古路坝院址情形。决议:公函国立西北联合大学通知国立西北工学院奉部令设古路坝天主堂内,请将该处所借房屋全部让予。

讨论事项:(1)张委员清涟提拟订国立西北工学院借用私立焦作工学院设备用具办法请公决案。决议:修正通过,呈部备案并函焦作工学院请予同意;(2)王文华提拟订建筑委员会规程请公决案。修正通过;(3)张委员清涟提请函达资源委员会将允拨国立北洋工学院及私立焦作工学院二十六年度合作研究费各2万元成案移归国立西北工学院承领请公决案。通过;(4)张委员清涟提国立西北联合大学工学院、国立东北大学工学院及私立焦作工学院原有教职员之未经西北工学院拟定聘请者其生活应如何维持请公决案。决议:呈请教育部设法救济。

国立西北工学院筹备委员会第十二次会议记录

时间:1938年8月26日。 地点:本会城固办事处。
出席:王文华 胡庶华 李书田 张贻惠 张清涟 雷宝华(周宗莲代)。
主席:李书田。 记录:邰光谟。
报告:(1)报告部颁国立西北联合大学工学院、国立东北大学工学院及私立焦作工学院合并改组国立西北工学院办法及国立西北工学院筹备委员会简章;(2)报告草拟预算进行情形。决议电请教育部确定西北工学院经费为每月4.5万元;(3)报告宁夏省政府教育厅函送学生3人。决议:函复照办。

讨论事项:(1)李书田、张清涟提拟添设水利工程学系及航空工程学系并将矿冶系分为采矿工程学系与冶金工程学系请公决案。决议:通过并另添设电信工程学系一并电请教育部核准;(2)李张提请规定接收应合并各工学院之具体项目纲要以便洽办案。决议:请原提案人拟定纲要提交本会决定。

国立西北工学院筹备委员会第十三次会议记录

时间:1938年8月27日。 地点:本会城固办事处。
出席:王文华 胡庶华 李书田 张贻惠 张清涟 雷宝华(周宗莲代)。
主席:李书田。 记录:邰光谟。
报告:(1)报告教育部文电关于焦作工学院经费已分别咨函河南省府及中福煤业公司;(2)报告国立西北联合大学公函通知自八月一日起工学院购置等由工院支出,决议暂不作复。

讨论:(1)李张提兹拟定接收联大工学院有关设备标准及国立西北工学院筹备委员会接收应合并各工学院之项目纲要请公决案。通过。

国立西北工学院筹备委员会第十四次会议记录

时间:1938年8月28日。　　地点:本会城固办事处。

出席:王文华　胡庶华　李书田　张贻惠　张清涟　雷宝华(周宗莲代)。

主席:李书田。　　记录:邰光谟。

报告:(1)报告教育部江电准添设水利工程学系、航空工程学系及工程学术推广部;(2)报告焦作工学院全体教职员感电请暂在天水设分校。决议:电复仍应在城固古路坝集中办理;(3)报告国立西北联合大学关于国立西北工学院充在古路坝之公函,决议函商国立西北联合大学高中部;(4)报告教育部冬电饬知国立西北工学院经费应依照改组办法所列实数通盘支配;(5)报告教育部世电饬于9月15日以前将联大、东大及焦作三工学院之院产及文书等项接收完竣。

国立西北工学院筹备委员会第十五次会议记录

时间:1938年9月6日上午9时。　　地点:本会城固办事处。

出席:王文华　胡庶华　李书田　张贻惠　张清涟　雷宝华(周宗莲代)。

主席:李书田。　　记录:邰光谟。

报告:(1)报告关于本委员会预算因筹备主任专任筹委之薪俸及兼任筹委会之出席费未便于工作自定,业电部请示后好行编制;(2)报告关于西北工学院预算拟俟应由东北大学划拨之经费数目经部确定后即行编制。

讨论:(1)张清涟提查本学院经费尚未完全确定,亟需向有关方面接洽教职中名单在呈部会议室时亦有面加说明之必要,在此两问题示经解决以前本委员会筹备工作实难着手,拟请全体委员即赴重庆及时进行,遇必要时并可在重庆继续开会请公决巡查。决议:推张清涟、王文华代表本会赴部请示本会不能解决各项问题;(2)筹备主任提西北工学院应设系组所部等,业经最后核定所有教师亟应遵照教育部铣电从速分批电部核聘案。决议:教师名单经各委中核阅后随时电部核聘;(3)胡庶华、李书田、雷宝华提请在本学院设立推广部以负实地开发西北之责,附设立旨趣组织规程草案及计划大纲请公决案。决议:原则通过组织规程修正通过;(4)筹备主任提拟聘胡庶华兼任推广部主任。通过;(5)胡、李、雷提请与政府有关部会管理中英庚款事会及陕甘宁青新省建设厂商洽协拨推广部事定费请公决案。通过;(6)国立东北大学工学院由三台至城固古路坝迁移费预算案。

国立西北工学院筹备委员会第十六次会议记录

时间:1938 年 9 月 7 日上午 9 时。　地点:本会城固办事处。

出席:王文华　胡庶华　李书田　张贻惠　张清涟。

主席:李书田。　　记录:邰光谟。

报告:(1)报告函请联大高中部设法赞助迁让古路坝西院校舍;(2)报告呈请垫拨焦作及东工迁移费附预算及拟行修正各点。

讨论:(1)奉教育部世电令于 9 月 15 日前将联大工院、东大工院及焦作工院院产及文书等项接收完毕并会报呈核,除已推定张清涟及王文华为接收联大工院接收委员,并通过请赵玉振及王翰辰为接收东大工院接收委员外,是否有加推接收委员接收焦作工学院之必要。决议:推任殿元、余立基为接收焦作工学院接收委员;(2)修正各系教授公共科目教授及推广部专门委员名单案。通过。

临时动议:(1)筹备主任提拟在天水水月寺焦作工学院校舍内筹设本学院高职部案,原则通过并推胡庶华、张清涟、赵玉振、樊泽民、李仙舟草拟计划由胡委员召集。

国立西北工学院筹备委员会第十七次会议记录

时间:1938 年 9 月 8 日。　地点:本会城固办事处。

出席:王文华　胡庶华　李书田　张贻惠　张清涟。

主席:李书田。　记录:邰光谟。

报告:(1)报告已函请任殿元、余立基两先生接收焦作工学院院产及文书等项并附送借用办法请查照办理,同时已函焦作工学院遵教部电令于 9 月 15 日前接收完竣,请查照移交等;(2)报告拟即分函国立联合大学及国立东北大学通知教部电令于 9 月 15 日以前将有关院产及文书等接收完竣,附送项目纲要,请查照转饬各处系组室造册移交,请查照办理;(3)报告拟即分函国立西北联合大学及国立东北大学本委员会已推定张清涟王文华为西北联大有关工学院院产及文书等项接收委员,请赵玉振、王翰辰为接收东北大学有关工学院院产及文书等项接收委员,即发经洽办,请查照办理……

国立西北工学院筹备委员会第十八次会议记录

时间:1938年9月9日。 地点:本会城固办事处。

出席:王文华(张贻惠代) 胡庶华 李书田 张贻惠 张清涟 雷宝华(周宗莲代)。

主席:李书田。 记录:邰光谟。

报告:(1)报告张委员清涟、孙孟春因公赴川托胡委员庶华代表出席本会;(2)报告王委员文华函,因公赴川托张贻惠代表出席本会。

国立西北工学院筹备委员会第十九次会议记录

1938年9月13日召开(内容暂缺)。

二、国立西北农学院筹备委员会第一至第十二次会议记录①

国立西北农学院筹备委员会第一次会议记录

时间:1938年9月20日在成都沙利文大饭店。

出席:辛树帜 曾济宽 周建侯。

讨论事项:(1)除农艺、林学、农业化学、畜牧、农业工程五系已决定设置外,请添设园艺、农业经济、博物病虫害三系;农业经济及园艺二年专科不必设置;(2)西北农学院经费应如何筹划案,请及时按原有校院经费尽数拨充以便完备以上各学系;(3)各主要职教员应如何拟定案,确定了各主要职务;(4)地点:武功为永久地址,沔县仍然保留。

---

① 国立西北农学院档案,陕西省档案馆.

国立西北农学院筹备委员会第二次会议记录

时间:1938年11月9日下午二时,本院筹委会会议室。

事项:讨论对西北联大农院及西北农专如何接收案,推曾济宽、周建侯二委员及王恭睦先生为接收西北联大农院委员;推周建侯、张丕介二委员及王泛月先生为接收西北农专委员,并派张远□帮办接收事宜;接收西北联大农院日期由接收委员决定,接收西北农专由11月10日开始。

国立西北农学院筹备委员会第三次会议记录

时间:1938年11月11日筹委会第三次会议。

事项:新聘教员起薪日期,升级教员薪金。校训拟为"勤朴勇毅"。

国立西北农学院筹备委员会谈话会记录

时间:1938年11月26日。

事项:曾委员报告到沔县接收西北联大农院经过。

国立西北农学院筹备委员会第四次会议记录

时间:1938年11月29日,筹备委员会第四次会议(内容暂缺)。

国立西北农学院筹备委员会第五次会议记录

时间:1938年12月8日筹备委员会第五次会议。

事项:本院教职员、学生、工警等凡曾参加反三民主义、反国民党以及希图分散抗战力量之政治团体者,应如何办理:议决命其声明脱离案,应限于一周内分向本会办公室及训育处自动书面声明脱离,并在《西京日报》登报声明脱离经过情形,否则一经考查证明或经人告发查明属实时教职员解聘或解职,学生开除学籍,工警斥退。

国立西北农学院筹备委员会第六次会议记录

时间:1938年12月14日筹备委员会第六次会议(内容暂缺)。

国立西北农学院筹备委员会第七次会议记录

时间:1938年12月28日筹备委员会第七次会议。
事项:本院接近战区,虽现状尚称安宁,但防备万一,应如何预为筹划案。
议决:重要图书仪器及其他校产迁移于较安全地点存放,由处系组室场股主任开会决定之;建议教职员家属于新年后自动设法迁移。

国立西北农学院筹备委员会第八次会议记录

时间:1939年1月5日筹备委员会第八次会议(内容暂缺)。

国立西北农学院筹备委员会第九次会议记录

时间:1939年1月23日筹备委员会第九次会议。
事项:本院组织大纲修正。

国立西北农学院筹备委员会第十次会议记录

时间:1939年1月27日筹备委员会第十次会议。
事项:函嘱本院驻沔办事各职员积极整理沔县校舍调查可以收容人数,如不敷全体员生工人住宿之用,应即带计划简单临时校舍以备不虞案。

国立西北农学院筹备委员会第十一次会议记录

时间:1939年2月8日筹备委员会第十一次会议(内容暂缺)。

国立西北农学院筹备委员会第十二次会议记录

时间:1939年2月17日筹备委员会第十二次会议(内容暂缺)。

三、国立西北联合大学、国立西北大学、国立西北师范学院、国立西北医学院移交记录①

国立西北联合大学文理教工分院会议记录

时间:1938年4月24日下午8:30。

出席者:袁敦礼、周宗莲、黄国璋。

列席者:李蒸、李书田、方永蒸。

记录:黄金华。

主席:值周院务委员黄国璋。

事项:一、教授住房应如何分配案。

决议:本分院以正院东楼及养才院旧址为教职员之寝室。正院东楼单房九间,留一间为袁主任之寝室外,其余八间作为土、地、生、体四系分用,每系各占两间。将来如生物系不来本分院时,其所应分之单房两间由土、地两系各得一间。养老院楼下房屋为教职员家眷住处,楼上指定为单身教职员之寝室。

二、学生请求拨给团体办事处案。

决议:凡未经学校承认之学生团体一概不许组织,本分院抗敌后援分会之组织须由西安抗敌后援会先行向学校来函,并须派员来校指导成立方能照准。

(国立西北大学档案,陕西省档案馆)

古路坝分校校务委员会第一次会议记录

时间:1938年4月21日。

事项:本分校因环境特殊,兹规定下列各项规则布告学生遵守:(1)本校大门

---

① 国立西北大学档案,陕西省档案馆.

启闭规定,于每日上午五时至下午八时闭门,以后无论何人未经值周校委或警卫委员主席许可不得擅自出入;(2)学生未经许可不得擅入天主堂及其附设各机关之内;(3)学生作息时间规定如下:上午五时起床,五时三刻升旗早操,六时一刻早餐,七时上课,十二时午餐;下午六时晚餐,下午九时就寝;(4)学生于上午五时半以后下午八时半以前不得在寝室内逗留,寝室于八时半燃灯,九时熄灭;(5)寝室内绝对禁止吸烟及私设火烛;(6)男生不准入女生宿舍,女生不准入男生宿舍;(7)宿舍内不准留校外人食宿,如有不在本分校上课之本校学生因故来古路坝必须居住时,须向斋务分组陈明理由由斋务分组设法安插住所;(8)学生会客均于学生接待室内行之;(9)学生往来城固须于上午五时后起身下午六时前返校,并须至少五人结队同行;(10)学生非因特殊事故经军训教官许可不得在外住宿。

(国立西北工学院档案,陕西省档案馆)

古路坝分校校务委员会第三次会议记录①

时间:1938年5月3日下午3时。

事项:一、学生劳动服务时间如何规定案。

决议:每学生每星期以工作四小时为最低限度,土木系学生现担任道路测量者,暂免服务,一俟测量完竣再行参加服务工作暂定三项:(1)平操场;(2)整理院落及校园;(3)修路。定明日令学生填具工作时间自五月六日开始,第一项工作体育系负督工及点名之责,学生服务之成绩得作为本学期操行分数成绩之部分。

二、生物系决定不来本分院,上课学生寝室可否重新分配案。

决议:现第三寝室西隔壁之房间改为第三寝室,令原住第三寝室之学生及王振声移入之第九寝室之体育系学生二人并入第六寝室。第七、第八、第九寝室暂时封锁,原第三寝室改为学生临时宿舍以备他处本校学生来本分院时应用。

三、本分院房屋如何分配案。

决议:卫生室在理发室西侧,其右侧之大室隔断为三间,以一间作为消费合作社,二间作为隔离室。土木系晒图及储藏仪器室改设在该系主任办公室旁原定之生物系办公室内。操场旧有之房一间作体育器械室用。校警住室两间用现在工

---

① 其余院务会议记录,无要紧事项,未录。

人之住室,工人另在他处设法。第九教室改为学生游艺室。教授住室在正院东楼上,土、地、体三系教授各占三间,不足分配住室之讲师助教等统到老人院楼上下住宿。

(国立西北工学院档案,陕西省档案馆)

国立西北大学接收西北联大委员第一次会议记录

时间:1939年9月2日上午8时。

出席者:张贻惠、刘拓、黎锦熙、曹配言、苏雅农、王毓琦、贾万一、谭文伯、冈如华、刘景向、韩宪纲、张万里、周国亭、朱汝复、赵桢、李在冰、姜玉鼎。

主席:张少涵。　记录:谭文伯。

讨论事项:

一、接收原则。国立西北联合大学奉令改称为国立西北大学、国立西北师范学院、国立西北医学院。查医学院向设南郑,除一年级在文理学院授课及文卷会计与西北联大有关系外,形同单设。师范学院自去秋改名以来,仅教育、体育、家政三系有完整之一、二、三、四年级,其余各系均为一年级。该院经费与去秋成立时,即已独立,而家政系又受英庚款补助设置。今三校院共同接收西北联大,应以校本部、文理学院、法商学院属本校接收,师范、医学两院归该两院接收为原则,其余三校院有关部分则按照既往经费比例及学生人数比例分配接收之。

二、接收手续。造具移交清册由本校各处组室负责人分别接收,并将办理情形报告本会。

三、接收办法。1.关于西北联大之校舍、校具及仪器者(1)西北联大之校本部、文理学院、文理学院学生宿舍及各办公室、法商学院、考院及关帝庙两处教职员宿舍等校舍均由本校接收。先修班宿舍及家具由本校暂时保管。保安队体育场、民家教育馆体育场、法商学院体育场归本校接收。校本部校具、文理学院法商学院校具仪器,由本校接收。(2)西北联大之师范学院、司令部教职员宿舍、附属中学等校舍校具及仪器,均由国立西北师范学院接收。(3)西北联大医学院校舍校具及仪器,均由国立西北医学院接收。2.关于西北联大之校本部各处组室者(1)文书:各项文件除师范医学院之独立案卷须分别移交与两院,有关文件示另抄通知者,须分抄通知外,其余均由本校接收。(2)会计与出纳:A.由会计室签注意见,交下次会议讨论之;B.教职员公债票积压未发之部分,应迅好分别致送,并由会计室将积压情形提交下次会议讨论。(3)庶务与斋务:A.依照庶务组此次移交清册所列以前购置各项物件及库存数目由本校接收;B.斋务部分已由本校注册军训两组负责接收。(4)卫生:A.校医室及法商学院分诊所之医疗器械及杂件归本校接收。B.附中诊所归师范学院接收。C.现存药品绷带材料,按照学生人数比例分配之(医学院除外)。(5)注册与讲义:除有关师范医学两院之部分外,其余均由本校接收。(6)图书:医学院图书由医学院接收,法商学院图书由本校接收;教育、体育、家政三系图书归师范学院接收;其余图书按照文理学院、法商学院、师范学院一年级、医学院一年级(1/5 计算)图书费比例分配之。由英庚款购买之图书按照原购买各系分别接收。图书馆址及家具俟图书作出合办原则决定后,再定接收办法。(7)体育与军训:A.列存体育器械附着体育系专用者外,按学生人数分配;B.枪械子弹及军训图表等,按学生人数分配。

四、本校急需应用各年由本校各处组室负责人与西北联大各处组室负责人行行商洽接收,如有疑难,提交下次会议讨论。

五、下次开会日期定于星期四(9月7日)上午八时在校长办公室举行。

附件1:国立西北师范学院公函,1939年9月8日,为函复关于三校院接收联大事拟由本校院接收委会商讨附送所拟办法希查照参考由。

案准贵大学公函组第0135号回略开:"为洽商接收西北联大,附送接收委第一次会议纪录一份,请核复"等因,准此。本院对于三校院接收联大意见为:(一)以三校院共同接收西北联大为原则,先由三校院各推委员三人,开会讨论接收原则手续及办法;(二)推请西北大学负责召集接收委员会相应函复,并将本院所拟三校院接收办法附送,统希查照参考为荷。此致国立西北大学。附办法一份。院长李蒸。

附件2:三校院接收联大办法,师院拟订,9月1日。一、遵照部令附发"国立西北联合大学改组为国立西北大学国立西北师范学院及国立西北医学院办法"办理,不再另订标准,以免分歧。二、财产全部接收,会计出纳部分另案办理;文卷、档案、契据、账薄能划分者接收,其不能划分者,呈部指定或互相推定一校负责保管,他校可以随时调阅。三、原由某院应用之一切图书仪器、设备即归某校院接收,但原来合用之图书仪器应分有合用。四、公用之一切设备,应依其件数或价值按部定三校经费比例数配分,其比例略为 3∶2∶1。五、属于常委室注册文书、图书、斋务、出版各组,校医室、出纳室、会计室、庶务室、体育军训及各会所之设备及储藏均为公用者。六、各公用物由各主管人或接收人参考财产目录做完估值后分别用抽签法分配于各校,以昭公允。七、校舍校址非样匀无所谓接收,原占用其处房屋者,应仍其旧。……校本部占用之部分,应就其地与何处毗连,平均分配,旧教育学院与文理学院交错地点,应划分齐整,以冀供求相应,先修班所连之房屋应并入校本部办理。

附件3:西北大学便函。西北医学院、西北师范学院,为请推派代表三人出席三校院接收联大会由。 1939年9月15日。

附件4:西北大学便函。张少涵先生等:函请张少涵、赵学海、苏雅农三先生为本校接收委员,并于九月十八日下午三时召开会议。 1939年9月15日。

国立西北大学、国立西北师范学院、国立西北医学院接收国立西北联合大学联席会议记录

日期:1939年9月18日下午3时。

地点:西北大学校长室。

出席人:医学院黄万杰、余萝祥、冀绍儒(医学院16日函西北大学报以上三人为接收委员);师范学院汪如川、袁敦礼、刘拓;西北大学苏雅农、张贻惠、赵学海。

主席:刘拓。 记录:苏雅农。

讨论事项:决议一、原某院应用之一切图书、仪器、设备即归其校接收。二、公用物按5:3:2配份(即将公用物分成10份,西北大学5,师范学院3,医学院2)。三、属于常委室注册文书图书(藏书另案办理)庶务出版各组、校医出纳会计庶务室、体育(体育系专用除外)军训及各会所之设备及储藏均为公用。四、原来合用之图书仪器及其他物件分有后,必要时得商洽合用。五、文卷档案契据账簿能划分者,分别接收,不能划分者推定西北大学负责保管,他校可以随时调阅。六、公用物按照件数及价值照比例以抽签法决定之。七、由本会推定赵学海、黄万杰、汪如川三先生于两星期内按照以上原则负责办理,分配公用物件,造册送会审查后再行决定。

三校院接收委员会第二次会议记录

时间:1939年11月6日下午四时。 地点:西北大学会议室。

出席：刘拓、汪如川、黄万杰、段子美、赵学海、张贻惠、袁敦礼　列席：黄德馨

主席：刘拓。　记录：汪如川。

决议事项：一、分别接收校医室办法予以追认；二、请联大图书组将现有图书已编目录及未编目录者……分别开出清单送交本会以便接收。三、分配图书及解决债务办法：(1)已付款之图书现存图书馆者由三校院按第一次会议办法划分；(2)未付价款之图书现存图书馆者图书仍照前条办理，其未付之价款由分得之校院分别负责清偿，未清偿其应付价款之前该校院所应分得之此项图书不得领去(如得债权者之同意，债权可以转移时所应得之图书即可分别领去)；(3)未付价款之图书已为各院校所取去者，联大常务委员负责追回债款……四、推定赵学海、黄万杰、汪如川三委员执行分配应行接收各件，造具草册送本会审查通过后分别领取，如有疑难之点可提交本会解决。

第五章 大学制度建设

第一节 国立西安临时大学—国立西北联合大学规章制度

一、西安临时大学军事管理办法

(中华民国二十六年十二月二十六日常委会通过公布)

第一章 总 则

一、本大学为养成学生整洁、敏捷、勤朴、耐劳、团结、互助、振作精神,遵守纪律诸美德起见,特依据训练总监部与教育部会衔公布之高中以上学校军事管理办法,参照本大学实际情形,制定本办法,对本校学生不分年级均施行军事管理。

二、本大学教职员应协助本大学常务委员,以身作则,督导学生,共促本办法之实行。

三、每日早晚应举行国旗升降典礼,学生起居操课,亦应照规定时间实施,均以号音为起讫准度。

四、举行国旗升降典礼,由值周常务委员主席(主持),学生以全体参加为原则,仪式照规定办理,其有未能参加之教职员学生,均应在原所在地立正致敬。

五、通学外宿学生,早晚须参加升降旗典礼,如有特别情形,经常务委员许可者得免参加。

六、学生均须穿着制服,遇师长时,概须行军礼。

七、为维持全校军纪风纪起见,所有工役应服规定之服装,并加以必要之训练。

八、为促进军事管理效率起见,队长以下各级长官,应随时对学生施行服装、内务、武器、勤务诸检查,予以矫正及奖惩。

第二章 组 织

九、本大学全体学生编为一军事训练队,定名为国立西安临时大学军事训练队,设队长一人,队副若干人。队之下辖若干中队,每中队设中队长一人,队副一人,辖若干区队。每区队设区队长一人,队副一人,下辖三分队。每分队设分队长一人,分队由学生十余人组成之。

十、训练队设队本部,其组织如下:

1. 队本部设于校本部内。

2. 队长一人,由本大学常务委员中推定一人兼任,主持军事训练及军事管理一切事宜。

3. 队副若干人,由本大学生活指导委员会主席、军事主任教官及其他有关教官人员兼任,承队长之命,办理关于管理学生事宜。

4. 军事主任教官(上校)一人,承队长之命,办理军事训练及军事管理之实施。

5. 军事教官若干人(暂定中校两人少校三人)承主任教官以上官长之命,教授军事学科术科,并襄助军事管理之事宜。

6. 助教若干人,承军事教官以上官长之命,襄理军训事宜。

7. 副官一人(上尉)承队长队副之命,办理有关军训文牍及一切杂务之职。

8. 书记一人(少尉)专办撰缮文案。

9. 号兵传令兵各一名,勤务兵三名,分掌司号传令勤务之职。

十一、中队设中队部,其组织如下:

1. 中队长一人。由队长指定训育人员或军事教官兼任,承队长之命,协助训练并办理各该中队军事管理事宜。

2. 中队副一人,由队长指定学生任之,承中队长之命,负传达命令报告事项及纠察队员军纪风纪之责。

3. 文书一人(准尉)专办撰缮文案。

4. 传令兼勤务兵一名,负传令勤务之责。

5. 号兵一名,专任司号。

十二、区队长由队长指定训育人员或军事助教兼任,承中队长以上官长之命,协助训练并办理该管区队军事管理事宜;设区队副一人,由队长指定学生任之,负协助训练、传达命令、报告事项及纠察队员军纪风纪之责。

十三、分队长由队长指定学生任之,负协助训练、传达命令、报告事项及纠察各该分队之队员军纪风纪之责。

十四、训练队各职员对于军事管理上,如有改进意见,得随时商请队长酌量采纳施行。

十五、关于军事训练及军事管理之一切命令与通告,均以队长名义行之。

第三章　请　假

十六、凡学生在军事管理范围内,请假时须声述事实,报请队本部核准转呈队长备案,每周并由队本部将军事范围内请假学生姓名、时数,通知注册组登记。

十七、病假三日以上者,须呈缴医生证明书,始得准假。

十八、请假分为半休、全休两种,全休可免一切受课及勤务,半休仍须参加早晚点名及上课。

十九、凡请假而缺席者为缺课,未请假而缺席者为旷课,旷课一次作缺课二次论,缺课扣分办法依照学则办理。

二十、因微病而不能参加军事训练术科者得先报告,请求见习,见习三次者作缺席一次计,但见习亦须至解散时始可离场,否则仍以缺席论。

二十一、凡请假者须依时销假,不得逾限,如万不得已须续假时,务必先期履行请假手续,否则以旷课论。

二十二、学生因故离校者,所领用公物须检交队本部妥为保管,否则如有损失,应负赔偿修理之责。

第四章　外　出

二十三、请假外出须整齐服装,端正仪容,途中行走尤须保持军人固有之精神,二人以上同行时,其步履须整齐,以示一致。

二十四、行进时靠左边路走,不许食物、吸烟,坐车遇拥挤时,对年老幼童及妇女应让座位。

二十五、途遇师长时,应行行进间敬礼,遇见同学或他校着规定服装之军训学生,亦应互相敬礼,由先见者行之。

二十六、途遇师长,如右手提物时,须先将物置于左手。然后行举手注目礼,如两手均提物时,则可立正行注目礼。候其行过后再继续前进。

二十七、如系多数人结伴行进遇见师长时,则由先见者呼口令"敬礼"行礼。

第五章　食　堂

二十八、学生进食堂后,应按规定位置就坐,不得紊乱秩序。

二十九、食时须闭口细嚼,勿作声,勿太快,并不得喧哗敲碗争闹。

三十、学生不得私自备菜。

三十一、遇有长官到食堂会餐时其仪式如下：

1. 学生闻开饭号单时，即到指定集合地点，由值日生按顺序带入食堂，不得争先及喧扰。

2. 长官到食堂时，由值日生发"立正"口令全体肃立，候长官答礼后，然后由值日生再发"坐下"口令，各生俟闻"开动"口令时方可就食。

3. 用膳完毕后，由值日生发"立正"口令，各生即一致起立，俟长官答礼后依顺序赴指定集合地点解散。

第六章 寝 室

三十二、寝室须整齐、清洁、简单、朴素，合乎新生活标准。

三十三、每早起床后，即将内务按照规定形式整理完善，点名时，须迅赴指定地点集合。

三十四、寝室内外，不得随地吐痰及抛弃零星物品，尤不得任意污损墙壁钉挂物与在窗台上晒衣物等。

三十五、一切用品均须依照规定妥置，不得擅自变更及随意置放。墙上不许乱挂画片等物。

三十六、各生床位已经编定后，不得私自调换。

三十七、在寝室不得喧扰，在夜间熄灯后，并不得私置灯火。

三十八、每一寝室之值日生，每日按照规定时间展开窗户，打扫清洁，以重卫生。

三十九、如有学生临时疾病不能起床者，须于点名前由值日生报告长官请假。

四十、如遇检查，或中队长以上长官莅临时，须由值日生或先见者呼"立正"口令，各人按原来位置立正，非有命令不得稍息，长官出室时同。

第七章 教 室

四十一、学生闻上课号音，应迅赴教室，不得无故缺席或迟到。

四十二、学生上教室时，应按各人位置就坐，不得随意离动，如有特别事故须报告教官许可后，方得离开。

四十三、教官到教室时，由值日生呼"立正"口令，经教官答礼后，再发"坐下"口令，并由值日生依例报告人数。

四十四、学生听讲时，必须端正严肃，振作精神，专心听讲，不得谈笑顾盼，并不得随意吐痰及阅看教科以外之书籍。

四十五、讲授时如遇高级长官莅临,由值日生发"立正"口令后,随即起立致敬。

四十六、遇教官垂询时,学生应即起立作答;学生如有质疑时,须待教官讲毕后,始得起立询问。

四十七、下课时由值日生呼"立正"口令,待教官出堂后,再呼"解散"口令,不得纷扰喧哗。

四十八、教室清洁,应由各生共同保持,不得乱抛杂物于地上。

第八章 操　场

四十九、各班学生闻预备号音时,应照规定之服装及其应带物件,准备妥当,闻集号音时,应速赴操场,以待教练。

五十、凡学生在已整顿队伍后方至操场者,以迟到论。

五十一、集合站队以后,由各该分队长检查本队人数,报告本区队长转报教官注入名册内。如会操或连教练时须由值日区队长或分队长综合报告。

五十二、下达科目及训话时须立正听受,非有命令不得稍息及随便动作。

五十三、稍息时不得言笑或移动地位,或有叉腰背手等姿势。

五十四、操作时如有不得已事故,亟须离场时,可俟稍息,先呼"报告"再声明理由,得教官许可后始得离场。

五十五、如教官指派学生充当指挥或其他勤务时,不得违拗推诿。

五十六、教练完毕,闻解散口令,各生均向教官敬礼,待教官答复后,始得解散。

五十七、解散离操场时,不得喧哗,仍须保持严肃,迅速离场。

五十八、在上操时间内如有不守纪律或不听命令者,除由教官惩罚外,并呈请队长处分。

第九章 野　外

五十九、野外演习,须严守军纪风纪,不得中途落后规避。

六十、未经许可,不得购买食物,并严禁吸烟。

六十一、闻集合号声,应即迅速集合。

六十二、野外之规则,除上述各条外,余则参照上章办理。

第十章 值　日

六十三、为养成学生服务习惯及练习勤务起见,值日生由学生轮流充任之。

六十四、值日生应照以上各章所规定之规则,切实执行任务。

六十五、已轮派之值日生,如因事不能执行其任务时,须先请同学代理,并报告长官。

六十六、将届轮派之值日生,如因故不能充任时,须先请同学代理,并报告长官。

六十七、值日生当值时间,由值日之早晨起床时起至次日起床时止。

六十八、值日生日常服务项目简略如下:

1. 传达命令及报告。

2. 督促各生实行各种规则。

3. 受长官之指挥负各种勤务之分配。

第十一章 附　则

六十九、本办法由常委会议通过后公布施行。

七十、本办法如有未尽事宜,得随时由常委会议议决修正。

（原载《西安临大校刊》,1938 - 01 - 03 出版）

二、国立西安临时大学布告

中华民国二十七年一月七日缮写（贴第一、二、三院）

现当抗战赓续进展时期,国防军备经纬万端,人力资源悉需调协,政府为国家谋永久之安全,争取抗战最后胜利,任重道远,昕夕未遑。对于培植青年之教育、百年树人之大计,而运筹兼顾不任偏废。青年为国家瑰宝,更何忍其疏散流亡,贻未来社会以莫大之忧？本大学受命于危难之际,由平津三校院移陕联合成立,开学以后,照常上课,顺利布施,虽设备上极感简陋,环境亦远不如往昔宁静,尚能保存若干学术研究精神,弦歌未断,黉舍宛然,特殊训练之外,不忘正常教学,埋头苦干,鼓励刻苦攻读之勇气,冀成学风。一以坚抗敌之壁垒,一以奠复兴之始基,责任至为艰巨,共体国家维持战时教育之至意所致,然亦其力求精诚战胜危机之一种心理建设也。惟本大学同人处兹非常时期,愧未参与抗战前线实际工作,相率而未兼任此清苦事业,辛劳不辞,险阻不避,所恃以自安自慰与自信者,惟在学生之努力造就,蔚为国用。他日大乱敉平,国家建设勃兴,所需用之专门技术人才不亚于今日要求于勇士之迫切。务望诸生省查自我个性,标本兼顾,努力进修。在平日听讲、笔记、习题、实验以及临时学期试验之际,尤盼严格自律,毋稍疏忽。本大学为爱护青年,推行战时教育计,亦当认真执行,按照规定成例办理,决不宽假。

特此布告，仰本大学全体各遵照为要。

此布。

国立西安临时大学筹备委员会（关防）

中华民国二十七年一月八日发布

三、本大学组织系统说明

（中华民国二十七年四月十八日常委会议通过）

一、本大学分为文理学院、法商学院、教育学院、农学院、工学院、医学院等六学院。

二、本大学文理学院分为国文系、外国语文系、历史系、数学系、物理系、化学系、生物系、地理系等八系；法商学院分为法律系、政治经济系、商学系等三系；教育学院分为教育系、体育系、家政系等三系；农学院分为农学系、林学系、农业化学系等三系；工学院分为土木工程学系、矿冶工程学系、机械工程学系、电机工程学系、化学工程学系、纺织工程学系等六系；医学院（不分系）。

三、本大学行政部分为秘书、教务、总务三处。秘书处分为文书、出版两组；教务处分为注册、图书、军训三组；总务分为会计、庶务、斋务三组。

四、本大学在南郑设办事处，在西安设留守处，均系临时行政机构。

五、本大学设立各种委员会，均系设计、研究及应付特种事件性质。

六、各学院设在城固城内大学本部者一切行政事务均由本大学常委会所属各处组办理。其不设在大学本部之各处学院，由院长秉承常委会督率各该院事务室人员办理，遇有对外重要公共普遍性之事项并须由院送请常委会统筹办理。

七、凡不相关联之学系合设在大学本部以外之一处时，得组织分院院务委员会，代行院长一部分职务，但重要教务之执行，须征取相联系院院长之同意；其他事项与第六条规定同。

八、各学院或分院对于各处组仍维持原有正常关系；其行文与接洽事务均照旧规定办理。

九、在大学本部以外之各处、各学院所设事务室之主任暨职员，秉承各该院院长办理一切事务。其对内（大学本部及其他各部分）行文较重要者，均由各学院以便函行之，遇有直接接洽或申请事件之必要时，事务室主任得酌用签呈或签条，但其底稿须经院长签画。普通不重要事件得由事务室主任单独处理。

十、分院院务委员会下所设之职员秉承院务委员会办理一切事务。其对内行文及接洽或处理普通事件与第九条规定同。

十一、各处学院或分院之事务室主任或职员,因职务关系,得在其主管或经办事项范围内,直接商承大学本部有关之处组办理事务,但须于事前请示与事后报告各该学院院长或分院院务委员。

十二、各处学院或分院之事务室主任,其地位相当于大学本部之组长,其职员分别相当于组员、事务员、书记。

十三、各处学院或分院对外行文及向会计组、庶务组支款领物,或托办事项,另规定之。

十四、本件经常委会会议决议后实行。

(《西北联大校刊》第1期)

第二节 国立西安临时大学—国立西北联合大学各部门规章制度

一、本校学生生活指导委员会简章

第一条 本会定名为国立西北联合大学学生生活指导委员会。

第二条 本会设委员23人至27人,由本大学常务委员会议推送之其分配如下:

甲、城固大学本部设委员11人;

乙、法商学院设委员3人;

丙、文理教工分院设委员3人;

丁、农学院设委员3人;

戊、医学院设委员3人;

第三条 本会设常务委员会,由本大学常务委员会议就城固大学本部本会委员中推选常务委员3人至5人组织之,并指定常务委员一人为主席。

第四条 本会之职权如下:

一、学生思想行为之指导;

二、学生课外作业之指导；

三、学生团体生活之指导；

四、学生个性与心身发展之体察及德行人格之训导；

五、战区学生申请贷金之审查及劳动服务之指导；

六、其他。

第五条　本会每学期开全体委员会议一次，遇必要时得召集全体委员会临时会。

第六条　本会全体委员会开会由本大学常务委员会召集之主席由值周委员担任。

第七条　本会全体委员会会议以委员过半数之出席为开会法定人数，出席委员过半数之同意成立决议。

第八条　本会决议案送请本大学常务委员会执行之。

第九条　本会常务委员会每周开会一次，常委轮流主席执行第四条所规定之职权，遇有本会开全体委员会或全体委员会临时将工作汇齐报告。

第十条　本会在大学本部以外之各处学院或分院不设常务委员，凡第四条所规定之职权，由各该院或分院委员担任，但须分期将工作情形送由本会常务委员会汇报。

第十一条　本简章由本大学常委会议议决后施行。

(《西北联大校刊》第 1 期)

二、本校训导大纲

一、训导目标：训导学生切实理解三民主义之真谛，养成德智体群美兼备之人格。

二、训导纲要：

(一)依据国训、校训及青年守则，以养成高尚的道德。

(二)厉行学业考查，并奖励勤奋，以养成彻底研究的态度。

(三)厉行节约运动，纠正浪漫习气，以养成俭朴勤劳的习惯。

(四)实施军事训练体育运动等，以养成强健的体魄。

(五)鼓励并指导各种服务团体之组织，以养成互助合作的精神。

(六)陶冶爱好自治及崇尚秩序的美德，以养成有组织有规律的生活。

三、训导要目：

关于思想性行方面

（一）思想

1. 对主义 养成研究信仰奉行之决心。

2. 对人生 培养正大宏达服务之观念。

3. 对领袖 养成信仰服从拥护之精神。

4. 对国家 养成崇信爱护忠勇之习尚。

5. 对民族 培养自信自尊自强之意志。

6. 对世界 培养平等信义和平之信念。

（二）行为

1. 修己 养成振作、勤苦、谨慎、整洁、谦虚、知足、廉洁、俭朴之习性。

2. 待人 养成诚实、信义、仁爱、宽恕、礼节、忍让、劝善、规过之美德。

3. 治事 养成公正、守法、精细、敏捷、果断、负责、沉着之习性。

4. 对家庭 养成孝顺、亲爱、忍让之美德。

5. 对社会 养成服务、合作、改进之精神。

（三）言论

1. 谈话 养成扼要、明确、诚恳之习惯。

2. 演讲 养成清晰、条达、充实之辩才。

3. 文字 养成明畅、正确、敏速之能力。

关于学业方面

（四）治学习尚

1. 养成学生对全部课程注意之习惯。

2. 养成学生由博反约之习尚。

3. 养成学生切实、虚心、有恒创造之精神。

4. 养成学生寻求及探讨问题的兴趣与习惯。

（五）治学方法

1. 使学生彻底明了各科目在全部课程中之意义及地位。

2. 指导学生对于选系、选组、选课做周密一贯的计划。

3. 指导学生对于日常课业及课外研究，作合理的设计。

4. 增进学生阅读书籍杂志及发表能力。

5. 指导学生其他治学方案。

（六）关于体格方面

督导学生对于学校军训及体育认真上课，并辅导学生参加课外运动及恪守卫生规则，以期便人人具有健全的体魄及自卫卫国的技能。

四、训导方式：

（一）个别训导

（二）个人及家庭状况调查　每学年之始举行一次，以作训导之根据（调查项目详见"学生个人状况调查表"及"家庭状况调查表"）。

（三）个别谈话　导师应规定时间与本组学生轮流作个别谈话，藉以体察学生之个性及进修状况，以便指示改进之途径。

（四）个性考查　导师除由日常活动随时体察学生个性外，可采用下列方法搜集关于学生个性之多方面的材料，以为实施个别训导之依据。

1. 各组导师及教授意见之交换　为彻底明了学生个性，各导师得随时征询其他导师或教员对于本组学生之意见。

2. 学校各处组意见之征询　导师得随时征询导师会、常委会、军训组、斋务组、校医室及其他有关方面，对于本组学生之意见。

3. 学生意见之征询　同学朝夕相处，作息与共，彼此间往往有深刻明确之认识，故其意见亦可作参考之用。

4. 家庭访问或函询　如遇有学生之思想、性行发生较严重之问题，而为学校所不易单独处理者，可由导师访问或函询家长，以明问题发生之真相，而谋根本救治之方法。

5. 考查学生之交际　学生如与思想悖谬品行卑劣之人交往，应立予警告。

6. 考查学生平日所阅读之书籍杂志　学生平日所阅读之书籍，如有违背主义，抵触国策，诋告政府者，应随时没收并对阅者予以惩儆。

7. 考查学生发表文字　学生如实表荒谬文字应立予禁止。

（五）关于不良之思想性行之矫正。

1. 随时以口头劝告或书面劝告。

2. 选择针对某种不良思想发性行之嘉言懿行，令其服膺。

3. 责令同学随时劝告。

4. 报告学校予以相当惩罚。

（六）团体训导

1. 小组会　导师对于其所指导之小组，每周或每月应作精神讲话一次。

2. 座谈会　由导师选定题目预先通告本组学生令其准备后举行,每学期各加指导。

3. 读书会　由导师选定应读之书籍令本组学生于课外读阅定期开会,详加指导。

4. 研究会　导师会可期各种学科及实际问题组织研究会,令学生自由报名参加,并随时开会讨论。

5. 服务团　导师会应指导学生组织抗敌后援会、劳动服务团、农村服务团、救济服务团、通俗讲演团、戏剧表演团、漫画团、民众学校、社会调查等团体。

6. 露行及选定　导师会应会同军训组每学期举行一二次。

7. 旅行　导师会每学年应举行一二次。

五、成绩评定:

(一)训导要目中各德目均以100分为满分,其有无从考查者从略。

(二)思想行为言论三项分数之记分法,以在该项内实得之德目数,除实得德目分数和为该项之分数,如思想仅记得"对主义""对人生""对国家""对领袖"四目之分数,则将各分数相加,以四除之,为思想分数。

(三)思想分数用六乘,行为分数用三乘,与言论分数相加,以十除之,作为操行成绩。

(四)团体活动及团体中之个人成绩良好者,由学校给予奖状。

(《西北联大校刊》第8期)

三、训导处组织章程

第一条　本大学为积极训导学生思想、行为、学业及身心摄卫起见,组织训导处。

第二条　本处设主任一人,主持全校学生训导事宜,由本大学常务委员会议推选常委一人兼任之。

第三条　本处设处员一人至三人,事务员一人至二人,书记一人至二人,秉承主任办理本处事务,由本大学常务委员会任用之。

第四条　本处设导师会,由本大学各院系全体导师组织之,辅助本处计划并办理全校学生训导事宜,其章则另订之。

第五条　本处设军训组办理全校学生军训及军事管理事宜,其章则另订之。

第六条　本处设斋务组办理全校学生斋舍设备及整洁事宜,其章则另订之。

第七条　本章程由本大学常务委员会议通过施行。

(《西北联大校刊》第 3 期)

四、国立西北联合大学导师制施行细则①

(中华民国二十七年十月二十八日)

第一条　本大学遵照教育部颁发中等以上学校导师制纲要第十一条之规定订定本施行细则。

第二条　本大学学生按照学生人数多寡酌分为一组或二、三组。

第三条　每组设导师一人,由学校聘请教授担任,每学院设主任导师一人,由学校聘请院长或系主任担任,分别负各院各组学生训导之责,另设训导处负责全校学生训育及积极改进学校团体生活之责。

第四条　各组导师对于本组学生之性行、思想、学业及身体状况分别考查,随时记载报告训导处并于每学期终出具总报告一次,报告表格另定之。附注:各组导师考查本组学生性行、思想、学业及身体状况得征询教务处及其他有关各处之意见或会商办法。

第五条　各组导师除随时接见本组学生施以个别训导外,每月并得召集本组学生举行谈话会讨论会或远足会作团体生活之训导,将各项团体活动详实记录于学期终了时报告各该院主任导师备查。

第六条　各学系导师每月举行训导会议一次,报告各系训导实施情形并研究关于训导之共同问题,由系主任召集之。

第七条　各学院各系导师每学期举行训导会议一次,报告各系训导实施情形,并研究关于训导之共同问题由各学院主任导师召集之。

第八条　各学院主任导师及导师于第学期开始及终了时各举行导师会议一次,讨论全校训育方针及学生联合会操行成绩事宜,由本大学训导处召集之。

第九条　各系在可能范围内每年举行学生家庭状况调查一次。

第十条　注册组于每学期考试成绩评定后将学生所有各科之分数送交有关各导师。

---

① 为第四十六次常委会决议导师制细则,国立西北大学档案,陕西省档案馆。

第十一条　各组导师认为学生不堪训导时得通知训导处请予退训,其受退训之学生由训导处另行指定导师受其训导,如再经退训时即由学校除名。

第十二条　本细则经常务委员会议通过施行。

五、导师会组织章程

第一条　本会定名为国立西北联合大学导师会。

第二条　本会由本大学全体导师组织之,各学院得设导师分会。

第三条　本会设常务委员会,由本大学常务委员会议推定导师5人至7人组织之,办理本会日常事务并指定一人为主席。

第四条　本会常务委员兼任贷金审查委员会委员(本校第五十三次常务委员会议记录,临时动议第二项内载:修正本校导师会组织章程第四条条文为:"本会常务委员会主席兼任贷金审查委员会主席")。

第五条　本会之职权如下:

一、协助本大学训导处计划,并办理全校学生训导事宜。

二、规定关于指导学生思想、行为、学业、课外活动及社会服务之实施办法。

三、评定学生奖惩事宜。

四、其他有关训导事宜。

第六条　本会每学期开会二次,由训导处主任召集之,本会常务委员会每星期召开一次,由常务委员会主席召集之。

第七条　本章程由本大学常务委员会议通过实行。

(《西北联大校刊》第2期,第8期)

六、本校导师会常务委员会办事细则

经校委会第五十五次常务委员会议备案

第一条　本会依据本校导师会组织章程,订定办事细则。

第二条　本会每周开例会一次,遇必要时得由主席召集临时会。

第三条　本会日常事务,由本会主席指导干事处理之。

第四条　本会决议案,函请训导处审核执行。

第五条　本会讨论事项如下:

一、全校训导计划。

二、校委会常务会议交议事项。

三、训导处交议事项。

四、导师会交议事项。

五、导师提议事项。

六、学生团体之核准及考查。

七、学生刊物之审核。

八、课外活动之规定。

九、关于学生操行奖惩事宜。

十、其他有训导事宜。

第六条　本会工作,于导师会开会时提出报告。

第七条　本会细则经本会通过,并报告校委会常委会议备案后施行,其修改亦同。

(《西北联大校刊》第 9 期)

第三节　五校合分办法

一、国立西北工学院筹备委员会接收国立西北联合大学工学院办法

(依接收项目纲要之次序,应参阅本会研定纲要及联大移交办法及意见)

甲、关于文书者:依照原定十项分别接收。

乙、关于会计者:

(一)接收李仪祉[①]先生纪念基金存单:此项存单已由联大出纳员径交韩凤甲君代为保管矣。

---

① 李仪祉(1882—1938),1937 年 9 月 10 日,西安临时大学创建后,兼任西安临时大学工学院土木工程系名誉教授(周宗莲教授时任系主任),并在西安临时大学大礼堂(今西北大学太白校区大礼堂)作了《抗战力量》的讲演。1938 年 2 月 21 日出版的《西安临大校刊》第 10 期报道:"本大学工学院土木工程学系水利工程名誉教授李仪祉先生,本学期在工学院讲演'水工基础'。原拟只就 Water Regine 讲演,嗣经扩充范围,现已讲过者为'水之循环''水与土之关系',并将就'地下水''地上水'讲述要点云云"。1938 年 3 月 8 日病逝后,后人与西安临大专设"李仪祉先生纪念基金"。

（二）设备费除有关文卷外其存款部分免于接收。

（三）同意照联大会计师签注之意见办理。

（四）依照原规定接收。

（五）同意照联大会计师签注之意见办理。

（六）另行专案办理。

（七）应修正为工学院教职员救国公债及多扣部分：

1. 多扣部分应请迅即分别投送；

2. 公债票应请迅即分别致送。

丙、关于庶务及斋务者：

（一）依照联大庶务组张前组长延组移交清册所列各项库存数目按经费比例分别接收。

（二）改向联大军训组商洽办理。

（三）1. 油印机件应接收一套。

2. 现有运输汽车应保留工院使用权，在使用期间，司机工资及汽油消耗由工院担负之，详细办法，依照本原则可从详商洽办理。

3. 自行车应接收二辆。

4. 器械、器皿、机件及煤油灯，除工院现有者外免予接收。

5. 汽油灯应接收七架。

6. 炉灶、炊具，教职员食堂应用部分免予接收。

（四）（五）（六）应将大学本部古路坝分院共有数目，统计分配，规定接收数目，再将现借部分作抵。

（七）工院在城固之五系及土木系一年级与在古路坝之土木系二、三、四年级学生人数，较古路坝分院各系及高中部学生人数为多，应立即互抵，惟在高中部未迁回城固以前，仍应暂用，一俟还毕，可以全部接收。

（八）依照原规定全部接收。

（九）工院食堂所有一切用具应全部接收。

（十）免予接收。

（十一）依照比例数保留所有权。

（十二）洽商办理。

丁、关于卫生者：

（一）统计大学本部及古路坝器械共数，按经费比例——应将法商院经费加入计算——分配之；

（二）统计大学本部及古路坝药品共数，按学生人数比例——应将法商院学生人数加入计算——分配之。

戊、关于注册及备义者：

除原定（七）项免予接收，（九）项已接收，及（八）项同意照联大出版组签注意见办理外，其他原定（一）至（十）各项仍照接收。

己、关于图书者：

（一）依照原规定接收。

（二）（三）应按8/30比例数分配接收。

（四）依照原规定接收。

（五）1.打字机除工院专用者外应接收一架。

2.其他用品器具由庶务组接收。

（六）仍按学生人数比例分配接收。

（七）超过部分，由上年度工院图书以外之经常设备费未动用各项下支付。

（八）关于六月份购入之大学丛书其工程部分应划归工院接收。

庚、关于仪器者：

（一）1.除各学系应以接受者外，其共用部分，如绘图桌、绘图凳、绘图板等，由课业庶务两组会同接收。

2.城固接收电讯之无线电设备，系由工院电机系应支经常设备费项下开支购置。俟全部接收完竣后，斟酌情形，亦可留赠一部。

（二）免予接收。

辛、关于体育及军训者：

（一）同意照联大体育系签注意见办理。

（二）商洽办理。

（民国档案，陕西省档案馆）

二、国立西北联合大学工学院与国立东北大学工学院及私立焦作工学院合并改组为国立西北工学院办法

一、经费支配

（一）以西北联大原有北洋工学院及平大工学院之实支经费266 400元充国

立西北工学院之经费。

（二）焦作工学院本部补助费实支 31 500 元及原有学院经费移充国立西北工学院设备费及迁移费。

（三）中英庚款会补助西北联大工学院设备费原额 89 000 元移充国立西北工学院设备费。

（四）国立东北大学工学院职教员学生并入国立西北工学院后，其职教薪及学生伙食费与迁移费即从国立东北大学经费内核实扣拨归国立西北工学院开支。

二、院系编制

国立西北工学院设土木工程、矿冶工程、机械工程、电机工程、化学工程、纺织工程六系，原有各工学院各学系分别并入上列六系。

三、职教员

西北联大工学院、东北大学工学院及焦作工学院职教员由国立西北工学院尽量聘用，其名单呈报教育部先行核定。

四、学生

国立西北联合大学工学院、国立东北大学工学院及焦作工学院三院学生完全并入国立西北工学院，其东北大学工学院学生仍给伙食费，其他两院之战区学生准与贷金。

五、院址

国立西北工学院院址定岷县或天水。

六、院产

国立西北联大及国立东北大学专属于工学院之一切设备用具及学生成绩有关文卷各项均归国立西北工学院接收，焦作工学院之设备用具归国立西北工学院借用。

七、本办法未定事项由教育部随时决定之。

三、国立西北工学院筹备委员会简章

一、国立西北工学院筹备委员会遵照教育部颁布办法及经费概算，筹备设立国立西北工学院事宜。

二、本委员会职掌如下：

（一）择定适当院址；

（二）租用或修建适当院舍；

（三）接收国立西北联合大学工学院、国立东北大学工学院及私立焦作工学院之校产、设备文卷等项；

（四）编造概算；

（五）拟订学院组织大纲。

三、本委员会设筹备委员五人，由教育部聘请之，并指定委员一人为筹备主任。

四、本委员会每周开会一次，由筹备主任召集之。开会时即以筹备主任为主席。遇必要时得由筹备主任召开临时会。

五、本委员会职务至国立西北工学院筹备完毕时为止。

六、本委员会经费另编概算，呈请教育部核定发给。

七、本简章由教育部颁布施行。

教育部汉真
中华民国二十七年七月二十八日

四、国立西北工学院借用私立焦作工学院设备用具办法

（中华民国二十七年八月二十五日国立西北工学院筹备委员会第十一次会议通过）

一、焦作工学院所有设备用具，如图书、仪器、机器、校具等项，凡国立西北工学院认为有借用之必要者，焦作工学院有尽量借给使用之义务。

二、焦作工学院所有借给西北工学院使用之设备用具，应由焦作工学院将名称、数量、单价、共价开列清单，并由西北工学院填给借据。借据一式三份，分别由西北工学院、焦作工学院、教育部各存一份。

三、借用物品价格以各该物品原购价格加添由进口处至焦作运费，再减除折旧计算。其原购价格及上述运费无从查考者，得以现值价格减除折旧计算。

四、焦作工学院所有借给西北工学院之设备用具均在西北工学院院址点交，将来归还时亦同。其有需用装箱转运等费时，应由西北工学院担负。

五、所有设备用具之借用期间，自借用之日起，至焦作工学院迁回河南焦作之前1月止。其有中途还者，焦作工学院于收到物品后随时出具收据。

六、各物品归还时，应由西北工学院与焦作工学院派员将物品分别点交接收，

取消借据。其在借用期间有损坏或遗失者,应计算赔偿。

七、借用期间之修理费应由西北工学院负担。

八、归还物品地点较借用物品地点之中心区域——宝鸡,如超距铁路线远在100公里以上者,西北工学院应按超出距离之远近酌出运费。其装箱费亦由西北工学院负担。

九、借用物品归还后,应由双方呈报教育部备案。

五、国立西北联合大学农学院与国立西北农林专科学校合并改组为国立西北农学院办法

一、经费支配

以西北农专全年实支经常费42万元,拨充西北农学院经费;西北联合大学原有农学院经费计全年实支10.36万元,悉数停支。由部酌拨一部分作为改组迁移费及西北联合大学农学院教职员并入西北农学院后之薪水与裁减之教职员生活费之用。

二、院科编制

国立西北农学院设下列科系:农学、森林学、农业水利学、畜牧兽医学、农业化学五系,设农林学、园艺学及农业经济学三个专修科,各系照章修业年限为四年,专修科肄业年限定为二年。

上列各科系民国二十七年(1938年)度均招收新生。

国立西北联大农学院原有之农学、森林学及农业化学各系并入西北农学院后继续办理;国立西北农专原有之农艺、森林、园艺、农业经济各组合并后暂行继续办理,至各组学生毕业为止。其一、二年级学生愿改入性质相同之学系者,亦得核许之。原有之畜牧兽医及农业水利两组即改为系。

上列各系组之课程性质相同者应斟酌情形合并上课。

西北农专原附设之高职及高中并入西北农学院继续办理。

三、教职员

国立西北联大农学院及国立西北农林专科学校原任教职员均由国立西北农学院尽量聘用,其名单呈由教育部先行核定。

四、学生

国立西北联合大学农学院及国立西北农林专科学校之学生完全并入国立西

北农学院一致待遇。

五、院址

国立西北联合大学农学院以国立西北农林专科学校校址为院址。

六、校院产

国立西北农专之一切校产及文卷等项及西北联大专属于农学院之一切设备文卷等项均完全移交国立西北农学院。

七、附则

本办法未定事项由教育部随时决定之。

六、国立西北联合大学改组为国立西北大学、国立西北师范学院及国立西北医学院办法[①]

一、经费支配（自本年八月至十二月）

（甲）经常费

除依二十八年度预算数735 164元，按月分配于国立西北大学、国立西北师范学院及国立西北医学院外，本会计年度内并由部另拨5.5万元补充改组后不足之数。其分配如下：

1. 国立西北大学每月28 763.67元（以全年345 164元计），八至十二月计共143 818元，另由部特别补助3万元，合共173 818元。

2. 国立西北医学院每月1.25万元（依全年15万元计），八月至十二月共6.25万元，另由部特别补助1万元，合共7.25万元。

3. 国立西北师范学院每月20万元（以全年24万元计），八月至十二月共10万元，另由部特别补助1.5万元，合共11.5万元。

（乙）建置费及各项补助费

西北联大原有之建置费及庚款补助费等，仍应依原定各学院分配办法分配于各该校院。

二、院系编制

1. 国立西北大学 文学院：设中国文学、外国语文、历史三系。外国语文系设英国语文及俄国语文两组。理学院：设数学、物理、化学、生物、地质地理五系。法

---

① 民国电子档案，1939 - 08 - 14.国立西北大学档案，陕西省档案馆。

商学院:设法律、政治、经济、商学四系。

2. 国立西北医学院　不分系。

3. 国立西北师范学院　仍照国立西北联大师范学院原有编制设国文、英语、数学、理化、教育、体育、家政、博物、公民训育等十系及劳作专修科,并设师范科研究所。

三、教职员

原有西北联大之教职员由国立西北大学、国立西北医学院及国立西北师范学院尽量聘用,呈部核定。

四、学生

原有国立西北联大文理学院及法商学院学生一律改为国立西北大学学生,原有国立西北联大医学院学生一律改为国立西北医学院学生,原有国立西北联大师范学院学生一律改为国立西北师范学院学生。

五、校产

原由国立西北联大文理、法商两学院应用之一切图书仪器设备,均由国立西北大学接收应用。原由西北联大医学院应用之一切图书仪器及其他设备均归国立西北医学院接收应用。原由西北联大师范学院应用之一切图书仪器及其他设备归国立西北师范学院接收应用。其余由联大各学院公共应用之一切设备应由各校院会商决定,分别接收应用。

六、校舍及校址

西北联大文理、法商两学院及医学院、师范学院现有院舍院址暂分别作为国立西北大学、国立西北医学院及国立西北师范学院校(院)舍校院址。其各该院永久院址由本部另行统筹决定之。

本办法未经规定事项,由教育部随时决定之。

第四节　综合性大学制度建设
（以1947年时的国立西北大学为例）

一、国立西北大学组织规程

第一章　总　则

第一条　本大学定名为国立西北大学。

第二条　本大学根据中华民国教育宗旨及其实施方针、以研究高深学术陶铸健全品格培养专门人才为职责。

第二章　编　制

第三条　本大学设文、理、法商、医四学院。

一、文学院 设中国文学系、外国语文系、历史学系、教育学系、边政学系。

二、理学院 设数学系、物理学系、化学系、生物学系、地质学系、地理学系。

三、法商学院 设法律学系、政治学系、经济学系、商学系。

四、医学院。

第三章　行　政

第四条　本大学设校长一人，综理全校校务，由国民政府任命之。

第五条　本大学设秘书一人至三人，由校长聘任，办理校长交办事务。

第六条　本大学设教务、训导、总务三处。

一、教务处 分设注册组、出版组、图书馆。

二、训导处 分设生活管理组、课外活动组、体育卫生组。

三、总务处 分设文书组、庶务组、出纳组。

第七条　本大学教务处设教务处长一人，商承校长处理全校教务及学术设备事宜，由校长就教授中遴荐两人呈部核定一人，再由校长聘任之；注册出版两组及图书馆各设主任一人，处理各该组馆事宜，由校长聘任之。

第八条　本大学训导处设训导处长一人，商承校长处理学生训导及卫生事宜，由校长就教授中曾经专科以上学校训导人员资格审查委员会审查合格者遴荐两人呈部核定一人再由校聘任之；生活管理、课外活动、体育卫生三组各设主任一人，由校长就副教授以上教员曾经专科以上学校训导人员资格审查人员会审查合格者聘任之。

第九条　本大学总务处设处长一人，商承校长处理全校总务，由校长就教授中遴荐两人呈部核定一人再由校聘任之；文书、庶务、出纳三组各设组主任一人，由校长聘任之。

第十条　本大学各学院各设院长一人，商承校长处理各该学院院务，由校长就各该学院教授中聘任之。

第十一条　本大学各学系各设主任一人，办理各该学系系务，由各该学院院长商承校长于各该学系教授中聘任之。

第十二条　本大学教员,由校长聘任,训导人员应遵照教导人员资格审查条例办理,组员、事务员、书记由校长任用之。

第十三条　本大学设会计社,置会计主任一人,佐理员及雇员若干人,由教育部会计处呈请依法任用,并依法受校长之指挥,办理本校岁计会计事宜。

第四章　会　议

第十四条　本大学校务会议,由校长、教务长、训导长、总务长、各学院院长、各学系主任、会计主任及教授代表若干人组织之,秘书得列席会议。必要时,校长得延聘专家列席,但其人数不得超过全体人数1/5。

第十五条　校务会议审议下列各事项:

一、本大学预算及决算;

二、学院学系之设立及废止;

三、本大学学程;

四、各种组织之设置变更及废止;

五、各种章则;

六、关于学生实验事项;

七、关于学生训导事项;

八、应出席人员提议事项;

九、校长交议事项;

十、其他。

第十六条　教务会议由教务长、各学院院长、各学系主任及注册、出版、图书三组馆主任组织之,以教务长为主席,讨论计划全校教务事宜。

第十七条　总务会议由总务长及文书、庶务、出纳各组主任组织之,以总务长为主席,讨论计划本校建筑设备及不属教务训导两处之其他一切事宜。

第十八条　院务会议,由各该学院院长、系主任及教授之代表若干人组织之,以院长为主席,讨论计划各该学院教务及学术设备事宜。

第十九条　系务会议,由各学系主任及各该系教授副教授讲师组织之,以系主任为主席,讨论计划各该学习学术设备事宜,各种会议规则及各处办事细则另定之。

第五章　各种委员会

第二十条　本大学设下列各种委员会:

一、训育委员会;

二、修建委员会；

三、社会教育推行委员会；

四、体育委员会；

五、出版委员会；

六、图书委员会；

七、仪器委员会；

八、学术讲演委员会；

九、公费生审核委员会；

十、经费稽核委员会；

十一、其他。

各委员会简章另定之。

第二十一条　本大学学则另定之。

第二十二条　本校学生入学资格须曾在公立或已立案之私立高级中学或同等学校毕业并曾经入学试验及格。

第六章　附　则

第二十三条　本规程由校务会议通过，呈请教育部核准施行。

第二十四条　本规程如有未尽事宜，得由校务会议议决修正呈经教育部核准备案。

二、本大学教务处组织规程

第一条　本规程依据本大学组织规程第六条及第七条之规定订定之。

第二条　本处设教务长一人，商承校长处理全校教务及学术设备研究事项。

第三条　本处由教务长总持全局一切事项，下设二组一馆：

一、注册组；

二、出版组；

三、图书馆。

第四条　注册组司掌下列事项：

一、关于学生注册及选课事项；

二、关于学生入学、转学、留级、休学、退学及复学事项；

三、关于学生转院转系及转组事项；

四、关于学生保证书、志愿书、学籍表之审核及保管事项；

五、关于课程表、点名表、座次表之编排事项；

六、关于学生缺课及旷课之登记及通知事项；

七、关于教员请假补课之登记及通知事项；

八、关于学生各种考试准备事项；

九、关于学生成绩之核算登记保管事项；

十、关于学生各项证明文件核发事项；

十一、关于教务方面应行呈报各种表册及统计之编制事项；

十二、其他有关注册事项。

第六条　图书馆司掌下列事项：

一、关于图书购置事项；

二、关于图书价格出版处调查事项；

三、关于图书点收及登记事项；

四、关于图书分类及编目事项；

五、关于图书整理装订及保管事项；

六、关于图书出纳事项；

七、关于报章杂志陈列及保管事项；

八、关于书库存书统计事项；

九、其他有关图书事项。

第七条　本处各组馆各设主任一人，由校长聘任之，组员助理员及书记各若干人，由校长委任之。

第八条　各组馆得分股办事，其事物之分配，由各组馆主任商承教务长订定之。

第九条　本处设处务会议，由教务长及各组馆主任组织之，以教务长为主席。

本会议之任务如下：

一、建议校务会议事项；

二、建议教务会议、训导会议、总务会议事项；

三、审议本处各组馆章则事项；

四、审议本处各组馆工作计划事项；

五、考核本处各组馆工作成绩事项；

六、审议出席人提出事项；

七、审议其他有关本处事项；

本会议每月举行一次，必要时得由教务长召集临时会议。

第十条　本处各组馆办事细则另定之。

第十一条　本规程如有未尽事项，得提请校务会议修正之。

第十二条　本规程由校务会议通过后公布施行，并呈请教育部备案。

三、本大学训导处组织规程

第一条　本规程依照三十三年六月部颁修正专科以上学校训导处分组规则及本大学组织规程第八条之规定并参酌实际需要情形订定之。

第二条　本处设训导长一人，商承校长处理全校训导事宜，由校长就教授中曾经专科以上学校训导人员资格审查委员会审查合格者遴选两人呈部核定一人再由校长聘任之。

第三条　本处设训导员若干人，秉承训导长襄理本处事宜，由校长就本校讲师以上教师中，具有训导人员资格者遴聘之。

第四条　本处分设下列三组：

一、生活管理组；

二、课外活动组；

三、体育卫生组。

第五条　生活管理组设主任一人，由校长就副教授以上教员曾经专科以上学校训导人员资格审查委员会审查合格者聘任之；设组员若干人，由校长就讲师以上教员中具有训导人员资格者聘任之；事务员或书记员一人，由校长委任之。其执掌如下：

一、指导及考察学生品格操行仪容，汇办学生考绩，并执行奖惩事项；

二、分配学生宿舍，并检查及督促学生作息场所之整齐清洁与秩序；

三、督促学生参加各种集会；

四、掌学生请假记考勤事项；

五、办理训导处与学生家庭之联络事项；

六、会同总务处有关各组发放学生共费，并指导学生膳食管理；

七、拟订有关生活管理之计划规章与表册；

八、办理其余两组职掌以外之一般训导事项。

第六条 课外活动组设主任一人,由校长就副教授以上教员曾经专科以上学校训导人员资格审查委员会审查合格者聘任之;设组员若干人,由校长就讲师以上教员中具有训导人员资格者聘任之;事务员或书记一人,由校长委任之。其执掌如下:

一、指导并登记学生团体组织;

二、审查学生刊物;

三、指导学生学艺研究表演与竞赛;

四、指导及考核学生劳动服务于社会服务;

五、领导学生参观旅行;

六、拟订有关课外活动之计划规章与表册;

七、担任学校与党务及团务之联系事项。

第七条 体育卫生组设主任1人,由校长就副教授以上教员曾经专科以上学校训导人员资格审查委员会审查合格者聘任之;体育指导员6人至9人,由校长聘请教员兼任;本组校医室设医师2人,助理医师2人,由校长聘任;护士2人,司药书记各1人,由校长委任。其执掌如下:

一、办理课外运动及运动比赛事宜;

二、办理卫生及医药事宜;

三、检查及统计学生体格体能;

四、研究及改造学生营养;

第八条 本处各组办事细则另定之。

第九条 本规程如有未尽事宜,得提请校务会议修改之。

第十条 本规程由校务会议通过后公布施行,并呈请教育部备案。

四、本大学总务处组织规程

第一条 本规程依据本大学组织规程第九条之规定订定之。

第二条 本处设总务长一人,商承校长总理处务。

第三条 本处下设文书、出纳、庶务三组。

第四条 文书组职掌下列事项:

一、收发文件;

二、撰拟文稿；

三、典守印信；

四、保管档案；

五、人事行政及统计；

六、其他有关文书事项。

第五条　出纳组职掌下列事项：

一、各项经费收支；

二、代办各项奖学金收支；

三、会发学生公费；

四、保管现金及账表。

五、其他有关经济出纳事项。

第六条　庶务组职掌下列事项：

一、财产之购置分配及保管；

二、物品材料之购置分配及保管；

三、房屋场地之建筑修缮及管理；

四、卫生设备之计划及管理；

五、工警之训练及管理；

六、来宾之招待及向导；

七、警卫管理；

八、其他不属于各处杂务。

第七条　本处各组各设主任一人，由校长聘任之；组员、助理员及书记各若干人，由校长委派之。

第八条　各组均得分股办事，其事务由各该组主任商承总务长分配之。

第九条　本处设处务会议，由总务长及各组主任组织之，以总务长为主席，每月举行一次，必要时得召开临时处务会议。

第十条　总务会议任务如下：

一、建议校务会议事项；

二、建议教务会议及训导会议事项；

三、审议本处各组章则；

四、考核本处各组工作成绩；

五、审议其他各处组建议应办事项；

六、审议本处各组工作人员考绩事项。

第十一条　本处各组办事细则另定之。

第十二条　本规程之订定及修正,由校务会议通过实行,并呈报教育部备案。

五、本大学学则

第一章　入　学

第一条　本校学生入学资格如下：

一、合于本校招生委员会所定标准,经考试录取入一年级者；

二、合于联合招生委员会所定标准,经考试录取分入本校一年级者；

三、合于教育部所订免试升学资格,经教育部分发入本校一年级者；

四、合于本校招生委员会所订转学资格,经转学考试及格编入本校一年级者。

第二条　本校一年级新生及转学生须于规定日期到校履行入学手续,逾期不到者即取消其入学资格,但曾经请假经教务长核准或教育部另有规定者,不在此限。

第三条　本校学生入学时,应呈缴学历证件,核准入学文件及相片6张,填具入学志愿书注册表,并觅具保证人二人填具保证书,呈缴本校。

第四条　本校学生入学保证人之资格如下：

一、第一保证人须居住本校所在地并具备下列资格之一：

1. 当地常住各机关委任以上公务员或中等以上学校教员；

2. 家道殷实具有正当职业之公民；

3. 已加入商会之殷实商号代表人。

二、第二保证人须为被保证学生之亲属或监护人。

第五条　学生入学保证人之责任如下：

一、协助学校考察被保证学生之行为及学业；

二、学生被开除或勒令退学时,将其领回并代偿应缴还各费；

三、学生有重病时将其领回；

四、学生损毁公物时代为赔偿。

第六条　本校一年级新生有不得已情事不能于该学年到校时,经保证人具函证明并填具保证书、志愿书、注册表,呈缴相片5张及学历证件后,得由本校准其保留学籍一年。前项手续应于报到期间内办理。

第七条　经核准保留学籍学生应于次年新生报到期间申请入学,逾期取消资格。

第八条　学生入学手续办竣后,由本校填发学生证为证明身份及享受一切待遇之凭证,其填发及使用规则另定之。

第二章　课　程

第九条　本校课程以学分记,文理法商三学院学生须肄业四年,医学院学生须肄业六年(第六年临床实习),期满并修足规定学科学分方得毕业。

第十条　边政系及法律系学生其必修选修之学分总数至少须在 150 学分以上,法律系司法组学生其必修选修之学分总数至少须在 160 学分以上,医学院学生其修习学分总数须在 220 学分以上,其余各系学生至少须在 140 学分以上,方得毕业。

第十一条　各科课程及其学分或时数,依照教育部颁行大学科目表之规定,但因实际需要得呈准增减科目或变更其各学年分配之顺序。

第十二条　体育为当然必修课,学生在校期间必须逐年修习。

第十三条　本校学生所习学分计算方法如下:

一、每周讲授一小时者,每学期以给予一学分为原则;

二、实验实习每周二小时者,每学期以给予一学分为原则;

三、注重练习之课程,比照实验课程计算。

第三章　注册选课

第十四条　学生须于每学期规定期间到校注册,逾期视其曾否请假,分别以缺课旷课论,依本学则第五章之规定处理,但开课逾二星期尚未注册亦未请假者,令其休学。

第十五条　学生课程除一年级规定课程必须修习外,文理法商三学院学生每学期至少选习 18 学分,至多选习 24 学分,但第四学年经系主任之许可,得于 4 学分之范围内多选或少选;医学院课程均为必修。

第十六条　学生选课应于每学期开始时按规定日期行之,开课逾期两星期后不得请求加选或退选,加选或退选后之学分总数须合前条之规定。

第十七条　全年授毕之课程,除经指定辅修一学期者外,不得于第二学期加选或退选,第一学期扣考之课程,第二学期不得继续选习。

第十八条　两学年授毕之课程,未能继续修习满规定时间及学分者,其已修学分成绩即予取消。

第十九条　凡未经核准退选之课程,自动放弃学习者,以缺课论。

第二十条　留级或转院系组降退年级之学生,对所入院系年级之课程应全部修习,其原院系组年级业经修习及格请免重修者,须经教务长之许可,但至多不得超过二科目。

第四章　试验成绩

第二十一条　校试验分下列三种:

一、临时试验　由任课教员于学期中随时举行,其试验次数如下:

1. 每周授课二小时以下者,每学期至少举行一次;

2. 每周授课三小时以上者,每学期至少举行二次;

平时计分,读书报告、札记、实验实习之报告,得作为临时试验一次之成绩。

二、学期试验　每学期课程结束时举行。

三、毕业试验　最后一学期课程结束时举行。

如奉部令举行总考时,加考本系主要必修科目三种。

第二十二条　学生成绩分下列五等:

甲　80 分至 100 分;

乙　70 分以上;

丙　60 分以上;

丁　40 分以上;

戊　不满 40 分。

第二十三条　学期及学年成绩评定方法如下:

一、每科目以临时试验之平均成绩与学期试验成绩之平均数为该科目之学期成绩,但有平时积分者得以其平均分数作为临时试验一次之成绩计算之。

二、学生每学期所得各科目之学期成绩与各该科目学分数相乘之总和,以该学期所习学分总数除之,为该生所得之学期成绩。

三、学生照前项所得两学期总成绩之平均数,为该生所得学年成绩。

第二十四条　毕业总成绩之评定方法如下:

一、文理法三学院学生在校肄业成绩,每学年各占 25%,毕业总考及毕业论文成绩不及格者不予毕业;

二、医学院学生在校肄业成绩,每学年各占 20%,毕业总考毕业论文及临床实习成绩不及格者不予毕业。

第二十五条　不及格科目之补考办法如下:

一、一学期授毕之科目,其学期成绩在丁等者,准予下学期开课后二周内补考一次;一学期授毕之科目,两学期成绩平均在丁等者,准予下学年开课后两周内补考一次。

二、成绩在戊等之科目不准补考。

三、留级生不及格之科目概不准补考。

四、补考科目及格者,以60分计,不及格者以补考后实得分数计。

第二十六条　学生学年成绩不及格之处分办法如下:

一、学年成绩必修科目有三种不及格时,或必修选修并记达1/2学分不及格时(无论为丁等或戊等),令其退学。

二、学年成绩必修科目有二种不及格时,或必修选修并记达1/3学分不及格时(无论为丁等或戊等),令其留级。

三、学科成绩在戊等或补考后仍不及格者,必修科必须重习,选修科不给学分,必修科两种重习仍不及格令其退学。

第二十七条　学生因下列事由之一不能应学期试验时,须先向生活管理组请假,并经训导长教务长核准者,方准补考。

一、父母丧(须有家长或保证人证明书)。

二、重病或生产(须有校医证明书)。

学期试验时,除上述事由外概不准请假。

第二十八条　未经核准请假即行缺考,或未按期补考者,不得再行补考。

第二十九条　无故缺考或因缺课扣考之课,其学期试验成绩以零分计。

第五章　缺　课　旷　课

第三十条　学生因公因病因事不能上课时,须事先向生活管理组请假,事后补假者无效。

第三十一条　学生不能上课时,其曾经请假者为缺课,未经请假者为旷课。

第三十二条　学生缺课旷课之处分办法如下:

一、某一科目缺课较多时,即分别通知与警告,达一学期实际授课时数1/3即予扣考;

二、每学期所习学分有2/3达一学期实际授课时数1/3者,令其休学;

三、旷课一小时,作为缺课两小时计算。

第六章　转院系组

第三十三条　学生在校肄业一年以上,认所入院系与志趣不合,经家长或保证人之证明,得申请转院系组,但转院限于第二学年开始以前,转系组限于第三学年开始以前,均以一次为限。

第三十四条　学生申请转院系组,应于学年结束后二周内向注册组申请,由教务处汇请有关院系审查后申请校长核定,逾期申请者无效。

第三十五条　学生转院系组时,所入年级应以下列标准核定:

一、转入他院或他系者,对所入院系一年级应修课程至少须曾修习 2/3 以上,始可编入二年级;

二、转入同院之其他系组者,对所入系组一二年级应修课程至少须曾修 5/6,始可编入三年级。

第三十六条　学生转入系组之以前年级必修选修科目,在原院系组已修习及格者,得予保留,尚未修习之必修科目,应尽先补修。

第三十七条　学生有下列情形之一者不准转院系组:

一、由他校转入本校者;

二、依原校学历限于投靠一定性质之院系者;

三、试读生、借读生、旁听生尚未改为正式生者。

第七章　休　学　复　学

第三十八条　学生因病经校医证明或因事经家长或保证人证明,得呈请教务长转呈校长准予休学。

第三十九条　除按照第十四条及第三十二条之规定外,患有传染病、精神病或其他疾病经校医检查认为须长期休养者,亦令其休学。

第四十条　休学期限分为两种:

一、自请休学者定为一年,但经呈请教务长专呈校长核准者,得连续休学一年。

二、令其休学者定为一年。

第八章　奖　惩

第四十六条　学生合于下列各项之一者得予奖励;

一、学业成绩及操行特别优良者;

二、全学年未曾迟到早退缺席旷课者。

第四十七条　奖励之方法分下列三种:

一、奖品之给予;

二、奖状之给予;

三、书面或布告之给予。

第四十八条　学生有下列情事之一者酌予惩戒：

一、违反校规者；

二、学业怠废者。

第四十九条　惩戒方法分下列六种：

一、训诫；

二、警告；

三、记过；

四、休学；

五、退学；

六、开除学籍。

第九章　退　学　开　除

第五十条　学生因病或因事得呈请退学，但须出具家长或保证人证明书。

第五十一条　学生有下列情事之一者，令其退学：

一、学年成绩不及格，合于第二十六条第一项之规定者；

二、连续留级两次者；

三、休学逾规定期限者。

第五十二条　退学学生曾在本校肄业一学期以上者，经核准后，得发给修业证明书或转学证明书。

第五十三条　学生有下列情事之一者，开除学籍：

一、违反校规情节重大者；

二、操行成绩列戊等者；

三、记大过三次者。

第十章　借　读　旁　听

第五十四条　公立或已立案之私立专科以上学校学生，因不得已情事，经原校商得本校同意，可在本校借读。

第五十五条　借读生借读期间以一学年为限，期满后仍应返原校续学，其不能返原校而原校学历合于本校招考转学生标准者，得参加本校转学生试验。

第五十六条　借读生所习课程，除原校特予制定者外，应依本校之规定。

第五十七条　借读生应缴纳之费用，由校务会议决定。

第五十八条　本校旁听生分下列两种：

一、合于边疆学生优待办法之规定者；

二、经本校特许者。

第五十九条　无论借读生或旁听生均须遵守本校一切章则，违者视其情节之轻重，得酌量加以惩戒，或停止其借读或旁听。

第十一章　附　则

第六十条　本学则经校务会议通过，并呈请教育部备案后公布施行。

六、本大学教员服务规则

一、本大学教员分下列几种：

（甲）专任教员：

1. 教授；

2. 副教授；

3. 讲师；

4. 助教。

（乙）兼任教员：

1. 特约讲座；

2. 兼任教授；

3. 兼任副教授；

4. 兼任讲师。

二、专任教员不得兼任校外职务。

三、教授副教授讲师每周任课 9 小时，不足 9 小时者，在 7 小时以上按照兼任教员扣薪，在 6 小时以下者改为兼任教员。

四、教授兼任系主任者，每周任课 6 小时。

五、教授兼院长、教务长、训导长、总务长、秘书或组主任等职者，每周任课 3 小时。

六、教授兼主任再兼院长或处长者，每周仍任课 3 小时。

七、讲师兼组主任及校内其他职务者，其授课时数得酌减之。

八、体育教员须担任课外运动。

九、助教以不兼课为原则，但遇必要时得由系主任酌定兼课时数，并得酌给津贴。

十、兼任教员薪俸按授课时数计算,全年按 12 个月送薪。

十一、教员因故请假在一月以内时,假满应将所缺课程设法补足,如请假在一个月以外时,须请人代理,如无人代理,除病假公假外,扣发薪津。

十二、教员请假逾一个月,同时又无人代课时,得由系主任商同院长、教务长及校长另行请人代课,其代课之薪津即在该教员之薪津内扣除。

十三、教员请人代课以两个月为限,如有特别事故必须超出两个月者,须事先商得系主任、院长及教务长之同意。

十四、教员遵照部令规定,有担任导师及其他法令规定事项之义务。

十五、学校或教员任何一方欲中途解约时,均须一个月以前通知他方。

十六、新聘教员自八月起支薪,如在十五日以前开始授课者,支该月全月薪俸,如在十五日以后开始授课者,支半月薪俸。

十七、新聘兼任教员,自授课之月起薪俸,如在十五日以前开始授课者,支该月全月薪俸,如在十五日以后开始授课者,支半月薪俸。

十八、本规定经校务会议通过施行,并报请教育部备案。

七、本大学职员服务规则

第一条 本大学职员服务,悉依照本规则之规定。

第二条 本大学各处长秘书及各组主任,由校长聘任,其他职员由校长委任,概不得在校外兼职。

第三条 本大学职员薪俸,除有特别规定者外,余概每年以 12 个月计算。

第四条 职员办公时间,以每日 8 小时为原则,遇必要时,得变更之。

第五条 本大学职员家眷不在本校附近者,每年暑假得经呈准给予休假一个月,但因职务关系,不得享受此项休假者,得于他时期补给之。其平时请假积满一月半者,不得享受此项休假。

第六条 本大学职员,任职期间不得中途辞职,如因特殊情形须辞职时,应于一个月前提出辞呈,经校长核准办清交代始得离职。

第七条 本大学职员请假规则另定之。

第八条 本规则如有未尽事宜,得随时修正之。

第九条 本规则自公布日施行。

八、本大学学生奖惩规则

第一条 本大学为培养学生高尚品格使之恪守校规蔚为良好风气起见,特订定本规则,除学则已有规定者外,凡关于学生奖惩事宜悉依本规则办理之。

第二条 奖励办法依下列各规定行之:

一、记功;

二、奖状;

三、特别褒奖。

第三条 学生有下列情形之一者,得由训导处或各院院长及系主任提请训育委员会审议后呈请校长核予记功:

一、在本学期内操行学业有特殊进步者;

二、热心为团体服务具有特殊劳绩者。

第四条 学生有下列情形之一者,得由训导处或各院院长及系主任提请训育委员会审议后呈请校长核予奖状:

一、在一学期内对于各种集会及上课时间均未请假并无缺席者;

二、办理本校委托工作成绩卓著者。

第五条 学生有下列情形之一者,得由训导处或各院院长及系主任提请训育委员会审议后呈请校长核予特别褒奖:

一、有懿行义举足为士类矜式者;

二、有优良著作确为有功学术者。

第六条 惩戒办法依用下列各规定行之:

一、训诫;

二、警告;

三、记过;

四、勒令退学;

五、开除学籍。

第七条 学生有下列情事之一者,由训导处予以训诫:

一、无故缺席各种重要集会二次者;

二、其他情节应受训诫处分者。

第八条 学生有下列情事之一者,由训导处予以警告:

一、不惜公物者；

二、态度傲慢对教员缺乏礼貌者；

三、妨碍公共卫生者。

第九条 学生有下列情形之一者，得由训导处或各院院长及系主任提请训育委员会审议后呈请校长核予记过处分：

一、有殴打行为者；

二、故意毁坏公物者；

三、妨碍公益者；

四、其他违犯校规应受记过处分者。

第十条 学生有下列情形之一者，得由训导处或各院院长及系主任提请训育委员会审议后呈请校长核予勒令退学处分：

一、荒废课业屡戒不悛者；

二、品行恶劣不堪造就者。

第十一条 学生有下列情形之一者，得由训导处或各院院长及系主任提请训育委员会审议后呈请校长核予开除学籍处分：

一、言行违背三民主义或国策者；

二、言行不法有损校誉者；

三、侮慢师长情节重大者；

四、为团体服务有贪污行为者；

五、在本校求学期间记过三次者；

六、有其他犯罪行为者。

第十二条 学生奖惩及操行分数加减办法如下：

一、记功一次加操行分数9分，奖状及特别褒奖皆从优续加操行分数。

二、训诫三次作为警告一次，警告三次作为记过一次，记过三次即开除学籍。

三、训诫面诫本人，警告用书面通知本人，记过与勒令退学开除学籍用牌示公布其姓名。请准病假及重要集会十次者扣1分，请准事假五次者扣1分，训诫一次者扣1分，警告一次者扣3分，记过一次者扣9分。

第十三条 凡受记过处分之学生，不得充任学生团体代表。

第十四条 凡学生二人以上共同犯规者，予以共同之惩戒，其有教唆或助人为非者亦同。

第十五条 因犯规而损坏或湮没公物者，除惩戒外并责令赔偿。

第十六条　凡经学校禁止置备之物品,如擅自携进校内者,除惩戒外并没收其物品。

第十七条　凡未经请假,或请假未经核准擅自离校者,记过一次,经学校限期返校而不遵守者,记过二次,再经限期仍不遵守者,令其退学。

第十八条　操行计分适用百分计算,以60分为及格,不及60分者开除学籍,记功与记过准予互相抵消,但所抵之功或过不再计入操行分内。

第十九条　凡领公费学生,经开除学籍者,追缴一切公费;凡记过处分者,得停发其公费。

第二十条　本规则经校务会议通过公布后施行,如有未尽事宜,得提请校务会议修改之。

九、本大学图书馆图书借阅规则

第一章　总　则

第一条　本馆图书专供本校教职员及学生参考研究之用。

第二条　下列书籍,概不借出馆外:

一、善本书;

二、普通参考书及指定参考书;

三、期刊、日报及新到尚未编目送入书库之图书。

第三条　借用人须爱护所借图书,如有遗失或污损,须先来馆声明,并按照时价加倍赔偿,外国图书需按照赔偿时外汇市价折合国币,赔偿手续未竣前,停止其借阅权。

如遗失后匿不声明或迟不赔偿者,即通知有关处组扣还书价。

第四条　借阅人接到书籍须于出纳台前自行查看,如发现损污须立即声明,否则由借阅人自行负责。

第五条　借阅人不得在书上批点涂改,如发现书中有误,可另纸记明通知本馆。

第六条　本馆如有查对或整理上之必要,得随时索回已出借之图书。

第二章　借　书

第七条　借阅图书须在本馆出纳时间内行之(本馆出纳时间依季节另行规定)。

第八条　凡本校学生得于入学开始时凭学生证向本馆领取借阅证,嗣后即凭此证借书(借阅证未制就前,以学生证替代之)。每证每次限借平装或洋装书一册,或线装书一函。

第九条　学生借阅图书,自借出之日起,限一星期内交还,期满如欲续借,须持原书来馆声明,经本馆审核此期内该书无人预约借阅时,得续借一星期,但此项续借以一次为限。

第十条　学生借书逾期不还,又不办续借手续者,每逾三日即停止其借阅权一星期,如经通知仍迟不缴还时达十日者,除索回原书外,停止其借阅权一个月。

第十一条　借阅证不得借与他人使用。

第十二条　借阅证遗失,须立即来馆声明,声明前如已被他人冒用,其借去之图书仍须由失证人赔偿。

第十三条　补领借阅证时,需交纳补证费 1 000 元。

第十四条　教员借书限期两个月,职员借书限期两星期。每科目借书教员以平装或洋装五部,线装则以四函为限;职员借书每人以平装或洋装二部,线装以两函为限。期满得续借,但学期终了时,须将书缴还以便清理。

第十五条　教职员借书,请亲填借书单。

第十六条　教职员借书,如须超过限额,请在本馆参考室内阅览之,如确有借书必要,须经系主任、教务长证明,惟其数目仍不得超过一倍。

第十七条　各系教学上之重要参考书,由有关各系指定之,制定后概不外借。

第十八条　借阅人请假离校两周以上者,须先将书缴还。

第十九条　借阅人遗失图书者,须照当时市价赔偿,教职员将在薪津中扣还,学生的在公费中扣还,其无公费者,向其保证人追缴之。

第二十条　学期考试结束前,所有教员学生借阅图书无论期满与否,均须缴还本馆以便整理。

第二十一条　学生休学时如有借书未还者,不准复学,并停发一切证明文件;毕业生借书未还者,停发毕业证明书。

第二十二条　除报章杂志之阅览外,馆内阅览亦须凭证借书,不得携出馆外。

第三章　附　　则

第二十三条　本规则如有未尽事宜得临时修订之。

第二十四条　本规则经教务会议通过后施行。

十、国立西北大学附设大学先修班章程草案

第一章 通 则

第一条 本班定名为国立西北大学附设大学先修班。

第二条 本班以辅导中等学校毕业生继续受高等教育为目的。

第二章 组织及行政

第三条 本班以国立西北大学(以下简称为大学)校长为最高主管人。

第四条 本班设主任1人,由校长就本大学教授中聘任之,秉承校长主持本班进行事宜。

第五条 本班行政事宜由本大学各处组室馆会视事务性质兼理之。

第六条 本班设专任职员1人至2人,办理性质上不属于各处室馆会之日常事务。

第三章 教 员

第七条 在本班担任授课者称教员。

第八条 本班教员由主任商请校长、教务长聘任之,但以本大学教员兼任为原则。

第九条 本班教员任期自受聘之月起至学年结束时(七月底)止。

第十条 本班教员(待遇)视任课时数之多寡(此照本大学兼课教员支领钟点费办法)致酬。

第十一条 本班教员因事因病请假在2周以上者须自行请人代理或于假满后补授所缺课程。

第十二条 本班教员应兼负训导之责任。

第四章 学 生

第一节 资 格

第十三条 本班学生须具有下列学历之一并呈缴证件:

1. 公立或已立案之私立高级中学毕业。

2. 公立或已立案之私立高级职业学校毕业原校规定应行服务者并须服务期满。

3. 师范学校师范部毕业并服务期满。

第十四条 本班学生入学资格如下:

1. 合于本大学招生委员会所订标准经考试录取入本班者。

2. 本校本年度招考一年级备取生未能递补缺额经特许入班者。

3. 经教育部分发免试入班者。

第十五条　本班学生如有证件不合学历不实等情事一经查明即予取消资格。

第二节　入学手续

第十六条　本班学生入学时应经体格检查及格并填具保证书、志愿书、注册表,呈缴学历经历证件及相片6张方准注册。

第十七条　本班学生入学保证人之资格如下:

一、第一保证人须居住本校所在地并具备下列资格之一;

1. 当地常驻各机关委任以上公务员或中等以上教员;

2. 家道殷实具有正当职业之公民;

3. 已加入商会之殷实商号代表人。

二、第二保证人须为被保证学生之亲属或监护人。

第十八条　学生入学保证人之责任如下:

1. 协助学校考查被保证学生之行为及学业;

2. 学生被开除时,将其领回并代偿其应缴还各费;

3. 学生有重病时将其领回;

4. 学生损毁公物时代为负责赔偿。

第十九条　本班学生应于每学期规定日期内到校履行注册手续,开课后未请假逾三星期或已请假逾五星期仍未注册者,取消其资格并不准保留学籍。

第三节　待　遇

第二十条　本班学生膳食、书籍、讲义、文具等费概归自备。

第二十一条　本班学生不得请求寄宿校内。

第二十二条　本班学生得向本大学图书馆借阅图书(只限高中用书)。

第二十三条　本班学生无论已否肄业期满概不发给学历证件或成绩单。

第二十四条　本班学生肄业期满学业操行成绩优良者,经本大学教务会议之决议得免试升本大学肄业。

第四节　生活管理及奖惩

第二十五条　本班学生生活管理及操行考查适用本大学训导处有关章则之规定。

第二十六条　本班学生应恪守校规,违者视其情节轻重予以下列惩处:

一、扣分；二、记过；三、记大过；四、开除。

第二十七条　本班学生因公因事因病不能上课时，须先向生活管理组请假事后补假者旷课论。

第二十八条　本班学生不能上课时其曾经请假者为缺课，未经请假者为旷课。

第二十九条　缺课旷课之处分办法如下：

一、某一科目缺课达一学期实际授课时数1/3者，该科即予扣改其学期成绩以零分计。

二、每学期旷课逾上课日数1/3或缺课逾2/3者，令其退学。

第三十条　本班学生得依志愿分为文理医三组依本章程第二十五条之规定免试升入本大学者，其所入院系按所习组别定之前项组别选定后不得中途更改。

第五章　课　程

第三十一条　本班开设科目及每周时数如下（图表略）。

第三十二条　本班各科教材应参照高中课程标准率由任课教员选定于开课后2星期内开列大纲送本班备查。

第六章　成绩考查

第三十三条　本班试验分下列二种：

一、临时试验每月举行一次；

二、学期试验于每学期课程结束时举行（用弥封试卷并集中评阅），第二学期之学期试验即为结业试验。

第三十四条　学生成绩分下列四等：

甲等80分以上，乙等70分以上，丙等60分以上，丁等不满60分，丙等以上为及格，丁等为不及格。

第三十五条　每科目平时成绩之平均分数与学期试验成绩相加之平均数为该科目之学期成绩，每科目两学期成绩之平均数为该科目之学年成绩。

第三十六条　学生各科目学年成绩按其每星期上课时数之比例平均之为该生之总成绩。

第三十七条　学生因故请假未能参加临时试验或学期试验者得补考一次，其成绩以八折计算。未请假者不得补考。

第三十八条　学生无论因何事故未能参加结业试验者，概不得补考。

第七章　经　费

第三十九条　本班经费由本大学向教育部支领报核。

第四十条　本班经费之分配由本大学列入学校预算统筹办理。

第四十一条　本班之重要开支应经校长核定并经本班主任之签署。

第八章　附　则

第四十二条　本章程如有未尽事宜得提请教务会议修正之。

第四十三条　本章程自校务会议通过后施行。

（民国档案，陕西省档案馆）

第五节　综合性工科大学制度建设
（以1947年时的国立西北工学院为例）

一、国立西北工学院组织大纲

第一章　名称及宗旨

第一条　本院定名为国立西北工学院。

第二条　本院以研究高深学术，培植专门人才及发展西北工业为宗旨。

第二章　学系及附设机关

第三条　本院设下列各学系：

一、土木工程学系。

二、矿冶工程学系。

三、电机工程学系。

四、化学工程学系。

五、纺织工程学系。

六、机械工程学系。

七、水利工程学系。

八、航空工程学系。

九、工业管理学系。

第四条　本院设工程学术推广部，其章程另定之。

第五条　本院设矿冶研究所，其章程另定之。

第三章 组织及教职员

第六条　本院设院长一人,综理全院院务,由教育部聘任之。

第七条　本院院长室设秘书一人,由院长聘任之。

第八条　本院设教务、训导、总务三处,分别设教务主任、训导主任及总务主任各一人,均由院长聘请教授兼任之,商承院长主持全院教务、训导及总务事宜。关于训导主任之聘任,依照专科以上学校训导人员资格审查条例之规定办理。

第九条　教务处设注册、出版、仪器三组及图书馆,各组馆各设主任一人,组员或馆员若干人,分掌各组及图书馆事务,均由院长分别聘任或任用之。

第十条　训导处设生活管理、课外活动、体育卫生三组,各组设主任一人,分设训导员、校医、护士、体育指导员若干人,分掌各组事务,均由院长聘任或任用之。关于训导员之聘任,依照专科以上学校训导人员资格审查条例之规定办理。

第十一条　总务处设文书、庶务、出纳三组,各组设主任一人,组员若干人,分掌各组事务,均由院长分别聘任或任用之。

第十二条　本院设会计室,置会计主任一人及佐理员、雇员若干人,由国民政府主计处任命,依法受院长之指挥,办理本院岁计会计事务。

第十三条　本院设实习工厂,置工厂主任一人,由院长聘请专任教员兼任之。

第十四条　本院各学系及工程学术推广部、工科研究所各设主任一人,均由院长聘请教授兼任之。

第十五条　本院各组馆室厂部视事务之繁简,得各设助理员、技术员、书记若干人,均由院长任用之。

第十六条　本院教员分教授、副教授、讲师、助教四种,均由院长聘任,并依照部颁大学及独立学院教员聘任待遇暂行规程第二、第三两条之规定办理。

第十七条　本院教员聘任期限,依照前项教员聘任待遇暂行规程第四条之规定办理。

第十八条　本院教授、副教授、讲师、助教及职员均为专任,非经院长许可不得在院外兼任其他职务。

第十九条　本院教授、副教授及讲师均有担任导师及院内其他职务之责。

第四章 学　生

第二十条　凡在公立或立案之私立高级中学、公立或立案之高级职业学校、公立师范学校或高中师范科,有服务证明文件之毕业生,经入学试验录取,得入院为本科一年级学生。

第二十一条　本院学生修业年限定为四年。

第二十二条　本院各学系学生,修满规定学年课程及实习期限后,经考试及格,教育部复核无异者,由本院发给毕业证书并授予学士学位。

第五章　课程及试验

第二十三条　本院各学系课程依照部颁科目表施行,但遇必要时得由本院规定变通办法,呈请教育部核准。

第二十四条　本院各科试验分下列各项:

一、入学试验。

二、平时试验。

三、学期试验。

四、毕业试验。

第二十五条　本院学生各项试验成绩计算方法依部颁规定另订之。

第六章　会　议

第二十六条　本院设院务会议,以院长、教务主任、训导主任、总务主任、各系主任、会计主任及全体教授、副教授选出之代表(每10人选1人)组织之,院长为主席,讨论全院一切重要事项。

第二十七条　本院设教务会议,以教务主任、各系主任及教务处各组馆主任组织之,教务主任为主席,讨论一切教务事项。

第二十八条　本院设训育委员会,以院长、训导主任、教务主任、总务主任及各系主任组织之,院长为主任委员,训导主任兼任秘书,讨论一切训育事项。

第二十九条　本院设总务会议,以总务主任及总务处各组主任组织之,总务主任为主席,讨论一切关于总务事项。

第三十条　本院各学系设系务会议,以各系主任、教授、副教授及讲师组织之,助教亦得列席,系主任为主席,讨论各系一切教务及设备事宜。

第七章　各种委员会

第三十一条　本院为规划事务之迈行起见,得设置各种委员会。

第三十二条　本院各种委员会人数以5人至15人为限,除有关各处室馆部系主任为当然委员外,其他由院长聘任之。

第三十三条　本院各种委员会分永久临时两种,永久性质之委员会委员任期一年,临时性质之委员会事毕即撤消。

第三十四条　各种委员会章程由本学院拟定呈部备案。

第八章 附　则

第三十五条　本大纲如有未尽事宜，除依照部颁大学组织法及大学规程办理外，得随时呈请教育部修正之。

第三十六条　本大纲呈报教育部核准施行。

（《国立西北工学院概要》1947-06，陕西省档案馆）

二、本院学则

第一章　入学注册及离院

第一条　凡在公立或立案之私立高级中学、公立或立案之高级职业学校、公立师范学校或高中师范科，有服务证明文件之毕业生，经入学试验录取，得入本院为本科一年级学生。

第二条　凡录取入学之新生，如品行不端，经查出时，本院得取消其学籍。

第三条　新生入学时，应于规定期限内注册，逾期不注册者，即取消入学资格；但因故于事前请假，经教务处核准者，不在此限。

第四条　新生入学时，应呈缴核准入学文件、学历证件及相片，填其入学志愿书、保证书、学籍表，经卫生室体格检查及各该系主任口试及格后，至出纳组缴费（应缴之费临时规定），入学手续办竣后，由本院填发学生证。

第五条　新生注册后，应持学生证即赴生活管理组报到，以便登记。

第六条　学生须于每学期规定期间到校注册，注册后应持学生证即赴生活管理组报到，开课后尚未注册报道者，依其有无请假分别以缺课旷课论。

第七条　学生因故离院，应向注册组领取离院手续单，赴有关室组办理离院手续，否则不发给证明文件或予以不准复学之惩处。

第二章　借读转学转系

第八条　本院以不招收借读生为原则，但学生自行呈请教育部核准分发本院借读者，得入本院为借读生，借读年级，由各该系主任审查核定之。

第九条　凡在公立或立案之私立大学工学院修业一年以上之学生，于本院招收转学生期内，持有原校之转学证明书及成绩单，经审查合格者得转入本院，惟须参加编级试验。

第十条　本院学生请求转入他校肄业者，经核准后应依本学则第七条之规定，先办清离院手续，始得领取转学证书及成绩单。

第十一条　凡请求转系之学生,应于二年级第一学期开始时,向相关系主任申请,如人数不超过规定之名额时,应予照准。每人只得请求转系一次。凡因留级而请转系者,经核准后,如在转系后第一年,仍然留级者,即作连续两次留级论,应予退学。三、四年级学生,一概不准转系。

第三章　休学复学及退学

第十二条　学生因病或重要事故,得呈请教务处准予休学,前项休学期限,定为一年;如因情形困难,不能依限复学时,得再请休学一年。

第十三条　学生于每学期中一科缺课、旷课时数,合计达上课时数 1/3 者,不得参与该科学期考试,该科成绩以零分论,必须重修。若一学期旷课缺课时数,合计达该学期上课时数 1/3 者,不得参与学期试验,即令其休学一年。

第十四条　休学学生,应于休学期满之学年开学前,呈请院长准予复学,逾期不呈请复学者,以退学论。

第十五条　学生因病或重要事故,得呈请院长退学。前项自请退学之学生,曾在本院修业一年以上者,得请求发给修业证明书及成绩单,但须依本学则第七条之规定,将离院手续办清后,始准发给。

第十六条　学生在一学年内,不及格学分超过 1/2 者,或连续留级两次,或记过三次者,令其退学。

第十七条　学生品行不端,违犯本院规则者,得依其情节,分别予以警告、记过,或令其休学退学。

第四章　请假缺课及旷课

第十八条　学生因事或因为病不能上课时,须事前填写请假单,向训导处请假,否则以旷课论。其请假在一周以上者,应依其情节,呈缴家长或保证人或医生之证明文件,听候训导处商同教务长核准。

第十九条　学生在一学期中,缺课达 20 小时,扣本学期成绩分数一分,旷课一小时,以缺课二小时计算。

第二十条　学生因下列事故之一请假,经许可者,得免扣成绩分数。

一、父母丧(须有家属或保证人函件证明)。

二、重病(须有院医或著名医生证明书)。

第二十一条　学生迟到早退,每满三次者按旷课一小时计算。

第五章　试验成绩及留级

第二十二条　本院试验分下列三种:

甲、平时试验,由教员随时举行之试验次数,以每周授课时数多寡为准,其规定如下:

(一)每周授课二小时以下者,每学期至少举行一次。

(二)每周授课二小时至四小时者,每学期至少举行二次。

(三)每周授课五小时以上者,每学期至少举行三次。

乙、学期试验,于学期终了时举行之。

丙、毕业试验,于最末学期终了时举行之。

第二十三条　学生所习科目,除实习设计得不举行考试外,其余均须举行试验,以凭考核学业成绩,各系实习或设计等科目考试与否,由各该系系务会议规定之,一年级实习科目,由一年级课程改进委员会规定之。

第二十四条　各科目成绩分为下列四等:

一、80分以上者为甲等。

二、70分以上者为乙等。

三、60分以上者为丙等。

四、不及60分者为丁等。

丙等以上为及格,丁等为不及格。

第二十五条　考核学生成绩,每一学年作一结束。上下学期同一科目者,合并计算之。

第二十六条　学年结束时,上下学期如不及格科目学分之和数,不超过全年所习学分和数1/3者,得补考一次。补考后,仍有一科不及格,而该科为系务会议规定必须及格者,应留级;若非规定者,得升级,但该科须重修,重修科目,仍不及格者,留级。补考后,若仍有二科以上不及格者,留级。各科成绩不及40分者,不准补考。总平均分数不及60分者,留级。一年级学生,全部科目均须及格。

第二十七条　学生自请留级者,须于第二学期期考前一月,向教务处申请,核准后,得免参加学期考试,但留级学生不得申请。

第二十八条　平时试验分数与期考分数,各占学期总成绩50%,平时所交习题笔记,不及应缴总数7/10者,由该科教师,于期考前三日,通知注册组,不准参加期考。如习题笔记不交齐者,该科教师酌扣该科分数。

第二十九条　不及格科目,补考成绩超过60分以上者,一律以60分计算。因故因病缺考,补考科目成绩,一律以不及格计算。缺考科目补考成绩,与该科平时或学期成绩平均后及格者,即为及格;如平均后仍不及格,不得再请补考。无论补考或不及格补考,其考试范围,以全部课程为范围。

第三十条　学生每学期所得各科目之学期成绩,与该科目学分数相乘之总和,以该学期所习之学分总数除之,即为该生所得之该学期成绩。

第三十一条　学生照前条所得第一学期与第二学期成绩之平均,为该生所得之该学年总成绩。

第三十二条　学生毕业成绩,以四学年成绩之平均成绩,为毕业成绩。

第六章　辅考选修及免修

第三十三条　学生补考日期,于第二学年开课前补考之,毕业须于毕业试验后一星期内补考之。

第三十四条　学生未经准假,擅自不参加平时试验者,不准补考。

第三十五条　学生因事或因病不能参加平时试验者,不得要求补考,并须于最短期间,向教师与注册组申明不能参加理由。若无故不参加考试者,作为旷考,成绩以零分计算。

第三十六条　二科不及格留级学生,每学期得酌选高一年级之课程,自四学分至五学分。三科不及格者留级者,得酌选高一年级之课程二学分至五学分。四科五科不及格者,不得选高年级之课程。选修科目时,由各系主任在不与注册组公布功课表冲突之范围内斟酌决定之。

各系系主任得准留级学生免修一部分及格科目,但每一学生选修科目及应修科目学分之和数,应与该年级所规定的之学分数每学期不得相差四学分。

第七章　毕　业

第三十七条　学生修满本院规定课目及格,呈报教育部复核无异者,准予毕业。

第三十八条　学生毕业后,除由本院发给毕业证书外,并依学位授予法之规定,授予学士学位。

第八章　附　则

第三十九条　旁听生(包括边省旁听生)修业一年级后成绩及格者,得请求改为本院正式生。

第四十条　因故障不及参加新生入学试验之试读生,应参加下届新生入学试验,及格后始准改为正式生,其入学试验不及格者,即令退学。

第四十一条　本学则如有未尽事宜,得由院务会议议决修正之。

第四十二条　本学则自院务会议通过后公布之日施行。

三、本院图书馆图书借阅规则

第一条　本馆所备中外图书期刊报章,系供本院教职员学生参考研究之用,其他机关或个人须经相当之介绍,得主任之同意后,始可借阅。

第二条　下列书籍概不借出馆外。

一、善本书。

二、会志年刊及其他大套书。

三、字典、辞典、百科全书。

四、课本(授课教员得借一本)及教员指定之参考书。

五、新到图书期刊及报章(新到图书须陈列三月后始得借出,期刊最近三期不外借,余者一次以二册为限)。

第三条　借阅图书杂志如有遗失,均按照当时可买到原书之市价加航空运费折合现款,再照上述总数加倍赔偿。

第四条　借书人借到书籍,须于馆内自行查看,如发现已经污损立即声明,否则由借书人自行负责。

第五条　借书人不得在书上批注涂改,如发现有何错误,可另纸记明,通知本馆。

第六条　馆内不得吸烟、勿抛掷燃烧物,以免危险。须注意公共秩序,不得高声谈笑、重步及吟诵等情,以免妨碍他人。

第七条　平时借书时间如下(假期内借书时间另行规定):星期一至星期六,上午八时半至十一时半,下午一时至五时。星期日及例假日停止借书。

第八条　凡本院学生,得于每学期开始时,持学生证至本馆出纳股领取借书证一张。四年级学生因作论文关系,得领取二张。研究生得领取五张。嗣后在该学期内凭证借书,每证每次限借平装或洋装书一册,或线装书一函。

第九条　借书证不得托人代领,亦不准转借他人,如有遗失,须急向本馆出纳股声明,如无冒名借书情事,再行补发。

第十条　凡冒用他人之借书证来馆借书者,一经查觉,即报告训导处予以惩戒,并停止其借书权一学期。

第十一条　学生借书期间,以二星期为限,如无人预借时,得续借一次。

第十二条　学生借书逾期不还,每延迟一日,须缴罚金若干(数自随时另行公布），如不交纳，即停止借书权一学期。

第十三条　教授、副教授、讲师借书，以15册为限，助教以10册为限，职员以5册为限。

第十四条　借书人拟借之书，如已借出，得交预借单，俟该书经借阅者缴还，优先借阅。此项预借单，临时在馆内填写。

第十五条　借出之书，如遇本馆查封或整理须用时，得随时索回。

第十六条　寒暑假将到时，所有借出图书，均须于大考一星期前缴还。如借阅人脱离本院时，须先期将所借书籍，连同借书证一并交还。

第十七条　凡新到院之教职员，由文书组具函介绍，方得借阅图书；教职员中途离院者，由文书组通知本馆，俾得清理手续。

第十八条　学生申请休学时，须将所借书籍连同借书证，先行交还本馆，本馆在申请休学书上签证借书还清，方得将申请休学书送呈本院。

第十九条　阅览室内所陈列之书籍期刊报章，阅毕应即送原处。

第二十条　本规则如有未尽事宜，得由本馆提请教务会议随时修正之。

第二十一条　本规则自公布日施行。

四、本院学生借用仪器规则

一、凡本院学生，因学习之需要，得借用所需之仪器，但必须经主管教员证明。

二、所借之仪器必须善加爱护，如有损坏或遗失，按照赔偿办法处罚之。

三、借用仪器时，须出具详细借条，归还时俟管理员检查点收后，再行撤出。

四、所借之仪器于使用完毕后，应即亲自送还，不得借故拖延。

五、本规则如有未尽事宜，得随时呈准修正之。

六、本规则经教务会议通过，并经院长批准施行之。

五、本院损坏仪器赔偿办法

一、凡本院学生有损失所借用之仪器情事者，按照本办法办理之。

二、凡所借用之仪器因试验失慎而损坏，经主管教员证明并经教务长批准后，按当时市价赔偿之（所损坏之仪器须交回）。

三、凡所借之仪器遗失时，不论其理由为何，均须按照当时市价二倍赔偿之。

四、凡损坏之仪器,可按新旧程度赔偿之,但赔偿价格须经教务长斟酌当时情形核定之。

五、凡所损失仪器之市价不易调查者,则根据外国原价及美金市价计算之。

六、凡学生损失之仪器经核定赔偿价格后,各该生应依限至仪器组办理赔偿手续,否则学校照以下各条强迫执行之:

(甲)按照所损失之仪器价格扣发其公费。

(乙)通知保证人按价赔偿。

(丙)视其情节轻重得予以经过或退学处分。

七、本办法如有未尽事宜,得随时呈准修正之。

八、本办法经教务会议通过并请院长批准后施行之。

六、本院仪器组各试验室管理规则

一、各实验室须经常保持整齐清洁。

二、各项仪器须常检查并清理,不得任其锈蚀或污浊。

三、每月所用消耗品之数量,应于当月终了列表检同单据送呈报销。

四、各项仪器如有损坏应立即呈报,如损坏轻微而易修整者,应立即修整之。

五、凡学生所损失之仪器什物,应即令各该生签盖损偿单据,以凭办理损偿手续,否则管理人员应负全责。

六、凡损坏之仪器,如经管理员修整如初者,由组主任呈报院长酌给奖金。

七、各试验室之仪器、工具以及其他公物,不得任意出借或携出室外,否则一经查出即予惩处。

八、本规则如有未尽事宜,得随时呈准修正之。

九、本规则经教务会议通过并经院长批准后施行之。

七、本院试场规则

一、学生须于规定试验时间前入场,出题后逾五分钟不到者即不得与试。

二、学生应依编定号次入座,不得紊乱。

三、学生入场时不得将课本、笔记、习题本及稿纸等携入,若经本课教师特许者,应由教师预先通知教务处公布或向主考委员声明之。

四、在试验时间,不得互相谈笑、左顾右盼,违者扣分。

五、学生若有夹带、传递、枪替、调换试卷、携卷离场或藏匿试卷不缴等情弊发生时,一律留级,不准选修或免修,除通知训导处酌扣操行分数外,并牌示其姓名。

六、学生不得任意发问,倘对于试题有疑问时,须即席举手发问,不得离座。

七、学生缴卷前,不得离开试场。

八、学生须于规定时间内将试卷缴回,逾时不收,以旷考论。

九、学生交卷后应立即出试场,不得无故逗留,并不得索回试卷更改。

十、试卷浮签于学生交卷时,当面由监试委员撕下保存之。

十一、在试验时间,学生出场如厕者,统依下列办法办理。

1. 凡考试三小时之科目,头二小时不得离场如厕,离场时须将试卷缴交监试委员,返场时由监试委员另发试纸,考毕缴卷时亲自向监试委员提出原卷,当场附入试纸后再交监试委员。如有错误,由学生自己负责。

2. 凡考二小时之科目,应试时不得离场如厕。

十二、学生若有违反上列各条之一者,除照规定处分外,其情节严重者,得提请教务会议,予以严重之处罚。

十三、本规则经教务会议通过后试行。

八、本院机械工厂实习简则

一、凡本院学生机械工厂实习者,皆须遵守本简则之规定。

二、实习学生对于厂内之仪器工具及一切用具,均应有爱护之责任,实习时机器或工具有损坏时,应即报告指导实习之教员,并视损坏之情形酌定赔偿。如故意损坏者,由工厂管理员据情呈报院长议处。

三、实习学生于实习完毕时将实习工具交还,不得携带离厂,违者严处。

四、学生实习须用之材料,由厂依照教员之规定预为准备,实习时由教员领转交学生,不得要求多发。如所发之材料有不合用之情形时,向教员申请调换。

五、学生实习所作之成品,应由该生填写成品纪录,签妥贴成品之上后缴入以凭评定成绩,如无担任教员之许可不得领出。

六、实习学生须在课表排定之时间到厂实习,其他时间不得在厂工作,但得厂管理员之特许者不受此限制。

七、厂内仪器或工具,如无担任教员或工厂管理员之许可与指导,不得拆卸。

八、本简则如有未尽事宜,由院务会议随时修正之。

九、本简则自院务会议通过后公布施行。

(《国立西北工学院概要》1947-06,陕西省档案馆)

第六章 本科教学与研究生教育

第一节 课程设置

一、西北联合大学时期的共同科目

教育部训令

令知实施战时教程由全国公私立专科以上学校应依其科系性质酌量增设下列科目：

1.文科：民族文学，抗战史料；2.法商科：日本问题，战时经济，战时法令；3.教育科：战时教育问题，军事心理学；4.理科：国防化学，国防地理；5.工科：军事工程，军事电讯，洗车修造；6.农科：战时食粮问题；7.医科：战时救护。

教育部
中华民国二十八年六月
（国立西北大学档案，陕西省档案馆）

教育部训令

本部以大学各院系课程，缺乏共同标准，未能发挥大学教育之一贯精神，员聘专家从事厘定，以期树立大学各院系课程之完善基础……文理法三学院分院共同必修科目订定后经以7551号训令发各校院施行在案。兹再将农工商三学院分院共同必修科目表制定颁发,仰自本年度起,就一年级学生开始实行。

教育部
中华民国二十八年十一月二日

附件:大学工学院共同必修科目表
附件:大学商学院共同必修科目表
附件:大学农学院共同必修科目表

大学工学院共同必修科目表

科目	规定学分	第一学年		第二学年		备注
		第一学期	第二学期	第一学期	第二学期	
国文	4	2	2			每两周须作文一次
外国文	6	3	3			每两周须作文一次
算学	8	4	4			
物理学	8	4	4			每周讲授三小时实习三小时
化学	8	4	4			每周讲授三小时实习三小时
应用力学	4			4		
材料力学	4				4	
经济学	3			3		得移在第三或第四学院讲授
制图	4	2	2			每周上课6小时
工厂实习	2	1	1			每周实习2小时
总计	51	20	20	7	4	
附注	除表中所列必修科目外,党义、体育、军训均为当然必修科目不计学分。					

大学商学院共同必修科目表

科目	规定学分	第一学年		第二学年		备注
		第一学期	第二学期	第一学期	第二学期	
国文	6	3	3			每两周须作文一次
外国文	6-8	3-4	3-4			每两周须作文一次
商业史	3-4	3-4				包括中国和世界两部分
经济地理	3-4		3-4			
算学	6	3	3			注重商业上之应用及训练
经济学	6	3	3			

续表

科目	规定学分	第一学年		第二学年		备注
		第一学期	第二学期	第一学期	第二学期	
法学通论	4－6			2－3	2－3	
财政学	6			3	3	
会计学	8－10	4－5	4－5			
总计	48－56	19－22	19－22	5－6	5－6	
附注	1.除表中所列必修科目外，党义、体育、军训均为当然必修科目不计学分。2.表中所列三至四，四至六，六至八，或八至十学分之科目，各校得在此规定内斟酌情形决定学分数。					

大学农学院共同必修科目表

科目	规定学分	第一学年		第二学年		备注
		第一学期	第二学期	第一学期	第二学期	
国文	4	2	2			每两周须作文一次
外国文	6－8	3－4	3－4			每两周须作文一次
化学	6－8	3－4	3－4			农业化学系得增加学分另授
植物学	6	3	3			
动物学	3－6	3	(3)			畜牧兽医学系蚕桑学及植物病虫害第得幸加深了分另授
地质学	3－4	(2)	(2)3			畜牧兽医学系得免修
农学概论或农艺	4	2	2			
经济学系及农业经济	4－6			2－3	2－3	
农场实习	2	1	1			
总计	38－48	17－21	17－21	2－3	2－3	
附注	1.除表中所列必修科目外，党义、体育、军训均为当然必修科目不计学分。2.物理及算学为农业工程系、农业化学系、农林学系之分系必修科目，各校得于第一二两学年中教授之，未列本表之内;3.表中所列三至四，三至六或六至八学分之科目各校得在此规定内,斟酌情形决定学分数。					

（国立西北大学档案，陕西省档案馆）

教育部指令

据呈报二十七年度各学院一年级共同必修科目实施情形指令遵照。

查该校各学院一年级共同必修科目大致尚合,惟下列各点应予注意或改正:1.文理学院所开之数学、物理、化学、生物、地质地理等五科,国文、外国文、历史三系可选修一科,其他各系应规定于二年级时再选修一科;2.法商学院所开之数学、生物、地质地理等三科,法律及政治经济两系可选修一科,政治学、经济学、民法概要等科该两系应规定于二年级时再选修一科。上述各科目除经济学一科外其余各科及中国通史、论理学两科、商学系规定修习。至算学、商业史、会计学及经济地理等四科,只限商学系必修,其他两系无庸必修。3.医学院英文日文每周各授四小时,德文每周八小时较部颁科目表规定时数走出甚多,且不应规定修习两种第二外国语。数学、物理、化学等三科教授时间又较部颁科目表规定时数过少,未免太重视外国语而轻基本科学,应即照章分别予以增删。

部长陈立夫
中华民国二十八年四月三日
(国立西北大学档案,陕西省档案馆)

二、大学各学院共同必修科目表

教育部印　1938 年 12 月

大学文学院共同必修科目表

科目	规定学分	第一学年		第二学年		备注
		第一学期	第二学期	第一学期	第二学期	
国文	6	3	3			每两周须作文一次
外国文	6－8	3－4	3－4			每两周须作文一次
中国通史(注重文化之发展)	6	3	3			

续表

科目	规定学分	第一学年		第二学年		备注
		第一学期	第二学期	第一学期	第二学期	
西洋通史（注重文化之发展）	6			3	3	
伦理学	4	2	2			
哲学概论、科学概论任选一种	6			3	3	
数学及自然科学为（数学、物理、化学、生物学、生理学、地质学）任选一种	6-8	3-4	3-4			数学应注重练习。自然科学演讲与实习并重。
社会科学（社会学、政治学、经济学）任选二种	12	3	3	3	3	每种六学分
总计	52-56	17-19	17-19	9	9	
附注	1.除表中所列必修科目外,党义、体育、军训均为当然必修科目不计学分。2.表中所列六至八学分之科目,各校得在此规定内斟酌情形决定学分数。					

教育部训令

查大学课程,除医学外,向由各校自行规定,得因人地之宜自由发展。惟以缺乏共同标准,遂致科目互异,程度不齐,未能发挥大学教育一贯之精神,而若干大学,分系过早。各系所设专门科目,又或流于繁琐,一般学生缺乏良好之基本训练,所得知识难免支离破碎,不能融会一科学术之要旨,亦非培养高深学术人才之道。本部有鉴于此,爰有整理大学课程之举,前曾一面调查全国各大学各学系科目,对各校实际课程,详加分析研究,一面分请各大学教授各学系主任对于大学课程发表意见,拟订各学系理想科目表,以供参考。嗣由本部根据各校实际情形,参酌各教授系主任意见,邀请专家厘订大学各学院课程,以谋建立共同之标准。除农工商各学院课程以及文理法三学院各学系分系课程,现正厘订即等颁布外,兹先将文理法三学院分院共同必修科目表制就颁发,仰各校自本年度起就一年级开始实行,并将实行情形具报备查为要。此令。

中华民国二十八年九月二十二日

(国立西北大学档案,陕西省档案馆)

三、国立西北大学课程设置

历史学系科目表

本系之目的:1.造就研究史学之专门人材;2.整理史料创著中国新历史,提高民族自信精神;3.养成一般历史课程之师资。

教材之范围:1.基本课程 哲学概论、地理学、考古学、人类学等属之;2.理论课程 历史哲学、历史方法论、唯物史观等属之;3.中国史;4.外国史。

本系各学年级必修课目一览:1.第一学期 党义二学分、社会科学概论四学分、地理学概论四学分、英文六学分、中国上古史六学分、西洋上古史六学分、体育二学分 2.第二学年必修课目 中国中古史六学分、西洋中古史六学分、中国史学名著选读四学分、西洋史学名著选读四学分、中国史学要籍解题四学分、日本史四学分、体育二学分;3.第三学年必修课目 中国近古史八学分、西洋近世史四学分、史学方法论四学分、中国史学史四学分、考古学通论四学分、历史地理(拟改名为中国史地)四学分、体育二学分;4.第四学年必修课目 中国近世史八学分、西洋现代史六学分、论文指导不计学分、中国外交史四学分、体育二学分。

各年级选修课目一览:自然科学概论四学分一年级、中国通史八学分一二年级、西洋通史八学分一二年级、民国史四学分三四年级、东亚各国史四学分二三四年级;中国文化史六学分师范生四年选,西洋文化史四学分三四年选、中国上古史料研究四学分二三年选、最近国际关系史四学分师范生四年选余四年必修、中华民族发达史四学分二三年选、人类学四学分一二年选、史学目录学四学分二三年选、文字学四学分一二年选设国文系、唯物史观四学分三四年选、历史哲学四学分三四年选、西洋史学史四学分三四年选、中国考古史四学分三四年选、实地考古方法二学分四年选、史学专题研究四学分三四年选;教育概论四学分师范生一年必修余选修、教育心理四学分师范生二年必修余选修、普通教学法四学分师范生三年必修余选修、中等教育四学分师范生四年必修余选修；历史教学法二学分师范生四年必修、教育史四学分师范生四年必修、教育行政四学分师范生四年必修、儿童及青年心理四学分师范生四年必修、师范教育四学分师范生四年必修、参观一学分师范生四年必修、实习六学分师范生四年必修。

（国立西北大学档案，陕西省档案馆）

四、1940年国立西北工学院课程一览

本院各工程系课程，除二三四年级不同外，其一年级均同，且概系必修科目，而选修科目极少。兹分别列举于次：

甲、各工程系一年级课程

科目	上学期		下学期		必修或选修	课本
	时数	学分	时数	学分		
国文	2	2	2	2	必修	选文
英文	3	3	3	3	必修	选文
微积分	4	4	4	4	必修	Differential and Integral Calculus by Gronville, Smith, Longley
物理	3	3	3	3	必修	General Physics-Duff
物理试验	3	1	3	1	必修	讲义与笔记
化学	3	3	3	3	必修	General Chemistry – H. W. Holmes
化学试验	3	1	3	1	必修	讲义与笔记
工厂实习	3	1	3	1	必修	讲义与笔记
工程图画	3	1	3	1	必修	讲义与笔记
投影几何	3	1	3	1	必修	Descriptive Geometry – by Anthony Ashley
总计	30	20	30	20		
三民主义	2	2	2	2	当然必修科目但不计入学课学分	
军事训练	2	2	2	2		
体育	2	2	2	2		

乙、土木工程系课程
子、土木系二年级课程

科目	上学期 时数	上学期 学分	下学期 时数	下学期 学分	必修或选修	课本
平面测量讲授	3	3	3	3	必修	Breed and Hosmer：Surveying, Vol. Ⅰ and Ⅱ.
平面测量实习	6	2	6	2	必修	同上
应用力学	4	4			必修	Seely and Ensign：Analytical Mechanics for Engineers
材料力学			4	4	必修	Seely：Resistance of Materials
微分方程	3	3			必修	Murry：Differential Equations
工程地质	3	3			必修	Ries and Watson：Elements of Engineering Geology
工程材料	2	2			必修	Mills：Materials of Construction
经济学	3	3			必修	讲义
水力学			3	3	必修	Schoder and Dawson：Hydraulics
热机学			3	3	必修	Allen and Bursely：Heat Engines
机动学			2	2	必修	Keown and Faires：Mechanism
最小二乘方			2	2	必修	自编笔记
材料试验			3	1	必修	讲义
总计	24	20	26	20		
体育	2	2	2	2	当然必修科目但不计入学课学分	
军训	1	1	1	1	同上	

丑、土木系三年级课程

科目	上学期 时数	上学期 学分	下学期 时数	下学期 学分	必修或选修	课本
结构学	3	3	3	3	必修	Griter：Theory of Morden Steel Structures Vol. Ⅰ
结构计划	3	1	3	1	必修	Jacoby & Davis：Timber Design & Construction Shedd：Structural Design in Steel
钢筋混凝土	4	4			必修	自编笔记
应用天文	2	2			必修	Hosmer：Practical Astronomy
道路工程	3	3			必修	Agg：Construction of Roads & Pavements

续表

科目	上学期 时数	上学期 学分	下学期 时数	下学期 学分	必修或选修	课本
电工学	3	3			必修	Gray & Wallace：Principles & Practice of Electric Engineering
铁道测量及土工	2	2			必修	Allen：Railroad Curves & Earthwork
铁道测量实习	3	1			必修	
大地测量			3	3	必修	Hosmer：Geodesy
钢筋混凝土计划			6	2	必修	自编笔记
钢结构计划			3	1	必修	自编笔记
铁道工学或土石结构及基础			3	3	必修	Raymond：Elements of Railroad Engineering Williams：Design of Masonry Structures & Foundations
天文学			2	2	必修	Meyer：Elements of Hydrology
给水工学			3	3	必修	自编讲义
电工实验			3	1	必修	自编讲义
水力实验			3	1	必修	自编讲义
总计	23	19	32	20		
军训	1	1	1	1	当然必修科目但不计入学课学分	
体育	2	2	2	2		

注：三年级终了后，须举行野外测量实习四星期至六星期，包括地形、铁道及水文等测量，每一星期给一学分。

寅、土木系四年级课程

科目	上学期 时数	上学期 学分	下学期 时数	下学期 学分	必修或选修	课本
高等结构学	2	2	2	2	必修	自编笔记
钢桥计划	3	1	3	1	必修	Urquhart & O'Rouke：Design of Steel Structures
土石结构及基础或铁道工学	3	3			必修	见前
污水工程	4	4			必修	自编笔记
钢筋混凝土拱桥计划	6	2			必修	同上

续表

科目	上学期		下学期		必修或选修	课本
	时数	学分	时数	学分		
铁道计划或水工计划	3	1			必修	同上
水工计划或铁道计划			3	1	必修	同上
河工学			4	4	必修	同上
养路工程或道路计划			2 或 6	2	必修	夏坚白、陈永龄合著：养路工程学
房屋建筑			3	3	必修	Huntington：Building Construction
契约及规范			1	1	必修	自编笔记
毕业论文		2		2	必修	
总计	21	15	18 或 22	16		
体育	2	2	2	2	当然必修科目但不计入学课学分	
军训	1	1	1	1	同上	

丙、矿冶工程系课程

子、矿冶系二年级课程（采矿冶金两组共同必修）

科目	上学期		下学期		课本
	时数	学分	时数	学分	
应用力学	4	4			Seely and Ensign：Analytic Mechanics for Engineers
地质学	4	4	2	2	Miller：Introduction of Physical Geology
定性分析	2	2			Noyes：Qualitative Chemical Analysis
定性分析试验	6	2			同上
晶体学	1	1			Butler：Geometrical Crystallography
晶体实习	3	1			同上
平面测量	3	3			Breed & Hosmer：The Principles & Practice of Surveying Vol. Ⅰ
平面测量实习	3	1			同上
金工实习	3	1			Notes
材料力学			4	4	Seely：Resistance of Materials
热工学			3	3	Allen and Bursley：Heat Engines
经济学			3	3	李权时：经济学原理

续表

科目	上学期		下学期		课本
	时数	学分	时数	学分	
定量分析			1	1	Talbot：Quantitative Chemical Analysis
定量分析试验			6	2	同上
矿物学			2	2	Kraus and Hunt：Mineralogy
矿物实习			3	1	同上
机动学			2	2	Keown and Faires：Mechanism
总计	29	29	26	20	
军训	1	1	1	1	当然必修科目但不计入学课学分
体育	2	2	2	2	同上

丑、矿冶系三年级课程

科目	上学期		下学期		必修或选修	课本
	时数	学分	时数	学分		
采矿冶金两组						
热工学	2	2			必修	详前
热工实习	3	1			同上	Notes
采矿学	3	3			同上	Young：Elements of Mining.
冶金学	2	2			必选	Austin：Metallurgy of Common Metals
电工学	3	3			同上	Cook：Electrical Engineering
材料试验	3	1			同上	Notes
试金术			1	1	必修	Bugbee：A Text-Book of Fire Assaying
试金试验			3	1	同上	Notes
选矿学			2	2	同上	Simons：Ore Dressing-Principle and Practice
选矿实习			3	1	同上	Notes
燃料学			2	2	同上	Notes
电工试验			3	1	同上	
采矿工程			2	2	同上	Young：Elements of Mining
矿石分析及试验			3	1	同上	Notes
采矿组						
铁道工程	2	2			必选	Webb：Railroad Construction
矿山测量	2	2			同上	Winibevg：Metalliferous Mine Surveying
矿山测量实习	3	1			同上	同上

续表

科目	上学期		下学期		必修或选修	课本
	时数	学分	时数	学分		
经济地质			2	2	同上	Rics：Economical Geology
岩石学	2	2			必选	Pirsson：Rocks and Rock Minerals
岩石实习	3	1			同上	同上
矿业经济或地质构造			1	1	同上	Hoover：Economics of Mining Notes
冶金组						
岩石学	2	2			同上	详前
岩石实习	3	1			同上	详前
物理化学	3	3			同上	Gefman：Theoretical Chemistry
物理化学试验	3	1			同上	Notes
燃料学			2	2	同上	Notes
电工学			2	2	同上	详前
总计 采矿组	28	20	24	16		
总计 冶金组	27	19	25	17		
军训	1	1	1	1	当然必修科目但不计入学课学分	
体育	2	2	2	2	同上	

寅、矿冶系四年级课程

科目	上学期		下学期		必修或选修	课本
	时数	学分	时数	学分		
采矿冶金两组						
选矿学	2	2			必修	详前
选矿实习	6	2			同上	
非铁属冶金	2	2	2	2	必修	Austin：Metallurgy of Common Metals
毕业论文		1		1	必修	
钢铁冶金	3	3			同上	Stoughfon：Metallurgy of Iron and Steel
选矿设计			3	1	同上	Notes
燃料分析试验			3	1	同上	Notes
采矿组						
水力及水力机	2	2			必选	Russell：Text-Book on Hydraulics
水力及水力机实习	3	1			同上	Notes

续表

科目	上学期 时数	上学期 学分	下学期 时数	下学期 学分	必修或选修	课本
沙矿探采法			1	1	同上	Notes
金属采矿法	2	2			同上	Young：The Working of Unstratified Deposits Peele：Mining Engineers Handbook
矿山机械及运输	2	2	2	2	同上	Poole：Windings and Haulage （Morgans：Haulage and Winding）
采矿设计	3	1	3	1	同上	Kefchum：Design of Mining Structures
矿场会计及管理			2	2	同上	Notes
石油探采法			2	2	同上	Hager：Practical Oil Geology
矿业法规			2	2	同上	Notes
非铁属采矿法			2	2	同上	Bulman：The Working of Stratified Deposits
冶金组						
铸铁物理冶金学	1	1			必选	Notes
金图学	2	2			同上	Van Wert：Introduction to Physical Metallurgy
金图试验	3	1			同上	Notes
化学工程	2	2			同上	Badger and Mecabe：Elements of Chemical Engineering
冶金产品分析试验	6	2			同上	Lord and Demerest：Metallurgical analysis
冶炉及耐火材料			2	2	同上	Havard：Refractories and Furnaces
耐火材料试验			3	1	同上	Notes
暖铁炉设计			3	1	同上	Clements Blast Furnace Practice Vol. Ⅱ
电解学			2	2	同上	Notes
电解试验			3	1	必选	Notes
合金制造			1	1	同上	A. S. M Metals Handbook
合金制造实习			3	1	同上	Notes
铁厂会计及管理			2	2	同上	Notes
高温度试验			3	1	同上	Wood and Cork：Pyrornetry
总计 采矿组	25	18	22	17		
总计 冶金组	27	18	30	17		
军训	1	1	1	1	当然必修科目但不计入学课学分	
体育	2	2	2	2	同上	

丁、机械工程系课程

子、机械系二年级课程

科目	上学期		下学期		必修或选修	课本
	时数	学分	时数	学分		
机动学	3	3	3	3	必修	Mechanism-Schwamb, Merrili and James
微分方程	2	2	2	2	必修	Differential Equations-Murray
热工学	3	3	3	3	必修	Heat Power Engineering Vol. Ⅰ and Vol. Ⅱ - Barnard Ellenwood, Hirshfeld
应用力学	4	4			必修	Analytical Mechanics for Engineers, Seely and Ensign
测量学			1	1	必修	讲义
测量实习			3	1	同上	
材料力学			4	4	同上	Resistance of Materials – Seely
机械图画	6	2	3	1	同上	讲义
金工	3	1	6	2	同上	讲义
经济学	3	3			同上	讲义及笔记
总计	24	18	25	17		
体育	2	2	2	2	当然必修科目但不计入学课学分	
军训	1	1	1	1		

丑、机械系三年级课程

科目	上学期		下学期		必修或选修	课本
	时数	学分	时数	学分		
机械设计原理	3	3	3	3	必修	Elements of Machine Design-by Kimball and Borr
机械设计制图	9	3	9	3	同上	讲义
热工学（2）	4	4			同上	Heat Power Engineering-Bornand Ellenweud & Hirsh Feld Vol. Ⅱ & Vol. Ⅲ
原动厂			3	3	必选	讲义
内燃机	2	2	2	2	同上	Internal Combustion Engine-by Streeter & Lichty
汽轮机	2	2	3	2	同上	Steam Turbine-by Church
材料试验	3	3			必修	Notes
工程材料	3	3			同上	Materials of Construction-by Mills and Hayward
电工学	3	3	3	3	同上	Elements of Electrical Engineering-by Cook

续表

科目	上学期		下学期		必修或选修	课本
	时数	学分	时数	学分		
水力学			3	3	同上	Hydraulics-Schoders
热工试验			3	1	同上	讲义
总计	29	21	28	20		
军训	1	1	1	1	当然必修科目但不计入学课学分	
体育	2	2	2	2		

寅、机械系四年级课程

科目	上学期		下学期		必修或选修	课本
	时数	学分	时数	学分		
原动厂设计	1	1	1	1	必选	讲义及参考书
原动厂设计制图	3	1	3	1	同上	同上
高等机械设计	1	1	1	1	同上	同上
高等机械设计制图	3	1	3	1	同上	同上
热工试验	6	2	3	1	必修	同上
电工试验	3	1	3	1	同上	同上
工业管理	2	2	2	2	同上	同上
选科	6	6	6	6		任选六学分
毕业论文		1		2	必修	
总计	25	16	22	16		
体育	2	2	2	2	当然必修科目但不计入学课学分	
军训	1	1	1	1	同上	
蒸汽机			2	2	选科	讲义及笔记
汽车学	2	2	2	2	同上	The Gasoline Automobile-Elliott and Con-sanver
汽车实习	1	1	1	1	同上	同上
造船学	3	3			同上	讲义
火车头	3	3	1	1	同上	讲义
火车头设计			3	1	同上	讲义
热力炼钢	2	2	2	2	同上	讲义及笔记
航空工程	3	3	3	3	同上	讲义及笔记
金相学及冶金			3	3	同上	讲义及笔记
冷气工程	2	2			同上	讲义及笔记

戊、电机工程系课程

子、电机系二年级课程

科目	上学期 时数	上学期 学分	下学期 时数	下学期 学分	必修或选修	课本
应用力学	4	4			必修	Analytical Mechanics for Engineers, Seely and Ensign
材料力学			4	4	同上	Resistance of Materials, Seely
经济学	3	3			同上	Notes
工程材料	2	2			同上	Materials of Construction, Mills
机动学			2	2	同上	Mechanism, Keown & Faires
测量学			4	2	同上	Principles & Practice of Surveying, Breed & Hosmer
微分方程(1)	3	3			同上	Differential Equations, Murray
微分方程(2)			3	3	同上	Differential Equations for Electrical Engineers, Fronklin
电工原理	4	4	2	2	同上	Principles of Electrical Engineering, Timbie and Bush
电磁测验	3	1			同上	Notes
金工	3	1	3	1	同上	Notes
热工学			4	4	同上	Elements of Heat Power Engineering Vol. Ⅰ, Ⅱ & Ⅲ, Barnard Ellenwood & HirshField
机械画	3	1			同上	Engineering Drawing, French
总计	25	19	22	18		
军训	1	1	1	1	当然必修科目但不计入学课学分	
体育	2	2	2	2	同上	

丑、电机系三年级课程

科目	上学期 时数	上学期 学分	下学期 时数	下学期 学分	必修或选修	课本
电力组						
热工学	3	3	3	3	必修	见二年级热工学
热工试验			3	1	同上	Notes

续表

科目	上学期 时数	上学期 学分	下学期 时数	下学期 学分	必修或选修	课本
直流电机	4	4	3	3	同上	Principles of Direct Current Machines, Langsdorf
交流电路	5	5			同上	Principles of Alternating Currents, Lanrence
交流电机			4	4	同上	Theory of Alternating Current Machinery, Langsdorf
电机试验			3	2	同上	Electrical Engineering Laboratory Experiments, Ricker Tuekeer
电焰学			3	3	必选	Illuminating Engineering, Cady & Dotes
水力学	3	3			同上	Hydraulics, Russell
电话学	3	3			任选	Telephone Communication Systems, Kloeffler
电报学			3	2	同上	Text Book of Telegraphy, Stone
实用无线电	2	2	2	2	同上	Principles of Radio, Henney
总计	20	20	24	21		
电讯组						
热工学	3	3	3	3	必修	见二年级热工学
热工试验			3	1	同上	见电力组
直流电机	4	4	3	3	同上	见电力组
交流电路	5	5			同上	见电力组
交流电机			4	4	同上	见电力组
电机试验			3	2	同上	见电力组
电讯工程	2	2	2	2	必选	Communication Engineering, Everitt Electric Oscillation & Electric Waves, Pictce
电话学	3	3			同上	见电力组
电报学			3	3	同上	同上
实用无线电	2	2	2	2	同上	同上
总计	19	19	23	20		
体育	2	2	2	2	当然必修科目但不计入学课学分	
军训	1	1	1	1	同上	

寅、电机系四年级课程

科目	上学期		下学期		必修或选修	课本
	时数	学分	时数	学分		
电力组						
交流电机	4	4			必修	见三年级交流电机
电机试验	3	2	3	2	同上	见三年级电机试验
热工试验	3	1			同上	Notes
发电厂学	3	3			必选	Electric Power Equipment, Tarboux
电厂设计			3	1	同上	Notes
输电及配电工程	3	3	3	3	同上	Electric Power Transmission & Distribution, Woodruff；Electrical Distribution Engineering, Seely
电机设计	4	2	4	2	同上	Design of Electrical Apparatus, Kuhlmann
原动力厂			3	3	必选	Notes
电车学			4	4	任选	Electric Railway Engineering, Harding
高等交流电路	2	2	2	2	同上	Notes
毕业论文	1	1	2	2	必修	
总计	23	18	24	19		
电讯组						
交流机械	4	4			必修	见电力组
电机试验	3	2	3	2	同上	见电力组
电讯工程	4	4	4	4	必选	见三年级电讯工程
无线电工程	3	3	3	3	同上	Radio Engineering, Terman
无线电工程试验	3	1	3	1	同上	Notes
电话电报试验			3	1	同上	Notes
自动电话	2	2	2	2	任选	Telephone, Theory & Practice Vol. Ⅲ, Miller
中级电磁学	2	2	2	2	任选	Notes
毕业论文	1	1	2	2	必修	
总计	22	19	22	17		
军训	1	1	1	1	当然必修科目但不计入学课学分	
体育	2	2	2	2	同上	

己、化学工程系课程

子、化学工程系二年级课程

科目	上学期		下学期		必修或选修	课本
	时数	学分	时数	学分		
有机化学	4	3	4	3	必修	Hill and Kelly：OrganicChemistry
有机化学试验	6	2	6	2	同上	Adams and Johnson：Laboratory Experiment in Organic Chemistry
定性分析化学	3	2			同上	Annoys：Qualitative Chemical Analysis
定性分析实验	6	2			同上	
定量分析化学			2	1	同上	Talbot：Quantitative Chemical Analysis
定量分析实验			9	3	同上	
应用力学	4	4			同上	Seely and Ensign：Applied Mechanics
材料力学			4	4	同上	Seely：Resistance ofmaterials
热机学	3	2	3	2	同上	Allen and Bursley：Heat Engines
微分方程	3	3			同上	Murray：Differential Equations
机动学			3	2	同上	Kewon and Fairs：Mechanism
经济学			3	3	同上	Notes
总计	29	18	34	20		
军训	1	1	1	1	当然必修科目但不计入学课学分	
体育	2	2	2	2	同上	

丑、化工系三年级课程

科目	上学期		下学期		必修或选修	课本
	时数	学分	时数	学分		
化工原理	3	3	3	3	必修	Badger and Meobe：Elements of Chemical Engineering
工业化学	4	3	4	3	同上	Ricgel：Industrial Chemistry
工业化学计算	2	2			同上	Lonis and Radasoh：Industrial Stoichiometry
工业分析			6	2	同上	Griffin：Technical Methods of Analysis
电工学	3	3	3	3	同上	Gray and Wallace：Principles and Practice of Electrical Engineering
热工试验	3	1			同上	Notes
电工试验			3	1	同上	Notes
选课	6-8		6-8			

续表

科目	上学期		下学期		必修或选修	课本
	时数	学分	时数	学分		
总计		18-20		18-20		
军训	1	1	1	1	当然必修科目但不计入学课学分	
体育	2	2	2	2	同上	
物理化学	4	3	4	3	同上	Getman & Daniels：Outline of Theoretical Chemistry
物理化学试验	3	1	3	1	同上	Notes
机械设计	1	1			同上	Bradford and Enton：Machine Design
机械设计制图	3	1	3	1	同上	Notes
油脂工业	4	3			选修	Notes
油脂工业实习			3	1	同上	Notes
德文	4	3	4	3	同上	（1）Etse Busch, Zweite Busch （2）Phillips：Chemical Germn

寅、化工系四年级课程

科目	上学期		下学期		必修或选修	课本
	时数	学分	时数	学分		
化工原理	4	3			必修	Bodger and Mecube：Elements of Chemical Engineering
化工机械试验	3	1	3	1	同上	Notes
工业化学试验	3	1			同上	Notes
电工试验	3	1			同上	Notes
论文		1		2	同上	
选课	10-12		11-15			
总计	17-19		14-18			
军训	1	1	1	1	当然必修科目但不计入学课学分	
体育	2	2	2	2	同上	
矿物学	3	3			必选	
化工热力学			2	2	同上	Notes
造纸学	3	2	2	2	选修	Clark：Manufacture of Pulp & Paper Vol. Ⅲ & E

续表

科目	上学期		下学期		必修或选修	课本
	时数	学分	时数	学分		
造纸实习			3	1	同上	Notes
制革学	2	2	3	2	同上	Bennltt：Manufacture of Leather
制革实习	3	3			同上	Notes
国防化学	3	2	3	2	任选	（1）Marshall：Explosives Vols （2）Prentice：Chemicals in War
工业化学专题	2	2	2	2	同上	Notes
高等化学原理	3	3			同上	Notes
化工设计			3	3	同上	Notes
簿记及工业会计			3	3	同上	Notes

庚、纺织工程系课程
子、纺织系二年级课程

科目	上学期		下学期		必修或选修	课本
	时数	学分	时数	学分		
纺织概论	4	4			必修	讲义及笔记
纺纹组合	3	3	3	3	同上	讲义及笔记
机动学	3	3			同上	Mechanism, Kewon and Fairs
机织学（一）			3	3	同上	讲义及笔记
机械画	3	1			同上	Engineering Drawing, French
金工	3	1			同上	
织物分析			3	1.5	同上	讲义及笔记
有机化学			4	4	同上	Organic Chemistry, Hill and Kelly
纺纱学（一）	2	2	2	2	同上	讲义及笔记
纺纱学（二）			3	3	同上	讲义及笔记
应用力学	4	4			同上	Analytical Mechanics for Engineers, Seely & Ensign
材料力学			4	4	同上	Resistance of Materials, Fred B. Seely
经济学	3	3				
总计	25	21	22	20.5		
军训	1	1	1	1	当然必修科目但不计入学课学分	
体育	2	2	2	2	同上	

丑、纺织系三年级课程

科目	上学期		下学期		必修或选修	课本
	时数	学分	时数	学分		
纺纱学（一）	2	2			必修	讲义及笔记
纺纱学（二）	3	3	4	4	同上	同上
电工学	3	3	3	3	同上	Principles and Practice Electrical Engineering, Gray and Wallace;
热工学	3	3	3	3	同上	Heat Engines, Allen & Bursley
机织学（二）	4	4	2	2	同上	讲义及笔记
电工试验			3	1	同上	
织物分析	3	1.5			同上	同上
漂染学	4	4	3	3	必选	同上
织物整理	3	3	4	4	同上	同上
纺纱试验			2	2	同上	同上
特种织造			2	2	同上	同上
配色注	2	2			同上	同上
织物设计			2	2	同上	同上
纺纱学（三）			2	2	必修	同上
合计	27	25.5	30	28		
冶金学	2	2			任选	
工厂卫生			2	2	同上	
工商法规	2	2			同上	
水力学			3	3	同上	
机械设计	3	3			同上	
总计					同上	
军训	1	1	1	1	当然必修科目但不计入学课学分	
体育	2	2	2	2	同上	

寅、纺织系四年级课程

科目	上学期		下学期		必修或选修	课本
	时数	学分	时数	学分		
纺纱学（二）	2	2	2	2	必修	讲义及笔记
工厂管理	3	3			同上	同上
热工试验	3	1			同上	

续表

科目	上学期 时数	上学期 学分	下学期 时数	下学期 学分	必修或选修	课本
纺织学（三）	2	2	2	2	必选	同上
机织学（三）	2	2			必选	同上
工厂会计	2	2	2	2	必选	同上
工厂设计	4	4	4	4	必选	同上
漂染学	3	3			必选	同上
织物整理			3	3	必选	同上
毕业论文		1-2		1-2	必修	
合计	21	20-21	13	14-15		
空气调节	2	2			任选	
针织学			3	3	任选	
专题实习	1	1			任选	
人造织维			2	2	任选	
动力厂	2	2			任选	
织物美术			2	2	任选	
工厂建筑			3	3	任选	
总计						
军训	1	1	1	1	当然必修科目但不计入学课学分	
体育	2	2	2	2	同上	

辛、水利工程系课程

子、水利系二年级课程

科目	上学期 时数	上学期 学分	下学期 时数	下学期 学分	必修或选修	课本
应用力学	4	4			必修	Seely-Analytical Mechanics for Engineers
经济学	3	3			同上	赵兰坪-经济学大纲
工程材料	2	2			同上	Mills-Materials of Construction
平面测量	3	3	3	3	同上	Breed & Hosmer-Surveying, Vol. Ⅰ & Ⅱ
地质学	4	3			同上	Ries & Watson-Elements of Eng'g Geology
微分方程	3	3			同上	Murry-Differential Equations
水力学			4	3	同上	Schoder & Dawson-Hydraulics

续表

科目	上学期		下学期		必修或选修	课本
	时数	学分	时数	学分		
平面测量实习	6	2	6	2	同上	
水文学			2	2	同上	Meyer-Hydrology
材料力学			4	4	同上	Seely-Resistance of Materials
材料试验			3	1	同上	
热机学			3	3	同上	Allen & Bursley-Heat Engines
机动学			3	3	同上	Keown & Faires-Mechanism
总计	25	19	28	20		
军训	1	1	1	1	当然必修科目但不计入学课学分	
体育	2	2	2	2	同上	

丑、水利系三年级课程

科目	上学期		下学期		必修或选修	课本
	时数	学分	时数	学分		
热工学	4	3			必修	自编讲义
水力试验	3	1			同上	自编讲义
水文测量	2	2			同上	自编讲义
水文测量实习	3	1			同上	自编讲义
结构学	3	3	3	3	同上	自编讲义
钢筋混凝土	4	3			同上	Peabody-Reinforced Concrete Structures
电工学	3	3			同上	Gray & Wallace-Principles & Practice of Electrical Engineering
结构计划			6	2	同上	Jacoby-Timber & Construction Shedd-Structure Design of Steel
高等水力学	3	2			必选	Bakhmeteff-Hydraulics of Open Channels
河工设计			3	1	必修	自编讲义
电工试验			3	1	同上	自编讲义
流体力学			3	3	必选	Prandtl and Tietjens-Hydro & Aero Mechanics, Vol. Ⅰ & Ⅱ
灌溉工学			3	2	同上	Etcheverry-Irrigation Engineering and Practice, Vol. Ⅰ Ⅱ & Ⅲ
都市给水			4	3	同上	Babbiff & Doland-Water Supply Engineering

续表

科目	上学期		下学期		必修或选修	课本
	时数	学分	时数	学分		
路线测量			3	2	同上	Allen-Railroad Curves & Earthwork
路线测量实习			3	1	同上	自编讲义
总计	25	18	31	18		
军训	1	1	1	1	当然必修科目但不计入学课学分	
体育	2	2	2	2	同上	

寅、水利系四年级课程

科目	上学期		下学期		必修或选修	课本
	时数	学分	时数	学分		
钢筋混凝土计划	6	2			必修	自编讲义
土石结构及基础	3	3			同上	William-Design of Masonry Structures
防涝及排水工程	3	3			必选	自编讲义
海港工学	3	2			同上	自编讲义
水工结构计划	6	2			同上	自编讲义
污水工程	4	3			同上	Metcalf & Eddy-Sewerage & Sewage Disposal
道路工学	3	2			同上	Bateman-Highway Engineering
契约及规范			2	1	必修	自编讲义
中国水工史			2	2	必选	自编讲义
水力发电工程			3	3	同上	Barrow-Water Power Engineering
渠工学			3	2	同上	自编讲义
高等水力测验			6	2	同上	自编讲义
卫生工程计划			3	1	同上	自编讲义
铁道工学			2	1	同上	自编讲义
毕业论文		1		2	必修	
总计	28	18	21	14		
军训	1	1	1	1	当然必修科目但不计入学课学分	
体育	2	2	2	2		

壬、航空工程系课程
子、航空系二年级课程

科目	上学期		下学期		必修或选修	课本
	时数	学分	时数	学分		
应用力学	4	4			必修	Analytical Mechanics for Engineering-Seely & Ensign
材料力学			4	4	同上	Resistance of Materials-Seely
经济学	3	2			同上	讲义
机动学	3	2	2	1	同上	Mechanism-Schwamb, Merrili and James
飞机学	3	2	3	2	同上	Airplanes & Airplane Engines-Tayler, Ober & Chatfield
水力学			3	3	同上	Hydraulics-Schoders
热工学	4	3	3	3	同上	Heat Power Engineering Vol. Ⅰ Ⅱ & Ⅲ- Barnard Ellenwood, Hirshfeld
机械画	6	2	3	1	同上	讲义
微分方程	3	3			同上	Differential Equations-Murray
高级微积分	4	3	4	3	同上	Advanced Calculus-Woods
金工	3	1	6	2	同上	讲义
测量			4	1	同上	同上
热工实验			4	1	同上	同上
合计	33	22	36	22		
军训	1	1	1	1	当然必修科目但不计入学课学分	
体育	2	2	2	2	同上	

丑、航空系三年级课程

科目	上学期		下学期		必修或选修	课本
	时数	学分	时数	学分		
航空材料	3	2			必修	讲义
机械设计原理	2	2	1	1	同上	同上
机械设计制图	3	1	6	2	同上	同上
电工学	3	3	3	3	同上	Elements of Electrical Engineering-Cook
材料试验	3	1			同上	讲义
内燃机	3	3	3	3	同上	Internal Combustion Engine-Streeter & Lichty
飞机结构学	4	3	4	3	同上	讲义

续表

科目	上学期		下学期		必修或选修	课本
	时数	学分	时数	学分		
理论飞行力学	4	3	4	3	同上	同上
航空仪器			2	3	同上	同上
电工实验			3	1	同上	同上
数学分析	2	2	2	2	同上	同上
发动机动力学			3	2	同上	同上
飞机螺旋原理	2	2			同上	同上
飞机螺旋设计			4	2	同上	Aircraft Propeller Design-Weck
总计	29	22	25	24		
军训	1	1	1	1	当然必修科目但不计入学课学分	
体育	2	2	2	2	同上	

寅、航空系四年级课程

科目	上学期		下学期		必修或选修	课本
	时数	学分	时数	学分		
应用空气动力学	4	3	4	3	必修	讲义
飞机发动机	4	3	4	3	同上	同上
高等飞机结构学	4	3	4	3	同上	同上
飞机设计	4	2	4	2	同上	同上
发动机设计	4	2	4	2	同上	同上
风洞及引擎试验	3	2			同上	同上
航空问题	2	2			同上	同上
航行学			2	2	同上	同上
毕业论文				3	同上	
总计	25	17	22	17		
飞船原理及结构	2	2	2	2	选修	同上
汽车工程	3	3	3	3	同上	同上
弹性力学	3	3	3	3	同上	同上
振动问题			2	2	同上	同上
军训	1	1	1	1	当然必修科目但不计入学课学分	
体育	2	2	2	2	同上	

癸、矿冶研究部课程

科目	上学期 时数	上学期 学分	下学期 时数	下学期 学分	科目	上学期 时数	上学期 学分	下学期 时数	下学期 学分
第一学年					第二学年				
采矿组					采矿组				
矿内通风及安全	1	3			高等金属矿床探掘法	2	2		
高等压缩空气机学	1	1			矿厂组织与管理	2	2		
矿厂经济	2	2			矿量估计	2	2		
矿内排水			3	3	高等采煤学			2	2
砂矿探采法			2	2	采矿术	2	2		
矿业经济			2	2	中国采矿作法之标定	以下两门视其工作之多寡临时酌予学分			
中国矿业法之检讨	以下四门学分目数须视其工作之多寡临时酌定				工人教养训练待遇问题之检讨				
中国矿业经济数字之编辑					冶金组				
矿业名词之标定					铸铁之物理冶金学	3	3		
矿厂参考丛书之编译					高温度测验	1	1		
冶金组					高温度测验实习	3	1		
捣矿机	2	2			浮油选矿法	1	2		
特别试金法	3	1			浮油选矿实习	3	1		
冶锡锑钨铝学	3	3			冶铁鑢计划	3	1		
高等冶铁学	3	3			工程材料 X 射线研究	2	2		
物理冶金学	2	2			高温下应用之金属			3	3
高等选矿学			2	2	电热炼钢学			3	3
高等选矿学实习			3	1	炼炉设计及建造			2	2
高等冶铜学			3	3	炼炉设计及建造实习			3	1
冶金计算			2	2	特殊问题之研究	视其工作之多寡临时酌给学分			
非矿金图学			2	2	应用地质组				
焚铅法之损失			3	1	石油地质组	3	3		
应用地质组					中国经济地质组			3	3
光性矿物学	2	2			普通科目				
光性矿物学实习	3	1			外国语德文、法文、俄文				
古生物学	2	2			图表机械计算法				
古生物实习	3	1			高等数学				
高等岩石学			2	2					

续表

科目	上学期		下学期		科目	上学期		下学期	
	时数	学分	时数	学分		时数	学分	时数	学分
高等岩石学实习			3	1					
构造地质学			3	3					

注:1.以上科目,概系选修,所用课本及参考书,临时由教授指定。
    2.土木系、电工系、化工系课程,得部主任许可,均可选修。
    3.研究生须修满二十四以上之学分,方准毕业。

五、1948年国立西北工学院课程设置

本院课程标准表

各学系第一学年课程

| 学年 | 第一学期 | | | | | 第二学期 | | | | |
| | 科目 | 每周时数 | | 学分 | 必修或选修 | 科目 | 每周时数 | | 学分 | 必修或选修 |
		讲授	实习				讲授	实习		
第一学年	国文	2		2	必修	国文	2		2	必修
	英文	4		3	必修	英文	4		3	必修
	物理学	4	3	4	必修	物理学	4	3	4	必修
	化学	3	3	4	必修	化学	3	3	4	必修
	微积分	5		4	必修	微积分	5		4	必修
	立体解析几何	1		1	必修	立体解析几何	1		1	必修
	工程图画		3	1	必修	工程图画		3	1	必修
	投影几何		3	1	必修	投影几何		3	1	必修
	伦理学	2		2	必修	伦理学	2		2	必修
	工厂实习		3	1	必修	工厂实习		3	1	必修
	合计			23		合计			23	

附注:三民主义体育均为当然必修科目不计学分。

土木工程学系课程

学年	第一学期				第二学期			
	科目	每周时数 讲授	每周时数 实习	学分	必修或选修	科目	每周时数 讲授	每周时数 实习	学分	必修或选修

学年	科目	讲授	实习	学分	必修或选修	科目	讲授	实习	学分	必修或选修
第二学年	工程材料	3		2	必修	机动学	3		2	必修
	热机学	3		3	必修	水力学	4		3	必修
	平面测量	3		3	必修	平面测量	3		3	必修
	平面测量实习		6	2	必修	平面测量实习		6	2	必修
	微分方程	3		3	必修	高等工程数学	3		3	必修
	应用力学	5		4	必修	材料力学	5		4	必修
	最小二乘方	2		2	必修	材料试验		3	1	必修
	土木工程制图		3	1	必修	工程地质	2		2	必修
	经济学	3		3	必修	工程地质实习		3	1	必修
	合计			23		合计			21	
第三学年	结构学	3		3	必修	结构学	3		3	必修
	钢筋混凝土	2		2	必修	钢筋混凝土	2		2	必修
	铁道测量及土工	3		2	必修	大地测量	3		3	必修
	铁道测量实习		3	1	必修	铁道工程	4		3	必修
	应用天文	3		3	必修	土石结构及基础	4		3	必修
	电工学	3		3	必修	结构计划		6	2	必修
	水文学	2		2	必修	房屋建筑	3		3	必修
	水力实验		3	1	必修	给水工程	3		3	必修
	道路工程	3		3	必修	暑期测量实习			3	必修
	电工试验		3	1	必修					
	合计			21		合计			25	
第四学年	高等结构学	4		4	必修	契约及规范	2		1	必修
	钢桥计划		3	1	必修	钢桥计划		3	1	必修
	钢筋混凝土计划		3	1	必修	钢筋混凝土计划		3	1	必修
	河工学	3		3	必修	道路材料试验		3	1	必修
	铁道计划		3	1	必修	毕业论文			2	必修
	以下各门得任选四学分至六学分					以下各门得任选四学分至六学分				
	房屋建筑计划		3	1	选修	高等结构计划	2	3	3	选修
	土壤力学	3		3	选修	都市计划	3		3	选修
	污水工程	3		3	选修	海港工程	3		3	选修
	高等道路工程	3		3	选修	隧道工程	2		2	选修
						飞机厂工程	2		2	选修
	合计			14–16		合计			10–12	

矿冶工程学系课程

学年	第一学期					第二学期				
	科目	每周时数		学分	必修或选修	科目	每周时数		学分	必修或选修
		讲授	实习				讲授	实习		
第二学年	地质学	4		3	必修	地质学	4		3	必修
	金工		3	1	必修	矿物学	2	3	3	必修
	定性分析	2	6	4	必修	定量分析	1	6	3	必修
	平面测量	3	6	5	必修	机动学	3		2	必修
	应用力学	5		4	必修	晶体学	2	3	2	必修
	经济学	3		3	必修	材料力学	5		4	必修
	合计			20		合计			17	

矿冶工程学系采矿组课程

学年	第一学期					第二学期				
	科目	每周时数		学分	必修或选修	科目	每周时数		学分	必修或选修
		讲授	实习				讲授	实习		
第三学年	热工学	3		3	必修	热工学	3		3	必修
	采矿学	4		3	必修	采矿工程	4		3	必修
	电工学	3		3	必修	电工学	3		3	必修
	材料试验		3	1	必修	电工试验		3	1	必修
	冶金学	3		3	必修	热工试验		3	1	必修
	岩石学	2	3	3	必修	燃料学	2		2	必修
	铁道工程	2		2	必修	选矿学	2	3	3	必修
						矿山测量	2	3	3	必修
						矿石分析	1	3	2	必修
						构造地质	3		2	任选
						非铁属冶金	2		2	任选
	合计			18		合计			21–25	
第四学年	选矿学(一)	2	6	4	必修	选矿学(二)	3		3	必修
	钢铁冶金	3		3	必选	钢铁冶金	3		3	必修
	毕业论文			1	必选	毕业论文			2	必修
	经济地质	3		3	必选	经济地质	2		2	必选
	水力及水力机	2	3	3	必选	燃料分析		3	1	必修
	金属采矿法	3		2	必选	试金术	2	3	3	必修

续表

学年	第一学期					第二学期				
	科目	每周时数		学分	必修或选修	科目	每周时数		学分	必修或选修
		讲授	实习				讲授	实习		
第四学年	砂矿探采法	2		2	必选	石油探采法	2		2	必选
	矿山机械及运输	3		3	必选	矿山机械及运输	3		3	必选
	采矿设计		3	1	必选	采矿设计		3	1	必选
	矿场会计及管理	2		2	必选	选矿设计	1	3	2	必选
	压气学	3		3	任选	矿业法规	2		2	必选
						矿业经济	3		3	任选
	合计			24–27		合计			24–27	

矿冶工程学系冶金组课程

学年	第一学期					第二学期				
	科目	每周时数		学分	必修或选修	科目	每周时数		学分	必修或选修
		讲授	实习				讲授	实习		
第三学年	热工学	3		3	必修	热工学	3		3	必修
	采矿学	4		3	必修	采矿工程	4		3	必选
	电工学	3		3	必修	电工学	3		3	必修
	材料试验		3	1	必修	电工试验		3	1	必修
	冶金学（一）	3		3	必修	热工试验		3	1	必修
	燃料学	2		2	必选	燃料学	2		2	必选
	物理化学	3		3	必选	冶金学（二）	3		3	必选
						物理化学	3		3	必选
						选矿学（一）	2	3	3	必修
	合计			18		合计			22	
第四学年	选矿学（二）	2	6	4	必修	选矿学（三）	3		3	必修
	钢铁冶金	3		3	必修	钢铁冶金	3		3	必修
	非铁属冶金	3		3	必修	非金属冶金	2		2	必修
	冶炉及耐火材料	2	3	3	必选	试金术	2	3	3	必修
	金图学	3		3	必选	电解学	2		2	必选
	化学工程	2		2	必选	合金制造法	2		2	必选
	冶金产品分析	1		2	必选	高温度试验		3	1	必选
	炼厂建筑设计	1	3	1	任选	炼厂会计及管理	2		2	必选

续表

学年	第一学期					第二学期				
	科目	每周时数		学分	必修或选修	科目	每周时数		学分	必修或选修
		讲授	实习				讲授	实习		
第四学年	毕业论文			1	必修	毕业论文			2	必修
						炼厂建筑设计	1		1	任选
						水力及水力机	3		3	任选
						燃料分析		3	1	必修
	合计			21－22		合计			21－25	

机械工程学系课程

学年	第一学期					第二学期				
	科目	每周时数		学分	必修或选修	科目	每周时数		学分	必修或选修
		讲授	实习				讲授	实习		
第二学年	应用力学	5		4	必修	材料力学	5		4	必修
	机动学	3		3	必修	机动学	3		3	必修
	工程材料	3		2	必修	测量学	1	3	2	必修
	机械制图		6	2	必修	机械制图		3	1	必修
	微分方程	3		3	必修	热工学	4		4	必修
	金工		3	1	必修	金工		6	2	必修
	工厂实习		3	1	必修	工厂实习		3	1	必修
	经济学	3		3	必修	工程数学	4		3	必修
	合计			19		合计			20	
第三学年	机械设计原理	3		3	必修	机械设计原理	3		3	必修
	机械设计制图		9	3	必修	机械设计制图		9	3	必修
	热工学	3		3	必修	热工学	3		3	必修
	热工试验		6	2	必修	热工试验		6	2	必修
	电工学	3		3	必修	电工学	3		3	必修
	材料试验		3	1	必修	电工试验		3	1	必修
	水力学	3		3	选修	冶金及金相	3		3	选修
	机械制造		6	2	选修	机械制造		6	2	选修
	合计			15－20		合计			15－20	

续表

学年	第一学期					第二学期				
	科目	每周时数		学分	必修或选修	科目	每周时数		学分	必修或选修
		讲授	实习				讲授	实习		
第四学年	原动力厂	3		3	必修	原动力厂设计	2	3	3	必修
	内燃机	4		3	必修	工业管理	3		3	必修
	汽轮	4		3	必修	毕业论文			2	必修
	毕业论文			1	必修	造船工程	2		2	选修
	汽车工程	4		3	选修	航空工程	3		3	选修
	机车工程	4		3	选修	兵器及弹道学	3		3	选修
	机械动力学	2		2	选修	空气动力学	3		3	选修
	弹性力学	3		2	选修					
	合计			10-20		合计			8-19	

电机工程学系课程

学年	第一学期					第二学期				
	科目	每周时数		学分	必修或选修	科目	每周时数		学分	必修或选修
		讲授	实习				讲授	实习		
第二学年	电工原理	4		4	必修	电工原理	3		3	必修
	应用力学	5		4	必修	材料力学	5		4	必修
	微分方程	3		3	必修	电微分方程	3		3	必修
	机动学	3		3	必修	热工学	4		4	必修
	机械画		3	1	必修	测量学	1	3	2	必修
	金工		3	1	必修	金工		3	1	必修
	经济学	3		3	必修	电磁测验	1	3	2	必修
						工程材料	2		2	必修
						交流电路	2		2	必修
	合计			19		合计			23	

电机工程学系电力组课程

学年	第一学期					第二学期				
	科目	每周时数		学分	必修或选修	科目	每周时数		学分	必修或选修
		讲授	实习				讲授	实习		
第三学年	热工学	3		3	必修	热工学	3		3	必修
	直流电机	4		4	必修	直流电机	4		4	必选
	交流电路	4		3	必修	交流电机	5		5	必修
	水力学	3		3	必修	电机试验		3	2	必修
	实用无线电	2	3	3	必修	实用无线电	2	3	3	必修
						电炤学	2		2	必修
	合计			16		合计			19	
第四学年	交流电机	5		5	必修	原动力厂	3		3	必修
	发电厂	3		3	必修	电厂设计	1	3	2	必修
	输电及配电工程	3		3	必修	输电及配电工程	3		3	必修
	电机试验		3	2	必修	电机试验		3	2	必修
	电机设计	1	3	2	必修	电机设计	1	3	2	必修
	热工试验		3	1	必修	毕业论文			1	必修
	毕业论文			1	必修					
	以下二门得任选一门					以下二门得任选一门					
	电车学	3		3	选修	电车学	3		3	选修
	运算微积	3		3	选修	运算微积	3		3	选修
	合计			20		合计			16	

电机工程学系电讯组课程

学年	第一学期					第二学期				
	科目	每周时数		学分	必修或选修	科目	每周时数		学分	必修或选修
		讲授	实习				讲授	实习		
第三学年	热工学	3		3	必修	热工学	3		3	必修
	直流电机	4		4	必修	直流电机	4		4	必选
	交流电路	4		3	必修	交流电机	5		5	必修
	初步无线电	2		2	必修	初步无线电	2		2	必修
	电话学	3		2	必修	电报学	3		2	必修
	电讯工程(一)	2		2	必修	电讯工程(二)	2		2	必修
						电机试验		3	2	必修
	合计			16		合计			20	

续表

学年	第一学期					第二学期				
	科目	每周时数		学分	必修或选修	科目	每周时数		学分	必修或选修
		讲授	实习				讲授	实习		
第四学年	交流电机	5		5	必修	无线电话实验		3	1	必修
	电机试验		3	2	必修	电机试验		3	2	必修
	无线电工程	5		4	必修	无线电工程	5		4	必修
	电讯工程(一)	4		4	必修	电讯工程(二)	4		4	必修
	无线电实验		3	1	必修	无线电实验		3	1	必修
	毕业论文			1	必修	毕业论文			1	必修
	以下四门得任选一门至二门					以下四门得任选一门至二门				
	电子学	3		3	选修	电子学	3		3	选修
	超短波工程	3		3	选修	超短波工程	3		3	选修
	自动电话	2		2	选修	自动电话	2		2	选修
	运算微积	3		3	选修	运算微积	3		3	选修
	合计			19–23		合计			15–19	

化学工程学系课程

学年	第一学期					第二学期				
	科目	每周时数		学分	必修或选修	科目	每周时数		学分	必修或选修
		讲授	实习				讲授	实习		
第二学年	应用力学	5		4	必修	材料力学	5		4	必修
	经济学	3		3	必修	机动学	3		3	必修
	有机化学	4	3	5	必修	有机化学	4	3	5	必修
	定性分析	2	6	4	必修	定量分析	1	9	4	必修
	热机学	3		2	必修	热机学	3		2	必修
	微分方程	3		3	必修	德文	3		3	必修
	合计			21		合计			18–21	
第三学年	化工原理	3		3	必修	化工原理	3		3	必修
	工业化学	3		3	必修	工业化学	3		3	必修
	电工学	3		3	必修	电工学	3		3	必修

学年	第一学期					第二学期				
	科目	每周时数		学分	必修或选修	科目	每周时数		学分	必修或选修
		讲授	实习				讲授	实习		
第三学年	理论化学	3		3	必选	理论化学	3		3	必选
	机械设计原理	1		1	必选	理论化学实验		3	1	必选
	机械设计制图		3	1	必选	机械设计制图		3	1	必选
	德文	3		3	任选	德文	3		3	任选
	工业化学计算	2		2	必修	工业分析	1	3	2	必修
	热工试验		3	1	必修	电工试验		3	1	必修
	材料试验		3	1	必选	暑期工厂实习			3	任选
	微菌学	3		3	任选					
	合计			18–24		合计			17–23	
第四学年	毕业论文			1	必修	毕业论文			2	必修
	化工机械试验		3	1	必修	化工机械试验		3	1	必修
	簿记及工业会计	2		2	必选	簿记及工业会计	2		2	必选
	制革学	3		3	必选	制革学	3		3	必选
	化工原理	3		3	必修	化工热力学	2		2	必选
	电工化学		3	1	必修	高等化工原理	3		3	必选
	工业化学实验		3	1	必修	化学系其他高级课程	3		3	任选
	矿物学	3		3	必选					
	德文	3		3	任选					
	合计			15–18		合计			13–16	

纺织工程学系课程

学年	第一学期					第二学期				
	科目	每周时数		学分	必修或选修	科目	每周时数		学分	必修或选修
		讲授	实习				讲授	实习		
第二学年	应用力学	5		4	必修	材料力学	5		4	必修
	经济学	3		3	必修	有机化学	3	3	4	必修
	机动学	3		3	必修	织物分析	1	3	2	必修
	纺织概论	3	3	4	必修	机织学	2	3	3	必修

续表

学年	第一学期					第二学期				
	科目	每周时数		学分	必修或选修	科目	每周时数		学分	必修或选修
		讲授	实习				讲授	实习		
第二学年	织纹组合	2	3	3	必修	织纹组合	1	3	2	必修
	机械画		3	1	必修	纺纱学(一)	2	3	3	必修
	金工		3	1	必修	纺纱学(二)	2	3	3	必修
	纺纱学(一)	2	3	3	必修					
	合计			22		合计			21	
第三学年	纺纱学(一)	1	3	2	必修	纺纱学(三)	2		2	必修
	电工学	3		3	必修	电工学	3		3	必修
	热工学	3		3	必修	热工学	3		3	必修
	机织学(一)	3	3	4	必修	机织学(二)	3	3	4	必修
	纺纱学(二)	3	3	4	必修	电工试验		3	1	必修
	织物设计	3		3	必选	漂染学	2	3	3	必选
	织物分析	1	3	2	必修	配色法	2		2	必修
	合计			21		合计			18	
第四学年	漂染学	2	3	3	必选	特种织造	2		2	必选
	工厂设计	1	3	2	必选	工厂设计	1	3	2	必选
	织物整理	2	3	3	必选	纺纱试验	2	3	3	必选
	纺纱学(三)	3		3	必选	织物整理	2	3	3	必选
	机织学(三)	1	3	2	必选	工厂会计	2		2	必选
	热工试验		3	1	必修	论文			2	必修
	工厂管理	3		3	必修					
	论文			2	必修					
	合计			19		合计			14	
	以下科目得选二至四门					以下科目得选二至四门				
	机械设计	3		3	任选	冶金学	2		2	任选
	空气调节	2		2	任选	工厂卫生	2		2	任选
	针织学	2	3	3	任选	工商法规	2		2	任选
	人造纤维	2		2	任选	水力学	3		3	任选
	动力厂	2		2	任选	工厂建筑	3		3	任选
	织物美术	2		2	任选					

水利工程学系课程

学年	第一学期				第二学期			
	科目	每周时数 讲授	每周时数 实习	学分	必修或选修	科目	每周时数 讲授	每周时数 实习	学分	必修或选修

学年	科目	讲授	实习	学分	必修或选修	科目	讲授	实习	学分	必修或选修
第二学年	应用力学	5		4	必修	材料力学	5		4	必修
	平面测量	3		3	必修	平面测量	3		3	必修
	平面测量实习		6	2	必修	平面测量实习		6	2	必修
	微分方程	3		3	必修	工程数学	3		2	选修
	地质学	3		2	必修	水力学	4		3	必修
	工程材料	3		2	必修	机动学	3		2	必修
	经济学	3		3	必修	热机学	3		3	必修
	水工制图		3	1	选修	材料试验		3	1	必修
	合计			19–20		合计			18–20	
第三学年	结构学	3		3	必修	结构学	3		3	必修
	钢筋混凝土	2		2	必修	钢筋混凝土	2		1	必修
	水文学	3		2	必修	土石结构及基础	4		3	必修
	水力试验		3	1	必修	水文测量	2		2	必修
	河工学	4		3	必修	水文测量实习		3	1	必修
	运渠工学	3		2	选修	灌溉工程	4		3	选修
	电工学	3		3	必修	给水工程	4		3	选修
	高等水力学	3		2	选修	结构计划		6	2	必修
	土壤力学	3		3	选修	河工设计		3	1	必修
	路线测量	2		1	选修	电工试验		3	1	必修
	路线测量实习		3	1	选修					
	合计			21–23		合计			17–20	
第四学年	水电工程	4		3	选修	契约及规范	2		1	必修
	钢筋混凝土计划		6	2	必修	海港工程	3		2	选修
	水工结构计划		6	2	选修	排水工学	2		2	选修
	高等结构学	3		2	选修	中国水工史	2		2	选修
	流体力学	3		3	选修	水电工程计划		3	1	选修
	防洪工学	3		2	选修	卫生工程计划		6	2	选修
	灌溉工程计划		3	1	选修	高等水力测验		6	2	选修
	污水工程	4		3	选修	毕业论文			2	选修
						工程估价	2		2	选修
	合计			15–18		合计			8–16	

航空工程学系课程

学年	第一学期					第二学期				
	科目	每周时数		学分	必修或选修	科目	每周时数		学分	必修或选修
		讲授	实习				讲授	实习		
第二学年	机械画		6	2	必修	机械画		3	1	必修
	机动学	3		3	必修	机动学	2		2	必修
	金工		6	2	必修	金工		3	1	必修
	应用力学	5		4	必修	材料力学	5		4	选修
	工程材料	2		2	必修	航空学概论	3		3	必修
	测量学	1	3	2	必修	水力学	3		3	必修
	微分方程	3		3	必修	热工学	4		4	必修
						高等工程数学	3		3	必修
	合计			18		合计			21	
第三学年	飞机结构学(一)	3		3	必修	飞机结构学(一)	3		3	必修
	机械设计原理	2		2	必修	机械设计原理	1		1	必修
	机械设计绘图		6	2	必修	机械设计绘图		3	1	必修
	电工学	3		3	必修	电工学	3		3	必修
	空气动力学(一)	3		3	必修	电工试验		3	1	必修
	热工学	3		3	必修	飞机构造及修理	3		3	必修
	热工试验		3	2	必修	内燃机	3		3	必修
	材料试验		3	1	必修	经济学	3		3	必修
	合计			19		合计			18	

航空工程学系结构组课程

学年	第一学期					第二学期				
	科目	每周时数		学分	必修或选修	科目	每周时数		学分	必修或选修
		讲授	实习				讲授	实习		
第四学年	空气动力学(二)	3		3	必修	空气动力学(三)	3		3	必修
	飞机结构学	3		3	必修	飞机结构学	3		3	必修
	飞机设计	1	3	4	必修	飞机设计	1	3	4	必修
	毕业论文			1	必修	毕业论文			2	必修
	飞机发动机	3		3	必修	冶金及金相学	2	3	3	必修
	飞机修造实习		6	2	必修	工业管理	3		3	选修
	航空仪表	2		2	必修					
	风洞及引擎试验	2	3	2	选修					
	合计			18–20		合计			15–18	

航空工程学系发动机组课程

学年	第一学期					第二学期				
	科目	每周时数 讲授	每周时数 实习	学分	必修或选修	科目	每周时数 讲授	每周时数 实习	学分	必修或选修
第四学年	发动机设计	1	3	4	必修	发动机设计	1	3	4	必修
	引擎动力学	3		3	必修	飞机发动机	3		3	必修
	发动机修理实习		6	2	必修	工业化学	3		3	必修
	燃料及滑油	2	3	3	必修	毕业论文			2	必修
	风洞及引擎试验	2	3	2	选修	工业管理	3		3	选修
	合计			12－14		合计			12－14	

工业管理学系课程

学年	第一学期					第二学期				
	科目	每周时数 讲授	每周时数 实习	学分	必修或选修	科目	每周时数 讲授	每周时数 实习	学分	必修或选修
第二学年	应用力学	5		4	必修	材料力学	5		4	必修
	平面测量	2	3	3	必修	水力学	3		3	必修
	经济学	3		2	必修	经济学	3		2	必修
	机动学	3		3	必修	工商法规	2		2	必修
	工程图画		3	1	必修	工程图画		3	1	必修
	应用文	3		3	必修	工程材料	2		2	必修
	工业管理	3		3	必修	运输学	3		3	必修
	合计			19		合计			17	

工业管理学系工业管理组课程

学年	第一学期					第二学期				
	科目	每周时数 讲授	每周时数 实习	学分	必修或选修	科目	每周时数 讲授	每周时数 实习	学分	必修或选修
第三学年	热工学	3		3	必修	热工学	2	3	3	必修
	电工学	3		3	必修	电工学	2	3	3	必修
	机械设计原理	3		2	必修	机械设计原理	3		2	必修
	机械设计制图		3	1	必修	机械设计制图		3	1	必修
	会计学	3		3	必修	会计学	3		3	必修

续表

学年	第一学期					第二学期				
	科目	每周时数		学分	必修或选修	科目	每周时数		学分	必修或选修
		讲授	实习				讲授	实习		
第三学年	统计学	3		2	必修	统计学	3		2	必修
	人事学	3		3	必修	制造管理	3		3	必修
						工业史	2		2	必修
	合计			17		合计			19	
第四学年	国际贸易	2		2	必修	成本会计	3		3	必修
	货币银行	2		2	必修	工业运输	3		3	必修
	厂屋建筑	3		3	必修	施工规范	2		2	必修
						论文			2	必修
	合计			7		合计			10	
	选修以下各类课程,每类选一门或两门,共选三门或五门,每门三学分。 一、审计会计制度,公司理财。 二、高等统计,财务报告分析,应用数学。 三、地质学,工业化学,水文学,化工原理。 四、心理学,伦理学,社会学,市场学,政治学。 五、纺织概要,采矿概要,道路工程,机车,内燃机,市政工程。									

工业管理学系工程管理组课程

学年	第一学期					第二学期				
	科目	每周时数		学分	必修或选修	科目	每周时数		学分	必修或选修
		讲授	实习				讲授	实习		
第三学年	热工学	3		3	必修	热工学	2	3	3	必修
	电工学	3		3	必修	电工学	2	3	3	必修
	结构学	4		4	必修	结构计划		6	2	必修
	会计学	3		3	必修	会计学	3		3	必修
	统计学	3		2	必修	统计学	3		2	必修
	劳工问题	3		3	必修	铁道管理	3		3	必修
						工业史	2		2	必修
	合计			18		合计			18	

续表

学年	第一学期				第二学期				
	科目	每周时数		学分	必修或选修	科目	每周时数	学分	必修或选修
		讲授	实习				讲授	实习		
第四学年	经济政策	2		2	必修	铁路会计	3		3	必修
	财政学	2		2	必修	工作分析	3		3	必修
	铁道工程	3		3	必修	施工规范	2		2	必修
						论文			2	必修
	合计			7		合计			10	
	选修以下各类课程,每类选一门或两门,共选三门或五门,每门三学分。 一、审计会计制度,公司理财。 二、高级统计,财务报告分析,应用数学。 三、地质学,工业化学,水文学,化工原理。 四、心理学,伦理学,社会学,市场学,政治学。 五、纺织概要,采矿概要,道路工程,机车,内燃机,市政工程。									

第二节　教学与训导文选

一、国立西北联合大学教育系导师制训导纲要及实施办法

李建勋

一、前言

我国晚近教育偏重知识的传授,而忽视道德及体格之培养,其流弊之大,已为国人所公认。年来教育界同仁有鉴于此,因而提倡导师制,以图补救者,颇不乏人。但考其论著,多系理论之叙述,尚乏实施之方案。最近教育部为矫斯弊,乃制定中等以上学校导师制纲要,明令各校遵办,已较前具体多矣。惟训导纲要,尚未颁布,实行上无所依据,似仍嫌美中不足,本系导师与本校家政系导师诸先生,深感导师制有急需施行之必要,特组织研究委员会,几经开会商讨,草定训导纲要、实施办法及各种应用表册,以为试办之准备。

兹将适用于本系者分述于后,非敢用以示例,特以同人等所拟草案,挂一漏

万,在所难免。聊本献曝之愚,公诸教界同仁,尚望海内贤达,不吝赐教,俾加修正,渐臻完善,则幸甚矣。

二、训导纲要

(甲)训导目标——导师训导学生,以辅助本系实现训练方针为目标,其训导方针如下:

A. 养成服务所需之健全人格。

B. 培养胜于职务之坚强体魄。

C. 养成笃信教育之专业精神。

D. 培养适于职务之知识技能。

E. 养成寻求真实之科学精神。

(乙)训导要项

A. 关于思想性行方面的:

①修己——培养学生:振作、规律、勤俭、整洁、端庄、谨慎、知耻、虚心、自反、自强诸习性。

②待人——养成学生:公、正、诚、信、礼、义、仁、恕诸美德。

③治事——培养学生:认真、负责、计划、精细、明达、敏捷、果断、恒毅、廉洁、沉着诸美德。

④对家庭——养成学生:孝、悌、仁、爱、让诸美德。

⑤对社会——培养学生:热心、合作、急公、好义、领导、服从、服务、创造之精神。

⑥对国家——养成学生:爱护、崇信、服从、忠勇、贡献(包括身家性命财产)之精神。

⑦对民族——培养学生:自信、自尊、自决、自强、自立之意志。

⑧对世界——培养学生:自由、独立、平等、信义、和平之信念。

B. 关于学业方面的:

①求学态度:

a. 养成学生对全部课程兼顾并重的态度。

b. 养成学生由博而约的研究态度。

c. 养成学生切实、虚心、精细、准确、奋进、恒毅、创造、存疑,及多方面兴趣等治学精神。

②求学计划:

a. 使学生彻底明了各科目在全部课程中之意义及地位。

b. 指导学生对于选副科、选组、选课,作周密一贯的计划。

c. 指导学生对于日常课业及课外研究作合理的设计。

③求学方法:

a. 增进学生阅读中文书籍及发表能力。

b. 养成学生阅读外文书籍能力。

c. 指导学生对于图书馆的使用。

d. 养成学生寻求及讨论问题的习惯。

e. 培养学生自动研习的兴趣与能力。

f. 指导学生治学方法。

C. 关于体格方面的:

关于体格方面,导师除督导学生对于学校军训及体育各项上课认真受课外,并应辅导学生养成平日参加适当运动,及恪守卫生规则的良好习惯,以期使学生人人具有健全的身体与精神,及自卫卫国的技能。

(丙)训导方式:

A. 个别训导

①个人及家庭状况调查——每学年之始,举行一次,以作训导之根据(调查项目详见"学生个人状况调查表"及"家庭状况调查表")。

②个别谈话——导师应每周规定与学生个别谈话时间,与本组学生轮流作个别谈话,藉以体察学生之个性及进修状况,以便指示学生以改进之途径。

③个性考查——导师除由日常活动随时体察学生个性外,可采用下列方法,搜集关于学生个性之多方面的材料,以为实施个别训导之依据。

a. 各组导师及教授意见之交换——为彻底明了学生个性,各导师得随时征询其他导师或教授对于本组学生之意见。

b. 学校各处组意见之征询——导师得随时征询学生生活指导委员会、军训组、斋务组、卫生室及其他有关方面,对于本组学生之意见。

c. 同学意见之征询——同学朝夕相处,作息与共,彼此间往往有深刻明确之认识,故其意见亦可作参考之厢。

d. 家庭访问或函询——如遇有学生之思想、性行,发生较严重之问题,而为校方所不易单独处理者,可由导师访问或函询其家长以明问题发生之真相,而谋根本救治之方法。

e. 利用表册考查个性——按照制定之"学生个性考查表",每学期由本组导师及军训教官,根据所列项目,考查填写,并由各生关系密切之同学试填,以作参考。("学生个性考查表"另详)。

f. 其他。

B. 团体训练——导师应指导本组学生就下列各项团体活动中,每月举行一项或数项:

①谈话会或讨论会——导师可指定题目,或由师生共同选定题目,事前通告学生,令其预为准备,以便开会时得以集思广益,而得到较为圆满的结论。

②讲演会——发表能力为一成功的教师所必须具备的条件,故导师应鼓励学生平时对于讲演常加练习。讲演会得由数组或全系学生联合举行之。

③读书会——二为培养学生自动读书之兴味及直接参考外文书籍之能力起见,导师可选定外文教育名著,指定每周应读分量,令学生于课外阅读,定期开会详加指导。

④研究会——为谋学生个性发展,及学业深造起见,可提倡组织各种学术研究会,如战时教育研究会、课程研究会、训育问题研究会、小学教育研究会、师范教育研究会等。此种研究会,可由各组学生共同组织之。

⑤服务团——为谋发展学生对社会服务之精神,及适应抗战时期之需要,导师须鼓励学生从事各种社会服务,或劳动服务。如民众学校,通俗讲演,话剧表演,义务教育之服务或社会调查等。

⑥远足会——为锻炼身体、活泼心情、增长见闻及联络感情起见,导师可率领学生作徒步远足旅行。

⑦其他。

(丁)成绩评定

A. 关于思想性行成绩之评定——按照学生思想性行评判表所规定之项目及定分标准(详见"学生思想性行评判表"),根据下列各方面之观察、意见及记载等,详定之。

①导师本月之观察考核。

②军训组、斋务组、生活指导委员会、任课教员及有关各方面之意见。

③训导纪要上之记载。

④学生个性考查表之填写。

⑤其他。

B.关于学业成绩之评定——照部章及本校学则办理之规定。

C.关于体育成绩之评定——照本校军训及体育成绩考查方法办理。

三、实施办法

(甲)原则

为彻底了解学生之情况计,在可能范围内,导师与学生接触之机会,应尽量加多。

为严密实行训导计,导师对学生之性行、思想、学业及身体等,应分别设法督导,以期达施行导师制之目的。

为统筹兼顾计,本系各导师应多有接谈机会,藉资联络,而图改进。

(乙)办法

关于了解学生者：

①本系各年级导师,以固定为原则。

②各组学生,于每学期之始到校三日内,除向注册处、军训处报到外,须向本组导师及系主任办公室报告。

③学期开始时,各组导师应负责指导本组学生选课及改选课程事宜。学生于课程选妥后,须先请导师签字再送交系主任签字。

④学生因事请假在三日以上者,除向教务处、军训处呈准外,须分别向本组导师及系主任来函或亲往说明。

⑤各组导师对本组学生,除个别谈话指导外,每月至少应举行一次全体谈话会、讨论会或远足会,以作团体生活之训导。

⑥学生之家庭状况与学生之思想行为关系至巨,故本系每年举行家庭状况调查一次,以作各导师训导上之参考。

⑦为明了学生学业计,由本系商请注册组于每学期考试成绩评定后,将各该生所习各科之分数,送交本系分转各导师,以资存查。

⑧各组导师除以学生个人状况及个性考查表,考查本组学生性行、思想及身体状况等外,并得随时征询学生生活指导委员会、军训处、斋务组、校医室及其他有关各处之意见,以资参考。

关于施行训导者：

⑨每学期末,导师应召集该组学生,商定假期中工作计划。学生于每学期到校之初,必须将假期中工作及进修状况,报告于该组导师。

⑩训导功能责在改进,倘无记录,难资比较,本系备有"训导纪要表"分送各

组导师,以备登记。

⑪谈话会及讨论会举行时,除学生随时提出问题外,导师应预定谈话及讨论题目,并使学生将谈话及讨论经过情形详细记录,以备参考。

⑫远足会以凭吊古迹,鉴赏名胜、采访事物,藉以扩展心胸、锻炼体格、增长知识为目的,以徒步一日能往返之距离为准则。

⑬关于学生之学业进修,导师应勤加询问、督导,务使学生最低限度对各科指定之参考书籍择要阅读。

⑭在可能范围内,导师应指导学生举行各种学术研究或讨论会。

⑮关于学生之体格锻炼及卫生等,导师应指导学生养成良好之生活习惯,注意适当运动,在可能范围内,督导学生加入或自行组织各种运动团体。

⑯关于学生性行思想及身体之指导办法,在教育帮训导纲要未颁布以前,由本系自定之,其办法另详。惟评判学生思想性行时,不特注意其实现状况,尤应与既往比较,以观其改进成效。

关于统筹兼顾者:

⑰本系各导师,除按全校所定施行细则,每月举行一次训导会议外,应随时将各个人之经验心得,互相交换,藉以收联络改进之效。

⑱本系导师对学生之一切情形及训导进行现况,应随时与本系主任商讨,以谋统筹改进办法。

⑲每学期之末,导师更换时,新旧导师应会谈一次,旧导师并应将该组学生之一切训导记录,交与新导师。

⑳导师于每学期之末,应向本系提出对各该组学生状况之考查报告,以便汇转学校存查。

附表

一、学生个人状况调查表

二、学生家庭状况调查表

三、学生个性考察表

四、学生思想性行评判表

五、训导纪要

六、导师对学生状况考查报告表

国立西北联合大学教育系学生个人状况调查表

姓名		性别		年龄		年级	
籍贯		省		市县		村镇	
通信处	永久的				经济来源		
	现时的						
已否订婚结		如已结婚有无子女?		各几人?		年龄各若何?	
对婚姻满意否? 如不满意,对之持何态度?							
曾在中等学校何校卒业?							
为如本大学前曾否作事? 若然,请填下列各项:							
a.机关名称							
b.所服职务							
c.工作期限							
d.对该项工作之意见							
进本系之动机为何?							
对本系哪几种科目最感兴趣?							
对本系哪几种科目最感困难?							
以往在中学及本校参加何种课外活动或工作?							
(a)在中学 (b)在本校							
现在正参加何种课外活动及工作?							
课外喜作何消遣?							
课外喜阅读何种书籍及定期刊物?							
(a)书籍 (b)刊物							
列举最近三个月内曾阅读之课外书籍或刊物,最少三种。							
在日常生活中感到何种问题							
(a)对于学业							
(b)对于家庭							
(c)对于社会生活							
对将来事业有何计划或希望?							
备注							

国立西北联合大学教育系学生家庭状况调查表

学生姓名						
(1)是否战区		近况如何				
(2)新属(以同居者为限)						
祖父母姓名	祖父		年龄		职业	
	祖母					
父母姓名	父		年龄		职业	
	母					
伯父母姓名叔	伯父		年龄		职业	
	伯母					
	叔父		年龄		职业	
	叔母					
兄弟几人?	年龄各若干?					
	现在做何事?					
姊妹几人?	年龄各若干?					
	现在做何事?					
子侄几人?	年龄各若干?					
	现在做何事?					
其他亲属						
(3)财产						
	(a)全年财产:不动产,值　　元　　动产,值　　元					
	(b)每年经常收入:不动产,　　元　　动产,　　元					
	(c)每年经常支出:平均每月　　元					
(4)保证人						
姓名　　职业　　通信处						
(5)在汉中或城固最接近之亲友						

姓　　名	职业		通信处	
(a)				
(b)				
(c)				
(6)备考				

国立西北联合大学教育系学生个性考察表

姓名		性别		年龄		
	院		系		年级	组
说　明							
(1)本表分为特性、修己、待人、对事、对公众五大项,共八十一目。惟第一项特性内,所列各目之性质与其他各项不同;以后者皆有善恶之分,前者只有刚、柔或动、静等之别也。						
(2)各项内包有各目,凡属刚、动或善性者列于上,属于柔、静或恶性者列于下,使其自成一量尺,以便填记。属于尖端者用原有评语,属于中间者,由填记者自拟评语。						
(3)本表所列八十一目,恐难概括无余,此不过举其最要者耳。						
(4)本表各项所列各目,系于适当时机中,在可能范围内尽量考查填记,以作性行及思想评判时之参考,非必于一定期间内,尽数考查之也。						
填记人		年		月		日
附记							

考察项目

	第一项　特　性	
1	自信力强	自信力弱
2	意志坚强	意志薄弱
3	好发议论	沉默寡言
4	好辩驳	恶争论
5	活泼	凝重
6	言语直爽	言语吞吐
7	发扬	沉静
8	热烈	冷淡
9	夸耀	谦逊
10	暴躁	温和
11	刚强	柔和
12	好表现	喜韬晦
13	富理想	重实行
14	自命不凡	妄自菲薄
15	常乐观	常悲观
16	喜参加团体	爱独自工作
17	泛交游	寡交游
18	敏捷	迟缓
19	聪明	呆笨
20	头脑清楚	头脑颟顸
	第二项　修　己	
1	清洁	污垢
2	整齐	散乱
3	谨慎	放肆
4	庄重	轻佻
5	沉着	浮躁
6	简约	奢华
7	吃苦耐劳	娇怯偷安
8	勤奋	怠惰
9	进取	苟安
10	振作	萎靡
11	好学	自足
12	自立	依赖
13	凡事求己	怨天尤人
14	自强自重	自暴自弃
15	魄力雄厚	魄力不足
16	信仰坚定	信仰无常
17	度量宽宏	气量狭小
18	平易近人	标奇立异

续表

	第二项　修　己	
19	守中道	走极端
20	无实际	尚虚荣
21	坦白	矫饰
22	思想高尚	思想卑鄙
23	重是非	记利害
24	勇于改过	怙恶不悛
25	生活规律	生活放荡
26	重全体福利	重个人享受
	第三项　待　人	
1	忠实	虚伪
2	宽厚	刻薄
3	宽容	嫉妒
4	不念旧恶	怀恨不忘
5	隐恶扬善	好论人非
6	助人成事	扰乱破坏
7	存善意	蓄恶意
8	济困扶危	壁观不置
9	守正不阿	趋炎附势
10	守约不渝	轻诺无诚
11	亲切	冷淡
12	慷慨	吝啬
13	信赖	猜疑
14	谦逊	傲慢
	第四项　对　事	
1	负责	推诿
2	认真	敷衍
3	细密	粗忽
4	计划周密	行动卤莽
5	果决善断	优柔寡断
6	勇往直前	畏缩不进
7	虚心从善	独断固执
8	理智分析	感情冲动
9	勤劳不息	作辍无恒
10	实事求是	沽名钓誉
11	注意集中	注意涣散
12	因事择人	因人找事
13	忍耐	急躁

续表

第五项 对公众（社会或团体）		
1	有领导能力	无指挥才能
2	团结合作	独断独行
3	执行决议	阳奉阴违
4	服从	颛耿
5	讲理	蛮横
6	守法	逾范
7	忍耐和平	暴躁斗狠
8	济公忘私	惟利惟势

评判项目

第一项	修己——评判分数占总分数20%
德目：	振作　规律　勤俭　整洁
	端庄　谨慎　知耻　虚心
	自反　自强
第二项	待人——评判分数占总分数15%
德目：	公正　诚信　礼义　仁恕
第三项	治事——评判分数占总分数15%
德目：	认真　负责　计划　精细　明达
	敏捷　果断　恒毅　廉洁　沉着
第四项	对家庭——评判分数占总分数5%
德目：	孝　悌　仁　爱　让
第五项	对社会——评判分数占总分数20%
德目：	热心　合作　急公　好义
	领导　服从　服务　创造
第六项	对国家——评判分数占总分数20%
德目：	爱护　崇信　服从　忠勇
	贡献（包括身家性命财产）
第七项	对民族——评判分数占总分数10%
德目：	自信　自尊　自决　自强　自立
第八项	对世界——评判分数占总分数5%
德目：	自由　独立　平等　信义　和平

国立西北联合大学教育系学生思想性行评判表

姓名		性别		年龄		
	院		系		年级	组

说　明

(1) 思想性行,交互错综,殊难分别考查;故合二者而作一表。惟学生正在求学期间,其所能表现于外者,关于修己、待人及治事等项,在性行方面较多;关于对家庭、社会、国家、民族及世界等项,在思想方面较多。故本表之二项多属于性行方面,后五项多属于思想方面。

(2) 思想性行在训导上同等重要,故前三项与后五项分数,各占总分数之半。

(3) 在学生求学期间,以修己为先,处弱肉强食之时,国家应高于一切,故此二项分数,所占总分数之百分比为最高。

(4) 本表各项下所列各德目,在一学期内以尽行考查为原则,倘有修养德目未为考查所及者,则记分时将其除外,以已考查者代表各该项之全目,而计其应得之分数。

(5) 本表评判总分为100分。

评判分数
评判人　　　　　年　月　日
附记

国立西北联合大学教育系训导纪要

会晤形式	
学生姓名	
年月日	
所作事项	
例考	

国立西北联合大学教育系导师对学生状况考查报告表

学生姓名	性别	年龄	年级	学期	籍贯	
思想性行	评判		分数			
学业	评判		分数			
身体状况	评判		分数			
改进要点						
导师姓名					年　月　日	

(《教育杂志》第29卷第5号,1939年5月)

二、本校各院一年级共同必修国文课本学期实施情形

国文系报告

本系为谋本校各院一年级共同必修国文科实施便利起见,于本期开学前(廿七年十二月八日),即召集本科各教员在本系办公室举行第一次谈话会,议决多件并规定:"每星期六下午一时(本年一月廿一日第六次谈话会议决□迟半小时至三时在国文系办公室举行谈话会一次)",商决并推动本科教学计划之进行。本报告即根据各次会议决案累加类别整理而成。兹列举如下:

一、分组

二十七年十二月七日教务处并院长系主任第一次谈话会,关于本校各院一年级国文之分组,议决如下:"除文理师范两院国文合为甲组外,文理学院暂分为乙丙两组,师范学院暂分为丁戊己三组,法商学院暂分为庚辛二组,医学院为壬组。每院分组标准视分组考试程度而定。"并议决每组以三十人为准。至本年一月初旬,各院学生有一组增至五十余人者。故本系普通国文教员第五次谈话会(以后简称谈话会)议决:商请学校于文理学院匀增一□组,法商学院匀增一于组,师范学院则□人数再增至够一组时再议。现时暂将己组过多之人数,匀配在丁戊两组听讲。当经学校照办。

二、教材

关于教材,在本学期之初已请本系教员谭戒甫、罗根泽、吴世昌先生拟出统一的具体方案。二十七年二月八日第一次谈话会又议决:"教材以一周或两周为一单元,推定一位选足篇目。篇目分讲谈及参阅两种。讲谈教材,长则一篇,短则两三篇;参阅教材,可以多选,但必与本单元讲谈教材有内容或形式(文体)上之联络。"并议决:于每星期六下午谈话会上,决定其后二周应实授之单元篇目,以便印发。并于第六次谈话会议决:为免去每周推选选定教材篇目负责者之烦琐手续起见,特商定其次序如下:(一)谭戒甫先生,(二)许寿裳先生,(三)卢怀琦先生,(四)唐祖培先生,(五)吴世昌先生,(六)罗根泽先生,(七)卢宗澍先生,(八)高元白先生,(九)陈叔庄先生,(十)张□先生,(十一)黎锦熙先生,(十二)曹鳌先生。第七次谈话会又议决:"值周选定教材者,并须负校注之责任。为使学生易得训练写作技术之模范文起见,于第二次谈话会又有嗣后应多选唐宋以降文,但当力避与中学选文重复"之决议。拟于学年终止时,即以所选印之教材,重加商核补

充,装订成本,作为本校以后一年级国文科之教本。

三、作文

作文系按照部定办法,即每两周作文一次(第一次谈话会决议),每次作文得用一题目,其题目于星期六例会时共同拟出之(第二次谈话会决议),批改作文试用标示符号发还自改,再交核正之办法(第一次谈话会决议,其"作文批改符号"附后),其余如作文格纸由学生依式自行购用","作文一律在教室内限两小时交卷","如有特种作文题,须在教室外指导写作者,由各组教员于每周谈话会预商办法,并酌定交卷期限"等,则全规定于全校一年级生共同必修国文"作文"统整有效办法内(此办法经第三次谈话会通过,并经本校常委会议核准)。兹将此办法附后,以补本报告之不备。

四、修养日记及读书札记

为改进作文教学,使学生能有确实之进步,并与训育方面联络起见,遂规定全校一年级生必须写作"修养日记"及"读书札记"办法,并经本校常委会议核准施行。此办法规定甚详,特附于后。现修养日记照此办法,按条实行已□一月,成绩甚佳,惟读书札记,则因学校限于经费,未能照办法第七条发给格本,改为由学生依式自购,致写作者尚未普遍。

五、其他

作文进步与熟读模范文不无关系,故第六次谈话会议决:"学生每期必背诵模范国文若干篇。"又以标点符号与阅读及作文有密切之关系,故第四次谈话会议决:"编印新式标点符号用法举例,发给学生,如有必要,可用二小时讲授之。"又以文师两院国文系生既合为甲组,而部定两院国文时数不同,师院四小时,文院三小时,故甲组中之文院生增一小时,与师院生合授"国语发音学",一面训练说国语之技能,一面使□知发音之原理,但仍名国文,不令标科目也。

本报告之附件:

附件1:全校一年级生共同必修国文"作文",统整有效办法(附"作文批改符号")。

附件2:全校一年级生写作"修养日记"及"读书札记"办法。

附件1:全校一年级生共同必修国文"作文"统整有效办法

一、遵照教育部公布文、理、法、商,四学院共同必修科目表,及师范学院规程第廿六条共同必修科目表,每两周作文一次(师范规程科目表中未注此语,当可推定）。

二、作文格纸,由学生依式自行购用。

三、作文一律在教室内,限两小时交卷(作文题各组亦得统一,照国文系第二次谈话会议决案办理)。

四、如有特种作文题,须在教室外指导写作者,由各组教员于每周谈话会预商办法,并酌定交卷期限。

五、作文不拘文言白话,但须各矫所短(即不能作文言文者,须练习至相当程度,不能作白话文者亦然),然后各展所长。

六、作文必须养成逐句加标点符号之习惯(如标点各占一格,须注意标点勿得转行,行末标点可加在本格字下);并提行分段,每段首行低二字。

七、教员批改作文,一律试用标示符号,发还自改,再交核正之办法("作文批改符号"已由第二次谈话会议决,附后备参)。

八、"修养日记"于每周上国文第一堂时,一律交阅。教员阅毕后,转各该院主任导师分别发还。

九、"读书计划"于每月最后一周交阅。交阅之一周,将作文推后一星期(如本周应交作文,推入下星期;本周不作文,亦将作文推入下下星期)。

十、评阅日记及札记,亦适用"作文批改符号";惟学生自行改正后不必再缴,教员可随时抽查。

十一、全校一年级生写作"修养日记"及"读书札记"办法,令规定之。

十二、作文及日记札记之成绩,由教员分别登记,俟届满一学期,合计为平时成绩。

十三、学生作文及日记札记,均应自行装订,慎重保存。教员可随时调阅,如有遗失,扣其成绩分数。

十四、本办法未尽事宜,或需要改进之处,均由每周谈话会随时商决。

附件1.1:作文批改符号

一、误字　　X(标在字上,如不明,则记□)

二、不通　　X(标在词句之旁。)

三、欠妥　　—(标在词句之旁。)

1. 以上"不通"与"欠妥"两种符号,均就文法(词句及段落篇章)而论。

2. 思想(又推断)错误,大者以"不通"论,小者以"欠妥"论,则于符号上(或眉端)批一"思"字,或加"ム"为记。

3. 事实(又如引书)错误,大者以"不通"论,小者以"欠妥"论,则于符号上(或眉端)批一"事"字,或加"ア"为记。

4. 教员于眉端批以简语,□即可,惟文中一律朱笔将符号标明以凭自改。

5. 批记后,于下一次上课时发还学生自改,再下一次上课时学生复缴,教员审核记分,再下一次上课时发还指导,或酌讲作文法(因此周不作文也)。

附件2:全校一年级生写作"修养日记"及"读书札记"办法

甲、修养日记

(一)每周上国文第一堂时,由教员按名分发"修养日记"格纸,每人四张,为本周写作只用,每日至少须写半张。如多写格纸不足时,可随时持稿到各院事务室(处)签领(所领张数,即自行计入日记内)。次周上国文第一堂时,一律将全周日记呈阅。

(二)每周日记第一页第一行,须写明"第几周修养日记",下署"系别级别及姓名",呈阅时,须将全周各页用书别或钢钉订作一本。

(三)修养日记,须逐日于临睡前写讫,以对于自己生活之反思与认识为主旨(每日起居行动、思想、言语、修己、治学、应事、待人等,依全日生活过程累记,随后反省,述其迷悟;其"日省要项"及"本大学训导纲要",另行颁发,以备省览),对于社会实际问题及时事等,亦可自由发表本日之感想(体裁及作风,可参阅国文教材古今名人日记或日记专书)。

(四)写日记时文言白话随便,但须养成随写随加标点之习惯,字体可用行书及简体字,但须行款整洁,不可潦草难辨。

(五)教员评阅时,于文字、思想、事实三方面,均适用"作文批改符号",或酌加评语。按周记其成绩,其最优或太劣者,可特记之。

(六)教员评阅后,按周汇送各该院主任导师,分别审核登记其生活情形,以利训导。核记后,分别发还各生。各生应慎重保存,并逐周依次汇订,每学期为一册,以备个人之历史。导师及教员皆可随时调阅。

乙、读书札记

(七)每学期开始,由教员按名发放"读书札记"格本,每人上下两册,每月最后一周,呈阅一册,以代作文。上下两册递换。每册写完,随时持向各院事务室(处),签领新格本(分别上下合订之)。

（八）读书札记,于每日读书有得或有疑时,随手写记。一事为一条,下注年月日。所记长短多寡随意,须以课外参考或浏览之书籍报志引其端绪,不可与听讲笔记重复,亦不可凭臆作空谈(内容及体裁作风,可参照国文教材古今名人札记选,或参考札记体之专书。)。

（九）写札记时,所用文体及字体,准照前第四条之规定。

（十）教员评阅及记成绩,准照前第五条之规定。惟札记中"有疑"各条可随宜予以指导。其不属国文范围者,则批令持向他科教员请予指导。

（十一）教员评阅后,分别发还,各自检讨。如仍有疑不能自决时,可随时持向教员请益。其不属国文范围者,分向他科教员请益。

（十二）札记各条列无秩序,因每日所读书报,其内容不能限于一方面,也惟于每条之眉端,可随时标一数目字,以资分类;其标类之数字,即适用本校图书十六部之分类法,如下:

（0）总部(目录学、新闻学、类书、辞典等;又如统论国学及群经等不能分析属于下列各部者)。

（1）哲学(如诸子,又论理学、心理学、伦理学属之)

（2）宗教(如佛书、道教等,又神话、术数属之)

（3）社会科学(统计,政治,经济,财政,法律,社会,教育,军事,礼俗)

（4）语文学(如说文、字典、音韵、国语、方言等;各国语言文字及世界语属之)

（5）自然科学(数学,天文学,物理学,化学,地学及古生物学,生物学,植物学,动物学,人类学,解剖学及生理学)

（6）应用科学(医学,家政,农业,工程,化学,工艺,制造,商业)

（7）艺术(美学,建筑,雕刻,书画,摄影,音乐,游艺及体育)

（8）文学(如总集、别集、戏曲、小说等;又各国文学皆属之)

（9）史地(人物传记及考古学属之)

（十三）札记届满一学期或一学年,即可按标类之数字,检集同类各条,组成单篇,分标题目(如顾炎武《日知录》,陈沣《东塾读书记》之例);积久即为各种专题研究论文之资料。

（十四）札记每学期至少须写满二册(每册三十页,每页约五百字)。各生应慎重保存,教员可随时调阅。

(民国档案,中国第二历史档案馆)

三、论大学国文教学

于靖嘉　田葆瑛　宋汉濯　何乐夫　汪　震
吴力生　孙毓苹　张有智　赵天梵（以姓氏笔画为序）

　　大学一年级的国文课程战前本来没有，是二十七年开始增设的。三十一年六月教育部聘请几位学者黎锦熙、魏建功、朱自清、卢前、王焕镳、伍椒诸先生，组织了一个编选委员会，当时由会里拟定了一份"大学国文选目"，同年十月便颁发全国各院校一律遵用；三十二年正中书局就照此选目出版了一本《大学国文选》。大学国文的增设，算起来到现在恰恰十年了，至于所用教材除最初几年各自编选外，近六七年来全是用的部颁教本；但据一般的教学情形看来，虽不能说效果不大，却也发生了许多的困难问题。关于这些问题发生的原因，如果略加检讨，我们第一认为是教材太深。这本《大学国文选》，共列五十目，诗文六十篇，计先秦两汉文，包括：《易》《书》《诗》《礼记》《左传》《国语》《孟子》《庄子》《荀子》《列子》《离骚》《淮南子》《论衡》《说文解字》《史记》《汉书》，及贾谊、司马相如、董仲舒诸家之文，共三十篇。魏晋六朝文，包括《后汉书》《三国志》《文心雕龙》《高僧传》《水经注》《洛阳伽蓝记》，及庾信文等十一篇。唐宋文，包括《晋书》《北史》《通鉴》《通志》及韩愈、柳宗元、李白、杜甫、欧阳修、王安石、苏轼、张载、朱熹诸家之诗文十七篇，明代王守仁文一篇，清代姚鼐文一篇；现代文一篇也没有。这些教材让我们一看便知道它是太古老，尤太偏重先秦两汉。在这六十篇的一本书里边，先秦两汉之三十篇，以篇数论，恰占一半，以分量论，要占全书的三分之二，实在过于重古轻今了。这些文章，平心而论，无疑的都有学术的或文艺的甚高价值，教学生读了，可以让他们知道旧日的学术状况，也可以领略旧日的文艺作风；可是与现在一般大一学生的国文程度，的确相去太远了。若是拿来教师范学院文科各系，或一般大学的文学院，尚勉强可用，也未见得完全适合。如用它来教师范学院的其他各系，或一般大学的其他各院，我们一方面感觉到"陈义太高"，一方面又感觉到"离实际太远"。这些教材因为太古老，读起来字荆句棘，艰涩费解，讲授时不免使学生难于领会。于是，教学的效果就受了影响。

　　更成问题的是不能适合于学生的习作，因为在今日要作那样古雅的文章，得读过许多线装书做基础，再加上数十年含英咀华的修养与历练揣摩的工夫。而我们大一学生包括文法理工及师范各学院的青年，他们将从事于各种学术与技能以报效国家,从文学、科学、工业各方面而努力来创造我们将来的新中国,若殚精竭虑于学习古文,我们觉得他们有些不能。所以,这些教材如果经教师加以充分的预备,费力的剖析,讲起来也未尝不可上下古今,源源本本,滔滔不绝;学生听起来也或许可以忘倦,然而"眼之高无补于手之低",对于学生的写恐怕是很少有益的。不过在这里须要特别声明的,我们并不是反对读古书,只是说一般大一学生不完全需要,也不必固定非读不可而已。罗莘田先生说:"现在大学中国文学学系的课程何曾忽略了各时代的代表作品?何曾把古书束之高阁?许多有名学者的著作何曾不超越前人?我敢说:自从文学革命运动以来,在文字工具上虽然改良了,可是对于古书了解的精切,对于文字欣赏的深入,这些'酿成今日的底他它吗呢吧咧之文变'的人们,比起那些'日寝馈于古人之言'的"文学正宗与专门名家"来,实在'有过之无不及'。只是我们不再鼓励后进去摹拟'沈思翰藻'或讲求'神理气味格律声色'罢了"(《中国文学的新陈代谢》)。罗先生这一段话,我们认为很有道理,古书须要读,但不必人人都读;旧文学虽好,但我们不必再鼓励个个青年为它们而沉醉。

关于《大学国文选》的内容太深,学生不易理解一点,不只我们有此感觉,就是当时选编会的诸先生也有此同感:魏建功(编选会主席)先生说:"从这一个选目和客观情形两个相比较,或许失之过深"(《大学一年级国文的问题》);朱自清先生说:"至于学生了解力远在教材的标准之下,确是事实"(《论大学国文选目》)。黎劭西(锦熙)先生也说:"愚以为在目前大一学生国文程度之下,五十篇确乎不易讲授完毕,以必读的二十篇为限好了;二十篇也不易通体精读,长篇节取其中'精华'而精读之,其余部分略读好了"(《大学国文之统筹与救济》)。他们既认为教材太深,又知道学生不易理解,读起来困难层出,课程也进行缓慢,教材也讲授不完,为什么偏要这样选呢?这也可以看出他们不得已的苦衷了。欲明此理,我们便须要研究研究编选会决定的大学国文的"教学目标",正中书局把它印在《大学国文选》的卷首,名之曰:"本书编订要旨",共分三目:

一、在了解方面:养成阅读古今专科书籍之能力。

二、在欣赏方面:能欣赏本国古今文学之代表作品。

三、在修养方面:培养高尚人格,发挥民族精神;并养成爱国家、爱民族、爱人类之观念。

大学国文教学的目标,只是从"了解""欣赏""养成"三方面着眼,它的优点自然很多,我们姑且不论,现今只看它和高中国文教学的目标有什么不同。高中国

文课程标准的第一项"目标",共分四目:

一、使学生能应用本国语言文字,深切了解固有文化,并增强其民族意识。

二、除继续使学生自由运用语体文外,并养成其用文言文叙事、说理、表情、达意之技能。

三、培养学生读解古书,欣赏中国文学名著之能力。

四、培养学生创造国语新文学之能力。

在高中国文教学四个目标之中的一、三两目,大意所说也是"了解""欣赏"和"养成"(增强民族意识,亦即发挥民族精神)的话,只是大学教材在阅读和欣赏的范围上有"今"的部分。如今看他们选的标准虽然是从古到今,可是实际上一篇现代文也没有选入。所以,我们可以说大学国文教学目标与中学相同,不过措辞略有分别而已。我想在编选时,或者以为大学国文应该和中学国文的程度有些不同,而目标可以相差不多。可是,中学国文教学目标中最重要的部分,却被删掉了。被删掉的就是学生写作技术之训练,发表能力之养成,也就是高中国文课程目标的第二、四两目,使学生养成能自由运用语体文及文言文叙事、说理、表情、达意之技能,创造新文学之能力。此问题是我们认为最严重的一个问题。叶圣陶先生说:"大学一年级添设国文课程,是二十七年度开始的。……为什么要添设?据说因为大学新生国文程度差。……只是根据着考卷的文字欠通与别字连篇,就说他们国文程度差了。"(《关于大学一年级国文》)王焕镳先生也说:"大学生国文程度之低落,几乎与年俱进,而未知其所极,其握笔能为清顺之文者,百人中不得数人焉。识者固群认为严重问题,竞谋挽救之道。"(《大学国文教学问题之讨论》)读叶王两先生之论,便知道大学国文的增设,原来是因为大学生"考卷的文字欠通,与别字连篇",和"握笔能为清顺之文者,百人中不得数人焉"。换句话说:就是因为一般大学生写作、发表、创造的能力太差,于是增设大学国文,以资补救。然而大学国文既设之后,却与增设此科之原意相违了,这岂不是一个值得讨论的问题吗?在这里又要声明的,是我们并非否认"了解""欣赏"绝对与"写作"没有关系。"读书破万卷,下笔如有神"是古人由一生写作中得来的经验,诚属可信;且在古人的写作中,更讲求能够"铸经熔史"。想着写作时能够"下笔如有神",能够"铸经熔史",就非从"阅读古今专书""欣赏古今文学"着手不可。可是这种写作技能的基本训练,似应由六年中学的国文课程中多负其责(按中学课程标准应该如此,实际上也难负此重责),如果中学的国文训练失败了,那就应该放弃此一途径。现在假想在大学一年级的国文中来谋补救,虽然不能说绝对没有效果,然而我们总觉得效果太微了。

话又说回来了,编选会当时是否把"写作"问题完全忘掉了?不是。他们最初决定的大学国文教学目标,原来是分四目:有一目说:"在发表方面:能作通顺而无不合文法之文字"(见魏建功先生《大学一年级国文的问题》)。可是到了选材工作完成的时候,此目又被删去了,原因是"选目中的文字不能示范"(朱自清先生语)。编选教材的时候,他们还有几条规定,其中两条是:"酌量避免与中学重复"及"生人不录"。当时他们以为一般的中学国文教本,多选唐宋以下的文章,因为大学国文教材要避免和中学重复,所以教材便要偏重先秦两汉;又因为有"生人不录"的决定,所以现代文一篇没有入选。由此两种关系,教材不能训练学生的写作,于是便把训练写作的目标将就删去了。但是,他们虽拟避免与中学重复,其实教材中重复的还是很多,如白居易《琵琶行》《诗·蒹葭》、司马相如《长门赋》《洛阳伽蓝记》《景林寺》《白马寺》、朱熹《大学章句序》、韩愈《答李翊书》等,均已选入初高中中华教本。《汉书·马援传》、张载《西铭》《左传·季札观乐》、韩愈《答李翊书》《礼记·礼运》《荀子·天论》、朱熹《大学章句序》等均已选入初高中正中教本。又《礼记·礼运》《汉书·苏武传》《通鉴·淝水之战》、王安石《上仁宗皇帝言事书》、屈原《离骚》、杜甫《北征》《左传·殽之战》《汉书·儒林传序》、朱熹《大学章句序》、柳宗元《封建论》、许慎《说文解字序》、张载《西铭》等也都已选入初高中商务复兴教本。凭我们记忆所及,已有这些,实际上与中学教材重复,恐尚不止此数。至于因受"生人不录"的限制,而整个地放弃近体文言文和语体文,我们更感觉到不甚妥当。同时"生人不录"的意义,我们也不知道究竟如何?当时编选会也未加说明。也或许以为:近体文言文与语体文一看便懂,不必再选;即今选出来也没有什么可讲的;而作者大多还都在世,他们的作品,又是瑕瑜互见的,选起来斟酌取舍之间,也颇费工夫;干脆不选,让一般大学生,各就性情所好,在课外自己去随便阅读好了。其实,近体文言文之优点与其应讲之处甚多,现在我们且拿语体文来说:"照我看起来,白话文并不像一般人想象的那么容易懂。就因为它是新兴的文体,所以对于它的设计、结构、文字的运用、人物的刻画等等,越发得详详细细的分析解释。你必得讲过一回新文艺,你才知道它不容易讲,你必得作过一篇新文艺,你才知道它不容易作!又因为它瑕瑜互见,不完全是成熟的作品,所以在选择去取之间,格外得审慎,才不至于叫后进漫无准则"(罗莘田先生(《中国文学的新陈代谢》)。总之,我们认为大学国文教材因欲避免与中学重复(且实际亦未能全免),和受"生人不录"的限制,而便侧重先秦两汉,以至与教学目标相违，实在是应当从速补救的。

而且，还有一点也是我们觉得应当注意的，就是大学国文教学目标的第三目："培养高尚人格，发挥民族精神，并养成爱国家、爱民族、爱人类之观念"。凡一个国民，尤其是一个曾受高等教育的青年，的确是应该具有的。然而，这是整个教育的目标，不是某一课程的独有责任。无论在中学的任何课程中，大学的任何课程中，都应该含有这种意义的。不过国文训练的主要目的，毕竟于此有异。虽然说国文也是学校课程之一，总以少离开他的本身目的为是。所以，叶圣陶先生说："国文教学，在选材的时候，能够不忽略教育意义，也就足够了；把精神训练的一切责任都担在自己肩膀上，实在是不必的。国文教学自有他独当其任之任，那就是阅读与写作的训练。"（《对于国文教学的两个基本观念》）以上是说我们不完全赞成大学国文专教学生读古书，同时也不完全赞成国文课程太偏重精神训练。那么，大学国文教学的目标究竟在哪里？依我们的意见说，是颇同意杨振声先生的主张："若是一个大学毕业生还不能把自己的思想与感情恰切的表现于文字，那是对于他自身的侮辱，也是对于国家的不敬。大一国文的目的，不应单是帮助学生读古书，更重要的是要养成他们中每一个人都有善用文字的能力"。这便是说大学国文可以训练学生阅读，但不专门训练阅读，或单是训练阅读古书，最重要的还是训练写作。所以，要训练写作的原因：第一是因为他们现在不会写作，第二是因为他们需要写作，不仅现在需要写作，而且一辈子需要写作。关于大学生不会写作的情形，前面已经说过，现在不妨再引用魏建功先生研究的结论和慨叹于此，以说明此类事实之不容忽视。他说：

（1）无论文言和白话，根本没有做成一篇文章。

（2）文言既没有写好，白话也就写不好了。

（3）文言、白话分不清楚，两体都写不好了。

如此，教大学一年级国文的先生，就是神仙也难于搭救这些国文病根深入了膏肓的学生。

大学生的写作能力是这样的差，的确是一种侮辱和不敬，我们岂能漠然置之！至于神仙难救的话，不过是魏先生的一种慨叹而已。越是不能救，我们越应该来救，能把不能救的危机挽救了，能把不能收拾的颓风收拾了，这才是教育家的态度，这才是教育家精神特别伟大的地方。其次，我们说一般大学生都需要有用文字发表思想，传达意见，作学术论文，叙述时事或故事，和描写日常见闻人物的本领，而且写出来还能词明理达，文从字顺。不只文理法商医农等院的学生应该如此,师范学院的学生,更应该如此。因为他们将要献身教育,以教书为终身职业,在教书生活中至少要能够替学生编讲义、写笔记,如果更进一步,自己也要有所研究和著述。在这许多工作中,假若自己根本没有自由运用语言文字叙事、说理、表情、达意的本领,那不是将要自误误人吗?而且国文是在社会上应用最广的一种学科,任何一个大学生至少要能够写成一封通顺流畅的信。所以,我们要强调大学生最需要的是"写作技能"的训练。我们不只要训练他们的写作技能,并且要多注重方法,教他们知道:怎样写作才可以清通畅达,表情达意;更要做到使学生心知其故,且能终身以之而不忘的地步。因此,我们认为大学国文应旨在能够养成学生自由运用语言文字叙事、说理、表情、达意之技能(亦即"能作通顺而无不合文法之文字")。至于修养做人方面,毕竟是附带的问题了。

现在我们的教学目标既定,就应该讨论到教材如何选取的问题。教材究竟应该怎样选取呢?总之仍不外乎一句话,我们选取教材的标准,是一定要这些教材可以训练学生的写作技能。用其他标准选来的教材,如训练阅读能力的古书,训练欣赏能力的名文,甚至如修养做人方面的著作,也未尝不可有益于学生的写作技能,可是他们究竟于本来目的是差开了些。现在我们要选的教材,是旨在注重训练学生的写作技能。这些教材在选取时,其内容对于各方面的合适不合适,当然不可忽视,然而总要以写作技能为第一标准。它的写作技术,一定要足供一般大学生的取法和观摩,而又是一般大学生非学习不可的。它的叙、说、表、达的技术,的确高明,的确可取,的确近乎理想,使一般大学生读过之后,就能够知道:"事"怎样"叙","理"怎样"说","情"怎样"表","意"怎样"达","语言文字"怎样"运用"。不仅知道,而且还要能够得心应手,即知即行。

关于选材的标准,我们既已有明自的解说,再进一步,就要说到教材的时代问题:自五四运动以来,文字工具改良了,各种写作多用语体,可是许多实用文字,却仍旧袭用文言;所以,文言文在今日社会上尚占有一部分势力。为迎合当前的需要起见,我们认为一般大学生须要会写"浅近的文言文",或技术较高的文言文。那么,学文言文就应该读文言的范文。究竟哪些是可读或应读的文言范文呢?朱光潜先生说:"我记得很清楚,在初进大学时,我读的最多的是两汉以前的著作(按作者曾受十年私塾教育),可是我最感觉得益受用的,倒不是那些经、子、骚、赋,而是一部分史传,和寥寥数百篇唐宋的散文。"(《就部颁大学国文选目论大学国文教材》)由朱先生的话,我们就知道:可读的文言范文,便是唐宋的散文。这就是因为唐宋的时代,比较先秦两汉距我们近些,时代越近,作者的生活状况和思想形态也越与我们相近,越相近,就越容易了解,也越感兴趣,也越便于学习。所以,我们不仅主张选唐宋文,更主张选明清文、现代文。如蔡元培、梁任公、胡适之诸先生之作,以及各报章杂志中的好文章,都是我们认为顶适宜的范文。现在我们吁请国文界的先生们,不要再存"非三代两汉之书不敢观""取法乎上,仅得乎中;取法乎中,仅得乎下"的旧观念,而要一致拥护荀子"法后王"的主张,因为这是对于青年最有益的。

五四以前一般大学生多半喜欢作文言文,作语体文的很少,五四以后,语体文的用处日广,大家便开始学作语体了,到现在几乎一律在作语体文。"五四以后一般学生愿意写白话,写白话而读文言是矛盾"(叶圣陶先生语)。"大多数的学生在做白话文,而教员天天替他们讲群经诸子,似未免近于滑稽"(朱光潜先生语)。因此,我们不希望讲读和习作"矛盾",我们更不希望国文教学变作"滑稽故事",所以我们主张大学国文教材中要选入大量的语体文。作语体文,读语体文,才能使学生有所观摩,有所取法,才能够在讲读中,训练他们语体文写作的技能。所谓精神与肉体联贯,才是收效最快的。我们认为以后一般大学生的写作问题,除了偶尔作一两篇浅近的应用的文言文(因为它也是现代社会需要的)以外,其余的时间和工夫,都应该来写作语体文,因为语体文并不比文言文容易,其中也有很大的讲究。语体文既是一种新兴的文体,学生就应该着实经心的去研究。不入门,不启窍,只在暗中摸索,自然是难于成功的,因为世间没有不学而能的事。现在一般青年的文言文既写不通,语体文也写不通,就是因为他们太把语体文看轻了。根本不曾用心学习,认为写语体文不学就成,其实这是他们观点的错误。

大学里的院系很多,因为一般大学生所要学习的科目不同,所入的院系也不同,于是他们对于国文的兴趣和需要,也就随之各异,所以大学国文教学对于学生的兴趣和需要,也就随之各异,所以大学国文教学对于学生的兴趣和需要的问题,也是应当顾及的。因此,我们同意陈觉玄先生多选教材,供各院系的酌量选授,庶有伸缩余地的主张(《部颁大学国文选目评议》)。我们更赞成黎劭西先生《国文辞类纂》的办法:参酌大学各院系科对于国文所应获得之知识,把大学国文教材分作五类,即学术思想、社会科学、文艺、自然科学、应用科学等。但教材不论多寡,选取时仍应以文章的形式方面为主,即的确是可作叙、说、表、达等写作技术训练的好文章。黎先生这种编制,不过是另从内容方面来分一分部类,让教学上有各取所需的便利而已。

一般大学生的国文程度实在太差了,这个危机,专家们在上面也都已说过。

所以关于大学国文的问题,的确值得大家研究,并且应当急图改进。因此,我们对于大学国文教学目标的拟订及大学国文教材的选取,发表了以上的这些意见。然则大学国文教学的目标如果依照我们的意见来改订,大学国文的教材,如果依照我们的意见来重选,能不能挽救这个危机呢?我们说:仍嫌不足;还有值得注意的问题,就是要减轻国文教师的负担。我们试看旧日的私塾教育,常常是一位教师只教六七人、四五人,甚而至于还有一师一徒的家馆。教师对学生是片刻不离,而且竟日在"耳提面命""口传意授",学生自然容易得益;现在的大学国文,一组便是数十人,假若一位教师担任三组,学生便有百人之多,这样和旧日的教育比起来,教师在每一个学生身上费去的工夫,仅是往日的百分之一,或数十分之一而已。按"种瓜得瓜,种豆得豆""一分耕耘,一分收获"的道理讲起来,现在大学生的国文程度差,也是必然的。再说国文的性质和其他课程是不同的,其他课程多半是"知识传授",而国文却是"语文训练";"知识传授"的课程,仅望学能够在教材的内容方面,求得了解,"语文训练"的课程,除使学生了解教材的内容以外,还要在教材的形式方面(写作技术)深切体会。尤其重要的就是写作指导;学生的写作,教师要一篇一篇,一段一段地精心修改,于是教师便费了许许多多圈圈点点,增删涂抹的工夫。不仅要圈,不仅要点,不仅要增,不仅要删,并且还更要使每个学生,知道他自己的文章,为什么要"圈",为什么要"点",为什么要"增",为什么要"删",为什么要"修订涂抹"。学生能够知道这许多,他才能真正明白自己对于"写作技术"的"理解"和"运用",已经达到了何种程度,已经体会到何种境界,已经做到了何种阶段。如此说来,学生的习作,必须个别指导,必须个别说明。这种个别指导,个别说明的办法,学生是绝对可以得益的。可是在现在的情形之下,国文教师却没有这些时间,也没有这些工夫。因此,我们主张:要减轻国文教师的负担,大学国文最多十人一组,然后就能实行我们这种"耳提面命""口传意授"的教法了。

  此外,我们还有一种意见,就是大家共同感觉授课时间太少,不只教者有此意见,受课的学生亦有此同感。教育部规定大学国文,师范学院本为十学分,而本院议决减少公共必修科,斟酌实际情形,增添各系之主要科目,于是国文课程就改作六个学分了(骥于出席本院教务会议时,亦为赞成之一人,但据一年来教学两方试验的结果,此举似有从新商订之必要)。而且,一年级第一学期向来开课甚晚,上课不久,便要举行期考了。把一年的授课时间算起来,共合才有几十小时,写作时间还是在内的。以三十六年度的教学经验说,把作文的时间除外,仅以讲读计算,而授课最多的几组(在学期中间国文钟点内,教师既未请假,学校亦未放假),仅只四十八小时(第一学期五周,第二学期十五周,共六十小时。除去作文六次,共十二小时,尚剩四十八小时)。再依每日学校授课的时数折合,恰恰是一礼拜的时间。一年的课程,只有一礼拜的时间来讲授,请问教师能讲多少东西?学生能得多少好处?所以,钱用和先生说:"只一年级每周国文三小时,在此二三小时中,任教者虽口若悬河,胸怀珠玑,亦无法揠苗助长"(《大学国文教学刍议》)。何况国文教学不只要训练"了解",而且要训练"写作",不只要积极的"训练",而且要消极的"纠正"(学生的国文病根深入膏肓,作起文来,错白连篇,思路不清,体例不合,词意不明,都是须要纠正的)。如果授课的时间不足,教师是无法为力的。所以,如欲大学国文确实收到教学效果,我们希望增加授课时间,师范学院,至少要恢复部定的钟点(此事原系本院一院之事,不过写到这里,我们也不妨顺便提出,以表示公意如此)。

附注:大学国文教学,已成了近来教国文的先生们的一个严重问题,同人等以职责所在,亦时在研究之中。最近曾开了一个比较详细的讨论会,把各人的意见除口述以外,并用书面写给公举的两位起草先生(汪震、孙毓苹先生),把他写成这篇稿子最后由骥约略地加以修订与补充,再经会议通过予以发表。同人等深知并无如何的高见,只是当作一篇简单的集体研究报告。倘蒙任教国文的同志予以教正,则不胜感幸之至!

乐夫(何士骥,字乐夫)六,二十五
《国立西北师范学院学术季刊》第 3 期,第 34—40 页

四、新生训练[①]

李 蒸

今天举行总理纪念周,同时举行本届新生训练开学典礼,要大家首先认识新生训练之重要性,及政府实施训练之意义。本校新生训练系遵照部令办理,完全遵照部定办法,参照本校物质环境实施两星期的训练。此项训练在全国是初次,在本校亦是创举。本校过去数年中虽在新生初入校的时候都由本人及教务长分别说明校史及学校各方面情形,但时间太短,内容亦仅限于学校,故感觉分量不

---

① 民国二十九年十一月十八日上午八时,李蒸院长在新生训练开学典礼训词。

足。此次既有两周时间,同时又将国家政策,予以郑重之说明,生活训练予以严格之实施,必能收到相当效果,而新同学自身亦以初到学校一切尚未明了,得此受训机会一定对于学校格外认识,并养成亲切心理,于未来数年在校之修养上定有莫大之助益。

此次新生训练编制为一中队,中队长由本人兼任,中队副由训导主任袁先生及军事主任教官贺先生担任。中队之下设三个区队及九个分队,各设指导员一人,由专任教授担任。各区队队长由四年级同学担任,各分队队长由三年级同学担任,此种由旧同学领导新同学之组织实为最能发生实效之办法,而旧同学实介乎学校与新同学之间,从中联络,传达消息,以谋取师生间之接近。教部规定指导员及各队长均以住校为原则,惟以本院新生宿舍尚未兴建,现在住室系临时性质,床位亦无剩余,故不须同住,但各区分队长每日于起床及就寝时均负责到室内点名。各位指导员虽不能与学生时常接触,但须负责作个别谈话,实施个别指导。

训练科目及担任讲述各讲师均已商定公布,不必再为报告,小组讨论会为此次训练之重要项目,大家务必认真参加。讨论题目共有六个,均系教师规定。本院聘请各小组会指导员指导进行,惟最重要之意义,在各新同学充分利用此机会练习民权初步之行使,及当众发言辩论之技能,至于对于各题目是否均有研究,尚属次要;在训练开始时每一同学均须作"自述"一篇,字数不加限制,但须叙明个人之家庭状况、自身经历、求学志愿、困难问题等等,以为学校实施个别指导之根据。两周训练期满,每人再作"受训之感想"一篇,一方面作自我检讨,一方面供献改进意见,务在规定期限内交来。

训练期满学校根据各人生活行动、自述感想之写作、讲演笔记、小组讨论会记录、个别谈话等项加以考核评定,其有言行不妥,工作不努力者,当分别轻重予以退学或暂准试读处分。希望新同学特别注意,并重视此次良好机会,为入本院后身心修养上之初步努力。现在为使本院新旧同学全体明了政府实施训练之意义起见,本人恭读总裁训词中关于"训练的内容"一节,希望大家充分认识其重要性:

训练的内容:

讲到训练的内容,项目很多,但其共同主要的一点,就是要能适应抗战建国的需要,消极地纠正目前一般"无精神""无纪律""无组织""无训练"的弊病,积极地来增加全体公务人员的工作效能,以达到实事求是,精益求精,而能自强不息,日新又新的目的。现在列举训练内容的项目,概括地告诉各位:

一、纪律训练 最重要是严肃的纪律，而其要旨：（一）在使各级干部明了军事化之真谛，不在于各中动作的形式表面，而在于其迅速、确实、秘密、严肃的精神及其内容，从而养成真正军事化的精神；（二）在养成其独立性、创造性、积极性、向上性、自动性、自觉性、负责性与秘密性等各种优良的性质；（三）砥砺党德——智、仁、勇，与发扬国魂——三民主义，并使注重力行；（四）在革除过去一切不良的弊病——如迟钝、污秽、散漫、虚伪、懒惰、推诿，以及一般干部奢侈、骄矜、贪污、怯懦、苟且、偷安的恶习，而向"团结精神""严守纪律""尽忠职责""奉行命令""统一意志""集中力量"四大目标，努力迈进。

二、生活训练 最重要是生活的秩序，而其要旨对于个人，在养成勤劳、节俭、简单、朴素的习惯，扫除骄奢淫逸的颓风，对团体社会，在注重集团生活之培养，要使之整齐清洁，互相合作，以达成群育的目的，又要使能事事以身作则，实行新生活规条，来感召部属子弟。总之，在使其生活标准，达到前方生活士兵化，后方生活平民化的目的。

三、行动训练 最重要是行动的组织，因为集团的行动更要有组织，而这个组织，更要以纪律为范围。至其实施要旨，首在培养重秩序，守纪律的精神，使能遵重法律，恪守党纪。其次在养成迅速、确实、秘密、严肃的习惯，以达到其共同一致，亲爱精诚的效果。但最重要的一点，一切行动，还在能争取时间，要使人人能合理的支配时间，充分的把握时间，尽量的利用时间，宝贵的爱惜时间，并明了时间为生活组织的中心，所以一切行动，要迅速，要秘密，从而尽量发挥时间使用的效能，提高时间对于人生和事业的价值，以促进整个生活的充实，发展与向上。

四、智能训练 这所谓智能训练，就是指常识训练而言。最重要的办事条理，就是要能分别事物的轻重缓急与本末先后，而能有秩序、有步骤的进行，这就是前进的管理的方法。但在未说明实施管理方法以前，我先要大家知道管理最重要的是责任心，尤其是要公私分明。现在我们一般党政军公共机关团体内，无论"人""地""事""物"随便散失废弃，不当作公家事物是事物，甚且假公济私，浪费公务，这就是中国一切教育训练，不注重责任心，没有节用惜物的管理教育，所以一切事业，皆由散漫腐败乃至愈办愈乱，到最后完全失败，就是这个道理。所以今后训练要特别注重责任心，我们现在一般党员对党务不热心，不忠诚，亦就是不知责任的缘故，以为党务腐败，主义失败，与党员似乎不关痛痒，并且一般党员，平时就没有深刻的训练，更不知党员入党以后，是要以党为生命，以党为家庭，党员是党的主人；党的失败，就是党员的失败，更是党员的耻辱，因之他对党不知道负责。所以我们以后训练党员,第一就要引起党员对党的责任心,使他知道党的成败和他个人成败荣辱的关系,然后才能使他能热心参加党,管理党务,献身主义,实行主义,现在再讲管理实施要旨,最重要的是在启发"管""教""养""卫"的学术技能。关于"管",最基本的在具备财务经理与人事管理的智识与本能,研究对于一切"人""事""财""物"的管理,运用与改革,做到我前面所说的一人能作二人用,一物能作二物用,一日能作二日用,一钱能作二钱用。关于"教",要因人,因事,因地,因时,分别因材施教,尤要本仁心以教人,以感召他人,并要推仁心以爱惜兽类和一切物件,尤其要爱惜机□,使有使用修理并保管机□的充分技能与常规。关于"养",在学习生产技能,养成劳动习惯,研究民生问题,解除民众痛苦,同时特别要注重森林与畜牧之培植和爱护,一切生产工具与材料之保存与储积。关于"卫",在能组织与训练民众,平日绥靖乡里,战时捍卫国家,但卫国卫乡必须先有自卫卫生的智能,故应使之时时能注重卫生与自卫,而在目前尤应注重学习军事技能,努力推行兵役工作。

五、服务训练　最重要是服务竞赛,以发扬利他爱群,积极向上和热心的习性,而其实施要旨,首在使各级干部,明了人生以服务为本。故党员,军人,及其他公务人员,皆要以民众的公仆自居,皆应为社会服务,为民众服务,以尽到他公仆的职责,而不愧为革命之前导与前驱;其次在使明了为社会服务的起点,即在于对老弱妇孺与残疾之扶助,和疾病痛苦困穷危难的救济,进而至于努力改善人民食衣住行及维持公共卫生和公共秩序等,为主要工作。至其训练方法,要以一面服务即一面训练,而且要以实践为宣传,而不蹈袭专尚讲堂式的、呆板的、空虚的、空讲空教的旧习。

六、体格训练　最重要在体力之锻炼,养成冒险犯难和负重致远的精神,要以定时检查,测验,为健康与能力之比赛,要以日光空气水,就是以雨雪冷热饥渴穷乏以及自然界一切恶劣的事物为锻炼的对象,而以劳动为一切生活之本。至其实施重点:(一)在学习体操,实践劳动,熟谙基本动作,具备保国卫民之能力;(二)在健身强体,即注重卫生与运动,锻炼坚强结实,活泼康健,能耐非常劳苦的健全体魄,养成一个无畏和不惧,与不屈不挠现代化的健全公民。

七、军事训练　最重要是在军人的道德之培养,与军人体魄之充实,其实施要旨:(一)在使具备智信勇严的武德,与礼义廉耻的精神,以及勤劳坚忍,英断果敢的品性;(二)在使有服从与指挥能力和修养,熟谙基本战术与基本队形之变化等知识;(三)在学习礼乐射御书数的武艺,会通古时六艺设教的主旨以发扬我国固有崇实尚武的精神;(四)在养成共同一致的动作,发扬亲爱精诚团结的精神,总要使个个人能同生死,共甘苦,牺牲自私与自由,献身党国与主义,以尽到现在公民之天职,而不愧为我鼻祖黄帝的子孙,和我们总理革命的信徒。至于目前尤其要使人人能激发同仇敌忾心,坚定民族抗战的必胜心,使知生活即战争,工作即战争,尤其要知道训练即战争,而能抱定不成功即成仁的决心,以求必胜必成的信心之贯彻。

(《国立西北师范学院校务汇报》第16期,1940-12-15)

五、一年级同学的教学

刘 拓①

从一年级同学的修养日记和谈话中,发现几种很普遍的呼吁,其中最重要的是"功课过重""生活太苦"和"志愿不合"等等。现在就从这三方面来向大家贡献一点意见。

一、先就"功课过重"一方面说:按照教育部所颁布的大学课程标准,师范学院一年级的共同必修科目,上下学期均在二十学分以上,此外尚有不计学分的公共必修科目,如体育、军训、音乐等。又有几系,在公共必修科目外,另加各该系的专门科目数个学分,以至功课更重。并且每天清晨,有升旗及健身运动等,必须早起。晚间有修养日记,及各种功课的课外作业,又不能早睡。于是大家的生活,就愈觉紧张了,很有"应接不暇"之势。这种情形,就表面上看,似乎应该从"减轻功课"方面去补救,但实际上现在一年级的课程并不算重,因为以前各大学一年级的同学分,除体育、军训等科外,每学期也是多至二十以上,并且大部分功课,是各系专门功课,比现在一年级的功课,更繁更难。现在大家之所以觉得功课太重的,也许是因为过去两年中,随学校一再迁徙,未能安心上课,在高中里没有把基础打好,以至进了大学后,功课衔接不上,格外发生困难,大家若是按部就班地学下去,日子久了,困难就可以渐渐的少了。我现在指出几个求学应该注意的地方,供大家参考,也许对于减少功课的困难一层,不无小补。

1. 专。有些同学,对于功课,不肯专心学习,身在课堂内听讲,心在课堂外乱

---

① 刘拓(1897—?),字泛驰。湖北黄陂人。1937年起,历任西安临大、西北联大、西北大学理学院教授、院长,兼化学系主任、文学院院长等。原题为《忠告一年级同学》,姚远改为《一年级同学的教学》,以与本节主题一致。

想,先生所讲的话,在黑板上所写的字,往往"听而不闻""视而不见",下堂后自习,又东翻一下,西翻一下,或一面看书,一面玩耍。像这样学习,无论天资如何聪颖,课程如何轻松,总是学不好的。纵然学得一点,也必定很肤浅,不透彻,所得的观念,都模模糊糊的,稍久即忘了。所以孟子说:"学问之道无他,求其放心而已矣。"又说:"不专心致意,则不得也。"如果大家对于功课,能集中注意力,拿全副精神去学习,一定可使学习的效率增高,做到"事半功倍"的地步。我现在举几个日常生活的例子给大家听:譬如夜间用的手电灯,若把光对好了,使它集中在一定的面积之内,照射出去,就特别明亮。又如照像,若把焦点对好了,照的像就格外清楚。再如太阳的光线,平常普遍地照在我们身上,并不觉得怎样厉害,但假若用大的凹面反光镜,或凸面透镜,把光线收聚到一个焦点,便可以着火。这类的例子很多,都可以表明同是一种原动力,因为运用的方法不同,所发生的效果就大异,力量集中则效果大,分散则效果小。研究学术,当然也是如此。

2. 有恒。古代的圣贤,对于恒字,非常注重,"人而无恒,不可以做巫医",是很好的教训。大家对于课业,若是"忽作忽辍""一日曝之,十日寒之",或"一天打渔,两天晒网",那是绝对不会有成就的。大家应该抱着韩愈所说的"焚膏油以继晷,恒兀兀以穷年"的精神,对功课朝夕努力,始终不懈。若是自己资质不好,更应该有"人一能之己百之,人十能之己千之"的精神。于是一点一滴的,日积月累,自然有成功的时候。俗话说得好:"钝斧磨绣针,功到自然成。"只要大家肯继续不断的努力,必定可使难的功课变易,繁的功课变简。

3. 理论求甚解。古人所谓"好读书不求甚解",是指学有根底的人博览群书而言。诸君刚进大学一年级,正是树立基础的时候,对于所学的各门课程,尤其是关于理论部分,必须追本穷源,彻底钻研。每一学说,或定理,或公式,它是如何得来的,可以如何应用,正面的意义,反面的意义,侧面的意义,又是如何,都必须一一的弄得十分透彻,无丝毫疑问,然后脑筋中所得的印象,才格外深刻,可以终身不忘,受用不尽。

4. 记忆用方法。各门科学中,理论的部分固然很多,但是必须记忆的部分也不少,凡是应当记忆的材料,最好用方法去记忆,千万不要死记。例如学算学时要记一里等于多少尺,只要记得一里有三百六十步,一步有五尺,相乘便可得出一里的尺数,不必死记一里有一千八百尺。三百六十这个数目,很容易记,一般人常说"一年三百六十日",又一个圆周"三百六十度"。至于一步五尺,更是妇孺皆知的常识。如一定要记"一千八百"这个数目,也可以想出方法来,大家可以记做一百倍"十八罗汉",或一百倍"十八重地狱"等等。又学物理时,我们知道太阳光线,经过三棱镜后,可分成七种颜色,并且这七种颜色,有一定的次序。我们要是死记,也不大容易,但若将这七种颜色的英文字,头一个字母取来,拼成一个字（Roygbiv）,于是七种颜色的次序,就很容易记住。又化学上说:人的身体中有十六种元素,每种占有一定的百分数,如果死记,可以说是很困难的,但若把这些元素的符号,设法拼成几个英文字,就很有意义,很容易记住。有机化学中的构造式,初学化学的人,总是觉得太复杂,太难记,但若用"象形"的方法来记,有的构造式像龟甲,有的像宝塔,有的像楼房,有的像楼房对峙,中间搭桥,两边装上炮台,等等;那就容易多了。又初学历史时,要记中国朝代的次序,也不是一件容易的事,但若照"……少昊颛顼与帝喾,唐虞绍之为五帝,夏商周秦西东汉,蜀汉魏吴三国判,汉亡于魏魏禅晋,晋遂平吴天下定……"那种朝代歌去记忆,就很容易。以前我们中国人读书,固然不讲究什么"教学法",却是此处所说的朝代歌和那些通俗的读物,如《千字文》《百家姓》《三字经》《龙文鞭影》等等,都是用韵语的方法,帮助记忆的好例子。如果诸位善于运用以上的种种记忆方法,必定能够减少许多功课上的困难。

二、就诸君"生活太苦"的方面讲:站在学校行政人员的立场,当然可以说是一种缺陷。但从锻炼身体和陶冶人格着想,这种缺陷,未必不就是我们的优点。过去大都市里的许多学校,一切物质方面的设备,未免太舒适,或甚至于太奢侈,与中国的实际社会,相差太远;而学生大部分是"来自田间",在都市里这些大学毕业后,就不愿再回乡下去,一个家庭,把子女送进了大学,就等于把他们丧失了。有人说:许多大学里的学生生活,如同"温室"内培养的花一样,在室内开得很茂盛,颜色很鲜艳,一搬到室外,遇着狂风暴雨,马上就凋谢了,毫无抵抗和调节力。现在我们的学校,因为物质缺乏,同学的生活比较困苦,却很有意义,也可以说这就是一种教育。研究学问,在繁华都市里,是不适宜的,因为有外界的各种引诱,容易使人分学,使人丧志,所以中国古时的书院,例如历史上最有名的白鹿、岳麓、石鼓等书院,都是建在山中。外国的大学有许多也是设在郊外。如果学校设在山林中,或设在有山有水的地方,学生朝夕与大自然接触,既可以专学致志,努力学问;又可以开拓胸襟,养成伟大人格。更可以深入民间,认识中国的真实社会。复可以藉爬山游水的机会,锻炼强健的身体。太史公遍游中国名山大川,希特勒提倡德国青年旅行全国,美国近年鼓励人民"徒步"旅行和学生"夏营"生活,都是很有道理的。希望诸君现在能吃"苦中苦",将来一定可以做"人上人"！

三、最末再就"志愿不合"这一点讲：自上年度起，大学招生不由各校自行办理，完全由教育部统筹分配。诸君现在所入的学校院系，与当初报考时所填的志愿不合，因而发生苦闷，当然是免不了的。但我们要明白，一个人在中学刚毕业，"意志未定，认识不清"的时候，所立定的志愿，是否"绝对"的？是否应该"终身不改"？很是疑问。譬如你当初的志愿，是要进甲院乙系，现在把你拨到乙院甲系，日子久了，也许你对于乙院甲系的功课，渐渐发生兴趣，而此院此系，就变成了与你的志愿相合的院系。况且现在一年级的功课，都是些基本训练的科目，无论诸君将来从事那种研究或职业，都不能不把它学好。例如国文外国文等。关于"研究工具"的科目，师范学院一年级的同学，固应当注意学习，难道说志愿是学文理、法、商、农、工、医的人，就可以不注意吗？体育军训等，关于"身体精神训练"的科目，志愿学文理法商农工医的同学，与学师范的同学，应该有什么分别吗？所以诸君无论下学年仍住现在的原系也好，或转学也好，或甚至于转院转校也好，在一年级的这一点基本课程，总是要"专学致志"的把它学好，千万不要借口"志愿不合"，就随随便便地懈怠下去，白费光阴，以至将来追悔不及！

（《师大三十八周年纪念专刊》，第40－42页，1940－12－17）

第三节　实习与社会实践

一、人文与自然科学实习

西北大学经济系举行陕南经济调查

本校经济系为一、予学生以学理与实际相印证之机会；二、期以所得材料，供地方建设当局之参考，于一年前即有陕南经济调查之计划。嗣得陕西省政府补助费三千元，本校经费一千元，遂于本学期内着手举办。惟此次补助之数，仍不及预计经费三分之二，是以调查人数、调查地区及调查日期，均不得不较原定计划缩减，仅就交通利便之凤县、沔县、南郑、城固、西乡等五县从事调查，由本系四年级学生担任，计分五组，每组六人（城固组七人），调查各系农林、工商、矿产、水利、交通、财政、金融及物价等，而偏重于农村经济情形。各组调查日期，因调查地区之远近,稍有不同,少则十一日,多则十五日。各组调查人员,于十一月一日分别出发,刻已先后返校,正在整理分析所得材料,不久即可与读者相见云。

(《国立西北大学校刊》1942 年第 3 期)

经济系生物系学生分别外出参观见习或野外观察

本校经济系三年级学生,于十二月六日由该系教授张凤率领,参观城固县合作行政设施中国银行农贷情形、农业推广所改良推广工作,以及皮革合作社制鞋事宜。复于十三日继续参观谢家井农村信用合作社、五郎庙村纺织生产合作社等,县府派合作指导室赵主任陪同前往。

本校经济系四年级一部学生,由张教授率领定于十二月十七日上午赴中国银行见习银行业务。

又生物系三、四年级本学年设有"树木学"一学程,注意中国树木之研究,利用星期日,至野外实地观察或采集标本。上月三十日晨,由郑教授勉率领该生等前赴斗山观察,日暮方回。

(《国立西北大学校刊》1942 年第 3 期)

春假中化地商政四系四年级学生分赴各地实习或考察

本校化学系、地质地理系、商学系、政治系四年级学生,利用春假,在本城并赴汉中褒城、黎坪等地分别实习或考察。经各系拟具计划,送请校长核定,四月一日即行出发,由各教授率领指导。兹将计划大概,分志如下:

一、化学系

1. 参观日期:往返共五天,步行。

2. 参观地点:褒城——酒精厂、制革厂、木炭汽车制造厂;汉中——无线电台、电灯厂、益秦肥皂厂。

3. 借宿地点:汉中南关外小学。

二、地质地理系

1. 考察日期:往返共十日(四月一日至十日),步行。

2. 考察地点:黎坪屯垦区(距校二八〇里)。

3. 考察路线:第一日由城固至汉中(七十里);第二日由汉中至黄宫岭(七十

里);第三日由黄宫岭至低房坝(六十里);第四日由低房坝至黎坪(六十里);第五日在黎坪附近考察;第六日同上;第七日由黎坪返低房坝;第八日由低房坝返黄宫岭;第九日由黄宫岭返汉中;第十日由汉中返校。

三、商学系

1. 参观日期:往返共四日,步行。

2. 参观地点:南郑——中央银行、中国银行、交通银行、农民银行、陕西省银行,公会,电灯公司。

四、政治系

1. 调查范围:限于行政、市政与县政三方面。

2. 调查事项:行政方面——包含(1)政府机关之组织设备;(2)人事之管理;(3)经费之管理;(4)物料之管理;(5)档案之管理等事项。

市政方面——包含(1)城市计划;(2)警察;(3)消防;(4)卫生;(5)教育;(6)街道;(7)路灯;(8)下水道;(9)娱乐;(10)救济;(11)其他关于市政方面之设施。

县政方面——包含(1)新县制之实施;(2)县政府之组织与行政;(3)乡镇区域之划分及其机关之组织与行政;(4)保甲之组织与行政;(5)自治工作之推进;(6)县与省及专员公署之关系。

3. 调查区域及期间:调查区域暂定南郑、城固二县。在南郑调查期间预定四日,往返均步行。

4. 调查机关:(1)第六区行政专员公署;(2)南郑县政府;(3)陕南监务处;(4)南郑警察局;(5)南郑电灯厂;(6)南郑西北区工农合作社;(7)其他行政市府及县政。

(《国立西北大学校刊》1942年第7,8期)

西大生物系采集植物 在小南海有新发现

生物系三四年级全体同学,由郑教授勉率领于日前赴小南海一带调查植物,所采标本颇多。其中有若干种木本植物,向来认为陕西不产者,此次竟于小南海附近发现,不可谓非相当之收获。该系日来正在整理。

(《国立西北大学校刊》1943年第1期)

法律系学生实习

法律系四年级学生行将于明年毕业,本校为印证该生等平日在校所学起见,于十月七日请该系教授刘毓文先生率领前往南郑高等法院及警备司令部军法处实习,于十月十日圆满回校。

(《国立西北大学校刊》1943 年第 3 期)

本校各院系纷纷参观实习

本校法律、商学、地质地理、生物等四系为使各科之理论与实际得密切联系互相印证起见,分别于四五两月份举行参观实习。兹将经过情形,简志于后:

法律系

本校法律系四年级学生,前于四月二十及二十一两日由该系副教授孙春海先生率领分赴本城各有关机关参观实习。计二十日至地方法院,首由刘院长汝湘详述该院组织及诉讼判决情形;继由检察院首席检察官石之英领导参观看守所等处。下午更往旁听刘院长和解一处判决一庭。二十一日复至县政府军统处参观,并旁听审讯盗匪一案。各同学均感收获良多云。

商学系

本校商学系本年应届毕业各生上学期已在本城各机关参观完毕。本学期原拟利用春假赴南郑实习,但因天雨改为四月八日由该系邢宗江先生率领前往,九日起分往国税局、交通银行、中国银行、中央银行、金城银行、县银行及汉中电厂等机关参观其会计程度及业务状况,以学历验证事实,均感收获良多。又闻所遇西大校友,莫不欢迎招待,极为热情,至十二日始返云。

地质地理系

本校地质地理系三四年级学生于上月初旬举行野外实习,计分为地理地质两组。地理组由股主任伯西率领赴洋县黄金峡一带考察;地质组由黄泽机先生率领至县南二里坝黑龙洞一带考察。闻采集标本甚多,成绩颇佳。两组返校后即分析材料赶制报告。

生物系

本校生物系学生前于上月十六日由该系教授郑勉先生率领赴巴山采集标本。

参观同学精神蓬勃,兴趣盎然。业于上月二十六日返校,收获亦多云。

(《国立西北大学校刊》1945年复刊第13期)

法商学院开实习法庭

本校为使法律系学生于理论探讨之外兼能获得实际经验起见,特将法商学院总办公处两旁一室,开作实习法庭,专供该系学生实习之用。现正加工布置,不日即可竣工云。

(《国立西北大学校刊》1945年复刊第13期)

地理系学生赴华山考察

地理学系学生,由沈汝生、刘天民两先生率领,于上月二十一日前往华山一带考察地文,搜集有关地理研究之资料。二十六日返校,闻收获颇丰,现正着手整理云。

(《国立西北大学校刊》1947年6月30期)

化学系学生见习团参观本市各大工厂

化学系学生七十余人组成之见习团,上月二十四日上午七时由赵永昌先生率领,赴本市陕西省卫生材料厂、集成二酸厂、中兴火柴公司及中南火柴厂参观,藉悉化学工业操作之实情,俾与学理相印证;闻该系将于月内前往蔡家坡参观雍兴公司各动力厂,藉资观摩。

(《国立西北大学校刊》1947年6月30期)

实习消息

教育系举行座谈会讨论师范教育

教育部前曾训令各省市教育当局于每年三月二十九日至四月四日举行师范教育运动周,藉以引起社会人士对师范教育之重视,并坚定师范生献身教育之宏志。本校教育学系为倡导师范教育,除刊出《教育与生活》壁报外,上月二十九日下午一时复假第二十五教室举行座谈会,讨论有关师范教育问题,到员生二十余人,发言踊跃,均能持以客观态度,对现制详加检讨,纳为建议案多起,至五时左右散会。

地理系二三四年级学生分赴陇海沿线各地考察

地理系四年级学生本月十日由张英骏先生率领,赴天水作渭河上游一般之地理调查。至宝鸡后,淫雨连绵,宝天铁路塌方颇多,致滞留宝鸡。天稍放晴,即就近考察该地新兴都市形成之地理因素,及县村街市之原因,并至秦岭山麓考察,从事于秦岭山麓台地形之探讨,以及宝鸡峡谷之简单测绘。本区工作完毕后,旋即搭车东返,至翠华山考察山崩积湖地形。此湖系由河谷中断,山崩堰塞而成,致使河流淤塞不畅,其造成在地质上为最近之现象。此行收获资料颇丰,刻正着手整理研究。又该系三年级学生拟于二十二日至华山考察山麓地带之形成及居落与植物之分布等情,二年级学生拟于二十五日赴临潼作初步之野外实习云。

地质系四年级学生赴华山实习

地质学系四年级学生八人,于本月九日由张教授伯声率领前赴华山一带作野外实习,除完成万分之一地质路线图一帧外,并详察华山之岩石性质及构造,采集大量岩石标本,以备室内磨片研究之用。又地质学会本月三日晚假该系实习室举行同乐会,到员生四十余人,赵力田同学主席。首请本校第六届校友关君佐蜀报告参加行政院柴达木盆地考察队考察该区地质之经过情形:谓该队深入荒漠,间关万里,由敦煌进入阿尔金山到达盆地西端,在格孜库勒湖附近发现红柳泉油田,远较老君庙玉门油田为佳;继对哈萨克人之生活习惯亦有述及,极饶风趣。嗣由张伯声教授就柴达木区之地质提出讨论,并对有关问题略加阐释。最后由郁代系主任士元报告系务及筹备刊行《地质通讯》情形。迄十一时许始行散会。

(《国立西北大学校刊》1948 年 4 月 36 期)

实习报道

历史学系师生考察鱼化寨史前遗迹

长安西郊鱼化寨史前遗址,自经王教授子云在该处发现甚多陶器、骨器后,颇引起一般考古学者之重视。本校历史学系学生三十余人于上月十七日上午九时由许重远、王子云、林冠一、萧鸣籁、姚鉴、冉昭德诸先生率领前往考察,就遗址出土陶片较多区域,临时进行试掘工作,结果获得完整之粗细质陶器十余件及骨角用具多种,同时并获得花纹精致之彩陶残片甚多,制作极尽美妙,在史前文化之考证方面,具有重大价值。现该系拟将所得加以整理,并继续赴长安近郊其他类似之遗址从事调查,将齐以所得成绩举行展览,藉以阐扬西北古代文化。又该系日前举行系务会议,决定加强研究工作,具体计划业经拟就,即将开始实施云。

学生自治会举办时事座谈会

本校学生自治会为使同学明了时事真相及提高研究兴趣起见,特举办时事座谈会。首次座谈会于上月十三日下午一时假期刊阅览室举行,到同学数百人,杨训导长丙炎、初主任大告、董主任绍良、萧主任洛轩、孙教授道升、林教授冠一、张教授研田、赵副教授和民皆应邀参加。讨论题目为"美国大选后的世界局势"。到会同学就"柏林封锁问题""巴力斯坦问题""原子能管制问题""远东问题""美国援华问题""联合国前途问题"及"第三次世界大战问题"等项目,踊跃发言,各抒所见。嗣由出席教授分作评论,详加指导。迄五时半始行散会。

第二次座谈会于本月十二日下午一时仍假期刊阅览室举行,到同学二百余人,林冠一、张光祖、赵和民、罗振庵、曾繁礽诸先生亦应邀出席。讨论题目为"由大局看西北望西南"。预定项目讨论完毕后,仍由各教授详加评论指导。于四时半散会。

边政学会研究边疆歌舞并举办专题座谈会

边政学会自本届新干事会成立以来积极展开工作,除向本市《建国日报》商辟专栏刊出边政学报外,复先后举办边疆歌舞研究会及边疆问题座谈会。边疆歌舞研究会于本月二日成立后,翌日晚六时即假第三十九教室召集练习,到男女会员五十余人,并邀请王丽兰先生莅会指导。首先练习俄国民歌,成绩良好。闻该会以限于经费关系规定每星期仅练习一次云。又该会主办之边疆问题座谈会于本月四日假期刊阅览室举行,讨论题目为"如何确立边疆政策",同学参加者极为踊跃,并邀请萧洛轩、林冠一、罗振庵诸先生出席指导,情况至为热烈。

法学研究会举办专题辩论会

本月四日为本校法学研究会成立周年纪念日,该会为扩大庆祝,特于是日下午一时假第二十八教室举办专题辩论会,题目为"生命刑是否应当废除",到该会会员数十人,并邀请郤朝俊、冯纶、孙春海三教授担任评判。辩论方式分正反两组,正组主张"生命刑应当废除",反组则持反对意见。双方舌剑唇枪,各不相让,辩论约历三小时四十分结束,由到会教授予以评判,除就本题有所发挥及评议外,并对该会会员准备充分,态度良好咸表赞许云。

边政学系三年级学生展开社会调查工作

边政学系为使学生明了社会各部门实际情况并提高研究社会问题之兴趣起见,乃拟就计划利用课余之暇择定若干机关做实际调查。自上月中旬开始,该系三年级学生由罗振庵先生率领,已先后参观黎明日报社、大华纱厂及陕西第一监狱等机关云。

法律学会编刊《法律学报》并拟成立试验法庭

法律学会于上月杪召开班代表会议,决定本年度中心工作,为成立试验法庭与编刊《法律学报》。《法律学报》创刊号业于本月初问世,内容极为丰富;至试验法庭之成立,闻尚需相当时日云。

(《国立西北大学校刊》1948 年 12 月 40 期)

二、农学实习

西安临时大学筹备委员会关于学生张思泽等 25 人前往国立西北农林专科学校参观一事给国立西北农林专科学校的公函①

(大字第 28 号)

兹据本大学农学院学生张恩泽等 25 人面称:"生等仰慕规模宏大,设备优良,拟乘本校尚未开学之际前往参观,以广见闻,请备函予以证明"等情。据此,查该生等所请参观一节,尚属可行,相应备函发交该生等,以资证明,至希查找惠予指导,至深感荷!

此致

国立西北农林专科学校

国立西安临时大学筹备委员会
中华民国二十六年十月二十六日

---

① 民国档案. 西安临时大学筹备委员会关于学生张思泽等 25 人前往国立西北农林专科学校参观一事给国立西北农林专科学校的公函,陕西省档案馆.

国立西北农林专科学校关于已将园艺昆虫等各方面所有者交由郑子久带上以资应用一事给西安临时大学筹备委员会的公函①

径复者：

　　前准贵会本年十一月廿七日大字第74号公函：拟将需用实习材料及标本等，分让少许，并派助教郑子久君前来接洽等由。附单一份，准此自应照办，已将本校作物方面所有之水稻稻种、小麦八种、大麦、玉蜀黍、黍、粟、稷、荞麦、大豆各数种，及园艺方面之蔬菜种子五十种，昆虫方面八种，附标本瓶二个，一并交由郑子久君带上，以资需用。兹准前由，相应函复，即希

查照为荷。

　　此致
西安临时大学筹备委员会

校长　辛树帜
中华民国廿六年十二月四日

国立西北农林专科学校关于赠送大麻亚麻种子及棉花标本一事给西安临时大学筹备委员会的公函②

径复者：

　　顷准本年一月十八日教参十四第186号公函略开："关于农学系教授舒联莹先生前来搜集实习材料，嘱请予以方便，并将特用作物有关标本及棉花品种套赠若干"等由。准此，自应照办。兹赠送大麻、亚麻枝干各一束，种子各一包，棉花标本一包，均交舒先生带上。至烟草标本本校未曾种植，棉花种子，当于脱棉后，再行寄赠。兹准前由，相应函复，即希

查照是荷。

　　此致

---

① 民国档案.国立西北农林专科学校关于已将园艺昆虫等各方面所有者交由郑子久带上以资应用一事给西安临时大学筹备委员会的公函,陕西省档案馆.

② 民国档案.国立西北农林专科学校关于赠送大麻亚麻种子及棉花标本一事给西安临时大学筹备委员会的公函,陕西省档案馆.

西安临时大学筹备委员会

校长　辛树帜
中华民国廿七年元月廿八日

第四节　研究生教育

一、师范研究所与研究生

本大学师范学院师范研究所章程

第一条　本大学师范学院,根据大学研究院暂行组织规程第一条,及师范学院规程第十二条之规定,设立师范研究所。

第二条　本所以研究高深教育学术,训练教育学术专才,及协助师范学院所划区内教育行政机关研究教育问题,并辅导改进其教育设施为目的。

第三条　本所分设教育原理、教育心理、教育行政及教材教法四部,以便分门研究。

第四条　本所设置下列人员:

一、主任一人,总理本所一切事宜。

二、教授二人至四人,担任研究所教学,研究教育问题,及指导研究生研究工作。

三、助教六人至八人,助理研究教授从事研究工作。

四、事务员三人,分掌读书、文牍及庶务事宜。

五、书记若干人,分司图书管理、缮写及登记等事宜。

第五条　本所设研究委员会,以研究主任教授及师范学院各系主任组织之,研究所主任为主席。

第六条　本所依据硕士学位考试细则第七条之规定,于研究生毕业时,组织硕士学位考试委员会,办理研究生毕业考试事宜。

第七条　本所研究生资格如下:

一、师范学院毕业,曾经入学试验及格者。

二、国立省立及经教育部立案之私立大学其他学系毕业,曾在中等学校服务二年以上,并经入学试验及格者。

三、师范学院教育系毕业,成绩总平均在七十五分以上,教育统计、教育心理、教育哲学、教育行政四科,平均在八十分以上者,免考。

四、师范学院他系毕业生,志愿研究各科教材教法,其平均成绩在七十五分以上,本系主科及教育必修科平均成绩在八十分以上者,免考。

第八条 研究生除专题研究外,须修满主任核准应习之学科三十分,研究生应习之科目,另定之。

第九条 研究生入学后,须提出论文题目,由主任指定教授一二人指导研究,俟其工作完毕时,由主任转送院长,提交硕士学位考试委员会考试。

第十条 修毕规定课程,完成研究论文,经硕士学位考试委员会考试及格,并经教育部复核无异者,授予硕学学位。

第十一条 本所研究生研究期限,至少二年。

第十二条 研究生除免纳学宿费外,由本所津贴每人每月生活费十五元。

第十三条 研究生不得兼任其他任何职业。

第十四条 本所每年设奖学金三名,每名一百五十元,给予成绩之最优异者。

第十五条 本章程如有未尽事宜,由主任提交师范学院院长,转送本大学常务委员会议修改之。

第十六条 本章程自本大学常务委员会议通过,并转呈教育部核准后施行。

(《西北联大校刊》第 13 期)

本大学师范学院教育系小学教育通信研究处组织规则

第一条 本大学师范学院教育系,根据教育部颁布之小学教育通信研究处办法大纲第一条,及遵照本大学二十七年(1938)度兼办社会教育计划大纲之规定,设立小学教育通信研究处。

第二条 本处以研究及解答小学教育实际问题辅导小学教员进修借以改进小学教育为宗旨。

第三条 本处设置下列人员:

一、指导教授一人——负责指导关于通信研究之一切事宜。由本大学师范学院教育系中聘请一人兼任之。

二、干事一人——商承指导教授解答各研究生所提之实际问题并办理本处事务,由本大学师范学院院长提请常务委员任用之。

三、研究员三人至五人——商承本处指导教授及干事研究小学教育实际问题,由指导教授于教育系卒业,或三四年级学生中推选提请常务委员会派充之。

四、书记一人——缮写文件,并掌理案卷由常务委员任用之。

第四条　本处之任务如下：

一、征集研究小学教育实际问题。

二、解答小学教员所提出关于小学教育之疑难问题。

三、通信指导现任小学教员之进修。

四、通信指导小学教育之实验。

五、发行通信研究刊物。

第五条　本处设小学教育研究委员会,以指导教授或讲师二人干事及研究员组织之,以指导教授为主席,其职责如下：

一、商讨关于小学教育实际问题征集审查事宜。

二、商讨关于研究工作之计划与分配事宜。

三、审阅关于问题答案事宜。

四、商讨关于通信研究刊物之编辑及发行事宜。

第六条　本处小学教育研究委员会,每月开常会一次,遇必要时得召集临时会议。

第七条　本处研究生,分为两种：一为普通的,一为特殊的。前者仅能提出问题,由本处解答；后者除提问题外,并得以信方法,修习本大学教育系所设之学科,但每学期所习科目,不得超过二种。

第八条　凡现任小学教职员,对于小学教育具有研究兴趣交纳规定之费用后,经本处审查合格者,均得为本处研究生。

第九条　本处研究生,研究期间定为一年。期满后,如欲继续研究者得重新申请。

第十条　本处特别研究生研究期满,考试成绩及格者,由本大学给予证明文件,俾作为进修成绩之一种。

第十一条　本处普通研究生,每年纳费一元,特别研究生纳费二元,以作补助印刷之用。

第十二条 本组织规则经本大学社会教育推行委员会审议提请常务委员会议核准施行。

(《西北联大校刊》第 10 期)

本所主要负责人一览表

姓名	别号	年龄	籍贯	现任职务	略历	备注
李建勋	湘宸	57	河北清丰	教育系主任兼研究所主任	天津北洋大学师范科,日本广岛高师毕业,美国哥伦比亚大学师范学院哲学博士,曾任北平师范高等教授,教育研究所主任及校长,部派欧美教育视察专员,世界教育会议中国代表,东南、清华、北大各大学教授及北平师大教育学院院长,教育研究所主任兼教育系主任。	
金澍荣		34	广东番禺	教育系教授兼任研究所功课及指导专题研究	前清华大学留美预备部毕业,美国斯丹福大学教育学硕士,哥伦比亚大学哲学博士,曾任国立北平师范大学教育系教授,国立西安临时大学及国立西北联合大学教育学教授。	
程克敬	述伊	40	安徽合肥	教育学教授兼指导研究所专题研究	美国哥伦比亚大学心理学博士,基特开省立大学理硕士,特尔斯大学教育硕士,北平师大教授兼研究所导师,西安临大、西北联大、西北师范等校教授。	
鲁世英	岫轩	43	河北清丰	同上	国立北平师范大学毕业,美国哥伦比亚大学硕士,曾充北平师范大学、西安临时大学及西北联合大学教授。	
郝耀东	照初	46	陕西长安	教育系教授兼研究所功课	美国加利福尼亚大学文学士,斯坦福大学教育心理硕士,哥伦比亚大学师范学院研究员,曾任前西安中山大学教务长,中央政治学校计政学院教务主任,安徽大学教育系主任,西北联合大学师范教育系教授等职。	
高文源	味根		陕西米脂	教育系教授兼研究所功课	美国密歇根大学文学士,科学硕士,国立西安临大、西北联大教授。	

(民国档案,本所主要负责人一览表,中国第二历史档案馆)

本所研究生一览表

姓名	性别	年龄	籍贯	学历	经历	备注
刘泽	女	29	辽宁辽中	河北省立女子师范学院史地系毕业	曾任河北省立沧县中学,山东省立女子中学及国立第六中学史地教员。	
关斌	男	29	河南新安	河南大学英文系毕业、燕大研究院肄业	曾任河南省立汲县女中及山西铭贤中学教员共二年。	未到校准予保留学籍一年
胡玉升	男	31	山东平阴	北平师范大学教育学系二十一年毕业	河北省立大名女师教育教员一年,广西省立武鸣初中教导主任二年。	
郝鸣琴	男	32	河北平山	国立北平师范大学教育学系二十四年毕业	北平师大教育学系助教二年(二十四年至二十六年),西北联大助教二年(二十六年至二十八年),现任本院教育系助教。	助教兼研究生
许椿生	男	29	河北清苑	国立北平师范大学教育学系二十四年毕业	河北省立正定师范教育教员二年(二十四年八月至二十六年七月),二十七年十二月起任本院研究所助教。	助教兼研究生
佘增寿	男	30	河北唐县	国立北平师范大学教育学系二十八年毕业	现任本院研究所助教。	助教兼研究生

(民国档案,本所研究生一览表,中国第二历史档案馆)

二、罗仲言:国立西北大学筹设经济研究所计划书

西北绾毂中亚,屏障河淮,擅"陆海"之资源,承汉唐之隆运,圣战以还,蔚为重镇。兹者宪政开始,建设方殷,本校为西北最高学府,其所负学术文化之使命至为重大。为建立学术的永久规模及适应西北与全国经济建设需要起见,理宜注意优良研究环境之部署,肆力于学术之研究,藉以谋经济建设之推行尽利,并提高本校在中国及国际方面之学术地位。

考战前国内公私各大学大都有经济研究所之设置，观其设备之良窳与研究之勤惰，即可以判定其对于学术贡献之高下，而经济学系因课程繁多，近年各国大学复注重分科研究，如财政、金融、农业、合作、景气、国防经济等各设专系或独立学院以资从学者之深造，于此足征近代经济科学之深邃研究有待于专设研究机构者尤为殷切。

西北大学成立以来，于兹九载，曩在城固时因地处偏隅，兼受战事影响，研究设施，备受限制，现学校迁建工作已告完成，本校于三十六年第一次校务会议复经决议设立各系研究所，兹就经济研究所应行规划事项拟定计划要略如下：

一、本所依三十五年大学研究所暂行组织规程组织之。

二、本所筹备期间暂定六个月（三十六年二月至七月），在筹备期间完成研究所组织规程第四条所规定之准备条件。

三、本所研究目的以促进学术发展，培植高级学术专才，为改进世界、中国及西北经济问题作学理上之准备。

四、本所研究工作分组如下：

1. 经济哲学组

2. 经济理论组

3. 经济史（中国经济史与外国经济史）

4. 经济政策组包括：

（甲）财政政策；（乙）金融政策；（丙）土地政策；（丁）农林政策；（戊）合作政策；（己）工矿政策；（庚）社会政策；（辛）贸易政策；（壬）交通政策

5. 国际经济组

6. 经济大辞典组

五、本所出版计划

1. 经济调查

2. 经济统计

3. 定期刊物（周刊、月刊、季刊与经济年鉴）

4. 丛书

5. 索引分下列二类：

（甲）期刊索引：就中文期刊编制索引分汇发表

（乙）日报索引：就中文日报编制索引分汇发表

6. 经济年表依年代作成之经济大事记表分下列二类：

（甲）中国经济年表

（乙）世界经济年表

7.绘制经济地图分下列二类：

（甲）中国经济地图

（乙）世界经济地图

六、上述工作另作详细计划分三期完成（每期二年）兹规定在筹备期内进行之工作如下：

1.专题研究。

2.编印刊物三十六年一月十七日开始编印经济新潮周刊每星期五出版已出版至第十期每期八千字。

3.西北经济研究。

4.经济调查。

（甲）西北工业调查；（乙）矿产调查；（丙）水利调查；（丁）牧畜调查；（戊）农业调查；（己）边疆经济调查；（庚）金融调查；（辛）物价调查；（壬）商业调查；（癸）劳动调查

附：经济调查方式有四

（甲）派员实际调查

（乙）通信调查

（丙）搜集已刊之资料

（丁）与公私机关合作调查

5.经济统计

（甲）工业统计；（乙）矿业统计；（丙）农牧统计；（丁）进出口贸易统计；（戊）金融统计；（己）物价统计；（庚）工资统计；（辛）生活费统计；（壬）所得统计；（癸）其他统计

七、设备（第一期完成）

1.中文书籍五万册。

2.西文书籍一万册。

3.中西文定期刊。

4.中西文日报。

5.地图。

6.统计用工具。

（甲）Monroc 计算机三部；（乙）Corona 加算机十部；（丙）Underwood 加减机二部；（丁）绘图仪器（绘图射影灯一具绘图笔三套）

八、组织

1. 教授八人，主持研究教学及指导论文工作由系教授兼任。

2. 研究所设研究主任一人，由系主任兼任；专任研究员五人，兼任研究员若干人，助理员二人，书记一人。

3. 委员会

（甲）编辑委员会主持书刊编译事务；（乙）图书委员会主持图书购置与管理事宜；（丙）论文审查委员会主持审查论文及报告。

九、研究生

1. 研究生以大学经济系毕业生经入学试验及格者为限，三十六年暑假开始招收新生。

2. 研究生修业期限至少二年，必要时得延长一年。研究期满前须修习课程二十七至三十六学分（内必修二十四学分选修三学分至十二学分）。

（《国立西北大学校刊》1947 年 4 月 28 期）

附：杨珍：关于经济研究所

本校经济系鉴于西北经济问题的重要，拟筹设经济研究所，阅读罗仲言先生所拟计划要略，深觉其意义至深且巨，不能无言。

查考我国研究经济的史乘，到现在不过二十多年。在这二十余年的当中，相继成立的经济研究机构为数不少，所获成绩亦有可观，然而此较上对中国经济建设和学术上最有贡献的，第一要推中央研究院社会科学研究所。它是陶孟和教授首创的，1926 年成立的时候叫北平社会调查所，到了 1933 年才开始并入中央研究院而为社会科学研究所。它专从事社会经济问题的研究，注意中国棉纺工业、明清经济史、粮食运销、生活费用及对中国国民所得作初步估计等研究工作，尤其对明清财政赋税及对外贸易方面获有相当成就，主编有《近代中国经济集刊》，出版有《七省华商纱厂调查报告》及《中国棉业之发展》等书。第二要推 1927 年何廉氏创立的南开大学社会经济研究委员会，到 1933 年改组而为南开大学经济研究所。它是从事经济统计等研究工作，曾经和太平洋国际学会及罗氏基金团合作，并受到上述两个团体的经济协助不少，该所二十年来曾出版好几种学术期刊及相当数量的研究专刊,其对于生活费用、物价、对外贸易及外汇等指数的编制及城市与农村工业、地方财政、东北移民、经济史等的研究,尤为研究中国社会经济问题的中外人士所熟知,其关于工业方面,出版有《中国工业化之程度及其影响》《中国工业化之统计分析》及《中国工业化》等著作。第三要推刘大钧氏主持的中国经济统计研究所,致力于上海工业化的研究及中国工厂工业的调查,1937年受资源委员会的委托,举办全国工厂工业调查,出版有《中国工业调查报告》。

不过上述的这些经济研究机构,都是偏设在东南沿江沿海各地,西北边远的省份,就没有这种机构。可是西北是中国历史策源地,周秦西汉隋唐各代的郁郁文化,都以现在的西安作中心点,其于国防和经济上的重要,都有不可忽视的价值。就国防来说吧,东南沿海固然是欧美日寇昔日争雄趋利的场地,可是经过这次神圣抗战日本授首以后,我们的国防已经是西北和东北第一了,假使我们还不健忘的话,美国前副总统华莱士说的"新疆是中国的大门",我们就应该如何样去看重西北。再就经济上来说,凡衣食住所需要的东西,都可自给自足,尤其民生所依的棉毛皮料,质量均甲全国,工业所依的煤矿石油,储量全国第一,因此成立一个名副其实的经济研究所,实在是最需要不过的。摆在我们当前的建国问题,可以说就是经济建设问题。蒋主席在他的《中国之命运》一书内,也曾强调过此点。国立西北大学是西北的最高学府,对西北学术的领导和经济建设的任务,实是责无旁贷,成立经济研究所,也就是针对着这个建国使命。就其成立研究所的计划看来,可说把上述的三个比较有成绩的研究所的工作都概括了,同时对我大西北方面的特殊情形如水利的讲求,林牧的培植和改良,都在顾到之列。我们应该要力助其成,使它像小孩坠地一般,由少小而强壮,而能够负得起建国育材的重任。

在目前的西北,筹设这样独立的经济研究机构,可算是创举,希望我们认识它,各尽所能地去爱护它。我想凡是有关经济性质的图书杂志及各种建设资料,或具有奖学意义的各项补助,该都会是该研究所所乐接收的吧。集腋成裘,众擎易举,关心经济研究和经济建设者,盍兴乎来。

(《国立西北大学校刊》1947年4月28期)

三、刘亦珩:国立西北大学筹设数学研究所计划

数学为各种科学之基础,一切近代文明之原动力,此早经公认而不容置疑者。迩来中国之科学在各方面虽均有进步与贡献,然若欲作基本之研究与独自之发展

时,则以数学工具之不足备受限制,是故于国内建立数学研究机构,实不容稍缓,矧世界数学研究中心,已决定设于中国;果如是,尤应预为准备。国内各大学之数学研究所,先后成立者已有数处,最近中央研究院之数学研究所亦告成立;然以地域观之,皆偏处沿海一带。今后中国之建设既侧重西北方面,故于西北重心之西安,实有尽先设置数学研究所之必要。

西北大学成立已有八年之久,唯以物资条件之不充备,发展颇受限制。而数学方面则以不需大量仪器及其他物资方面之设备,所受影响较少。今值迁校事竣,建设方积极进行时,以数学之重要性及其设备之简单性,尤有先成立研究所之必要。复以数学方面之教授,均系前师大、平大同仁,仅需于必要部门再增聘二三人,即可展开工作。至工具方面数学系学生已有必修第二外国语及高讲班之准备;毕业生中能运用英、德、法三种文字且能作初步研究工作者已不乏人,故一旦设备完成,即可着手工作。兹将设置数学研究所之大略计划分述如下:

一、组织:本所依三十五年大学研究所暂行组织规程组织之;以研究及促进数学学术为目的。

二、分组:1. 解析学组;2. 几何学组;3. 代数学及数论学。【附注】暂以纯粹数学为限,实用数学、数学史、数理逻辑及数学教育方面,以后逐渐添设。

三、设备:(分三期购妥)

1. 杂志及期刊(第1期):(a)全套之 Back Number 至少三十部;(b)新杂志——暂以一百二十种为限;

2. 数学百科全书——德文版及法文版各一部(第一期第二期各一部);

3. 名家全集——若干部(第二期);

4. 单行本书籍——约一万册(第一期三千册,第二期第三期各四千册);

5. 各大学学位论文——暂以英、德、法之著名大学为限(第三期);

6. 其他工具——带数学符号之打字机二架(第三期)。

四、导师及委员会

1. 导师:每组导师二人,领导研究工作;

2. 研究助教若干人,视实际需要而定。

3. 委员会:(a)编辑委员会;(b)图书委员会;(c)审查委员会

五、研究室:

1. 资格——以各大学数学系毕业生为限。

2. 入所手续——经过笔试及口试并提交在原校之毕业论文经审查委员会通

过方为合格。

  3. 年限——至少二年。

 六、课程及工作：

  1. 讲演——科目及时数、学分，由各该部门之导师规定之；

  2. Seminary——每周若干次；

  3. 专题研究；

  4. 读书报告；

 七、出版计划：

  1. 数学年刊——以研究发表为主；

  2. 丛书；

  3. 讲演集。

 八、成立时期：预计三十七年七月成立（即第一期设备完成时成立）。

（《国立西北大学校刊》1947 年 6 月 30 期）

四、工科研究所

工程学术推广部办事细则

  第一条 本细则根据本推广部组织章程第十五条之规定订定之。

  第二条 本推广部办理各种工程技术训练班以造就低级工程干部人才为宗旨，其详细办法另订之。

  第三条 本推广部各专门委员凡属本院教员者，应于授课时间以外按时到部办公。

  第四条 本推广部各股经办事项均须就其进展情形制工作报告。

  第五条 本推广部部务会议由本部主任召集之，每月举行一次，遇必要时得召开临时会议。

  第六条 本推广部部务会议审议之事项如下：

  1. 本推广部之工作进行方针

  2. 本推广部各种事业之详细计划

  3. 本推广部之经费概算

4.本推广部各股之工作报告

5.本院院长及本推广部主任交议事项

第七条 本推广部部务会议必须有过半数之法定出席人员出席始得开会,必须经出席过半数之通过始得议决。

第八条 本推广部部务会议法定出席人因故不能出席时,得委托其他法定出席人代表,但每人只能代表一人。

第九条 本推广部所经办事业之收入一律专款积存,非经推广部部务会议通过不得动支。

第十条 本推广部经营事业的用费经济完成□□为原则,其用费巨、规模大、需时久者,本推广部则仅拟详细规划商请政府专建设机关办理之。

第十一条 本细则如有未尽事宜,由本推广部主任提请本院院务会议通过,请院长核准修正之。

第十二条 本细则本院院长核准公布之日施行。

工程学术推广部组织章程

第一条 本推广部根据本学院组织章程第四条之规定而设立,定名为国立西北工学院工程学术推广部。

第二条 本推广部以推广工业社会教育,发扬工程实用技术,并协助西北省区地方建设及推进一般生产事业为宗旨。

第三条 本推广部之任务如下:

1.办理各种工程技术训练班

2.倡导并办理各种有关经济建设事宜

3.协助各机关办理地方建设事宜

4.协助西北各地改进原有手工业

5.承办公私机关团体工业咨询及委托计划实施或经营事宜

6.办理技术人才登记及介绍职业事宜

7.办理各项有关工业之实地调查事宜

第四条 本推广部设主任副主任各一人,由本学院院长聘请本学院教授兼任之,分别综理及佐理本部一切事宜。

第五条 本推广部设总干事一人,由本学院院长聘请本院职员兼任之,承本部主任副主任之命办理本所一切事宜。

第六条　本推广部设专门委员若干人,由本学院院长聘任之,以本学院教授、副教授兼任为原则。

第七条　本推广部暂设下列各股:

1. 设计股　主办各项工程设计事宜
2. 测绘股　主办各项工程测绘事宜
3. 调查股　主办各项调查事宜
4. 事业股　主办本部可经营之一切事业
5. 介绍股　主办技术人员登记及介绍事宜
6. 编辑股　主办本部各项工作报告及一切文书事宜

第八条　本推广部各股各设主任一人,由本部主任指定本部专门委员兼任之。

第九条　本推广部设技术员若干人,分在各股服务,由本院院长任用之。

第十条　本部设干事书记各若干人,分在各股服务,由本院院长任用之。

第十一条　本推广部遇必要时得设置各种委员会办理指定事宜。

第十二条　本推广部在所属职权内得直接对外行文。

第十三条　本推广部设部务会议,必由本部主任总干事及各股主任恭加商讨本部一切进行事宜。

第十四条　本推广部经常费及临时费,由本院列入本院经临各费概算中。

第十五条　本推广部办事细则另订之。

第十六条　本章程如有未尽事宜,由本推广部主任提经院务会议通过,呈请教育部修正之。

第十七条　本章程自奉教育部核定之日施行。

工科研究所组织规程

第一条　本研究所依据大学研究院暂行组织规程第十二条之规定而设定,名为国立西北工学院工科研究所。

第二条　本研究所以研究高深工程学术,促进实际工程技术为宗旨。

第三条　本研究所设下列各部:

1. 土木工程部

2. 矿冶工程部

3. 机械工程部

4. 电机工程部

5. 化学工程部

6. 纺织工程部

7. 水利工程部

8. 航空工程部

第四条　本研究所所设各部,依事实之需要得再各析为若干学门。

第五条　本研究所设主任一人,综理所务并规划研究事宜,由本院院长呈请教育部聘任之。

第六条　本研究所设秘书一人,秉承主任之命办理本研究所一切事务。

第七条　本研究所设干事及书记若干人,受主任及秘书之指挥及监督办理本研究所各项事务,由本院院长任用之或指定本院职员兼任之。

第八条　本研究所设专任兼任助理及特约研究员各若干人,由本研究所主任商请院长聘任之。

第九条　本研究所各部各设主任一人主持各该部事务,由本所主任指定专任或兼任研究员兼任之。

第十条　本研究所设所务会议讨论本所一切重要进行事宜,由本所主任秘书及各部主任组织之。

第十一条　本研究所得设各项委员会,审议或执行本院院长及本所主任所指定之事项。

第十二条　本研究所得招收研究生,其办法另订之。

第十三条　本研究所经临各费,由本院列入本院经临费概算中。

第十四条　本研究所得承受赠品捐款补助及募集研究基金。

第十五条　本研究所办事细则另定之。

第十六条　本章程如有未尽事宜,得由本所研究主任提经本院院务会议议决,呈请教育部核准修正之。

第十七条　本章程自呈奉教育部核准之日施行。

工科研究所办事细则

第一条　本细则根据本研究所组织规程第十五条之规定订定之。

第二条　本研究所专任研究员系就国内专门工程学者聘请担任,必须常期驻研究所。

第三条　本研究所兼任研究员系就本院教授、副教授、讲师聘请担任,必须于授课时间以外随时来所研究。

第四条　本研究所助理研究员系就本院助教聘请担任,必须于辅助教学时间以外来所助理专任或兼任研究员从事研究工作。

第五条　本研究所特约研究员系就国内外有关工程学者聘请担任,遇必要时得来所研究。

第六条　本研究所各种研究员除专任研究员外,均属□给职。

第七条　本研究所所务会议至少每月举行一次,遇必要时得由本院院长或本所主任各开临时会议,会议规则另订之。

第八条　本研究所各种研究员均须各就所学及本所设备拟定研究专题,附加详细说明,通知本所主任并属于固定时间将同人研究结果提出正式报告。

第九条　本研究所各研究员之研究报告经所务会议之决议认为有公表之价值者,得用本所名义印布,但仍注明原研究员之姓名。

第十条　本研究所得商请各研究员之同意编译大学各种工程学科教本及一般科学书籍。

第十一条　本研究所得编印定期刊物以促我国工程学术之进步。

第十二条　本研究所因外界之请求得由所务会议指定研究员一人或数人研究某种特殊问题。

第十三条　本细则如有未尽事宜,得由本研究所主任提经本院院务会议议决,由本院公布修正之。

第十四条　本细则自经本院院长核定公布之日施行。

五、农科研究所

国立西北农学院关于填制农科研究所概况报告简表事给教育部呈

三十三年度第一学期研究所概况报告简表

教育部训令

查三十三学年度第一学期开始已久,兹为明了各研究所概况,特颁发三十三学年度第一学期研究所概况报告简表一份,仰即照实际情形填制,仅速报部以凭核编。此令。

国立西北农学院农科研究所农田水利学部1945年度招考新生成绩初步审查意见表

姓名	籍贯	毕业学校	初步审查意见
陈高林	江苏	本院农业水利学系	去年已审查及格录取
张灏	河北	国立西北工学院水利系	成绩优良
李述□	河南	本院农业水利学系	成绩优良
孙庚昌	河南	本院农业水利学系	成绩尚优

上列各生经三十四年度招生委员会第三次会议议决录取,并于十月十五日以前来院报到。

本部本年度招考新生报名者计有陈高林、张灏、李述□、孙庚昌四名,其中除陈高林已于去年审查合格录取外,其余各生在原校成绩及毕业论文业经本部按照规定标准分别予以初步审查尚属合理。兹特提请贵会复审以定录取为荷。

招生委员会

敬呈考生:自去岁□□毕业及固有志继续高深研究,特投考农田水利研究学部。幸蒙录取在案,惟当时因居榜□迟,生已就中央水利实验室职务,不准辞职。至未能到校上课至以为憾,本年度生决回校继续。用特函准予复学,以图深造为幸。此上

沙主任转呈田院长

生陈高林上

国立西北农学院农科研究所农田水利学部1945年度招考研究生简章

一、投考资格:大学或独立学院之土木系或水利系毕业生。

二、投考手续:投考者应连同下列各件具文呈请本院审查。

1. 大学或独立学院毕业证书。

2. 在原校全部成绩单。

3. 毕业论文(须有校印),如有其他著作可并送审查。

4. 原校指导教授负责证明学历函件。

5. 最近半身二寸相片二张。

6. 报考费二百元。

以上各件必须备,齐缺一不收,并应于九月十五日以前用双挂号信寄达本院。审核及格者于九月底个别通知,如期到校。受口试不及格者证件退还。

三、待遇:除部给津贴外并得□部颁贷金暂行规则请求核给战区学生贷金或自费生贷金,其成绩优异者本院得酌给奖学金。

三十四年度国立西北农学院关于送农科研究所设备费预算书事给教育部的呈文国立西北农学院农科研究农田水利学部充实设备费计划及预算

本研究部研究工作关于探讨有关西北农田水利之基本原理,并以解决黄河下游桥渠灌溉为中心工作。本部急拟充实之设备分下列三项:

一、试验水槽一架,试验黄土在流水中之冲淤问题,设备需款四万元。

二、制造试验仪器。

(甲)黄土颗粒分析仪,一万伍千元。

(乙)黄土冲刷率测定仪,伍千元。

三、购置我国有关西北水利之专门图书,预算需款2万元。

上列三项合计八万元整。

接呈请补发研究院所研究刊物补助办法指令照发由
教育部指令

令国立西北农学院

三十四年三月三十日总字第1012号呈一件,为呈请补发大学研究院所研究刊物补助办法由。

呈审兹补发本部三十一年十一月三日高字44513号训令所颁发之公私立大学及独立学院研究院所研究刊物补助办法一份,仰即知照。

附公私立大学及独立学院研究刊物补助办法一份。

公私立大学及独立学院研究刊物补助办法

一、本部为奖励公私立大学及独立学院研究院所研究刊物（以下简称研究刊物）之刊行起见，特制足研究刊物补助办法（以下简称本办法）。

二、本办法之补助经费由本部国立研究院所经费项下匀拨。

三、各研究院所申请补助研究刊物应附具最近一年内所刊行之研究刊物，由各该院校务必转部核办。

四、补助研究刊物之单位系以种类计算各院校得合并或分别申请，但每年每种仅能申请一次。

五、经审核合于规定之研究刊物酌予一次补助三千元至五千元。

六、经本部补助之研究刊物应按期呈送本部备核。

七、经本部补助之研究刊物如有违本办法第六条之规定时，一年度不得再行申请补助。

列宁格勒植物研究所关于与西北农林专科学校交换植物种子事给西北农林专科学校二电

请函复该研究所

该所所需要植物华北每省出□，请向江浙或广东各农学院索取。

陕西所产之工艺植物（附名单），如有需要，今秋当代为采集。

本校原有□及□二种种子，各赠送一包。

本校所需要之各种工艺植物种子（附名单），亦请各寄赠一份。

教育部出版品国际交换处关于德国林业研究所愿与我国交换林业杂志等刊物一事给国立西北农学院的函。

教育部出版品国际交换电函一件

函准德国塔兰堤世界林业研究所来函愿与我国交换关于林业杂志等刊物兹抄奉原函，敬希察阅并请惠予洽复，以便转达而利交换。

函复□□交换但本院关于林业之调查研究系登载于《西北农林》各期杂志中并□□刊，兹寄上《西北农林》第一二期各一份，以便交换，以后如有林业文章，当陆续寄上。该研究所寄来刊物，亦希寄一份。

国立西北农学院关于与西北经济研究所合作调查西北各省农业经济问题一事给陕西省政府的公函

为函本院与西北经济研究所合作调查西北各省农业经济问题,刻正组织农业经济调查员来陕西省政府及所属武功等县调查,请惠予照拂,并请转会武功、高陵、渭南、宝鸡、南郑、城固等县协助由。

教育部关于筹办农科研究所农田水利学部情形给国立西北农学院的指令

教育部指令一件

据呈报筹办农科研究所农田水利学部情形附章程草案及招生办法请审核派发补助费由。

三十年十月十七日呈一件,呈报筹办农科研究所农田水利学部情形,附赍章程草案及招生办法,请鉴核派发补助费由。

呈件均悉,查该院农科研究所章程草案大致尚合,其应行修正之点分列如下:

一、第三条后段:"在外国大学本科毕业者亦得应前项考试"应列为原条第二项,以醒眉目。

二、第七条、第十四条、第十七条应删。

三、第八条"设奖学金"设字下应添一"有"字。

四、第十二条与第十三条次序应对调。

五、原第十二条后段:"至学位之授予,依照部定章程办理",应修改为:"学位之授予,依照学位授予法之规定"。并列为原条第二项,以醒眉目。

六、第十六条应修改为:"研究生不得兼任职务,但本院助教经公开考试及格者,得兼作研究生,其研究期限至少为三年"。

七、第十八条应修改为:"本章程经本院院务会议议决呈由教育部核准施行"。以上各点应即遵照修正,呈核至该院农科研究所。本年度补助费,准予先拨发二万元,款另汇。仰于收到后填具,仰领呈部备核。

教育部关于检发研究所概况简表一事给国立西北农学院的训令

查三十学年度业经开始,各校研究所概况亟须查明,除关于经常按期呈报事项仍应遵照本部二十九年第 42069 号训令办理外,兹特检发研究所概况简表二份,仰即就实际状况依式填制,于上课后二周内报部。

钧部三十年十月二十四日统字第 46046 训令"检发研究所概况简表二份,就实际情况依式填制于上课及二周内报部"等由;本此,当即遵照办理,谨收三十年度第一学期本地研究所概况报告,简表依式填就,理合检文呈赍钧部鉴核检查,实为方便。

国立西北农学院关于自 1942 年度设立农科研究所农艺学部以培育高级学术人才一事给教育部的呈文

案查本院农业水利学系业已成立农田水利学部于三十年度开始招收研究生,以研究高深水工学术,仰见钧部为国育才之至意,位兹抗建时期,政府以粮食增产为目前重要工作,西北各省面积辽阔,农产之产量影响全国计民生,尤为重要。欲谋粮食增产,必须选择专门农艺人才研究指导,方收实效。本院为西北唯一农业最高学府,对于培育此项人才,责无旁贷。农科研究所似当设立农艺学部之必要,减去本院农艺学系现有之研究设备,均极完善,师资尤为充实,适与部颁大学研究院组织规程第三条第三款之规定相符,拟援例自三十一年度起,设立农科研究所农艺学部,以培育高级学术人才。兹谨将农科研究所农艺学部之得要草案及课程细则随文呈请是否妥当?

国立西北农学院农科研究所农艺学部学程细则

第一条 本细则是根据国立西北农学院农科研究所农艺学部简章第十二条之规定订定之。

第二条 本学部之必修学程十六学分,研究设计八学分,选修学程之总学分数不得超过二十四学分。

第三条　本学部之必修学程暂定如下：

　　　　高级遗传学　　　　二学分

　　　　应用细胞学　　　　四学分

　　　　高级作物学　　　　四学分

　　　　育种之特种问题　　二学分

　　　　特用作物育种学　　二学分

　　　　田间试验设计学　　二学分

第四条　本学部研究生每学期除必修与选修之课程外，须于导师指导之下作设计实习二学分。

第五条　本学部研究生每学期所修之学程（设计实习在内）之学分数遵照本学部简章第十三条之规定不得超过十二学分。

第六条　本学部研究生须遵导师之指导作课外阅读及其他工作。

第七条　本细则于必要时得呈部核准修改之。

国立西北农学院农科研究所农艺学部简章草案

第一条　本院遵照部颁大学研究院暂行细则第三条之规定，设立国立西北农学院农科研究所农艺学部。

第二条　本学部研究范围暂定为作物育种学门，以造就高深及富有研究能力之技术人才为宗旨。

第三条　本学部报部主任一人，得由农艺学原系主任或教授一人兼任之。

第四条　本学部每年于秋季公开招生一次，招考名额至多不得超过十名。

第五条　报考本部研究生之资格为国内外大学农学院农艺系毕业或独立学院农艺系毕业，并具有二年以上之实际作物育种之经验而有确实证明者。

第六条　本研究部招考办法得依照本院招生简章办理之，入学考试科目如下：

　1. 国文

　2. 英文

　3. 作物学

　4. 遗传与育种

　5. 土壤与肥料

6. 生物统计与田间技术

7. 口试

第七条　本学部研究生和手续得依照本院章程办理之。

第八条　本学部研究生须遵守本院一切章程。

第九条　本学部研究生入学后得享受本院农科研究所章程第十三条规定之待遇外,并得领取本农科研究所规定之奖学金。

第十条　本学部研究生之研究期限为二学年,若遇有中途辍学情节,除补足其二学年外最少须延长一学期。

第十一条　本学部研究生不得兼任校内任何职务,但本院助教经公开考试及格者得兼作研究生,其研究期限至少为三年。

第十二条　本学部研究生必修学程十六学分,研究设计八学分,学程细则另定之。

第十三条　本学部研究生得于遵师指导之下商定其研究问题及选修本系与外系有关课程,但每学期所学之总学分数不得超过十二学分。

第十四条　本学部研究生毕业考试及成绩计算方法等均适用本院农科研究所章程第九条至十二条之规定办理之。

第十五条　本简章供教育部核准后施行之。

国立西北农学院关于拟自1942年度起于农科研究所增设森林学部一事给教育部的呈文

窃查森林为国家主要之资源,林业为建国之要素。值兹长期抗战期间西北林业之建设尤为后方当前之要。几年来,西北各国有林区之成立及黄河上游造林治水之计划均为政府重视。西北林业之设施,惟林区施业之设计以及造林治水之水土保持问题为林学之高深技术,而国内极感此项人才之缺乏,势非另设研究机构不足当目前之急需。本院森林学系为西北唯一研究林学之最高学府,对于此项人才之培植自属责无旁贷,似有在本院农科研究所增设森林学部之必要。复查本院森林学系现有之研究设备尚极完善,尤以师资之优越,较之国内各大学之森林学系亦有过之而无不及。适与部颁大学研究院暂行组织规程第三条第二款之规定相符,兹拟遵照规程自三十一年度起于本院农科研究所增设森林学部,并顾及西北林业之需要及本院设备之实况,拟暂先成立造林学门一门,以造就斯项高级学术人才。兹谨将所拟农科研究所森林学部简章草案及造林学门之课程细则各一份随文呈上赍。是否有当理合具文呈请。

国立西北农学院关于请1942年度续拨农科研究所农田水利学部补助费一事给教育部的呈文

本院农科研究所农田水利学部自当成立以来积极推进,延聘导师,招考研究生,从事多项有关西北农田水利基本原理之探讨,业于去年十月七日以农字第875号呈报钧部在案。关于该部之多项基本设备,为水工试验室之活动水闸,黄土试验渠、标准量水堰等以及研究必需之图书仪器药品已先后建筑完成,购置完善,预计本年度即可从事多项专门问题之研究。陕省本年苦旱,秋收无望,军粮民食大起恐慌。各界对于农田水利事业之推进与研究,期望更为急切。本院鉴于此,除设由农业水利学系师生切实注意勤加研讨外,应于本年度招考第二届研究生五名,积极工作。惟以陕省物价飞涨之作推进,实为困难,拟读钧部于本年度(三十一年)仍续援农田水利研究补助费四万元。该部工作仍按照原定计划继续进行,而谋切实贡献于西北农田水利与抗建大业,现需款孔亟,理合具文呈请钧部鉴核准予拨款,俾资进行,实为公便。

国立西北农学院关于农学院拟设农科研究所园艺学部并附送简章学程细则等请鉴核一事给教育部的呈文

窃查全国农学院共有十四个园艺系,除一私立金陵大学外,尚无一研究院之设置。全国各园艺系均缺乏师资,教授达三人者不过三四系,各农业机关之园艺部门均缺乏高级干部。战后复兴上级园艺人员更不够分配。西北原系理想之园艺区域,昔日曾盛极一时,如葡萄、核桃、杏桃皆系发源于西北。目前衰落不振,开发西北,同时应须复兴西北之园艺事业,故目前应储备中级及高级人才。抗战以来,各农学院未迁移校址者不过二三院,本院即其一。本院园艺场成立于八年前,现树亦成林,规模已具,师资亦较任何园艺系为多,设立研究院困难不多。另附细则并请核夺,送呈教育部核示。

国立西北农学院农科研究所园艺学部简章草案

一、本院遵照部颁大学研究院暂行细则第三条之规定设立国立西北农学院农科研究所园艺学部。

二、本学部设置之目的以造就富有研究能力之高级园艺技术人才为宗旨。

三、本学部设部主任一人,由园艺系教授一人兼任之。

四、本学部每年于秋季公开招生一次,招考名额至多不得超过五名。

五、报考本部研究生之资格为国内外大学农学院园艺系或独立农学院园艺系毕业。

六、本研究部招考办法得依照本院招生简章办理之,入学考试科目如下:

1. 国文

2. 外国文(第一外国文、第二外国文)

3. 果树园艺学

4. 蔬菜园艺学

5. 观赏园艺学(花卉及造园学)

6. 园艺利用学(果品处理及园产品制造)

7. 口试

七、本学部研究生入学手续得依照本院章程办理之。

八、本学部研究生须遵守本院一切章程。

九、本学部研究生入学后得享受本院农科研究所章程第十三条规定之待遇外,并得领取本农科研究所所规定之奖学金。

十、本学部研究生之研究期限为二学年,若遇有中途辍学情节,除补足其二学年外最少须延长一学期。

十一、本学部研究生不得兼任校内任何职务,但本院助教经公开考试及格者得兼作研究生,其研究期限至少为三年。

十二、本学部研究生必修学程十六学分,研究设计二学分,学程细则另定之。

十三、本学部研究生得于遵师指导之下商定其研究问题及选修本系与外系有关课程,但每学期所学之总学分数不得超过十二学分。

十四、本学部研究生毕业考试及成绩计算方法等均适用本院农科研究所章程第九条至十二条之规定办理之。

十五、本简章供教育部核准后施行之。

国立西北农学院农科研究所园艺学部学程细则

第一条　本细则根据国立西北农学院农科研究所园艺学部简章第十二条之规定订定之。

第二条　本学部之必修学程十六学分,研究设计八学分,选修课程之总学分数不得超过二十四学分。

第三条　本学部之必修学程暂定如下:
　　　　1. 高级园艺学　　四学分
　　　　2. 园艺学研究法　　四学分
　　　　3. 园艺学特种问题讨论　　二学分
　　　　4. 生物化学　　二学分
　　　　5. 应用细胞学　　三学分

第四条　本学部研究生每学期除必修与选修之课程外,须于导师指导之下,作设计实习二学分。

第五条　本学部研究生每学期所修之学程(设计实习在内)之学分数,遵照本学部简章第十三条之规定不得超过十二学分。

第六条　本学部研究生须遵导师之指导作课外阅读及其他工作。

第七条　本细则于必要时得呈部核准修改之。

国立西北农学院关于拟增设农科研究所农业化学部及土壤肥料试验场并送计划一份请鉴核一事给教育部的呈文

窃喜农业化学与抗战建国,极为重要。为粮食之增产,人类与动物之营养以及燃料问题等,皆非藉农业化学之途径,多由解决。西北面积甚广,荒地至多,欲增加粮食生产,则在开垦荒地;而开垦荒地,尤非培养农业化学人材不可。本院农业化学系,即前北平大学农化系,历史最久,成绩显著,谨拟于该系设置农科研究所农业化学部及土壤肥料试验场。兹拟具农业化学部及土壤肥料试验场计划各一份,理合随文呈赍。

研究计划:

甲、土壤调查：就西北各省土壤作详细而有系统之调查。

乙、水土保持试验：就武功附近坡度较大之地作水土保持试验。

丙、土壤改良试验：特别注重碱土之改良及利用。

丁、各种肥料试验：特别注重施肥对作物增产与施之各种试验。

戊、肥料增产试验：包括植物质肥料为绿肥，人造动物质肥料为骨肥，叶以及细菌肥料如根瘤菌等之增产试验。

己、解决当地各种土壤肥料方面问题之研究。

第七章 教职员(上)

第一节 教职员的聘任

一、解聘风波①

社会科学研究会干事桂奕仙②等十三人呈一件

呈为属会导师章友江先生遭受诬蔑,恳请勿听谣传而辨事非由。

---

① 1938年7月,教育部下令改组国立西北联合大学校务委员会,先后增聘常驻学校之教育部督学张北海等为校务委员。1938年9月,新学期开学时,校常务委员、法商学院兼院长徐诵明请辞代院长职务,并经联大第三十八次常务委员会议决定,聘请历史系主任许寿裳继任法商学院院长。教育部对徐诵明聘许寿裳先生为法商学院院长一事,罕见地以重新任命张北海为法商学院院长来表达立场。复于11月12日以联大常委第四十八次会议的名义,准许寿裳教授辞去法商学院院长兼代政治经济系主任职务,正式聘请张北海为法商学院院长。许寿裳教授得知此讯后,立即向校常委徐诵明提出辞职,徐诵明常委为表示同情和抗议,立即批准许的辞职,同时自己也向教育部提出辞职,随即赴渝、蓉等地向教育部报告校务和为医学院等聘请教师,两个半月后的1939年1月始回校。张北海的上任,激起全校进步师生的强烈反对。法商学院曹靖华、沈志远、章友江、彭迪先、黄觉非、韩幽桐、刘及辰、李绍鹏等10余名教师开会,挽留许寿裳,反对张北海履新,并立即发出油印传单"快邮代电"送全国各报社、各大专院校和各机关团体,公开反对教育部的决定。学生中立即提出了"反对张北海接任法商学院院长""要求教育部收回成命"的口号。1938年底,教育部亦下令禁止商学系学生学俄文,同时要求解聘法商学院俄文课教授曹靖华等12人。1939年春天,曹靖华、章友江、沈志远、韩幽桐、彭迪先、黄觉非、寸树声、刘及辰、李绍鹏、方铭竹、吴英荃、夏慧文、张云青等一批进步教师先后被相继解聘、低聘或给假架空。在此同时,教育部又通令全国各院校:解聘教授,他校一律不准再予聘任。法商学院学生李昌伦出面组织群众200余人签名请愿;桂奕仙执笔起草了谴责反动派摧残高等教育的石印传单,被迫害教授们还以"快邮代电"方式向全国大专院校散发请求声援。法商学院学余士铭、马介云、刘养桐、伍诗绥、陈志立等积极发动同学进行声援。文学院长黎锦熙也公开支持进步师生的斗争。1939年1月9日,教育部次长顾毓琇到西北联大平息事态。1939年3月5日的深夜,中共联大地下党支部书记刘长崧、党员郑登材和李昌伦三人分别被捕。彭迪先、章友江、沈志远等教授尽力营救学生。寸树声教授为营救一事专程从城固赶到汉中找校常委徐诵明商议办法。随后徐诵明常委与黄觉非教授同去汉中找在警备司令部政治部担任主任的同乡林某进行疏通。历时三月有余的营救,最终迫使当局释放了学生。1939年暑假前夕被解聘的十多位进步教授先后离校。徐诵明常委未就任教育部令任国立西北医学院院长,而辞职到重庆,后任教育部医学教育委员会驻会常务委员虚职。

② 中共地下党西北大学地下党组织负责人之一,1942年曾因参加学运被反动政府逮捕。1944年底病故。其余生平不详。

呈为属会导师章友江先生遭受诬蔑，恳请勿听谣传而辨是非事。窃属会员为求读书效率之增进，研究方法之正确起见，曾聘请本校教授十三人为导师，迄今五旬获益良深，乃迩者风传有人诬蔑属会导师章友江先生在属会所召开之讲演会及座谈会上发表诋毁国民党与批评抗战建国纲领之言论，闻之不胜惊诧。按章先生曾为属会讲演一次，题为《精诚团结与中国抗战前途》，其内容对国民党领导全国人民从事伟大之抗战极为拥护，而对最高领袖蒋委员长之推崇与拥护尤溢于言表。至于在座谈会上讨论抗战建国纲领时亦曾发言二次，对于抗战建国纲领非惟未予批评，并力赞其完善而主张坚决实践，更表示惟有实行三民主义始能完成抗战建国之伟业。言论内容属会皆有记录可考，兹谨缮就随文附呈。际此民族存亡绝续之秋，凡我国人皆当为民族生存而奋斗，覆巢之下绝无完卵。乃横加诬蔑，实为痛心。章先生既为属会所聘请之导师，而又因指导属会所究学问以致遭受无稽之中伤，属会同人本诸良心难安，缄默用特详述经过情形，备文呈情钧会，敬希垂察，至为公便。谨呈

常务委员会

社会科学研究会干事桂奕仙等十三人
中华民国二十七年七月二十八日
（民国档案，陕西省档案馆）

关于准予章教授给假一年之便函

案查本校第五十一次常委会记录讨论事项第七内载：拟请政经系教授章友江①先生担任研究抗战政治问题案。决议：章教授准予给假一年（自二十七年八月一日起止二十八年七月底止）研究抗战政治问题。

中华民国二十七年十二月一日
（民国档案，陕西省档案馆）

---

① 章友江（1901—1976），字芋沧，曾用名裕昌。江西南昌人。1927年加入美国共产党，后在莫斯科中山大学学习。1937年起任西安临时大学、西北联合大学法商学院商学系教授。解聘风波后，按周恩来意见转赴重庆工作。建国前参加中国民主同盟工作，建国后为政务院人民检察委员会第一副厅长、国务院参事。

解聘刘及辰、韩幽桐、张云青之便函①

（发聘920字第3710号）

为法商学院商学系教授刘及辰②、政经系副教授韩幽桐③、商学系讲师张云青④等三人应予解聘，薪俸均送二十八年一月底止。通知查照。此致

刘及辰、韩幽桐、张云青先生

国立西北联合大学校务委员会常务委员
中华民国二十七年十二月十日
（民国档案，陕西省档案馆）

便函慰留李绍鹏先生⑤

（发聘32字第0134号）

事由：复函述各节已与顾次长商定办法，请以学校为重，即日取消辞意由。

秋平先生大鉴：

来函敬悉。昨与顾次长商定，新收商学系一年级新生，除英文四小时外，可选读俄文四至六小时，选定后即与必修科目无异，是与先生主张大致为同。务望以学校为重，即日取消辞意为祷。专此敬颂

时绥。

常委联署
中华民国二十八年一月十七日

---

① 便函上有胡庶华常委的签名"庶华"；徐诵明常委出差在外，由张贻惠代签"明惠代"；李蒸的签名；文书组组长佟学海的签名。

② 刘及辰（1905—1991），河北宁河人。1938年任西北联大法商学院教授，主讲唯物辩证法、帝国主义论、社会科学方法论等课程。

③ 韩幽桐（1908—1985），又名桂琴。1926年加入中国共产党。最迟1938年1月31日之前开始任西安临大、西北联大法商学院法律系和政治经济系讲师，长于国际法。

④ 张云青，又名青坪。西北联大法商学院商学系讲师。

⑤ 便函文头上有常委徐诵明、李蒸、胡庶华（刘拓代）的签名。李绍鹏（1905—？），又名秋平。江苏仪征人。1937年起任西安临大、西北联大法商学院政治经济系和商学系教授，精通俄文。离校后到国民政府贸易委员会从事国际贸易研究，并出版刊物，1949年后任北大西方语文系俄文教授。

附件1：三常委慰留便函

与顾次长商定，就新收商学系一年级新生，除英文四小时外，可选读俄文四—六小时，选定后即与必修科目无异，是与先生主张大致尚同。尚望以学校为重，即日取消辞意。

徐诵明　胡庶华（刘拓代）　李蒸
一月十六日

附件2：李绍鹏致三常委

轼游、云亭、春藻三位先生钧鉴拜读：

赐书敬悉。

三位先生对鹏挽留之心，可谓辞恳意尽，鹏非本木石，岂能无动于衷，为公为私理应撤销辞意，追随三位先生之后，尽力抗战建国教育。然鹏不得已应言于此者。以鹏之辞职，并非固执成见，且无丝毫意气用事存乎其间，乃以商学系俄文课程之恢复旧观为依归。俄文商学系历史之悠久，对中国社会之贡献，三位先生当知之甚详。同时，此项人才在我国目前需要之孔急实系显明史实，今遭逐年结束之厄运，并非出之教部，明令纯为张君北海个人之措置。今为表示诚意，敬向三位先生作具体之建议：商学系先修班既经教部明令取消，鹏实不再坚持，三位先生若能于教部大员顾次长留此之机会，恢复商学系一年级新生之俄文课程，鹏即取消辞意。区区之意，想能见谅也。肃此。敬颂钧安

后学　李绍鹏　拜启
一月十三日

附件3：徐诵明签发法商学院院长张北海

北海院长吾兄惠鉴：

来函□李君绍鹏近日确患风寒，此次请假当系实情。李君在法商服务多年，人颇爽直，尚希稍宽以时日，如病愈以后仍不到院上课，再行提出裁酌。尚望布复，顺颂近绥不一

徐诵明　签发
（原档缺日期）

附件4：张北海致常委函

本院商学系教授李绍鹏所任俄文课程缺授瞬逾一月，既未请假，形同罢教。前传曾向常务委员辞职，但该系主任及北海始终未尝与关其事。昨据注册员钟书衡面陈陈秘书叔庄通知谓，李教授决于今日复课，不意今日又未见来校，并通知钟

注册员谓:"何日病愈,再函告上课期",可见李教授托辞延宕终无复课诚意。现该项课程旷废遇久,不使罢教之风未宜坐视,北海辱承委托主持院务,未敢再行容忍,有负职守,拟恳即日准其辞职,俾便另聘替人,以免虚耗国家公帑而□校风。当否,请常务委员鉴核。

张北海
二月十四日

附件5:李绍鹏致少梅兄

昨晚据陈秘书通知谓:已请兄布告学生,弟于今日返校上课,惟弟自前晚感冒后迄今晨未愈,请兄通知学生,弟今日不能来校上课。何日病愈,再函告上课期。此颂

晨安

弟　李绍鹏　启
二月十四日

附件6:李绍鹏辞职函

敬启者:

自上年十二月十二日向贵会提出辞职书,迄本月十一日已满一月。鹏已履行聘约所规定之义务,自本日起即不再到校授课。特此函达。此致

联大常委会

李绍鹏　谨启(签章)

另奉还贵校164号证章一枚(胡庶华常委批示:"再恳切慰留。证章退还。一月十一日。")

附件7:常委会再函李绍鹏勿辞职

秋平先生教席(一月十一日):

大函敬悉。

先生拟请辞职,前经常务委员会议决慰留,业经函达。兹接来函,仍申前意,不胜怅然。查先生在法商任教多年,与弟等在教育界服务同舟共济非一日。方今抗战建国教育至关重要,正资助力,碍难准辞。兹谨备函要请敬祈鉴纳是幸。顺颂

台绥

证章奉还。

弟　徐诵明 李蒸 胡庶华
一月十一日
（国立西北大学档案，陕西省档案馆）

法商学院布告

近查法商学院商学系学生有怠课行为，并闻有暗中鼓动学潮情事，殊属有玷校纪，兹特严予告诫。限下星期一起照常主课，恢复正常状态，如仍有怙恶不悛，应即查照，为首者予以开除学籍处分，仰各知照。

国立西北联合大学法商学院
中华民国二十八年一月二十七日
（民国档案，陕西省档案馆）

学校通知准辞曹联亚先生[①]

（发聘 72 字第 0316 号）

曹联亚先生、会计室、出纳室：

法商学院商学系教授曹联亚先生准辞，薪俸送至二月底止。分函查照。

常务委员交下台端商学系教授曹联亚先生函一件（照抄）等由。奉批："曹联亚先生请假照准。薪俸送至二月份止"等因，除通知会计室、出纳室知照外，相应函达即希查照为荷。此致

曹联亚先生（请上崇院十五号）
会计室
出纳室
致曹联亚先生书请如另纸计开缮发。

秘书处　启
中华民国廿八年二月一日

---

① 通知上李蒸、胡庶华（刘拓代）、徐诵明三常委的签名。曹靖华（1897—1987），名联亚。1921年在莫斯科东方大学学习，1927年任莫斯科中山大学教授，1933年回国后相继任北平大学女子文理学院、西安临大、西北联大教授。1939年暑假离校后至重庆，面见董必武、周恩来，在周的安排下任中苏友好协会常务理事，与王炳南、郭沫若、老舍等一起工作。

附件1：致曹联亚先生（文同上）

附件2：李蒸、徐诵明、胡庶华（刘拓代）致秘书处："曹联亚先生请假照准。薪俸送至二月份止。请转知会计室及曹先生。此致 秘书处。二月一日"

（民国档案，陕西省档案馆）

慰留徐褐夫①辞职之便函

台端辞意恳切，对于法商院务困难尤慨乎言之，足见关怀学校及难进易退之雅量，至为钦佩。惟是风雨如晦，正待惠而好我者携手共进，方能于事有济，勿再言辞。

          弟　轼游②

中华民国二十八年七月三日

附件1：徐褐夫致轼游先生函

仆此番之所以急欲求去者，自亦有隐痛……盖法商年来纠纷皆起自人事问题，仆坚信人事合理解决之日乃法商安定之时。间常与觉非、芹生诸前辈曾一再言之，不意北海先生前此赴渝之际竟将仆列入商学系主任人选之内，逢迄今未予通过，已为仆稍余颜面。然此席未可久悬，而爱仆者终为感情所蔽由是惴惴，必欲使铅刀一试，尤以戴院长履新在即，此问题愈见萦回于诸长者脑海，仆深恐卷入漩涡，故不若行其三十六计，俾释长者系虑，藉免法商与人事相终始。区区愚忱。敬祈。七月二日。

附件2：徐褐夫函西北联大常委函

教部函介担任贵校法商学院俄文教授，滥竽充数迄今半载，虽蒙诸公海涵，同学曲谅，得无陨越。然长此以往决非善策，用特恳准辞职以让贤路，不胜感荷。七月二日。

（民国档案，陕西省档案馆）

---

① 徐褐夫（1903—1978），1926年被保送到苏联莫斯科东方大学研究班深造，毕业后留校任政治课教员。1928年加入苏联共产党。1931年归国。1937年至1946年相继任西北联大、西北大学教授。1948年至1951年任兰州大学外语系教授及系主任。1951年后任西北师范学院副院长、教授，兼中文系主任。建国后，曾任西北军政委员会文教委员会委员，兰州大学接管委员会副主任兼校务委员会副主任、副校长，并任甘肃省政协委员、兰州市中苏友好协会副会长等职。

② 徐诵明（1890—1991），字轼游。时为西北联大常委。

教育部高等教育司关于未经续聘和被裁教员的函

(第 31072 号函)

径启者查

贵校改组后未经续聘及被裁教员谢似颜、杨宗培、夏慧文、寸树声①、彭迪先②、陈之霖、佘坤珊、陈嘉琨、江之泳、钟书衡、陈智良等十一人,奉嘱:"除江之泳一员业经本部登记并分发服务,谢似颜、佘坤珊、陈嘉琨等三人已另就他职者外,其余杨宗培等七人,可准其前来登记,分发服务并自离职之月起核给生活费"等因。相应检同登记表七份,函请查照分表转知各该员填就,连同最近二寸半身照片二张送部备查,并将各该员离职日期报部,以凭核定生活费起支月份为荷。
此致

国立西北大学
附送登记表七份
教育部高等教育司 启

中华民国廿八年十二月四日

附件1:教育部高等教育司十二月四日第31072号函(人字502第461号)

函送登记表七份,请转未经续聘及被裁之教职员填就送部备查,并将各该员离职日期报部,以凭核定生活费起支月份。

校长　胡庶华(签名)
中华民国廿八年十二月四日收到
(国立西北大学档案,陕西省档案馆)

---

① 寸树声(1896—1978),字雨洲。云南腾冲人。1937年起任西安临大、西北联大法商学院商学系教授兼主任。

② 彭迪先(1908—1991),又名伟烈。1938年9月由沈志远、寸树声介绍任联大法商学院政治经济系教授,长于政治经济学、经济思想史、世界货币理论。1939年6月离联大赴成都任生活书店总管理处馆外编审,从事著述活动,1940年秋任武汉大学,1945年9月任四川大学教授。1949年后任第一至七届全国人大代表、常委、四川省副省长、民盟中央副主席。1987年3月31日在京当选为西北大学北京校友会会长。

国立西北大学公函教育部高等教育司

（发人 543 字第 1307 号快信）

事由：准函附送职员陈智良登记表一纸，希查照。

教育部高等教育司：

案准贵司上年十二月四日第 31072 号函开："抄原函"等由。准此。查未经本校续聘及续委之教职员夏慧文、寸树声、彭迪先、陈之霖、钟书衡等五员，早已离开城固，住址不详，无从转达。惟杨宗培接受西北师范学院之聘，现在城固。此外仅陈智良一员。兹将陈智良之登记表一纸随函送上。即希查照办理为荷。

此致

教育部高等教育司

附：陈智良登记表一纸，相片一张。

中华民国廿九年一月廿九日发

（国立西北大学档案，陕西省档案馆）

教育部训令（密）

（高密字第 23 号）

令国立西北大学校长胡庶华：

本部据部各级学校往往有异党潜伏活动，甲校辞退，复蒙混乙校聘用，不惟妨碍一校风纪，实影响整个国家教育。兹为防范起见，规定各校选聘教员对于各员思想履历，务须慎重考察，如查另有政治企图，应即解聘。对于因是项原因解聘之教员，应即开具履历并申叙解聘缘由，呈报主管教育行政机关察核，由各该主管机关密令所属各校一律停止任用。除分令外，合行令仰该校长遵照密切注意。此令。

中华民国二十九年五月二十日

（民国档案，陕西省档案馆）

二、国立西安临时大学—国立西北联合大学时期的聘任

常委兼工学院院长李书田致临大常委会函

请聘刘德润先生为本校土木系教授,担任水利及卫生工程,月薪340元整。本校业请刘先生驻东北大学协同监督施工,并乞饬发九月份薪。

李书田

中华民国二十六年十月六日

(民国档案,陕西省档案馆)

国立西北联合大学关于允速来困难处可面商一事给林君范①的电②

(中华民国廿八发人343字第0549号)

武功农学院林君范先生:

前函亮悉,祈俯允速来,困难处可面商,电复。

刘拓③　克昌④巧

一九三九年十月十八日

(民国档案,陕西省档案馆)

---

① 林镕(1903—1981),字君范。江苏丹阳人。植物分类学家。中国植物学学科的先驱者之一,中国菌物学研究的开拓者之一。1930年,任国立北平研究院植物研究所研究员,国立北平大学农学院农业生物学系教授兼系主任。抗战全面爆发后,相继任国立西安临时大学—西北联大教授、国立西北农学院教授。1939—1941年间与刘慎锷、辛树帜共同筹办西北植物调查所。在此期间,西北农学院的一些进步学生因响应全国抗日救亡运动而被捕入狱,他与同校的金树章、虞宏正和一位物理学教授一起,多方设法营救,终使这些学生获释出狱。他们的正义行动被时人广为传颂,并誉之为"武功四君子"。中华人民共和国成立后,调任中国科学院植物研究所研究员、副所长、代理所长。1955年,当选为中国科学院首批院士(学部委员),1957年被聘为中国科学院生物学部副主任。

② 西北联合大学文理学院生物学系给林镕的聘电。胡庶华常委签发。

③ 刘拓(1897—?),字泛驰。湖北黄陂人。西北联大文理学院院长。抗日战争爆发后,他正在庐山讲学,旋即赶赴西安入西安临时大学。1938年学校迁往城固后,他利用城固的土特产资源指导青年教师和学生研制蜡烛、烤胶和造纸等,缓解了当时物资缺乏的困难。

④ 雍克昌(1897—1968),号凤翔。1919年毕业于北京高等师范学校博物学部。西北联大文理学院生物学系教授兼主任。1941年至1945年任西北大学生物学系主任、教授。

国立北洋工学院院长李书田致西安临时大学函

北洋土木系助教梁锡伯既经贵临大常会聘用,又复抵陕到校,而本学院三成五经费又已拨归贵临大,应请即依贵会决议致送梁君聘书并即发给九月份薪俸80元。

李书田

中华民国二十六年十月二十三日

批示:根据常会决议案照聘并发九月份五成薪金。

(民国档案,陕西省档案馆)

兼领工学院院长李书田致常委会函

本大学工学院机械工程学系系北洋及平大工院两机械系所合组,非但事实上不能如教部所示机械、电机两系合并,而且因北洋机械系分机械工程及航空工程两组,航空工程各年级均有学生,且人数比机械工程组较多,课程性质不同,而此种人才又为政府所亟需,自应赓续办理。暑前航空工程组有教授二人,现均另行高就不克来陕,兹拟祗请航空工程教授一人以罗明燏博士充任,月薪400元。

李书田

中华民国二十六年十一月十五日

(民国档案,陕西省档案馆)

西安临大致函东北大学

为本校所请教授以道阻尚未到校,拟请贵校教授代授特先函致希惠元见复。

本校所出院专任教授有尚未启程者,有尚在途中者,按现时交通情形,到校尚需时日,而上课业已半月,各该教授所任功课未便久阙,敦请贵校教授惠予代课。每人至多以每周六小时为限,除由本校化工系及土木系两主任分向贵校黄教授、金教授等接洽拟请代授之课程外,特先函商。

国立西安临时大学筹备委员会常务委员会

中华民国二十六年十二月二日

(民国档案,陕西省档案馆)

国立西安临时大学工学院的其他聘任

1. 聘李达先生本大学矿冶工程系主任。西安临时大学筹备委员会常务委员会。中华民国二十六年十月二日。

注：李达因任资源委员会事，所遗职务即由代理主任魏寿昆先生任，月薪420元。中华民国二十六年十月二日。

2. 工学院机械工程学系教授李酉山先生月薪400元，机械及矿冶工程学系教授何绪缵月薪360元。中华民国二十六年十月十六日。

3. 化学工程系教授萧连波月薪360元，纺织工程系教授崔玉田月薪300元。中华民国二十六年十月十八日。

4. 机械系助教赵正权月薪100元，矿冶工程系助教李荫深月薪80元。中华民国二十六年十月十八日。

5. 工学院院长函　本校工学院土木工程学系教授周宗莲先生已到校，应请依据常会决议案即发聘书月薪340元。中华民国二十六年十月十九日。

6. 工学院矿冶工程学系教授雷祚雯先生已到校，即致送聘书月薪340元。中华民国二十六年十一月一日。

7. 工学院矿冶工程学系教授张遹骏月薪380元。中华民国二十六年十一月三日。

8. 北洋电机工程学系教授王翰辰先生已到校，月薪400元正。中华民国二十六年十一月三日。

9. 工学院土木工程学系助教黄秉鉴先生已到校，即发聘书月薪120元。中华民国二十六年十一月八日。

注：十二月七日"改聘黄为专任讲师，每月仍支原薪120元"。

10. 聘请罗明燏为航空教授，月薪400元。中华民国二十六年十一月十五日。

11. 工学院电机工程学系教授樊泽民月薪300元。中华民国二十六年十一月十六日。

12. 聘孟昭礼先生为本校工学院土木工程学系专任讲师，月薪240元，自十一月份起薪。中华民国二十六年十一月十七日。

注：后十一月十九日又改为从"十月份起薪"。

13. 聘李廷魁先生为工学院机械工程学系教授，月薪340元。中华民国二十六年十一月二十三日。

14. 聘赵金声先生为本校工学院土木工程学系教授,月薪360元。中华民国二十六年十二月六日。

15. 聘崔宗培先生为工学院土木工程学系专任讲师。中华民国二十六年十二月八日

16. 矿冶工程系助教周同藻先生聘书月薪80元。中华民国二十六年十二月十五日。

17. 电机工程学系助教韩慕乾月薪80元整。中华民国二十六年十二月二十四日。

(民国档案,陕西省档案馆)

聘李乐之①先生为本大学铁道工程兼任教授

聘李乐之先生为本大学铁道工程兼任教授,月薪300元(随时承先生专任教授职务时即随时改支400元)。自二十七年三月一日起至二十八年七月三十一日止。中华民国二十七年二月二十一日。

另文:本大学前聘之铁道工程兼任教授李俨先生现因宝天铁路即行测量施工不克按照课表来院授课,兹改定办法如下:一、因李俨先生为现时中国对于铁道建筑、隧道工程及中算之一流学者,以往帮助本大学土木系极多,近复莅次本校讲学,并特为撰著600页《铁道定线学讲义》,以为教授学生之用,并于日后随时不定期来校讲授,拟改聘为本大学铁道工程特约讲座,即以其应领本年三、四两月份兼任教授薪俸作为本年由宝鸡来校讲学旅费之用,不另支薪。二、加聘李书田先生为本大学铁道工程教授,不另支薪主持指导铁道工程授课事宜。三、聘请常锡厚先生为本大学铁道工程副教授,月薪300元,自五月一日起薪。常先生已到古路坝授课。

---

① 李乐之,即李俨(1892—1963),福建闽侯(今福州市)人。中国科学院学部委员(院士)、中国古代数学史研究专家,中国科学史事业的开拓者。他以大量的史料搜集工作为基础,对中国古代数学史作了大量研究,著作甚丰,是该项研究的开拓者之一。自1913年起至1955年止,在陇海铁路工作长达40余年,历任工程段长、工程总段长。1935—1955年,任陇海铁路局副总工程师。1938年3月1日起,相继被聘为国立西安临时大学、国立西北联合大学工学院铁道工程兼任教授、国立西北工学院土木工程系、国立西北大学数学系兼任教授等,曾在西安临大和西北联大时期,分别作"隧道工程""中算故事"的演讲,并特别为国立西北工学院撰有《铁道定线学讲义》(今存陕西理工大学西北联大展览馆)。

李书田

中华民国二十七年五月十三日

（民国档案，陕西省档案馆）

张贻惠与上海孙玄衔往来电文

请由港速来西安。

张贻惠

中华民国二十七年二月二十六日

孙玄衔函张贻惠：

前奉赐函嘱来西安效力，实深铭感。时弟适在乡间沪寓得讯，当即电复。此行不料淞沪防军骤然后退，敝乡成为日军后方，困居无法首途。日前辗转苏浙乡间迢迢得到达沪上，为时已隔三月致误教务，深感情以为歉，尚望谅察，将来亲面再当谢罪。现在西安临时大学第一学期谅已结束，环境艰难维持之功，鼎力为多，曷深钦佩。蓝圆兄谅已前来，化工方面负责有人否，并闻学校或有迁蜀之议，究复如何，得盼尚乞不吝珠玉见复为荷。

孙玄衔

中华民国二十七年二月九日

（民国档案，陕西省档案馆）

土木工程系主任周宗莲函常委会

李校常委兼工学院院长李耕砚先生：

因公赴汉所遗职务嘱宗莲暂为代理，在宗莲离院期间古路坝分院院委职称已请赵教授玉振暂为代理，土木系主任职务已请刘教授德润暂为代理，相应函达即希查照备案为荷。此呈
常委委员会

周宗莲

中华民国二十七年七月九日

（民国档案，陕西省档案馆）

国立西安临时大学二十六年充各系科应聘教师呈缴之应聘书

序号	系科	职别	姓名	日期/年月
1	土木系	讲座	李 俨	1938-05
2	土木系	教授	李书田	1938-05
3	土木系	教授	刘德润	1937-10
4	土木系	教授	周宗莲	1937-10
5	土木系	教授	赵金声	1937-12
6	土木系	教授	高步昆	1938-07
7	土木系	副教授	常锡厚	1938
8	土木系	讲师	梁锡瑛	1937-12
9	矿冶系	教授	雷祚雯	1937-11
10	矿冶系	教授	魏寿昆	1937-11
11	矿冶系	教授	张遹骏	1937-11
12	矿冶系	讲师	孙镜清	1937-11
13	机械系	教授	李酉山	1937-10
14	机械系	教授	何绪缵	1937-10
15	机械系	教授	李廷魁	1937-11
16	机械系	讲师	朱良玺	1937-12
17	机械系	助教	杜鸿年	1938-01
18	电机系	教授	王翰辰	1937-11
19	电机系	教授	樊泽民	1937-11
20	电机系	教授	吴□吾	1938-05
21	电机系	讲师	王际强	1937-12
22	电机系	讲师	黄苍林	1937-12
23	电机系	讲师	张恒月	1937-12
24	电机系	讲师	刘 砅	1938-01
25	电机系	助教	韩慕乾	1937-12
26	化工系	教授	萧连波	1937-12
27	化工系	教授	朱宝镛	1938-08
28	纺织系	教授	崔玉田	1937-10
29	纺织系	教授	张 佶	1937-12
30	纺织系	教授	郭鸿文	1937-12
31	纺织系	讲师	郑文华	1937-12
32	普通课数学	教授	曾 炯	1937-12
33	普通课数学	讲师	王丕拯	1938-01
34	物理	讲师	胡乾善	1938-02

(民国档案,陕西省档案馆)

国立西北联合大学工学院的其他聘任

1. 矿冶系现只有教授三人,功课实难支配,已洽妥王子祐先生担任矿冶系教授,准于二月到校,请即通过聘任案。李书田。中华民国二十七年一月六日。

2. 电杜鸿年请即日来陕任机械助教由。中华民国二十七年一月七日。

3. 聘王焕初先生为本大学工学院讲师(东北大学教授),担任一年级微积分。中华民国二十七年一月八日。

4. 衡阳湘桂铁路机务厂赵正权因久未续假,已另聘杜鸿年接替矣。耕砚。中华民国二十七年一月十八日。

5. 电报汉口李锦安:欢迎来陕仍任机械及飞机教授,盼电复。中华民国二十七年一月二十三日。

6. 聘李锦安先生为本大学工学院飞机及机械工程教授,月薪400元。中华民国二十七年二月十四日。

7. 电报孙洪芬先生:北洋前暂准秦大钧先生请假,现研究所迁移无定,无以工作,业兼程来陕,请将自去年十一月起讲座,薪津即赐电汇以便转发。中华民国二十七年二月十六日。

8. 电澳门李锦安先生:为电知三月一日开课请速来校授课由。西安临时大学筹备委员会。中华民国二十七年二月二十一日。

9. 聘崔宗培为铁道构造教授,月薪340元,即来汉中。

电报:山东大学办公处崔宗培:临大迁城固本月十八日上课,聘兄为铁道及构造教授,月薪340元。祈即命驾来汉中城固,行期盼电复城固县长转李书田鱼。中华民国二十七年四月六日。

10. 电河南郭庆棻:聘为化工及化学教授。中华民国二十七年四月八日。

电鸡公山郭庆棻:电悉课目为化学工程、电气化学等,每周十二小时,聘约自四月起可迄明年七月,盼迅至城固。中华民国二十七年四月十六日。

注:后郭回电:河大坚留,暂难应命,至歉。

11. 聘彭荣阁先生为本校铁道工程教授,月薪300元。中华民国二十七年四月十四日(四月二十七日再电促行)。

12. 送达长沙王子祐,请电行期,速来城固校中授课,大义所在不容徘徊,否则贻误同学课业无以对母校。中华民国二十七年四月十六日。

13. 电上海赵庆杰：恳惠允来陕城固任教化学及冶金工程，月薪400元。中华民国二十七年四月二十日。

14. 电文：1. 重庆成渝铁路局陈副局长可孙兄：闻贵路有暂停消息，恳俯允来陕南城固县担任母校铁道工程教授，月致薄酬400元，盼电复允就。汉中城固县西北联合大学李书田东；2. 重庆第一模范市场锡福里，华北水利委员会王华棠兄：恳代延请哲兄担任构造工程，谱初兄担任铁路、道路，盼电示弟书田东。中华民国二十七年五月一日。

15. 电奉化竺良辅先生为请任力学材料投影几何教授，月薪410元，已开课恳即来由。中华民国二十七年五月四日。

16. 聘董钟林先生为本大学物理及测地天文教授，月薪340元，授课每周以12小时为限，自二十七年八月起止二十九年七月止。中华民国二十七年五月十六日。

17. 聘李荣萝先生为本大学工学院构造工程教授，月薪340元。中华民国二十七年五月十八日。

18. 聘齐汝璜为工学院数学教授，月薪360元；聘李登科先生为工学院飞机工程教授月薪320元。中华民国二十七年五月二十日。

19. 梧州广西大学理工学院丁嗣贤兄：恳代聘区嘉炜任敝校化工教授，月薪360元，盼促驾即莅陕南城固，为祷吾兄何时可俯就敝校事，并盼电示弟李书田。中华民国二十七年五月三十一日。

20. 电上海朱宝镛先生：为盼即经港来陕，并电示行期为祷由。李耕砚。中华民国二十七年六月三日。

21. 聘竺家骁先生为本大学工学院机械工程学系教授，薪俸400元。中华民国二十七年六月七日。

22. 聘梧州丁嗣贤先生为化工教授，月薪400；聘上海陆宗贤先生为化工教授，月薪360元；聘上海赵庆杰先生为冶金教授，月薪400元；聘四川内江高仰哲先生为教授，月薪400元。中华民国二十七年六月十六日。

23. 快邮代电　山东宁阳刘拓请即来陕回母校原任。李书田。中华民国二十七年十一月二十三日。

（民国档案，陕西省档案馆）

为补送胡元义①荐举表请鉴核并案呈教育部(航快)

（发聘28字第0114号）

案查本校遵令荐举专门人员之名单及荐举表，业于廿七年一月五日呈送，并注明内胡元义一名之荐举表。因相片未就，请容补送。现该教授业将荐举表及相片交到，理令备查核并案。

谨呈

教育部

中华民国二十八年一月十四日

附送：胡元义荐举表一份

常务委员　徐诵明、李蒸、胡庶华（签名）

（民国档案，陕西省档案馆）

汪奠基教授的聘任②

（聘165字第0663号）

政治经济系教授汪奠基现已到校。奉批准为自上年十二月起薪，分函查照。

奉常务委员会交下法商学院张院长北海函一件：照抄原函等由，奉批"照准"等因。除分函通知外，相应函达，即希查照为荷。此致

张院长北海

会计室

出纳室

注册组

---

① 胡元义，1941年作为国立西北大学法商学院教授，被教育部遴选为第一批30名部聘教授之一。西北联大另有萧一山（历史，国立西北大学）、黎锦熙（国文，国立西北师范学院）、洪式闾（病理，江苏省立医政学院，1938—1949年任国立西北医学院寄生虫学教授）、余谦六（电机，国立西北工学院）。1943年再有15人当选。当时，部聘教授为中国教育界最高荣誉，人称"教授中的教授"，按《部聘教授办法》，一门学科仅可出一人。

② 汪奠基(1900—1979)，湖北鄂城人。1938年12月起被聘为西北联大、西北大学法商学院政治经济系、文理学院及全校共同科目教授。所著《中国逻辑思想史》为第一部中国逻辑思想通史。在此聘文上有西北联大常委李蒸、徐诵明（张贻惠代）、胡庶华（刘拓代）的签名。

秘书处　启

中华民国廿八年三月七日

附件:法商学院院长张北海致常务委员会

本院政经系教授汪奠基先生于去年电应本院之聘,十二月由桂转滇,复由滇而筑,而渝,而蓉,上月下旬动身入陕,月底抵南郑。从本周起上课。其起薪月份拟自去年十二月开始。当否请常务委员鉴核。

张北海

二月廿八日

常委徐诵明(张贻惠代)、胡庶华(刘拓代)批示:"照准"。

(民国档案,陕西省档案馆)

三、国立西北工学院筹备前后的聘任

杨石先与李书田往来函

杨石先函:为介绍赵文珉、林文彪为化工教授由。

李书田函复昆明国立西南联合大学理学院化学系:谓奉六月十四日手示,藉悉西南联大详况,至咸承示林文彪、赵文珉最近情形,尤感西北联大工学院即将与东北大学工学院、焦作工学院合并,改组为国立西北工学院,刻正积极筹备,吾兄如知有成绩优良之英文教授须留学英美者,敝院深愿添聘一位,如能同时兼教德文尤佳,薪金视经历而定,自200元至400元。

李书田

中华民国二十七年八月九日

附杨石先复耕砚函。

耕砚社兄大鉴:

顷奉五月二十一日手书欣悉前闻,贵校由西安迁汉中时颇受辛苦颇以为念,前晤令兄闻以消息亦未悉,为言外间颇有谣言说贵校已迁川者。西南联大迁滇,因无适当校舍将文法两院暂留蒙自,理学院则借用昆华师范农业学校及工业学校之一部,在昆明城外西北方,工学院则租用全蜀会馆及迤西会馆之全部在城外东南方,食品、用品则于同人过港或返沪时购得一部分,其他则已分头向国外定购。

惟因外汇暴涨,美金已合五元七八,英镑26.7元,购买力大减,现惟清华存津(已移川再运滇)及南开存津之小部分仪器书籍得以运抵此间,则一切尚可备具普通大学之规模。校舍建筑决非在昆明郊外,今秋拟动工,一年后希望能完成。人事方面无大更动,惟由平津来者仍络绎不绝,尤以家眷及学生为多,学生人数现仍在1 000左右,而各地来函请求入学者甚多,惟因限于宿舍及课室设备一时无法收容,暑假后或酌收五六百人。理工研究工作决与滇省建设厅合作,在暑期内当组织各项调查团分往各地,然后再拟具体办法。永利办事处似已移往香港设于□□旅馆内,赵文珉、林文彪前本在湖南湘潭为永利规划某项工厂,闻现已放弃此项工作计划,或已入川至重庆或自流井(黄海在重庆,永利前曾有在自流井设厂之计划)。赵文珉君系清华大学毕业后往英国深造,专攻煤气及焦炭之制造;林文彪君南开大学矿科毕业,在美国多年,专攻橡胶(化学工程机械工程)等(得有本西文尼亚大学博士),其通信处可由迁渝之南大应用化学研究所转。匆所即请教安。

弟杨石先上
六月十四日

(民国档案,陕西省档案馆)

布告年度聘定教师姓名

土木系:结构工程教授兼系主任金宝桢,东工;测量学教授赵玉振,联工;大地测量及应用天文教授董钟林,联工新聘(本学期在美国各大天文台研究);结构工程及弹性力学教授李荣梦,联工原新聘;土木工程教授余立基,焦工;土木工程教授谢先华,焦工;工程力学副教授孟昭礼,联工;测量学副教授傅维钧,东工。

矿冶工程系:冶金工程教授兼系主任任殿元,焦工;钢铁冶金教授魏寿昆,联工;地质学教授张遹骏,联工;采矿工程教授雷祚雯,联工;采矿工程教授马恒矗,焦工;地质学教授李余庆,焦工;选矿及试金学教授王子祐,联工原新聘;矿冶工程教授石心圃,焦工。

机械工程系:机械工程教授兼系主任潘承孝,联工;制革学及油脂工业化学教授李仙洲,联工;化学工程及物理化学等教授谢明山或周庆祥,本院新聘。

纺织工程系:毛纺工程教授兼系主任张汉文,联工;纺织机械及英文教授张佶,联工;棉纺织工程教授任尚武,本院新聘;纺织工程教授郭鸿文,联工;纺织工程教授崔玉田,联工(本年度兼任出版组主任及学生贷金委员会总干事);漂染学教授陈文沛,本院新聘。

水利工程系:水利工程系主任李书田,联工;水利工程及军事工程教授周宗莲,联工;水力学及水利工程教授刘德润,联工;卫生工程教授田鸿宝,东工;水利工程教授彭荣阁,焦工。

航空工程系:航空工程教授兼系主任罗明燏,联工;空气动力学及物理学教授张国藩,北洋旧教授;飞机发动机教授张创,本院新聘。

各科:机械设计及热力工程教授李酉山,联工;机械工程及工程力学教授竺家骁,联工;机械制造及军事机械工程教授张文治,联工原新聘;热机工程教授何绪缵,联工;机械工程教授李廷魁,联工;书法几何副教授朱良玺,东工。

电机工程系:电机工程教授兼系主任刘锡瑛,联工;电力工程教授余谦六,联工;电机工程教授王翰辰,联工;无线电工程及物理学教授王子香,本院新聘(本学期在武汉大学任课);电力工程教授王际强,东工;电讯工程教授吴兴吾,联工;电讯工程及物理学教授黄苍林,东工;无线电工程及物理学教授樊泽民,联工;电机工程及物理学教授徐庆春,东工。

化学工程系:工业化学及国防化学教授兼系主任萧连波,联工;窑业工程及分析化学教授陆宗贤,联工原新聘;有机化学及酿造工业化学教授朱宝镛,联工原新聘;英文及社会科学教授刘凤年,本院新聘;高等数学教授曾炯,联工;数学教授刘汝璜,联工原新聘;数学副教授王丕拯,东工;工程图画副教授关绍宗,东工;国文专任讲师苏莘,本院新聘;党义专任讲师马炳亮,焦工;体育教员兼体育组主任朱淳实,联工;体育教员王允升,焦工。

国立西北工学院
中华民国二十七年十一月二十九日
(民国档案,陕西省档案馆)

四、国立西北大学教职员聘任

聘王耀东①为本校体育主任

（发人39字第49号）

王耀东先生：

聘为本校体育主任。

国立西北大学
中华民国廿八年十月十二日

附件：国立西北大学聘书字第1号

王耀东先生为本大学体育主任。

一、月薪：国币贰佰元。

二、聘期：自民国廿八年九月一日起至廿九年七月卅一日止。

校长　胡庶华

（民国档案,陕西省档案馆）

新聘教授到校

本年度本校教师,略有变更,除聘原任教授杜光埙兼任教务长,刘鸿渐兼任训导长,马师儒兼任文学院院长,谭戒甫兼任中国文学系主任,岳劼恒兼任物理学系主任,张育元兼任政治学系主任外；新聘者计有教授兼总务长高文源,教授兼法商学院院长卢俊,教授兼代外国语文系主任李贯英,教授兼历史系主任丁山,教授兼商学系主任李安,文学院教授杨慧珍、包立志,副教授朱人瑞、杨兆钧,理学院教授李家光、郑勉、杨曾威,商学院教授胡毓杰、施宏勋、郭至德、林穆先、吴志毅、张□

---

① 王耀东(1900—2006),又名荣春,黑龙江嫩江人。1921年曾作为中国篮球队主力队员参加了在上海举办的第五届远东运动会,因他最后的进球,获得中国三大球在国际比赛中有史以来第一个冠军。1937年起相继在西安临大、西北联大、西北大学体育部任教。1939年10月任西北大学体育主任,1942年晋升为教授。1993年被聘为西北大学终身教授。

凤、严可为、刘溥仁,并各院兼任讲师张叔亮、何士骥、曹觉民、孔保罗、孔玛丽、率向□、林占鳌、高元白等,均已陆续到校。

(《国立西北大学校刊》卅年十一月十六日)

聘定各级导师

本学期各级导师,业经遵照部章聘请各教师担任。兹将导师姓氏及担任系级,列举如此:

文学院

中国文学系:

一年级:卢宗濩

二年级:马师儒　朱人瑞

三年级:卢怀琦

四年级:谭戒甫　杨慧修

外国语文学系:

一年级:包志立

二年级:盛澄华　吴志毅

三年级:孔保罗　李毓珍

四年级:李贯英

历史学系:

一年级:辜　勉

二年级:杨向奎

三年级:易忠箓　杨兆钧

四年级:丁　山　黄文弼

理学院

数学系:

一年级:高元白

二年级:刘亦珩

三年级:傅种孙

四年级:赵进义

物理学系:

一年级：张万里

二年级：谭文炳

三年级：吕秉义

四年级：岳劼恒

化学系：

一年级：王毓琦

二年级：李家光

三年级：朱有宣

四年级：刘　拓

生物学系：

一年级：雍克昌

二年级：李中宪

三年级：郑　勉

四年级：刘汝强

地质地理学系：

一年级：郁士元

二年级：李式金

三年级：杨曾武

四年级：殷祖英

法商学院

法律学系：

一年级：施宏勋

二年级：胡毓杰

三年级：王治焘

四年级：卢　俊　刘毓文

政治学系：

一年级：卿汝楫　刘北茂

二年级：张育元　严可为

三年级：杜光埙　王守礼

四年级：许兴凯　尹禄光

经济学系：

一年级:高文源　张永宣
二年级:曹国卿　孙宗钰　郭至德
三年级:罗仲言　张延凤
四年级:季陶达　薛铨增
商学院:
一年级:曹配言
二年级:刘溥仁　杨宗培
三年级:吴清葵　胡道远
四年级:李　安　徐褐夫

(《国立西北大学校刊》卅年十一月十六日)

新聘俄文教师到校

本校除原有俄文教授外,又新聘姜寿春副教授任俄文选读、俄文散文及应用俄文各课。刻姜副教授已由重庆抵校上课矣。

(《国立西北大学校刊》三十一年一月十六日)

本校人事略有更动

赖校长就职以来,对于旧人,皆极倚重。除刘训导长鸿渐,高总务长文源及秘书薛铨曾坚决辞职,慰留无效外;已聘张清涟先生暂代训导长,王文华先生暂代总务长,袁明道先生暂代秘书。庶务出纳两组无专人负责,已派刘永昌、董致平两先生分别接收,并派贾振华先生暂代文书组主任,其余一切照旧工作云。

(《国立西北大学校刊》三十一年七月一日)

本校新聘教职员

历史、商学两系主任,兹聘请教授黄文弼、孙宗钰两先生分别兼代。

本学期新聘教授,外文系霍自庭、于赓虞、张舜琴;历史系陆懋德、陈恭禄,物理系张宗蠡,地质地理系王恭睦,均已前后到校,另有多人,尚在途中。

新聘俄文讲师赵燕,体育讲师王树棠;兼任讲师物理系叶梧,生物系吴仲贤、郭毓彬，地质地理系刘仲则，政治经济学系贾振华、张兆荣各位先生，均已到校授课。

新聘章景璆、魏克勤、蒋文年三位先生为训导员；派苏琬华、雷向荣两先生为女生管理员。

（《国立西北大学校刊》卅一年十月一日）

本校新聘教职员

杜教务长毅伯，一再谦请辞职，历经慰留不获。兹已征得教育部同意，聘请杨宙康先生继任本校教务长，并任历史系教授；另聘教授杜毅伯先生为本校文学院院长。本校新聘法商学院商学系教授郭文鹤先生已到校授课。注册组、出版组原由杜教务长、袁秘书分别兼理，今因事务繁忙，不克兼顾，已改聘唐□躬、刘子长两先生接充。

（《国立西北大学校刊》卅一年十一月一日）

奉例聘魏尔柯夫俄文教员

（发文人字第 22 号）

事由：奉例聘魏尔柯夫俄文教员，希查照由。

查本校新聘外国语文学系专任讲师魏尔柯夫业经本处于本月十一日通知在案。兹复奉杨代校长条开："聘魏尔柯夫先生为本校俄文教员。薪俸按钟点计算。米津照部章发。聘期自本年八月一日起至卅三年一月卅一日止"等因。相应通知，即希查照为荷。此致

外文系、教务处、注册组、图书馆、庶务组、会计室、出纳组

           总务处（章）

        中华民国卅二年九月十六日

附件1：代校长杨宙康便笺

聘魏尔柯夫为本校俄文教员，薪金按钟点计算。米津照部章发给。

            宙康

          九月十五日

（国立西北大学档案，陕西省档案馆）

本学期教职员新阵容

本学期新聘教授讲师多人,职员方面亦稍有调整。兹将名单批露如下:外国文学系教授陈克浮、钮心淑、孔保罗、张舜琴,讲师魏直、干荫桢。历史学系教授陶元珍、罗志甫。边政学系副教授郑安伦。数学系教授刘书琴。化学系教授苏茀第。法律学系教授白世昌。政治学系教授兼主任□金锵教授、邵秀峰、宓贤璋。经济学系教授兼主任王国忠,教授武梦佐、王文光、楼亦文。商学系教授邵尚文,副教授兼秘书王伟烈。生活管理组主任何范理,会计室主任秦克武,讲师兼代课外活动组主任杨名理。

(《国立西北大学校刊》三十四年十月一日)

奉例聘索比诺夫先生为外文系副教授

(发文人字第 22 号)

奉校长条开:"聘索比诺夫先生为文学院外国语文学系副教授,月薪叁百陆拾元。聘期:自卅四年八月一日起至卅五年七月卅一日"等因。用特奉函,相应通知查照为荷。此致

教务处、文学院、外国语文学系、会计室、出纳室、庶务组、图书馆、校长室
校长　刘季洪(签章)
中华民国三十四年十一月十九日

附件1:外文系致刘校长

敬启者:拟请聘索比诺夫先生为外语系俄文组副教授。月薪三百六十元。此上

校长刘

(刘校长批示:"照聘,自八月一日起至卅五年七月卅一日。十一月十九日")
外文系
十一月十九日

(国立西北大学档案,陕西省档案馆)

新聘教职员续志

本期新聘教职员已志本刊；上月复延聘教职员多人，兹将名单录后：教育系主任高文源，历史系主任陶元珍，文学系教授孙道升，政治系教授萧洛轩，商学系教授安潘之，化学系讲师颜季琼，图书馆主任周克英，训导员孙守任。

（《国立西北大学校刊》三十四年十一月一日）

教职员新阵容

本学期新聘教授副教授讲师多人，职员方面亦有调整。兹将新聘教授姓名探志如下：文学院教授马师儒、鲁世英、冯永轩、蒋天枢、殷孟伦、黄川谷、王志刚、沐允中、钮心淑、李慕白、刘一宇等。理学院教授祁开智、郭一清、陈博君、郑资约、王恭睦、陈兆东、王心正等。法商学院教授刘鸿渐、刘毓文、江海潮、楼邦彦、林维渊、刘不同、吴澄华、刘友琛、孟广镕、倪惠元、刘静同、王含英等。医学院教授亦在陆续延聘中，俟侯院长自南郑来省后，即可全部发表。职员方面亦多有变动，教务长改由张教授贻侗兼任，文学院院长改由马教授师儒兼任，训导长改由许教授重远兼任，外国语文学系主任改由黄教授川谷兼任，边政学系主任改由黄教授文弼兼任，法律学系主任改由刘教授鸿渐兼任，政治学系主任改由杜教授元载兼任，经济学系主任改由罗教授仲言兼任。

（《国立西北大学校刊》三十五年十一月一日）

新聘教职员续志

本月新聘教授，已志本刊上期。上月份复延聘教授多人，兹将名单列下：

新聘教员：文学院教授赵幼文、姜寿春、钟作猷、崔钟秀、关益斋诸先生，兼任教授李恂、郝耀东二先生，副教授罗绮思、沈鹏飞、谢再善、姬步周、宫碧澄诸先生，讲师龚纯青、索比诺瓦、曹健吾诸先生；法商学院兼任教授郗朝俊、朱观、冯纶、张研田、宁一先诸先生，副教授李亦人、廖兆骏二先生，兼任副教授赵和民先生，兼任讲师韩筠、秦光纶、范宝信诸先生；医学院教授兼院长侯宗濂先生，教授毛鸿志、李佩琳、汤泽光、陈阅明、王云明、翟之英、贾淑荣、谢祖培、刘先登、孙国桢、董克恩、陈作纪、周海日、陈友浩、齐续哲诸先生,副教授隋式堂、曲漱蕙、汪功立、许可、彭绪让诸先生,讲师霍炳蔚、张伟武、李景颐、王兆麟、傅春池、张怀瑫、孙撷芬、王培信诸先生;共同科体育副教授刘振华、齐锦春二先生,讲师杜运魁先生。

(《国立西北大学校刊》三十五年十二月一日)

人事动态

教务长张贻侗先生,近以身体违和,继续休养,职务由中国文学系主任高教授明暂代。今春新聘教员计有文学院教授闻在宥、高文、马宏道,副教授邹本林、孙现冬诸先生;理学院教授邹豹君、副教授张炎二先生;法商学院教授张永言、刘纪之两先生;医学院教授杨敷海、刘英范、汤器、吴祥骅、刚时、马志千、支永振、谢景奎、李学禹,副教授朱彭寿、徐浩诸先生。王教授子云辞图书馆代主任兼职,由新聘讲师刘锡林先生继任。课外活动组主任姬副教授步周辞职,改请体育副教授张润之先生兼任。体育卫生组主任王教授耀东辞职,组务现由体育副教授刘月林先生主持。地质地理两系分设后,地质系主任由王教授恭睦兼任;地理系主任由赵院长进义兼代。

又教职员福利委员会上届执监委员任期届满,本届执监委员会业于上月中旬选出:赵桢、王协邦、王业和、曹居久、刘杰、包志立、徐日新七先生当选为执行委员,马善民、毕宝粟、杨名理、杨永芳、鲁世英五先生为候补执行委员,徐朗秋、马师儒、赵进义三先生为监察委员,高明、杨珍二先生为候补监察委员。

(《国立西北大学校刊》三十六年四月一日)

人事续志

月前刘校长在京洽聘教授多人,均已陆续到校授课。计理学教授梁祖荫、沈汝生、蔡承云先生,副教授刘天民先生;法商学院教授曾繁康、冯纶两先生。地理学系主任,聘请郑教授资约兼任。

(《国立西北大学校刊》三十六年五月一日)

汤教授泽光继长医学院

本校医学院教授兼院长侯宗濂先生,应病辞院长兼职,由校改聘该院教授汤泽光先生兼任医学院院长。汤氏于上月三十一日赴京接洽救济总署拨赠本校医药器材事宜,院务暂由李教授佩琳代理。

(《国立西北大学校刊》三十六年六月一日)

董高两教授因公晋京

上月十一日教部在京召开本年度医学教育会议,董教授克恩代表本校医学院晋京出席。又国民参政会第四届三次大会二十日在京举行,本校教育学系主任高文源于十五日晚偕陕籍参政员,专车赴京出席会议。

(《国立西北大学校刊》三十六年六月一日)

刘校长因病辞职 马院长师儒继任

本校自刘校长季洪莅任以来,经三年之努力整顿,校务蒸蒸日上;客夏迁设西安,建筑房舍,添购图书仪器,规模已具,发展可期,西北人士及本校员生校友咸表欣慰。不意刘校长于暑期赴京,以身体违和,即有倦勤之意,迭向教育部辞职,教育部以本校正赖领导,当即恳切挽留,勉准病假三月;本校校友总会及全体同仁亦复函电纷驰,劝促打消辞意返校主持。奈刘校长辞意坚决,近则一方在京为学校请款,一方仍再四恳辞,教部以挽留无效,始允暂息存肩,任命本校文学院院长马师儒先生继任。按刘校长先后主持河南大学及本校有年,以能实心任事,多有建树,深为各方赞佩。在刘校长请假期间,校务由法商学院杜院长元载代理,杜院长辛勤负责,校政照常推行。新任马校长为西北教界耆宿,北京高等师范、德国柏林大学教育系、瑞士苏黎士大学心理学及哲学研究所毕业,历任国内各大学教授系主任,并两度长本校文学院,声望素孚,本校员生校友对刘校长之去职深表惋惜,对马校长之继任,亦咸庆得人云。

(《国立西北大学校刊》三十六年十一月十五日)

马校长已接收视事

上月二十八日行政院会议议决,任命马师儒先生继长本校,马校长已于本月一日接收视事。

(《国立西北大学校刊》三十六年十一月十五日)

教职员新阵容

本学期新聘教授副教授讲师多人,职员方面亦有调整。兹将新聘教授职员姓名探志于次:新聘岳教授劼恒兼教务长,霍教授自庭兼训导长,张教授佩瑚兼总务长,包教授志立兼教育学系主任,吴教授澄华兼历史学系主任,陈教授兆东兼地理学系主任,彭教授文凯兼政治学系主任,张教授同和兼外科学系主任,李教授佩琳兼病理学系主任,陈教授作纪兼生理学系主任。新聘文学院教授:施则敬、周考文、诚冠怡、梁志安、戚佑烈、谢国桢、顾伯康、姚鉴、张光祖;副教授:高庆赐、吴宗鲁、江天骥、吴元训;讲师:郝静馥、高明堂、马渊明、杨春霖;兼任讲师:姬慧伯、高竹筠。新聘理学院兼任教授:龙浩、王玉岗;兼任副教授袁耀亭。新聘法商学院教授:刘叔鹤、秦佩珩、彭泰亮、杜愉;兼任教授田炯锦、田之方、李子翼;兼任副教授徐杰;兼任讲师胡浣湘、邱德生。新聘医学院教授:宋汉节、周尧、魏恩临、刘同;兼任教授王耕、副教授刘天香、李庆昌、黄孝迈、张保真;兼任副教授:张尔仓;讲师:汪良能、张长民、王树梓、徐骏、靳连中、梁水先;兼任讲师张时。新聘副教授兼秘书杜燮昌;副教授兼任注册组主任吕秉义;生活管理组主任贺范礼;讲师兼出纳组主任王兴礼。又教授兼法律学系主任刘鸿渐先生暑期赴台湾讲学,在未返校前,系务暂由冯教授纶兼代。教授兼边政系主任黄文弼先生赴平研究,在未返校前,系务暂由杨教授兆钧代行。

(《国立西北大学校刊》三十六年十一月十五日)

各院零讯

数学系教授杨永芳先生,暑前赴台湾讲学,为时三月,业于上月初返校执教。又傅教授种孙前年应教育部选派赴英国剑桥大学研究,留英两载,曾发表有关群论之论文多篇,深得海外学者之重视。刻傅氏研究期满,已在返国途中,不久当可返校执教。

(《国立西北大学校刊》三十六年十一月十五日)

推荐杜院长等五先生赴英参观 李中宪等三先生申请研究奖学金

前准英国文化委员会驻中国代表函,以该会设置各类奖学金额,协助我国大学毕业生研究员及教授等赴英研究或参观;本校推荐法商学院杜院长元载、理学院赵院长进义、医学院汤院长泽光及地质学系王主任恭睦、郁教授士元等五先生赴英格兰各地参观,以期明了其所研究学科之最近发展。又生物学系教授李中宪、物理学系副教授吕秉义、地理学系副教授萧廷奎申请该会研究奖学金,闻各项证明文件已于九月初由校转寄该会参加遴选云。

(《国立西北大学校刊》三十六年十一月十五日)

马校长日内晋京

马校长日内晋京述职,并出席中国教育协会三十六年年会,公出期间,校务由岳教授劼恒代行。闻张总务长佩瑚亦将偕同前往云。

(《国立西北大学校刊》三十六年十二月十五日)

新聘教职员续志

本期新聘教职员以志上期本刊;月来复延聘教职员多人兹将名单录后:

文学院中国文学系教授兼秘书高元白,外国语文系教授陈淑桢,历史学系教授鹏三林、□□□□李潭溪,法商学院政治学系兼任讲师王欲统,经济学系兼任教授邢润雨,法律学系教授冯吉扬,兼任讲师曹振川,商学系教授袁若愚,教授兼边政学系主任萧洛轩;医学院耳鼻喉科教授兼附设大学医院院长王立础。又化学系兼任教授虞宏正先生,下月即到校授课。本校前地质地理学系主任殷祖英先生,近应本校邀请,不久将返校任教。

(《国立西北大学校刊》三十六年十二月十五日)

训导委员会委员业经聘定

本学期开课瞬届三月,训育等委员会委员业经聘定,兹将新聘委员名单列后:

一、训导委员会

主任委员：马校长

委员：赵进义　杜元载　汤泽光　岳劼恒　张佩瑚　霍自庭　孙宗钰　李佩琳　刘亦珩　包志立　王耀东　曹配言　郁士元　高　明　贺范理

二、公费生活审核

奖学金审核委员会

学生临时救济审核

主任委员：马校长

委员：赵进义　杜元载　汤泽光　岳劼恒　霍自庭　张佩瑚　杜燮昌　杨　珍　贺范理

三、各项运动竞赛委员会

主任委员：马校长

委员：王耀东　刘月林　张润之　王树棠　李呈瑞　刘振华　傅春池　徐敬达　郭治洪　王维经　刘梅英

（《国立西北大学校刊》三十六年十二月十五日）

罗教授赴湘讲学

本校经济学系教授罗仲言先生，主讲中国国民经济史，蜚声国内。湖大胡校长庶华屡电邀请罗氏赴湘主持经济史讲座，近胡校长复电本校马校长请准罗氏请假两月，并电罗教授敦迎早莅湘开讲。罗氏以盛情难却，以向本校请准短假两月，于本月六日晨搭中航班机赴汉转湘。

（《国立西北大学校刊》三十六年十二月十五日）

赵院长进义等三先生被国民党提名为立委候选人

宪政开始后，全国各地立法委员选举即将举行，各政党候选人业已提名。经中国国民党提名之立委候选人内，计有本校教授三人：理学院赵院长进义及历史学系许教授重远为河北省区候选人，法商学院杜院长元载为全国教员团候选人。

（《国立西北大学校刊》三十七年一月十六日）

马校长总务长公毕返校

马校长总务长年前因公晋京,已于一月下旬公毕先后返校,销假视事。

(《国立西北大学校刊》三十七年三月十六日)

傅教授种孙返校任教

数学系教授傅种孙先生,三十四年应教育部选派赴英国牛津、剑桥二大学研究,客冬研究期满,离英归国。年前安抵北平,稍作勾留,即搭机来陕,返校任教。经叩以留英观感及对改进我国数学教育之意见,据谓:"英国各大学注重修业指导与课外研究,牛津、剑桥乃导师制度发源地,每一学生于入学后,由校方指定导师一人,关于课程安排,图书搜集,以至论文写作,均由导师指导。导师与学生关系极为密切,学生每日时间皆用于阅读、写报告及与导师研究。上课反变为无甚重要,学生可长时不到校上课,然与导师则非经常接触不可。外弛内张,学风优良,人才朋兴,此可谓我国借鉴者。我国现行中学数学课程标准,似应略于降低,俾学生有充分时间演算习题,以奠定深造基础。近年出版之课本,名词语调之使用,未臻统一,阅读讲授,咸感不便,对教学进行,不无窒碍,从事编译者亟应予以注意!"闻傅教授早年肄业江西八中时,对数学一科即深感兴趣,所做"三角形底角平分线相等者必等腰"之简单证法,迄今该校犹悬诸成绩陈列室,播为美谈。民五升学高师,专攻数理,膺该校数学会会长、中国数理学会秘书,并主编数理杂志。毕业前岁已在女高师执教。其后历任北平各大学教授。初授几何,会十八年北大教授秦汾先生南下从政,乃接受所遗代数课程。平市算数业刻社及数学教员为交换数学经验而成立之聚餐会,皆由其发起主持。重要著译有《初等混合数学》《高中平面几何》《初等数学研究》、罗素《算理哲学》、黑柏提《几何原理》等书。论文散见国内外杂志者,有《循环小数方程及方根》《大衍——求一数》(北京高师数理杂志)、《Malfatti 问题之 166 解——二十五年在中国数学会宣读》《循环排列》(在武汉大学《理科季刊》发表)、《On Frobinius Theorem》(在牛津《数学季刊》No. 68 发表)诸篇,尤为学术界所珍视。献身教育,垂三十年,桃李遍海内。其研究学术用心之专,致力之勤,洵堪为后进学子之楷模云。

(《国立西北大学校刊》三十七年三月十六日)

马校长等十五先生荣获中央公教人员久任奖金

三十六年度中央公教人员久任奖金给予办法,业经铨叙部邀集有关机关会同商定,并层奉国民政府核定施行。凡现任中央机关公务员及国立专科以上学校教职员,在本机关或本学校继续服务满十年者,给予一个月俸额之一次奖金。教育部前曾令饬从速造报久任教职员名册,以凭审查,本校遵照办理呈复后,顷奉部令核给马校长等十五先生三十六年度中央公教人员久任奖金,共计 11 944 000 元,今已由校转发完毕。兹将荣获奖金久任教授姓名及金额,探志于后:

马师儒　830 000 元
张贻侗　830 000 元
王治焘　830 000 元
赵进义　830 000 元
刘亦珩　830 000 元
刘鸿渐　830 000 元
毛鸿志　830 000 元
高文源　830 000 元
刘汝强　830 000 元
许兴凯　808 000 元
杨永芳　808 000 元
包志立　786 000 元
郁士元　742 000 元
谭文炳　720 000 元
刘月林　610 000 元

(《国立西北大学校刊》三十七年四月十六日)

张教授西堂荣获学术奖金

中国文学系主任教授张西堂先生所著《颜习斋学谱》一书,由校转送教育部学术审议会参加三十五六年度学术奖励申请,顷经该会开会审查结果,列为哲学类二等奖,给予奖金两千万元。张氏邃于国学,哲学素养甚深,历年大学国文教员送审著作教部皆委托审查。此次申请著作《颜习斋学谱》,张氏为二等奖第一名云。

(《国立西北大学校刊》三十七年四月十六日)

党教授松年等晋京出席大会

行宪后首届国民代表大会上月二十九日在京召开,本校教职员前往出席者,有法律系教授党松年先生(留坝县区域代表),体育教师王耀东先生(嫩江省区域代表),讲师兼出纳组主任王兴礼先生(神木县区域代表)。闻该会定本月杪闭幕,届时党氏等即可返校云。

(《国立西北大学校刊》三十七年四月十六日)

新聘教员陆续到校

本学期新聘各教员已到校授课者:计有文学院历史学系教授林冠一先生,理学院地理学系教授梁祖荫先生,讲师张树人先生,法商学院教授兼边政学系主任萧洛轩先生,副教授罗振庵先生,医学院内科学系教授兼主任孟昭林先生。中国文学系教授傅庚生先生已抵北平,刻正候机来陕。又近聘马晓钟为理学院地质学系兼任教授,张殿卿先生为地理学系兼任教授。

(《国立西北大学校刊》三十七年四月十六日)

本校教授会筹备成立 职员会已展开工作

本校教授多人近发起组织教授会,经分别征求意见,结果一致赞同。其主要宗旨有四:一、提高学术研究,养成良好风气;二、发展西北文化;三、保障学术自由独立;四、联络感情,并保持密切联系。本月五日下午五时召开发起人会议,商讨各项筹备事宜,计到教授六十余人,临时公推许重远先生担任主席。首先报告成立教授会之意义,旋即进行选举,结果许重远等诸先生当选为筹备委员,负责起草会章。据悉该会各项筹备事宜,大体就绪,不日即将召开成立大会云。

又本校各专任职员为联络感情、砥砺学行、加强工作联系、增进共同福利起见,前发起组织职员会,经多日之筹备,于上月二十三日下午七时假第二十八教室召开成立大会,计到专任职员九十余人。首由临时主席周文麟先生报告会议意义及筹备经过后,即通过职员会组织章程。最后选举正式负责人结果:周文麟、毕宝粟、张之桢、柴正之、杨保国、马超群、张荣正七先生当选为理事,王永吉、王魁元、唐崇华三先生为候补理事,王光烈、马善民先生当选为监事,刘敌、赵成荫、李石生三先生为候补监事。翌日下午二时,口当选理监事即假第二十七教室举行首次联谊会议,决议自即日起积极推动各项有关事宜,并聘请校长为永久名誉理事长。兹将各理监事职务分配情形探志如下:

文书:周文麟　李石生

会计:王廷选　韩鸿禄

庶务:王永吉　唐崇华

福利:王光烈　王佐强　韩鸿禄　王廷选　马善民　张亚英　柴正之
　　　张之桢

交际:吕　恭　刘　敌　杨保国　马超群　王魁元　赵成荫　张荣正
　　　张之桢　毕宝粟

(《国立西北大学校刊》三十七年五月十六日)

傅庚生王成敬二教授到校授课

新聘中国文学系教授傅庚生先生、地理学系教授王成敬先生,均已到校授课;边政学系教授黄奋生先生日内即将到校。又近聘田润霖为中国文学系兼任教授,罗永平先生为医学院妇产科讲师。

(《国立西北大学校刊》三十七年五月十六日)

马校长日内晋京

马校长日内晋京向教育部述职,兼为学系请求增拨下年度经费及延聘各院系教授。公出期间,一切校务请由岳教务长劼恒代行。闻出纳组主任王兴礼先生亦将偕同前往云。

(《国立西北大学校刊》三十七年六月十六日)

李教授中宪应约赴美研究

生物系教授李中宪先生应美国加利福尼亚技术研究院（California Institute Technology），即□□□□□加州学术奖金会给予一千五百美元奖金，以作留美生活费用。闻该院规模宏大，办理完善。生物部导师 T. H. Morgan，G. W. Beadle. 二氏对遗传学有特殊研究，举世知名；导师温特（Went.）氏讲授植物生理，为植物生长素权威学者云。

（《国立西北大学校刊》三十七年六月十六日）

教职员新阵容

本学期新聘教师副教授讲师多人，职员方面亦有调整。兹将新聘教职员姓名志探于次：新聘孙教授宗钰兼法商学院院长，万教授福恩兼医学院院长，杨教授丙炎兼训导长，初教授大告兼外国语文系主任，许教授重远兼历史学系主任，杨教授永芳兼数学系主任，张教授伯声兼地质学系主任，董教授绍良兼地理学系主任，冯教授纶兼法律学系主任，谢教授景奎兼内科学系主任，毛教授鸿志兼病理学系主任，李教授学禹兼解剖学系主任，孟教授昭琳兼小儿科主任，刘教授蔚同兼皮肤花柳科主任，李教授之琳兼公共卫生科主任兼医学院办公室主任，王教授立础兼耳鼻喉科主任，宋教授汉节兼妇产科主任。新聘文学院教授：江绍原、李萃麟、汤定宇、孙经灏、史念海诸先生；兼任教授郑伯奇、王焕猷、李伯恂、武志祖、宁杼□先生，副教授曹天行先生；兼任讲师朱肇轩、张集二先生。新聘理学院教授：周尧、张惠远、任世三诸先生；兼任教授白荫元、段瑞生、于任甫诸先生；副教授毛宗海、曾繁礽二先生。新聘法商学院教授兼秘书关中哲先生；教授林瑞年、苏民溪二先生；兼任教授李润沂、黄岫青、王德崇、甄瑞麟诸先生；兼任副教授刘清芬先生；讲师景振国、霍本枝二先生；兼任讲师梁选青先生。新聘医学院教授张效宗；兼任教授柯明志、叶嘉秀、薛培□诸先生；副教授干天佑、冉瑞图、刘因哲诸先生；兼任副教授丁庆熙、张宗仪、郝伯文诸先生；讲师陈庆魁、佟纯仁、王秉正诸先生；兼任讲师胥少汀先生。新聘共同科目兼任讲师新安中先生。新聘秘书段跻同先生，兼任先休班主任吕秉义先生，兼注册组主任陈济苍先生，出版组主任陈迪光先生，兼生活管理组主任王协邦先生，课外活动组主任张庆云先生，文书组主任陈参化先生，庶务组主任宋尼宣先生,出纳组主任戴万里先生。又本校会计室主任杨珍先生辞职照准,教部调派李森先生接充。

(《国立西北大学校刊》三十七年十一月一日)

马前校长继任文学院院长 学生自治会献赠纪念物品

本校校长马师儒先生卸任后,杨校长深为尊重,已敦聘为教育学系教授兼文学院院长。

又学生自治会全体学生,以马前校长学问道德久为人所钦仰,长校以来,一以学生课业为重,对自治之提倡尤为热心,今者遽卸存肩,挽留莫及,化雨久沾,依恋殊切,因献赠"化雨春风"横批一副,藉留永远。

(《国立西北大学校刊》三十七年十一月一日)

杨校长张院长膺选北平研究院学术会议会员

国立北平研究员首届学术会议,已于九月九日在北平举行,会员经该院院务会议提名决定九十人。计分天算、理化、生物、地学、历史、社会科学、文艺、农学、工程、医药十组,本校杨校长钟健膺地学组会员,理学院赵院长进义为天算组会员,闻因交通关系未克前往出席云。

(《国立西北大学校刊》三十七年十一月一日)

省市各界举行欢迎杨校长大会

本校杨校长望隆学邃,士林景仰,此次出长本校,深庆得人。陕西省西安市各界,于上月三十日下午一时假中正堂举行欢迎大会,请杨校长作学术讲座,会后并由晓钟剧校演剧助兴。

(《国立西北大学校刊》三十七年十一月一日)

杨校长兼任西安图书馆筹备委员会主任委员

国立西安图书馆筹备委员会主任委员,原由本校法商学院杜前院长元载兼代。现杜代主任委员辞职获准,所遗职务,教部已改派本校杨校长钟健兼任。

(《国立西北大学校刊》三十七年十一月一日)

杨校长日内晋京

杨校长日内晋京述职,兼为各院系延聘教授。杨训导长丙炎亦将偕同迁往,协助办理关于公费等各项积案,并整理存沪图书仪器,设法早日运校云。

(《国立西北大学校刊》三十七年十二月十二日)

训育等委员会聘定多名教职员

本年度本校训育委员会、图书委员会、仪器委员会、教员聘任委员会、经费稽核委员会、毕业生职业介绍及辅导委员会、各项运动竞赛委员会业经聘定。兹将名单分列于后:

训育委员会

主任委员:杨钟健

委　　员:马师儒　赵进义　孙宗钰　万福恩　岳劼恒　张佩瑚　杨丙炎
　　　　　毛鸿志　郁士元　曹配言　王耀东　刘亦珩　霍自庭　刘纪之

图书馆委员会

主任委员:杨钟健

委　　员:马师儒　赵进义　孙宗钰　万福恩　岳劼恒　张佩瑚　刘锡麟
　　　　　李　森

仪器委员会

主任委员:杨钟健

委　　员:马师儒　赵进义　岳劼恒　刘汝强　孙宗钰　万福恩　毛鸿志
　　　　　李　森

教职员聘任委员会

主任委员:杨钟健

委　　员:岳劼恒　赵进义　马师儒　孙宗钰　万福恩　杨丙炎

经费稽核委员会

主任委员:杨钟健

委　　员:许重远　杨永芳　刘景同　王立础　张佩瑚　毛鸿志　李　森
　　　　　戴万里

毕业生职业介绍及辅导委员会

主任委员:杨钟健

委　　员:岳劼恒　马师儒　杨丙炎　张佩瑚　赵进义　张西堂　初大告
　　　　　孙宗钰　万福恩　许重远　萧洛轩　董绍良　杨永芳　刘汝强
　　　　　郁士元　冯　纶　毛鸿志　陈作纪　张同和　谢景奎　王立础
　　　　　贺范理

中正奖学金管理委员会

主任委员:杨钟健

委　　员:岳劼恒　杨丙炎　张佩瑚　孙宗钰　孙春海　李　森

各项运动竞赛委员会

主任委员:刘月林

委　　员:张庆云　王协邦　王耀东　王树棠　刘振华　张润之　李呈瑞
　　　　　傅春池　刘梅英　徐敬达　郭治洪　王维经

（《国立西北大学校刊》三十七年十二月十二日）

五、国立西北农学院教职员聘任

教育部关于未经核准聘任之林镕等是否确实需要请再详报核办事给国立西北农林专科学校筹备委员会代电

（中华民国廿七年十一月卅日收到）

电据周委员呈请聘未经核准临聘任之林镕等是否当有确实需要,仰再详报,核办由。

武功（11月16日）

西北农学院筹委会:据周委员呈请临聘未经核准临聘任之林镕、路葆清、李聪景、张传琮、曾鼎和及未报之德文教授持权中,查该院经核聘之教授为数已多,是否当有确实需要,仰再核览详报,以凭核办。

教育部

16日（印）

第二节 福利与抚恤

一、教职员死亡抚恤

国立西北联合大学关于龚锡庆被匪扎死报
请鉴转发给恤金等情给教育部的呈文

事由:为本校教授龚锡庆被匪扎死呈请鉴转发给恤金并对本校加送四个月份薪金准予备案由

陈剑翛　拟文

胡庶华　李蒸　徐诵明(签名)

中华民国二十八年四月四日发

查本校法商学院商学系、俄文系副教授龚锡庆于三月二十七日夜一时,在城固小西门外附近寓所,被匪众持械闯入屋内,用刀扎伤腕部,当场殒命,并劫去财物等件。业经报请地方政府加紧缉凶,出赏五佰元,并请对于本校各在案员生住居安全上增厚保护力量。兹经本校六十七次常务委员会议讨论:本校商学系副教授龚锡庆先生在寓所被匪扎毙,情形惨酷,请从优抚恤案。决议:呈请教部按照因公致死条例给予抚恤金,并由学校送薪至本年七月份止。呈部备案等语。理合翛又呈请按照学校职教员养老金及恤金条例第七条第四项转请发给恤金五千四百元。并附赍遵照同条例第三条开具请领恤金事项表一纸。致请

鉴转照准。关于本校送薪至本年七月止部分,并祈

准予备案,实为公便。

谨呈

教育部。

附赍请领恤金事项表一纸。

常委 徐诵明　李蒸　胡庶华

请领恤金事项表

一、承领恤金和法人之姓名、年龄、籍贯及现住所：

龚纯青，二十四岁，吉林省双阳县，现住城固法商学院（徐诵明常委批示：龚教授有弟，现住燕平公寓，应由何人承领，可与一商）。

二、承领恤金合法人与死亡者之关系：

胞弟

三、死亡者之履历：

学历：哈尔滨中俄工业大学毕业，哈尔滨中俄大学博士会赐以工程师学位。

经历：中俄工大助教，京赣铁路工程处公务员，经济委员会公路处常驻兰办事处副工程师，西北公路运输管理局招待处双十铺招待所主任。

四、死亡者在职之合计年数：

二十七年十一月到校，至二十八年三月二十七日夜被戕止，在职五个月。

五、死亡者死亡之年月日：

二十八年三月二十七日夜。

六、依学校职教员养老金及恤金条例，请求恤金若干。依照上开条例第七条第四项，照最后年俸三倍数请给恤金。该员每月薪俸二百二十五元，计五千四百元。

二十八年五月十七日教育部陈立夫部长批复：令国立西北联合大学，二十八年四月四日发杂120第861号呈一件——为本校教授龚锡庆被匪扎死，呈请鉴转发给恤金并对本校加送四个月份薪金准予备案由呈件均悉。查核该副教授龚锡庆死亡事实与学校职教员养老金及恤金条例中"因公死亡"意义未符，未便依照条例给恤。至该校加送薪金四个月一节，准予备案，唯仍应分月报销。仰即遵照。附件发还。此令。

部长　陈立夫

（民国档案，陕西省档案馆）

贾韫玉教授逝世

本校文学院外国语文学系教授贾韫玉先生，自廿七年任教本校迄今八载，平日热心教学,服务认真,自随校迁西安后,甫经三日,突于九月二十八日午前患急性心脏衰弱症,二十余分钟即不治而逝。享年七十五岁。全院师生闻此噩耗,深感哀痛。本校当将详情陈报省会警察局及地方法院检察处,旋即会同西安教会有关人士,妥以棺殓,并遵照教会仪式于三十日(星期一)下午一时在灵前举行公祭,参加员生百余人,隆重沉痛!当日下午三时举殡,暂厝西安南门外英国教会之协同义园墓地,执绋者数百人,同声哀悼。复于上月二日(星期三)上午十时假本校图书馆阅览室举行追悼大会;计到刘校长、徐总务长朗秋,高主任文源,孙主任宗钰及 Oscar W. Beckon. Arther C. Elder 等百余人,首向贾教授遗像行三鞠躬礼,旋依次进行俯首默哀、读经、颂赞、祷告及家属答礼等程序。按先生系英国籍,原名 Charies Carwarine,西元一八七一年生于英国西部之 Bath 地方。清光绪中叶,即来中国,在城固一带传布教义,迄已四十余年。民国二十年收梅瑞为养女,甚真爱之。二十三年曾返国一次。二十五年秋复来陕南,其时先生已于内地会脱离关系;此后个人在自给自足,创设小型礼拜会堂及英语补习学校,颇博城固地方人士之赞誉。先生一生尽卒布道与教育事业,对我国社会贡献极大。关于其善后财产处理,当经决定办法如下:

  衣箱用物请霍自庭、徐朗秋两先生会同整理封存,送请浸礼会暂为保管。

  现金清理及保管,请包志立先生代办。

  领取学校各款,由霍自庭先生代办。

  贾梅瑞生活用费,由包志立、霍自庭两先生商给。

  贾梅瑞读书问题,请德尔立牧师代洽、与包志立先生商办。

  月来经负责诸先生积极办理,梅瑞业经送入本市教会私立尊德中学读书。财产方面亦经清查完竣:计皮箱九只,其中六箱为有关宗教文化书籍,另三箱为衣物什具,美金七十五元。惟上项财产之处理与梅瑞将来生活及学费诸问题,因多涉及法律与教会习惯,有关各方正研究妥善办法中。

(《国立西北大学校刊》三十五年十一月一日)

本校前教务长兼物理系主任张绍涵先生追悼会假本校举行

张氏事略

  张绍涵先生讳贻惠,安徽全椒人。幼承义方,长而好学,秉性宽厚,立行贞明。早岁负笈东瀛,精研理工,毕业于东京高等师范及西京帝国大学。学问大成,极负时望。民国四年返国，各大学争延讲学，乃就北京高等师范及女子高等师范物理系教授兼主任，循循善诱，青年景从。十四年长北京师范大学，一以提倡学术风气作育优秀师资为职志，启迪后进，不遗余力；莘莘学子，竞造门墙。十七年中央大学聘任主持高等教育处。二十二年长北平大学工学院。训练专门技术之外，尤重学生人格道德之培养，于是校风卓然。先生于办学之余，并兼任北京大学、辅仁大学、中国大学等校教授，虽口痦讲坛，而研究著述，孜孜不倦。当于第一次欧战后赴美国芝加哥大学进修，又赴英、法、德诸国考察教育，学益精髓，心得益多，故树人报国之志愈笃。迨七七事变发生，只身离平，辗转来长安，又南至城固，先后任西安临时大学、西北联合大学教务长兼物理系主任。二十八年西北联大改组西北大学，先生仍供原职。二十九年应经济部邀请，就任技正，次年调任参事，对后方建设，多所建议。抗战胜利，政府锐意兴复，派先生视察冀、热、察、绥及东北各省工业状况，本年七月十二日乘飞机北上，突在济南失事，先生竟以身殉！享年六十。遗妻骆夫人，子女五人。著作甚富，有高等力学、几何、光学等遗稿。

各界追悼

先生一生研究理工，致力教育，凡三十余年，济济桃李，皆能服膺师训，从事建设工作；而先生学术上之贡献，尤为科学界所共知；忠诚谋国，高风亮节，实足为世楷模。当此建国时代，正赖老成领导，胡天下不吊，哲人遽萎，噩耗传来，莫不惊悼！西安友好门生悲痛之余，发起追悼大会，上月十三日上午九时假本校大礼堂举行。各界代表及本校教职员多冒雨参加祭奠。灵堂布置，庄严肃穆，正中为先生遗像。祝主席芾南挽联云："学海星沉，卅载精勤遗伟著；云程望渺，九霄风露怆悲魂。"西工潘院长承孝："为救国生，为建国死，浩气凛云霄，事业勋名成一现；以游学始，以讲学终，公门遍桃李，文章道德已千秋。"刘校长："早沐春风，大学弦歌难嗣响；惊垂玉樣，九天謦欬竟无闻。"先生介弟小涵讲座："毕生治学，半生讲学，桃李遍寰区，此日同悲耆旧谢；爱弟则友，诲弟则师，仪型思往昔，人间赖有父兄贤。"灵前满置花圈，正中为胡长官所赠奠帐，上书"绍涵先生千古，胡宗南敬献"。四壁遍悬挽联。九时整，全体肃立，仪式开始，马院长师儒代表刘校长主祭，省参会杨秘书长而琮、西工张主任教授汉文、西京日报社胡社长天册等陪祭。奏哀乐后，全体向先生遗像行三鞠躬礼，主祭人献花圈毕，全体默哀三分钟。旋由师专傅教授鹤峰读祭文；家属代表致谢词后，由谭教授文炳报告先生生平，张汉文先生演说，迄十时自于悲凄之哀乐声中礼成。

（《国立西北大学校刊》三十五年十一月一日）

二、三校院争取教职员待遇

本校及西师西工三校院教职员电请提高待遇
案业经教育部陈部长电复慰勉

本校及西北师范学院、西北工学院三校院全体教职员,以近来物价益高,生活愈窘,于十二月□日响应四川大学教职员,分电行政院教育部,请酌予提高教职员待遇,并电监察院于院长,请向九中全会建议,增加教职员薪金。该电去后,于上月接奉教育部陈部长艳电,多所慰勉,并谓已据电呈请行政院察核。兹特艳电录载如次:

全体教职员钧鉴核铣电:悉年来物价陡涨,各校教职员薪津未□物价比例增加,生活之清苦自不待言,请诸君献身与将士之效命疆场功无二致。拮据生活之中为国家作育人才,安贫乐道,不稍游移,缅怀贤劳,诚不胜其感慰之。陈睹君之生活情形,虽诸君不言,立夫已知之甚稔。立夫忝主教政,对于诸君之生活固未尝一日去怀,时思有以改善,如教职员及家属膳食补助金之发给及薪金之十足支付,在政府员、他机关尚未实行。以前在国立各院校已首先行之生活津贴已自上年十月起增加二十元,自本年一月起可再增二十元。惟欲求教育界生活之彻底改善,则一时尤力有未逮矣。战时从公人员生活之困苦□一般之情形,而教职员生活之补助系奉部颁办法办理,事属通案□可单独变通。教育非生产事业,一切消费开支皆须先奉院会核准,别无可以挹注。而国库非裕军需浩繁,每值讨论改善生活之案,偶一涉及前线将士之艰苦则不复能继续讨论,此种困难想早在诸君洞鉴之中。惟于一般生活之改善,政府正统筹由校之办法,立夫当努力促其实现,不负诸君之望也。除据原电呈请行政院鉴核外,特电复答。陈。

(《国立西北大学校刊》三十一年三月一日)

本大学员工迁移办法

本办法依照教育部颁发国立各级学校迁校办法订定之。

本校迁移员工以本学期任职专任者为限,眷属以配偶及直系血亲在任所者为限;如教职员之直系姻亲及旁系亲属确由本人抚养在本校登记有案者,经同事二人之保证,得请校转呈教育部核准随校同迁;但本校奉令核定之迁校预算,应尽配偶及血亲优先分配。

眷属儿童六岁至十二岁者以半口计,五岁以下者不计。

眷属如在他机关或学校任职或肄业领有迁移旅费者,不得在本校报领。

教职员及其眷属行李箱箧,每人以一百公斤为限;工警及其家属每人以四十公斤为限;凡笨重污秽容易破损之器具,不得携带。教职员如有书籍满一箱者,得自行装箱,交学校代运。

员工及其眷属随身携带之行李箱箧,依所乘交通工具规定章程办理,余件得交由学校统筹代运;但贵重衣物,须自行携带。

员工旅途日程规定自城固经汉中、褒城、宝鸡至西安,行车四天,候车四天。

员工每人旅费膳宿费支给标准如下:

1. 由城固至汉中汽车费一千五百五十元;

2. 由汉中至宝鸡车费一万零三百元;

3. 由宝鸡至汉中火车费头等两千七百元,二等一千八百元,三等九百元。搭乘火车登记依照国立各级学校迁校办法第五条2项及第十条1项之规定:校长院长正教授简任人员发头等车价;副教授讲师及组主任比照荐任人员发二等车价;其余人员均比照委任人员或雇员发三等车价,工警发三等车价。

4. 由西安车站至本校人力车费五百元(工警不给);

5. 沿途行李搬运补助费三千元(请校代运一部分行李者折半发给(工警不给);

6. 教职员及其眷属膳宿费每人一万两千元;工警及其眷属每人五千六百元(概以全程八天计发);

以上共计乘头等火车者每人三万零五十元,乘二等火车者两万九千一百五十元,乘三等火车者两万八千二百五十元,工警一万八千三百五十元。

上项旅费数目,在发给日如车价增减依官价增减之,但预领旅费未启程而车价增高者,概不增补。

教职员得预领旅膳费,自有迁动,但各处组室职员,应视其职务签经主管人转请校长核准后始得迁动;其离校在规定旅程八天以外之日数,得请准以公假或例假论。

本校休假及出国研究之教员眷属,应同等待遇,随校迁运;如在休假期间兼职支领兼职机关或学校迁移费用者,本校不再支给。

员工迁移补助费,另候部令办理。

本校在迁移期间遣散之职员工警一律发给薪金公饷至本年七月底止,作为遣散费。

本办法如有未尽事宜,得依照国立各级学校迁校办法及本校迁建委员会历次决议案办理。

本办法经迁建委员会会议通过送请校长核准施行,并呈报教育部备案。

(《国立西北大学校刊》三十五年五月十五日)

本校教职员电请中央提高待遇

今秋关中暴雨,西安物价飞涨,本校教职员曾于九月秒分电国防最高委员会、行政院、教育部请速调整待遇。兹以物价波动益烈,同仁生活困苦万状,特再电请迅赐提高待遇,另定西安区生活补助标准,俾资维持。该电于上月廿一日发出。闻教育部复电业经到校,惟所请一节,现正转呈政院核示中。

(《国立西北大学校刊》三十五年十一月一日)

教职员福利委员会加强组织积极推行业务

迁建委员会第七次会议决议:本校教职员福利委员会应即加强组织,以便增进同仁福利。就原有福利委员会加以改选,表选委员七人负责筹划,并设职员两人,指定工友若干人专负其责。经全体同仁投票选举,于九月五日在本校会议室公开开票,由赵希三、刘毅然、岳劼恒、高味根、孙宗钰、霍自庭、张佩瑚、包志立、杨宗培诸先生监视,结果刘亦珩、王耀东、张佩瑚、李呈瑞、孙宗钰、杨宗培、张润之诸先生当选为委员;徐朗秋、王树棠、龙际云、赵希三、戴君仁诸先生当选为候补委员。并互推刘亦珩、张佩瑚二先生为正副主委,积极筹划,十二日计开始办公。会内组织共设五组:一、合作业务组,内设消费互助社。该社已于九月二十二日揭幕营业;二、子女教育组,内设完全小学及幼稚园各一所。该组已将同仁学龄子弟调查完竣,一俟地址经费确定,即行开业;三、特约业务组,内设特约商店、理发店、浴室、成衣店、洗衣局及各种蔬菜肉类等店,除理发店已开始营业外,其余正在洽办中;四、公共食堂组,内设互助小食堂,已于上月二日开张;五、康乐组,内设娱乐

（新旧剧团）及环境卫生两部门，已假该会办公室作为临时娱乐处所，每晚六时至十时开放。至环境卫生业务，亦在筹划推进云。

（《国立西北大学校刊》三十五年十一月一日）

本校教职员迭电中枢呼吁调整待遇

迩来西安物价狂涨不已，食粮限价，每月提高。现官价粗米每市石至九万五千元，混合面粉每袋两万五千元；更因资源缺乏，浩成黑市，黑价米每市石十一万元，面每袋三万余元；其他衣着及日用物品，多自沿海西运。价格腾昂，较京沪高出一倍。而本市公教人员待遇，仅及京沪区之半；以致生活窘困，达于极点。本校教职员前已两电中枢，请求提高待遇。上月十四日复与西北工学院会电国防最高委员会、行政院、教育部及田监察使，请仿照其他各省大城之例，将西安市划出陕西省区，特别提高其生活补助费及按薪加成数，俾资维持。现已时届冬令，饥寒交侵，苟不迅速调整，生活将濒绝境。除由校电部陈报实情，并剪附西安市最近米面价格表，二十二日正报社论及商情表等，藉供调整薪金之参考外，教职员张贻侗等三百二十人特于月超再电中枢，请根据实际物价，迅作合理调整，以安生活而利工作。并推请本校出席国大教职员蓝文征等六人为代表，就近在京向有关机关呼吁。计先后三或教育部电复，谓所请提高生活待遇案，已呈院核示，二次复电较详，兹照录于后："国立西北大学并转国立西北工学院：据该校院及前西北医学院教授会已巧代电，呈请按物价指数，迅对公教人员待遇予以彻底合理之调整，以资维持等请；复奉行政院交下该校教职员卯鱼带电，案同前情。查公教人员待遇，系由行政院统筹调整。各大学教授生活清苦，本院已迭为转报。近又据情另案转呈核实，尚未奉到指令。现学术研究费业经一再调整，教授月支五万元，助教两万元。仰转之诸教授，深体时艰，勉力教学，是为至要！ 教育部。"

（《国立西北大学校刊》三十五年十二月一日）

调整待遇西安区所列标准过低
——本校西工教授再作紧急呼吁

西安物价飞涨，超过京沪各地，而薪金调整标准竟列为第三级。本校西工同仁咸感收入菲薄，生活无法维持。上月初举行两校教授代表联席会议，决急电如次:"万急:行政院院长宋,教育部部长朱钧鉴:西安物价超过京沪,同人等一再呼吁,谅蒙鉴察。而此次薪金调整,竟列于第三级,同人等不知调整标准究竟以何为根据,殊属失望已极。兹特再做紧急呼吁,请即修正调整办法,务求公平合理,并于一月十五日前赐于答复,否则同人等不得已唯有忍痛另谋生活,不胜迫切待命之至。国立西北大学、国立西北工学院全体教授霍自庭、张佩瑚、马纯德、郝圣符、李佩琳、杨永芳、张汉文、刘凤年、包志立、张兆荣、王丕拯、王耀东、贾万一、陈阅明等三百十五人同叩。"

(《国立西北大学校刊》三十六年一月一日)

本校教职员提倡节约运动

本校同仁情感,素称融洽,每逢年节或婚丧大典辄相馈赠。值此残腊无多,米珠薪桂之时,彼此为免除不必要之开支起见,曾于第八次行政汇报席间,约定节约办法数项,提倡实施:凡生男育女者,不送礼,不开宴;年关节令,避免相互馈赠。至婚丧大典,则得发请柬或讣闻,互相奉礼,藉申庆吊之礼;惟须尽量俭刻,藉符节约之旨云。

(《国立西北大学校刊》三十六年一月一日)

本校举行教职员春节茶会

上月二十二日上午九时,本校假大礼堂举行春节茶会,到教职员三百余人,席间首由刘校长报告在京接洽公务情形,略称:"全国教育复员,各校所感困难皆同。本校数月来之迁建工作,虽未尽若预期之顺利,然大体尚觉满意。本期学校中心工作,在积极添置图书仪器及研究设备,此次教育部代购及所发之图书仪器及医药器材,已陆续运校使用;为扩充各项设备,教育部又拨美金万元从事订购,并分配中西文书籍多种。故本年暑假前本校图书馆及研究设备,必可渐臻充实。关于同仁请求中枢修正调整待遇标准,本人于国大闭会后曾为此几经屡向有关方面呼吁,并签呈蒋主席与教育部,提出四项解决办法:一、将西安区与京沪区并列第一级;二、全国各大学待遇划一;三、依需要实情增加临时补助费;四、提高学术研究费并比照补助职员。教育部除极表同情外,已专案呈请政院核示。至盼同仁深体时艰,顾念青年学业,勉为教职,伫候合理解决。"嗣由李教授佩琳致词,对医学院之发展提供珍贵意见。迄十一时半始尽欢而散。

(《国立西北大学校刊》三十六年二月一日）

本校教授再电教育部请即修正待遇调整办法

公教人员薪金调整，西安区所列标准过低，本校西工全体教授急电中枢当局，呼吁修正调整办法。上月十四日已获朱部长复电，谓略："提高待遇，正呈院力争，期有合理解决。尚希勉为其难，是所企盼！"当经两校教授代表联议会决定，再电教育部即请迅速修正。兹志原电如此："特急，南京教育部部长朱赐鉴：寒电奉悉，兹为顾惜学生课业，勉循遵旨，暂维教职，伫候合理解决。务望体念同人等委曲求全之苦心，请立即修正待遇调整办法，无任盼祷！国立西北大学、国立西北工学院全体教授等同叩。"

(《国立西北大学校刊》三十六年二月一日）

员工加班支给津贴已制定办法

本校员工应公务上之需要，于规定办公时间外，另加工作时间者，得援用员工加班支给津贴办法。凡各院处组室加班人员，需经个该部分主管人证明，并填具加班津贴申请单，送由总务长转校长核准后支给，其津贴金额以各人一日薪金所得为计算标准，加班时数在两小时以上四小时以内者，按半日计；不满两小时者不给；超过四小时，不逾八小时者，以全日计。本办法已于上月十八日奉准实施云。

(《国立西北大学校刊》三十六年三月一日）

物价高涨待遇微薄，三校教授续电中枢呼吁

西安物价狂涨不已，自上年十月以来，即已超过京沪为全国第一，而公教人员薪金所列标准过低，生活早濒绝境，债台亦已高筑。部令二月份起改支二级待遇，然目前生活仍难为继；本校及西工、西农全体教授爰于上月下旬特再联名急电中枢当局呼吁，请即调整西安区公教人员待遇，并将陕西列入后方大学教授每年还乡补助办法之内云。

(《国立西北大学校刊》三十六年五月一日）

本校教授休假进修办法遵照部令办理

本年度本校第一次教务会议通过教员休假进修办法及教职员公自费留学优待办法,呈部核实一案,顷奉高字第16295号部令指示,着仍遵前颁办法办理。

(《国立西北大学校刊》三十六年五月一日)

公教人员婚丧声请题词部令限本月底前办理

关于战时服务后方及游击区或邻近战区之政府机关人员,其直系尊亲属任沦陷区内死亡,不能奔丧成服,而事后声请题词办法,早经颁行。国府进特明令限至本月底截止,逾期即不再题颁。本校奉属令后当即转知各同仁遵照办理。

(《国立西北大学校刊》三十六年六月一日)

三校同仁联电中枢请准配发实物

本校西工西农全体教职员,以关中物价突长,生活困难,特于上月中旬联电中枢当局,恳请准照京沪平区例配发实物,兹将原电录后:"行政院院长张、教育部部长朱钧鉴:查近来此间一切衣食及日用品,因陇海路被截断,来源中断,以至各物价格突飞猛涨,实较京沪平地区为高。同仁等以有限之待遇,购用与时争涨之物资,以至生活动荡,至为艰苦。现同仁等迫不得已,拟恳准照京沪平区例,配发衣食及日用品主要实物,俾苏涸鲋,无任盼祷!谨此联电陈请鉴核俯准示尊!国立西北大学、国立西北工学院、国立西北农学院全体教职员同叩酉元"。

(《国立西北大学校刊》三十六年十一月十五日)

吁请按物价指数调整待遇教育部已由电复

本校全体教职员以而来物价狂涨,日用维艰,经分电行政院暨教育部吁请按物价指数调整待遇;顷奉教育部电复,谓略:"所请调整待遇一节,已抄同原电呈请行政院核示"。

(《国立西北大学校刊》三十六年十一月十五日)

节余薪俸及生活补助费遵令移充员工福利用途

本校遵照部令抄发行政院本年七月三日训令颁发各机关学校节余薪俸及生活补助费移充员工福利用途实施办法,业将本年一月至七月份节余教职员薪俸结算清讫,并另订定本校实施办法,提经校务会议通过。除呈报教育部备案外,已将前向节余薪俸,于十月半依照通过办法分配拨发。兹录本校三十六年度节余薪俸及生活补助费移充员工福利用途实施办法如次:

一、本办法遵照院颁各机关学校节余薪俸及生活补助费移充员工福利用途实施办法订定之。

二、本校员工福利费依照预算分教职员及工警两项,分别分配,彼此均不得侵占。

三、本校员工名额经数度紧缩后所减员工名额甚少,遵照各机关学校节余薪俸及生活补助费移充员工福利用途实施办法第五条之规定,以薪俸及生活补助费预算数与实支数之差额移充员工福利用费。

四、教职员福利费根据实际需要分配项目及比例如下:

1. 生活补助费占百分之九十;
2. 公共福利设备费占百分之十;

五、教职员生活补助费,按当月在职之专任教职员平均分配,不计眷属人口,兼任者不予分配。

六、教职员公共福利设备费,由教职员福利委员会就全体福利设备分配支用,不得用于消耗事项。

七、工警福利费,一律补助生活用费,按当月在职人数平均分配,不计眷属人口。

八、本年福利费按月分配,一至七月份一次补发。

九、本校福利费应依法定会计处理程序由总务处会计室按月造表,送经陕西省审计处审核后动支,作为临时费专案报销。

十、本办法如有未尽事宜,依照奉颁各机关学校节余薪俸及生活补助费移充员工福利用途实施办法办理。

十一、本办法由本校校务会议通过,在三十六年度内施行,并呈报教育部备案。

(《国立西北大学校刊》三十六年十一月十五日)

暑假还乡返校教员教育部补助飞机票

本校教员多人于暑假期间还乡,因受陇海铁路中断影响,不能如期返校授课,经呈请教育部核拨专款,补助教员转道乘机来陕。顷奉部令指拨转款伍仟万元,并规定返校教员(教授、副教授、讲师及助教)具领补助费以本人单程飞机票价为限,凭购票证报销,其返校途程不受陇海路中断影响者不予补助。刻本校业已制定办法,提经校务会议通过,呈部备案;惟该项办法限至本年年底有效云。

(《国立西北大学校刊》三十六年十一月十五日)

福利委员会改选竣事 加强各项业务之推进

本校教职员福利委员会第二届执行委员会任期届满,上月中旬举行改选,选出:贾晰光、杨滁新、刘锡麟、刘致和、郁士元、吕秉义、韩鸿禄七先生为本届执行委员;孙道升、王佐强、张庆云、马超群四先生为候补执行委员;高明、许重远、王耀东三先生为本届监察委员;孙宗钰、李繁闾二先生为候补监察委员。

又该会新任执监委员曾于上月二十五日召开联席会议,决议要案多项:一、公推郁士元先生为主任委员,杨滁新先生为副主任委员;二、工作分配:1. 消费互助社由郁士元、杨滁新、贾晰光、孙道升四先生担任;2. 康乐卫生由刘致和、马超群两先生担任;3. 特约事宜由吕秉义、王佐强两先生担任;4. 公共食堂由刘锡麟、张庆云两先生担任;5. 司库由韩鸿禄先生担任;6. 各项接收日期由主任委员与上届委员商定,监交事宜请许重远先生担任;三、建议学校呈部请求津贴教职员子女就学费;四、多招致特约商店,惟须对其物价严加控制;五、消费互助社今后业务应侧重采办主要用品如米、面、柴、碳、布匹等,其价格不得高于市价。

(《国立西北大学校刊》三十六年十一月十五日)

修正教职员抚恤条例

第一条 学校教职员之抚恤,依本条例行之。

第二条 本条例所称教职员,以公立学校专任教职员,依规定资格任用,而有证明者为限。

第三条　教职员有下列情形之一者,给予遗族年抚恤金,及一次抚恤金:一、服务十五年以上病故者;二、因公死亡者。

前项第二款之教职员服务未满十五年者,其遗族年抚恤金之给予,以满十五年论。

第四条　教职员依法领受年退休金未满十年而死亡者,给予遗族年抚恤金,逾十年者,给予遗族一次抚恤金。

第五条　教职员服务三年以上十五年未满,在职病故者,给予遗族一次抚恤金。

第六条　遗族年抚恤金,按教职员死亡时或退休时之月薪额合成年薪,各依下列百分比率给予之:一、服务十五年以上二十年未满者,百分之三十五;二、服务二十年以上二十五年未满者,百分之四十;三、服务二十五年以上三十年未满者,百分之四十五;四、服务三十年以上者,百分之五十。

服务十五年以上之教职员因公死亡者,依前项规定再加百分之十。

第七条　遗族一次抚恤金,按教职员最后在职时月薪依下列规定给予之:一、合于第三条第一款或第二款者,给予四个月薪;二、合于第四条者,给予十个月薪;三、合于第五条在职三年以上六年未满者,给予六个月薪。六年以上每满三年加给两个月薪。

前项第三款年资之畸零数逾六个月者以一年计。

第八条　在物价高涨时期,教职员之遗族抚恤金,除依前两条给予外,并应按现任教职员之增给待遇比例增给,但遗族一次抚恤金之增给额,以待遇总额百分之五十为限。

第九条　遗族抚恤金在国立学校者由国库支给;在省或院辖市立学校者,由省市经费支给;在县市区乡镇保立学校者,由县市经费支给。

第十条　遗族领受恤金之顺序如昨:一、妻或残废之夫,未成年子女,已成年而残废不能谋生之子女,但女以未出嫁者为限;二、未成年之孙子、孙女,但以其父死亡者为限;三、父母、翁姑;四、祖父母、祖翁姑;五、未成年之同父母弟妹。

前项第一款未成年子女或第二款未成年孙子孙女超过三人者,其遗族年抚恤金应按第六条之比率再加百分之十。

第十一条　前条第一项第一款至第四款遗族之抚恤金领受权,因法定事由而丧失时,其抚恤金依次移转于其余各款遗族领受。

第十二条　依本条例得领受抚恤金之遗族同一顺序有数人时,其抚恤金应平均领受之,如有一人或数人愿抛弃其应领部分,或因法定事由而丧失其领受权时,该部分抚恤金,匀给其他有权领受之人。

第十三条 遗族年抚恤金之给予,自该教职员亡故之次月起,最多以二十年为限。

第十四条 遗族年抚恤金之给予,自该教职员亡故之次月起至下列事由发生之月止:一、死亡或改嫁;二、未成年之子女、孙子、孙女或弟妹已成年;三、残废之成年子女能自谋生或女已出嫁。

第十五条 有下列情形之一者,丧失其抚恤金领受权:一、剥夺公权者;二、背叛中华民国经通缉有案者;三、丧失中华民国国籍者。

第十六条 请领抚恤金之权利,自抚恤事由发生之次月起,经过五年不行使而消灭。

第十七条 领受抚恤金之权利,不得扣押让与或供担保。

第十八条 教职员在职死亡无力殓葬者,应由服务学校给予殓葬补助费。

第十九条 社会教育机关服务人员之抚恤,由主管教育机关比照本条例行之。

第二十条 受政府聘任之学术机关有给职员□□□□。

第二十一条 私立学校教职员之抚恤金,由各该学校参照本条例,依其经费情形酌量支给之,其抚恤金经费有不足时,由主管教育机关补助之。

第二十二条 外国人任中华民国公立中等以上学校教员因公死亡者,给予一次抚恤金,其数额得准用本条例之规定。

第二十三条 本条例施行细则,由教育部定之。

第二十四条 本条例自公布日施行。

(《国立西北大学校刊》三十七年四月十六日)

校务会议教授代表业经选出 福利委员会改选竣事

本年度出席校务会议教授代表,业于上月二十日选出。计文学院:许重远、金家桢二先生,理学院:杨永芳、赵桢二先生,法商学院:孙春海、贾晰光二先生,医学院:李学禹、彭绪让二先生,共同科目:王耀东先生。

又教职员福利委员会上届执监委员任期届满,本届执监委员业于二十三日选出:高明堂、邹本林、王树棠、刘月林、曹配言、赵永昌、张润之诸先生当选为执行委员,魏庚人、吴元训、孙宗钰、岳劼恒、王佐强、王耀东、贺范理诸先生为候补执行委员;岳劼恒、霍自庭、张佩瑚诸先生为监察委员,孙宗钰、马师儒、金家桢诸先生为候补监察委员。

(《国立西北大学校刊》三十七年四月十六日)

校务会议教授代表业经选出 教职员福利委员会改选竣事

本年度出席校务会议教授代表,业于上月二十三日选出。计文学院:霍自庭、高元白二先生,理学院:郁士元、刘亦珩二先生,法商学院:孙春海、刘景同二先生,医学院:马载坤、刘因哲二先生,共同科目:王耀东先生。

又教职员福利委员会上届执监委员任期已满,照章改选,上月十八日开票结果。选出杨丙炎、赵进义、孙宗钰三先生为第四届监察委员,王耀东、张以信、毕宝粟、王佐强、贾晰光、魏庚人、贺范理七先生为执行委员。新旧执监委员业于二十六日交接竣事,一切业务即将积极推进云。

(《国立西北大学校刊》三十七年十一月一日)

教育部核定赵院长进义等十先生月支年功加俸二十元

本校教授月薪已支最高级者,为数甚多。前由校依据部颁国立大学及独立学院教授年功加俸办法第二条之规定,将本校教授经审查合格月薪已达最高级登记有案人员,列册报部请给年功加俸;兹奉部令核准支给年功加俸二十元者十人。计三十六年度年功加俸教授为赵进义、张贻侗、王治焘三先生,三十七年度年功加俸教授为刘亦珩、岳劼恒、刘汝强、孙宗钰、侯宗濂、许重远、陈作纪七先生。

(《国立西北大学校刊》三十七年十二月十二日)

第三节　国立西安临时大学—西北联合大学教职员名录

一、国立西安临时大学教职员名录

本校教职员

职务	姓名	别号	住址及电话
常务委员			
筹备委员兼代法商学院院长	徐诵明	轼游	建国公园内工业试验所　电话二〇八
常委	李蒸	云亭	同上
常委兼工学院院长	李书田	耕砚	同上
常委	陈剑翛		城隍庙后街郭签士巷十九号
委员	臧启芳	哲先	东北大学
委员	周伯敏		教育厅
委员	辛树帜		武功西北农专校
常委室秘书			
常务委员室秘书	易价	静正	
秘书处			
兼领秘书处主任	陈剑翛		城隍庙后街郭签士巷十九号
专任讲师兼秘书	陈叔庄		工业试验所
文书组			
组长	佟学海	伯润	通济坊
组员	谭文伯		城隍庙后街第一院
组员	朱攀云		竹笆市西芳巷德顺昌
事务员	刘俊俏	佩杰	通济坊
事务员	刘乃蕃	乃凡	同上
事务员	孔膺筎		同上
书记	范润泽	斯天	第一院
书记	杜业儒	一空	东九府街三十号
书记	李石生	枕高	小车家巷二十号
书记	刘文清		通济坊
书记	唐崇华		第一院

续表

职务	姓名	别号	住址及电话
书记	赵文斌	允之	端履门朝贺巷十一号
出版组			
组长	邰光谟	子嘉	工业试验所
组员	尹荣琨	玉冈	早慈巷十九号
组员	董政邦	致平	工业试验所
组员	姜世新	乃风	中正门保康里十四号
书记	张志清		通济坊
书记	贾介如		通济坊
书记	杨中昇		西安椰子市街四十五号
书记	王今容		东大街六五一号
总务处			
主任兼体育系主任	袁敦礼	志仁	陕西省民政厅
处员	高鸿图	献瑞	第一院
处员	陈宝仁	子居	同上
庶务组			
组长	李荫珂	昇桥	第一院
组员	胡铭佑	佐勋	第三院
组员	李阴梅	松云	第一院
组员	梁建正		
组员	李康侯	子安	第二院
组员	阎步洲		第一院
组员	吕相生		同上
组员	王锡祥	履吉	北柳巷十一号
代理组员	齐洪滨		龙渠湾二八号
总务分处庶务组员	张延祖	接武	第二院
事务员	何玉成	甫泉	第一院
会计组			
组长	苏雅农		化验所
组员	徐世度		
出纳员	吕士珍	枕人	第一院
组员	韩同甲	绍苏	化验所
组员	齐剑屏		第三院
书记	陈益	在辰	第三院

续表

职务	姓名	别号	住址及电话
斋务组			
组员	郭家泽	恩埠	第一院
组员	于 忠	鸿庆	第二院
组员	信安中		第一院
组员	包桂潘	天池	通济坊
组员兼校医助理员	陈同珠	少明	第二院宿舍三八号
教务处			
主任兼物理系主任	张贻惠	绍涵	建国公园电波研究所
书记	祝振瀛	仲蓬	东大街六百五十二号
书记	刘景山	聚五	早慈巷三十六号
书记	赵广瑞	秀生	北关四十七号
注册组			
组长兼历史系教授	康绍言	叔仁	西安通济坊
注册组组员	黎 楠	梅村	第二院
组员	严庆炤	伯明	第一院
组员	马桂馥		
组员	高明堂	耀亭	第三院
组员	朱延晟	震晴	北大街新新旅社
组员	孙宝贤	君敏	第一院
组员	郑文华	尚夐	第二院
组员	舒崇秀	明斋	通济坊
组员	钟书衡	少梅	
事务员	张煜之	旭斋	
事务员	沈树桢	伯平	第三院
书记	罗采章		化验所电话二〇八
书记	李琦润		粮道巷考古会
书记	董琴甫		第三院
书记	姚凤鸣		土地庙什字二六号
书记	王春暄	升阶	南院门鸿庆祥布庄
书记	阴法侗	次中	第二院
书记	徐恩禄	润生	第三院
图书组			
组长	何日章		通济坊

续表

职务	姓名	别号	住址及电话
二院分组组长	刘德人	濯吾	双仁府八号
组员	张德培		小湘子庙街五号
组员	孙庆瑞		第一院
组员	骆之恒	定华	第三院
组员	田秉懿		第一院
组员	丁淑贤		富秦公寓
组员	张式浓		中正街长乐公寓
代理组员	白国栋	君宇	东厅门开通巷三十号
书记	彭祖铭		第一院
组员	李阴平	天根	第一院
组员	龚宝贤		第二院
二院图书分组打字员	胡国杰		西京招待所
军训组			
主任教官	李 冰	在冰	第一院
教官	王佐强	毅刚	第一院
教官	赵 珍	玉山	第一院
助教	李宗渊	狱森	军训会
助教	冯龙书	凌云	军训会
助教	蓝国珍		军训会
助教	贺经武		军训会
助教	白明初		北油巷八号
助教	周松林	杜威	第一院
助教	龙韶九		第二院
助教	曾法圣		第二院
助教	张厚光	向毅	第一院
教官	罗师孝		第二院
书记	王文昭	子新	第一院
书记	王溪亭		城内九府街
文理学院			
院长	刘 拓	泛驰	西京招待所
国文系			
主任	黎锦熙		
教授	罗根泽		富秦公寓

续表

职务	姓名	别号	住址及电话
副教授	曹联亚		北京饭店二号电话八五三
专任讲师	陈叔庄		化验所电话二〇八
讲师	冯成麟	书春	玄风桥二二号电话六一五
讲师	高元白		玄风桥丁字六号
历史系			
主任	许寿裳	季茀	化验所
教授	李季谷	原名宗武	青年会
教授	许重远		青年会
教授	陆懋德	咏沂	北京饭店
教授	谢兆熊	渭川	郭签士巷十九号
讲师	周传儒	书	东北大学
讲师	蓝文征	孟博	东北大学
讲师	黄文弼		府学门二十五号
助教	王兰阴	竹楼	第一院
外国语文系			
主任	佘坤珊		化验所
教授	张杰民		
教授	谢文通	华庄	西京招待所电话301
讲师	金保赤	少曦	第一院
助教	易丕荣		玄风桥戊五号
数学系			
主任	赵进义	希三	北京饭店
教授	杨永芳		第二院
教授	刘亦珩	一塞	第二院
教授	傅种孙	仲嘉	第二院
教授	张德馨		第二院
教授	曾炯	炯之	郭签士巷十九号
助教	齐植朵		后宰门九号
物理系			
主任	张贻惠	绍涵	建国公园电波研究所
教授	杨立奎	据梧	西京招待所
教授	林晓	觉辰	富秦公寓
教授	岳劼恒		富秦公寓

续表

职务	姓名	别号	住址及电话
讲师	谭文炳	星辉	第一院
化学系			
主任	刘 拓	泛驰	见前
教授	赵学海	师轼	西京招待所
教授	周名崇	修士	土地庙什字二十八朱号宅
教授	陈之霖		化验所
教授	朱有宣	仲玉	西京招待所
教授	张贻侗	小涵	西举院巷十号
助教兼讲师	王毓琦	景韩	第二院电话二四九
助教	杨若愚	道生	后宰门九号齐宅转
生物系			
主任	金树章		北京饭店
教授	郭毓彬	灿文	北京饭店电话八五三
教授	雍克昌		西京招待所
教授	容启东		西京招待所
教授	刘汝强		西京招待所
助教	王 琪	荃孙	北京饭店
助教	项润章		北京饭店
地理系			
教授	黄国璋	海平	青年会
教授	谌亚达		青年会
教授	殷祖英	伯西	骡马市五四号
教授	王钟麒	益厓	青年会
副教授	郁士元	维民	梁府街三十二号
助教	姜玉鼎	定宇	
助教	王心正		
法商学院			
兼代院长	徐诵明	轼游	见前
法律系			
主任	黄得中	觉非	北京饭店
教授	王治焘	聪彝	北京饭店
教授	赵愚如		亿塔寺六号
教授	王 璞	式儒	小湘子庙街大中公寓

续表

职务	姓名	别号	住址及电话
教授	李宜琛	子珍	西京招待所
讲师	王捷三		崇廉路三十号
讲师	吴英荃	季荪	通济坊金城公寓
政经系			
主任	尹文敬	伯端	北京饭店
教授	章友江	芋沧	马神庙巷二十三号
教授	吴正华	西屏	北京饭店
教授	李绍鹏		北京饭店
教授	沈会春	志远	西京招待所
副教授	季陶达		北京饭店
专任讲师	康仑先	正五	北京饭店
专任讲师	于鸣冬	凤亭	北京饭店
专任讲师	方铭竹	筠新	马神庙巷二十三号
专任讲师	刘毓文	钟岳	东北大学
讲师	孙宗钰	式均	西京招待所
讲师	曹国卿	伟民	北京饭店
商学系			
主任	寸树声	雨洲	通济中坊金城公寓
教授	李绍鹏		北京饭店
讲师	刘景向	经斋	粮道巷四四号
讲师	陈建晨		北柳巷十一号
讲师	张云青	青坪	西安高级中学
讲师	夏慧文		金城别墅
讲师	董建平		西北文化日报馆
讲师	阿亲泽斯基		
教育学院			
院长	李建勋	湘宸	西京招待所
教育系			
兼领主任	李建勋	湘宸	西京招待所
教授	方永蒸	蔚东	北京饭店
教授	程克敬	述伊	尚璞路三号
教授	金澍荣		西京招待所
教授	鲁世英	岫轩	富秦公寓

续表

职务	姓名	别号	住址及电话
教授	熊文敏		青年会
教授	高文源		
教授	马师儒	雅堂	青年会
讲师	汪大捷		东九府街四十号
专任讲师	康绍言		见前
讲师	张光祖	绳武	通济南坊二十七号
讲师	郭鸣鹤	闻远	西兰公寓
讲师	胡国钰	仲澜	东九府街六十九号
助教	许椿生	筱埤	小湘子庙街五号
助教	郝鸣琴	荫圃	第三院
体育系			
主任	袁敦礼	志仁	民政厅
教授	董守义		第二院
教授	沙博格		西京招待所
教授	谢似颜		第一院
专任讲师	刘振华	博森	第一院
专任讲师	郭俊卿	师典	第二院
专任讲师	刘月林	靖川	西兰公寓
专任讲师	王耀东		第三院
专任讲师	陈仁睿	静庵	第一院
专任教师	孙淑铨		东北大学
讲师	朱淳实		西兰公寓
讲师	苗时雨	润田	东大庞英转
助教	白肇杰		西兰公寓
助教	凌洪龄	会五	第二院
助教	罗爱华		四浩庄九号
家政系			
主任	齐国樑	璧亭	小皮院十五号
教授	程孙之淑		尚璞路三号
教授	王非曼		西京招待所
助教	张琴书		粮道巷四十五号
农学院			
院长	周建侯		

续表

职务	姓名	别号	住址及电话
农学系			
主任	汪厥明		西京招待所
教授	易希陶	少屏	金城别墅
教授	夏树人	德甫	北京饭店
教授	姚 鋈	天沃	北京饭店
教授	陆建勋	暨澄	西京招待所
教授	李秉权	正喧	北大街二府街六十六号
专任讲师	苏麟江	尚皓	青年会
专任讲师	季士俨	若思	北京饭店
讲师	陈兰田	秀夫	第三院
讲师	王金铍	相伯	东北大学
讲师	沈文辅	支仁	甜水井七十九号
专任讲师	舒联莹		金城别墅
讲师	刘钟瑞		水利局
助教	昝维廉	节民	通济坊宿舍
助教	王淑贞		金城别墅
农场技士	郑子久	恒寿	通济坊宿舍
林学系			
主任兼教授	贾成章	佛生	崇耻路二十三号
教授	殷良弼	梦赉	北大街新新大旅社
教授	周 桢	邦垣	北京饭店
教授	王 正	义路	北京饭店
助教	江福利	秋白	第三院
助教	范济舟	及舟	第三院
技士	王 战	义士	第三院
农业化学系			
教授兼代主任	刘伯文		金城别墅
教授	陈朝玉	润山	青年会
教授	王志鹄	思九	北关八十号同泰花行
教授	虞宏正	叔毅	西京招待所
副教授	罗登义	绍元	青年会
助教	王来珍	献堂	第三院
助教	罗元熙	页凡	第三院

续表

职务	姓名	别号	住址及电话
工学院			
兼领院长	李书田	耕砚	见前
土木工程系			
主任	周宗莲	泽书	化验所
名誉教授	李 协	仪祉	革命公园水利局
教授	赵玉振	金声	第二院
教授	刘德润	敬修	东木头安居巷三十五号
专任讲师	孟昭礼		化验所
讲师	崔宗培		端履门十三号
讲师	徐宗溥	赤文	化验所
专任讲师	黄秉鉴		第二院
助教	李登奎		第二院
助教	梁锡伯	善西	第二院
矿冶系			
主任兼教授	魏寿昆	镇雄	西举院巷十号后院
教授	张遹骏	伯声	化验所
教授	雷祚雯	漱云	化验所
讲师	孙镜清	涤尘	化验所
助教	李荫深		第二院
助教	周同藻	友芹	第二院
机械系			
主任	潘承孝	永言	第二院
教授	何绪缵	述三	冰窖巷八号
教授	李酉山		第二院
教授	李廷魁	海文	西北饭店
讲师	朱良玺	了瑕	东北大学
讲师	梁锡瑛	兰坡	西北饭店
助教	赵正权	叔平	第二院
助教	张洪锡	百朋	第二院
电机系			
主任	刘锡瑛	毓华	花园饭店
教授	王翰辰	董豪	端履门南柳巷一号
教授	余谦六	骞陆	东北大学

续表

职务	姓名	别号	住址及电话
教授	樊泽民		北大街培德小学
讲师	黄苍林		东北大学
讲师	王际强	健庵	东北大学
讲师	张恒月	霁秋	东北大学校宅一四一
助教	王钦仁	敬甫	乐育中学
助教	韩幕乾		第二院
化工系			
主任	萧连波	仲澜	第二院
教授	李仙舟		第二院
助教	罗素一		第二院
助教	毕淑英	俊逸	北京饭店
纺织系			
主任兼教授	张汉文		第二院
教授	崔玉田	崐圃	第二院
教授	张 佶	朵山	第二院
教授	郭鸿文	雁宾	第二院
助教	李金铸	溶经	西门内白露湾二十七号西院
医学院			
院长	吴祥凤	鸣岐	西京招待所
教授	徐佐夏		崇礼路西北制药厂
教授	严镜清	子峰	金城别墅
教授	寒先器	孟涵	西京招待所
教授	王 晨	侈仁	西京招待所
教授	林 几	百渊	西京招待所
副教授	毛鸿志	抟风	富秦公寓
专任教师	翟之英	千子	西北旅馆
副教授	王同观		金城别墅
专任讲师	黄万杰		东大街北柳巷十一号
专任讲师	刘士琇	新民	北京饭店
妇产科助教	徐幼慧		化验所
助教	贾淑荣	晓澜	西北旅馆
小儿科助教	厉裔华		

(《西安临大校刊》第4期)

二、国立西安临时大学教职员人数统计

职教员总数 316 人，职员 93 人，教员 223 人。

职员			
	职别	人数	备注
	常务委员	4	
	处主任	2	均系兼职
	秘书	2	
	处员	4	兼任 1 人列教员内
	组长	8	兼任 2 人列教员内
	组员	40	
	事务员	7	
	办事员	1	
	打字员	1	
	书记	28	
	校医	2	均系兼任
	助理	1	
	护士主任	1	
	护士长	2	
	助产士	1	
	护士	1	兼任
	总计	98	兼任者未列在内
教员			
	职别	人数	备注
	院长	6	内 2 人由常委兼任
	系主任	23	内 3 人由院长兼任
	教授	79	
	副教授	6	
	专任讲师	25	
	兼任讲师	39	
	助教	34	
	军事主任教官	1	
	军事教官	3	
	军事助教	7	
	军训队副官	1	
	技士	2	农场林场技士各 1 人
	总计	223	兼职者以 1 人计，故分类人数与总数不同

附注：本表人数统计系截至 1938 年 1 月 26 日止，嗣后如有增减需另统计，特此注明。

(《西安临大校刊》第 8 期)

三、国立西安临时大学教职员职务变动及人数增减表

职别	姓名	别号	住址及电话
出版组组员	姜世新	乃风	
出版组书记	杨中昇		
	高尚志		
庶务组员	梁建正		
	吕相生		
庶务组书记	石居易		
军训教官	赵 珍		
军训助教	马龙书		
	蓝国珍		
	贺经武		
	白明初		
	张厚光		
机械系助教	赵正权		

以上教职员 13 名均已辞职。

续表

职别	姓名	别号	住址及电话
出版组员	贺澹江		西京招待所
出版组书记	李养民	惠绰	华西大旅社
会计组员	余梦祥		第一院
会计组书记	李曼素		东北大学职教员宿舍
	刘登华		国民市场难民所
庶务组书记	沈兆英		
兼斋务组组长	李 冰	在冰	第一院
图书组代理组员	吴光伟		第一院
图书组组员	朱 英		第二院
	孙 钰		
军事教官	李 林	沛生	第一院
军事助教	邢诒鎏	乃潜	第一院
	李振汉		第二院
兼校医	刘士琇	新民	北京饭店
	翟之英	千子	西北旅馆

续表

职别	姓名	别号	住址及电话
护士	徐　政		
医学院附属医院护士主任	周美珠	台南	东一道巷十八号
护士长	周粹楠		同上
	聂玉琨		同上
助产士	高维新	惠静	同上
国文系讲师	卢宗濩	季韶	东大街652号
国文系助教	曹　鳌	鸣岐	第三院
历史系代理助教	周国亭		第一院
外国语文系讲师	郝家麐	圣符	玄风桥高中部
	吴志毅		东北大学
	包志立		西京招待所
数学系讲师	王丕拯	涣初	东北大学
数学系代理助教	赵　桢		第二院
法律系讲师 政经系讲师	韩幽桐		北京饭店
政经系助教	梁念曾		
商学系助教	李毓珍		蓬莱公寓
教育系讲师	赵青誉	燕亭	书院门街九号
体育系专任讲师	张光焘	灿如	第一院
农学系教授	王益滔		通济中坊七号
农学系专任讲师	施有光		
农学系助教	靳尚忠		
兼林学系副教授	郁士元	维民	梁府街32号
林学系讲师	段兆麟		西门外南油巷11号
机械系教授	罗明燏		第二院
机械系助教	杜鸿年		第二院
电机系讲师	刘　□		建国公园工作室
兼纺织系讲师	郑文华	尚夏	第二院
医学院副教授	李　漪		西兰公寓
林学系医学院专任讲师	齐植朵		第二院（原聘为数学系助教）

以上教职员，或系新聘委或系职务变易，皆系上次校闻漏登。

（《西安临大校刊》第9期）

第四节 国立西北联合大学教职员名录

一、国立西北联合大学职员一览（二十七年度）

（1939年6月造表，徐诵明常委签发）

处会别	职别	职员姓名	别字	性别	年岁	籍贯	学历	经历	所任工作	专任或兼任及所兼任务	每周兼课时数	月薪	到校时期 年	到校时期 月
校务委员会	常务委员	李 蒸	云亭	男	45	河北滦县	北京高等师范学校毕业，美国哥伦比亚大学教育硕士、哲学博士	曾任北平大学讲师，中央大学副教授，江苏教育学院实验部主任，河北教育厅科长，教育部社会教育司司长，国立北平师范大学校长		兼师范学院院长，社教推行委员会主席		500	二十六	九
校务委员会	常务委员	徐诵明	轼游	男	49	浙江新昌	日本九州帝国大学医学院毕业	北平大学医学院教授、医学院院长，北平大学代理校长				500	二十六	九
校务委员会	常务委员	胡庶华	春藻	男	54	湖南攸县	北京译学馆毕业，德国柏林工业大学冶金金属工程师	湖南公立工业专门学校教员，国立武昌大学教授兼总务长，江苏教育厅长，上海炼钢厂厂长，汉阳兵工厂长，国立同济大学校长，立法院委员，湖南大学校长，重庆大学校长		兼训导处主任，军训队队长		500	二十七	七

续表

处会别	职别	职员姓名	别字	性别	年岁	籍贯	学历	经历	所任工作	专任或兼任及所兼任务	每周兼课时数	月薪	到校时期年	月
常委办公室	秘书	易价	静正	男	42	湖南湘乡	北京高等师范学校毕业	历任教育部编审处文科主任，国语统一推行委员会常务委员，国立北平师范大学文学院院长兼国文系教授	承办常委交办一切及考撰拟及核事项	兼师范学院院长室秘书，训导处科员		320	二十六	九
秘书处	兼主任秘书	黎锦熙	劭西	男	50	湖南湘潭	前清优级师范史地部毕业		主管秘书处一切事项及核阅稿件	文、理、师范两院国文系教授（专任）		不另支薪	二十六	九
秘书处	秘书	汪如川	静泉	男	46	河北丰润	北京高师数理部毕业	北平师范大学庶务课长，秘书，秘书处秘书，志成中学校长	主办师范学院事务处各事项	兼师范学院事务处主任		320	二十七	六
秘书处	秘书	陈叔庄		男	46	浙江新昌	上海交通部立工专毕业	新昌县中学校长，军政部山东薪城兵工厂秘书，江苏省立女蚕专校教员，福建三区专员公署科长	整理常会记录及核稿	兼文理学院国文系专任教师		220	二十六	十一
秘书处	处员	高鸿图	献瑞	男	47	河北滦县	北洋大学肄业，河北省立法政学校毕业	福建省警务处秘书，公路局会计主任，河北省政府科员及教育厅科员，北平师范大学会计课长	主办师范学院出纳室各事项	兼师范学院出纳室主任		190	二十六	九

续表

处会别	职别	职员姓名	别字	性别	年岁	籍贯	学历	经历	所任工作	专任或兼任及所兼任务	每周兼课时数	月薪	到校时期	
													年	月
文书组	组长	佟学海	柏润	男	40	北平		曾任女师大、西北大学及女子大学注册出版文书各课课长,北平师大文书课课长	主管大学本部及师范学院文书组一切事项并拟稿	兼师范学院文书组组长		200	二十六	九
文书组	组员	庞裕洲		男	28	河北	北平大学农学院农业生物系毕业	枣庄中兴煤矿、中兴职业学校校务科专任科员	办理学生证明专贷金申请书及普通稿件			80	二十七	九
文书组	组员	刘俊翘	佩杰		31	辽宁铁岭	东北大学教育学院教育系毕业	东北大学文学院秘书兼导师助理秘书、庶务员、注册课事务员	管理文书组发文及签核、送阅等事			57	二十六	九
文书组	组员	刘洒蓄	乃凡	男	43	辽宁沈阳	奉天公立政法专门学校毕业	沈阳地方法院书记,辽宁省洮南县公署公科长、河北省顺义县政府科长,东北大学文书课员	秘书处印及聘委集会			70	二十六	九

续表

处会别	职别	职员姓名	别字	性别	年岁	籍贯	学历	经历	所任工作	专任或兼任及所兼任务	每周兼课时数	月薪	到校时期(年)	到校时期(月)
文书组	事务员	赵文斌	允之	男	31	河北房山	京兆第四中学、河北警察学校毕业，河北普考警察行政人员及格	阜平县、定县警察局长、科长等职	拟办文书组例行稿件			60	二十六	十一
文书组	事务员	范润泽	斯天	男	28	河北行唐	河北省立保定中学毕业	正定修道院中学及高小教员，天津短期小学校长	管理秘书处文书组收文译电等事项			45	二十六	十
文书组	事务员	萧野耕		男	32	河北通县	北平民国大学英文系毕业	女师大事务处、武昌行营少校科员，西北剿匪总部科员，江苏绥署服务员	办理文书组例行稿件	师范学院文书组事务员		40	二十七	三
文书组	书记	杜业儒	一空	男	28	山东高密		津浦路阶韩公务段收发文牍	缮写			35	二十六	十一
文书组	书记	刘文清		男	25	天津	河北省立法商学院法律系修业一年	英商和记洋行会计员	缮写及管卷			35	二十六	十一
文书组	书记	李石生	口高	男	27	河北徐水	徐水县立师范毕业	本县教育局教育委员	缮写			35	二十六	十一
文书组	书记	唐崇华		男	28	河北房山	京兆第二中学毕业	房山县小学教员，保定县小学教员	缮写及校对			35	二十六	十一

续表

处会别	职别	职员姓名	别字	性别	年岁	籍贯	学历	经历	所任工作	专任或兼任及所兼任务	每周兼课时数	月薪	到校时期年	到校时期月
文书组	书记	王仲弘	钟洪	男	28	陕西朝邑	陕西省立第一师范毕业	城固小学教员，凤翔县府收发员，蒲城县府收发主任	缮写			23	二十七	十二
出版组	代理组长	陶步洲	登瀛	男	32	河北保定	北平大学法商学院政治系毕业	北京艺文中学教员，河北十三区专员，公署科员	主办出版组一切专项			100	二十六	十二
出版组	组员	谭文伯		男	37	江西永新	北平中国大学国文系毕业	江西省立中学，江苏女师教员，中央通讯社开封分社编辑	办理校刊，探访整理等事			110	二十六	十
出版组	书记	贾介如		男	30	河北固安	河北通县师范毕业	本县第一、五完全小学教员	缮写			35	二十六	十二
出版组	书记	缪玉振		男	20	河北满城	满城乡师肆业	中央伤兵管理处文书	缮写			23	二十七	五
出版组	书记	杨能合		男	26	河北南和	保定农学院修业二年		缮写			29	二十七	九
出版组	书记	何庆昌	霞波	男	30	河北保定	北平朝阳大学法律系毕业	河北赵县中学文陵兼图书管理员，大荔县查催税契委员				26	二十七	十二
出版组	书记	陈君宣	铁群	男	23	浙江新昌	上海俞斌棋打字学校毕业	西北农林专科学校打字员				23	二十七	十二

续表

处会别	职别	职员姓名	别字	性别	年岁	籍贯	学历	经历	所任工作	专任或兼任及所兼任务	每周兼课时数	月薪	到校时期年	到校时期月
教务处	兼主任	张贻惠	绍涵	男	53	安徽全椒	日本东京高等师范,日本京都帝国大学毕业,美国芝加哥大学研究院研究	北平师大教授兼物理系主任,北平女师大教授兼数理教授,北洋大学教授兼物理系主任,辅仁大学物理系主任,师大校长		兼先修班主任		不另支薪	二十六	九
教务处	兼处员	康绍言	淑仁	男	45	北平	师大教育研究科毕业	师大预科教授,教育系主任,讲师注册组长				不另支薪	二十六	九
教务处	处员	周永洋	绩禹	男	34	浙江	北平大学法学院毕业	北平中国大学教授,民国大学教授,河北省立法商学院教授,北平大学女子文理学院经济系讲师				160	二十七	八
注册组	兼组长	康绍言	淑仁	男	45	北平	师大教育研究科毕业	师大预科教授,教育系主任,讲师注册组长		兼师范学院注册组组长		不另支薪	二十六	九
注册组	组员	严庆韶	伯明	男	40	山东历城	山东省立职业专门学校毕业	山东省高唐县政府科员,河北教育厅科员,北洋大学注册股股长				120	二十六	九
注册组	组员	沈树桢	伯平	男	31	天津	京师公立第四中学毕业	北平师大办事员				65	二十六	九

续表

处会别	职别	职员姓名	别字	性别	年岁	籍贯	学历	经历	所任工作	专任或兼任及所兼任务	每周兼课时数	月薪	到校时期 年	到校时期 月
注册组	组员	高旺堂	耀亭	男	34	河北井陉	北平师范大学教育学院毕业	河北省立大名师范教员,河北省立民众教育实验学校教员				60	二十六	十二
注册组	组员	周玉萱		女	26	黑龙江	河北省立女子师范学院教育系毕业					60	二十七	五
注册组	事务员	吕慎	士樑	男	35	浙江新昌	南通纺织大学工学院机械系肄业	上海美亚织绸厂技士,正大织绸厂工厂主任				50	二十七	九
注册组	书记	王春暄	州阶	男	34	河北徐水	县立师范毕业	江西湖口及黑龙江兰西统税局书记,本县商会录兼会计员				35	二十六	十一
注册组	书记	赵广瑞	秀生	男	34	河北献县	县立师范学院	小学教员,县党部干事,县立高小事务员				33	二十六	十一
注册组	书记	徐恩禄	润生	男	37	河北东光	保定高等师范毕业	河间高小,任丘师范,东光小学,南坡县立各校教员兼立小学校长				30	二十六	十一
注册组	书记	王喜林		男	30	河北徐水	本县师范毕业	徐水县政府科员,县立小学会计				30	二十七	四

续表

处会组别	职别	职员姓名	别字	性别	年岁	籍贯	学历	经历	所任工作	专任或兼任及所兼任务	每周兼课时数	月薪	到校时期(年)	到校时期(月)
注册组	书记	樊桼书	韵斋高	男	27	河北宁晋	保定同仁中学肄业	山西宁晋晋烟公司司账员				25	二十七	五
图书组	组长	何日章	日章	男	45	河南商城	北京高等师范毕业	河南省立图书馆长		兼师范学院图书组组长		190	二十六	九
图书组	组员	孙钰	励坚	男	33	河北定县	北平师范大学英文系毕业	师大图书馆课员，北平志成中学教员				125	二十六	十
图书组	组员	李荫平	天报	男	33	黑龙江	北平师范大学英文系毕业	北平高级商科职业学校教员，师大教务处处员				100	二十六	九
图书组	组员	丁淑贤		女	27	吉林	北平大学女子文理学院数理系毕业					65	二十六	十一
图书组	组员	张式浓		女	28	河北获鹿	北平师范大学体育系毕业	北平幼稚师范教员				60	二十六	十一
图书组	组员	白国栋		男	30	河北定县	北平师范大学毕业					60	二十七	二
图书组	组员	李永增		男	31	河南南口	武昌华中大学文华图书馆专科学校毕业	武昌中央大学附中英文教员，牯岭庐山图书馆主任				60	二十七	五

续表

处会别	职别	职员姓名	别字	性别	年岁	籍贯	学历	经历	所任工作	专任或兼任及所兼任务	每周兼课时数	月薪	到校时期年	到校时期月
图书组	组员	梁念曾	君巩	男	29	河北高阳	北京大学法学院毕业					60	二十七	二
图书组	组员	李任淑		女	27	河南汲县	北平大学文理学院肄业,西北联大毕业					60	二十七	九
图书组	事务员	侯国宏		男	32	山西泽源	北平师范大学国文系毕业					40	二十七	十一
图书组	事务员	宋季芳	心园	女	33	河南息县	河南女子师范毕业	陕西省教育厅视察员				40	二十七	十一
图书组	打字员	沈兆葵	明波	女	24	江苏吴县	东吴大学肄业					40	二十七	九
图书组	书记	彭祖铭		男	23	浙江嘉兴	秀州中学毕业					35	二十六	三
图书组	书记	高光怡		男	24	河南汲县	河南大学肄业					30	二十七	三
图书组	书记	张希真		男	25	江苏沛县	南京中学毕业					30	二十七	三
训导处	兼领主任	胡庶华	春藻	男	54	湖南攸县	北京译学馆毕业,德国柏林工业大学冶金工程师	湖南公立工业专门学校教员,国立武昌大学教授兼总务长,江苏教育厅长,上海炼钢厂长,汉阳兵工厂长,国立同济大学校长,立法院委员,湖南大学校长,重庆大学校长				不另支薪		

· 609 ·

续表

处会别	职别	职员姓名	别字	性别	年岁	籍贯	学历	经历	所任工作	专任或兼任及所兼任务	每周兼课时数	月薪	到校时期年	到校时期月
训导处	兼处员	易 价	静正	男	42	湖南湘乡	北京高等师范学校毕业					不另支薪		
训导处	处员	陈宝仁	子居	男	38	江西遂川	上海暨南大学毕业	南昌市第一女高中教员，湖北教育学院图书馆员	办理学生贷金事项			110	二十六	十一
训导处	书记	渭湘身	德轩	男	23	河北固安	简易师范毕业	曾任小学教员	缮写			23	二十七	五
训导处	事务员	刘 愉		男	26	河南临漳	西北联大物理系毕业					60	二十七	十二
军训组	主任教官	李 冰	在冰	男	37	浙江杭县	中央军校毕业	团训练员，营专政训处训育组长				260	二十六	十
军训组	军事教员	王佐强	毅刚	男	27	辽宁新民	东北讲武堂及中央军校特训班毕业	中央军校特训班上尉副，军委会别动队区队长				120	二十六	九
军训组	军事教员	贺范理	銮霆	男	35	河南衡阳	中央军校长沙分校毕业	连营长团副参谋教官				120	二十七	七
军训组	军官助教	李振汉		男	28	河北长垣	中央警备学校毕业	首都警察所，延安保安中队长，军委会政训员				70	二十六	十一
军训组	军官助教	周松林	杜威	男	34	湖南攸县	中央军校毕业					70	二十六	十一
军训组	军官助教	龙韶九		男	29	湖南石门	中央军校毕业	分区队长，连长营副				70	二十六	十一

续表

处会别	职别	职员姓名	别字	性别	年岁	籍贯	学历	经历	所任工作	专任或兼任及所兼任务	每周兼课时数	月薪	到校时期（年）	到校时期（月）
军训组	军官助教	何涛	甫峰	男	24	河南商城	中央陆军兵工学校毕业	陆军第十五军参谋处中尉服务员				60	二十七	十
军训组	军官助教	潘普祥		男	27	湖南浏阳	中央防空学校高射炮干部训练班毕业，陆军第三十六师军法队毕业	排长、连长、中队长、教官				70	二十七	十二
军训组	军官助教	刘扶汉	子匡	男	29	陕西南郑	中央军校毕业	排连营长				60	二十七	十二
军训组	军官助教	朱屏山		男	26	陕西城固	西安绥靖公署军官训练队毕业	排长、区队长、连长、中尉队长、教官				60	二十七	十二
军训组	书记	姚则省		男	30	陕西城固	西安高中肄业	本县保安队及安康绥靖司令部书记				30	二十七	七
军训组	书记	郑铸九		男	34	陕西南郑		中尉书记，上尉军需				30	二十七	五
军训组	书记	梁钟慎	敏川	男	23	河北无极	河北省立正定中学毕业，二十六路军干部训练班毕业	排长、连副连长等代职				26	二十八	一

续表

处会别	职别	职员姓名	别字	性别	年岁	籍贯	学历	经历	所任工作	专任或兼任及所兼任务	每周兼课时数	月薪	到校时期年	到校时期月
斋务组	组长	郑文华	尚复	男	41	福建长汀	北京工业大学电机工程系工学士	北京工业大学助教,平大工学院讲师,天津扶轮中学教员				130	二十六	九
斋务组	组员	郭象泽	恩擢	男	47	湖南长沙	湖南高等师范毕业	湖南财政厅矿务员,造币厂科员,平大农学院斋务员				100	二十六	九
斋务组	书记	刘景山	聚五	男	38	陕西岐山	陕西公立法政专门学校毕业	陕西教育厅科员,中学教员				33	二十六	十一
斋务组	书记	李荪民	惠荦	男	26	江西吉水	江西法政专门学校毕业	吉水县党部委员及公私立小学教员				30	二十七	二
会计室	主任	苏雅农		男	35	河北丰润	丰润县立中学毕业	交通大学唐山工学院会计股事务员,北洋工学院会计组组长				200	二十六	九
会计室	佐理员	袁剑雄		男	35	江苏吴县	沪江大学医学院毕业	颐中烟公司查账员,安徽省政府科员,司法行政部视察员	主办师范学院分会计专项			100	二十七	六
会计室	佐理员	陈济生		男	26	湖北汉川	中央政治学校大学部毕业	河南三区专员公署视察员,四区专员公署会计室主任兼县政府会计室主任				100	二十七	九

续表

处会别	职别	职员姓名	别字	性别	年岁	籍贯	学历	经历	所任工作	专任或兼任及所兼任务	每周兼课时数	月薪	到校时期（年）	到校时期（月）
会计室	试用佐理员	王贽栗		女	24	吉林双城	西北联大政经系毕业					70	二十七	九
会计室	事务员	吴长祺		男	35	辽宁辽阳	辅仁大学肄业	东三省银行会计主任,天津海关分关会计员				50	二十七	三
会计室	事务员	马永贵	耀先	男	31	河北平乡	保定工业学校毕业	平乡教育局督学,大兴县政府科员				45	二十七	二
会计室	事务员	刘登华	子超	男	40	河北任丘	山西省立师范毕业	榆次高小主任,北平崇关税务会计员				40	二十六	十二
会计室	书记	魏介淮		男	30	河北霸县	河北私立存实中学毕业	河北乡村民办教育馆干事,教育巡回电影团主任				25	二十七	五
会计室	书记	周郁文	同彬	男	33	河北新县	保定育法中学毕业	高小教员,教育委员				25	二十七	五
会计室	书记	陈善	杏如	男	21	陕西城固	初中毕业	曾任保长小学教员				23	二十七	十二
会计室	书记	赵世鹏	程九	男	28	陕西城固	联立中学毕业	曾任小学教员	缮写			23	二十八	一
会计室	书记	梁荣营	煦东	男	26	河北沧县	师范讲习所毕业	津浦路工务处材料司账员	师范学院分会计,缮写			26	二十七	十二
出纳室	主任	吕士珍	口人	男	40	浙江新昌	浙江第一师范毕业	北平大学事务组组员,会计股代理股长				120	二十六	九

续表

处会别	职别	职员姓名	别字	性别	年岁	籍贯	学历	经历	所任工作	专任或兼任及所兼任务	每周兼课时数	月薪	到校时期年	到校时期月
出纳室	出纳员	齐剑屏	峻峰	男	32	河北蠡县	北平市立高级职业学校毕业	平绥路南口机械厂事务员,师大庶务课事务员				60	二十六	九
出纳室	事务员	陈 益	任辰	男	31	福建闽侯	北平中法大学预科毕业	巩县兵工厂员,庶务课课员				40	二十六	十一
出纳室	事务员	崔华玉	石蕴	女	24	辽宁沈阳	西北联大政经系毕业					60	二十七	十二
出纳室	书记	潘鸿绶	益忱	男	35	山东聊城	山东省立旧制中学毕业	济南社会局科员及酒税局科员,交通水利机械厂事务主任				35	二十七	十二
庶务室	兼主任	吴英荃	季苏	男	38	江西临川	北京大学法学士	内政部警察高等学校,平大女子文理学院及东北大学讲师		专任法商学院,医学院副教授		不另支薪	二十六	十二
庶务室	庶务员	张 炯	襄平	男	31	辽宁辽阳	警察高等学校毕业	青岛市立中学事务主任,公安局卫生股主任				80	二十六	九
庶务室	事务员	何玉成	甫泉	男	23	河南商城	河南中学毕业	商城小学校长,河南博物馆馆员				40	二十六	十一
庶务室	事务员	陈启	文慧	女	23	河北保定	通县女师毕业	房山县小学教员,无极乡师附小主任				40	二十七	四

续表

处会别	职别	职员姓名	别字	性别	年岁	籍贯	学历	经历	所任工作	专任或兼任及所兼任务	每周兼课时数	月薪	到校时期	
													年	月
庶务室	书记	高印堂	玺光	男	35	河北井陉	河北省立第七中学毕业	河北省党委会宣传科干事				23	二十七	五
庶务室	书记	毕寄心		女	33	北平	山东省立女师肄业	济南地方法院书记				23	二十七	五
校医室	主任	温忠理	燮卿	男	50	山西太谷	河北通县协和大学文学士,齐鲁大学医学博士	北平协和医院医士,太谷医院主任医师,仁术医院院长				300	二十七	四
校医室	校医	李元复	同初	男	44	山东齐东	齐鲁大学医学院毕业	齐鲁大学医学院耳鼻喉科兼讲师		兼师范学院校医		220	二十七	五
校医室	校医	冈如华	亚枢	男	45	河北通县	北平医专毕业	国际救灾第二卫生事务局主任,石家庄医院院长				170	二十七	四
校医室	司药员	王善福	寿卿	男	37	山西孝义	太原基督教护士学校毕业	财政部税警团卫生队护长,总院司药				55	二十七	五
校医室	护士	卜莲青		女	28	山西屯岗	太谷仁术医院附设护士学校毕业	山西铭贤中学农村服务实验区卫生部主任				60	二十七	十一
校医室	护士	赵 凯	韵仙	女	27	山东青州	太原博爱医院护士学校毕业	曾任本院手术室主任				45	二十七	五
校医室	书记	杨 贻		女	23	湖南湘乡	西北联大历史系毕业					32	二十七	十一

续表

处会别	职别	职员姓名	别字	性别	年岁	籍贯	学历	经历	所任工作	专任或兼任及所兼任务	每周兼课时数	月薪	到校时期 年	到校时期 月
导师会	干事	吕明甫		男	27	山东曹县	师范大学教育系毕业					60	二十七	九
贷金部	书记	渭润身	德轩	男	23	河北固安	简易师范毕业	小学教员				23	二十七	五
文理学院	院长	刘拓	泛驰	男	39	湖北黄陂	美国麻省大学农业化学博士	北平大学农学院、师范大学理学院教授、主任、院长等职		兼文理学院化学系及师范学院理化系主任		460	二十六	九
文理学院事务室	主任	王毓崧	景炜	男	38	河北深泽	北平师范大学化学系毕业	北平高中及师大附中化学教员		兼文理学院化学系助教、师范学院理化系讲师		220	二十六	九
文理学院事务室	庶务员	李萌梅	松云	男	35	江苏砀山	徐州高级师范毕业	北平师范大学庶务课员				80	二十六	九
文理学院事务室	注册员	居泳宜	仲宣	女	26	浙江平湖	西北联大化学系毕业					60	二十七	十
文理学院事务室	兼斋务员	何竹淇	丽生	男	34	湖南衡山	北平师范大学毕业	北平师大历史系助教		专任法商学院历史讲师		不另支薪	二十七	十

续表

处会别	职别	职员姓名	别字	性别	年岁	籍贯	学历	经历	所任工作	专任或兼任及所兼任务	每周兼课时数	月薪	到校时期(年)	到校时期(月)
文理学院事务室	事务员	朱爱山	仁辅	男	26	江苏砀山	北平朝阳学院法律系毕业	铜山县政府科员,砀山中学教员				40	二十七	十
文理学院事务室	书记	林蔚龙	晓亭	男	31	河北徐水	县立师范毕业	山西陆军第一旅二团三营书记				20	二十七	十一
文理学院事务室	书记	南连江	孝濂	男	33	河北武清	朝阳学院毕业	山东修防处科员,山东师建省司令部书记				32	二十七	五
师范学院	兼院长	李蒸	云亭	男			北京高等师范学校毕业,美国哥伦比亚大学教育学硕士、哲学博士	曾任北平大学讲师,中央大学副教授,江苏教育学院实验部主任,河北教育厅科长,教育部社会教育司司长,国立北平师范大学校长				不另支薪	二十六	九
师范学院院长办公室	兼秘书	易价	静心	男			北京高等师范学校毕业					不另支薪	二十六	九
文书组	兼文书组长	佟学海	伯润	男				曾任女师大、西北大学及女子大学注册出版文书各课课长,北平师大文书课课长				不另支薪	二十六	九
师范学院院长办公室	文牍	孔膺筎		男	46	湖南湘乡		曾任北平天然博物院文书股长				65	二十六	九

续表

处会别	职别	职员姓名	别字	性别	年岁	籍贯	学历	经历	所任工作	专任或兼任及所兼任务	每周兼课时数	月薪	到校时期年	到校时期月
师范学院文书组	事务员	萧野耕		男	32	河北通县	北平民国大学英文系毕业	女师大事务处,武昌行营少校科员,西北剿匪总部科员,江苏绥署服务员				不另支薪	二十七	三
师范学院文书组	书记	何相清		男	27	河北固安	简易师范毕业	固安县民教管事务员,私立中学办事员				20	二十八	一
师范学院教务处	兼主任	袁敦礼	志仁	男	45	河北徐水	师大教育研究科毕业	师大预科教授,教育系主任,讲师注册组组长				不另支薪	二十六	九
师范学院教务处注册组	兼组长	康绍言	叔仁	男	45	北平	宝蓟中学毕业	在北平师范大学服务23年				不另支薪	二十六	九
师范学院教务处注册组	组员	舒荣秀	旺斋	男	45	河北三河	北京高等师范毕业					80	二十六	九
师范学院教务处图书组	兼组长	何日章		男	45	河南商城	长沙雅礼大学文学士,美国芝加哥大学硕士	清华、中央、师范各大学地理系教授兼主任				不另支薪	二十六	九
师范学院训育处	兼主任导师	黄国璋	海平	男	44	湖南湘乡						不另支薪	二十六	九

续表

处会别	职别	职员姓名	别字	性别	年岁	籍贯	学历	经历	所任工作	专任或兼任及所兼任务	每周兼课时数	月薪	到校时期年	到校时期月
师范学院训育处	办事员	荣若绅	书之	男	27	山东桓台	西北联大地理系毕业					60	二十七	十二
师范学院训育处	女生管理兼办事员	范秀英	雪因	女	26	辽宁黑山	西北联大教育系毕业					60	二十七	十二
师范学院事务处	兼主任	汪如川	静泉	男	46	河北丰润	北京高等师范数理部毕业	北平师范大学庶务课长,会计课长,秘书处秘书,志成中学校长				不另支薪	二十七	六
师范学院事务处	庶务员	胡铭佶	佐勋	男	44	北平	日本大森体育专门学校毕业,高等警官学校毕业	沈阳高等师范教员,京师第一中学总务主任,师大庶务课员		兼师范研究所庶务员		75	二十六	九
师范学院事务处	事务员	齐洪溱		男	38	河北宁津	高小毕业	天津商会干事,清苑征收处分所主任,阜城县政府科员				40	二十七	十一
师范学院事务处	书记	李维章		男	33	河北冀县	县立师范肄业	保定缓记烟公司司账				26	二十七	五
师范学院事务处出纳室	兼主任	高鸿图	献瑞	男	47	河北滦县	北洋大学肄业,河北省立法政学校毕业	福建省警务处秘书,公路局会计主任,河北省政府及教育厅科员,教育部科员,北平师范大学会计课长				不另支薪	二十六	九

续表

处会别	职别	职员姓名	别字	性别	年岁	籍贯	学历	经历	所任工作	专任或兼任及所兼任务	每周兼课时数	月薪	到校时期	
													年	月
师范学院出纳室	出纳员	王福田		男	29	河北昌黎	高中毕业	办事员,课员,出纳员				75	二十七	十
师范学院出纳室	书记	高庆亭		男	39	河北获鹿	高小毕业	石家庄三和烟公司司账,聚大成货栈司账				26	二十七	五
师范研究所	兼主任	李建勋	湘宸	男	56	河北清丰	北洋大学师范科毕业,日本广岛高师毕业,美国哥伦比亚大学师范院硕士,哲学博士	北京高等师范教授、主任、校长,东南、北京、清华各大学教授				不另支薪	二十六	九
师范研究所	兼文牍	王镜铭		男	36	河北磁县	北京大学政治系毕业	天津省立工业学校讲师,北平四存中学实验区主任,河北民兵总指挥部政训科长				不另支薪	二十六	九
师范研究所	研究助教	许椿生		男	28	河北清苑	北平师范大学教育系毕业	保定师范教员,战区教师,河南服务团社教副主任				80	二十七	十二
师范研究所	研究助教	尹赞钧	永梅	男	27	河北平乡	天津南开大学英文系毕业	南开高中英文教员,江西萍矿学校教导主任				80	二十七	十二
师范研究所	兼图书员	孙钰	励坚	男	33	河北容县	北平师范大学英文系毕业	师大图书馆课员,北平志成中学教员				不另支薪	二十六	九

续表

处会别	职别	职员姓名	别字	性别	年岁	籍贯	学历	经历	所任工作	专任或兼任及所兼任务	每周兼课时数	月薪	到校时期年	到校时期月
师范研究所	书记	王俊峰		男	25	河北定兴	河北省立民众教育实验学校毕业	博野县政府教育督学，河北民众总指挥部政训员				23	二十七	十二
师范研究所	书记	孙茂甲	合萱	男	26	河北南皮	简易师范毕业	小学教员，警察局书记				23	二十八	一
师范研究所	书记	庞嘉绩	还成	男	31	陕西洋县	汉中中学毕业	小学教员，华强兵工厂课员				23	二十八	一
小学教育通信研究处	兼主任	李建勋	湘宸	男	56	河北清丰	北洋大学师范科毕业，日本广岛高师毕业，美国哥伦比亚大学师范院硕士，哲学博士	北京高等师范教授，主任，校长，东南，北京，清华各大学教授		教育系主任兼师范研究所主任		不另支薪	二十七	十二
小学教育通信研究处	兼干事	郭鸣鹤	闻远	男	31	河北大名	日本早稻田大学毕业	河北省立女师学院教员，大名师范校长		专任教育系讲师		不另支薪	二十七	十二
小学教育通信研究处	兼指导教授	鲁世英	岫轩	男	42	河北清丰	北平师范大学毕业，美国哥伦比亚大学硕士	河北教育厅督学，北平师范大学教授		专任教育系教授		不另支薪	二十七	十二

621

续表

处会别	职别	职员姓名	别字	性别	年岁	籍贯	学历	经历	所任工作	专任或兼任及所兼任务	每周兼课时数	月薪	到校时期（年）	到校时期（月）
小学教育通信研究处	兼委员	高文源	味根	男	36	陕西米脂	美国密西根大学文学士、科学硕士	北平师范大学讲师		专任教育系教授		不另支薪	二十七	十二
小学教育通信研究处	兼委员	胡国钰	仲澜	男	44	河北大兴	北京高等师范英语部毕业，又同校教育研究科毕业	河北省立女子师范学院教授主任，河北县政研究院副主任		专任教育系教授		不另支薪	二十七	十二
小学教育通信研究处	研究员	余增寿		男			在校学生					津贴10	二十七	十二
小学教育通信研究处	研究员	韩温冬		男			在校学生					津贴10	二十七	十二
小学教育通信研究处	书记	葛荣宗	耀先	男	30	河北大名	河北省第十一中学毕业	太原绥靖公署科员				29	二十八	一
法商学院	院长	张北海		男	40	广东惠阳	北京大学哲学系毕业，奉政府命赴欧考察一年	暨南大学、师大、平大、中国大学、朝阳大学等校教授，司法部法商训练所教授，教育部专任委员，西北工学院筹备委员		兼代法律系主任		460	二十七	十一

续表

处会别	职别	职员姓名	别字	性别	年岁	籍贯	学历	经历	所任工作	专任或兼任及所兼任务	每周兼课时数	月薪	到校时期年	到校时期月
法商学院事务室	主任	吴图南		男	37	北平	北京大学毕业	郁文大学教授，教育部体育朴习班教授，国术统一委员会常务委员		兼体育讲师		140	二十七	三
法商学院事务室	注册员	钟书衡	少梅	男	38	上海	高等法文专修学校毕业	河北省府科员，女附中教务处员，女师大，平大法商学院注册课员				85	二十六	九
法商学院事务室	文书兼斋务员	李东明	耀宇	男	36	辽宁庄河	东省特区法政大学毕业	珠河县政府科员，东特警察管理处司法科长				60	二十七	十二
法商学院事务室	斋务员	樊淑秀		女	30	江苏江都	中央大学教育系毕业	中央大学斋务组员，国民政府印铸局办事员				70	二十七	十二
法商学院事务室	图书管理员	马青云	庆堂	男	30	山西新绛	西北联大法律系毕业					60	二十七	十二
法商学院事务室	庶务员	骆之恒	定华	男	37	湖南汇华	北京新华大学毕业	师范大学会计课员，平大工学院庶务课员				110	二十六	九
法商学院事务室	助理员	赵福海	静澜	男	36	河北武清	初中毕业	北平民兵司令部副官，盐城县政府科员				25	二十七	四
法商学院事务室	青记	焦克俭	乙民	男	21	河北大城	天津民法中学毕业	大城县政府书记				26	二十七	十二
医学院	院长	甕先器	孟涵	男	44	贵州遵义	日本千叶医科大学毕业					460	二十六	九

续表

处会别	职别	职员姓名	别字	性别	年岁	籍贯	学历	经历	所任工作	专任或兼任及所兼任务	每周兼课时数	月薪	到校时期年	到校时期月
医学院事务室	兼主任	陈仁睿	静庵	男	29	湖北安陵	北平民国大学体育科毕业	民国大学体育助教，北平市立体育助教		专任体育专任讲师		不另支薪	二十六	十
医学院事务室	图书兼女生管理员	王锡祥	履吉	女	33	山东长清	北平师范大学毕业	北平市立中学教员，井陉矿务局矿场学校校长				70	二十六	九
医学院事务室	技术员	吕瑞鑫	作民	男	24	浙江新昌	平大医学院技术训练三年	平大医学院工厂医，汉口共济医院检查员				60	二十七	八
医学院事务室	文牍兼斋务员	叶遹纲	访樵	男	41	河北南皮	河北省立中学毕业，区专训练所毕业	河北省党部秘书处干事，南皮县区长，县政府科长，公署秘书				50	二十七	十一
医学院事务室	庶务员	余罗祥		男	40	陕西南郑	浙江省立师范毕业	商务印书馆稽查课员，南郑县政府会计主任				90	二十六	一
医学院事务室	注册员	祝振瀛	仲逢	男	28	河北涿县	北平市立中学毕业	河北省立第十七中学仪器主任，涿县师范附小教员				35	二十六	十
医学院事务室	绘图练习生	韩书刚	良吕	男	26	河北故县		高级小学毕业				24	二十七	十一

第七章 教职员(上)

续表

处会别	职别	职员姓名	别字	性别	年岁	籍贯	学历	经历	所任工作	专任或兼任及所兼任务	每周兼课时数	月薪	到校时期 年	到校时期 月
医学院临时附属诊所	兼所主任	王景槐		男	37	辽宁	德国图宾根大学医学博士	图宾根,慕尼黑各大学医学院助教,甘肃学院医科主任						
医学院临时附属诊所	内科主任	陈礼节		男	32	湖北汉阳	日本京都帝国大学医学士	任原校附属医院任内科副手				不另支薪		
医学院临时附属诊所	医员	李宝田	兹圃	男	39	河北高邑	平大医学院毕业,留法研究内科二年					不另支薪		
医学院临时附属诊所	医员	贾淑荣	晓润	女	30	绥远	平大医学院毕业	平大医学院医员				不另支薪		
医学院临时附属诊所	小儿科主任	颜守民	逢钦	男	42	浙江	德国柏林大学研究					不另支薪		
医学院临时附属诊所	医员	厉矞华	声闻	女	31	浙江杭县	平大医学院毕业,日本九州帝大研究	平大医学院助教				不另支薪		

续表

处会别	职别	职员姓名	别字	性别	年岁	籍贯	学历	经历	所任工作	专任或兼任及所兼任务	每周兼课时数	月薪	到校时期 年	到校时期 月
医学院临时附属诊所	梅毒花柳主任	塞先器	孟涵		44	贵州遵义	日本千叶医科大学毕业					不另支薪		
医学院临时附属诊所	分科主任	王景槐		男	37	辽宁	德国图宾根大学医学博士	图宾根、慕尼黑各大学医学院助教，甘肃学院医科主任				不另支薪		
医学院临时附属诊所	医员	霍之英	千子	男	34	山西定襄	平大医学院毕业	平大医学院附属医院医员				不另支薪		
医学院临时附属诊所	眼科主任	刘士瑛	新民	男	34	安徽	平大医学院毕业，日本九州帝大研究	平大医学院助教及农学院医				不另支薪		
医学院临时附属诊所	耳鼻喉科主任	杨其昌	相初	男		山东临清	法国研究耳鼻喉科	平大医学院，河南大学医学院教授				不另支薪		
医学院临时附属诊所	妇产科主任	王同观	噤如	男	38	山东安邱	平大医学院毕业，日本东京帝大留学	平大医学院讲师，北平国医学院教授				不另支薪		

续表

处会别	职别	职员姓名	别字	性别	年岁	籍贯	学历	经历	所任工作	专任或兼任及所兼任务	每周兼课时数	月薪	到校时期 年	到校时期 月
医学院临时附属诊所	医员	徐幼慧		女	26	浙江新昌	平大医学院毕业,日本九州帝大妇产科研究	北平市卫生局保婴事务所所长				不另支薪	二十七	六
医学院临时附属诊所	调剂员	刘用舟		男	27	北平	芽师讲习所毕业	天津补功药房部,同仁医院西安同仁医院调剂员				50	二十七	六
医学院临时附属诊所	检查室主任	贾淑荣	晓润	女	30	绥远	平大医学院毕业	平大医学院医院医员				不另支薪	二十七	六
医学院临时附属诊所	助理员	张素馨		女	25	山东聊城	苏州福音医院附设实验专科毕业	福音医院检查室技术员				40	二十七	六
医学院临时附属诊所	护理室主任	周美珠	召南	女	34	江苏江宁	中央高级护士职业学校毕业	上海妇幼医院护士长,平大医学院附属医院护士主任				100	二十六	十一
医学院临时附属诊所	护士长	聂玉琨		女	27	陕西三原	上海西门妇孺医院协和高级护士职业学校毕业	本校附属医院护士长				65	二十六	十一

第七章 教职员(上)

续表

处会别	职别	职员姓名	别字	性别	年岁	籍贯	学历	经历	所任工作	专任或兼任及所兼任务	每周兼课时数	月薪	到校时期(年)	到校时期(月)
医学院临时附属诊所	护士长	周粹南		女	23	江苏江宁	上海西门妇孺医院协和高级护士职业学校毕业	本校附属医院护士长				65	二十六	十一
医学院临时附属诊所	护士	高维新		女	23	山东临沂	天津医院高级护士职业学校毕业	南京中央医院妇科护士				43	二十七	一
医学院临时附属诊所	助产士	司玉芳		女	26	河北雄县	北平国立第一助产学校毕业	河北省立医学院助产士,卫生署公共人员,训练所助产士				50	二十八	一
医学院临时附属诊所	事务员	刘温如		男	30	山东广饶						30	二十七	六
医学院临时附属诊所	事务员	简景林		男	30	山西崞氏	师范毕业	不同地方法院见习书记,河北高等法院分院书记等				40	二十七	六
医学院临时附属诊所	事务员	丁曾迈	慕祖		33	江苏淮安	北平法文专修馆毕业	河北林垦局局股员,法院代理书记等				30	二十七	十

续表

处会别	职别	职员姓名	别字	性别	年岁	籍贯	学历	经历	所任工作	专任或兼任及所兼任务	每周兼课时数	月薪	到校时期年	到校时期月
医学院临时附属诊所	书记	张云阶		男	31	陕西城固	陕西省立第五师范毕业	小学教员,陈报处统计员				25	二十七	六
本校南郑办事处	主任	徐世度	苏甘	男	36	浙江绍兴		暨南大学出版主任,中央研究院文牍,平大女子文理学院文书主任,新苗半月刊编辑				200	二十六	九
本校南郑办事处	干事	曾锦如		男	41	上海	浙江省立中学毕业	宝山县公署科员,山西雁门公署股员,山西财政厅办事员				60	二十七	十
本校南郑办事处	书记	赵明轩		男	32	河北宝兴	河北省立师范毕业	小学教员六年				23	二十七	一
军训组	军事助教	张焕文	祥生	男	27	陕西盩厔	中央军校第九期毕业	排连长科员教官				70	二十八	一
法商学院事务室	书记	梁荣建	耀曾	男	38	河北深县	河北省立中学毕业	山东临沂县实业厂科员				29	二十八	二

(国立西北大学政治类档案,陕西省档案馆)

二、国立西北联合大学教员一览（二十七年度）

（1939年2月造表，校务委员会常务委员徐诵明、李蒸、李书田签付）

院科别：文理学院

系组别	职员姓名	别字	性别	年岁	籍贯	学历	经历	职级	专任或兼任及所兼任务	每周兼课时数	所授科目	月薪	到校时期 年	到校时期 月
国文系	黎锦熙	劭西	男	50	湖南湘潭	前清优级师范史地部毕业	历任教育部编译处文科主任，国文统一推行委员会常务委员，北平师范大学文学院长兼国文系教授	系主任	兼秘书处主任，师院国文系主任	5	国文，古今音韵沿革，国文教学法及专题研究	460	二十六	九
国文系	罗根泽	雨亭	男	31	河北深县	清华及燕京大学研究院毕业	北平师范大学，安徽大学，河南大学，河北大学国文系教授	教授		10	国文，中国文学史大纲，孔子概论，中国文学批评史	300	二十六	九
国文系	谭戒甫		男		湖南湘乡		省立湖南大学，武汉大学国文系教授	教授		10	经学史鉴，国文，孔子专史研究，辞赋研究	380	二十七	九
国文系	陈孙壮		男	45	浙江新昌	上海交通部立工业学校毕业	新昌中学校长，军政部山东新城兵工厂秘书，浙江省立秘盐务处并两浙盐务及江苏省立女蚕各校国文历史教员	系主任，讲师	专任秘书处秘书兼修先修班国文讲师	8	国文	316	二十六	十

续表

系组别	职员姓名	别字	性别	年岁	籍贯	学历	经历	职级	专任或兼任及所兼任务	每周兼课时数	所授科目	月薪	到校时期（年）	到校时期（月）
国文系	曹鳌	鸣岐	男	31	湖南衡山	北平师范大学国文系毕业	北平郁文大学、民国学院各校讲师，师大国文系助教、研究员	专任讲师	兼国文系助教	5	国文，应用文研究	180	二十六	十
国文系	许寿裳	季黻	男	56	浙江绍兴	日本东京高等师范毕业	北京大学讲师，北京女子高等师范大学、中山大学教授，北平大学女子文理学院院长	兼讲师	专任历史系教授	3	国文	不另支薪	二十六	九
国文系	何士骥	乐夫	男	41	浙江诸暨	清华研究院毕业	师大、平大、北大、中法大学讲师，北平研究院编辑，西北史地学会秘书	讲师		6	文字形义沿革，甲骨金石文字研究，中国考古史	120	二十七	三
国文系	吴世昌	子臧	男	32	浙江海宁	北平燕京大学文学士，哈佛燕京学社研究生	北平院研究史学编辑，上海博物馆研究员	讲师		8	国文，词史及词选，中国修辞学	160	二十七	三
国文系	唐祖培	节轩	男	42	湖北咸宁	中华大学文学士	世界佛学院研究部文学教授，东方文化研究院副院长兼教务长，中华大学讲师	讲师		12	国文，诗经研究，汉魏六朝诗选，唐宋口译诗选，史学概论，公文程式	240	二十七	三

·631·

续表

系组别	职员姓名	别字	性别	年岁	籍贯	学历	经历	职级	专任或兼任及所兼任务	每周兼课时数	所授科目	月薪	到校时期（年/月）
国文系	卢宗澐	季韶	男	37	河北涿县	北京大学毕业	河北省立天津女子师范学院国文讲师	讲师		5	西文研究	100	二十七/一
国文系	卢怀琦	伯玮	男	43	陕西城固	北平师范大学毕业	北平师大、女师大讲师,师大附中级任教员,陕西省立南郑中学校长	讲师	专任附中国文教员	3	国文	60	二十八/一
国文系	冯成洌	书春	男	42	河北遵化	北京高等师范国文部毕业	河北大学秘书,交通大学,唐山工程学院国文讲师,教育部机要秘书	讲师		1	公文程式（教育系）	20	二十七/八
国文系	张焘	建侯	男	48	河南虞城	北京高等师范国文部毕业	河南女师大教务主任,北京师大附中国文教员,黑龙江实业厂秘书,本校附中国文教员	讲师		3	国文	60	二十八/一
外国语文系	佘坤珊		男	35	江苏	美国波士顿大学毕业	浙江大学外文系主任,北平大学、师范大学外文系教授,北京大学讲师	系主任		10	英语,十六世纪文学,语言学,英文复习	400	二十六/九
外国语文系	谢文通	华壮	男	32	广东南海	美国加州大学硕士	河南大学教授,北京大学讲师	教授		10	作文,莎士比亚,十八世纪文学,现代文学,英文	320	二十六/十

· 632 ·

续表

系组别	职员姓名	别字	性别	年岁	籍贯	学历	经历	职级	专任或兼任及所兼任务	每周兼课时数	所授科目	月薪	到校时期 年	到校时期 月
外国语文系	张舜琴		女	34	广东	英国伦敦大学	上海光华大学,广西大学教授,香港大律师	教授		12	英文,辩论,英国史,演说,英文复习	320	二十七	五
外国语文系	饶孟侃	子离	男	39	江西南昌		暨南大学,浙江大学,复旦大学,光华大学,安徽大学教授,河南大学外文系主任	教授		10	文学批评,小说史,作文,戏剧	320	二十七	八
外国语文系	金保赤	少曦	男	41	江苏武进	北京高等师范英语部毕业	中国大学,北平师大,京师大学,北平大学法商两院等讲师	专任讲师	兼附中英文教员	8	英文	220	二十六	九
外国语文系	金燊	燕生	男	32	北平	北京中法大学毕业,法国巴黎大学毕业		讲师		6	法文	120	二十七	十一
外国语文系	包志立		女	35	浙江嘉兴	美国密西根大学哲学博士	东吴大学教授,平大女子文理学院讲师	讲师		8	英文	160	二十七	二
外国语文系	徐士瑚	云生	男	32	山西五台	清华大学外文系毕业,英国爱丁堡大学硕士	山西大学外文系教授兼主任	讲师		12	麦迪英文,文学背景,英文,散文选读	240	二十七	三

续表

系组别	职员姓名	别字	性别	年岁	籍贯	学历	经历	职级	专任或兼任及所兼任务	每周兼课时数	所授科目	月薪	到校时期年	到校时期月
外国语文系	贾韫玉		男	67	英国	平大女子文理学院外文系毕业	北京东方中学,开封梁苑女中等校英文教员	讲师		7	语言学,英文	140	二十七	五
外国语文系	陈效贤	笑闲	女	31	河南灵宝	北京师范大学外文系毕业		助教				60	二十七	五
外国语文系	张万里	云航	男	27	北平							60	二十七	九
历史系	李季谷		男	43	浙江绍兴	日本东京高等师范毕业,英国Bristol大学毕业	北京大学教授系主任六年,北京大学讲师八年,师范大学讲师二年	系主任		9	中国通史,日本史,历史方法论,中国近代史	400	二十六	九
历史系	陆懋德	詠沂	男	54	山东郾城	美国威廉康森大学,欧玄欧大学毕业,文科硕士	清华,辅仁各大学教授	教授		10	中国通史,西洋史学名著通读,考古学通论,政治学原理	360	二十六	九
历史系	谢兆熊	渭川	男	38	江西	中央大学文学士,英国伦敦大学,法国巴黎大学研究共三年	江西,湖北省教育厅秘书,督学,中华大学兼任教授	教授		10	西洋通史,西洋史中古史,西洋现代史,中国外交史	300	二十六	九

续表

系组别	职员姓名	别字	性别	年岁	籍贯	学历	经历	职级	专任或兼任及所兼任务	每周兼课时数	所授科目	月薪	到校时期 年	到校时期 月
历史系	许重远		男	46	河北饶阳	北京高等师范毕业,美国加利福尼亚大学,哥伦比亚大学,伦敦大学各研究院研究	直隶省立中学校长,河北教育厅科长,师范大学讲师,平大法商学院讲师,中法大学讲师,东北大学教授	教授		10	秦汉史,西洋近世史,历史教学法,最近国际关系	300	二十六	九
历史系	胡鸣威	文玉	男	49	湖北应城	北京大学毕业	北京大学国学研究所导师,山东大学史系教授,北平图书馆编辑	教授		9	魏晋南北朝史,中国史学要籍解题,元明史	320	二十七	十
历史系	许寿裳	季弗	男	56	浙江绍兴	日本东京高等师范毕业	北京大学讲师,北京女子高等师范校长,中山大学教授,北平大学女子文理学院院长	教授	兼本校建筑设备委员会主席	4	中国史学名著选,文字学概论	460	二十六	九
历史系	何竹淇	麓生	男	34	湖南衡山	北平师范大学毕业		讲师	首文理学院斋务员	3	中国通史	120	二十七	十
历史系	周国荣	节常	男	36	山东恩县	北平师范大学历史系毕业	北平师大研究院纂辑员	助教				80	二十七	一
历史系	刘廷芳		女	25	河北大名	平大女子文理学院文史系毕业		助教				60	二十七	十一

续表

系组别	职员姓名	别字	性别	年岁	籍贯	学历	经历	职级	专任或兼任及所兼任务	每周兼课时数	所授科目	月薪	到校时期 年 月
数学系	赵进义	希三	男	38	河北束鹿	法国里昂大学理学硕士,理学博士,里昂天文合研究	中山大学数学系、天文系教授,北平师范大学数学系教授兼主任	系主任	兼师院数学系主任	9	理论力学,复变数函数论,函数各论	420	二十六 九
数学系	刘亦珩	一萼	男	36	河北安新	日本国立广岛文理科大学毕业	安徽大学教授,北平师范大学教授	教授		11	解析几何,近世几何,微分几何,数学教育	340	二十六 九
数学系	傅种孙	仲嘉	男	41	江西高安	北京高等师范毕业	北京女子师范大学、北平师范大学数学教授,北京大学、辅仁大学数学讲师	教授		11	数学复习,近世代数,群论,初等数学研究	340	二十六 九
数学系	杨永芳		男	32	河北安国	日本东京高等师范数学系毕业,日本东北帝国大学数学系毕业	北平大学数学系教授	教授		11	微积分,微分方程式,实变数函数论,微分方程式论	320	二十六 九
数学系	张德馨		男	35	山东黄县	德国柏林大学数学博士		教授		11	高等算学,高等微积分,数论,级数论	320	二十六 九

续表

系组别	职员姓名	别字	性别	年岁	籍贯	学历	经历	职级	专任或兼任及所兼任务	每周兼课时数	所授科目	月薪	到校时期年	月
数学系	赵 桢	文敏	男	29	河北武清	北平师范大学数学系毕业	太原进山中学数学教员	讲师	兼本系助教	2	高等算学（法商学院）	120	二十七	一
数学系	朱秀珍		女	23	山东临沂	北平大学文理学院数学系毕业		助教				60	二十七	九
物理系	张贻惠	绍涵	男	53	安徽全椒	日本东京高等师范，日本京都帝国大学毕业，美国芝加哥大学研究院研究	北平师大教授兼物理系主任，北大物理教授，北平女师大教授，兼数理系主任，北洋大学物理教授，辅仁大学物理系主任，师大校长	系主任	兼教务处主任,大学先修班主任	5	力学,力学演习	460	二十六	九
物理系	杨立奎	据梧	男	52	安徽怀远	美国芝加哥大学毕业	北平师范大学物理教授	教授	兼导师会常务委员会主席	7	光学,物理教学法	440	二十六	九
物理系	蔡钟瀛	毅甫	男	53	湖南常德	日本东京帝国大学物理学士	北平师范大学教授	教授		10	普通物理,高等力学,热力学	360	二十七	四
物理系	岳劼恒		男	38	陕西长安	法国巴黎大学硕士物理学博士	北平中法大学教授,北平研究院物理研究员	教授		11	声学,理论物理,近世物理	340	二十六	十一

637

续表

系组别	职员姓名	别字	性别	年岁	籍贯	学历	经历	职级	专任或兼任及所兼任务	每周兼课时数	所授科目	月薪	到校时期（年）	到校时期（月）
物理系	林 晓	觉辰	男	44	浙江象山	北京大学物理系毕业	北平大学物理系助教、讲师、副教授，武汉大学专任讲师，北平大学教授	教授		11	普通物理，电磁学，分子物理学	340	二十六	九
物理系	谭文柄	星辉	男	34	湖南衡山	北京师范大学毕业，理学士	北京师大预科讲师，师大附中物理教员	专任讲师	兼本系助教	7	普通物理，物理实验	220	二十六	九
物理系	刘竹筠		男	33	湖南湘阴	武汉大学毕业	重庆大学理工学院教授	讲师		6	无线电学	120	二十八	一
物理系	张紫云		女	25	山东高密	西北联大毕业		助教				60	二十七	九
物理系	张允昌		男	22	山西右玉	太原友仁中学毕业		练习生				15	二十八	一
化学系	刘 拓	泛驰	男	39	湖北黄陂	美国麻省农业化学博士	北平大学农学院师范大学理学院教授，主任、院长	系主任	文理院长兼化学系主任，兼师范学院理化系主任	6	营养化学，农业化学，食物分析化学	不另支薪	二十六	九
化学系	赵学海	师轼	男	42	江苏无锡	美国威斯康星大学化学硕士	历任清华、北京、北平、北洋、师范各大学化学教授	教授		13	普通化学，普通化学实验，有机化学，有机制备化学	380	二十六	九

续表

系组别	职员姓名	别字	性别	年岁	籍贯	学历	经历	职级	专任或兼任及所兼任务	每周兼课时数	所授科目	月薪	到校时期(年)	到校时期(月)
化学系	张贻侗	小涵	男	48	安徽全椒	英国伦敦大学理学硕士	北京大学教授，北平师范大学化学系主任，中央大学教授，北平大学讲师	教授		13	普通化学，普通化学实验，定量分析化学，高等无机化学，高等理论化学	380	二十六	九
化学系	陈之霖		男	41	浙江新昌	日本京都帝国大学物理化学研究室研究二年	浙江、广东、山东各大学化学教授	教授	兼先修班化学教授	8	理论化学，胶体化学，理论化学实验	360	二十六	九
化学系	朱有宣	仲玉	男	38	安徽泾县	美国麻省国立大学化学硕士，罗威尔纺织专科学校研究	美国大学教授，北平师范大学讲师，北平大学讲师	教授		12	定性分析化学，无机化学，工业化学	360	二十六	九
化学系	王毓璇	景韩	男	38	河北定县	北平师范大学化学系毕业	北平高中及师大附中化学教员	助教	兼师范学院理化系讲师			不另支薪	二十七	九
化学系	郝蓁		女	24	江苏武进	西北联大毕业		助教				60	二十六	九
生物系	郭毓彬	灿文	男	47	河南项城	美国格林奈尔大学毕业(1920年)	师范大学主任12年，兼苏州东吴大学教授	系主任		10	解剖学，比较解剖学，比较解剖实验，动物生理学	400	二十六	九

· 639 ·

续表

系组别	职员姓名	别字	性别	年岁	籍贯	学历	经历	职级	专任或兼任及所兼任务	每周兼课时数	所授科目	月薪	到校时期年	到校时期月
生物系	雍克昌	凤翔	男	42	四川成都	北京高等师范学校毕业，巴黎大学理学博士	北京大学及师范大学教授	教授		12	生物学，生物实验，组织学及切片学，细胞学，生物教学法	400	二十六	九
生物系	刘汝强	毅然	男	43	北平	美国威斯康星大学植物学博士	河北省立农业学院及师范大学教授	教授		12	植物分类学，植物生理细菌学	360	二十六	九
生物系	王琪	莖孙	女	29	山西太谷	北平师范大学生物系毕业	生物系助教四年	专任讲师	兼本系助教	4	生物学	170	二十六	九
生物系	包桂清	天池	男	31	浙江绍兴	师范大学生物系毕业	北平四府中学教员，师范大学生物系助教	助教				90	二十六	九
生物系	张定宇		男	19	江苏赣榆	国立陕西中学师范部毕业		练习生				15	二十八	二
地理系	黄国璋	海平	男	44	湖南湘乡	长沙雅礼大学文学士，美国芝加哥大学理学硕士	清华、中央、师范各大学地理系教授兼主任	系主任	兼师范学院主任、导师，史地系主任	13	经济地理，野外地理，北美地理，地理教授法与教材研究，专题研究	460	二十六	九

续表

系组别	职员姓名	别字	性别	年岁	籍贯	学历	经历	职级	专任或兼任及所兼任务	每周兼课时数	所授科目	月薪	到校时期（年/月）
地理系	谌亚达	穆如	男	37	江西南昌	英国伦敦大学	北平、北京、辅仁、中法各大学讲师	教授		11	经济地理，中国地理概论，中国区域地理，中国地理	320	二十六年九月
地理系	殷祖英	伯西	男	43	河北房山	师范大学毕业，英国伦敦大学本部地理系研究生	师大史地系助教，附中教员，师大讲师，河北教育厅秘书，科长	教授		10	亚洲地理，欧洲地理，政治地理，地理研究法	300	二十六年十月
地理系	郁士元	维民	男	39	江苏盐城	北京大学理学士	师范大学，东北大学讲师，北平文治中学校长	副教授		7	地质学，地理测绘	225	二十六年十一月
地理系	姜玉鼎	空宇	男	30	河北房山	师范大学地理系毕业		助教				80	二十六年九月
地理系	韩芃纲	宗纶	男	27	河北束鹿	本校地理系毕业		助教				60	二十七年九月
地理系	王心正	钧衡	男	32	河南浚县	师范大学地理系毕业	北平师范大学附中地理教员	兼助教	本校附中教员			50	二十六年十一月
地理系	刘振铎		男	27	山西崞县	太原平民中学毕业	同蒲路练习工务员	绘图练习生				23	二十七年三月

续表

系组别	职员姓名	别字	性别	年岁	籍贯	学历	经历	职级	专任或兼任及所兼任务	每周兼课时数	所授科目	月薪	到校时期年	到校时期月
地理系	丁焕文		男	25	陕西长安	陕西省立中学毕业	汉南水利局练习生、绘图员	绘图练习生				20	二十八	一
文理学院公共必修科	曹配言		男	44	陕西三原	北平师范大学教育研究科毕业	陕西省立师范第一女师校长，安徽大学教授，陕西省党部委员	党义副教授	兼先修班党义讲师	9	党义	240	二十七	十一
文理学院公共必修科	陈嘉琨		男	34	河南汝南	柏林大学学习五年		法文教授	兼医学院法文课	15	法文，历史哲学	300	二十七	十一
文理学院公共必修科	刘北茂		男	35	江苏淮阴	燕京大学文系毕业	暨南、北京、北平各大学英文讲师	英文讲师	兼法商学院英文讲师	4	英文	80	二十七	九
文理学院公共必修科	齐植棻		女	31	天津市	平大女子文理学院数学系毕业	平大女子文理学院数学系助教，专任讲师	专任讲师	兼医学院、大学先修班数学讲师	8	数学	170	二十六	九
大学本部体育部	谢似颜		男	45	浙江上虞		北平大学教授三年，师范大学教授四年	教授		8	男生体育	360	二十六	九
大学本部体育部	王耀东		男	40	黑龙江嫩江	北平师范大学体育系毕业	师大体育组主任，交通大学体育教员	专任讲师		6	男生体育	190	二十六	九

续表

系组别	职员姓名	别字	性别	年岁	籍贯	学历	经历	职级	专任或兼任及所兼任务	每周兼课时数	所授科目	月薪	到校时期年	到校时期月
大学本部体育部	刘振华	博森	男	30	河北正定	北平师范大学体育系毕业	河南焦作中学体育导师	专任讲师		8	男生体育	120	二十六	九
大学本部体育部	张光涛	灿如	男	29	河北束鹿	北平民国大学体育科毕业	北平大学体育导师	专任讲师		10	男生体育	90	二十六	十二
大学本部体育部	佟安中		女	35	江西贵溪	北平大学女子文理学院体育系毕业		专任讲师		10	女生体育	110	二十六	九
大学本部体育部	陈仁睿	静庵	男	29	湖北安陵	北平民国大学体育科毕业	民国大学体育助教北平市立体育助教	专任讲师	兼医学院事务室主任	6	男生体育	160	二十六	十
大学本部体育部	孙淑铨		女	26	江苏无锡	金陵女子大学体育系毕业	振华女中体育主任金陵女大体育助教	专任讲师		18	土风舞、木履及踢踏舞、自然韵律及近代舞、女生体育	120	二十六	十
大学本部体育部	吴图南		男	37	北平	北京大学毕业	郁文大学教授、教育部体育补习班教授、国术统一委员会常务委员	讲师	兼法商学院事务室主任	7	国术概论、武术（武当派）武术（少林派）	180	二十七	三

· 643 ·

院科别：师范学院

系组别	职员姓名	别字	性别	年岁	籍贯	学历	经历	职级	专任或兼任及所兼任务	每周兼课时数	所授科目	月薪	到校时期（年）	到校时期（月）
教育系	李建勋	湘宸	男	56	河北清丰	北洋大学师范科毕业，日本广岛高师毕业，美国哥伦比亚大学师范院硕士，哲学博士	北京高等师范教授、主任、校长，东南、北京、清华各大学教授	系主任	兼师范研究所主任	8	论文研究，师校教育各科教材及教法，教务调查，中国教育行政	460	二十六	九
教育系	程兑敬	述伊	男	40	安徽合肥	美国哥伦比亚大学心理学博士，理学硕士，教育硕士	北平师范大学教授，研究院讲师，中国学院讲师	教授		13	心理实验，论文研究，师校教育各科教材及教法，各国教育心理，社会心理，动物心理，变态心理	360	二十六	九
教育系	金澍荣		男	33	广东番禺	清华大学毕业，美国斯坦福大学教育硕士，哥伦比亚大学哲学博士	北平师范大学教授	教授		12	师校教育各科教材及教法，各国教育行政，中等教育	360	二十六	九
教育系	高文源	咏根	男	36	陕西米脂	美国密西根大学文学士科学硕士	北平师范大学讲师	教授		11	美国心理，教育心理，心理实验，学习心理，儿童心理	340	二十六	十

第七章 教职员（上）

续表

系组别	职员姓名	别字	性别	年岁	籍贯	学历	经历	职级	专任或兼任及所兼任务	每周兼课时数	所授科目	月薪	到校时期	
													年	月
教育系	马师儒	雅堂	男	50	陕西绥德	北平师范大学，德国柏林大学，瑞士苏黎世大学校毕业	北京、山东、北平师范各大学教授	教授		13	哲学概要，哲学概论，教育史，师校教育各科教材及教法，近代教育思潮，论文研究	340	二十六	九
教育系	鲁世英	岫轩	男	42	河北清丰	北平师范大学毕业，美国哥伦比亚大学硕士	河北教育厅督学，北平师范大学教授	教授		9	教育心理，书面教学法，师校教育各科教材及教法	320	二十六	九
教育系	郝耀东	照初	男	45	陕西长安	美国加利福尼亚大学文学士，美国斯坦福大学教育心理硕士	西北大学教授，西安中山大学教务长，安徽大学教育系主任	教授		10	教育测验与统计，教育实验法，高等教育统计	320	二十七	三
教育系	方永蒸	蔚东	男	47	辽宁铁岭	北平师范大学教育研究科毕业，美国哥伦比亚大学教育学院研究生	东省特别区驻美教育调查员，东北大学教授，西安教育学院院长，文学院院长	教授	兼附中主任	7	教育概论，民众教育，普通教学法	320	二十六	九

·645·

续表

系组别	职员姓名	别字	性别	年岁	籍贯	学历	经历	职级	专任或兼任及所兼任务	每周兼课时数	所授科目	月薪	到校时期(年)	到校时期(月)
教育系	胡国钰	仲澜	男	44	河北大兴	北京高等师范英语部毕业,又同校教育研究科毕业	河北省立女子师范学院教授兼主任,河北县政研究院副主任	教授		11	教育概论,教育统计,教育心理及测验,教育测验,统计及统计应用,数学	300	二十六	十一
教育系	黄敬思	仲诚	男	43	安徽芜湖	美国斯坦福大学文学士,哥伦比亚大学教育硕士,哲学博士	大夏大学教授,青岛大学教育学院师范,中山各大学教授,安徽大学文学院长	教授	兼师范学院英语系主任	7	师范教育,教育哲学,教育视学	400	二十七	八
教育系	康绍言	叔仁	男	45	北平	北平师范大学教育研究科毕业	师大预科教授,教育系主任讲师,注册课长	教授	兼大学本校注册组组长	3	教育概论	300	二十六	九
教育系	郭鸣鹤	闻远	男	31	河北大名	日本早稻田大学毕业	河北省立女师学院教员,大名师范校长	讲师	兼小学教育通识研究处干事	3	普通教学法	140	二十六	十一
教育系	慈连翃	高为	男	39	山东茌平	北京大学预科毕业	吉林省立大学,齐鲁大学教授	讲师		2	中国教育思想史	40	二十七	五

续表

系组别	职员姓名	别字	性别	年岁	籍贯	学历	经历	职级	专任或兼任及所兼任务	每周兼课时数	所授科目	月薪	到校时期年	到校时期月
教育系	冯成翮	书春	男	42	河北遵化	北京高等师范国文部毕业	直隶九中校长,河北大学秘书,北洋工学院总务长,北平师大附中教务主任	讲师	专任本校附中国文教员兼教务主任	4	国文、公文程式	80	二十六	十一
教育系	唐得源		男	36	陕西长安	美国哥伦比亚大学教育硕士毕业,英国伦敦大学研究	陕西省立民教馆长,省立西安高中校长,陕西教育厅督学,科长代理厅务	讲师		2	教育社会学	40	二十七	十二
教育系	王镜铭		男	36	河北磁县	北京大学政治系毕业	天津省立工业学校讲师,北平四存中学实验区主任,河北民兵总指挥部政训处	讲师	兼师范研究所文牍	2	民众组训	100	二十六	十一
教育系	郝鸣琴	荫圃	男	32	河北平山	北平师大教育系毕业	教育出版社编辑,师大附中教员	助教	兼简易师范科教导主任	5		183	二十六	九
教育系	许 生	筱瑯	女	29	河北清苑	北平师大教育系毕业	师大教育研究所助理,北平市立第一女中训育主任	助教	兼简易师范科教员			125	二十六	九
教育系	陈澄龙		男	31	河南博爱	本校教育系毕业		助教				60	二十七	十
教育系普通科	温庶汉		男	36	安徽合肥	法国巴黎大学文科博士		社会学教授		9	社会学	320	二十七	十一

续表

系组别	职员姓名	别字	性别	年岁	籍贯	学历	经历	职级	专任或兼任及所兼任务	每周兼课时数	所授科目	月薪	到校时期(年)	到校时期(月)
教育系普通科	曹配言		男	44	陕西三原	北平师范大学教育研究科毕业	陕西省立师范第一女师校长,安徽大学教授,陕西省党部委员	党义副教授	文理师范法商学院党义副教授	4		不另支薪	二十七	十一
体育系	袁敦礼	志仁	男	45	河北徐水			系主任	兼师范学院教务主任	5	健康教育,论文研究	460	二十六	九
体育系	董守义		男	46	河北蠡县	美国麻省春田大学体育学士	天津青年会体育部主任,师范大学体育教授	教授		10	体育,竞赛运动,竞赛指挥及评判	360	二十六	九
体育系	沙博格		男	28	美国	美国密苏里大学		教授		14	体育诊断及矫正体育,莎摩及救急术,体操,近代体操,机巧运动	340	二十六	九
体育系	徐英超		男	39	北平	北平高等师范学院体育专科毕业,美国春田大学文理学院硕士	浙江大学体育主任,北平女子文理学院,民国大学等校体育讲师	副教授		9	体育行政,男生体育	285	二十七	八
体育系	郭俊卿		男	31	河北濮阳	北平师大体育系毕业	浙江大学体育助教,师范大学体育专任讲师	专任讲师		6	男生体育	130	二十六	九

续表

系组别	职员姓名	别字	性别	年岁	籍贯	学历	经历	职级	专任或兼任及所兼任务	每周兼课时数	所授科目	月薪	到校时期（年/月）
体育系	刘月林	靖川	男	32	河北赞皇	北平师大体育系毕业	天津南开中学教员，北平师大体育讲师	专任讲师		8	男体育	140	二十六/九
体育系	马永春	久斋	男	40	河北定兴	北平师大毕业	北平市立四中体育教员，北平师大体育教员	专任讲师		3	童子军	60	二十七/十二
体育系	罗爱华		女	28	广东番禺	河北省立女师学院体育系毕业		助教		4	女生体育	80	二十六/九
体育系	凌洪龄	会五	男	32	江苏泰县	北平师大体育系毕业	北平师大体育助教	助教				80	二十六/九
体育系	魏振武		男	32	河北大城	本校体育系毕业		助教				60	二十六/九
体育系	马振琴		男	27	河北密云	北平师大毕业	陕西省立二中体育教员	乐歌指导员		16	乐歌	80	二十八/一
体育系	李元复	同初	男	44	山东齐东	齐鲁大学医学院毕业	齐鲁大学医院耳鼻喉科兼讲师	讲师	校医兼讲师	3	疾病大意	不另支薪	二十七/五
国文系	高元白		男	31	陕西米脂	北平师范大学毕业	北平师大附中国文教员	讲师	兼师院附中国文教员	4	国文	80	二十六/十一
国文系	吴世昌	子臧	男	32	浙江海宁	北平燕京大学文学士，哈佛燕京学社研究生	北平研究院史学编辑，上海博物馆研究员	讲师			国文	不另支薪	二十七/三

续表

系组别	职员姓名	别字	性别	年岁	籍贯	学历	经历	职级	专任或兼任及所兼任务	每周兼课时数	所授科目	月薪	到校时期年	到校时期月
国文系	唐祖培	茆轩	男	42	湖北咸宁	中华大学文学士	世界佛学院研究部文学教授，东方文化研究院副院长兼教务长，中华大学讲师	讲师			国文	不另支薪	二十七	三
史地系	黄国璋	海平	男	44	湖南湘乡	长沙雅礼大学文学士，美国芝加哥大学理学硕士	清华、中央、师范各大学地理系教授兼主任	兼系主任				不另支薪	二十六	九
史地系	吴宏中		男	32	江苏沛县	本校历史系毕业		助教				90	二十七	十
数学系	赵进义	希三	男	38	河北束鹿	法国里昂大学理学硕士，理学博士，里昂天文台合作研究	中山大学数学系、天文系教授，北平师范大学数学系教授兼主任	兼系主任				不另支薪	二十七	九
数学系	蔡英藩		男	24	辽宁海城	本校数学系毕业		助教				60	二十六	九
理化系	刘拓	泛驰	男	39	湖北黄陂	美国麻省大学工业农艺化学博士	北平大学农学院、师范大学理学院教授，主任，院长	兼系主任				不另支薪	二十七	九
理化系	王毓崎	景韩	男	38	河北深泽	北平师范大学化学系毕业	北平高中及师大附中化学教员	兼讲师				不另支薪	二十六	九

续表

系组别	职员姓名	别字	性别	年岁	籍贯	学历	经历	职级	专任或兼任及所兼任务	每周兼课时数	所授科目	月薪	到校时期年	月
理化系	王本良		男	28	河南罗山	本校物理系毕业		助教				60	二十七	九
理化系	朱汝复		男	25	福建建阳	本校化学系毕业		助教				60	二十七	九
英语系	黄敬思	仲诚	男	43	安徽芜湖	美国斯坦福大学文学士，哥伦比亚大学教育硕士，哲学博士	大夏大学教授，青岛大学教育学院长，中山各大学教授，安徽大学文学院长	兼系主任				不另支薪	二十七	八
家政系	齐国樑	璧亭	男	56	河北宁津	日本广岛高等师范毕业，美国斯坦福大学文学士，哥伦比亚大学教育研究二年	保定高等师范教员，河北省立女师文学校长，教育厅科长	系主任		7	家庭经济，家庭学概论，日语	440	二十六	九
家政系	孙之淑		女	36	安徽合肥	美国哥伦比亚大学师范学院理学硕士	河北省立女师学院及东北大学教授	教授		19	食物选择及调治，食物经济及艺术，食菌学，家政学法，家政教学实习	300	二十六	九

续表

系组别	职员姓名	别字	性别	年岁	籍贯	学历	经历	职级	专任或兼任及所兼任务	每周兼课时数	所授科目	月薪	到校时期 年	到校时期 月
家政系	王妃曼	非曼	女	34	山东齐河	美国哥伦比亚大学教育学院家政学硕士	河北省立女师学院教授	教授		11	实用服装学，家庭布置，高级服装学，家庭管理	300	二十六	九
家政系	王秀林		女	28	河北宛平	日本东京高等技艺专门学校毕业	北平美术专科学校教员，西安培华女职教员	专任讲师		8	高等服装实写，实用服装实习，工艺	100	二十七	十二
家政系	张铭西		男	46	河北获鹿	日本桐生市高等工业学校色染料毕业	日本大阪化学染色社副教授，保定工业学校染色科教员	讲师		4	衣服洗染及调色	80	二十七	十一
家政系	高福媛		女	25	辽宁锦县	本校家政系毕业		助教				70	二十七	五
家政系	崔毓秀		男	25	安徽太平	本校家政系毕业		助教				60	二十七	十

院科别：医学院

系组别	职员姓名	别字	性别	年岁	籍贯	学历	经历	职级	专任或兼任及所兼任务	每周兼课时数	所授科目	月薪	到校时期（年/月）
医学院	蹇先器	孟涵	男	44	贵州遵义	日本千叶医科大学毕业		院长				460	二十六/九
医学院	徐佐夏	益甫	男	46	山东广饶	德国柏林大学药物研究员	北平医专，京师大学医科，平大医学院各校教授	教授				400	二十六/九
医学院	颜守民		男	42	浙江	德国柏林大学研究员		教授				380	二十七/四
医学院	林几	百渊	男	43	福建闽侯	北京医专毕业，日本留学专研法医	卫生部科长，法医研究所长，平大医学院教授	教授				360	二十六/九
医学院	王景槐		男	37	辽宁	德国图宾根大学医学博士	图宾根盟星各大学医学院助教，甘肃学院医科主任	教授	兼附属诊所主任			340	二十七/二
医学院	陈礼节		男	32	湖北汉阳	日本京都帝国大学医学士	在原校附属医院任内科副手	教授				320	二十七/六
医学院	杨其昌	相初	男		山东临清	法国研究耳鼻喉科	平大医学院，河南大学医学院教授	教授				300	二十七/八

续表

系组别	职员姓名	别字	性别	年岁	籍贯	学历	经历	职级	专任或兼任及所兼任务	每周兼课时数	所授科目	月薪	到校时期(年)	到校时期(月)
医学院	何心涞	性坚	男	37	福建闽侯	日本东京铁道省专门部特服预科毕业,法国耶拿大学药物化学科毕业	山东大学化学系专任讲师	教授		6	化学	300	二十七	十
医学院	陈作纪		男		山东潍县	同济大学医科毕业,法国盟星大学研究五年及有博士学位	河南大学及山东医专生理学教授	教授				340	二十八	一
医学院	陈嘉琨		男	34	河南汝南	柏林大学学习五年		教授	与文理学院合聘(任法文)		法文	不另支薪	二十七	十一
医学院	王同观	髁如	男	38	山东安邱	平大医学院毕业,日本东京帝大留学	平大医学院讲师,北平国医学院教授	副教授				240	二十六	九
医学院	毛鸿志	搏风	男	39	江西广丰	平大医学院毕业,日本大学九州帝国大学留学三年	革命军右军野战医院院长,平大医学院助教	副教授				240	二十六	九

续表

系组别	职员姓名	别字	性别	年岁	籍贯	学历	经历	职级	专任或兼任及所兼任务	每周兼课时数	所授科目	月薪	到校时期(年)	到校时期(月)
医学院	吴英奎	季赤	男	38	江西临川	北京大学法学士	暨南高等学校教授,平大女子文理学院讲师,东北大学讲师	副教授	兼庶务室主任	1	党义	220	二十六	十二
医学院	冯固	季寿	男	30	浙江慈溪	东南医学院毕业,日本东京帝大医学科研究	上海东南医学院教授	副教授				240	二十七	八
医学院	刘士琇	新民	男	34	安徽	平大医学院毕业,庆应义塾大学研究	平大医学院助教及农学院讲师	副教授				180	二十六	九
医学院	陈东震		男	35	辽宁辽阳	满洲医科大学毕业,满洲医科大学应义塾大学研究	东北中学校医,满洲医大病院医师	副教授				180	二十七	四
医学院	董克恩		男					副教授				270	二十八	一
医学院	杨若愚	道生	女	33	广东潮安	平大女子文理学院理化系毕业	任原校理化系助教	专任讲师		8	普通化学,普通化学实验	170	二十六	九
医学院	厉裔华	声闻	女	31	浙江杭县	平大医学院毕业,日本九州帝大研究	平大医学院助教	专任讲师				170	二十六	九

续表

系组别	职员姓名	别字	性别	年岁	籍贯	学历	经历	职级	专任或兼任及所兼任务	每周兼课时数	所授科目	月薪	到校时期年	到校时期月
医学院	瞿之英	千子	男	34	山西定襄	平大医学院毕业	平大医学院附属医院医员	专任讲师				160	二十六	九
医学院	黄万杰		男	36	浙江乐清	平大医学院毕业	平大医学院助教,附属医院事务主任	专任讲师				160	二十六	九
医学院	李宝田	兹圃	男	39	河北高邑	平大医学院毕业,留法研究内科二年		专任讲师				160	二十七	二
医学院	徐幼慧		女	26	浙江新昌	平大医学院毕业,日本九州帝大妇产科研究	北平市卫生局保婴事务所所长	专任讲师				140	二十六	九
医学院	贾淑荣	晓澜	女	30	绥远	平大医学院毕业	平大医学院医院	专任讲师				140	二十六	九
医学院	王云明		男	30	山东黄县	平大医学院毕业,柏林皇家妇产医学院研究		讲师		6	法文	120	二十八	一
医学院	张省	晋丞	男	41	山西平陆	英国爱丁堡大学医学士	英国皇家医院内科医士,司法行政部法医研究所技工	讲师		10		200	二十八	二

院科科别：法商学院

系组别	职员姓名	别字	性别	年岁	籍贯	学历	经历	职级	专任或兼任及所兼任务	每周兼课时数	所授科目	月薪	到校时期（年/月）
法律系	张北海		男	40	广东惠阳	北京大学哲学系毕业，奉政府命赴欧考察一年	暨南大学、师大、平大、中国大学、朝阳大学等校教授，司法部法官训练所教授，教育部专任委员，西北工学院筹备委员	兼系主任	专任法商学院院长			不另支薪	二十七年十一月
法律系	黄觉中	觉非	男	45	江西武宁	日本东京帝国大学法学部毕业，法学士	江西法政专门大学、北平大学各校教授，北平大学民大学法律系主任	教授		8	刑法分则，特别研究犯罪学，刑事诉讼实习	440	十二年六月
法律系	王治焘	聪彝	男	46	湖北黄陂	法国巴黎大学法学博士	日内瓦国际劳工局秘书，东北大学教授	教授		10	行政法总论，行政法分论，法文	360	二十六年九月
法律系	王璈	武儒	男		河北新城	北京法政专门学校法律本科及司法部司法所讲习毕业	第一届高等文官考试及格，河北高等法院三分院院长，冀察政委会法制委员	教授		9	民事诉讼法，刑事诉讼法，民事诉讼（实习）	340	二十六年十月
法律系	李宜琛	子珍	男	35	福建	日本早稻田大学毕业	河北省立法商学院教授，平大法商学院副教授	教授		10	民法概要，民法实习，民法债编分论，民法继承	340	二十六年九月

续表

系组别	职员姓名	别字	性别	年岁	籍贯	学历	经历	职级	专任或兼任及所兼任务	每周兼课时数	所授科目	月薪	到校时期年	到校时期月
法律系	胡元义	芹生	男	46	湖南常德	日本东京帝国大学法学部学士	司法行政部科长，武汉大学教授	教授		10	民法债编总论，民法物权，外国法，法日法	400	二十七	八
法律系	李浦		男					教授		4	海诉法，诉事法规	420	二十四	十一
法律系	刘毓文	钟岳	男	38	吉林舒兰	平大法商学院毕业，日本早稻田大学研究	平大法商学院讲师	副教授		8	土地法，破产法，强制执行法，检证研究	225	二十六	十
法律系	罗石均		男					副教授		9	外国法，法日法，劳动问题	240	二十七	十一
法律系	孙春海	恩博	男	43	河北定兴	直隶公立法政专门学校法律科毕业	京师地方审判长，河北高等法院推事，涿县分庭庭长	讲师		4	监狱学，诉讼事件行程序法	80	二十七	五
法律系	贾又一	贯之	男	34	吉林长岭	日本京都帝国大学法学部毕业		讲师		8	公司法，诉事法规，票据法，保险法	160	二十七	三

第七章 教职员(上)

续表

系组别	职员姓名	别字	性别	年岁	籍贯	学历	经历	职级	专任或兼任及所兼任务	每周兼课时数	所授科目	月薪	到校时期年	到校时期月
法律系	荆磐石	彼得	男	31	山西猗氏	东京日本大学毕业,帝国大学研究院研究生	日本东京条约研究会会长,中国法会东京分会经事,教育部委派陕西服务团委员	讲师		2	国际新法	40	二十七	十一
法律系	薛庆衡		男					讲师		3	外国法,英国法	60	二十七	十二
政治经济系	江之泳		男	49	湖北华阳	留美法律学士,政法学士	武昌文华大学政经系主任,南京高等商科法律系教授,东南大学、上海商科大学教授,中国东北、河北、广西各大学教授	系主任		8	列国法,英国法,比较政府	420	二十七	十一
政治经济系	尹文敬	伯端	男	39	四川乐山	巴黎大学法学博士	四川大学教授、主任,代理院长,平大经济系教授	教授				400	二十六	九
政治经济系	章友江	芋沧	男	38	江西南昌	美国斯坦福大学学士,芝加哥大学硕士	平大法商学院教授	教授				360	二十六	九

续表

系组别	职员姓名	别字	性别	年岁	籍贯	学历	经历	职级	专任或兼任及所兼任务	每周兼课时数	所授科目	月薪	到校时期年	月
政治经济系	曹国卿	伟民	男	37	辽宁铁岭	法国亚比亚大学经济学博士	东北大学经济系主任,法学院院长	教授		10	法文,中国财政,战时财政,中国问题及立法,中国与列强经济关系	320	二十六	十二
政治经济系	彭迪先	伟烈	男	31	四川眉山	日本九州大学经济学士	日本九州帝大助教,成都新新闻社总编辑	教授		8	现代世界经济,现代经济学说,外国经济史	300	二十七	八
政治经济系	季陶达		男	36	浙江义乌	莫斯科东方大学,中山大学,布列哈诺夫大学攻读四年	东北大学,中国学院,朝阳学院讲师,平大女子文理学院副教授	教授		7	经济思想史,苏联政治经济研究,经济政策	320	二十六	九
政治经济系	瞿桓		男					教授		7	政党论,市政论,国际公法	320	二十七	十一
政治经济系	汪奠基	三辅	男	40	湖北鄂城	北京大学修业,法国巴黎大学哲学硕士	暨南大学教育系教授兼系主任,平大女子文理学院哲学系教授,私立中国学院哲学系教授兼系主任,广西大学文法学院教授	教授		6	哲学概论,伦理学	320	二十七	十一

续表

系组别	职员姓名	别字	性别	年岁	籍贯	学历	经历	职级	专任或兼任及所兼任务	每周兼课时数	所授科目	月薪	到校时期(年)	到校时期(月)
政治经济系	罗仲言	章龙	男					教授		9	经济学,银行论,中国经济问题,国际贸易及汇兑	320	二十七	十一
政治经济系	凌乃锐		男	24	湖南	比国布鲁塞尔大学毕业,英国伦敦大学法学博士		教授		9	现代国际政治,中国外交史,西洋外交史	320	二十七	十一
政治经济系	许兴凯	志平	男	39	北平	东京帝国大学研究院研究二年	北平师大教授,河北省立法商学院教授,平大法商学院讲师,燕京大学,朝阳大学,中国民国各学院讲师	教授		10	伦理学,经济状况研究,新闻学,地方政府,远东关系,政治经济状况	300	二十七	十一
政治经济系	寸树声	雨洲	男	39	云南腾冲	日本九州帝国大学经济学士	平大女子文理学院,私立中法大学讲师,平大法商学院副教授	教授		5	日文,民众训练及国民总动员	400	二十六	九
政治经济系	刘世超	子沛	男	33	湖南宁乡	中央大学法学士,日本东京帝国大学毕业	湖南经济调查所秘书,河南财政厅秘书	副教授		4	合作社论,仓库论	240	二十七	十二

续表

系组别	职员姓名	别字	性别	年岁	籍贯	学历	经历	职级	专任或兼任及所兼任务	每周兼课时数	所授科目	月薪	到校时期(年)	到校时期(月)
政治经济系	康伦先	正五	男	35	湖北恩施	平大法商学院毕业,日本东京帝大经济部研究院毕业	平大法商学院助教,东北大学讲师	专任讲师		6	租税论,货币学	160	二十六	九
政治经济系	于鸣冬	凤亭	男	35	山东潍县	日本东京帝国大学商科毕业		讲师	兼商学系讲师	11	日文,会计学,保险学	220	二十六	十一
政治经济系	孙珍田		男					讲师		4	农业经济,战时农村问题	80	二十七	五
政治经济系	方铭竹	筠新	男	39	江西上饶	日本早稻田大学经济部研究五年	平大女子文理学院讲师	讲师		10		200	二十六	十一
商学系	刘泽荣		男			江苏联列宁格勒大学毕业	平大俄文学院,法学院,商学院,师大教授,平大法商学院副教授	系主任		6	俄文讲读,俄文作文	420	二十七	十一
商学系	李绍鹏	秋平	男	37	江苏仪征	美国芝加哥大学商学士,哥伦比亚大学商学硕士,经济研究院研究员		教授		8	俄文讲读,俄文翻译	340	二十六	九
商学系	孙宗钰	武均	男	42	山东济南		之江大学文理学院教授,齐鲁大学政治系主任	教授		11	统计学,高级会计学,成本会计,工商管理	320	二十六	十二

续表

系组别	职员姓名	别字	性别	年岁	籍贯	学历	经历	职级	专任或兼任及所兼任务	每周兼课时数	所授科目	月薪	到校时期(年/月)
商学系	徐褐夫		男	35	江西修水	莫斯科东方大学毕业	东方大学教授,中山大学翻译,中国大学教授,航空委员会顾问室译员	教授		8	俄文讲读,俄文作文,商业文牍	320	二十七/十二
商学系	刘骅南		男					教授					二十八
商学系	曹联亚	靖华	男		河南卢氏	留欧	东北大学教授	教授				320	二十六/十一
商学系	陈绍武		男		吉林双阳			教授				340	
商学系	龚锡庆		男	32	吉林双阳	哈尔滨中俄工业大学毕业,博士,工程师学位	原校助教,西北公路运输管理局冯系铺拓传所主任	副教授		8	俄文会话	225	二十七/十一
商学系	刘景向		男	31	陕西	北平大学毕业,日本东京商科大学毕业	陕西省财政厅秘书	专任讲师		8	会计学,省厅会计及审计	160	二十六/十
商学系	夏慧文	经嵩	女	34	江西新建	北京大学毕业	平大女子文理学院及法商学院讲师	讲师		2	经济数学	40	二十六/十一
商学系	杨宗培		男	37	北平	美国明尼苏达州立大学商学硕士	北平中国学院商科教授,经济委员会西北办事处调查统计员	讲师		7	运输学,英文		二十七/十

663

续表

系组别	职员姓名	别字	性别	年岁	籍贯	学历	经历	职级	专任或兼任及所兼任务	每周兼课时数	所授科目	月薪	到校时期（年）	到校时期（月）
商学系	高维翰		男	34	陕西长安	苏联中山大学及军政学院毕业	军队教育参谋、中等学校教员	讲师					二十八	二
商学系	李毓珍	秀川、余振	男	31	山西崞县	平大法商学院毕业	太原兵工厂译文秘书	助教兼讲师		2	俄文讲读	110	二十七	一
公共必修科	郝家鹰	圣符	男			燕京大学英文系毕业		讲师		4	英文	80	二十七	八
公共必修科	刘北茂		男	35	江苏淮阴	燕京大学英文系毕业	暨南、北京、北平各大学英文讲师	讲师		4	英文	80	二十七	九
公共必修科	何竹淇	麓生	男	34	湖南衡山	北平师范大学毕业	师大附中历史教员、志成中学历史教员	讲师		3	中国通史	不另支薪	二十七	十二
公共必修科	贾晰光	占豪	男	32	河北束鹿	北平大历史系毕业		讲师	专任附中历史公民教员	3	中国通史	60	二十七	十二
公共必修科	张焘	建侯	男	48	河南虞城	北京高等师范国文部毕业	河南女师教务主任、北京师大附中国文教员、黑龙江实业厂秘书、本校附中国文教员	讲师		2	国文	不另支薪	二十八	一

续表

系组别	职员姓名	别字	性别	年岁	籍贯	学历	经历	职级	专任或兼任及所兼任务	每周兼课时数	所授科目	月薪	到校时期 年 月
公共必修科	唐祖培	节年	男	42	湖北咸宁	中华大学文学士	世界佛学院研究部文学教授,东方文化研究院副院长兼教务长,中华大学讲师	讲师		1	公文程式	不另支薪	二十七 十二
商学系教授	赵树勋		男		吉林滨江	哈尔滨中俄工业大学铁路建筑科毕业	中东路公务处工程委员,练习工长,平汉线工程司,甘新河支线工程长,公路总务长	教授				300	二十八 一
师范学院史地系	杨人楩											360	二十八 一

院科别：大学先修班

系组别	职员姓名	别字	性别	年岁	籍贯	学历	经历	职级	专任或兼任及所兼任务	每周兼课时数	所授科目	月薪	到校时期年	到校时期月
先修班	张贻惠	绍涵	男	53	安徽全椒	日本东京高等师范,日本京都帝国大学毕业,美国芝加哥大学研究院研究	北平师大教授兼物理系主任,北大物理教授,北平女师大教授兼数理系主任,北洋大学物理教授,辅仁大学物理系主任,师大校长	兼主任				不另支薪	二十八	二
先修班	陈叔庄		男	46	浙江新昌	上海交通部立工专毕业	新昌县中学校长,军政部山东新城兵工厂秘书,江苏省立女蚕各校教员,福建三区专员公署科长	兼讲师		6	国文	不另支薪	二十八	二
先修班	易价	静正	男	42	湖南湘乡	北京高等师范学校毕业		兼讲师		4	英文	64	二十八	二
先修班	刘北茂		男	35	江苏淮阴	燕京大学英文系毕业	暨南,北京,北平各大学英文讲师	兼讲师		4	英文	64	二十八	二
先修班	齐植棠		女	31	天津市	平大女子文理学院数学系毕业	平大女子文理学院数学系助教,专任讲师	兼讲师		2	算学	不另支薪	二十八	二
先修班	汪如川	静泉	男	46	河北丰润	北京高等师范数理部毕业	北平师范大学庶务课长,会计课长,秘书处秘书,志成中学校长	兼讲师		5	算学	80	二十八	二

续表

系组别	职员姓名	别字	性别	年岁	籍贯	学历	经历	职级	专任或兼任及所兼任务	每周兼课时数	所授科目	月薪	到校时期年	到校时期月
先修班	何竹淇	麓生	男	34	湖南衡山	北平师范大学毕业	重庆大学理工学院教授	兼讲师		2	历史	32	二十八	二
先修班	刘竹筠		男	33	湖南湘阴	武汉大学毕业		兼讲师		2	物理	32	二十八	二
先修班	陈之霖		男	41	浙江新昌	日本京都帝国大学物理化学研究室研究三年	浙江、广东、山东各大学化学教授	兼讲师		2	化学	不另支薪	二十八	二
先修班	包桂潜	天池	男	31	浙江绍兴	北平师范大学生物系毕业	北平四府中学教员，师范大学生物系助教	兼讲师		2	生物	32	二十八	二
先修班	王心正	钧衡	男	32	河南浚县	北平师范大学地理系毕业	北平师范大学附中地理教员	兼讲师		2	地理	32	二十八	二
先修班	曹配言		男	44	陕西三原	北平师范大学教育研究科毕业	陕西省立第一女师校长，安徽大学教授，陕西省党部委员	兼讲师		1	党义	不另支薪	二十八	二
先修班	魏振武		男	32	河北大城	本校体育系毕业		兼讲师		1	体育	16	二十八	二
先修班	李冰	在冰	男	37	浙江杭县	中央军校毕业	团训练员，营专政训处训育组长	兼讲师		1	军事训练	不另支薪	二十八	二

注：霍恒、汪奠基、罗仲言、刘泽荣、刘晔南、陈绍武未到校；方铭竹由校介绍赴渝服务；曹联亚休假。

（国立西北大学政治类档案，陕西省档案馆）

第五节　国立西北大学教职员名录

一、1943年国立西北大学教职员名录[①]

职别	姓名	别号	性别	年龄	籍贯	现在住址	备注
校长	赖琏	景瑚	男	四三	福建永定		
校长办公室							
总务长兼秘书	袁明道		男	三十	浙江昌兴	七星寺国立西北工学院分院	
教务处							
历史系教授兼教务长	杨宙康		男	四四	湖南长沙	马桩口二十九号	
专任讲师兼主任	刘子长		男	四十	湖南长沙	马桩口二十九号	
组员	孙亦民		女	四十	浙江新昌	下察院七十三号	
组员	高明堂	耀亭	男	三八	河北井陉	本校法商学院	
组员	周文麟	祥生	男	三四	山东聊城	大西关四十四号	
组员	王魁元		男	三四	河北武清	南大街十八号	
组员	王魁五	星恒	男	五七	河北武清	五祖庙巷九号	
组员	樊楚樵	云孙	男	四四	湖北恩施	新绣巷二号	
助理员	唐宗华		男	三八	河北唐山	本校教职员宿舍	
书记	王槐	植三	男	二八	陕西城固	本校法商学院	
书记	王治清	正平	男	二七	陕西城固	本校教职员宿舍	
书记	徐镒	经生	男	二七	陕西城固	校本部	
书记	张耀西	星辉	男	二八	陕西城固	正街鼎新石印局转	
书记	史相如		男	三二	陕西城固	新街六十六号	
书记	田浥生		男	二八	陕西城固	中山街三号	
书记	陈立均	绍兰	女	三一	湖北汉阳	校本部	

---

① 截至1943年12月。

续表

职别	姓名	别号	性别	年龄	籍贯	现在住址	备注
图书馆							
专任讲师兼主任	李永增		男	三八	察哈尔延庆	校本部	
馆员	李永虞	焕唐	男	二八	河南洛阳	盐店巷一号	
馆员	田子升		男	三八	陕西城固	新街三十四号	
馆员	赵殿卿	子光	男	四十	河北宛平	本校法商学院	
助理员	龙杰生		男	三三	陕西城固	新绣巷六号	在西京图书分馆办公
助理员	苏瑞卿		女	四十	山西阳高	大东关附中东边	
书记	宋子安		男	三二	陕西城固	下察院口福盛生巷	
书记	高文经	平九	男	三五	陕西城固	杜家漕西京图书分馆	在西京图书分馆办公
书记	熊德周		男	二八	陕西洋县	下察院口永德成号	
书记	陈 华		男				
练习生	阎永德		男		陕西城固	法商学院	
出版组							
主任	陈鸿年		男	三六	江苏武进	马桩口二十九号	
组员	陈素魂		女	三七	广东台山	下察院五十一号	
书记	段日新	精详	男	三六	湖南茶陵	校本部	
书记	何文涛	浪三	男	三四	陕西城固	复兴街三十七号	
书记	文亚仙		女	二六	山西新绛	民生巷二十八号	
书记	黄义信	重生	男	二七	陕西城固	小东街五十二号	
书记	孙昌泰	华仑	男	三十	辽宁沈阳	校本部	
训导处							
商学系教授兼训导长	郭文鹤	鸣九	男	四九	湖南湘潭	马桩口二十九号	
训导员	郑云樵	健谦	男	四五	江苏萧县	小西关外邸家村	
训导员	魏克勤	君勉	男	三二	辽宁辽阳	校本部	
南郑办事处主任兼训导员	曾逸志		男	四一	陕西	南郑西京日报社	

续表

职别	姓名	别号	性别	年龄	籍贯	现在住址	备注
数学系助教兼训导员	王协邦						见数学系
化学系助教兼训导员	李立家						见数学系
生活指导组							
兼代主任	贺范理	襄寰	男	三九	湖南衡阳	校本部	
组员	李焕若	瞻云	男	二九	山东单县	校本部	
组员	朱屏山		男	三二	陕西城固	华陀巷一号	
女生管理员	苏琬华		女	二八	河南灵宝	本校女职员宿舍	
女生指导员	余 敏		女	三四	四川成都	校本部	
助理员	毕宝粟		男	三三	山东济南	大西关四十四号	
助理员	田文蔚	孟起	男	三三	陕西城固	佛迦巷五号	
书记	周铭山		男	四十	陕西城固	新街踹石巷一号	
军事管理组							
主任教官	贺范理						见生活指导组
军训教官	谭树成		男	三三	湖南浏阳	校本部	
军训教官	曾 猛	庆铫	男	三二	湖北沔阳	校本部	
军训教官	李家傅	允中	男	三五	湖南浏阳	校本部	
军训看护教官	吴秀文	静如	女	二七	湖北随县	校本部	
军训助教	高仲仁		男	三五	陕西长安	校本部	
军训助教	张惠民		男	三一	陕西三原	校本部	
军训助教	孙启兴		男	三二	辽宁铁岭	校本部	
军训助教	刘廷佐		男	三一	陕西凤翔	校本部	
助理员	姚则省		男	三五	陕西城固	上察院一号	
书记	王耀庭	绮苏	男	三一	陕西城固	大东街五十二号	
体育卫生组							
教授兼主任	王耀东		男	四四	黑龙江嫩江	济川巷五号	
校医	李向高	牧巷	男	四三	河北元氏	佛迦巷五号	
助理校医	王光烈	伯杨	男	四二	河北任丘	校本部	
护士	刘淑贤		女	三五	山西太原	王祖庙巷七号	
护士	曹汇东		男	三一	河北高邑	校本部	

续表

职别	姓名	别号	性别	年龄	籍贯	现在住址	备注
司药	郎耀如		女	四十	北平市	校本部	
组员	陈华九		男	二八	陕西城固	校本部	
书记	毕寄心		女	三六	北平市	大西关四十四号	
总务处							
总务长	袁明道						见校长办公室
文书组							
主任	王展如		男	四一	江苏萧县	大七拐巷三号	
组员	吴□舜	协庵	男	三七	山东惠民	校本部	
组员	范润泽	斯天	男	三二	河北行唐	校本部	
组员	李石生		男	三二	河北涞水	校本部	
组员	胡润祥		男	三五	陕西城固	南街六十八号	
助理员	秦道一		男	三六	陕西城固	佛迦巷五号	
助理员	罗炳星		男	三三	陕西城固	江苏溧阳	校本部
助理员	尚云久		男	三二	陕西城固	校本部	在校长办公室办公
助理员	周继臣		男	三六	陕西城固	王史巷四号	
书记	胡瑞麟	定文	男	三五	陕西城固	南街天厚生院	
书记	张得禄		男	三二	陕西城固	察院街三三号	
庶务组							
主任	刘永昌	□沧	男	三五	辽宁辽阳	校本部	
组员	李东明	□宇	男	四二	辽宁庄河	校本部	
组员	傅循彝	孟□	男	四十	山西阳高	校本部	
组员	王 滨	养源	男	三五	河北永清	校本部	
组员	李刚毅	乾元	男	四七	河北南宫	校本部	
助理员	过道源	荣民	男	三十	江苏无锡	本校法商学院	
助理员	梁柏年		男	二七	江苏江浦	校本部	
助理员	张 沂		男	二八	河北隆裕	校本部	
书记	边汝翼		男	三五	河北文安	校本部	
练习生	周继武		男	二七	陕西城固	校本部	
出纳组							
主任	董致平		男	三九	河北丰润	校本部	
组员	彭 明		男	二七	浙江嘉兴	校本部	

续表

职别	姓名	别号	性别	年龄	籍贯	现在住址	备注
组员	郭培德		女	三二	江苏吴县	大西关关背一号	
组员	齐思澎	雨人	男	四三	河北定县	校本部	
组员	路文珊	辉璧	男	五二	河北平乡	国立西北师院附中	
助理员	张平仲		男	三二	陕西城固	苗家巷一号	
助理员	王廷选	聘三	男	二八	陕西城固	大西关五十一号	
会计室							
商学院系教授兼主任	刘溥仁						见商学系
佐理员	胡秉朱	仲奎	男	四一	山东阳谷		校本部
佐理员	刘登华	子超	男	四五	河北任丘		西关李家祠堂
佐理员	王懿修	锡嘉	女	二八	河北沧县	新街三十三号	
佐理员	恽 琦		女	三一	江苏武进	校本部	
事务员	王伯章		男	二九	陕西城固	河坎北十九号	
事务员	李效贞		女	三三	江苏铜山	盐店巷二十号	
书记	徐海□		男	三五	陕西城固	中正街恒兴合号	
书记	刘宝义	士珍	男	二七	陕西洋县	盐店巷十九号	
练习生	李善明		男	二六	陕西城固	校本部	
文学院							
教授兼院长	于赓虞		男	四一	河南	盐店巷二十号	
教授	郝耀东	照初	男	四九	陕西长安	小石家巷二号	
中国文学系							
教授兼主任	刘 朴						
教授	杨慧珍		男	五四	辽宁辽阳	中正街七十二号	
教授	易忠箓	均事	男	五四	辽宁辽阳	大西关外河坎北二十一号	
教授	张纯一	仲如	男	七三	湖北汉阳	王家巷三号	
教授	段凌晨						
兼任教授	黎锦熙	劭西	男	五二	湖南湘潭	盐店巷十八号	
副教授	朱人瑞	安节	男	三五	江西浮梁	校本部	
副教授	卢怀琦	伯玮	男	四九	陕西城固	福顺巷一号	
副教授	卢宗濩	季韶	男	四二	河北□县	盐店巷六号	
副教授	王闻夫	汝弼	男	三三	河 北	西城巷四十四号	
讲师	朱嗣徇	敏乡	男	三二	辽宁庄河	中山街五十号	

续表

职别	姓名	别号	性别	年龄	籍贯	现在住址	备注
讲师	夏江风		男	四三	河南	盐店巷二十号	
兼任讲师	张叔亮		男	五三	陕西城固	城固县志会	
助教	张震泽		男	三三	山东长清	西城巷十三号	
助教	李鸿敏		女	二七	北平市	中山街五十号	
外国语文系							
教授兼主任	李贯英	孟雄	男	四二	察省	小东关外太□石村三号	
英文教授	于赓虞						见文学院
英文教授	包志立		女	四一	浙江嘉兴	上察院四号	
俄文教授	徐褐夫		男	四一	江西修水	下察院五十一号	
英文教授	霍自庭		男	四七	河南	校本部	
英文教授	田思需		男	四八	河南偃师	校本部	
英文教授	孙珍田		男	三四	山东蓬莱	校本部	
英文教授	孔柏德华		女	三八	英国	民生巷福音堂	
俄文教授	姜寿春	仁九	男	三八	哈尔滨	本校教职员宿舍	
俄文教授	钮心淑						
英文副教授	贾韫玉		男	七二	英国	正北街十号	
副教授	杨 烈	深菱	男	三二	四川自贡市	校本部	
副教授	李毓珍	香川	男	三五	山西崞县	梁家巷三号	
讲师	赵焕章	德宣	男	四四	河南氾水	桂花巷三号	
专任讲师	龚纯青		男		吉林双阳		
兼任讲师	孔保罗	新民	男	三七	美国	民生巷福音堂	
俄文助教	蒋恩浮		男	二五	山东广饶	校本部	
英文助教	刘让言	纳夫	男	二九	河南济源	校本部	
历史学系							
教授兼主任	黄文弼	仲良	男	五二	湖北汉川	福顺巷一号	
教授	杨宙康						见教务处
教授	陆懋德	咏沂	男	五七	山东历城	中山街三十四号	
教授	涂序瑄		男	四三	江西南昌	校本部	
教授	张云波						
教授	辛 勉	重村	男	三六	河北浠水	本校法商学院	
副教授	杨兆钧	涤新	男	三三	北平市	西城巷七号	
副教授	林冠一		男	三七	山东滨县	大西街福海旅社	
助教	冉昭德	晋叔	男	三五	山东曹县	小西街二十九号	

续表

职别	姓名	别号	性别	年龄	籍贯	现在住址	备注
助教	姚玉栋		女	二八	辽宁安东	本校女职员宿舍	
理学院							
教授兼院长	赵进义	希三	男	四二	河北束鹿	下察院七十三号	
助教	赵恒元	善卿	男	三一	山西寿阳	新街十八号	
数学系							
教授兼主任	赵进义						见前
教授	刘亦珩	一塞	男	四十	河北新安	丰乐巷六号	
教授	傅种孙	仲嘉	男	四五	江西高安	新街十八号	
教授	杨永芳		男	三六	河北安国	校本部	
讲师	赵桢	文敏	男	三三	河北武清	民生巷四十号	
教员	蔡英藩		男	二九	辽宁海城	本校教职员宿舍	
助教兼训导员	王协邦		男	二九	青海湟源	盐店巷七号	
助教	张以信	仲孚	男	三二	河北清苑	本校教职员宿舍	
物理学系							
教授兼主任	岳劼恒	陋吾	男	四三	陕西长安	五祖庙巷二号	
教授	谭文炳	星辉	男	三九	湖南衡山	梁家巷一号	
教授	吴锐	叔侯	男	四五	安徽桐城	校本部	
教授	王普						
讲师	吕秉义	戈凤	男	三二	辽宁铁岭	大东关四十四号	
助教	光开敏	子敦	男	二九	安徽桐城	苗家巷二号	
助教	潘湘	灵源	男	三十	河南内黄	大东街十四号	
练习生	卢怀璋		男	三九	陕西城固	王史巷二号	
化学系							
讲座兼代主任	张贻侗	小涵	男	五五	安徽全椒	中山街三十四号	
教授	朱有宣	仲玉	男	四三	安徽泾县	下察院五十一号	
教授	唐尧衢		男	三八	四川□县	校本部	
讲师	刘致和	济平	男	三三	河北正定	校本部	
讲师	朱汝复	健叔	男	三一	福建建阳	上察院七号	
助教兼训导员	李立家	复光	男	三一	山西嶂县	校本部	
助教	余虹		女	二九	安徽合肥	上察院七号	
助教	冯师颜		男	二九	河南济源	小东关大古石村一号	
练习生	崔茂槐		男	一七	河南武陟	校本部	

续表

职别	姓名	别号	性别	年龄	籍贯	现在住址	备注
生物学系							
教授兼主任	刘汝强	毅然	男	四六	北平市	苗家巷二号	
教授	郑 勉	宝兹	男	四三	江苏武进	王史巷四号	
教授	董爽秋		男	四六	安徽贵池	校本部	
兼任教授	汪堃仁		男	三二	安徽休宁	五祖庙巷新十号	
副教授	李中宪	法章	男	三二	山东惠民	五祖庙巷二号	
副教授	王振中		男	二八	河南陈留	校本部	
助教	陈凤梧	鸣阳	男	三十	江苏常熟	大东街十五号后院	
助教	吴养曾		男	二八	安徽凤阳	校本部	
助教	吴菊亭		女	三一	安徽怀宁	校本部	
绘图员	陈竹朋	宝贤	男	二六	陕西城固	小东关九号	
地质地理学系							
教授兼主任	殷祖英	伯西	男	四八	河北房山	大西关四十二号	
教授	郁士元	维民	男	四二	江苏盐城	大西关关背一号	
教授	董绍良		男	四十	天津市	本校教职员宿舍	
教授	王华隆		男	四九	辽宁黑山	西城巷三二号	
兼任教授	张伯声		男	四一	河南荥阳	古路坝国立西北工学院	
兼任教授	李善棠		男	四七	河南襄城	古路坝国立西北工学院	
副教授	李式金		男	三八	广东东莞	西城巷十四号	
兼任副教授	王均衡	心正	男	三七	河南济源	皂刺巷三号	
讲师	卢衍豪						
助教	姜玉鼎	定宇	男	三五	河北房山	本校教职员宿舍	
助教	韩宪纲	宗纶	男	三二	河北束鹿	本校教职员宿舍	
法商学院							
教授兼院长	曹国卿	伟民	男	四一	辽宁铁岭	下察院五十一号	
法律学系							
教授兼主任	施宏勋		男	三七	浙江嘉善	马桩口二十三号	
教授	王治焘	聪彝	男	五二	湖北黄陂	本校法商学院	
教授	郭至德		男	三七	江苏仪征	本校法商学院	
教授	李镜湖						
兼任教授	薛庆衡		男				
副教授	贾万一	贯之	男	三八	吉林长岭	下察院七十一号	
副教授	孙春海	恩溥	男	五三	河北定兴	中山街七十七号	

续表

职别	姓名	别号	性别	年龄	籍贯	现在住址	备注
兼任讲师	王业和		男	三二	湖北黄陂	本校法商学院	
助教	晏克鑫		男	二七	陕西南郑	本校法商学院	
政治学系							
教授兼主任	张育元		男	四二	湖北汉阳	王家巷二号	
教授	许兴凯	志平	男	四四	北平市	桂花巷四号	
教授	吴志毅		男	三四	江西南城	西城巷四十四号	
教授	王治焘						见法律学系
教授	王守礼		男	三六	浙江诸暨	福顺巷三号	
兼任教授	程克敬	□□	男	四七	安徽合肥	盐店巷十八号	
兼任讲师	贾占豪	□光	男	三六	河北束鹿	国立西北师范学院附中	
助教	周学禹		男	二六	河南扶沟	法商学院	
经济学系							
教授兼任主任	曹国卿						见法商学院
教授	季陶达	流泉	男	四十	浙江义乌	下察院七十三号	
教授	罗仲言		男	四三	湖南浏阳	中山街二十五号	
教授	张延凤		男	三六	江苏铜山	济川乡六号	
兼任讲师	张兆荣		男	三四	福建仙遊	南郑□□巷二号	
兼任讲师	安藩之		男	三八	河北安国	南郑工会金库	
助教	赵玉珉		男	二八	辽宁海城	本校法商学院	
商学系							
教授兼主任	孙宗钰	或均	男	四七	山东济南	本校法商学院	
教授	郭文鹤						见训导处
教授	刘溥仁		男	三三	湖北武昌	方家堰六保七甲十户	
教授	胡道远		男	四二	山东桓台	西城巷九号	
教授	杨宗培		男	四一	热河建三	当铺巷六号	
讲师	李永增						见图书馆
助教	文熹	佐卿	男	二八	湖南长沙	本校法商学院	
各院系共同科目教员							
教授	马师儒	雅堂	男	五五	陕西米脂	小西街四十号后门	
教授	高文源	味根	男	四一	陕西米脂	上察院四号	
三民主义教授	曹配言		男	四八	陕西三原	西城巷九号	
教授兼体育卫生组主任	王耀东						见体育卫生组

续表

职别	姓名	别号	性别	年龄	籍贯	现在住址	备注
专任讲师	曹觉民		男	三七	山东昌邑	西城巷三十号内院	
讲师	刘子长						见注册组
体育讲师	张光涛	灿如	男	三三	河北束鹿	本校教职员宿舍	
体育讲师	张润之		男	三三	河北赵县	新街三十三号北院	
体育讲师	李呈瑞	发祥	男	三四	山东清平	本校教职员宿舍	
体育讲师	王树棠	召南	男	三四	河北定平	王史巷四号	
兼任讲师	吴继舜						见文书组
体育助教	张鸿灵		女	二八	山东	上察院七号	
体育助教	徐敬达		男	二九	吉林长春	河坎北二十一号	
体育助教	郭治洪		男	二八	河北无极	苗家寨巷二号	

二、1947年西北大学教职员名录

职别	姓名	别号	性别	年龄	籍贯	履历	到校年月
校长	刘季洪		男	四四	江苏丰县	国立北京高等师范毕业、美国华盛顿大学硕士、河南大学校长、教育部社会教育司司长	三十三年八月
文学院							
教授兼院长	马师儒	雅堂	男	五九	陕西米脂	北京高等师范、德国柏林大学教育系、瑞士苏黎世大学心理学及哲学研究所毕业，上海国立劳动大学教育系主任主任、青岛大学、北平大学、北平师范大学、西安临时大学、西北联合大学、西北师范学院哲学及教育学教授，陕西省政府委员、陕西支团部常务监察	二十三年

续表

职别	姓名	别号	性别	年龄	籍贯	履历	到校年月
中国文学系							
教授兼主任	高明	仲华	男	三九	江苏高邮	国立中央大学毕业,曾任江苏省政府秘书,西康省党部书记长,西康国民日报社社长、中央政治学校副教授、国家总动员会议秘书、中央政治学校教授	三十三年九月
教授	张西堂		男	四六	湖北汉川	国立山西大学毕业,曾任河北大学、河南大学教授,武汉大学特约讲师,北平师范大学讲师,勷勤大学教授,贵州大学教授兼系主任	三十三年九月
教授	戴君仁	静山	男	四七	浙江鄞县	国立北京大学国文系毕业,国立浙江大学讲师,国立北平大学教授,北平辅仁大学讲师,鲁苏皖豫边区学院教授	三十三年八月
教授	蒋天枢	秉南	男	四五	江苏丰县	北平清华研究院硕士,国立东北大学、国立复旦大学教授	三十五年八月
教授	高文	石齐	男	四十	南京市	金陵大学国文系、金陵大学国学研究班毕业,曾任金陵大学教授兼主任,南京市参议会参议院	三十六年二月
教授	赵幼文		男	四三	四川成都	成都高等师范学校毕业,曾任国立四川大学讲师、副教授、教授	三十六年二月
教授	卢怀琦	伯玮	男	五三	陕西城固	国立北平师范大学毕业,曾任北平师范大学、北平女子师范大学讲师,陕西省立第五中学校长,国立西北联合大学讲师、副教授	三十年八月
教授	朱人瑞	安节	男	三九	江西浮梁	国立武汉大学中国文系毕业,国立武汉大学讲师、本校副教授	三十年八月
副教授	卢宗濩	季韶	男	四六	河北涿县	国立北京大学毕业,曾任河北省立女子师范学院及本校讲师	二十七年一月

续表

职别	姓名	别号	性别	年龄	籍贯	履历	到校年月
讲师	李繁閎	子真	男	三六	江苏萧县	国立山东大学中国文学系毕业，曾任国立第三中学级任导师，广西东兰中学教导主任，教育部特设大学先修班教员，国立第十四中学总务主任，教育部编辑，国立礼乐馆编审	三十三年八月
兼任讲师	冯润琴		女	三七	湖北武昌	上海美术专科学校国画系毕业，曾任国立北师范学院、国立西北工学院讲师	
助教	张志明		男	二七	陕西乾县	本校中国文学系毕业	三十五年八月
助教	杨春霖		男	二七	陕西长安	本校中国文学系毕业，曾任陕西省立第一中学教员	三十六年二月
外国语文系							
教授兼主任	黄川谷		男	三八	四川邻水	国立清华学校、美国威斯康星大学毕业，哈佛大学硕士，曾任国立浙江大学、中央政治学校教授	三十五年十一月
教授	霍自庭		男	五一	河南安阳	日本庆应大学文学士，历任河南大学、安徽大学教授，复旦大学兼任教授	三十一年八月
教授	郝圣符		男	四七	山东济南	国立北京高等师范毕业，国立北平师范大学研究科文学士，山东省教育厅督学，北平市志成中学、□化女中校长，国立师大附中讲育主任，国立北平师范大学预科教授，北平民国大学、中国大学、国立西北师范学院、国立西北工学院教授	三十一年八月
教授	孔柏德华		女	四二	英国	爱丁堡大学文学硕士，曾任国立西北师范学院教授	三十一年八月

续表

职别	姓名	别号	性别	年龄	籍贯	履历	到校年月
教授	金家桢	干庭	男	五一	河南开封	国立北京大学英文系毕业,河南公立法政专门学校专任教员,河南中州大学、河南□山大学讲师,河南大学讲师及教授,河南水利专科学校、叶县边区学院教授,一战区外事处主任秘书	
教授	刘杰	汉三	男	四五	北平市	比国鲁汶大学社会系、法国都尔官工商学校纺织系毕业,比国劳工协会指□员,比国社会保险会社员,开封光豫中学副校长,北平中法辞典编辑处编辑,中法汉学研究所教授	三十三年八月
教授	沐允中		男	四九		外交部部立俄文专修馆毕业,前北平外交部科员,驻伯力中国总领馆主事,驻海参崴中国总领馆随习领事及副领事,吉林省政府科长,国立北平大学商学院教授	三十五年八月
兼任教授	李㤚		男	四五	陕西蒲城	国立北京大学英文系毕业,英国爱丁堡大学文学硕士,陕西省立高级中学校长,国立西北农学院副教授,甘肃省立甘肃学院教授,陕西省立商业专科学校教授兼教务主任,陕西省立商业专科学校校长	卅五年八月
副教授	沈鹏飞	静一	男	三八	哈尔滨市	国立北平大学法商学院毕业,曾任航空委员会同中校编译官,辽宁空军教导队编译副主任、俄文外交官	卅五年十二月
副教授	孙现冬		男	三九	山东黄县	哈尔滨工业大学矿科中央训练团党政班第二十期毕业生,曾任中东铁路站段长、军委外事局编译	卅六年二月

续表

职别	姓名	别号	性别	年龄	籍贯	履历	到校年月
副教授	索毕诺夫		男	五二	新疆迪化	俄国喀山大学文史系毕业,新疆省立第二中学校长,归化族文化会主任委员,新疆省教育厅督学,新疆省第六区区委	卅年八月
副教授	李萃麟		男	三六	吉林榆树	国立北平大学法商学院毕业,国立西北农学院俄文教员,军委会外事局军荐一级俄文编译	卅三年八月
副教授	赵焕章	德宣	男	四八	河南汜水	国立北平大学法学院、东京早稻田大学法学部大学院毕业,曾任河南大学讲师,河南第十区行政督察专员,公署第三科科长	卅一年十月
副教授	邹本林		男	五十	北平市	国立北平师范大学外文系毕业,曾任陆军大学英文教官,远征军联络参谋,中央军校教官	卅五年八月
副教授	严棻		女	三九	浙江桐乡	上海中西女塾毕业,北平燕京大学学学士,曾任上海慕尔堂英文专修科教员,河南焦作工学院英文讲师	卅六年五月
兼任副教授	石理富		男	三八	美国	美国西北大学英文系毕业	卅五年二月
讲师	龚纯青	任放	男	三一	吉林双阳	本校商学系毕业,曾任中国银行行员	卅五年八月
讲师	干荫杠	佐民	男	四二	德国	哲学博士、外国语文硕士,曾任德国专门学校拉丁文教授,河南师范学校英德文教员,河南汝南教区天主堂司铎十年	卅四年三月
讲师	索毕诺瓦		女	四十	新疆迪化	塞米女子中学毕业,曾任教学一年	卅五年八月
兼任讲师	高竹筠		女	三一	陕西米脂	国立西北师范学院外文系毕业,曾任国立西北师院附中、国立第一中学教员,青年军第三大学补习班讲师	三十五年八月

续表

职别	姓名	别号	性别	年龄	籍贯	履历	到校年月
兼任讲师	姬慧伯		男	五五	陕西澄城	南伟烈大学化学系毕业,陕西胜利第三中学、私立成德中学教员,	三十五年八月
兼任讲师	金荣庭		男	三六	河南开封	南伟烈大学化学系毕业,陕西省立第三中学、私立成德中学教员,省立女子师范教育主任,私立圣公会中学校长,省立第一图书馆长,西安中山大学讲师,省立西安高中与国学教员	三十五年八月
兼任讲师	石西峰		男	三七	河南南阳	国立北平师范大学外文系毕业,曾任国立西北工学院讲师	三十五年八月
助教	荀荣望		男	二八	河南灵宝	本校外语系毕业	三十四年八月
历史学系							
教授兼代主任	马师儒						见前
教授	周传儒	书龄	男	四八	四川江安	英国剑桥大学、德国柏林大学毕业,山东大学历史系主任、山西大学文学院院长、训导长	三十四年
教授	许重远		男	五三	河北饶阳	北京高等师范学校史地部毕业,美国哥伦比亚大学历史系研究生,伦敦政治经济学院选修国际政治,曾任北平师范大学、西北联合大学教授,河北省政府教育厅厅长,河北省政府委员,北洋工学院训导主任	三十五年一月
教授	马永轩		男	五十	湖北黄安	北平清华大学研究院国学门毕业,曾任新疆学院、安徽学院、教育部特设武汉临时大学教授	三十五年八月
教授	关益斋	百益	男	六五	河南开封	北京大学堂毕业,曾任河南优级师范校长,河南通志馆纂修,河南博物馆馆长,伦敦展览会部聘审定铜器顾问,陇海铁路局考古主任	三十五年八月

续表

职别	姓名	别号	性别	年龄	籍贯	履历	到校年月
教授	冉昭德	晋叔	男	三九	山东曹县	国立山东大学中国文学系毕业，曾任山东省立惠民师范、省立济南中学、国立第六中学教员	三十年十月
任讲师	刘垂萱	茂融	女	四四	湖南衡山	国立北平师范大学历史系毕业，曾任青岛市立女中历史教员，北平郁文大学讲师，翊放女中、两吉女中、湖南省立第二女中、北平市立女二中、西北中学、五三高中历史教员，本校先修班历史教员	三十六年二月
助教	孙锡木		男	二九	安徽怀远	本校历史学系毕业，曾任安徽怀远县政府科长，陆军第一军司令部少校教官	三十五年八月
边政学系							
教授兼主任	黄文弼	仲良	男	五六	湖北汉川	国立北京大学毕业，曾任北京大学副教授，本校历史学系教授兼主任，赴新疆、蒙古前后考察三次	二十六年十月
教授	马宏道		男	四八	北平市	土耳其国立伊斯坦堡大学哲学系硕士，曾任中央宣导国民特派员，中央陆军军官第七分校少将、高级教官，甘肃省政府顾问，上海诚明文学院教授，中央边疆语文编委会专任委员，行政院参议	三十六年二月
副教授	杨兆钧	滁新	男	三九	北平市	土耳其安哥拉大学法学院法学士，私立明德中学校长，安哥拉史地语言学院讲师	三十年九月
副教授	谢再善		男	三七	山东蓬莱	伊蒙郡王旗立蒙文专修学校毕业，旗政府蒙文秘书，边疆通信报总编辑兼蒙文编辑，合尔蒙旗特派员，公署蒙文秘书，中央军校第七分校边语班中校、蒙文教官，第八战区副长官部边事组中校、代理组长，西北通讯社总上校、总编辑	三十五年八月

续表

职别	姓名	别号	性别	年龄	籍贯	履历	到校年月
副教授	宫碧澄		男	四七	新疆伊犁	国立北平师范大学教育系毕业,日本明治大学研究,曾任新疆俄文法政专门学校讲师,陕西省立医专教授兼任秘书主任	三十五年八月
讲师	杨福龄	阴棠	男	三八	青海	青海省立第一师范学校毕业,广惠寺共习藏文八年,国立西南师范学校藏文专任教员,中国国民党中央组织部边疆语文编译委员会编译	三十四年四月
讲师	阎锐	震宇	男	三三	新疆疏勒	新疆学院毕业,新疆省立师范编译,省立女子中学翻译,省立师范体育指导员、教员、训育组长,中央训练团新疆分团编译	三十四年十月
助教	朱懿绳		男	三五	浙江长兴	中央政治学边政科毕业,曾任甘肃省政府秘书处编译员,甘肃省礼县县政府民政科长,财务部田赋管理委员会技士,本校训导处组	三十三年十一月
教育学系							
教授兼主任	高文源	味根	男	四九	陕西米脂	清华大学毕业,美国密西根大学心理学硕士,西安临大、西北联大教授	二十八年十月
教授	马师儒						见前
教授	鲁世英	轴轩	男	四九	河北清丰	北平师范大学英语系及教言研究所,美国芝加哥大学、美国哥伦比亚大学师范学院硕士,曾任北平师范大学、西北联合大学、西北师范学院、女子师范学院教授	三十六年八月
教授	包志立		女	四五	浙江嘉兴	金陵女大毕业,美国密西根大学心理学博士,历任西安临大、西北联大教授	二十七年一月
兼任教授	郝耀东	照初	男	五二	陕西长安	美国斯坦福大学教育硕士,曾任国立西北师范学院教授	三十五年八月

续表

职别	姓名	别号	性别	年龄	籍贯	履历	到校年月
副教授	徐朗秋		男	五十	江苏萧县	南京高等师范国语课、江苏省立教育学院民教系毕业,曾任首都实验民教馆馆长,国立社会教育学院总务主任,教育部川康社教育队队长	三十三年八月
助教	张传梓	晓桥	男	三十	陕西	本校历史学系毕业,中央军校一分校政治教官,南郑联中教员	三十四年十一月
理学院							
教授兼院长	赵进义	希三	男	四六	河北束鹿	法国里昂大学理学硕士、博士,里昂天文台研究,历任国立广州中山大学数学天文系、国立北平师范大学、国立西安临时大学、国立西北联合大学及本校数学系教授兼主任兼国立西北师范学院数学系主任,国立中央研究院天文研究所通讯研究院	十九年八月
数学系							
教授兼主任	刘亦珩	一塞	男	四四	河北安新	日本广岛高等师范数理部毕业,日本广岛文理科大学数学部理学士,曾任北平师范大学讲师,安徽大学、北平师范大学、西安临时大学、西北联合大学教授	廿四年八月
教授	赵进义						见前
教授	傅种孙	仲嘉	男	四九	江西高安	国立北京高等师范数理部毕业,英国剑桥大学研究,曾任北平师范大学、西安临时大学、西北联合大学教授	十年十月
教授	杨永芳		男	四十	河北安国	日本东京高等师范毕业,日本东北帝国大学理学士,曾任国立北平师范大学、私立辅仁大学讲师,国立北平大学、西安临时大学、西北联合大学教授	廿三年七月

续表

职别	姓名	别号	性别	年龄	籍贯	履历	到校年月
教授	刘书琴	桐轩	男	三九	山东寿光	国立北平师范大学数学系、日本东北帝国大学本科毕业,曾任山东大学副教授,奉令派赴北平工作,任北平市督导主任兼伪北平师范学院教授,伪北平师范大学数学系主任兼教授	三十三年八月
副教授	魏庚人		男	四六	河北安国	国立北京师范大学数学系毕业,曾任国立西北联合大学、国立西北师范学院讲师	三十三年八月
副教授	赵桢	文敏	男	三七	河北武清	国立北平师范大学数学系毕业,曾任西安临时大学、西北联合大学、西北师范学院讲师	廿七年一月
讲师	张以信	仲孚	男	三六	河北清宛	国立北平师范大学数学系毕业,曾任本校助教	廿七年十二月
讲师	王协邦	子和	男	三三	青海湟源	国立北平师范大学数学系毕业,曾任交通部扶轮中学教员兼教导主任,国立西北工学院教员,国立西北师范学院大学先修班教导兼导师,本校助教	三十三年八月
助教	吴乃久	曼夫	男	三十	河北束鹿	本校数学系毕业	三十三年八月
助教	赵根榕		男	二五	河北涿县	本校数学系毕业,曾任陕西省立安康中学教员	三十五年八月
助教	张玉田		男	二六	河南南阳	本校数学系毕业	三十五年八月
物理学系							
教授兼主任	岳劼恒	陋五	男	四七	陕西长安	国立北京大学物理系毕业,巴黎大学理学院硕士,巴黎大学物理研究所博士,曾任北平中法大学、西安临时大学、西北联合大学、西北师范学院教授,北平研究员物理研究所兼任研究员	廿六年十一月

续表

职别	姓名	别号	性别	年龄	籍贯	履历	到校年月
教授	龙际云	搏霄	男	五二	江西万载	国立北京大学物理系毕业,曾任北京大学讲师、预科副教授,北平中法大学讲师兼仪器制造主任,鲁苏皖豫边区学院教授	三十三年七月
教授	张佩珊	稷臣	男	五一	江苏江都	国立北京大学物理系毕业,曾任国立北京大学讲师、副教授,国立北平师范大学、私立中国大学讲师,国立北平大学、鲁苏皖豫边区学院讲师	三十三年七月
教授	谭文炳	星辉	男	四三	湖南衡山	国立北平师范大学物理系毕业,曾任国立北平师范大学、西安临时大学讲师,国立西北联合大学讲师、副教授	十八年八月
副教授	吕秉义	戈风	男	三四	辽宁铁岭	国立北平师范大学物理系毕业,私立齐鲁大学理学院无线电专修科毕业,曾任齐鲁大学教员,本校助教、讲师	二十八年七月
讲师	光开敏	子敦	男	三三	安徽桐城	本校物理学系毕业	三十年九月
助教	潘湘	灵源	男	三四	河南内黄	本校物理系学毕业	三十一年八月
助教	张庆嵩	修文	男	二八	河南博爱	本校物理系学毕业	三十四年九月
助教	舒贤治	克林	男	二三	江苏吴县	本校物理学系毕业,曾任陕西省立鄠县师范学校教员	三十六年四月
化学系							
讲座兼主任	张贻侗	小涵	男	五九	安徽全椒	英国伦敦大学理学士,曾任国立北平师范大学教授兼化学系主任,国立北京大学、中央大学、西安临时大学、西北联合大学教授	九年

续表

职别	姓名	别号	性别	年龄	籍贯	履历	到校年月
教授	徐日新	辉之	男	三四	浙江武义	国立清华大学理学士,美国密西根大学研究院科学硕士,曾任国立复旦大学、中央工业学校、西北工学院教授,全国度量衡局专门委员	三十三年二月
教授	郭一清		男	五一	河南	美国密西根大学化工学士,美国密西根大学研究院研究,曾任国立东北大学教授兼化学系主任,军政部颜料厂研究室主任,军委会植物油厂工程师	三十五年八月
教授	于滋潭	清源	女	三三	山东牟平	河北省立工学院化工系毕业,美国伊利诺大学、密西根大学硕士,曾任国立西北工学院教授	三十五年一月
副教授	赵永昌	季怀	男	三五	山东高密	国立清华大学毕业,曾任南京永利硫酸铔厂职员,贵阳清华中学理科主任,经济部中国植物油料厂技师兼主任、组长,四川氮气公司筹备处主任	三十三年九月
副教授	刘致和	清平	男	三七	河北正定	国立北平师范大学化学系毕业,曾任北平香山慈幼院理化馆主任兼土木工程科教员,北平艺文中学教员兼教务主任,国立第五中学高中部教员兼化学科主任	三十二年八月
讲师	曹居久		男	三四	河南内黄	国立北平师范大学化学系毕业,曾任本校助教,国立西北医学院、国立西北工学院讲师	三十二年八月
讲师	余虹		女	三三	安徽合肥	国立北平师范大学化学系毕业,曾任本校助教	二十九年八月
助教	冯师颜		男	三四	河南济源	本校化学系毕业	三十二年八月
助教	李铸	铁舟	男	三二	山东诸城	国立北平师范大学化学系肄业,本校化学系毕业	三十三年八月

续表

职别	姓名	别号	性别	年龄	籍贯	履历	到校年月
助教	张庆余		男	二七	安徽阜阳	本校化学系毕业	三十四年八月
助教	陈运生		男	二四	陕西长安	本校化学系毕业	三十五年八月
助教	李轼		男	二五	山西闻喜	本校化学系毕业	三十五年八月
生物学系							
教授兼主任	刘汝强	毅然	男	五十	北平市	美国威斯康辛大学植物学兼植物病理博士,曾任北平协和医学院药物研究院、河北省立农学院、国立北平师范大学教授	二十五年八月
教授	郑勉	保滋	男	四七	江苏武进	日本东京文理科大学毕业,曾任江苏省立南京工业专门学校教授,陕西省立政治学院教授兼总务长	三十年八月
副教授	李中宪	法章	男	三六	山东惠民	国立北京大学毕业,曾任北京大学、西南联合大学助教,西北师范学院讲师	二十八年八月
副教授	王振中		男	三一	河南陈留	国立北平师范大学生物系毕业,曾任中英庚款董事会研究员,国立西北医学院讲师、副教授,陕西省立医专教授	三十二年八月
副教授	张炎		男		福建福州	国立北平师范大学生物系、国立中央大学研究院毕业,曾任国立中央大学医学院生理系研究员,国立西北农学院副教授	三十五年八月
讲师	吴养曾	励廉	男	三三	安徽凤阳	本校生物学系毕业,曾任扶轮中学、湟川中学、国立第十八中学教员	三十二年二月
助教	陆秀芳	达光	女	三十	北平市	本校生物学系毕业,曾任城固北平文治中学生物教员	三十五年八月

续表

职别	姓名	别号	性别	年龄	籍贯	履历	到校年月
地质学系							
教授兼主任	王恭睦		男	四八	浙江黄岩	国立北京大学地质系毕业、德国慕尼黑大学博士，曾任国立中央研究院研究员，国立武汉大学教授，国立编译馆专任编译，国立西北农林专科学校教授兼教务长	三十年八月
教授	张伯声		男	四五	河南荥阳	美国芝加哥大学毕业、斯坦福大学研究院肄业，曾任焦作工学院教授	三十五年八月
教授	蔡成沄		女	四一	江苏崇明	美国华盛顿大学地质系毕业，曾任广西大学、中山大学、重庆大学、唐山交大教授	三十六年二月
教授	郁士元	维民	男	四六	江苏盐城	国立北京大学毕业，曾任北平大学、北平师范大学讲师	廿六年九月
讲师	黄泽机	经略	男	三四	广东惠阳	国立中山大学地质系毕业，曾任两广地质调查所技助及技士，西康金矿局助理工程师，经济部采金局金矿勘探队工程师兼第六探勘组长，国立西康技艺专科学校讲师	三十三年九月
讲师	袁耀亭		男		河南获嘉	焦作工学院采矿冶金系毕业，经济部财金处豫陕鄂边区采金处蜀河采金厂主任，西北技艺专科学校副教授	三十六年二月
助教	阎锡玛		男	二八	山西五台	本校地质地理学系毕业	三十三年八月
地理学系							
教授兼主任	郑励俭	资约	男	四五	河北衡水	北平师范大学史地系毕业，日本东京文理科大学地理研究所毕业，曾任东北大学史地系教授兼主任，四川大学教授	三十六年二月

续表

职别	姓名	别号	性别	年龄	籍贯	履历	到校年月
教授	梁祖荫		男			清华大学毕业，英国爱丁堡大学地理硕士，历任复旦大学、河南大学教授	三十六年二月
教授	王心正	钧衡	男	四一	河南浚县	国立北平师范大学地理系毕业，曾任国立北平师范大学地理系讲师，齐鲁大学、国立西北师范学院副教授、教授	三十六年五月
教授	沈汝生	树声	男	三二	浙江余姚	国立中央大学地理系毕业，曾任教育部编辑，国立编译馆副编审，国父实业计划研究会研究员，国立四川大学副教授，国立湖北师范学院教授	三十六年五月
副教授	张英骏	啸亚	男	四十	河南荥阳	清华大学毕业，曾任国立东方语文专科学校、桂林师范学院副教授	三十四年六月
讲师	萧廷奎		男	三五	安徽和县	国立北平师范大学地理系毕业，中国地理研究所助理研究员，委员长从室第三处员	三十三年八月
讲师	韩宪纲	宗伦	男	三六	河北束鹿	国立北平师范大学地理系毕业，曾任本校助教	廿八年九月
讲师	刘钟瑜	仲愚	男	三一	河北	国立西南联合大学地理系毕业，曾任西南联合大学附属中学、国立西北师范学院附属中学地理教员，本校兼任讲师	三十三年八月
兼任讲师	荣若绅	书之	男	三八	山东桓台	国立北平师范大学地理系毕业，陕西省师范专科学校副教授	三十六年四月
助教	王铭	永志	男	二五	河北满城	本校地质地理系毕业	三十五年十月

续表

职别	姓名	别号	性别	年龄	籍贯	履历	到校年月
法商学院							
教授兼院长	杜元载	庚之	男	四四	湖南溆浦	国立北平师范大学教育学系毕业,美国西北大学法学博士,曾任国立中央大学、湖南省立湖南大学、四川省立教育学院、国立北京大学、国立北平师范大学、国立西南联合大学教授,河南大学法学院院长	三十三年八月
法律学系							
教授兼主任	刘鸿渐	鼎三	男	六四	湖南长沙	日本京都帝国大学法学士,曾任国立北平大学法商学院教授,广西大学文法学院教授兼系主任,本校训导长院长	二十八年十二月
教授	王治焘	聪彝	男	五六	湖北黄陂	法国巴黎大学博士,曾任东北大学、北平大学、西安临大、西北联大教授	二十三年
教授	党松年		男	六九	陕西留坝	陕西优级师范毕业,日本早稻田大学法学士,曾任陕西公立法政学校教授,陕西军政府司法部长、修订法律馆总编纂,陕西高等法院院长	三十四年二月
教授	刘毓文	钟岳	男	四六	吉林舒兰	国立北平大学、日本早稻田大学法律系毕业,曾任本校副教授	三十五年八月
教授	冯纶	次经	男	五九	山西隰县	日本明治大学法学士,曾任山西大学法科教授、代理校长,陕西商业专科学校教授	三十五年十一月
教授	孙春海	恩溥	男	五七	河北定兴	曾任西北联合大学讲师,本校讲师、副教授	二十七年

续表

职别	姓名	别号	性别	年龄	籍贯	履历	到校年月
兼任教授	郗朝俊	励勤	男	六六	陕西华阴	日本中央大学高等研究科法学学士，法科举人，曾任西北大学农科学长，陕西公立法政专门学校校长，最高法院推事、立法院立法委员、历届高晋考试典试委员，现任陕西高等法院院长	三十五年八月
兼任教授	朱观	近吾	男	四九	江苏泰县	司法行政部法官训练所毕业，曾任国立山东大学讲师、教授，云南昆明法院、云南高等法院推事，陕西高等法院首席检察官	三十五年八月
兼任副教授	蔡蕴之		男	四六	山东寿光	国立东南大学政治学系毕业，曾任国立山东大学讲师，河北民政厅科长，陕西省立师范专科学校副教授	三十六年四月
讲师	王业和		男	三六	湖北黄陂	北京大学毕业，曾任辅仁大学讲师	三十二年十一月
兼任讲师	韩筠	竹青	男	三九	山西洪洞	山西省立法政学院法律系毕业，曾任山西太原地方法院、陕西高等法院第一分院、陕西高等法院推事，陕西渭南地方法院院长	三十五年八月
兼任讲师	秦光伦		男	四四	江苏铜山	北平朝阳学院毕业	三十五年八月
助教	王业媛		女	三一	湖北黄陂	本校法律学系毕业	三十三年八月
助教	胡立宪		男	三六	江苏锡山	本校法律学毕业，曾任本校出版组组员	三十三年九月
政治学系							
教授兼主任	杜元载						见前
教授	许兴凯	志平	男	四八	北平市	日本东京帝国大学研究二年，曾任北平平民大学预科主任兼教授，天津河北省立法商学院、国立北平师范大学、国立西安临时大学、国立西北联合大学教授	二十五年九月

· 693 ·

续表

职别	姓名	别号	性别	年龄	籍贯	履历	到校年月
教授	萧洛轩		男	四三	江西	国立中央大学政治系毕业,英国伦敦大学政治经济学院硕士,英国都百灵大学外交政治博士,曾任国立东北大学教授,行政院参事,中央政治学校教授	三十四年八月
教授	杨炳炎		男	三八	江苏江浦	法国巴黎大学毕业,中央训练团参事,政治部设计委员党政训练班指导员,行政院经济会议专员,东北大学政治系主任、训导员长,国立兰州大学政治系主任	三十六年一月
教授	宓贤璋	子复	男	四四	浙江海宁	厦门大学毕业,燕京大学政治系硕士,美国哈佛大学中英庚款研究员,曾任之江大学、云南大学、金陵大学教授,国立北平研究院名誉编辑	三十四年八月
教授	曾繁康		男	三六	四川内江	中央政治学校行政系毕业,美国密苏里大学研究院肄业,曾任齐鲁大学、中央政治学校等校讲师、研究员、教授等职	三十六年一月
兼任教授	赵乐夫		男	五十	湖南湘潭	法国巴黎大学硕士,劳动大学教授,文化日报总编辑,战干团高级政治教官,新中国文化出版社总编辑,正报总主笔	三十六年四月
副教授	贾占豪	晰光	男	四十	河北束鹿	国立北平师范大学历史系毕业,曾任国立北平师范大附中教员,国立西北联大、国立西北师范学院及本校讲师	二十七年十二月
兼任副教授	赵和民		男	四十	陕西	中央政校、日本早稻田大学政治系毕业,曾任军委会政治部设计委员,军校第七分校教官,三十八军政治部主任	三十五年八月
助教	周乃昌	次陇	男	三十	山东东阿	本校政治学系毕业,曾任山东省政府秘书	三十四年十一月

续表

职别	姓名	别号	性别	年龄	籍贯	履历	到校年月
经济学系							
教授兼主任	罗仲言	章龙	男	四九	湖南浏阳	国立北京大学法学院毕业,德国柏林大学政治经济学院研究,曾任国立暨南大学、西北联合大学教授,国立河南大学教授兼主任	二十七年八月
教授	吴澄华		男	四一	福建	美国华盛顿大学博士,曾任大夏大学、浙江大学、湖南大学、中山大学、华西大学教授主任院长	三十五年八月
教授	武梦佐	修文	男	三七	山东泰安	日本东北帝国大学经济科毕业,中央政治学校研究部研究员,曾任复旦大学兼任讲师,上海法学院教授兼学部主任	三十四年十月
教授	孟广镕	化普	男	三九	山东东阿	国立北平大学法商学院经济系毕业,日本九州帝国大学研究部农经科毕业,曾任国立西北农学院、鲁苏皖豫边区农工学院、国立同济大学教授	三十五年十一月
兼任教授	张研田		男	三八	河北乐亭	国立北京大学、日本东京帝国大学经济系毕业,曾任河北省立农学院教授,中国学院兼任讲师,中央军校第七分校主任教官,西安绥靖公署党政处处长	三十五年八月
兼任教授	陈澄之		男	四一	江苏丹阳	Toronto大学经济系硕士,曾任军委会购科委员会处长,西南联大特约教授,陆军大学教官,中国银行国外视察	三十六年四月
兼任教授	杨珍	王树	男	三十	湖南	中央政治学校大学部财政系毕业,曾任国立广西大学讲师,重庆战区学生计政专修科副教授,中华教育文化基金董事会财务秘书	三十五年一月
讲师	赵玉珉		男	三三	辽宁海城	本校经济学系毕业	三十八年八月

续表

职别	姓名	别号	性别	年龄	籍贯	履历	到校年月
兼任讲师	张芳笠		男	三十	河北任县	天津南开大学商学系毕业,金城银行郑州区管辖行文书主任	三十六年五月
助教	王懿修		女	三一	河北沧县	本校经济学系毕业	三十一年八月
助教	庞荫华		男	三二	河北定县	本校经济学系毕业,财政部陕晋税务管理局南郑直接税分局职员	三十三年二月
助教	刘淑端		女	二四	安徽阜阳	本校经济学系毕业	三十六年二月
商学系							
教授兼主任	孙宗钰	式均	男	五一	济南	美国芝加哥大学商学院学士,哥伦比亚大学商学院硕士,曾任东北大学杭州之江文理学院教授,齐鲁大学经济学主任	二十六年十一月
教授	刘纪之		男	五二	河北河间	英国伦敦大学政经学院研究,伯明翰大学商学硕士,曾任吉林大学、河北农学院、西北工学院教授,河北大学系主任	二十六年十一月
教授	刘景同		男		陕西米脂	国立北平大学政经学院、日本东京法政大学大学院毕业,曾任国立西北农学院教授	三十五年八月
教授	王含英		男	四六	河北安平	天津北平大学土木工程科毕业,美国芝加哥大学政经研究院硕士,美国中北学院政经学士,曾任山西大学、陕西省立商业专科学校教授	三十五年八月
兼任教授	吴柏林		男	四九	江西九江	复旦大学会计系毕业,美国南加州大学研究院商科硕士,历任金大、湖大、复旦等校教授,现任交通银行西安分行副理	三十六年四月

续表

职别	姓名	别号	性别	年龄	籍贯	履历	到校年月
副教授	李亦人		男	三九	江苏高邮	国立中央大学会计系毕业,日本庆应大学理财科肄业,曾任中央建设专款审核委员会稽核,中央战干团会计班主任教官,陕西省立商业专科学校私立铭贤学院教授	三十五年八月
副教授	廖兆骏	耀千	男	四一	江苏盐城	国立中央大学会计系毕业,曾任国立中央大学商学院专科主任,国立暨南大学教授,中央战干团少将、高级教官,陕西省立商专教授	三十五年八月
兼任讲师	范宝信	叔虔	男	三一	河北	中央政治学校经济系毕业,曾任贵州省训练团、中央战时工作干训团班主任,陕西省立商业专科学校讲师,陕西省政府统计室兼中央交农四联总处副处长	三十五年
助教	陈贵印		男	三十	安徽合肥	本校商学系毕业,曾任第一战区商南指挥所少校课员汉中联立中学教员	三十四年一月
助教	梁月君	光霁	女	二七	河北清苑	本校商学系毕业,曾任西北工学院会记室事务员	三十六年三月
医学院							
教授兼院长	汤泽光		男	四九	广东新会	岭南大学及北平协和医学院毕业,美国纽约大学博士,曾任广东大学医学院、广东光华医学院、国立西北医学院教授	三十三年十月
教授	侯宗濂	希颐	男	四九	辽宁海城	京都帝国大学生理学博士,曾任南满医科大学讲师、副教授,北平大学医学院教授,福建省立医专校长,福建省立医学院、省立研究院、国立西北医学院院长	三十三年八月

续表

职别	姓名	别号	性别	年龄	籍贯	履历	到校年月
生物学主任教授	陈作纪		男	五二	山东潍县	德国明兴大学医学博士,曾任胶济铁道医院主任兼院长,河南大学医学院、山东省立医专、国立西北联大医学院、国立西北医学院教授	三十六年一月
教授	毛鸿志	抟风	男	四七	江西	国立北平大学医学院毕业,日本九州帝国大学医学部辅助研究员,曾任国民革命军江西右军野战医院院长,河北医学院讲师,国立西安临时大学副教授,国立西北联合大学、国立西北医学院教授	二十八年八月
教授兼病理室主任	李佩琳		男	四六	辽宁海城	英国伦敦大学本院病理学博士,曾任北平协和病理科研究员,湘雅医学院病理科副教授兼主任,中央大学医学院病理科副教授,中正医学院病理科教授兼主任,西北防疫处病理研究室技正,西北农学院兽医系病理学教授,西北医学院病理科教授兼主任	三十五年八月
教授	董克恩	如炎	男	四四	河北高阳	国立北平大学医学院,德国耶纳大学毕业,曾任河北省立医学院教授,军委会北平重伤医院外科专任医师,湖北省立医学院外科主任,西北联大医学院教授,国立西北医学院教授兼教务主任,西安军医学校外科主任教授	三十五年八月
教授兼附设医院主任	陈阅明	公素	男	三九	河南灵宝	国立北平大学医学院毕业,日本九州帝国大学内科研究,曾任福建省立医学院副教授,广西省立医学院教授	三十四年六月

续表

职别	姓名	别号	性别	年龄	籍贯	履历	到校年月
教授兼院长办公室主任	翟之英	千子	男	四二	山西定襄	国立北平大学医学院毕业,曾任西安临时大学讲师,国立西北医学院副教授、教授	二十八年九月
教授	李学禹	文轩	男	四九	山东潍县	德国柏林大学医学博士,曾任河北医学院外科主任、教授,中央航校洛阳分校医务段长,航委会空军第三区医务所所长,国立西北医学院解剖学主任、教授,陕西省立医专外科教授	三十六年二月
教授	刚 时	斯伦	男	四六	辽宁辽阳	辽宁医学院毕业,曾任沈阳盛京施医院医师,辽宁东北大学医学院院长,陕西东北大学校医室主任,军政部第一防疫大队荐任技士兼第一分队长,国联防疫团第一团医官兼汉中第二组主任,军政部汉中陆军医院医务长,联合勤务总司令部西安总医院代理院长	三十五年八月
教授	马志千		男	四一	辽宁海城	辽宁医学院毕业,曾任长沙湘雅医院外科住院总医师,山东临清华美医院院长兼外科主任,北平协和医学院外科实习,桂林道生医院院长兼外科主任,联勤总部西安总医院外科主任	三十五年八月
教授	支永振		男	三七	辽宁新民	辽宁医学院毕业,曾任沈阳盛京施医院外科主任、院务总医师,湖南零陵循道会医院外科主任,云南昭通循道会医院副院长兼外科主任,四川自流井加拿大医院副院长兼外科主任,军政部西安临军医院外科主任	三十五年八月

续表

职别	姓名	别号	性别	年龄	籍贯	履历	到校年月
教授	谢景奎	星垣	男	四一	山东滨县	齐鲁大学医学院毕业,曾任卫生人员训练所第三分所高级教官,军政部汉中陆军医院内科主治医师,联合勤务总司令部西安总医院军医兼主任	三十五年八月
德文教授	王云明	翔五	男	三九	山东	国立北平大学医学院毕业,留德研究四年,曾任国立西北联合大学德文讲师,国立西北医学院副教授、教授	三十五年八月
教授兼训导员	贾淑荣	晓澜	女	三八	绥远归绥	国立北平大学医学院毕业,曾任北平大学医学院助教,国立西北联合大学讲师,国立西北医学院副教授、教授	三十五年八月
药理学教授	孙国桢	干青	男	四一	河南安阳	河南大学医学院教育部医学师资进修班药理科毕业,曾任河南大学药理学助教,陕西省立医专药理学副教授,军医学校第一分校药理学教官	三十五年八月
兼任教授	马保橘	细侯	男	五四	北平市	满洲医科大学毕业,曾任满大附属医院练习医师,山东省立医学专门学校教授,省立医院医务长,卫生署西北防疫处、河南省卫生处技正,陆军军医学校第一分校教官,河南省第七区行政中心卫生院院长	三十六年二月
兼任教授	刘士琇	新民	男	三九	安徽	国立北平大学医学院毕业,日本九州帝国大学大学院研究员,曾任西北联合大学副教授兼眼科主任,卫生署西北医院主任医师,曾任陕西省立医专专任教授	三十五年十二月

续表

职别	姓名	别号	性别	年龄	籍贯	履历	到校年月
副教授	曲漱蕙	香馀	男	三七	山东招远	国立山东大学理学院生物系毕业，曾任国立山东大学、国立中央大学医学院助教，国立编译馆临时编译，国立西北医学院讲师、副教授	三十一年三月
小儿科副教授	隋式棠		男	三六	山东广饶	国立北平大学医学院毕业，曾任北平大学医学院助教，安徽教育厅卫生教育委员会委员兼医师，湖北省立卫生院医师，国立西北医学院讲师、副教授	三十五年八月
生化副教授	汪功立	隐之	男	三八	湖北黄冈	军医学校大学部医科毕业，曾任军医学校生化系上尉、助教，营养研究所技士，军医学校第一分校生化系中校、医官，湖北省立医学院、国立西北医学院副教授	三十五年八月
妇产科副教授	许可	学殷	男	三九	广西平南	国立北平大学医学院毕业，协和医学院产妇科研究一年，曾任广西大学医学院产妇科助教，军政部第十一兵工厂医务课产妇科医师，昆明卫生事务所保健产院院长，军医学校产妇科教官，国立西北医学院妇产科副教授	三十五年八月
英文副教授	徐浩	致中	男	四九	江苏嘉定	圣约翰大学文科毕业，曾任上海青年会学校、郑州铁道部扶轮中学英文教员，中央军校七分校外语班上校教官，青年军二零六师编译室上校主任，陕西省立医专外文教授	三十五年八月
化学副教授	彭绪让	逊三	男	三七	山东淄川	国立北平师范大学化学系毕业，曾任国立四中高中部化学教员，国立西北医学院化学讲师、副教授	三十一年七月

续表

职别	姓名	别号	性别	年龄	籍贯	履历	到校年月
兼任副教授	朱维志	光宇	男	三七	山东益都	浙江省立医药专科学校毕业,曾任国立西北农学院卫生组主任兼讲师,陕西省立医专兼任细菌学副教授,私立西北医专细菌学教授	三十五年八月
讲师	霍炳蔚	虎文	男	三六	山东寿光	国立北平大学医学院毕业,曾任国立西北医学院助教、讲师	三十五年八月
讲师	张纬武	干城	男	四一	辽宁沈阳	辽宁省日本站满洲医科大学毕业,曾任满洲医科大学皮花科及药物学教师讲师,卫生署汉中公路卫生站保健科科长兼医师,卫生署南郑特种工程卫生总队第一卫疗队队长,国立西北医学院皮花科讲师	三十四年七月
讲师	李景颐	希濂	男	三五	山东招远	国立西北医学院毕业,曾任国立西北医学院助教讲师	三十五年八月
讲师	王兆麟	至符	男	三七	山东广饶	国立西北医学院毕业,曾任西北医学院助教助教讲师	二十九年八月
体育讲师	傅春池		男	三三	河北河间	国立北平师范大学体育系毕业,曾任国立西北医学院体育助教、讲师兼主任	三十五年八月
讲师	张怀瑫	剑文	男	三六	山东潍县	国立西北医学院毕业,曾任国立西北医学院助教	三十年八月
讲师	孙撷芬		男	三一	山东即墨	国立西北医学院毕业,曾任国立西北医学院助教	三十五年八月
讲师	刘皑		男		河南信阳	国立同济大学医学院毕业,曾任陕西省立医学专科学校副教授	三十五年八月
卫生学兼任讲师	寇燮		男	三九	陕西长安	国立西北医学院毕业,曾任西安市立中正医院主治医师,陕西省卫生所第一科科长,陕西省卫生所讲师,宝鸡卫生院医务长	三十六年五月
助教	胡用霖		男	三三	河北定县	国立西北医学院毕业,曾任国立西北医学院眼科助教	三十五年八月

续表

职别	姓名	别号	性别	年龄	籍贯	履历	到校年月
助教	李星全	宿之	男	三三	河北元氏	国立西北医学院毕业,曾任重庆国立中央医院实习医师,兰州国立西北医院内科助理、住院医师、代理总住院医师,卫生署中央卫生实验院西北分院医师	三十五年八月
助教	张宝缵	晓滨	男	三三	山东即墨	国立西北医学院毕业,曾任国立西北医学院助教	三十五年八月
助教	刘耀南		男	三十	湖南衡阳	国立西北医学院毕业,曾任汉中师管区司令部三等正军医,国立西北医学院外科助教	三十五年八月
助教	尚天裕		男	二九	河北宁河	国立西北医学院毕业,曾任国立西北医学院助教	三十五年八月
助教	周宪文		男	三十	陕西城固	国立西北医学院毕业,曾任青年远征军第九军二零六师野战医院一等佐军医	三十五年八月
助教	赵清越		男	四七	山东潍县	国立西北农学院化学系毕业	三十五年八月
共同科目							
教授	曹配言		男	五二	陕西三原	国立北平师范大学研究科毕业,曾任中央党部秘书处秘书,陕西省党部委员,安徽大学、国立西北联合大学教授	二十七年十月
教授	孙道升	思管	男	三九	河南修武	国立清华大学哲学系毕业,燕京大学研究院研究,曾任国立北平师范大学、天津女子师范学院讲师,国立东北大学副教授,国立贵阳学院、国立贵州大学教授	三十四年八月

续表

职别	姓名	别号	性别	年龄	籍贯	履历	到校年月
教授兼西北文物研究室主任	王子云		男	四五	江苏萧县	法国国立巴黎高级美术学校暨高级艺术学校毕业,曾任北平中法大学孔德学校艺术科教员,南京国立第四中山大学民众教育馆主任,教育部艺术文物考察团团长	三十四年六月
兼任教授	王兆荣		男	三九	福建仙游	日本早稻田大学学士,早稻田大学研究院研究,军政部学校政治总教官,海军学校政治部主任,中央军校主任教官,国立西北工学院教授,中训团交通班少将教官	
体育副教授	刘月林	静川	男	四三	河北赞皇	国立北平师范大学体育系毕业,曾任国立北平师范大学、国立西安临时大学、国立西北联合大学及本校讲师,国立西北师范学院副教授	三十三年七月
体育副教授	张润之		男	三七	河北赵县	国立北平师范大学体育系毕业,曾任国立西北农学院讲师兼体育主任,本校讲师	二十九年十月
体育副教授	王树棠	召南	男	三八	河北安平	国立北平师范大学体育系毕业,曾任察哈尔张家口中学、四川省立绵阳中学、河北省立中学、河南省战区中学第二分校体育主任,国立第四中学体育组组长,本校讲师	三十一年九月
体育副教授	李呈瑞	发祥	男	三八	山东清平	北平民国大学体育科毕业,曾任北平市立体育专科学校助教,第三十一集团军教官,本校讲师	二十九年十月
体育副教授	刘振华	博森	男	三八	河北正定	国立北平师范大学体育系毕业,曾任国立北平大学、国立西安临时大学、国立西北联合大学、国立西北农学院讲师,国立西北工学院副教授	三十五年八月

续表

职别	姓名	别号	性别	年龄	籍贯	履历	到校年月
体育副教授	齐锦春	鹤俦	女	二八	湖南长沙	国立女子大学体育系毕业,曾任北平私立辅仁大学女院讲师	三十五年八月
讲师	杨名理		男	三五	安徽蚌埠	国立河南大学化学系毕业,曾任军政部第二酒精厂中校技正,国家总动员会议荐任组员,经济部中央工业试验所荐任技士	三十四年元月
讲师	侯应选	复明	男	三四	陕西咸阳	江苏教育学院民众教育系毕业,曾任陕西省立西安师范简师科主任,西安师范、同州师范、咸阳周陵中学教务主任,凤翔师范学校校长	三十五年二月
讲师	杜运奎	慧轩	男	三六	河北深泽	国立北京大学外语系毕业,日本东京帝国大学研究院研究,中央政治学校特一期毕业,曾任军委会政治部主任,教育部第一战区青年进修班主任教员	三十五年十月
讲师	单演义	慧轩	男	三六	江苏萧县	国立东北大学中国文学系毕业,国立东北大学文科研究所史地学部硕士	三十三年八月
讲师	隋 觉	滁生	男	三三	吉林扶余	国立东北大学历史系毕业,国立东北大学文科研究所硕士,曾任国立东北大学助教	三十三年八月
讲师	刘锡麟	西林	男	三七	河北深泽	国立北平师范大学教育系毕业,曾任河北省立邢台师范学校、河北省立保定师范学校教务主任,山东省立聊城师范附属小学主任	三十六年二月
体育讲师	王维经		男	三一	河北灵寿	国立西北师范学院体育系毕业,曾任国立西北工学院体育助教,国立一中体育教员,国防部汉中青年职业训练班体育教员	三十六年四月

续表

职别	姓名	别号	性别	年龄	籍贯	履历	到校年月
兼任讲师	张静渊		男	四五	陕西长安	北平燕京大学教育系毕业,历任陕西省立商专讲师,陕西省立医专讲师兼秘书,陕西省文运会秘书	三十六年二月
体育助教	徐敬达		男	三二	吉林长春	国立西北师范学院体育系毕业	三十二年八月
体育助教	郭治洪		男	三三	河北无极	国立西北师范学院体育系毕业	三十二年八月
校长办公室							
讲师兼秘书	萧廷奎						见前
秘书	郭君宝		男	四一	江苏锡山	上海法政学院毕业,曾任教育部战后教育督导专员,三十一集团军总部军法处长	三十三年八月
秘书	翁世五		男	四七	河北	北平燕京大学毕业,历任天津汇文中学、国立廿一中、国立一中等校高中国文教员及教导主任,天津南开大学兼任讲师	三十六年五月
教务处							
讲座兼教务长	张贻侗						见前
注册组							
副教授兼主任	刘致和						见前
组员	高明堂	耀亭		四二	河北井陉	国立北平师范大学教育系毕业,曾任河北省立第二师范教育教员,河北省立大名师范教育教员兼附小主任,河北省立民众教育实践学校教育教员,陕西省立汉中师范教员兼教务主任	廿六年十月
组员	周文麟	祥生	男	三七	山东聊城	山东省立济南师范学校毕业,曾任山东莱芜县政府教育科科长	廿九年十一月

续表

职别	姓名	别号	性别	年龄	籍贯	履历	到校年月
组员	王魁元	星五	男	三八	河北武清	私立拱辰中英文专修科肄业,曾任国立西北工学院文书组组员及出版组组员,中国银行西北运输处调度、股主任	三十二年一月
组员	苏晋博	慕泉	男	三八	江苏武进	厦门大学理科毕业,曾任南郑空军粮所总干事,陕西省立汉中师范数理教员,国立西北医学院注册组代理主任	三十五年八月
组员	王华亭		男	四五	辽宁辽中	辽中县立师范毕业,曾任辽宁辽中县府科员,中央军校一分校经理处科员,工合陕南采金管理处秘书,工合采金处洵阳管理所主任	三十五年二月
组员	马善民		男	四九	北平	北京师范学校本科毕业,曾任国立西北师范学院庶务组组员	三十三年九月
组员	马昭明		女	三六	陕西绥德	国立北平大学文理学院文史系毕业,曾任广西中学教员,重庆中央团部日间托儿所总务科长,新会设计股长	三十五年九月
组员	毕宝粟		男	三八	山东济南	山东省立第一中学毕业,曾任津浦路工务处济南工务段及京衢工程局第四测量对职员,西北师院附中教员	三十一年八月
组员	唐崇华		男	四八	河北房山	平汉铁路艺员养成所毕业,曾任平汉铁路机务处员司	二十六年十月
组员	张沂		男	三一	河北隆平	县立乡村师范学校毕业	三十一年五月
组员	田滉生		男	三三	陕西城固	城固中学毕业,陕西省立五中高中肄业,曾任城固社训总队部、城固县政府建设科事务员	三十一年六月
组员	王永吉		男	二九	河南孟县	本校法律学系毕业	三十五年八月

续表

职别	姓名	别号	性别	年龄	籍贯	履历	到校年月
组员	杜建之		男	三七	湖南溆浦	私立北平民国学院体育科肄业，中央军校济阳分校步科毕业	三十三年二月
组员	戴学德	欣萍	男	三四	河北蠡县	国立中央工业专科学校机械系毕业，曾任甘肃省立天水女子师范教员	三十六年四月
助理员	王治清	正平	男	三一	陕西城固	陕西省立南郑中学毕业，曾任城固南乐中心小学教员，南郑县政府事务员	廿九年十二月
组员	陈迪光		男	三三	安徽蒙城	国立北平师范大学国文系毕业，曾任国立第一中学国文教员	三十四年九月
组员	白　璧	洁人	男	三三	江苏砀山	江苏省立徐州中学毕业，曾任砀山县立中学教员，第二十二集团军战地服务团组主任，第四十五军司令部少校、秘书，军政部第七军需局中校、秘书，第七军需局附属材料厂中校、股长	三十四年九月
组员	吕　恭	敬盛	男	二五	山西荣河	本校政治学系毕业	三十五年八月
组员	张亚英	四维	男	二九	河北成安	本校政治学系毕业	三十五年八月
组员	李隐南	更生	女	三六	北平	察省高师毕业，北平师范大学肄业，曾任张垣女师附小家园，陕西省立第二保育员教导主任	三十五年十月
助理员	黄义信	重生	男	三一	陕西城固	城固县立中学毕业，曾任城固西乡镇巴宁陕紫阳陇县沔阳等县田管处土地陈报查丈队测绘员、助理员	三十年十月
书记	刘在城	良牧	男	三十	湖南	湖南省立常德中学高师科毕业，曾任经济部物资局、财政部货运管理局科员，军政部抗属工厂会计主任	三十五年十月

续表

职别	姓名	别号	性别	年龄	籍贯	履历	到校年月
书记	季振武		男	三三	陕西白水	西安高级中学毕业，曾任西安高级中学书记，陕西省立第一中学教务员，陕西省立第二中学管理员	三十五年十一月
书记	宋钟铭		男	二四	河北徐水	国立第一中学高中部毕业	三十六年一月
书记	张广智	子衡	男	三十	陕西城固	汉中省立师范毕业，曾任汉中田赋管理处土地查丈队测绘员，城固田赋管理处科员	三十二年三月
图书分馆主任	阎用九		男	三七	陕西蓝田	江苏省立教育学院民众教育系毕业，曾任陕西省立西安师范学校训育主任，省立西安师范学校训育主任及事务主任，国立西北农学院医师兼图书馆主任	三十五年一月
馆员	赵殿卿		男	四四	河北宛平	北平畿辅中学肄业，曾任同浦路白晋公务总段办事员，西京图书馆城固分馆馆员	二十八年四月
馆员	田子升		男	四二	陕西城固	上海美术专门学校毕业，曾任北平文治中学美术教员，本校注册组组员	二十八年十月
馆员	倪公甫		男	四三	浙江绍兴	河南留学欧美预备学校英文课毕业，曾任国立河南大学图书馆馆员，河南省立沁中、国立第十中学英文教员	二十八年十月
馆员	张之桢		男	三二	河北定县	北平朝阳学院法律系毕业，曾任日本神户中华同文学校教员	三十五年八月
馆员	李德芝		男	三二	山西五台	本校化学系毕业，曾任甘肃省水泥公司助理工程师	三十六年二月
馆员	张松影		女	三三	河北平山	北平女子师范学院毕业，河南安阳县中河南私立知行中学、国立一中、城固自强小学等校教员	三十五年十一月

续表

职别	姓名	别号	性别	年龄	籍贯	履历	到校年月
馆员	雷幼珣		女	二五	陕西长安	国立西北师范学院外文系肄业,曾任陕西蓝田县立中学、陕西商县中学英文教员	三十六年五月
馆员	刘焕星		男	三六	河北唐县	曾任教育部第一服务团干事兼指导员,陕西私立乐育中学教员,国立西北医学院事务员	三十六年八月
馆员	朱秀峰	松岩	女	三七	山东临沂	上海美专毕业,曾任山东省立临沂中学教员兼女生指导,国立西北医学院图书馆事务员	三十二年六月
书记	宋子安		男	三六	陕西城固	南郑联立中学毕业,历任军界军需书记长及小学教员、校长等职	三十年十月
书记	阎永德		男	三一	陕西城固	南郑联立中学肄业,曾任南郑十八里铺汉师附小教员	三十二年十二月

三、1947 年 6 月国立西北大学的前任教职员名录

（一）前任教员

胡庶华	陈石珍	赖 琏	杨宙康	吴祥凤	寨先器	徐佐夏	姜 琦
杜光埙	萧一山	王凤仪	于赓虞	黎锦熙	谭戒甫	刘 朴	高 亨
罗根泽	唐祖培	杨慧修	易忠箓	张纯一	侯芸圻	邵潭秋	叶意贤
李贯英	张舜琴	钟作猷	刘北茂	徐褐夫	吴志毅	姜寿春	田恩霈
孙珍田	王衍臻	王志刚	陆懋德	丁 山	陶元珍	蒋百幻	蓝文徵
陈恭禄	涂序瑄	陈昭炳	王文宣	刘 拓	王文华	段子美	张德馨
蔡钟瀛	张贻惠	（已故）	杨立奎	吴 锐	赵学海	（已故）	朱有宣
李家光	唐尧衢	严演存	雍克昌	徐凤早	吴仲贤	汪堃仁	董爽秋
王伟烈	嵇联晋	黄国璋	殷祖英	谌亚达	杨曾威	李善棠	董绍良
刘仲则	王□隆	耿鸿枢	李之常	李士林	卢 峻	杨兆龙	曹国卿
刘之谋	刘宜琛	王 璈	何宇铨	吴清葵	胡毓杰	施宏勋	严可为
郭至德	薛铨曾	薛庆衡	李镜湖	贾万一	赵翰九	张宗元	杨柏森
张育元	凌乃锐	卿汝楫	尹禄光	王守礼	程克敬	原政庭	赵石萍

王仙舟	尹文敬	季陶达	周禽庭	孙茂柏	林穆光	张延凤	（已故）
王文光	沈筱宋	李　安	赵树勋	胡道远	刘溥仁	杨宗培	郭文鹤
安潘之	刘君煌	汪奠基	胡国钰	唐得源	王耀东	张清涟	王闻夫
孙晋三	金保赤	刘佛年	盛澄华	贾韫玉	（已故）	李毓珍	杨　烈
孙　伟	辜　勉	杨向奎	林占鳌	龙　文	郑安仑	李式金	王毓琦
陈蕙芳	罗清镠	叶英桐	于鸣冬	盛礼约	曹觉民	韩瑞堂	李在冰
吴世昌	张　焘	何士骥	薛祥绥	谭文伯	曹　鳌	梁永宜	高元白
宋嗣恂	张叔亮	夏江风	张拱贵	张万里	赵　燕	张广涾	许忆痴
齐振庸	何文仁	李之柱	魏　真	何竹洪	周国亭	韩惠运	李相显
蔡英藩	刘竹筠	王象复	王本良	郑恩德	朱汝复	颜季琼	李兰言
施白南	姜玉鼎	黄绍鸣	丁锡祉	卢衍豪	杨俊山	刘汝湘	王镜铭
邢宗江	李永增	洪式闾	林　几	颜守民	李赋京	黄振泰	赵清华
马仲魁	潘作新	生景清	周　昱	王同观	李宝田	汪美先	金德祥
万福恩	邓马爱娜	褚葆真	杨其昌	王　耕	王友竹	林兆鹤	徐庆祥
黄万杰	陈学穆	穆秉彝	刘兆桢	魏际昌	陈传勤	姜遒风	丁春波
于月萍	王得道	王来珍	方怀时	弓　潞	宋汉节	朱秀珍	李祥麟
吴墨林	纪学参	赵次庚	蔡　锋	王洵礼	康振玉	高凤藻	徐　骏
黄国钦	汤汝玉	宋方玉	王培信	刘锡衡	（已故）	张之湘	梁福临
初允伦	赵敏树	（已故）	王崐玉	张光涛	罗庆华	李鹤鼎	苑廷瑞
郭鸣鹤	杨宏论	柴森林	刘子长	郑雪樵	王俊杰	姬步周	康伦先
傅鹤峰	王道灿	谭树成	李宗渊	白一真	张德堃	曾　猛	张凤华
石岳山	潘祖蓝	吴秀文	顾学颉	李鸿敏	张震泽	吴继舜	陈效贤
杨玉璞	蒋恩浮	刘让言	黄鸿煊	王蕙生	姚玉栋	罗　郁	朱秀玲
陆润林	赵恒元	郁　叶	李立家	刘荣藻	林景华	刘杏影	张培楥
陈凤梧	吴菊婷	武　果	田羡尧	（已故）	马　明	梁念曾	晏克鑫
赵金铭	周学禹	蓝时欣	文　熹	黄连升	张鸿玺	高仲仁	顾树型
张惠民	刘廷佐	向宗富	赵步杰	孟伯谦	刘志翔	李家傅	罗　琛
孙启兴	张道坦	翁铁雄	李振汉	周松林	王治洲	李　鉴	

（二）前任职员

袁明道	王展如	陈鸿年	周克英	朱文恺	贾振华	张为公	赵明齐
刘永昌	黄贻清	董治平	鲍宁生	阎步洲	庞裕洲	刘廷芳	樊楚樵

孙亦民	李宇常	徐志中	李维章	郭中庸	么汝明	陈宝仁	陈素魂
朱维基	丁淑贤	马青云	刘兆珍	马　琰	李宗虞	杜绍甫	刁业勤
张梅颜	杜正明	周兰亭	刘　愉	吕明甫	王大鹏	张周勋	蒋文平
魏克勤	曾逸志	孙守任	宁培滋	陆松年	丁奉璋	苏琬华	陈□德
余　敏	张振华	王德新	冈如华	李向高	郭家泽	刘迺蕃	范润泽
黄秉钧	罗炳星	胡庆魁					

第八章 教职员（下）

第六节 国立西北工学院教职员名录

一、1939 年国立西北工学院教职员名录

职别	姓名	性别	年龄	籍贯	薪额	到院日期	离院日期	备注
院长室								
院长	赖 琏	男	三九	福建	六〇〇	二十八年三月		
秘书	孙治东	男	三八	贵州贵阳	二〇〇	二十八年十一月		
事务员	袁明道	男	二六	浙江	三〇	二十八年四月		
助理员	朱彝尊	男	三二	陕西南郑	六〇	二十八年四月		
总务处								
主任	胡光焘	男	三八	四川广安	四〇〇	二十八年六月		
主任	袁 坚	男	三九	浙江	四〇〇	二十九年四月		
总务处文书组								
主任	贾振华	男	四三	北平	一七〇	二十八年十月		
事务员	姚 鼎	男	四四	江西南昌	一一〇	二十七年七月		
事务员	孙得贞	男	五二	河北冀县	八〇	二十七年十二月		
书记	何慕白	男	二八	陕西南郑	四〇	二十八年四月		
助理员	王素纯	男	三二	陕西南郑	四〇	二十八年四月		
书记	廉慕良	男	二六	河南临漳	四〇	二十八年四月		

续表

职别	姓名	性别	年龄	籍贯	薪额	到院日期	离院日期	备注
	窦丹初	男	二九	陕西南郑	四〇	二十八年七月	离院	
	薛敬勋	男	二五	河南修武	四〇	二十八年十二月		
书记	王鸿基	男	二八	陕西南郑	三〇	二十九年五月六日		
总务处庶务组									
代理主任	吴图南	不详	不详	不详	三〇〇	不详		已辞代理职务,现由训导员高维荣兼任
事务员	王喜麟	男	三〇	河南修武	六〇	二十七年八月		
组员	李诚安	男	三六	四川合川	八〇	二十八年十一月		
组员	樊淑秀	女	二六	江苏江都	八〇	二十八年十一月		调注册组
助理员	赵静澜	不详	不详	不详	五〇	二十八年十一月	离院	
助理员	潘鸿绶	不详	不详	不详	五〇	二十八年十一月	离院	
书记	杜玉繁	男	二六	河北南宫	五〇	二十八年四月	二十九年五月十五日	七月十七日复职
	袁有忠	男	二八	陕西城固	四〇	二十八年七月		
书记	马祥庭				三〇	二十八年十二月	二十八年十二月	
	刘颂声	男	二五	河南延津	四〇	二十八年十二月		
组员	刘汉沛	男	三四	湖南衡阳	一〇〇	二十八年十一月	二十九年三月十八日	
助理	白炳新	男	二六	河南郑州	二六	二十八年八月		
助理员	林蔚然	男	三二	河北徐水	四〇	二十九年六月		
总务处出纳组									
主任	李振亚	男	四四	河南修武	一三〇	二十七年八月		
事务员	曾冀泉	男	三五	河南沁阳	七〇	二十七年八月		

续表

职别	姓名	性别	年龄	籍贯	薪额	到院日期	离院日期	备注
助理员	李青云	男	二二	河南修武	四〇	二十八年八月		
书记	王德魁	男	三五	河南武陟	四〇	二十八年十二月一日		
训导处								
主任	黄其弼	男	三六	长沙	三六〇	二十八年三月		
训导员	袁明道	男	不详	不详	不详	二十九年七月		
	高维荣	男	二六	天津	一二〇	二十七年七月		
训导委员	周唯真	男	四九	长沙	三〇〇	二十八年十月	二十九年七月	
	黄其超	男	三二	长沙	二六〇	二十八年十月		
	吴图南	男	四五	内蒙古	三六〇	二十八年十一月	二十九年五月九日	
	王际强	男	不详	不详	不详	不详		
	辜庆鼎	男	不详	不详	不详	不详		
训导员	聂日正	男	二九	山东菏泽	九〇	二十八年十二月		
事务员	赵金瑞	男	二三	陕西长安	六〇	二十八年十二月		
训导处生活指导组								
代理主任	杨会鹏	男	三三	江苏淮阴	一七〇	二十八年六月	二十九年七月调南郑办事处主任	
书记	杨士孝	男	二七	山东菏泽	四〇	二十九年一月		
训导处军事管理组								
主任教官	刘伯安	男	三三	河北宛平	二〇〇	二十九年一月		
教官	庄德纯	男	二八	吉林	一六〇	二十九年一月		
助教	田嘉瑞	男	三四	山东泗水	八〇	二十九年一月		
	张骥	男	二七	江苏南通	八〇	二十九年一月		
事务员	王秉时	男	二七	陕西乾县	五〇	二十九年一月		
助理员	吴灵万	男	三〇	安徽桐城	四〇	二十九年一月		
	任熙均	男	三〇	河北	四〇	二十九年一月		

续表

职别	姓名	性别	年龄	籍贯	薪额	到院日期	离院日期	备注
教官	邓志先	男	二九	陕西	一○○	二十九年二月		
助教	王荫楼	男	二八	陕西蓝田	七○	二十九年二月		
主任	陈师	男	三四	湖南安化	二○○	二十九年五月		
教官	王其昌	男	二七	陕西邻阳	一○○	二十九年五月		
助教	宋希贤	男	二四	河南确山	七○	二十九年五月		
书记	王锡春	男	二二	河北满城	三○	二十九年六月		
训导处体育组									
代理主任	吴祖宪	男	三二	广东四会	一六○	二十八年八月		
讲师	王允升	男	三○	河南临汝	一六○	二十七年八月		
书记	于淑敏	女	二四	辽宁铁岭	四○	二十八年十一月		
讲师兼主任	苑廷瑞	男	三一	吉林宁安	一四○	二十九年二月		
讲师	张大昕	男	二九	河北威县	一○○	二十九年一月		
训导处卫生室									
院医	孟诵明	男	三九	山西	三○○	二十七年十一月		
医师	吴治能	男	三三	浙江	一○○	二十八年八月		
护士	张峥	女	二五	山西	九○	二十八年八月	二十九年三月一日	
护士	刘文淑	女	三七	河北	八○	二十九年六月		
教务处									
主任	潘承孝	男	四三	江苏吴县				
教务处注册组									
主任	朱杆	男	二九	江苏镇江	一二○	二十七年七月		
教务员	马桂馥	女	二七	河北定县	九○	二十七年七月		
助理员	罗采章	男	三八	河北满城	六○	二十七年七月		
	庞熙亭	男	三八	河北深泽	七○	二十八年三月		
	王谦	男	不详			二十八年十一月		
组员	王大平	男	三○	河北安国	六○	二十八年四月		
书记	李敬实	男	二四	河北南和	四○	二十八年十二月		

续表

职别	姓名	性别	年龄	籍贯	薪额	到院日期	离院日期	备注
	杜英杰	男	二四	河北任县	三〇	二十八年十一月	二十九年一月二十二日	
组员	樊淑秀	女	二六	江苏江都	八〇	二十八年十一月	二十九年五月九日	
助理员	齐　颂	女	三〇	河北蠡县	四〇	二十九年二月		
组员	秦湘荪	女			八〇			
教务处图书组							
主任	王洪涛	男	三七	河南安阳	一六〇	二十七年八月		
事务员	龚宝贤	女	二五	吉　林	八〇	二十七年七月		
	林彝勋	女	三二	河南孟县	六〇	二十八年十二月		
	刘名世	男	三二	河南滨县	七〇	二十八年十月		
助理员	魏鸣久	女	二七	河南汲县	四〇	二十八年十一月		
馆员	石　晶	男	三〇	河南南阳	八〇	二十九年一月		
书记	王　滨	男	三二	河北永清	三〇	二十九年五月		
助手	赵芳辰	男	二二	河南洛阳	二五	二十九年四月		
教务处出版组							
主任	姚兰楷	男	四一	安徽寿县	一五〇	二十八年十月		
组员	王魁元	男	二九	河北武清	七〇	二十八年四月		
书记	王秀文	女	二〇	河北蠡县	四〇	二十八年四月		
	要金长	男	二〇	河北满城	四〇	二十八年十一月		
	陈文英	女	二二	河南南阳	四〇	二十八年十一月		
助理员	王　谦	男	二〇	安徽合肥	五〇	二十八年十月		
书记	郭绍敏	女	二五	河南开封	三〇	二十九年三月		
教务处仪器组							
主任	王子佩	男	三五	河北武清	二八〇	二十七年七月		
事务员	朱并夷	男	三〇	辽宁沈阳	七〇	二十七年七月		
事务员	李荫章	男	三六	安徽寿县	六〇	二十八年八月		
助理员	王明德	男	三五	河北丰润	六〇	二十七年七月		

续表

职别	姓名	性别	年龄	籍贯	薪额	到院日期	离院日期	备注
助理员	宋贻清	男	四〇	天津	六〇	二十七年十二月		
书记	萧子章	男	二五	河北通县	三〇	二十九年五月		
管理员	杨文华	男	二四	河北定县	四〇	二十八年九月		
助手	杜绪英	男	二五	河南开封	三〇	二十八年十二月		
化学实验室助手	吴世广	男	二四	河南安阳	四〇	二十九年六月		
会计室								
主任	刘镇时	男	三八	湖南湘阴	二八〇	二十七年十一月		
佐理员	邓祖谐	男	二五	浙江镇海	一二〇	二十七年十二月		
事务员	李世龄	男	三七	山东蓬莱	一〇〇	二十七年七月		
	李参如	男	二四	南京	五〇	二十八年二月		
	周建兰	女	二三	上海	五〇	二十八年二月		
	刘雁南	女	二四	上海	四五	二十八年五月		
书记	刘龙骧	男	三五	河北满城	四〇	二十八年十月四日		
	谬耀先	男	二二	河北清苑	四〇	二十八年十月四日		
佐理员	解毅	男	三七	安徽桐城	一〇〇	二十九年四月		
助理员	王金吾	男			四〇			
土木系								
主任	金宝桢	男	三三	河南开封	四〇〇	二十七年七月		
土木工程教授	王文华	男	三六	辽宁黑山	四〇〇	二十七年八月		
测量学教授	赵玉振	男	三六	河北	三八〇	二十七年七月		
结构工程弹力学教授	李荣梦	男	二八	湖南	三四〇	二十七年七月		
土木工程教授	谢光华	男	三〇	福建闽侯	三七〇	二十七年八月	二十九年七月离院	
测量学副教授	傅维钧	男	三五	辽宁	二六〇	二十七年七月	二十九年四月离院	

续表

职别	姓名	性别	年龄	籍贯	薪额	到院日期	离院日期	备注
应用力学及天文学教授	董钟林						二十九年七月离院	
	胡光焘							
构造工程助教	关景勋	男	二八	辽宁凤城	九〇	二十七年七月		
	马书润	男	三〇	河南陈留	九〇	二十七年八月	二十九年六月	
	薛秉山	男	二七	察哈尔	九〇	二十八年四月		
	徐钦鸣	男	二八	辽宁开源	二〇	二十八年六月		
	李 锐	男	二五	河北大兴	九〇	二十八年五月		
铁道工程教授	顾文魁	男			三六〇			
	白季眉	男			三四〇			
	刘树勋	男						
副教授	茅荣林	男			三六〇			
助教	郑履义				八〇	二十九年八月		
	厉汝尚				八〇	二十九年八月		
教授	黄文熙				四〇〇			
矿冶工程系								
主任	任殿元	男	四四	河南南阳	四〇〇	二十七年八月		
采矿工程教授	雷祚雯	男	三四	江西靖安	四〇〇	二十七年八月		
矿山测量教授	马恒融	男	四一	河南安阳	三六〇	二十七年八月		
地质学教授	李余庆	男	四四	河南襄城	三六〇	二十七年八月		
矿冶工程教授	石心圃	男	四六	河南沁阳	三〇〇	二十七年八月		
助教	李荫深	男	二五	河北高阳		二十七年七月		
	张卯均	男	二四	江苏青浦	九〇	二十七年八月		

续表

职别	姓名	性别	年龄	籍贯	薪额	到院日期	离院日期	备注
	刘铁民	男	二六	河北滦县	九〇	二十八年十月		
教授	张清涟				四〇〇			
	王子祐	男	三三	湖南麻阳	四〇〇	二十八年十二月		
	张遹骏	男		河南荥阳	三八〇	二十七年七月		
助教	陈泽埔				九〇	二十九年八月		
	陈文澜				八〇	二十九年八月		
	王朝林				一〇〇	二十九年八月		
机械工程系								
主任	潘承孝	男	四二	江苏吴县	四六〇	二十七年七月		
热机工程教授	何绪缵	男	四二	河南商城	三六〇	二十七年七月		
机械工程副教授	朱良玺	男	三二	辽宁锦县	三〇〇	二十七年七月		
教授	程干云	男	四八	浙江宁海	四〇〇	二十八年十月		
热机学教授	刘纯炎	男	二六	江西南昌	三二〇	二十八年十月		
应用力学教授	孟广照	男	四二	贵州	四〇〇	二十八年十月	二十九年三月	
讲师	杜春山	男	三二	河南睢阳	一八〇	二十七年九月		
	杜鸿年	男	二四	河北深泽		二十七年七月		
助教	张洪锡	男	二七	山东历城	九〇	二十七年七月		
	刁家翔	男	二五	山东黄县	八〇			
	史绍熙	男	二三	江苏宜兴	八〇			
教授	旦远纶				四〇〇			
	张燕波	男	三〇	辽宁抚顺	三六〇			
	曹缵贤				四〇〇			
助教	李克佐				八〇			
	游来官				八〇	二十九年八月		
	王恩民				八〇	二十九年八月		
	郭治洞				八〇	二十九年八月		

续表

职别	姓名	性别	年龄	籍贯	薪额	到院日期	离院日期	备注
电机工程系								
主任	刘锡瑛	男		河北	四六〇	二十七年七月		
电力工程教授	余谦六	男	四五	江苏镇江	四〇〇	二十七年七月		
电机工程教授	王翰宸	男	四五	河北定县	四〇〇	二十七年七月		
电工原理教授	王际强	男	三四	辽宁	三八〇	二十七年七月		
电话学教授	吴兴吾	男	三六	江苏金山	三六〇	二十七年七月		
无线电学教授	樊泽民	男	四〇	河北新镇	三四〇	二十七年七月		
电机工程教授	黄苍林	男	三七	福建莆田	三六〇	二十七年七月		
电机工程教授	徐庆春	男	三三	辽宁沈阳	三四〇	二十七年七月		
助教	郑恩德	男	二七	辽宁沈阳	一〇〇	二十七年七月		
	叶培大	男	二三	江苏南汇	九〇	二十七年七月		
讲师	王钦仁	男	三一	山东即墨	一二〇	二十七年七月		
助教	郭一平				九〇	二十九年八月		
	杜锡钰				八〇	二十九年八月		
	隋经义				八〇	二十九年八月		
	朱宝鹏				八〇	二十九年八月		
化学工程系								
主任	萧连波	男	四〇	河北武清	四二〇	二十七年七月		
无机化学及化学工程教授	杨同德	男	二六	江苏无锡	三四〇	二十八年十二月		
制衣革学及化学工程教授	李仙舟	男	三七	河北高阳	三四〇	二十七年七月		
教授	辜庆鼎	男	三二	湖北浠水	三四〇	二十七年七月		
	虞宏正	男						
助教	毕淑英	女	二五	北平	一〇〇	二十七年七月		
	黄淑麟	女	二五	山东宁阳	九〇	二十七年七月		
	罗素一	女	二七	辽宁	九〇	二十七年七月		
助教	朱学程	男	二八	黑龙江林甸	一〇〇	二十七年七月		

续表

职别	姓名	性别	年龄	籍贯	薪额	到院日期	离院日期	备注
	郭一平	男	二三	福建闽侯	八〇	二十八年九月		
	龚宝贤	女			九〇	二十八年十二月		
	马万兴				八〇	二十九年八月		
	马东民				一二〇	二十九年八月		
纺织工程系								
主任	张汉文	男	三八	河北高阳	四二〇	二十七年七月		
棉纺织工程教授	任尚武	男	三四	湖南湘阴	四〇〇	二十七年七月		
纺织工程教授	郭鸿文	男	四九	南京	三〇〇	二十七年七月		
教授	张铭西	男	四六	河北束鹿	二八〇	二十八年十一月		
助教	李金铸	男	二七	河北邢台	九〇	二十七年七月		
	柳国荣	男				二十八年十月		
教授	吴文良	男	四〇	湖北	三六〇	二十九年一月		
漂染教授	孙铎	男	三七	河北蠡县	三八〇	二十九年四月一日		
助教	王绛绚	男			八〇	二十九年八月		
水利工程系								
代主任	刘德润	男	三三	河南安阳	四〇〇	二十七年七月		
水利学及水利工程教授	彭荣阁	男	三一	河北曲阳	三四〇	二十七年八月		
卫生工程教授	田鸿宝	男	三四	辽宁	三六〇	二十七年七月		
助教	李惟湛	男	二五	山东临沂	八〇	二十八年九月	二十九年七月	
	杜镇福	男	二七	辽宁抚顺	九〇	二十九年三月		
教授	常锡厚	不详	不详	不详	三八〇	不详		
	何正森	不详	不详	不详	三八〇	不详		
助教	王玉琳	不详	不详	不详	八〇	二十九年八月		
助教	黄蔚先	不详	不详	不详	八〇	二十九年八月		
航空工程系								
主任	罗明燏	男	三五	广东	四二〇	二十七年七月		

续表

职别	姓名	性别	年龄	籍贯	薪额	到院日期	离院日期	备注
航空动力学及物理学教授	张国藩	男	三四	湖北安陆	三六〇	二十七年七月		
教授	戴桂蕊	男	三一	湖南湘乡	三六〇	二十八年十一月		
助教	余鸿才	男	二六	湖北沔阳	八〇	二十八年八月	二十九年三月	
教授	丁履德	男	不详	不详	三六〇	不详		
助教	王洪星	男	不详	不详	八〇	二十九年八月		
	张开敏	男	不详	不详	八〇	二十九年八月		
	董镇国	男	不详	不详	八〇	二十九年八月		
普通学科								
英文及社会科学教授	刘凤年	男	四五	河北河间	三六〇	二十七年七月		
数学教授	齐汝潢	男	四六	河北蠡县	三六〇	二十七年七月		
数学副教授	王丕拯	男	三八	河北深泽	二八〇	二十七年七月		
数学讲师	张景淮	男	四二	河南南阳	一四〇	二十七年九月		
国文讲师	萧涤吾	男	三七	河北武清	一六〇	二十七年九月		
	汪震	男			一三〇	二十八年十月		
会计学讲师	刘镇时	男			四〇	二十八年八月		
俄文讲师	姜景曾	男	三五	山东海阳	一六〇	二十八年八月		
数学教授	马纯德	男	三五	河南扶沟	三四〇	二十八年十一月		
物理教授	杨济通	男	三七	河北完县	三四〇	二十八年十月		
应用力学教授	王子佩	男	不详	不详	不详	二十八年十二月		
物理助教	李良鹏	男	二六	河南项城	八〇	二十八年十一月十五日		
数学助教	程先安	女	二四	浙江宁海	九〇	二十八年八月		
工程力学教授	许继曾	男	三五	山东堂邑	二六〇	二十九年一月		
讲师	张□桐	男	不详	不详	一二〇	二十九年三月		
数学助教	刘冠勋	男	二九	河南汲县	一一〇	二十九年二月十五日		

续表

职别	姓名	性别	年龄	籍贯	薪额	到院日期	离院日期	备注
	张大昕	男	不详	不详	不详	不详		
党义副教授	黄其超	男	不详	不详	不详	不详		
英文助教	金荣庭	男			八〇			
物理化学教授	易干球	男			三八〇			
物理教授	张维正	男			三六〇			
体育讲师	王树棠	男			一二〇			
南郑办事处								
主任	杨会鹏							
干事	赵光启	男	三一	河北望都	八〇	二十八年十月十四日		
助理干事	景淑珍	女	二四	河北清苑	四〇	二十九年十月十九日		
宝鸡办事处干事	李寿轩					二十九年六月		
驻渝通讯处主任	陈德裁				一〇〇	二十九年四月		
工科研究所								
主任	刘锡瑛							
工程学术推广部								
主任	王文华					二十七年七月		
总干事	王子佩							
技术员	李维钧							
	黄蔚光							
图书仪器迁运委员会								
总干事	王子佩					二十八年三月		
委员	潘承孝							
	刘锡瑛							
	刘镇时							
审查学生贷金委员会								
主任委员	周唯真							
总干事	张延祖	男	四八	河北威县	一八〇	二十七年七月		
干事	王魁元							

续表

职别	姓名	性别	年龄	籍贯	薪额	到院日期	离院日期	备注
委员	潘承孝							
	刘锡瑛							
	黄其粥							
	任殿元							
	王际强							
	刘镇时							
	郑伯安							
	杨会鹏							
	袁明道							
书记	曾睿淮	男	二二	河南沁阳	三〇	三九年四月		
编译委员会								
专任委员	杨大金	男	三三	四川	一〇〇	二十八年六月	二十九年八月	
主任委员	潘承孝							
委员	金宝桢							
	任殿元							
	刘锡瑛							
	萧连波							
	张汉文							
	刘德润							
	雷祚雯							
	罗明燏							
	王文华							
	田鸿宾							
	李荣梦							
	孟广照							
	马纯德							
	贾振华							

续表

职别	姓名	性别	年龄	籍贯	薪额	到院日期	离院日期	备注
	姚 鼎							
建筑委员会									
主席	王文华							
总干事	姜景曾							
委员	赖 琎							
	胡光焘							
	刘镇时							
	潘承孝							
	刘德润							
	金宝桢							
	王文华							
	赵玉振							
	王子佩							
矿冶研究所									
主任	雷祚雯							
公费生审查委员会									
召集人	胡光焘							
委员	潘承孝							
	刘毓华							
	金宝桢							
	任殿元							
	萧连波							
	罗明燏							
	刘德润							
	黄其弼							
	张治东							

（国立西北工学院档案，陕西省档案馆）

二、1948年国立西北工学院教职员录

职别	姓名	别号	性别	年龄	籍贯	通讯处
院长兼西安部主任暨机械系教授	潘承孝	永言	男	五一	江苏吴县	本院
教务主任兼电机系教授暨系主任工科研究所主任	王际强	健庵	男	四三	辽宁辽中	本院
训导主任兼数学教授	马纯德	修如	男	四六	河南扶沟	本院
总务主任兼水利系教授暨系主任	彭荣阁	延贤	男	四○	河北曲阳	本院
矿冶系教授兼系主任暨矿冶研究部主任	任殿元	式三	男	五一	河南南阳	本院
工程学术推广部主任兼机械系教授兼系主任	程干云	松生	男	五七	浙江宁海	本院
英文教授兼西安部副主任暨总务主任	郝圣符		男	四七	山东济南	本院
土木工程学系						
土木工程学系教授兼系主任	赵文钦	勖初	男	四一	河北南宫	本院
教授	赵玉振	金声	男	四五	河北束鹿	本院
名誉讲座	李俨	乐知	男		福建	西安崇礼路东段九十八号
教授	戚葵生	向民	男	四二	山东蓬莱	本院
	郭毓麟	钟灵	男	四○	辽宁	本院
副教授	沈晋	进之	男	三三	江苏高邮	本院
讲师	鲁承宗		男	三二	河北安平	本院
	廖淳恩		男	三一	辽宁沈阳	本院
助教	耿维恕		男	二八	河北宁晋	本院
	房伟龄		男	二七	河南开封	本院
	刘文清		男	三一	河北天津	本院
助教	卫云亭		男	二五	河北滦县	本院

续表

职别	姓名	别号	性别	年龄	籍贯	通讯处
矿冶工程学系						
矿冶工程系教授兼系主任	任殿元	式三	男	五一	河南南阳	本院
教授	张遹骏	伯声	男	四五	河南荥阳	荥阳乔楼村
	李余庆	善棠	男	五二	河南襄城	本院
	马恒矗	载之	男	四八	河南安阳	本院
	石心圃	集齐	男	五五	河南济源	本院
副教授	袁永鑫	耀庭	男	三一	河南阳武	河南获嘉县元村镇转
讲师	侯运广		男	三三	安徽无为	无为登瀛街24号
	石新林		男	三二	河南偃师	偃师孙家湾
助教	李傅生		男	三二	河南安阳	本院
	潘静澜		男	二六	河南汲县	本院
	杨让		男	二六	陕西乾县	乾县上家巷21号
	丁克宽		男	二七	安徽阜阳	阜阳大田集丁寨
	于学馥		男	三〇	山东黄县	济南线六路68号
机械工程学系						
机械工程系教授兼系主任	程干云	松生	男	五七	浙江宁海	本院
教授	潘承孝	永言	男	五一	江苏吴县	本院
	朱荫桐	葆华	男	四三	安徽太和	本院
	徐世铭		男	四二	江苏	本院
	杜春山	晓农	男	四一	河南睢县	本院
	张德孚		男	三七	辽宁海城	本院
副教授	张洪锡	百朋	男	三六	山东济南	本院
	游来官	朋远	男	三三	江苏泰县	泰县姜堰霖生医院
讲师	郭治洞		男	三五	河北无极	本院
	徐锡方		男	三七	浙江宁海	本院
助教	张乐育		男	三〇	河南南阳	本院
	赵文蔚		男	二八	山西汾阳	本院
	张胜瑕		男	二八	山西定襄	本院
	胡养真		男	三一	山西	本院
电机工程学系						
电机工程系教授兼系主任	王际强	健庵	男	四三	辽宁辽中	本院
教授	樊泽民		男	四九	河北新镇	本院
	房耀文		男	四五	山西	本院

续表

职别	姓名	别号	性别	年龄	籍贯	通讯处
	朱 端	肇生	男	五七	河 南	本院
	李育珍		男	三二	广 西	本院
讲师	杨 渊		男	二八	陕 西	本院
助教	张德齐		男	二七	河南固始	本院
	程先珍		女	二七	浙江宁海	本院
	刘友德		男	二九	山西阳曲	本院
	邱开源		男	二五	上 海	本院
	樊恒铎		男	二四	河南新野	本院
	马 奇		男	二四	河南扶沟	本院

化学工程学系

职别	姓名	别号	性别	年龄	籍贯	通讯处
化学工程系教授兼系主任	李仙舟		男	四六	河北高阳	本院
教授	虞叔毅		男	五三	福建闽侯	本院
	赵仁铸		男	五五	江苏吴江	本院
	郭一清		男	五一	河南西华	本院
	刘凤铎	警亚	男	三八	河南滑县	河南滑县牛屯集
讲师	孙庆瑞	干冬	男	三六	山东德县	本院
助教	黄淑麟		女	三四	山东宁阳	泰安仰圣街求安堂
	韦俊玲		女	二八	陕西蒲城	本院
	任芳芝		女	三〇	河南南阳	本院
助教	杨纮武		男	三〇	安徽泗县	本院
	王文清		男	二五	山西荣河	本院

纺织工程学系

职别	姓名	别号	性别	年龄	籍贯	通讯处
纺织工程学系教授兼系主任	张汉文		男	四七	河北高阳	本院
教授	郭鸿文	雁宾	男	六七	南 京	本院
兼任教授	傅道伸		男	五一	湖南醴陵	西安玄风桥雍村四号
助教	陈 远		女	三一	山东历城	济南兴隆店街7号
	梁 英		女	二五	山西定襄	本院水利工程学系

水利工程系教授

职别	姓名	别号	性别	年龄	籍贯	通讯处
兼系主任	彭荣阁	延贤	男	四〇	河北曲阳	本院
讲座	田鸿宾	鹿鸣	男	四三	辽宁法库	本院
教授	赵文钦	勗初	男	四一	河北南宫	本院

续表

职别	姓名	别号	性别	年龄	籍贯	通讯处
	石元正		男	三七	山东平原	本院
副教授	李 锐	敏中	男	三三	河 北	成都外东桂溪乡
兼任教授	刘钟瑞	辑五	男	四五	河北南皮	西安陕西省水利局
	耿鸿枢	光斗	男	三九	辽宁铁岭	西安陕西省水利局
	关文启	象明	男	四〇	辽 宁	西安鱼化寨沣惠渠管理处
助教	张永福	海东	男	三〇	山西平陆	山西平陆西马村
	王维华		男	三〇	陕西长安	西安东大街一三九号
	许 合		男	二八	河北元氏	元氏西街如春堂
	王寿昌		男	二七	河北玉田	丰润县白官屯镇邮局转定府庄
航空工程学系						
航空工程系教授	王俊奎	醒园	男	三五	山西广灵	本院
教授	田培业	丰圃	男	五〇	山西临汾	本院
	张钧之	子衡	男	四七	河北安国	本院
	张佩琳		男			
副教授	吴云书		男	三〇	陕西高陵	本院
讲师	范亚光		男	三八	河北东光	本院
助教	杨应辰		男	二五	河南郾城	本院
	白师贤		男	二四	河北河间	本院
助教	荣湘涛		男	二八	河北宁津	本院
	陈啸凡		男	二七	安徽怀宁	怀宁源潭铺
工业管理学系						
工业管理教授兼系主任	苏仵山	民后	男	三八	辽 宁	本院
教授	叶守济		男	四〇	安徽合肥	本院
	蓝贞亮		男	三九	浙江松阳	本院
	龚止敬		男	四一	江 苏	浙江松阳靖居口
助教	卢坤纶		女	三一	河北定县	本院
	王 旭		男	二七	河北大城	本院
公共学科教员						
经济学教授	刘凤年	纪之	男	五四	河北河间	北平西四北下崖二号
社会科学教授	张兆荣		男	四〇	福建仙游	本院

续表

职别	姓名	别号	性别	年龄	籍贯	通讯处
数学教授	马纯德	修如	男	四六	河南扶沟	扶沟严街十号
	王丕成	涣初	男	四七	河　北	本院
数学教授兼西安部教务主任	刘冠勋		男	三七	河南容县	河南淇县河东赵岗
数学教授	魏庚人		男	四七	河北安国	本院
讲师	陈荷生		女	三四	安徽怀宁	北平开村胡同宽街十八号
助教	舒贤颂		男	二九	江苏吴县	西安西木头街六十七号
	胡宗慎		男	三四	江苏丰县	本院
助教	钱祯荃		女	二五	浙江杭州	本院
	孙邦英		男	三二	河南南召	本院
	谢立矩		男	二六	安徽无为	
投影几何讲师	徐钦民		男	三七	辽宁开原	开原城西王家屯
英文教授兼西安部副主任暨总务主任	郝圣符		男	四七	山东济南	本院
英文副教授兼西安部训导主任	金荣庭		男	三五	河南开封	本院
英文讲师	石　瑞	西峰	男	三八	河　南	河南南阳
物理教授	张寄尘		男	五二	江苏江都	本院
	龙际云		男	五六	江西万载	本院
物理讲师	陈次功		男	三七	河北定县	本院
	罗崇庆		男	三六	山西介休	山西介休洪村
物理助教	刘增山	孟庆	男	二八	河南淇县	河南淇县城东赵岗
	姚　由		男	二四	贵州贵阳	本院
化学讲师	马万兴	振华	男	三六	山东惠民	本院
化学助教	冯雨荪		男	二五	陕西长安	本院
	李如蕙		女	三五	河北定县	本院
化学副教授	程先安		女	三四	浙江宁海	本院
化学助教	樊景福		男	二八	河南考城	本院
	程先璋		女	二四	浙江宁海	本院
热工助教	马淑仪		女	三一	陕西米脂	本院
国文教授	萧涤吾		男	四七	河北武清	本院

续表

职别	姓名	别号	性别	年龄	籍贯	通讯处
国文讲师	王心平	梦隐	男	三九	河南容县	洪县河东赵岗
伦理学讲师	江宗植		男	三九	福建莆田	本院
工程图书讲师	岳常俭		男	三九	吉林和龙	和龙县南家坪岳宅
德文教授	高怀慈	西亚	男	四七	德国西勒	河南信阳天主教堂
体育副教授	王允升		男	四四	河南临汝	本院
	龚季朴		男	四三	吉林宁安	吉林中东路芬河宾和盛
体育副教授	张大昕		男	四〇	河北威县	本院
体育讲师	维秦忠	子华	男	三四	辽宁沈阳	本院
	高嘉梁	栋臣	男	三五	河北武安	武安县府街
兼任教授	刘一仁	安国	男	五二	陕西华县	西安青年路七十八号
兼任副教授	韩宗伦		男			
先修班助教	刘绍昌		男	二八	江苏武进	本院
院长办公室						
院长	潘承孝	永言	男	五一	江苏吴县	本院
秘书	张洪锡	白朋	男	三六	山东济南	本院
教务处						
主任	王际强	健庵	男	四三	辽宁辽中	本院
训导处						
主任	马纯德	修如	男	四六	河南扶沟	本院
总务处						
主任	彭荣阁	延贤	男	四〇	河北曲阳	本院
教务处						
一、注册组						
主任	曾冀泉		男	四六	河南沁阳	本院
组员	庞熙亭		男	四七	河北深泽	本院
	赵明善	慎修	男	四一	河北冀县	本院
	杜维钦	仪先	男	三四	河南博爱	本院
	赵怡君		女	三二	察哈尔怀来	本院
	高光华	一飞	男	三六	安徽凤阳	本院
	曾海涵		男	三二	河南沁阳	本院
助理员	萧子章		男	三五	河北三河	本院
	任绍安		男	三三	河南沁阳	本院
	王蒸民		男	三二	陕西城固	本院

续表

职别	姓名	别号	性别	年龄	籍贯	通讯处
	孙华伦		男	三四	辽宁沈阳	本院
	申海宗	百川	男	三八	陕西城固	本院
书记	张家栋		男	三五	河北南宫	本院
	刘子英		男	三四	河北巨鹿	本院
主任	胡昌来	邦屏	男	三五	江西九江	西安书院门九号
馆员	孙德贞	靖邦	男	六一	河北冀县	本院
	谷景铭		女	三〇	辽宁沈阳	本院
	黄正伦		女	二五	河南信阳	本院
助理员	祁全福		男	二六	山西猗氏	本院
	王汉杰		女	三〇	河南新蔡	本院
	梁经展		男	二七	陕　西	本院
	洪翠英		女	三六	福建仙游	本院
	景淑珍		女	三四	河北清苑	本院
二、仪器组						
兼主任	郭治洞		男	三五	河北无极	本院
组员	宋何清		男	五五	河北天津	本院
助理员	王明德		男	四二	河北丰润	本院
	金晓东		男	四三	河南开封	本院
	梁耀章		男	二七	河南邓县	本院
技术员	徐文升	旭初	男	三六	河南庆阳	本院
	李培金		男	三七	河南武陟	本院
助理	唐肇林	哲夫	男	二一	湖　南	本院
技术员	李鉴忠		男	四六	山　东	本院
	高清苗	蔚林	男	三一	河　北	本院
助理	侯福德		男	三一	河　北	本院
	张庆森		男	二五	河　北	本院
助理员	杨文华		男	三六	河　北	分院
三、出版组						
主任	张延祖	接武	男	五七	河北威县	本院
助理员	翟春晓	际青	男	二九	河北威县	本院
书记	张家骧		男	二一	河北南宫	本院
	陆家贤	期百	男	三四	江苏吴县	上海南市斜桥殡仪公司
助理员	张宝津		女	二七	山东济南	本院

续表

职别	姓名	别号	性别	年龄	籍贯	通讯处
书记	吴济时	需生	男	二五	山东莱芜	本院
训导处							
一、生活管理组							
主任	孙邦英	哲彦	男	三二	河南南召	本院
训导员	杜德亭		男	三七	山东临淄	本院
组员	李家傅	允中	男	四〇	湖南浏阳	本院
	孙海润		男	二八	河南叶县	叶县东北孙寨
	薛秀峰	仁山	男	四十	陕西乾县	本院
助理员	王树义	体仁	男	四三	河北新安	本院
组员	罗玉芳		女	二九	四川成都	成都外东桂溪乡
助理员	任熙鎏		男	四〇	河北束鹿	本院
	王恩溥		男	三五	陕西城固	本院
	董式仪	钦周	男	三六	河北冀县	本院
书记	米甄雍		男	五四	河北完县	本院
	高纪清		男	三六	辽宁辽阳	本院
二、课外活动组							
主任	王屏亚		男	四七	河南修武	本院
助理员	王至正		男	四四	陕西长安	本院
三、体育卫生组							
副教授兼体育卫生组主任	王允升		男	四四	河南临汝	本院
主任医师	徐蕴琪	辉由	男	三九	河北定县	定县翟城村
医师	高攀星	耀青	男	三九	河北元氏	宝鸡龙泉巷华康医院
	隋棣生		男	三七	山东广饶	西安崇礼路大学医院
	张景洁		女			本院
助产士	卢坤祥		女	二八	河北定县	本院
司药兼护士	刘玉成	金堂	男	三三	河北满城	满城石井镇
司药	刘绍棠	焕章	男	三八	河南信阳	信阳五里店
助理护士	郭瑞芬		女	二一	江苏江宁	本院
书记	杨玉瑛		男	三七	河北束鹿	本院
总务处							
一、文书组							
主任	王素纯		男	四三	陕西南郑	本院
组员	何慕白		男	三四	陕西南郑	南郑中山街

续表

职别	姓名	别号	性别	年龄	籍贯	通讯处
	俞 都	质夫	男	四五	山东历城	临沂城内中学校西街八号
	张瑞峰	壮飞	男	四六	河北元氏	本院
助理员	郝魁栋	大英	男	三九	河北献县	献县郝村镇
	时钟诚	遽菴	男	三四	安徽寿县	本院
	龙浩然		男	三六	陕西城固	南郑天明寺
书记	王树人		男	三八	陕西南郑	南郑湘法乡
	吴崇义		男	四一	陕西华县	西安东举院巷四十七号

二、庶务组

职别	姓名	别号	性别	年龄	籍贯	通讯处
主任	赵允直		男	四一	河北房山	房山上万村
副主任	杜玉繁	磊夫	男	三五	河北南宫	南宫明化镇转路家营
组员	林蔚然	晓亭	男	四二	河北徐水	徐水北徐城村
	赵光启	明齐	男	四〇	河北望都	本院
	王锡春	赏之	男	三〇	河北满城	本院
	王延章	济民	男	五二	河北束鹿	本院
	魏建东		男	四九	河北安国	本院
助理员	李桂勤		男	五六	河北衡水	衡水西关
	张宝春		男	三六	河 北	热河承德小溪沟六四号
	韦平侯		男	四三	陕西蒲城	咸阳裕农油厂
	李树荣	业生	男	四三	陕西城固	城固西区李油房村
	姚文江	同春	男	三五	河北蓟县	冀县姚村
	贾廷秀	育英	男	三七	河南安阳	西安东木头市 11 号
	孙华伦		男	三六	辽 宁	本院
	解毅安	怡菴	男	四〇	陕西长安	长安引驾廻西街
助理员兼领队长	冷柏坚		男	四〇	陕西城固	城固盐井镇
书记	杜绪华		男	三一	河南开封	焦作北厂 131 号
	董文祥		男	四一	河北永年	本院
	王序显		男	三五	河北元氏	元氏泉村
助理	李润山	政明	男	二二	河 北	本院
	冀朝章		男	二五	河北磁县	本院
	晏 辉	祺厚	男	十九	江苏仪征	咸阳电局
	霍庆有	余山	男	四一	江苏宿迁	宿迁堡子集

续表

职别	姓名	别号	性别	年龄	籍贯	通讯处
三、出纳组						
主任	李世龄	子昌	男	四五	山东蓬莱	本院
组员	刘龙骧		男	四四	河北满城	本院
助理员	张毅生		男	三五	陕西城固	本院
	马文会	重义	男	五十	河北定县	本院
	朱良用		女	三十	辽宁锦县	本院
书记	刘培才	栋之	男	三七	河北巨鹿	本院
四、会计室						
主任	李 森	密如	男	三二	山西晋城	西安青年三
佐理员	霍 敏	又敏	男	三三	哈尔滨市	本院
	赵维斌	文彬	男	三六	陕西鄠县	本院
	樊侯锡		男	三一	山西安邑	本院
	曾慎敏		女	二四	福建闽侯	本院
事务员	罗建华		男	二三	西安市	西安北大街二二九号永寿堂交
	沙一揆	冠宇	男	三〇	江苏海门	本院
	侯□峰		男	三八	山东东平	本院

（民国档案，61-2-598.1，国立西北工学院1948年毕业同学录，陕西省档案馆）

三、1948年以前国立西北工学院离校教职员录

胡庶华	李书田	张清涟	张贻惠	张北海	雷宝华	周宗莲
胡光焘	董钟林	傅维钧	魏寿昆	雷祚雯	刘之祥	张文治
王子佑	李廷魁	何绪缵	竺家骁	张承洪	张 创	陆宗贤
朱宝镛	杨同德	李酉山	刘纯傧	孟广照	杜鸿年	余立基
张剑西	刘钟时	姜景会	杨济通	王子佩	张贻侗	李秉成
茅荣林	岳劼毅	廖燕波	孙 铎	易干球	戴桂蕊	袁 坚
郑德鹏	黄其弼	周唯真	韩同甲	李金铸	邵子嘉	庄德纯
陈 师	殷震东	李振亚	孙治东	陈德裁	刘伯安	吴祖宪
朱 圩	米彝尊	王大平	齐 显	周玉瑄	刘 璞	李子安
马守义	孟希圣	董振邦	杨大金	周国藻	李树荫	黄秉鉴
黎 楠	陈延誉	朱 英	龚宝贤	毕淑英	梁 琚	罗素一

朱学诚	陈文英	张　钟	樊恩溥	李向高	金宝祯	李荣梦
王汝信	张　寅	赵化天	吴治能	李葆厚	张鸿升	詹子仪
崔静一	王朝林	林宗彩	甄玉琳	王□尧	任嗣衡	王泰纪
王家廉	辛一心	李渤仲	鲁世忠	李廷杰	魏彤云	张鸿璋
周钟悌	张秉刚	吴兴吾	周肇西	金振铎	孙绍祖	杜锡钰
左　恺	祝锡祺	龙文光	刘存章	陈伶美	王发庆	杨景三
辜庆鼎	陈明茂	赵国华	严演存	马桂馥	田　斌	张　振
田岁成	王　廉	周　法	戴　济	侯启新	白崇德	王降绡
胡杏芳	康辛元	于滋潭	张朵山	续翰林	刘德润	邢丕绪
董　杰	耿继昌	常锡厚	周芳田	毛昶熙	郭青云	黄　恩
颜邦殿	黄赓祖	孙振东	刘振华	李在钤	李森林	刘恭贤
吴公权	顾大凯	戈治华	阎筱桐	赵鹤龄	王尚霖	赵维正
黄苍林	秦启泉	严行健	黄其起	汪　震	徐国樑	李宝光
夏景黄	郭中庸	曹居久	刘　昉	郑　勉	王冠瀛	韩　琛
王　蕙	顾子颉	张梅岩	孙永岁	萧立坤	李永茂	赖　珽
袁明道	姚兰阶	孟从仁	袁舜华	葛荣宗	尹佩之	石金铭
吴永忠	高宝田	耿　鑫	赵蕴华	刘光夏	李永庚	华宜珍
陈如玉	关淑贤	何润英	杜　方	王魁元	王秀文	齐国倩
屈景禹	詹振民	吕巽生	吴世廉	杜绪英	左自强	张星甫
高维荣	聂曰正	李靖轩	王展如	方庆英	吴灵万	史以鉴
宋希贤	李　堃	高文焯	黄　□	庄　严	李　鍫	万仁炯
刘国恩	刘竹波	许仁山	王达中	王守度	袁仲武	谭树成
关立德	田振亚	裴惠民	冈如华	卢坤范	高志清	贾振华
廉慕良	王新一	程新章	葛保宗	熊重伦	梁越志	尹殿辅
梅肇基	竺武娟	冯溥仁	张铭九	汪志银	李正卿	贾绍江
王德魁	崔启文	黄永龙	孟宪乔	王　杰	卜素纯	曹镜洁
蔺霄声	蒋义良	王金吾	赵少白	苏一兵	余前迅	袁剑维
周建兰	王树元	王鑫鼎	冯□□	叶光亚	张祯祥	徐百川
谢光华	徐宽年	李兆源	王钦仁	许天民	刘锡瑛	余谦六
王翰辰	徐庆春	萧连波	任尚武	崔玉田	罗明熵	张国藩
丁履德	张开敏	李立德	孙常煦	段子美	王道学	王宗炜

关绍宗	吴天柱	吕鸿寿	王士耕	焦蔚芳	冯鸿璋	殷开泰
张樾	刘存章	□庆縠	董振远	沈远基	孙家驹	罗广铨
王福元	郝同主	姚□月	蓝生智	刘宗耀	朱汝复	姜□田
颜学□	杜春升	苑廷瑞	朱淳宝	时万咸	李懿修	蒋建文
李新章	冯润□	张克□	赵双庆	雷清泉	金霄霞	王洪涛
关淑英	杜鼎九	段英	陆亦民	朱□夷	田振东	赵天民
许兰亭	吴御龙	安文耀	哈弼凯	张文乾	龙沛贞	高维辰
陈湘音	齐□澍	刘锦荣	李啟秀	高蔚文	史汉屏	宋冶兴
赵乙秋	崔月华	梁月君	沈梅叶	李连枝	孙源裕	李治远
朱良玺	曹冀生	任树德	何子佳	程希贤	郑恩德	韩格坤
吴伯英	张贵才	葛春霖	徐日新	黄兴史	吴之冶	沈季良
王毓泰	吕凤章	谷曦之	沈毓炳	沈肇炳	周耀章	刘宗耀
张景淮	赵慈庚	黄昌龄	侯树议	刘寿嵩	张开运	吴文烺
张善百	于淑敏	范元纯	张大任	蔺喜德	张清华	韩振武
王锡珍	卫兆本	姜玉瀛	王滨	程啸凡	陈昌杰	许继会

(国立西北工学院档案,陕西省档案馆)

第七节 国立西北农学(院)教职员名录

一、1939年国立西北农学院教职员名录

姓名	别号	职别	
一、筹备委员会			
辛树帜		主任委员	
曾济宽	慕樵	委员	
周建侯		委员	
张丕介		委员	
王恭睦		秘书	
二、教务处			
曾济宽	慕樵	教授兼教务主任及森林学系主任	
张锡兴	振民	教务员兼注册股股员	

续表

姓名	别号	职别	
(一)注册股			
段兆麟	瑞生	副教授兼注册股主任	
张锡兴	振民	股员	
王暨全	景生	助理员	
杨诚意	子弘	书记	
(二)图书馆			
黄连琴		图书馆主任	
刘子钦		事务员	
李枢元		助理员	
(三)仪器室			
李绥恒		仪器室主任	
汤启永		事务员	
傅亚英		书记	
三、总务处			
王 宣	德齐	总务主任	
(一)文书股			
马秉刚	启生	股员	
茅无为		股员	
仇述善		书记	
陈新民		书记	
高卓然		书记	
(二)庶务股			
张家范	于孟	庶务股主任	
贺永年		股员	
梅慰祖		股员	
岳镇西		股员	
郝德康	少之	股员	
张德懋		股员	
于 衷		股员	
黄嘉禄	梅芩	股员	
刘梯云	偕轩	股员	
崔明轩		股员	
张健楠		股员	

续表

姓名	别号	职别	
张舒道	子彰	股员	
杜少甫		助理员	
(三)医药股			
柯士铭		医药股主任	
黄世荣	锡三	医师	
邓镇辅		医师	
文惠民		药剂师	
徐福林		护士	
李金祥		护士	
(四)印刷室			
张小柳		印刷室主任	
张诗澄	湘漪	事务员	
岳开元		试用书记	
岳靖亚		试用书记	
(五)出纳室			
王雅齐		出纳室主任	
张远荫	君庇	事务员	
金兆祺		事务员	
郭树桐		事务员	
四、训育处			
张丕介		教授兼训育主任	
李宗润	狱森	军事助教	
郭怀瑾	志瑜	军事助教	
宗秉琳	琅萱	体育主任	
张润	润之	体育讲师	
葛馨吾		训育员	
刘金峰		训育员	
黎博文		训育员	
五、推广处			
贾成章	佛生	教练兼推广处主任	
宋介民		助教兼指导	
润建齐		助理员	
张玺		助理员	

续表

姓名	别号	职别	
于忠会		实习生	
温润身		实习生	
赵维新		实习生	
朱新芳		实习生	
王士瑛		实习生	
六、会计室			
王 庸	守恒	会计主任	
黄培福	天任	佐理员	
李松生		佐理员	
蒋暄豪		佐理员	
鞠一尘		佐理员	
七、农学系			
周建侯		教授兼农学系主任	
(一)农艺组			
周建侯		代理农艺组主任	
姚 鋆	天沃	教授	
翁德齐		教授	
沈学年	宗易	教授	
舒联莹	少质	副教授	
黄志尚		讲师	
陈兰田	秀夫	讲师	
王羽金	隐农	讲师	
吴焕斌		助教	
李荣棠		助教	
李经培		助教	
孙志纯		助理员	
(二)农业经济组			
张丕介		兼主任	
杨亦周		教授	
龚道熙		教授	
胡自翔		教授	
熊伯蘅		教授	
张德粹		教授	

续表

姓名	别号	职别	
张之毅		副教授	
宋介民		助教	
董涵荣		助教	
李秉才		助教	
王淑贞		助教	
王承廉		助教	
夏士英		统计员	
	(三)植物病虫害组		
金树章		教授兼主任	
涂 治	策安	教授兼农场主任	
林 镕	君范	教授	
孔宪武		副教授	
段兆麟	瑞生	副教授	
季士俨	若思	副教授	
黄其林	萃存	副教授	
粟作云	沛霖	助教	
项润章		助教	
闻洪汉		助教	
胡 堃	丹九	助理员	
	(四)农场		
涂 治		兼农场主任	
杜竹铭		助理员	
马德命		助理员	
刘秉宸		助理员	
郭世杰		助理员	
范士毅	自强	助理员	
李 芳	于芬	助理员	
徐静轩		助理员	
李承先		实习生	
毛缵绪		实习生	
	八、森林学系		
曾济宽	慕樵	教授兼森林学系主任	
贾成章	佛生	教授	

续表

姓名	别号	职别	
齐敬鑫	坚如	教授兼林场主任	
周 桢		教授	
王 正		教授	
殷良弼		教授	
袁义生		副教授	
夏受虞		讲师	
江福利		讲师	
范济洲		助教	
李兴邦		助教	
王 战		助教兼林场技士	
孙金波		助教兼林场技士	
		（一）林场	
齐敬鑫	圣如	林场主任	
夏受虞	济晨	原武功分场	
秦显文	子明	咸阳分场主任	
王恭益	拱辑	郿县分场主任	
王 战	义仕	兼技士	
孙金波		兼沔县分场技士	
朱嵩年		事务员	
宫积堂		事务员	
潘金海		事务员	
王定超		事务员	
范期汉		助理员	
董琴甫		助理员	
赵锡纯	劲秋	助理员	
赫武扬		书记	
李玉魁		助理员	
权超民		助理员	
刘庆履		助理员	
陈光辉		助理员	
王嘉林		助理员	
冯耀峰		助理员	
李勋唐		实习生	

续表

姓名	别号	职别	
刘庆杰		实习生	
李俊儒		实习生	
白振乾		实习生	
李云庆		实习生	
周立德		实习生	
九、园艺学系			
谌克终		教授兼园艺学系主任	
夏树人	德甫	教授	
章君瑜		教授	
原芜洲		助教	
王福成		助教	
张　愚		助教	
路广明		助教	
(一)园艺场			
谌克终		主任	
原芜洲		技士	
王凤亭		技士	
杨金鼎		技士	
王福成		技士	
路广明		技士	
樊德新		事务员	
李广智		助理员	
郑凤泰		助理员	
章亮成		助理员	
赵凤领		实习生	
杨文海		实习生	
黄嘉琮		实习生	
杨尊德		实习生	
郭述义		实习生	
十、畜牧兽医学系			
盛彤笙		教授兼系主任	
路葆清		教授	
李秉权		教授	

续表

姓名	别号	职别	
苏麟江		副教授	
张傅琮		副教授	
杨浪明		讲师	
吴信法		讲师	
沙凤苞		讲师	
康洁瑕		助教	
常英瑜		助教	
郑于久		助教	
靳尚忠		助教	
（一）畜牧场			
路葆清		兼主任	
吴信法		兼技士	
沙凤苞		兼技士	
常英瑜		兼技士	
郑于久		兼技士	
靳尚忠		兼技士	
李青淑		助理员	
十一、农业水利学系			
沙玉清	叔明	教授兼主任	
余立基		教授	
彭荣阁		教授	
何正森		教授	
徐百川		教授	
黄怀桢		讲师	
叶 或		讲师	
陈椿庭		助教	
俞世煜		助教	
黄震东		助教	
侯鸿儒		助教	
穆嘉琛		助教	
张定一		助教	
谭孝沅		助教	
赵厚生		助理员	

续表

姓名	别号	职别	
十二、农业化学系			
王志鹄	思九	教授兼系主任	
虞宏正	叔毅	教授	
周昌芸	文台	教授	
陈朝玉	润山	教授	
罗登义	绍元	教授	
施有光		副教授	
葛春林		讲师	
李正毅		助教	
曹忠民	惠之	助教	
吴中枢	景北	助教	
王来珍	献堂	助教	
罗元熙		助教	
李繁仁	嵩亚	助教	
李毅民		助教兼技士	
（一）肥料试验场			
赵云梦	湘南	肥料试验场主任	
李毅民		兼技士	
十三、不属系教员			
王恭睦		地质系教授	
程楚润	宇启	数学教授	
祁开智		物理学教授	
杨权中	挚铨	德文教授	
李贯英		英文副教授	
李 恂	伯恂	英文副教授	
曾鼎录	禾生	数学副教授	
汪绩恕	叔强	物理学讲师	
颜承鲁	岱东	气象学讲师	
杜竹铭		日文教员	
宋秉琳	琅萱	体育主任	
张 润	润之	体育讲师	
葛馨吾		国文教员	
李宗渊	狱森	军事助教	

· 746 ·

续表

姓名	别号	职别	
郭怀瑾	志瑜	军事助教	
十四、各种委员会			
(一)训育委员会			
张丕介		主任委员	
曾济宽			
周建侯			
贾成章			
王恭睦			
刘安国			
宋秉琳			
梁金栋			
(二)出版委员会			
王恭睦		主任委员	
周建侯			
曾济宽			
张丕介			
贾成章			
沙玉清			
谌克终			
盛彤笙			
齐敬鑫			
王志鹄			
涂 治			
金树章			
路葆清			
张小柳			
(三)工程委员会			
沙玉清		委员兼召集人	
余立基			
贾成章			
王恭睦			
王德齐			
张家范			

续表

姓名	别号	职别	
钱青选	慕树		
张梅村			
（四）购置委员会			
王德齐			
曾济宽			
张丕介			
贾成章			
王　庸			
张家范			
王恭睦			
（五）图书仪器委员会			
曾济宽			
张丕介			
王德齐			
周建侯			
谌克终			
盛彤笙			
沙玉清			
王志鹄			
黄连琴			
李绥垣			
王恭睦			
（六）公费生战区贷金生及贫寒服务生资格审查委员会			
周建侯			
曾济宽			
刘安国			
张丕介			
王德齐			
王　庸			
王恭睦			
（七）推广委员会			
贾成章		主任	
周建侯			

续表

姓名	别号	职别	
曾济宽			
张丕介			
王恭睦			
王德齐			
杨亦周			
王志鹄			
谌克终			
金树章			
沙玉清			
齐敬鑫			
张德粹			
龚道熙			
熊伯蘅			
段兆麟			
宋介民			
		(八)经费稽查委员会	
庄德齐			
周建侯			
曾济宽			
谌克终			
盛彤笙			
沙玉清			
王志鹄			
金树章			
张丕介			
涂　治			
齐敬鑫			
路葆清			
赵云梦			
王　庸			
贾成章			
梁金栋			

续表

姓名	别号	职别	
十五、附设高级农业职业学校			
刘安国		主任	
徐锡龄			
张铭谟			
沈学年			
袁义生			
谌克终			
吴信法			
王焕献			
曹继难			
牛春山			
张质君			
刘德俊			
姚宗鼎			
刘世明			
朱嵩年			
张远荫			
周　稷			
邓镇辅			
宋秉琳			
宋介民			
黄志尚			
黄其林			
颜承鲁			
江福利			
原芜洲			
王福成			
王　战			
王凤亭			
葛春林			
赵云梦			
吴中枢			
曾鼎禾			

续表

姓名	别号	职别	
汪积恕			
李 恂			
杜竹铭			
刘金铁			
秦肇西			
费舜丞			
叶裕如			
王自新			
吕元峻			
赵树湘			
十六、附设小学			
梁金栋		小学主任	
李中选			
金尊杰			
胡景儒			
范有文			
胡 彬			
雷淑英			
崔鹤龄			
曹文修			
王素霞			

国立北平研究院　国立西北农学院　合组中国西北植物调查所

姓名	别号	职别	
刘慎锷	士林	所长	
林 镕	君范	研究员	
孔宪武			
夏纬英	修五	副研究员	
王振华	健公	副研究员	
钟补求	允勤	副研究员	
郑学经	季通	助理员	
田甲生		助理员	
王作实	来庭	采集员	

续表

姓名	别号	职别	
刘继孟		采集员	
王锡珍		标本管理员	
傅坤俊		标本管理员	
王宗训		图书管理员	
蒋杏墙		绘图员	
蒋杏园		绘图员	
王嘉型	范宇	庶务员	
沈康家	吉士	会计员	

（国立西北农学院院档案，陕西省档案馆）

二、1944年国立西北农学院教职员名册[①]

职务	姓名	起薪日期	备注
院长办公室			
院长	邓树文	三三年七月	二十二日就职
秘书	郭兴泽	三四年六月一日	
教务处			
教务主任	不详		教授兼
教务员	潘亚生	三四年六月一日	
助理员	刘汝奇	三四年六月一日	
书记	不详	三四年六月一日	
组员	况鹤声	三四年六月一日	
注册组			
主任	不详		副教授兼
组员	刘少木	三三年十月一日	
组员	杨诚意	三三年十月一日	
组员	桑发兆	三三年十月一日	

---

① 截至1944年9月。

续表

职务	姓名	起薪日期	备注
组员	不　详	三三年十月一日	
书记	王宗瑞	三三年十月一日	
组员	不　详	三三年十月一日	九.一由训导处改调注册组
组员	陈邦勤	三三年十二月一日	
出版组			
主任	牟玉昆	三四年一月一日	
组员	赵中流	三三年八月一日	
事务员	张建铭	三三年八月一日	
事务员	王明烈	三三年八月一日	
书记	梁正明	三三年八月一日	
石印技术员	李生荣	三三年八月一日	
石印技术员	南绍周	三四年一月一日	
印刷技术员	岳忠信	三四年三月一日	
印刷技术员	张仲仁	三四年三月一日	
印刷技术员	刘光弟	三四年三月一日	
印刷技术员	黄建申	三四年三月一日	
图书馆			
主任	孙秉赞	三三年八月一日	
管理员	范世伟	三三年八月一日	
馆员	张振华	三三年八月一日	
馆员	张竞叔	三三年八月十六日	
馆员	汪鹏远	三三年八月十六日	
仪器室			
主任	张培英	三三年一月二十六日	
管理员	杨秉瑶	三三年一月二十六日	
管理员	张遥铭	三四年一月一日	
管理员	李天植	三四年一月一日	
训导处			
训导主任	不　详		教授兼
训导员兼女生指导员	蒋佩琛	三三年八月一日	
组员			讲师兼
生活管理组			
主任			副教授兼

续表

职务	姓名	起薪日期	备注
组员	黄庆涛	三三年八月一日	
体育卫生组			
主任			
助理医师	文惠民	三三年八月一日	
护士	李金祥	三三年八月一日	
校医	倪诚怀	三四年六月一日	
课外活动组			
主任	侯朝宪	三三年十二月四日	
总务处			
总务主任	章君瑜	三三年一月一日	
助理员	袁石民	三三年九月十六日	
文书组			
主任	俞　都	三三年八月一日	
组员	马秉刚	三三年八月一日	
组员	仇孝先	三三年八月一日	
组员	李荫清	三三年八月一日	
组员	汪鹏远	三三年八月十六日	
组员	王肇瑞	三十年十一月十日	
庶务组			
主任兼警校队队长	汤启永	三四年四月一日	
组员	许德三	三四年四月一日	
组员	赵益民	三四年四月一日	
组员	刘维恒	三四年四月一日	
组员	姚玉亭	三四年四月一日	
助理员兼校队副队长	康翼德	三四年四月一日	
驻沔巡事员		三四年四月一日	
机器管理员	时凤和	三四年四月一日	
水电管理员	李庆兴	三三年八月一日	
电话管理员	党耀斌	三三年八月一日	
事务员	李培庸	三三年八月一日	
组员	陈照丕	三三年八月一日	八月十六日止薪
出纳组			
主任	李铭传	三三年八月一日	

续表

职务	姓名	起薪日期	备注
出纳员	孟广炳	三三年八月一日	
出纳员	崔明轩	三三年八月一日	
出纳员	梅怀古	三三年八月一日	
出纳员	关九如	三三年八月一日	
会计室			
主任	黄培福	三三年八月一日	
佐理员	马逢春	三三年八月一日	
佐理员	王文鼎	三三年八月一日	
事务员	张慕贞	三三年八月一日	
佐理员	陈 正	三三年八月一日	三三年八月三一日止薪
书记	邹 平	三三年八月一日	三三年八月二三日止薪
佐理员	刘德源	三四年八月一日	
公费生审查委员会			
主任干事	李数参	三三年八月一日	三三年八月一九日止
干事	王大中	三三年八月一日	
干事	袁建基	三三年八月一日	
农业推广处			
主任			教授兼
农村合作股主任			讲师兼
推广员	吕锡祥	三三年八月一日	
技士	刘均爱	三三年八月一日	
助理员	杨文海	三三年八月一日	
农艺系			
教授兼系主任	沈学年	三三年八月一日	
教授	姚 鋈	三三年八月一日	
教授	蒋涤旧	三三年九月十六日	
副教授	顾元亮	三三年八月一日	
助教	李正德	三三年八月一日	
助教	赵洪峰	三三年八月一日	
助教	沈煜清	三三年八月一日	
兼助教	李宗正	三三年八月一日	
兼助教	宋玉槸	三三年八月一日	
兼助教	牛联星	三三年十月十六日	

续表

职务	姓名	起薪日期	备注
兼助教	苏献忠	三三年十月一日	
农业经济系			
教授兼系主任	刘潇然	三三年八月一日	
教授	唐得源	三三年八月一日	
教授	熊伯蘅	三三年八月一日	
教授	王德崇	三三年八月一日	
教授	龚道熙	三三年八月一日	
	武创西		
	邢润雨		
教授兼训导处主任	吴春科	三三年八月一日	
讲师兼农业推广处农村合作股主任	宋介民	三三年八月一日	
讲师	吴士雄	三三年九月十六日	
讲师	孙得中	三三年十月一日	
助教	王殿俊	三三年八月一日	
助教	万建中	三三年八月一日	
植物病虫害系			
教授兼系主任	金树章	三三年八月一日	
教授	王云章	三三年八月一日	
教授	周尧	三三年八月一日	
教授	段兆麟	三三年八月一日	
教授	邹钟琳	三三年九月十六日	
副教授	吴运亭	三三年八月一日	
讲师	李传隆	三三年八月一日	
助教	王薇	三三年八月一日	
助教	李建义	三三年八月一日	
助教	郭守桂	三三年八月一日	
森林学系			
教授兼系主任	贾成章	三三年八月一日	
教授兼农业推广处主任	王正	三三年八月一日	
教授	白荫元	三三年八月一日	
教授	殷良弼	三三年八月一日	
教授	榕森	三三年八月一日	

续表

职务	姓名	起薪日期	备注
副教授	孙金波	三四年二月一日	
讲师兼林场主管员	冯震中	三三年九月一日	
讲师	张书忱	三三年八月一日	
讲师	范济洲	三三年八月一日	
讲师	阎金祥	三三年八月一日	
助教	于晓心	三三年八月一日	
助教	张君常	三三年八月一日	
助教	王业随	三三年八月一日	
园艺系			
教授兼系主任	陈锡鑫	三三年八月一日	
教授	谌克终	三三年八月一日	
教授	章君瑜	三三年八月一日	
助教	吕忠恕	三三年八月一日	
助教	陶辛秋	三三年八月一日	
讲师兼园艺系技师	杜赓生	三三年九月一日	
农田水利学部			
事务员	陈鹤笙		
农业水利系			
教授兼系主任及农田水利学部教授、主任	沙玉清	三三年八月一日	
教授兼农田水利学部教授	邢丕绪	三三年八月一日	
教授	余立基	三三年八月一日	
教授	孟昭礼	三三年八月一日	
教授	徐百川	三三年十二月一日	
教授	陈骏飞	三四年一月一日	
副教授	方在培	三三年八月一日	
讲师	陈明茂	三四年二月一日	
讲师	陈倳庭	三三年八月一日	
讲师	范寿仁	三三年八月一日	
助教	刘祖典	三三年八月一日	
助教	余瀛观	三三年八月一日	
助教	余恒睦	三三年八月一日	
助教	郑宜梁	三四年二月一日	

续表

职务	姓名	起薪日期	备注
农业化学系			
教授兼系主任	胡铁生	三四年一月一日	
教授	虞宏正	三三年八月一日	
教授	潘泳珂	三三年八月一日	
教授	李燕亭	三四年四月一日	
教授	王玉刚	三三年八月一日	
助教	姚振福	三三年八月一日	
助教	冀鹤鸣	三三年八月一日	
助教	程可进	三三年八月一日	
助教	刘鹏远	三三年八月一日	
畜牧兽医系畜牧组			
教授兼组主任	王　栋	三三年八月一日	
教授	路葆清	三三年八月一日	
教授	李秉权	三三年八月一日	
讲师	郑于久	三三年八月一日	
助教	刘景星	三三年八月一日	
助教	卢得仁	三三年八月一日	
助教	黄兆华	三三年八月一日	
畜牧兽医系兽医组			
教授兼系主任	胡祥卢	三三年八月一日	
教授	吴信法	三三年八月一日	
教授	柯士铭		
教授	李赋京	三三年九月一日	
副教授	孙忠雪	三三年九月一日	
讲师	张培琰	三三年八月一日	
助教	严得贤	三三年八月一日	
助教	安更九	三三年八月一日	
助教	侯滋远	三三年八月一日	
共同必修科			
数学教授	程宇启	三三年八月一日	
物理教授	祁开智	三三年八月一日	
德文教授	杨权中	三三年八月一日	
日文副教授	杨尔璜	三三年八月一日	

续表

职务	姓名	起薪日期	备注
俄文副教授	董建平	三三年八月一日	
体育副教授兼体育卫生组主任	刘世明	三三年八月一日	
英文副教授	张荫祈	三三年八月一日	
国文副教授	何肇葆	三三年八月一日	
副教授兼注册组主任	周中规	三三年八月一日	
体育副教授	孙云藻	三三年八月一日	
国文讲师	匡厚生	三三年八月一日	
英文讲师	武志祖	三三年八月一日	
讲师兼训导员	侯朝愚	三三年八月一日	
植物学讲师	闻洪汉	三三年八月一日	
气象学讲师	孙毓华	三三年八月一日	
国术讲师	葛馨吾	三三年八月一日	
讲师兼训导员	杨 毅	三三年八月一日	
讲师兼训导员	孙秉莹	三三年八月一日	
讲师兼出版组主任	曹 骥	三三年八月一日	
体育讲师	艾于高	三三年八月一日	
体育助教	张慕灵	三三年八月一日	
体育助教	王汉超	三三年八月一日	
体育助教	杨维疆	三三年八月一日	
数学助教	涂长胜	三三年八月一日	
物理助教	刘景清	三三年八月一日	
讲师兼训导处组员	陈式瑜	三三年八月一日	
副教授兼管理组主任	赵铁寒	三三年八月一日	
音乐讲师	年 楷	三三年八月一日	
教授	章徽熊	三三年八月一日	
体育助教	李清春	三三年九月一日	
农业经济专修科			
教授兼科主任	甄瑞麟	三三年八月一日	
教授	刘景向	三三年八月一日	
助教	张耀辰	三三年八月一日	
讲师	叶恩武	三三年八月一日	

续表

职务	姓名	起薪日期	备注
兼任教员			
畜牧组教授	沙凤苞	三三年八月一日	
森林系教授	夏纬瑛	三三年八月一日	
植物病虫害系副教授	王振华	三三年八月一日	
农艺系教授兼农场技师	王 绶	三三年八月一日	
农化系教授	孙 魁	三三年八月一日	
森林系副教授	钟补求	三三年八月一日	
化学系兼任教授	狄 伟	三三年十一月一日	
农艺系兼任教授	王桂玉	三四年二月一日	
农化系兼任副教授	陈景福	三四年五月一日	
农艺系兼任副教授	楼 荃	三四年六月一日	
场务管理委员			
总干事	楼 荃	三三年八月一日	
干事	冯有权	三三年八月一日	
干事	张 钊	三三年八月一日	
干事	晁中鹄	三三年八月一日	
林场			
主管员	王进财	三三年八月一日	
测候所技士	王进财	三三年八月一日	
技士	赵长庚	三三年八月一日	
技士	范期汉	三三年八月一日	
技士	王龚益	三三年八月一日	
技士	李耀偕	三三年八月一日	
助理员	刘俊杰	三三年八月一日	
助理员	刘永祥	三三年八月一日	
助理员	王安定	三三年八月一日	
助理员	杨士俊	三三年八月一日	
农场			
技士兼主管员	牛联星	三三年十月一日	
技士	宋玉樨	三三年十月一日	
技士	苏献忠	三三年十月一日	
技士	李宗正	三三年十月一日	
助理员	杨有伦	三三年十月一日	

续表

职务	姓名	起薪日期	备注
助理员	钱生龙	三三年十月一日	
助理员	吕法义	三三年十月一日	
技师			兼任教授兼
园艺场			
技士兼主管员	路广明	三三年八月一日	
技士	王聚瀛	三三年八月一日	
技士	刘培烈	三三年八月一日	
技士	阎西献	三三年八月一日	
畜牧场			
主管员		三三年八月一日	附高畜科主任兼
助理员	刘荫武	三三年八月十六日	
助理员	陈震中	三三年八月一日	
附设高级农业职业学校			
校长	温槐三	三三年八月一日	
教员兼教务主任	李灏	三三年八月一日	
教员兼训育主任	马麟瑞	三三年八月一日	
教员兼实习主任	崔懋学	三三年八月一日	
教员兼林科主任	牛春山	三三年八月一日	
教员兼农科主任	李尧方	三三年八月一日	
教员兼畜科主任及畜牧场主管员	崔迈农	三三年八月一日	
教员兼普科主任	王焕献	三三年八月一日	
教员	曹继难	三三年八月一日	
教员	龚德福	三三年八月一日	
教员	李青山	三三年八月一日	
教员	彭绍尉	三三年八月一日	
教员	周光宇	三三年八月一日	
教员兼园科主任	董新民	三三年八月一日	
教员	张灏	三三年八月一日	
教员	刘德峻	三三年八月一日	
教员	叶愚武	三三年八月一日	
教员	王培桐	三三年八月一日	
教员	李于骏	三三年八月一日	

续表

职务	姓名	起薪日期	备注
教员	屈元兴	三三年八月一日	
教员	田尊尧	三三年八月一日	
教员	汤汉芬	三三年八月一日	
教员	田甲生	三三年八月一日	
生活指导员	杨家鹏	三三年八月一日	
文书干事	费舜经	三三年八月一日	
教务干事	王育贤	三三年八月一日	
训育干事	陈鲁峰	三三年八月一日	
文书干事	陈新民	三三年八月一日	
庶务干事	柴培元	三三年八月一日	
庶务干事	张迟家	三三年八月一日	
庶务干事	赵玉珊	三三年八月一日	
庶务干事	黄嘉禄	三三年八月一日	
出纳干事	冯荫轩	三三年八月一日	
出纳干事	马国英	三三年八月一日	
出纳干事	任继周	三三年八月一日	
军训教官	何数奇	三三年八月一日	
军训教官	方席珍	三三年十一月一日	
教员	杨纳德	三四年二月一日	
教员	靳仙洲	三四年二月一日	
书记	周迪慧	三四年二月一日	
教员	郭述贤	三四年二月一日	
化学教员	吴守仁	三四年二月一日	
	刘敦道	三四年二月一日	
书记	沈亚罗	三四年二月一日	
附设小学			
校长兼初中部主任	张易行	三三年八月一日	
教员兼教务主任及初中教员	李育之	三三年八月一日	
教员兼初中国文、几何、化学教员	刘光吕	三三年八月一日	
教员	段建珍	三三年八月一日	
教员	李尚志	三三年八月一日	
教员	柳勉之	三三年八月一日	
教员	王宗羲	三三年八月一日	

续表

职务	姓名	起薪日期	备注
教员	崔鹤龄	三三年八月一日	
教员	姚德骏	三三年八月一日	
教员	雷友鸢	三三年八月一日	
教员	王志杰	三三年八月一日	
教员	姬荆顺	三三年八月一日	
教员	高桂芬	三三年八月一日	
教员	徐涣滋	三三年八月一日	
教员	张春燕	三三年八月一日	
事务员	李天植	三三年八月一日	
事务员	曹芝九	三三年八月一日	
事务员	章世瑾	三四年二月一日	

（民国档案，陕西省档案馆）

第八节　国立西北师范学院与国立西北医学院教职员名录

一、1940年国立西北师范学院教授名单（与国立西北大学合聘）

国文系

主任　黎锦熙（合聘）

教授　谭戒甫（合聘）；易忠禄（合新聘）

英语系

代主任　张舜琴（合聘）

教授　叶意贤（合聘）　包志立

副教授　金保赤（合聘）

史地系

代主任　谌亚达

教授　陆懋德　蓝文征　邓豹君　殷祖英

副教授　郁士元

公民训育系

教育系教授兼代主任　王凤岗

教授　李镜湖

数学系

主任　赵进义

教授　刘亦珩　张德馨　傅种孙　杨永芳

理化系

主任　刘拓

教授　杨立奎　蔡钟瀛　张贻侗　朱有宣　王象复　赵学海　岳劼恒

副教授　谭文炳

博物系

主任　郭毓彬

教授　汪堃仁　雍克昌　刘汝强

教育系

主任　李建勋

教授　程克敬　金树荣　马师儒　郝耀东　鲁世英　高文源　方永蒸
　　　胡国钰　唐得源　许兴凯

副教授　康绍言

体育系

主任　袁敦礼

教授　董守义　徐英超

家政系

主任　齐国樑

教授　孙之淑　王非曼

劳作专修科

主任　果潘初

公共必修科

曹配言　王燕生

（摘自《国立西北师范学院校务汇报》1940年第15期《三十九年度各系教授名单》陕西省档案馆）

二、1940 年国立西北医学院薪俸人员名单

（一）国立西北医学院七月份俸薪人员名单

职员姓名	金　额
徐佐夏	435.00
颜守民	323.00
杨其昌	295.00
毛鸿志	253.00
李蔚潭	239.00
董克恩	225.00
王同观	253.00
洪式闾	365.00
李赋京	295.00
陈作纪	295.00
黄振泰	295.00
黄万杰	183.00
翟之英	183.00
李宝田	183.00
王云明	183.00
刘兆桢	183.00
陈学穆	183.00
徐庆祥	99.00
毕淑英	183.00
王　耕	183.00
弓　濬	134.00
于鸣冬	71.00
王振中	99.00
刘竹筠	85.00
赵慈庚	85.00
姜延风	71.00

姓名	金额
李祥麟	127.00
汤汝玉	64.00
霍炳蔚	64.00
高凤藻	64.00
刘伯安	155.00
蒋义全	71.00
孙宝贤	134.00
路祺亭	71.00
袁立臣	64.00
于　铉	57.00
郎耀如	85.00
叶迁纲	78.00
丁肇篪	71.00
余梦祥	92.00
成安康	78.00
黄克锟	57.00
刘温如	57.00
杨复义	85.00
吕瑞鑫	71.00
聂玉琨	35.00
高维新	57.00
陈真民	50.00
周显徵	53.00
王爱兰	53.00
王彩云	53.00
丁曾逊	57.00
曹福泉	50.00
张　玉	40.00
韩书刚	40.00
孙茂甲	50.00
张云阶	50.00

潘临五	45.00
卢义生	35.00
郑树森	36.00
余新志	30.00
马星煜	30.00
温冠卿	155.00
马永贵	85.00
关景林	71.00
徐应璧	57.00
周郁文	50.00
袁德征	20.00
王锡珍	71.00
邓马爱娜	267.00

(二)国立西北医学院八月份俸薪人员名单

徐佐夏	435.00
颜守民	337.00
毛鸿志	267.00
王同观	267.00
董克恩	239.00
陈作纪	309.00
邓马爱娜	267.00
黄万杰	197.00
翟之英	197.00
李宝田	197.00
王云明	197.00
刘兆桢	197.00
陈学穆	197.00
贾淑荣	183.00
王　耕	183.00
孙　魁	183.00
弓　濬	134.00

姓名	金额
刘竹筠	127.00
王振中	99.00
汤汝玉	71.00
霍炳蔚	71.00
高凤藻	71.00
王兆麟	64.00
王洵礼	64.00
刘锡衡	64.00
李景颐	64.00
刘伯安	155.00
蒋义全	71.00
袁式鉴	71.00
孙宝贤	134.00
路祺亭	71.00
袁立臣	71.00
郎耀如	85.00
王锡祥	85.00
叶迁纲	78.00
成安康	78.00
丁肇虎	71.00
张迁源	71.00
吕锡祥	85.00
刘温如	64.00
吕瑞鑫	71.00
高维新	57.00
周显徵	64.00
王爱兰	60.00
王彩云	35.00
丁曾逊	57.00
郭锦芳	57.00
张　玉	40.00

韩书刚	40.00
张茂甲	50.00
张云阶	50.00
卢义生	35.00
赵致祥	40.00
郑树森	40.00
余新志	30.00
袁德征	40.00
马星煜	35.00
王锡珍	71.00
温冠卿	155.00
马永贵	85.00
关景林	71.00
徐应璧	57.00
周郁文	50.00
周光第	22.00
赵良才	22.00
李寿轩	22.00
焦文俊	22.00
黄元坤	20.00
马世卿	20.00
石镇川	20.00
赵新成	20.00
余德江	20.00
郭凤鸣	20.00
吴子谦	20.00
刘锦安	20.00
张其□	20.00
王三余	20.00
潘恒德	18.00
张光明	18.00

马俊儒	18.00
余新德	18.00
张崇德	18.00
李兆吉	18.00
袁湘儒	18.00
刘怀富	18.00
崔鸿勋	18.00
周　钊	18.00
张明德	16.00
马锡康	16.00
张同德	16.00
夏文武	16.00
傅云图	16.00
钟大贤	16.00
陈忠明	16.00
王道明	16.00
沈长兴	16.00
罗启贵	16.00
张福林	18.00
农美富	16.00
赵□瑞	14.00
高仰止	14.00

(三)国立西北医学院九月份俸薪人员名单

徐佐夏	435.00
颜守民	337.00
毛鸿志	267.00
王同观	267.00
董克恩	239.00
陈作纪	309.00
李学禹	281.00
黄万杰	197.00

翟之英	197.00
李宝田	197.00
王云明	197.00
陈学穆	197.00
贾淑荣	183.00
王友竹	197.00
弓　濬	134.00
刘竹筠	127.00
王振中	99.00
姜迁风	71.00
汤汝玉	71.00
霍炳蔚	71.00
高凤藻	71.00
王兆麟	64.00
王洵礼	64.00
刘锡衡	64.00
李景颐	64.00
刘伯义	155.00
蒋义全	71.00
袁式鉴	71.00
孙宝贤	34.00
袁立臣	71.00
郎耀如	85.00
王锡祥	85.00
叶迁纲	78.00
成安康	78.00
丁肇虎	71.00
张迁源	71.00
吕锡祥	85.00
刘温如	64.00
吕瑞鑫	71.00

聂玉琨	71.00
高维新	57.00
周显徽	64.00
王爱兰	60.00
王锡珍	71.00
曹福泉	50.00
丁曾遂	57.00
郭锦芳	57.00
张　玉	40.00
韩书刚	40.00
孙茂甲	50.00
孙云阶	50.00
卢义生	35.00
赵致祥	40.00
郑树森	46.00
余新志	30.00
袁德征	40.00
王迁斌	30.00
李云章	20.00
温冠卿	155.00
马永贵	85.00
关景林	71.00
徐应璧	57.00
周郁文	50.00
王彩云	35.00

三、国立西北大学医学院教授理事会名单

理事长：张效宗

副理事长：毛鸿志

理事：刘同、李学愚、福国柱

候补:谢景奎、隋式棠

秘书:汪功立

(民国档案,国立西北医学院七、八、九月俸薪人员名单,陕西省档案馆)

附录:1949年8月陕西省立师范专科学校教职员名录①

姓名	性别	年龄	籍贯	职别	学历	经历	到校年月	俸薪	备注
军事代表:刘泽如									
主任委员:高宪斌					中华民国三十八年八月				
李伯恂	男	四八	陕西蒲城	教授兼教务长	北京大学毕业,英国爱丁堡大学硕士	西北大学英文教授,法商学校校长	三十六年八月	540	
郝游唐	男	四八	山东济南	教授	国立师范大学研究科毕业	曾任西北大学教授,西北工学院分院主任	三十五年八月	460	
程海琴	男	五五	陕西米脂	教授兼总务长	国立武昌师范大学毕业	曾任省立师范教员	三十七年八月	540	
高元白	男	四一	陕西米脂	教授兼国文科主任	国立师范大学毕业	曾任铭贤学院教授	三十五年八月	500	
霍树成	男	五四	河南安阳	教授兼英文科主任	日本庆应大学毕业	曾任西北大学教授,河南大学教授	三十五年八月	500	
侯居敬	男	五七	陕西富平	教授兼理化科主任	北京大学毕业	曾任北京大学化学系教授	三十三年八月	500	

---

① 陕西省立师范专科学校由陕西省教育厅于1944年1月聘请西大、西师教授黎锦熙,西北大学教授萧一山,西北大学教授、原陕西省教育厅厅长王捷三,西北大学教授高文源,西大、西师教授唐得源组成筹备委员会,成立于1944年7月。陕西省政府聘请西北大学原教授郝耀东为校长。1949年5月西北军政委员会教育部令其并入国立西北大学。1950年3月19日,西北军政委员会教育部令其南郑分校亦并入国立西北大学。

续表

姓名	性别	年龄	籍贯	职别	学历	经历	到校年月	俸薪	备注
郑伯奇	男	五五	陕西长安	教授	日本京都帝国大学文学士	曾任国立中山大学教授兼主任	三十六年八月	500	
岳劼恒	男	四六	陕西长安	教授	留法毕业理科博士	曾任西北大学教授,物理系主任	三十六年八月	460	
金家桢	男	五四	河南开封	教授	国立北京大学毕业	曾任中山大学、河南大学、西北工学院教授	三十六年八月	460	
刘一塞	男	四二	河南新乡	教授	日本广岛师范毕业	曾任西北大学教授	三十六年八月	460	
石集齐	男	五六	河南济源	教授	美国密苏里大学矿冶学士	曾任甘肃化验所主任	三十五年八月	440	
刘冠勋	男	三九	河南滑县	教授	国立清华大学算学系毕业	曾任河南中等学校副教授	三十七年八月	400	
高宪斌	男	五五	陕西米脂	教授	国立北京高等师范毕业	陕西省教育厅督导科长	三十三年八月	420	
吕秉义	男	三七	陕西	教授	国立北京大学物理系毕业	曾任齐鲁大学教员	三十六年八月	380	
赵进义	男	四九	河北	教授	法国里昂大学理学硕士	曾任国立北平师范大学、西北联合大学数学系主任	三十七年八月	360	
赵文敏	男	四五	河北	教授	国立北平师范大学数学系毕业	曾任国立西北大学副教授,西北师范学院讲师	三十六年八月	400	
王第男	男	四四	陕西	教授	北平民国大学毕业	曾任陕西省立西安师范学校校长	三十七年八月	460	
朱陈轩	男	五二	河南安阳	副教授	不详	不详	三十六年八月	340	

续表

姓名	性别	年龄	籍贯	职别	学历	经历	到校年月	俸薪	备注
贾则德	男	四一	山西稷县	教授	山西大学教育学院国文系毕业	曾任陕西省教育厅秘书,西北师范学院国文系主任	三十四年八月	340	
李泰来	男	三五	陕西绥德	教授	西北大学毕业	曾任蒲城中学教员	三十五年二月	320	
段绍岩	男	六〇	陕西岐山	教授	北京政法学校毕业	省府职员	三十三年八月	340	
孔伯德华	女	四二	英国	教授	英国大学毕业文学士	曾任西北大学教授	三十六年二月	不详	
卢季绍	男	四九	河北□县	教授	国立北京大学毕业	曾任河北省立女子师范学院及西大讲师	三十七年八月	不详	
赵豹解	男	不详	不详	教授	莫斯科大学毕业	曾任湖北师范学院教授	三十七年八月	不详	
吴子千	男	五五	河北兴县	教授	国立北平师大理化部毕业	曾任国立西北师范学院水利系讲师	三十七年八月	不详	
高培支	男	六五	陕西富平	教授	不详	不详	三十七年八月	不详	
潘湘	男	不详	不详	教授	不详	不详	不详	不详	
罗业远	男	不详	不详	教授	不详	不详	不详	不详	
赵永昌	男	不详	不详	教授	不详	不详	不详	不详	
孙道升	男	不详	不详	教授	不详	不详	不详	不详	
曹配言	男	五三	陕西三原	教授	师大研究科毕业	曾任西北大学教授	三十七年八月	不详	
马文彬	男	三八	陕西商县	讲师	民国大学毕业	曾任省立中等学校体育主任	三十七年八月	不详	
李世芳	男	三五	陕西咸阳	讲师兼庶务主任	上海法商学院经济系毕业	曾任通州师范学校教员	三十八年五月	不详	
周志孝	男	三十二	陕西乾县	不详	不详	不详	三十七年八月	不详	

续表

姓名	性别	年龄	籍贯	职别	学历	经历	到校年月	俸薪	备注
李浦民	男	二九	陕西	助教兼书记	陕西省立师范专科学校英文系毕业	曾任中英文教员	三十七年八月	不详	
翁同书	男	六四	陕西长安	管理员	陕西法政学堂毕业	曾任省立师范学校图书馆主任	三十三年八月	不详	
高忠仁	男	四二	陕西长安	管理员	陕西敬业中学毕业	曾任西北大学管理员	三十三年八月	不详	
王日宣	男	三七	陕西长安	事务员	陕西省立鄂县师范毕业	曾任岐山县中心学校教员、长安细柳中心学校教员	三十三年十月	不详	
许重康	男	四二	陕西蒲城	事务员	上海私立大夏大学毕业	曾任陕西省立第一师范学校、蒲城中学教员	三十八年六月	不详	
安紫佩	男	四四	陕西绥德	事务员	甘肃省立师专毕业	曾任陕西省教育厅专员	三十八年六月	不详	
甘得恩	男	不详	不详	事务员	不详	不详	不详	不详	
杨芝英	女	四一	陕西华县	事务员	国立北平师范大学教育系毕业	曾任陕西华县私立女中教导主任	三十七年八月	不详	
唐守仁	男	三七	陕西长安	助教兼事务员	陕西省立师范专科学校史地科毕业	曾任鄂县第一中学地理教员	三十七年二月	不详	
王云霞	男	三一	陕西茂陵	事务员	陕西省立师范专科学校国文科毕业	曾在右任中学当教员	三十七年八月	不详	
吕云龙	男	二七	陕西华县	事务员	陕西省立师范专科学校史地科毕业	曾任华县师范专科学校教员	三十七年八月	不详	
张迪	男	三三	陕西长安	事务员	山西大学电机系毕业	曾任茂陵师范学校理化教员	三十七年八月	不详	

续表

姓名	性别	年龄	籍贯	职别	学历	经历	到校年月	俸薪	备注
贾亦权	男	三二	上海	事务员	苏州振声中学毕业	曾任上海同仁法律学事务所书记	三十三年八月	不详	
申国治	男	三五	陕西延川	事务员	北平朝阳学院法政科毕业	曾任陕西第十七中学主任	三十七年八月	不详	
潘兆麟	男	三〇	陕西华县	事务员	国立西北农学院毕业	曾任小学教员事务员等	不详	不详	
郭志正	男	三四	陕西华县	书记	西安高级中学毕业	不详	三十五年三月	不详	
韩来仪	男	二八	陕西临潼	助教兼书记	陕西省立师范专科学校理化科毕业	曾任临潼县立中学理化教员	三十七年八月	不详	
景庆勋	男	二七	陕西礼泉	书记	陕西省立师范专科学校英文科毕业	曾任中小学教员	三十七年八月	不详	
张富钦	男	二八	陕西临潼	书记	陕西省立师范专科学校国文科毕业	曾任陕西省立三原女子中学教员	三十八年三月	不详	
史志忠	男	二二	陕西大荔	书记	陕西省立师范专科学校毕业	不详	三十七年八月	不详	
史云麒	男	三〇	河南开封	书记	山东省立高级中学毕业	曾任中央通讯处书记	三十四年三月	不详	
王思隆	男	三四	陕西长安	书记	陕西省立中山中学毕业	曾任三原田赋管理处助理员、陕西水利厅书记	三十三年八月	不详	
傅景沃	男	三一	陕西长安	书记	陕西省立第三中学毕业	曾任小学教员	三十四年二月	不详	
白洪量	男	二八	陕西扶风	书记	扶风县立初级中学	曾任扶风县政府事务员	三十二年十一月	不详	

续表

姓名	性别	年龄	籍贯	职别	学历	经历	到校年月	俸薪	备注
王来仪	男	二六	山西	书记	中央部队专修科毕业	陕西省立技艺师范教员	三十七年八月	不详	
周志远	男	三七	辽宁沈阳	会计主任	沈阳县立师范毕业	曾任陕西省警察局会计员	三十二年八月	不详	
孙贵先	男	三五	河北		河北省沧县立中学高中部毕业	陇海税局会计处科员、长安税局会计员税务员	三十七年三月	不详	
刘毓章	女	二三	陕西米脂		陕西省立商专会统科毕业	不详	三十七年八月	不详	
葛丕芳	女	二七	陕西榆林		陕西省立商专会统科毕业	不详	三十七年八月	不详	

（国立西北大学档案，陕西省档案馆）

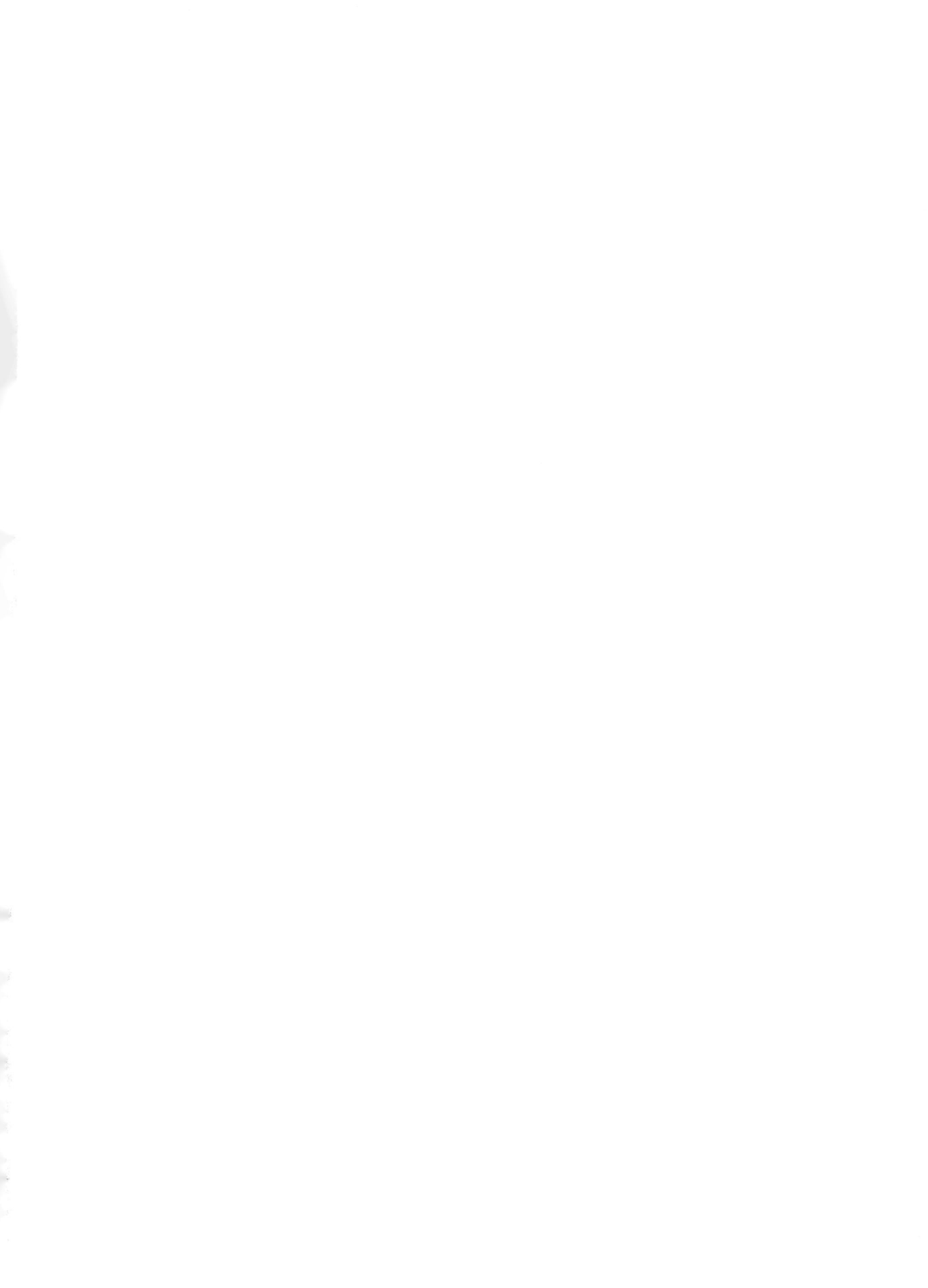

国家档案局与国家财政部重点档案开发项目

陕西省档案局（馆） 编

国立西北联合大学档案史料选编（下）

王建领 主编
郑惠姿 姚远 王展志 副主编

西北大学出版社

第九章 抗战与军训

第一节 敌机轰炸与损失

一、各学院教学实习受到干扰

西北联大公函城固县政府

为本校拟将员生疏散至郊外上课,勘就地点请转知当地乡绅及保甲协助保护由。

兹因敌机近日轰炸南郑,本校为预防起见,拟于特别紧急时将员生向郊外疏散,借用当地庙宇维持上课。曾经派员与莲花池蔡家坝乡绅蔡文接洽,该乡绅热心协助,勘就该处老爷庙、台子庙、三善祠、三郎庙等处可以应用。本校必要时即分配员生前往该处上课。关于各该庙宇神像,本校届时应面告学生不准损坏,并不妨碍当地人民敬神习惯。相应函达,敬希查照,转知该乡绅蔡文及当地保甲长,随时协助照料。

中华民国二十八年五月十日
(国立西北大学档案,陕西省档案馆)

西北联大便函各院为议定城外上课各项办法

西北联大便函各院为议定城外上课各项办法应先由文理、师范两院布置,俟突袭时实行城外上课商议谈话会(中华民国二十八年五月九日)。

商定事项：

(一)俟文理学院、师范学院移在城外上课时,法商学院拟恢复原来时间上课；

(二)如遇大雨时,文理学院师范学院仍在校内上课；

(三)尽量利用城外教室(自上午6时起至下午5时止),但留出11点至1点两小时为学生午餐时间(晚7时至9时仍须在校内上课)；

(四)借附中新校舍作先修班教室；

(五)派工友一人乘自行车负报告责任；

(六)城外教室教员休息室内部整理及设备,请文理学院事务室及师范学院事务处负责合办,其整理及设备费于本月份文理学院借用全项下请常委批加300元；

(七)一切问题请汪秘书与蔡家坝远见卓识绅士蔡文先生接洽；

(八)各庙佛像,借庶务室所存旧席及竹竿遮蔽。

中华民国二十八年五月十日

附:通知。医学院:为第75次常会医学院报告:二、三、四、五年级迁移日期及地点,及照常上课,期请鉴核备案。决议:准予备案,希查照由。案查本校第75次常会报告第八项内载"医学院二、三年级在孙家庙马家庙,四、五年级在黄家坡黄家祠堂等处暂行上课,于5月29日迁移,5月31日起照常上课",请鉴核备案。

中华民国二十八年六月二日
(国立西北大学档案,陕西省档案馆)

国立西北联合大学医学院函

查本所前因南郑军政当局一再商请办理南郑县防护团重伤医院事宜,乃以情不可却,当即应允。讵于本月六、七两日,南郑迭遭敌机轰炸,计此2日经本所治疗者70余人,其中重伤住院者21人。自经此两次轰炸后,此间人心大起惶恐,每日晨起均纷纷逃至郊外,以致医学院方面亦不能安心上课,并之近日卫生院迭向本所交涉,解除借房契约；而地方当局又以被炸严重伤住院病人在市区中心,终非长计,乃经开会商请本所迁移城外,以谋安全。本所以敌机既已在城内滥肆轰炸,将来虽免继续侵扰,与其居住城内终日惶恐,莫若迁移城外,既应市方之要求,亦可供四五年级学生安心实习,庶无荒废,故决定暂行迁往城外,办理重伤医院。现地址已经南郑县府觅于南郑东关外黄家坡文家庙内,距县城约 10 华里之遥,定于本月 14 日全部迁移该处,所有门诊,因感于事实之不能,故暂停止。

国立西北联合大学医学院附属诊所
中华民国二十八年五月十四日发

附:西北联大常务委员会便函。

医学院:

为函知附属诊所迁移文家庙内,准予备案,并提常会报告希查照由。贵院 5 月 14 日函报附属诊所暂行迁往南郑东关外黄家坡文家庙内办理重伤医院,并供四五年级学生实习,所有门诊,因事实上困难暂行停止,请予备案。

国立西北联合大学常务委员会
中华民国二十八年五月十八日
(国立西北大学档案,陕西省档案馆)

二、教育部令报抗战公私财产损失

教育部关于饬报抗战公私财产损失一事给国立西北大学的令

(教育部 统字第 06187 号训令)

令　国立西北大学:

案奉行政院卅六年一月(从捌字第 6187 号)训令开:"查关于抗战期间全国人口及公司财产所受损失,前经拟定抗战损失调查办法及查报须知暨表式迭令各机关遵照查报有案。关于该项损失之调查及向日索偿事宜,本院设有赔偿委员会专司其事。各机关务应遵照规定办法速切实调查径报该会核办。除分令外,合亟仰遵照并特转饬所属一体遵照"等因,奉此案迭经本部转饬查报在案。各机关学校业经呈报者,即不必再报,以免重复。其未具报者应即遵照前令各令及抗战损失查报须知所定表式具报。除分令外合行令仰遵照。

此令

部长　朱家骅
中华民国三十六年二月四日发
(民国档案,陕西省档案馆)

三、本校前身——国立北平大学、国立北平师范大学、国立北洋工学院所受损失

(一)国立北平大学

地　点

1. 校长办公处　国会街法商一院圆楼。
2. 女子文理学院　齐化门内北小街。
3. 法学院　国会街(即前参众两议院)。
4. 工学院　西城祖家街。
5. 农学院　平则门外罗道庄。
6. 医学院　本院附属医院　背阴胡同。
　　　　　本部和平门外后孙公园。

被毁日期:卢沟桥事变后,农学院即被敌军摧毁,并于八月间敌军进北平城,各学院又被敌军占用。

摧毁方式:除农学院大部房舍及农林场设备已被暴敌损毁及摧残外,其余各学院所有家具图书仪器,多被盗劫,而以法商、工两学院损失为最甚。

损毁情形:各学院原均派定人员负责保管,唯以力所不逮,无法制止。

损失约数:兹将本校各项损失数目分述于下。

1. 仪器机器:约损失 672 317.67 元。
2. 建筑:除女子文理学院内是租赁杨姓住宅为校舍,无大量建筑外,计法商学院约 25 万元(包括新建之研究图书馆体育馆等)。医学院约 10 万元(内包括病房、手术室、调剂室等)。工学院约 20 万元(内包括机电、纺、化四工厂)。农学院约 30 万元(内包括农林场等)。
3. 图书:共计损失 127 048 册,约值洋 30 万元。
4. 标本模型:共计损失 14 508 件,约值 10 万元。

此乃损失约数,至家具各项公用物品损失之数,尚未列入。

(二)国立北平师范大学文学院、文理学院

地点:石驸马大街、南新华街

被毁日期:中华民国二十六年八月中旬

摧毁方式:

八月中旬,敌军南城警备司令部,占据和平门外本校文理学院,月杪敌军山之内航空部队,占据石驸马大街本校文学院,教职员、学生、校工,纷纷逃避。校工有在校门外观望者,竟至触怒寇军,立加逮捕绑缚,欲予枪毙,几经交涉,始得释放。对于校中什物,任意破坏或升火为炊或遗弃满地,并运走物理系无线电机。即学生私人书籍、行李之存置学校库房者,亦横遭抢劫盗卖。

摧毁情形:近据平津所得报告,日寇对于北平文化教育机关,为更进一步之摧残,据本校校合校产,收买汉奸,组织为中等学校师资肄习所,施行奴化教育。

损失约数:大学图书,价值 185 977 元,仪器标本模型机器价值 297 661 元,附属中学图书仪器价值 38 333 元,附属小学图书仪器价值 8 500 元。大学本部及附中、附小,校址校舍价值约共 50 万元(根据师大二十五年十二月刊印之"国立北平师范大学近况")。

(三)国立北洋工学院

地点:天津市西

被毁日期:中华民国二十六年七月二十八日开始

摧毁方式:先用机枪扫射,天津沦陷后即侵入占据,一切房屋设备,均随时任凭捣毁。

毁后情形:所有房屋设备最初并无运输损失,但全部院产即被占据,故随时有全部被毁之可能。

损失约数:如全部被毁约为损失国币 200 万元。

(宋如海编著《抗战中的学生》)

四、国立北平师范大学所受损失[①]

(一)抗战前后的基本情况

1937 年七七事变前,北京师范大学(1928 年起称国立北平师范大学)在校学生 900 余人,学校在南新华街(建于 1908 年)、石驸马大街(建于 1910 年)拥有校舍,图书馆藏书数十万卷册。

[①] 2006 年 2 月,北京师范大学成立抗战时期人口伤亡和财产损失调查组。首先对校档案馆现存档案进行了细致的查阅,对 1931 年至 1946 年间的档案材料进行了筛选,并查阅了 1931 年至 1946 年间北京的相关出版物,查阅档案近百卷,报刊十余种,形成《北京师范大学抗日战争时期人口伤亡和财产损失调查》。据此节选而成。

1937年七七事变后,北平沦陷,学校师生仓促离校。9月,教育部令北平师范大学、北洋大学、北平大学等合组西安临时大学(后改称西北大学,北平师大于1939年独立称西北师范学院)。学校大部分图书、档案、教学用具等留在北平校园中。

1937年10月,日军侵占原国立北平师范大学、国立北京大学、国立北平大学等大学校园,校园内房舍、家具等一切用品均被日军侵占。1938年3月,伪中华民国临时政府教育部宣布在南新华街原国立北平师范大学数理学院校址和李阁老胡同原国立北平大学法商学院校址分别成立"国立北京师范学院"和"国立北京女子师范学院"。1941年11月,伪华北政务委员会教育总署宣布两所学校合并组成"国立北京师范大学",以原国立北平师范大学南新华街校址作为大学本部,另设3个分校,委任校长负责,下设3个学院和1个研究院,并且在原国立北平师范大学附属中学、附属小学的校址分别建立附属中学、附属女子中学、第一附属小学、第二附属小学等附属教育机构,成为一所从幼儿园、小学、中学到大学、研究生等层次的完全制师范教育机关。

日伪政府建立的伪北京师范大学根据日本帝国主义制定的《从内部指导中国政权的大纲》宣称:"尊重汉民族固有的文化,特别尊重日华共通的文化,恢复东方精神文明,彻底禁止抗日言论,促进日华合作。"制定的办学目的为:第一,依据东亚集团之精神及中国传统之美德,养成健全的师资;第二,遵循新政府方针,注意实践的训练;第三,养成品格高尚、思想纯正、崇礼守法、以身作则教育者之人格。在日本帝国主义所宣扬的"中日亲善""共同防共反共""大东亚共存共荣"等殖民侵略思想的指导下,进行"中国传统之美德","养成品格高尚、思想纯正、崇礼守法、以身作则教育者之人格"的培养,以消除中国人民的反日思想,心甘情愿地成为日伪统治下的"顺民"。

为强化奴化教育,1938年5月28日,学校成立图书审查委员会,特聘日本特务米谷荣一为检查长对学校图书进行检查。自1938年6月8日至10月26日对校内所有图书经过逐一检查,认为可供阅览的中外文书籍为9 500余册,特藏书籍为6 600余册,被检出有疑问的书籍达150 089册、杂志7 327册、装订报纸298本。其中被检查出2 673册涉及抗日内容的书籍均被日伪政府封存。附属学校的课本也未能免难,凡不符合"中日共荣亲善"原则,含有中华民族、精忠报国和爱国、自强、奋斗等内容的课文及词语一律被删除或撕毁。

(二)人口伤亡

由于日军占领北平,正常的教学秩序被打乱,学生们没有了平静的课堂,安全的校园,只能选择中断学业,另谋出路。仅 1934 级、1935 级、1936 级学生中就有 328 人失学,约占总学生数的 50%。在 328 名失学学生中,有不少学生投笔从戎,走上了抗日战场,如开辟了湘西抗日根据地的王文彬烈士,在抗日战场上牺牲的张仁槐烈士、王韶烈士等,以及从此走上职业革命者道路的学生,如林一山、浦安修、江明、于刚等,也有一些学生在战争中提前结束了学生生活,走入社会。据档案资料记载,师大仅有 6 名学生选择进入伪北京师范大学。

人口伤亡主要有[①]:

1. 通过对学校档案的筛选和有关资料的查阅,日伪政府在南新华街校址上建立伪北京师范大学的 8 年间,有 2 名教师和 2 名学生被日本宪兵队逮捕后失踪,分别是:

崔峙如,河北省通县人,北平师范大学体育系教授,1944 年 3 月 20 日被 1420 部队三谷部队逮捕,拘押至东珠市口日本宪兵队,受尽酷刑。缘由是崔曾去过西安,与后方有过联络。5 月 1 日,崔被转至丰台接受感化,此后再无消息,疑已被害。

姜忠奎,山东省荣成县人,北平师范大学教授,1945 年 1 月 6 日被 1420 部队三谷部队(东珠市口日本宪兵队)逮捕,关押在东珠市口宪兵队,后失踪。

郁增毅,江苏省太仓县人,北平师范大学音乐系四年级学生,1945 年 2 月 5 日被 1420 部队三谷部队(东珠市口日本宪兵队)逮捕,失踪。本次三谷部队共逮捕北平师范大学学生十余人。

余永庆,1945 年 2 月 5 日被日军第 1420 部队三谷部队(东珠市口日本宪兵队)逮捕,失踪。

2. 抗战时期,由于天主教圣言会所在的德国与日本的特殊关系(即同盟国关系),以及罗马教宗驻华代表蔡宁总主教(Archbishop Mario Zanin)和校务长雷冕(Rudolph Rahmann S. V. D)都是德国人,辅仁大学没有被日伪政府强行接收。北平沦陷后,国民政府教育部密令辅仁大学充分利用其有利的国际关系,延续民族教育,广泛招收沦陷区爱国青年,并联络平津其他具有国际性的教育团体,遵守"行政独立、学术自由、不悬伪旗"的三原则。在校长陈垣的领导下,辅仁大学成为少有的不悬日伪国旗、不读日伪所编的旨在进行奴化教育课本的高校。1939 年,日本开始派遣细井次郎以第二外国语教授名义来校监督。1942 年,细

[①] 北京市档案馆编:《日本侵华罪行实证——河北、平津地区敌人罪行调查档案选辑》(上册),人民出版社 1995 年版,第 98—130 页。

井次郎又升为校务长首席秘书,并兼任附中学监。1944年3月,日本宪兵队逮捕了英千里。20日后,根据从英千里家中抄出的华北文协主要成员名单,日本宪兵队逮捕了张怀、董洗凡、徐恃峰、欧阳湘、赵锡禹、左宗伦、郑国栋、左明彻、孙硕人、朱锦章、葛信益、赵光贤、叶德禄、高婴齐、吴师循、李凤楼、秦晋、孙金铭等辅仁大学教师30余人,对他们进行了非人折磨和严刑逼供,制造了"华北教授案"。英千里等教授被关押在监狱中历时一年有余,直至抗战胜利后才出狱。

抗战八年,辅仁大学有4名学生惨遭日本帝国主义侵略者杀害,分别是:

唐葆儒,男,1940级史学系,1944年被日军杀害,年仅22岁。

宏庆隆,男,1938年被日军杀害于天津,年仅23岁。

吴惟修,男,1940级化学系,1944年进入晋察冀抗日根据地,1944年12月被派回北京做地下工作,在育英中学教化学,不久被叛徒告密,被捕牺牲,年仅22岁。

欧阳可祥,男,1938级生物系,1939年休学。在其兄欧阳可宏开设的宇宙无线电社工作,为城外妙峰山的抗日游击队制造和输送无线电发报机等通讯设备,1941年为八路军运送发报机的归途中,被日军发现,中弹牺牲,年仅21岁[①]。

(三) 财产损失

1945年8月抗战胜利后,国民政府教育部派员对日伪政府建立的包括北京师范大学、北京大学等高校进行接收,设立临时大学补习班(共8处),对学生进行甄别考试,其中,伪北京师范大学改为第七补习班。经过补习教育后,第七补习班的学员并入复员后的国立北平师范学院。1945年9月,原北平师范大学师生经过与国民政府教育部的斗争,在原校址复校,称国立北平师范学院。抗战八年,本校学生失学情况严重,仅从1934级、1935级、1936级学生入校、毕业人数上可见一斑。

表1 北平师范大学1934—1936级学生人数统计表

年级	入学人数/人	毕业人数/人	失学人数/人
1934级	234	129	109
1935级	236	109	124
1946级	211	116	95

---

① 北京辅仁大学校友会编.北京辅仁大学校史[M].北京:中国社会科学出版社,2005:532.

正常教学年度中,入学、毕业比例一般保持在±3%左右,其中包括退学、休学、复学等原因的数字增减,而在1934级、1935级、1936级学生失学比例近50%,除去战争原因无法得到其他答案。分析如此高比例的失学状况,我们可以得到的结论只有一个,那就是日军侵略造成的巨大教育损失。

个人财产损失:萧焕文,河北省昌黎县人,原学校会计股职员,七七事变后离职。1942年11月,所购英国白报纸50令(时价每令80元)、毛太纸60令(时价每令50元),1943年1月6日被日本宪兵队强行没收,他本人还遭到日本宪兵的毒打①。

日伪政府统治时期,石驸马大街校舍被军事机关占据,医疗卫生设施及重要器材悉遭劫毁,遗失殆尽。

五、国立东北大学所受损失

国立东北大学校长臧启芳关于抗战以来学校蒙受损失情形呈文
（国立东北大学呈 总字第1976号,1943年9月21日）

案奉钧部中华民国三十二年八月十六日(高字39495)铣代电内开:

"案准行政院政务处蒋处长函,以联合国战后救济及复兴协定业已签订,该协定所载范围极广,举凡敌军占领区内一切生活之复员,无不涉及。查我国沦陷区内教育文化机关遭受之损失极大,复员自多困难,将来势必有赖于联合国家之协助与合作。美国政府将于今秋召集会议,讨论一切,即请饬属将有关资料广为搜集送院,以便汇成提案等由。该校(院所馆)在抗战期间,如有损失,应即详晰查其现值。又战后倘有复员之必要,所需费用并应确实估计,分列清单,克日呈报,以凭汇转,仰即遵照办理具报"等因。

奉此,查本校原设辽宁沈阳,九一八事变后,沈阳校舍及各种设备,均沦入敌手,约值过去之银币1 070余万元。嗣于同年10月18日在北平复校,经过五年余之惨淡经营,粗具规模,迨1937年七七事变起,复全校徙至西安,所有北平校舍及设备,约值银币82万元,亦均陷入敌手。1938年春,以敌机空袭频繁,西安校舍密

---

① 北京市委党史研究室编,李忠杰主编.北京市抗日战争时期人口伤亡和财产损失[M].北京:中共党史出版社,2014:327.

迩机场,无法继续上课,乃迁至四川三台,所有西安校舍虽在,但已不能利用,本校不能不列为损失,约值银币50万元,尚有不便迁徙之设备损失,即迁移费约值银币7万元。在三台遭受敌机轰炸及历年防空设备之损失,约合银币5万元。是本校在抗战前后共计损失,约合银币1214万余元。以上数字,以不明现时物价指数之折合率,无法折合现值。

再本校既定名为东北大学,负有开发东北、建设东北之特殊使命,战后必须迁回辽宁沈阳,其复员所需费用,以目前物价指数计之,由四川迁辽宁之迁移费,约需法币3000万元,校舍复员约需法币15万万元,机器及仪器药品75 000万元,图书设备约需90 000万元,总计复员所需当在31.8万元以上。谨特遵令分列清单竣事。理合检件具文呈祈鉴核施行。

  谨呈
教育部部长陈
   附呈清单二份(缺)

国立东北大学校长臧启芳
中华民国三十二年九月十一日
(国民政府教育部档案,中国第二历史档案馆)

六、国立西北工学院所受损失

国立西北工学院呈报抗战期间遭受损失情形的代电

（国立西北工学院快邮代电代字第350号,1943年9月）

教育部陈部长钧鉴:

  案奉钧部本年8月16日(高字第39495号)铣代电,略以该院在抗战期间,如有损失,应即详晰查明其现值。又战后倘有复员之必要,所需费用,并应确实估计,分列清单,克日呈报,以凭汇转,饬即遵照办理等因。奉此,遵查本院于1938年秋,奉令并合国立北洋工学院、国立北平大学工学院、国立东北大学工学院及私立焦作工学院改组而成。本院前身各校院于抗战开始时,由平津各地,几经南移,图书仪器等物,有未及抢运出险者,有既经搬运而于途中遗弃者,损失甚巨。该院校等直接所受损失亦即本院间接之损失,迨至本院成立后数年来,锐意经营、而设备仍欠充实,实缘抗战中所遭损失有以致之。兹经查明图书仪器损失现值亦即系本院于抗战后期待复员所需费用,计中英文图书约值美金332 000元,各工程学系仪器约320万元,总计共需美金3 532 000元。奉电前因,理合缮具本院损失清单一纸,随电呈请鉴核,实为公便。

国立西北工学院院长赖琏,教务主任潘承孝代感叩。

计呈清单一纸。[清单缺]

中华民国三十二年九月

(国民政府教育部档案,中国第二历史档案馆)

七、国立西北农学院第三次被敌机轰炸损失

西北农学院第三次被敌轰炸财产损失报告表
(1947年7月)

房屋财产损失报告表(表式3)

事件:日机轰炸

日期:中华民国三十年十一月三十日

地点:国立西北农学院

填送日期:1947年7月21日

损失项目	单位	数量	价值(国币元)
毁西五宿舍房	间	2	2 000元
毁东一宿舍屋檐	方	1	500元
毁高职厕所	间	3	4 500元
毁女生宿舍房檐	间	23	3 450元
毁女生宿舍木门	堂	4	480元
毁女生宿舍天花板	方丈	1	120元
毁女生宿舍窗帘布	尺	235	470元
毁乙字四号房玻璃	块	29	290元
毁大楼62号教室砖墙	方丈	1.5	1 500元
毁62号教室窗帘布	尺	196	392元

续表

损失项目	单位	数量	价值（国币元）
毁62号教室窗扇	面	10	1 000元
毁62号教室黑板	面	1	500元
毁62号教室隔墙	堵	1	400元
毁62号教室木门	堂	1	120元
毁74号教室隔墙	堵	1.5	1 200元
毁74号教室花玻璃	块	1	15元
毁大楼大礼堂窗扇	面	24	2 400元
毁大楼大礼堂墙	方丈	4	4 000元
毁大楼大礼堂窗布	尺	336	672元

说明：

1. 即发生损失之事件如日机轰炸、如日军进攻等。
2. 即发生之期如某年月日或某年月日至某年月日。
3. 即发生之点如某市某县某镇某村等。
4. 包括一切动产（如衣服什物财帛舟车等）及不动产（如房屋田园矿产等）所有损失逐项填明。
5. 如为机关学校及国省市县营事业则由主办队员署名并加盖该机关学校等之印信，私人则由本人人民团体则由其理事签名盖章。
6. 如受损失者为机关学校及国省市县事业则可不必由该管保长等加盖。

房屋财产损失报告表（表式3）

事件：日机轰炸

日期：中华民国三十年十一月三十日

地点：国立西北农学院

填送日期：1947年7月21日

损失项目	单位	数量	价值（国币元）
毁大礼堂隔墙	堵	9	7 200元
毁大礼堂木门	堂	6	1 400元
毁大礼堂花玻璃	块	9	135元
毁大楼77号教室玻璃	块	9	135元
毁大楼77号教室隔墙	堵	1	800元
毁三楼75号教室隔墙	堵	1	800元

续表

损失项目	单位	数量	价值（国币元）
毁三楼75号教室木门	堂	1	240元
毁三楼75号教室玻璃	块	7	105元
毁二楼55号教室隔墙	堵	2	1 600元
毁二楼55号教室木门	堂	2	480元
毁二楼55号教室窗帘布	尺	72	144元
毁二楼51号教室大门	堂	2	480元
毁二楼54号教室隔墙	堵	1	800元
毁二楼54号教室玻璃	块	2	30元
毁二楼54号教室窗帘布	尺	28	56元
毁二楼53号教室大门	堂	1	240元
毁二楼53号教室玻璃	块	2	30元
毁二楼53号教室窗帘布	尺	84	168元
毁52号教室窗帘布	尺	42	840元

说明：

1. 即发生损失之事件如日机轰炸、如日军进攻等。

2. 即发生之期如某年月日或某年月日至某年月日。

3. 即发生之点如某市某县某镇某村等。

4. 包括一切动产（如衣服什物财帛舟车等）及不动产（如房屋田园矿产等）所有损失逐项填明。

5. 如为机关学校及国省市县营事业则由主办队员署名并加盖谊机关学校等之印信，私人则由本人，人民团体则由其理事签名盖章。

6. 如受损失者为机关学校及国省市县事业则可不必由该管保长等加盖。

房屋财产损失报告表（表式3）

事件：日机轰炸

日期：中华民国三十年十一月三十日

地点：国立西北农学院

填送日期：1947年7月21日

损失项目	单位	数量	价值（国币元）
毁一楼走廊隔墙	堵	1.5	1 200元
毁一楼28号教室隔墙	堵	3	2 400元

续表

损失项目	单位	数量	价值(国币元)
毁一楼 28 号教室玻璃	块	1	15 元
毁一楼 28 号教室木门	堂	1	240 元
毁一楼 28 号教室窗帘布	尺	42	84 元
毁一楼 27 号教室隔墙	堵	1	800 元
毁一楼 27 号教室木门	堂	1	240 元
毁一楼 27 号教室窗帘布	尺	28	56 元
毁一楼 26 号教室隔墙	堵	1.5	1 200 元
毁一楼 26 号教室木门	堂	1	240 元
毁一楼 26 号教室玻璃	块	5	75 元
毁一楼 26 号教室窗帘布	尺	42	84 元
毁一楼 29 号教室玻璃	块	4	60 元
毁一楼西廊隔墙	堵	3	2 400 元
毁一楼办公室玻璃	块	6	90 元
毁西南窑木门	堂	1	240 元
毁西南窑窗玻璃	块	36	360 元
毁大楼北窗玻璃	块	59	590 元
毁大楼南窗玻璃	块	56	580 元

说明:

1. 即发生损失之事件如日机轰炸、如日军进攻等。

2. 即发生之期如某年月日或某年月日至某年月日。

3. 即发生之点如某市某县某镇某村等。

4. 包括一切动产(如衣服什物财帛舟车等)及不动产(如房屋田园矿产等)所有损失逐项填明。

5. 如为机关学校及国省市县营事业则由主办队员署名并加盖该机关学校等之印信,私人则由本人人民团体则由其理事签名盖章。

6. 如受损失者为机关学校及国省市县事业则可不必由该管保长等加盖。

房屋财产损失报告表(表式3)

事件:日机轰炸

日期:中华民国三十年十一月三十日

地点:国立西北农学院

填送日期:1947 年 7 月 21 日

损失项目	单位	数量	价值(国币元)
毁一楼北窗帘布	尺	90	180元
毁一楼南窗帘布	尺	84	168元
合计		50 994元	(348)

说明：

1. 即发生损失之事件如日机轰炸、如日军进攻等。
2. 即发生之期如某年月日或某年月日至某年月日。
3. 即发生之点如某市某县某镇某村等。
4. 包括一切动产(如衣服什物财帛舟车等)及不动产(如房屋田园矿产等)所有损失逐项填明。
5. 如为机关学校及国省市县营事业则由主办队员署名并加盖该机关学校等之印信，私人则由本人，人民团体则由其理事签名盖章。
6. 如受损失者为机关学校及国省市县事业则可不必由该管保长等加盖。

仪器财产损失报告表(表式3)

事件：日机轰炸

日期：中华民国三十年十一月三十日

地点：国立西北农学院

填送日期：1947年7月21日

损失项目	单位	数量	价值(国币元)
广口瓶500ee	只	19	36元
烧杯250ee	只	2	4.5元
烧杯150ee	只	2	4元
白广口瓶250ee	只	5	20元
试管15×15mm	只	5	7.5元
体温表	支	1	69.5元
比重瓶50ee	只	2	30元
标本瓶32×9em	只	6	130元
标本瓶9×18em	只	3	32元
标本瓶9×16em	只	3	20元
尖底种子瓶	只	44	1 000元
圆底种子瓶	只	27	500元
培养皿10em	套	3	10元
烧杯600em	只	5	15.98元
烧杯400em	只	5	12.5元

续表

损失项目	单位	数量	价值（国币元）
漏斗 10em	只	1	3 元
漏斗 6em	只	1	1 元
白细口瓶 250em	只	2	7.6 元
温度计 400ee	只	1	35.8 元

说明：

1. 即发生损失之事件如日机轰炸、如日军进攻等。
2. 即发生之期如某年月日或某年月日至某年月日。
3. 即发生之点如某市某县某镇某村等。
4. 包括一切动产（如衣服什物财帛舟车等）及不动产（如房屋田园矿产等）所有损失逐项填明。
5. 如为机关学校及国省市县营事业则由主办队员署名并加盖该机关学校等之印信，私人则由本人，人民团体则由其理事签名盖章。
6. 如受损失者为机关学校及国省市县事业则可不必由该管保长等加盖。

仪器财产损失报告表（表式3）

事件：日机轰炸

日期：中华民国三十年十一月三十日

地点：国立西北农学院

填送日期：1947 年 7 月 21 日

损失项目	单位	数量	价值（国币元）
白细口瓶 150ee	只	2	3 元
广口瓶 250ee	只	10	25 元
广口瓶 1000ee	只	2	10 元
酒瓶	只	5	2.5 元
过滤杯	只	5	40 元
冷凝管外管	个	8	300 元
吸管	个	2	30 元
滴管	支	17	50 元
磨口玻筒	个	15	280 元
培养皿	套	3	10 元
表面皿	只	50	80 元
玻研钵	套	10	200 元
铜筛子	套	1	132 元

续表

损失项目	单位	数量	价值(国币元)
白细口瓶	只	20	18 元
曲颈瓶	只	10	400 元
温度计200e	支	1	25 元
比重表	支	1	28.5 元
坩埚	个	2	13 元
滴管架	个	5	85 元

说明：

1. 即发生损失之事件如日机轰炸、如日军进攻等。
2. 即发生之期如某年月日或某年月日至某年月日。
3. 即发生之点如某市某县某镇某村等。
4. 包括一切动产(如衣服什物财帛舟车等)及不动产(如房屋田园矿产等)所有损失逐项填明。
5. 如为机关学校及国省市县营事业则由主办队员署名并加盖该机关学校等之印信，私人则由本人，人民团体则由其理事签名盖章。
6. 如受损失者为机关学校及国省市县事业则可不必由该管保长等加盖。

仪器财产损失报告表(表式3)

事件：日机轰炸

日期：中华民国三十年十一月三十日

地点：国立西北农学院

填送日期：1947 年 7 月 21 日

损失项目	单位	数量	价值(国币元)
漏斗	个	18	35 元
蒸发器皿	个	7	70.85 元
磁钵	个	4	30 元
过滤瓶	个	3	25 元
称瓶	个	3	24 元
放水瓶	个	3	65 元
小广口瓶	个	6	20 元
平底烧瓶	个	4	20 元
圆底烧瓶	个	13	30 元
温度计400e	支	1	30
温度计360e	支	1	36 元

续表

损失项目	单位	数量	价值（国币元）
水埚	个	5	200元
冷凝器	个	5	360元
滴定管	支	5	240元
大漏斗	支	2	5元
磁漏斗	支	3	21元
烧杯	支	15	45元
干燥器	个	1	60元
小蒸发皿	套	10	70元

说明：

1. 即发生损失之事件如日机轰炸、如日军进攻等。
2. 即发生之期如某年月日或某年月日至某年月日。
3. 即发生之点如某市某县某镇某村等。
4. 包括一切动产（如衣服什物财帛舟车等）及不动产（如房屋田园矿产等）所有损失逐项填明。
5. 如为机关学校及国省市县营事业则由主办队员署名并加盖该机关学校等之印信，私人则由本人，人民团体则由其理事签名盖章。
6. 如受损失者为机关学校及国省市县事业则可不必由该管保长等加盖。

仪器财产损失报告表（表式3）

事件：日机轰炸

日期：中华民国三十年十一月三十日

地点：国立西北农学院

填送日期：1947年7月21日

损失项目	单位	数量	价值（国币元）
广口瓶	个	19	130元
大蒸发皿	个	6	65元
小口瓶	个	1	3元
量筒100ee	支	2	36元
标本瓶	个	1	10元
酒精灯	个	10	20元
试管	个	23	35元
三角瓶	个	5	18元
标本溶液瓶	个	1	12元

续表

损失项目	单位	数量	价值(国币元)
玻管	条	6	18元
坩埚	个	1	15元
U形管	个	1	8元
洗涤瓶	个	2	10元
酒精灯	个	4	8元(林研室)
烧杯	个	5	15元(林研室)
曲颈瓶	个	1	14元(林研室)
广口瓶	个	8	40元(林研室)
蒸馏瓶	个	2	30元(林研室)
平底烧瓶	个	1	8元(林研室)

说明：

1.即发生损失之事件如日机轰炸、如日军进攻等。

2.即发生之期如某年月日或某年月日至某年月日。

3.即发生之点如某市某县某镇某村等。

4.包括一切动产(如衣服什物财帛舟车等)及不动产(如房屋田园矿产等)所有损失逐项填明。

5.如为机关学校及国省市县营事业则由主办队员署名并加盖该机关学校等之印信，私人则由本人，人民团体则由其理事签名盖章。

6.如受损失者为机关学校及国省市县事业则可不必由该管保长等加盖。

仪器财产损失报告表(表式3)

事件：日机轰炸

日期：中华民国三十年十一月三十日

地点：国立西北农学院

填送日期：1947年7月21日

损失项目	单位	数量	价值(国币元)
研钵	个	1	5元
洗瓶	个	1	30元
干燥箱	个	1	45元
三角瓶	个	1	36元
大漏斗	个	1	12元
大玻瓶	个	1	8元
大蒸发皿	个	2	28元

续表

损失项目	单位	数量	价值(国币元)
冷凝器	个	1	36 元
湿箱培养器	个	4	150 元(植病系)
漏斗	个	8	40 元(植病系)
烧杯	个	9	27 元(植病系)
载玻璃	盒	5	30 元(植病系)
广口瓶	个	181	600 元(植病系)
放水瓶	个	3	24 元(植病系)
白细口瓶	个	12	36.5 元(植病系)
蒸发皿	个	5	10 元(植病系)
结晶皿	个	5	30 元(植病系)
纪尼发酵器	个	24	300 元(植病系)
烧杯	个	7	21 元(植病系)

说明：

1. 即发生损失之事件如日机轰炸、如日军进攻等。

2. 即发生之期如某年月日或某年月日至某年月日。

3. 即发生之点如某市某县某镇某村等。

4. 包括一切动产(如衣服什物财帛舟车等)及不动产(如房屋田园矿产等)所有损失逐项填明。

5. 如为机关学校及国省市县营事业则由主办队员署名并加盖该机关学校等之印信，私人则由本人，人民团体则由其理事签名盖章。

6. 如受损失者为机关学校及国省市县事业则可不必由该管保长等加盖。

仪器财产损失报告表(表式3)

事件：日机轰炸

日期：中华民国三十年十一月三十日

地点：国立西北农学院

填送日期：1947 年 7 月 21 日

损失项目	单位	数量	价值(国币元)
酒精灯	个	7	14 元
盖玻璃	盒	4	450 元
放水瓶	个	1	30 元
标本瓶	个	12	300 元
方标本瓶	个	17	320 元

续表

损失项目	单位	数量	价值（国币元）
黄细口瓶	个	2	56 元
过滤瓶	个	5	40 元
量瓶	个	5	55 元
双口瓶	个	9	72.5 元
培养皿	套	25	36.84 元
结晶皿 B	付	10	45 元
量筒	个	5	20 元
标本管	个	370	295 元
玻管	个	58	8 元
试管	个	233	385 元
玻钟罩	个	2	100 元
玻缸	个	2	130 元
圆底烧瓶	个	5	15.8 元
黄口细瓶	个	15	55.5 元

说明：

1. 即发生损失之事件如日机轰炸、如日军进攻等。
2. 即发生之期如某年月日或某年月日至某年月日。
3. 即发生之点如某市某县某镇某村等。
4. 包括一切动产（如衣服什物财帛舟车等）及不动产（如房屋田园矿产等）所有损失逐项填明。
5. 如为机关学校及国省市县营事业则由主办队员署名并加盖该机关学校等之印信，私人则由本人，人民团体则由其理事签名盖章。
6. 如受损失者为机关学校及国省市县事业则可不必由该管保长等加盖。

仪器财产损失报告表（表式3）

事件：日机轰炸

日期：中华民国三十年十一月三十日

地点：国立西北农学院

填送日期：1947 年 7 月 21 日

损失项目	单位	数量	价值（国币元）
白细口瓶	个	6	260 元
黄细口瓶	个	10	100 元
曲尖镊	个	2	10 元

续表

损失项目	单位	数量	价值（国币元）
皮套扩大镜	个	1	150 元
呼吸炭酸器	个	2	36 元
			（556 元）
合计			10 006.33

说明：

1. 即发生损失之事件如日机轰炸、如日军进攻等。
2. 即发生之期如某年月日或某年月日至某年月日。
3. 即发生之点如某市某县某镇某村等。
4. 包括一切动产（如衣服什物财帛舟车等）及不动产（如房屋田园矿产等）所有损失逐项填明。
5. 如为机关学校及国省市县营事业则由主办队员署名并加盖该机关学校等之印信，私人则由本人，人民团体则由其理事签名盖章。
6. 如受损失者为机关学校及国省市县事业则可不必由该管保长等加盖。

家具财产损失报告表（表式3）

事件：日机轰炸

日期：中华民国三十年十一月

地点：国立西北农学院

填送日期：1947 年 7 月 20 日

损失项目	单位	数量	价值（国币元）
礼堂铁椅	把	131	6650 元
礼堂铁椅	把	53	2650 元
校训匾额	面	1	150 元
肖像镜框	只	3	138 元
党国旗	面	4	88 元
钢琴	架	1	12 500 元
钢琴套	个	1	85 元
黑板代架	付	1	90 元
化装门扇	件	5	150 元
衣架	只	2	34 元
茶几	只	2	60.4 元
方桌	张	2	140 元
痰盂	只	2	16 元

续表

损失项目	单位	数量	价值（国币元）
讲台	个	6	2720 元
叫人铃	个	1	6 元
酒壶	个	1	3 元
三头洋铁钉	只	2	12 元
大墩子	只	3	9 元
小计			25 401.4 元

说明:

1. 即发生损失之事件如日机轰炸、如日军进攻等。

2. 即发生之期如某年月日或某年月日至某年月日。

3. 即发生之点如某市某县某镇某村等。

4. 包括一切动产(如衣服什物财帛舟车等)及不动产(如房屋田园矿产等)所有损失逐项填明。

5. 如为机关学校及国省市县营事业则由主办队员署名并加盖该机关学校等之印信，私人则由本人，人民团体则由其理事签名盖章。

6. 如受损失者为机关学校及国省市县事业则可不必由该管保长等加盖。

家具财产损失报告表(表式3)

事件:日机轰炸

日期:中华民国三十年十一月

地点:国立西北农学院

填送日期:36 年 7 月 20 日

损失项目	单位	数量	价值（国币元）
大墩盖	只	3	6 元
细饭碗	个	5	25 元
细碟子	个	6	48 元
花盆	个	8	8 元
灰幕布	条	8	360 元
红缎幕	条	2	500 元
黑幕布	条	2	288 元
课椅	把	9	317 元
小圆桌	张	1	110 元
办公桌	张	2	144 元
二抽桌	张	4	246 元

续表

损失项目	单位	数量	价值（国币元）
大沙发	只	1	350 元
电灯泡	只	86	1720 元
磁茶壶	把	16	32 元
火盆	个	5	100 元
火盆架	个	5	65 元
茶壶	把	2	50 元
合计			29 779 元

说明：

1. 即发生损失之事件如日机轰炸、如日军进攻等。
2. 即发生之期如某年月日或某年月日至某年月日。
3. 即发生之点如某市某县某镇某村等。
4. 包括一切动产（如衣服什物财帛舟车等）及不动产（如房屋田园矿产等）所有损失逐项填明。
5. 如为机关学校及国省市县营事业则由主办队员署名并加盖该机关学校等之印信，私人则由本人，人民团体则由其理事签名盖章。
6. 如受损失者为机关学校及国省市县事业则可不必由该管保长等加盖。

家具财产损失报告表（表式3）

事件：日机轰炸

日期：11 月

地点：国立西北农学院

填送日期：36 年 7 月 20 日

损失项目	单位	数量	价值（国币元）
铜锁	把	4	16 元
圆凳	只	15	225 元
玻璃杯	只	6	45 元
靠椅	把	6	192 元
步枪子弹	粒	23	23 元
子弹带	条	1	10.50 元
军帽	顶	1	5 元
木粪桶	只	6	193.80 元
铁锹	把	2	12 元
铁水钩	只	2	10 元

续表

损失项目	单位	数量	价值(国币元)
木粪勺	只	1	10.5元
洋铁灯	只	7	14元
木灯架	只	1	3元
水担	条	3	30元
小凳	只	11	187元
书架	只	3	130元
木床	张	3	192元
小计			31 059.80元

说明：

1. 即发生损失之事件如日机轰炸、如日军进攻等。

2. 即发生之期如某年月日或某年月日至某年月日。

3. 即发生之点如某市某县某镇某村等。

4. 包括一切动产（如衣服什物财帛舟车等）及不动产（如房屋田园矿产等）所有损失逐项填明。

5. 如为机关学校及国省市县营事业则由主办队员署名并加盖该机关学校等之印信，私人则由本人，人民团体则由其理事签名盖章。

6. 如受损失者为机关学校及国省市县事业则可不必由该管保长等加盖。

家具财产损失报告表(表式3)

事件：日机轰炸

日期：中华民国三十年十一月

地点：国立西北农学院

填送日期：1947年7月20日

损失项目	单位	数量	价值(国币元)
实验桌	张	4	444元
课堂椅	把	39	1560元
长课桌	张	37	2294元
长板凳	张	20	590元
讲台桌	张	2	220元
固定黑板	块	4	240元
小课桌	张	7	280元
条桌	张	2	160元
课堂长桌	张	5	300元

续表

损失项目	单位	数量	价值（国币元）
课铁椅	把	1	82元
凳子	条	2	40元
实验桌	张	1	100元
脸盆架	只	1	5元
衣架	只	1	17元
二抽书桌	张	1	61.50元
墨盒	只	4	22元
铁锁	把	4	12元
合计			37 476.50元

说明：

1. 即发生损失之事件如日机轰炸、如日军进攻等。

2. 即发生之期如某年月日或某年月日至某年月日。

3. 即发生之点如某市某县某镇某村等。

4. 包括一切动产（如衣服什物财帛舟车等）及不动产（如房屋田园矿产等）所有损失逐项填明。

5. 如为机关学校及国省市县营事业则由主办队员署名并加盖该机关学校等之印信，私人则由本人，人民团体则由其理事签名盖章。

6. 如受损失者为机关学校及国省市县事业则可不必由该管保长等加盖。

家具财产损失报告表（表式3）

事件：日机轰炸

日期：中华民国三十年十一月

地点：国立西北农学院

填送日期：1947年7月20日

损失项目	单位	数量	价值（国币元）
窗帘	付	2	48元
洋铁壶	把	2	10元
水箱架	个	1	80元
簸箕	个	4	2元
竹筐	个	1	10元
保温箱	个	1	700元
温箱火炉	个	1	240元
洋磁饭桶	个	4	120元
铁盒开关	个	50	500元

续表

损失项目	单位	数量	价值(国币元)
电开关	个	80	640元
电灯罩	个	120	600元
18号皮线	码	100	2 000元
灯口	个	70	400元
暖汽炉片	片	17	2 500元
1寸水管	条	10	30元
6分水管	条	20	50元
4寸生铁管	条	20	150元
小计			45 556元

说明：

1. 即发生损失之事件如日机轰炸、如日军进攻等。
2. 即发生之期如某年月日或某年月日至某年月日。
3. 即发生之点如某市某县某镇某村等。
4. 包括一切动产（如衣服什物财帛舟车等）及不动产（如房屋田园矿产等）所有损失逐项填明。
5. 如为机关学校及国省市县营事业则由主办队员署名并加盖该机关学校等之印信，私人则由本人，人民团体则由其理事签名盖章。
6. 如受损失者为机关学校及国省市县事业则可不必由该管保长等加盖。

家具财产损失报告表（表式3）

事件：日机轰炸

日期：中华民国三十年十一月

地点：国立西北农学院

填送日期：1947年7月20日

损失项目	单位	数量	价值(国币元)
一寸开关	个	40	800元
铜把锁	把	7	2 210元
门窗插锁	副	105	1 220元
4寸活页	副	120	660元
6寸活页	副	45	315元
乒乓球网	张	2	48元
乒乓球台	张	1	230元
总合计			51 039元

（国立西北农学院档案，陕西省档案馆）

第二节　抗战大迁徙

一、由全国向西安—陕南迁移

教育部代电准外交部咨复,以该校运北平大学文卷等件业饬海防办事处协助电仰知照①

（中华民国二十八年三月,发字第6742号）

南郑国立西北联合大学览:

　　查前据该校呈请转咨外交部迅饬海防总领事于严庆焖运文卷等件到海防时,予以协助等情。当经咨转在案。兹准外交部咨略开:查本部于海防设有办事处,派有领事驻扎该地。除已令饬该办事处届时予以协助外,复请查照等由。合行电仰知照。

　　教育部俭印

中华民国二十八年三月

附件:严庆焖给校长的函

　　校长钧鉴:前函计达。鉴:焖于阴历12月25日下午3时过河,于4时左右到达旧中牟县城内暂居该县城内悦来店,俟明早赴开封约计一日内即可到达也。焖到达河于事先至驻军河防营,面谒第22师叶连长,并将焖之护照及精英护也呈验,当即允许过河,唯护照2张竟被该连长扣留。据云,此项护照过河后即不适用,随即扣留等语。焖当时本想将护照要回再行……

（民国档案,陕西省档案馆）

---

① 国立西北联合大学于中华民国二十八年四月十日收到此电。收文编为聘212第356号,有常委徐诵明、李蒸的签字。此电表明,1937年全面抗战爆发后,北平大学奉命西迁运送的文卷,直到1939年8月仍辗转于途中。

二、部分学生奔赴延安

延安抗日军政大学第三大队第十班崔润珊呈请休学的函

联合大学常务委员会诸位负责师长钧鉴：

我是过去师大、去年临大、今日联大被勒令退学的一个学生，是文学院外国语文系二年级学生。是今年一月下旬吧，我实在不能在前方血肉横飞、后方歌舞升平的矛盾环境中生活下去了，被挽救民族危亡的责任心所驱使，离开了学校。

我第一步先跑到了河南开封去，投考中央空军学校。我以为目前救亡的急务是扩充空军及机械化部队，可是不幸得很，因为血压过高未得及格，于是又跑回学校来。这一次是在临大注册组请了假的，如果不相信的话，可以向注册组康绍言先生那里去查一下。

在学校里住了十余日，这时，山西方面军事情况日益紧张，天生不安分的我，实在不堪造就，救亡的热心又像钩钩一般地把我从培植将来建设新中国的临时大学里牵引了出来，而抛到目前学习抗战本领的训练里去了。我是一个没有政治背景的、一个纯洁的青年，过去在北平时，连民先队也没有参加过，为了学习点工作的方法、吃苦的作风，准备到国防第一线上为可怜的老大民族去流鲜红而纯洁的热血。

因为离开学校的匆促，没能够向当局请假或休学，这个是我的疏忽，可是在三月初的时候曾一度回到了学校里向学校请求休学，一同被勒令退学的方澄敏因为工作的关系没能亲身到校请求休学，也托我向学校当局办理休学的手续。可是，不巧得很，敌人太凶了，我们的学校为了脱离比较危险的地区——西安，而搬到安全的地方——汉中，好令一般莘莘学子在象牙之塔里安心研究起见而搬家了，一切办公的表册、文件、铃记等物已经装箱了，已经停止办公，我只有找到书记孙宝贤君托他代办。他已经允许我学校搬到汉中时，他替我同方澄敏办休学的话，则我同方澄敏并未私行离校目无校规。这一点事实，我希望常务委员问一下，查一番，不要轻轻易易地使我的学籍丢了！

上面，我也提到过我是一个纯洁的青年，有时做事有点疏忽轻慢的毛病，我离开学校参加救亡工作去，没能按照学校的规定……（原信不清）或休学，这是一个错误,可是后来我也托付了……为什么学校便把我退学呢?实在令我莫名其妙。如果因为我私行离校目无校规的话,我有托付孙君代为办理休学的事实;如果以为我到延安来,进共产党的学校,这是思想不确的话,则目前的国共合作、统一战线是什么呢?难道大敌当前的今日,还在兄弟阋墙吗?我们进延安抗日军政大学也是经中央许可才办的呀,名誉校董还有我们抗日战最高领袖蒋委员长啊!我左思右想总想不出我被勒令退学的原因为何?实在闷得慌,我总还希望贤明的负责人为正义、为救亡、为使青年们能放心大胆地参加工作,应该再重把我和方澄敏被勒令退学的执行重新考虑一下,这个也实在有原谅的余地呀!我们的私行离校是为了挽救可怜的、老大的中华民族啊!

这是我最后向我们的师长们的要求了,我总还希望能收回成命,保留我的学籍,将在民族解放以后能有机会再到学校里去研究、去念书。可是如果木已成舟,我们的举动已经犯学校的规则太甚,已无挽救的可能时,则请注册组按学校的定章,将正式退学、修业证书及保证金寄到"延安抗日军政大学第三大队第三队第十班周坪转崔润珊"。

诸位师长们!我听同学们说,联合大学目前的任务是培植将来建设新中国的干部,这种老谋深算的长久之计的教育实在是将来建国之基础。总理说过:"革命不易,建设尤难",这句名言很可能证明了将来建国的任务比目前民族解放的更困难千百万倍!我希望在任务不同、目的统一的原则下,我们分道扬镳吧!我们担任目前打日本救中国的比较容易的任务,你们担任将来建设新中国的更重大的、更艰巨的任务。如果我能在民族解放以后仍然生存着的话,一定拭目以观这建国的伟大任务在你们努力下来完成呢。

师长们!别了!民族得救以后再见面吧!此致
民族解放敬礼!

外二学生 崔润珊谨启
中华民国廿七年六月十六日

西北联大常委徐诵明、李蒸阅示。注册组会核。1938年7月8日发文盖章。批复:"所请休学,碍难照准。发给证明书或可通融退还保证金,似难允准。"详细批复如下:①

来函已悉。查此案曾经本校第二十八次常会决议:"未经向学校请假核准,擅

---

① 民国档案. 崔润珊所请休学碍难照准发给证明书或可通融退还保证金似难允准由,陕西省档案馆.

赴他处受训,应即令其退学。"至函内所称托孙宝贤君代请休学系于本校南迁前在西安面述,并未具呈,及抵城固后,孙君于 5 月 17 日始代具函呈请休学,已在常会根据该生来函决议退学之后。可请收回成命一节,似难照准。至请发给修业证明书一节,或可通融。来函请求时可照发,退还保证金事与师大学则不符,碍难允准。此复

崔润珊君。

（校戳）

民国二十七年七月六日

三、南迁汉中

国立西安临时大学全体学生由西安至汉中行军办法

甲、一般原则：

（一）本大学全体学生,在西安至汉中之行军中,依照本大学军训队原有组织,编为一大队、三中队、若干区队、分队,行军时以中队为单位。

（二）本大学教职员编成独立区队,由常务委员率领,所有行动,以能取得全队行动之联络与协调为原则。

（三）全队学生之整理及指挥,由军训及体育人员分队负责,秉承常务委员会执行之。

（四）运输、膳食,由本大学运输委员会、膳食委员会随时分别办理。

（五）沿途停留宿舍,由本大学沿途布置委员会,先期出发准备。

（六）全队之住宿、警卫及有关事宜,由军训人员负责支配。

（七）全队设参谋团,辅导一切行军事务之进行。

（八）凡由大队部或中队部所规定之事宜,学生不得任意更改。

（九）凡行进中不受管理不听指挥之学生,得由大队部或中队部停止其行进中之优待权利,其情节较重者,得由大队部请本大学常务委员会停止其在校之权利一时的或永久的一部或全部,情节重大者,由本大学予以开除学籍处分[①]。

---

① 《西北联大校刊》第 1 期,第 58 页。

乙、编队及分组：

（十）编队，以军训队原有大队编制，分为三中队，再分为若干区队、若干分队，每中队约500人至600人，为全队编制基础（其系统图见图3-1）。

（十一）大队设大队部，大队长由军训队长兼任，总理全大队一切事宜，军训主任教官为副大队长襄助大队长，办理一切事宜。

（十二）大队部聘请本大学院长、系主任、学生生活指导委员会常委、高中部主任，及膳食运输布置各委员会召集人为参谋，常务委员为当然参谋，组织参谋团，以值周委员为参谋团长。

（十三）中队设中队部，为行军单位。

1. 中队设中队长1人，承大队长副大队长之命，总理该中队一切事宜，设副中队长2人，承中队长之命，襄理该中队一切事宜。

2. 区队分队各设队长1人，由中队部提请大队部指定学生担任之。

3. 运输组设组长1人，承中队长之命，办理该中队行进时运输事宜。下设给养班，负该中队给养之保管押运分配之责；行李班负该中队行李之保管押运点交点收之责，每班设班长1人，并由中队部指定学生（每区队1人）组成之。

4. 设营组设组长1人，承中队长之命，办理该中队设营事宜。下设前站班负该中队营队之寻觅支配引导之责，饮食班负该中队沿途饮水膳食之责，每班设班长1人，并由中队部指定学生（每区队1人）组成之。

5. 纠察组设组长1人，承中队长之命，办理该中队军纪军风纪事宜。下设秩序班负进行休息时秩序之责，由分队长兼任，指定1人为班长；收容班负行走维艰学生之审核照护之责，每班设班长1人，并由中队部指定学生3人组成之。

6. 交通组设组长1人，承中队长之命，办理该中队交通情报联络事宜。下设传达队负该中队道路交通消息传递之责，侦察队负侦察调查形迹可疑人事之责（报告区队长或传达班），每班设班长1人，并由中队部指定学生组成之。

7. 医务组设组长1人，负办理该中队进行舍营时诊治病伤事宜，不再分班，其组长由本大学医学院教员担任，组员4人，由医学院指定学生充之。

8. 警卫组设组长1人，承中队长之命，办理该中队警防保卫事宜，不再分班，其组长由军训教官担任。组员以特殊军训队学生为基干，其熟悉军事动作之学生，经中队长许可，得参加工作。全组组员至少为30人，除各区分队舍营时由各该区分队自行轮流守卫外，该组组员须日夜巡查警卫。其待遇与贷金学生服务同,各组组长由大队部推定职员担任之。

丙、行进:

(十四)行军区分:按本大学军训队之中队次序逐日连续出发一中队。

(十五)行进行列应照下表规定:

设营组……侦察班……中队全部;

医务组……运输组……收容班。

(十六)每中队由本大学拨给胶皮大车15辆,以装载粮食及随身行李之用,由运输组督率管理之。

丁、给养:

(十七)给养:由膳食委员会在各站布置,每中队携带给养两天,由运输组给养班负责保管押运分配(每日三餐,中饭为馍、咸菜)。由分队长于早餐后未出发前(或前一日晚饭时)向驻在地办理伙食人员领取该分队全部给养,转给同学自行携带。早餐为稀米及馍,晚膳为干饭及汤菜,均由宿营地办理伙食人员负责整理。

(十八)如遇路程距离较远中途煮水由饮食班办理。

戊、费用:

(十九)行军杂务用费:每中队由本大学会计组分派两人负责办理会计事宜。费用数额在10元以上30元以内,由中队长负责签名;30以上由大队长负责签名,向本大学支领。

己、行李:

(二十)日常应用必需之行李随队运动,由行李班负责处理,其行李之件数轻重规定于后。

1. 教职员每人一床被褥及衫衣等合捆为一件,其重量以30斤为度,其能自携自提之小件不在此限。

2. 学生在同一分队内,每两人自由组合一床被褥及各人之衫衣等合捆为一件,其重量级不得超过40斤。

3. 每日行李之取放,由分队长向行李班点收点交,不得任意取放,否则遗失时概不负责。

4. 每件行李须有标牌,上书某中队某分队某姓名等等字样,俾便识别。

(二十一)学生本人携带物品,计棉大衣、洋瓷茶缸(内装洗面用品)、鞋(有雨衣可带往)馍等。

庚、路站：

(二十二)由宝鸡至汉中分十站行进，各站宿营地点由各该中队长于前一晚宣布。

辛、其他：

(二十三)本大学公用及学生自备脚踏车，应交由各中队交通队统筹尽先登记，分配与前站班、饮食班、传达组应用。

(二十四)每中队随行工友3人至5人，听候中队长差遣。

(二十五)大、中队、区队、分队均须各制白布角旗一面，各组制白布方旗多面，写明番号。

壬、附则：

(二十六)本办法经本大学常务委会议议决后施行。

附：行军组织图

（原载《西北联大校刊》第一期）

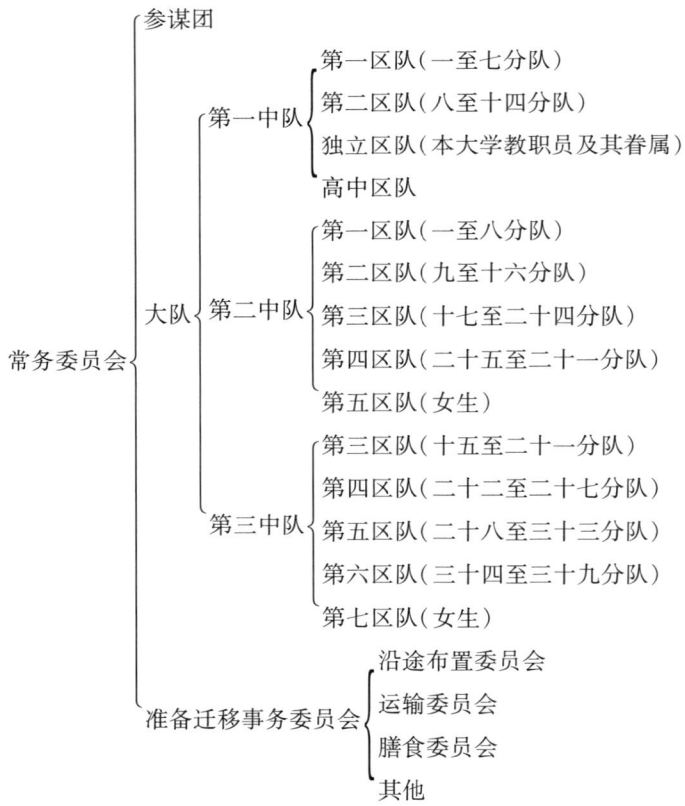

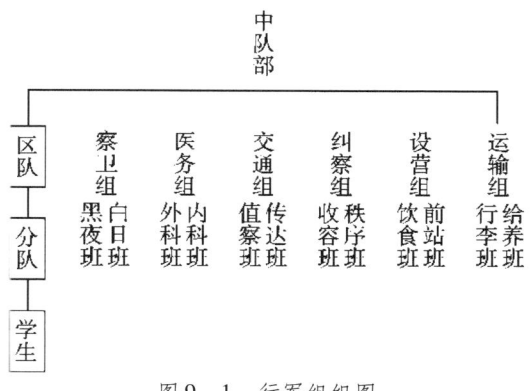

图 9-1 行军组织图

四、战后回迁复员

本校迁设西安 积极进行筹备

本校早奉部令,永久校址设于西安,近月以敌寇投降抗战胜利,教育复员即可开始,乃积极筹备迁校事宜。兹特录各情如下:

【迁建委员会重要决议】迁建委员会自成立以来,已集会3次,决议要案多起:计一、本校迁设西安,应请以战干团现住房舍为本校临时校舍;二、由校分别函请陕西省临时参议会及参政员王普涵先生等,将本校迁建事宜予以资助;三、在迁校以前,应将教职员眷属人口调查清楚,并规定员生携带行李物品数量;四、先请教育部为本校购买或转商善复救济总署拨给卡车10辆,俾利运输;五、迁建委员会内部分建设、迁运两组,以利工作;六、凡有关迁建事宜,一切费用开支,均应由本会负责审查,以咨核实;七、本校西安迁建办事处,应俟刘校长或萧院长返校时成立;八、西安办事处成立时,可收集或以廉价购买迁定各机关之家具器物,以资应用;九、迁建费概算数目,审核通过;十、加聘刘楚材、陆翰芹诸先生为本会赞助委员。

【萧院长赴西安洽勘校舍】迁建委员会前于第一次会议时推请萧副主任委员一山赴西安洽勘校舍,萧先生经于上月5日与刘校长偕赴汉中,7日乘班机飞西安接洽一切。

【高教授返校谈迁校问题】高教授味根前因公赴西安,居留月余,迁建委员会当请高先生与曹教授配言就近与胡长官、祝主席及有关人士洽商,请予协助。高先生已于上月中旬返校,据谈西安党政军首长及各界领袖地方人士,对本校迁设西安,莫不热烈欢迎,极端赞助,并盼早日迁往。祝主席、陆市长等且以本校为西北最高学府,规模应力求宏达,俾可垂诸久远,校址似以在城南古文化区曲江旧址从新建筑为宜,不便因陋就简。本人亦以各方热心赞助及现时地点困难情形,主张一面迁往东北大学西安旧校舍或适当地点,一面建筑新校舍,迁运建设同时并进,斯为上策云。

【教育部电令指拨校址】关于迁校西安问题,刘校长、萧院长分在重庆西安与有关方面接洽,结果至为圆满。教育部并经电知本校准将东北大学西安校址拨与使用,兹将代电原文录后:"国立西北大学:8月14日总字第989号代电悉,东北大西安校址准拨与该校使用。希即派员前往接收。除另电陕西省政府暨第一战区长官部协助外,仰即知照,教育部印"。闻本校不久即将派员赴西安正式接收云。

(《国立西北大学校刊》1945年复刊第15期)

西安市教育会欢迎本校迁设西安

西安市教育会于9月底代电本校,欢迎迁设西安,原电录后:"国立西北大学电鉴:顷报载贵校计划迁至西安,无任忻忭:西安为文物古都,西北重镇,亟需国立之学校以造就建国人才,特电欢迎,即请查照为荷。西安市教育会申印"。

(《国立西北大学校刊》1945年复刊第16期)

国立西北大学勒石城固留念

本校迁设陕南,倏逾八载,现因永久校址定于西安,即将迁往。乃于乐城讲舍旧址勒碑留念,由高主任教授仲华撰文,题为《国立西北大学侨寓城固记》。文曰:

"昔周有狄人之乱,不定于邠,转徙其族;公刘率而之豳,亶父至于岐下,王季文武继之,貊其德音,而文教遂东,浸渍于齐鲁,蔚为有周一代八百年之盛。晋为五胡所逼,幽燕失守,河洛为墟,衣冠南渡,集于江左,挥新亭之痛泪,振玉麈之风流;而三吴文教遂不著于中国。宋因女真为患,长江天堑,不能限北人之马足,临安帝都,不能庇奔至于播越。避寇之士,南进益深,而文教乃广被于七闽。盖我华族,每遭外祸,辄于士类流离之时,开文教更新之运。稽诸往史,历验不爽。老子曰'祸兮福之所倚,福兮祸之所伏'。岂不然哉！迩者东夷扇毒,猾乱华夏：首据关东势胜之地,续聘兵家谲诈之谋,陷冀鲁,取吴越,蚕食中原,鲸吞南国,名城尽下,海内骚然！于是,北雍学者,右学诸生,痛夫蕃卫之失,耻与非类为伍；或驱车崄路,或徒步荒原,或褰裳涉水,或策杖攀崖,餐风宿露,戴月披星,载饥载渴,载驰载奔,以苋止于陕西之城固。喘息未定,父老来集,劳之以酒食,慰之以语言,荫之以宇舍。于是,弦歌不复辍响,绛帐于焉重开,问学之士,闻风而至,咸以志道,据德、依仁、游艺,相与期勉,彬彬乎一时称盛！城固者,北凭秦岭,南倚巴山,中通汉水,号为乐城。垒垣险塞,敌骑望之而不前；平畴沃野,民食资之以不匮。正业居学,藏焉、修焉、息焉、游焉于其间,此诚所谓乱世之桃源也。益以吊张骞之故里,可以发凿空之遐思；展李固之荒茔,可以砺忠贞之亮节；望渭水之奔流,知贤者之泽远。颂桔林之荣茂,想骚人之行沚；登樊哙之台,思鸿门之宴；对子房之山,慕赤松之游。盖进而经纶天下,退而保养性真,无不可供学者之取资焉。惟是大学莅止,风气聿开,平章世事,则说论出于鸿儒；讲诵道艺,则名言绎于硕学,谈宇宙之玄秘,则极深而研几；论文辞之奥窔,则发微而抉隐。他如搜奇考古,则西北文物灿然备陈；格物致知,则陕南花木纷焉入览。于是,村童野叟,扩其见闻；田父蚕姑,益其神智。蚩蚩群氓,乃睹冠冕之盛；济济多士,益见宫墙之美。文教溥被,迥迈寻常。岂非姬周晋宋故事之重演,所谓因祸而得福也哉！今敌酋成禽,寇军解体,日月重光,典制渐复。国家定百年之大计,将迁校于西安,师弟怀八载之深情,辄萦思乎城固。爰就讲舍旧址,鸠工相石,镌辞铭念。后之考世运之兴替,文教之盛衰者,其有取于斯文。"

(《国立西北大学校刊》1946年复刊第22期)

本大学员工迁移办法

(一)本办法按照教育部颁发国立各级学校迁校办法订定之。

(二)本校迁移员工以本学期在职专任者为限,眷属以配偶及直系血亲在任所者为限；如教职员之直系姻亲及旁系亲属确由本人抚养在本校登记有案者,经同事二人之联保及各该服务单位主管人之保证,得请校转呈教育部核准随校同迁；但本校奏令核定之迁校预算,应尽配偶及血亲优先分配。

(三)眷属儿童6岁至12岁者以半口计,5岁以下者不计。

(四)眷属如在他机关或学校任职或肄业领有迁移旅费者不得在本校报领。

（五）教职员及其眷属行李箱箧，每人以100公斤为限；工警及其家属每人以40公斤为限；凡笨重污秽容易破损之器具，不得携带。教职员如有书籍满一箱者，得自行装箱，交学校代运。

（六）员工及其眷属随身携带之行李箱箧，依所乘交通工具规定章程办理，余件得交由学校统筹代运；但贵重衣物，须自行随带。

（七）员工旅途日程规定自城固经汉中、褒城、宝鸡至西安，行车4天，候车4天。

（八）员工每人旅费膳宿费支给标准如下：

1. 由城固至汉中汽车费1 550元；

2. 由汉中至宝鸡汽车费10 300元；

3. 由宝鸡至西安火车费头等2 700百元，二等1 800元，三等900元；搭乘火车等级依照国立各级学校迁校办法第五条2项及第十条1项之规定，校长院长正教授比照简任人员发头等车价；副教授讲师及组主任比照□任人员发二等车价，其余人员均比照委任人员或雇员发三等车价，工警发三等车价。

4. 由西安车站至本校人力车费500元（工警不给）；

5. 沿途行李搬运补助费3 000元（请校代运一部分行李者折半发给（工警不给）；

6. 教职员及其眷属膳宿费每人12 000元；工警及其眷属每人5 600元（概以全程8天计发）；

以上共计乘头等火车者每人30 050，乘二等火车者29 150元，乘三等火车者28 250元，工警18 350元。

（九）上项旅费数目，在发给日如车费增减依官价增减之，但预领旅费未启程而车价增高者，概不增补。

（十）教职员得预领旅膳费，自由迁动，但各处组室职员，应视其职务并经主管人转请校长核准后始得迁动；其离校在规定旅程8天以外之日数，得请准以公假或例假论。

（十一）本校休假及出国研究之职员眷属，应同等待遇，随校迁运；如在休假期间兼职，支领兼职机关或学校迁移费用者，本校不再支给。

（十二）员工迁移补助费，另候部令办理。

（十三）本校在迁移期间遣散之职员工警一律发给薪津工饷至本年7月底止，作为遣散费。

（十四）本办法如有未尽事宜，得依照国立各级学校迁校办法及本校迁建委员会历次决议案办理。

（十五）本办法经本校迁建委员会会议通过送请校长核准施行，并呈报教育部备案。

（《国立西北大学校刊》1946年复刊第22期）

本大学学生迁移办法

（一）本办法依据教育部颁发各级学校迁校办法订定之。

（二）迁运学生，以本学期在校学生本人为限。

（三）迁运日程规定自城固经汉中、褒城、宝鸡至西安，行车4天，候车4天。

（四）核给每人旅费膳宿费标准如下：

1. 由城固至汉中汽车费1 550元；

2. 由汉中至宝鸡汽车费10 300元；

3. 由宝鸡至西安火车费900元（照规定三等车价）；

4. 由西安车站至本校人力车费500元；

5. 沿途行李搬运补助费2 000元；

6. 每人日支1 000元，8天合计8 000元；以上6项共计23 250元整。

（五）上项旅费在发给日如车价增减，应以官价为准增减之；但预领旅费而未启程车价增高者，概不增补。

（六）学生自由迁动者，应先报请训导处核发离校证，办清离校手续后，得凭离校证领取旅费膳宿费及路证；如自由组织同学伴行，足敷规定一车25人至30人时，得请校代洽车辆。

（七）学生行李衣物应随车自带。

（八）本校西安新校舍，自5月20日开始收容住校学生。限于榻位，已毕业之四年级学生，不得住校。

（九）本办法如有未尽事宜，得依照国立各级学校迁校办法及本校迁建委员会历次决议案办理。

（十）本办法由本校迁建委员会会议通过，送请校长核准后施行，并呈报教育部备案。

（《国立西北大学校刊》1946年复刊第22期）

本校教职员即迁西安 城固各界公宴饯行

城固各界以本校将迁西安,于 3 月下旬即成立欢送西北大学筹备会,议定各项办法,开始筹备欢送。本月 5 日正午 12 时该会假座汉滨大戏院公宴本校教职员,刘校长及各处长、院长、系主任、教授、副教授、讲师等 157 人,由城固机关首长周僖、何清泉、梁炳煊、余仙洲、冀积善及地方士绅高瀚湘、王晓康、卢伯玮、张叔亮、龙博珊、赖缉之等 30 余人作陪。会场布置整洁雅观,贴有欢送标语。开宴时周县长僖起立报告欢送意义,略谓:"贵校迁驻敝邑,于兹八载,既蒙增进文化,复承嘉惠地方。现值奉令迁往西安,骊歌乍赋,曷胜惜别! 谨于本日敬备菲酌,借资畅叙,并伸微忱。尚祈不遗在远,今后对敝邑文化教育事业之推进,仍继续惠予协助。"继由梁副议长炳煊致欢送词,略谓:"敝邑与贵校乃患难之交,愿贵校以城固为第二故乡! 今当良朋别诀之际,怅惘之情,匪言可宣。谨以杯酒,敬祝贵校前途光明,诸位先生健康!"旋刘校长致词答谢。席间觥筹交错,宾主极为款洽,迄下午 3 时半尽欢而散。闻该会购置锦屏及纪念册等多件,拟赠本校,由龙博珊、赵博英、田树森诸氏设计装潢,颇具匠心,书画皆出自名家手笔,弥足珍贵云。

(《国立西北大学校刊》1946 年复刊第 22 期)

本校迁移经过(校本部、医学院)

甲、校本部

【奉令迁校】

民国二十六年"七七"变作,平津沦陷,国立各院校南移,本校乃由国立北平大学、国立北平师范大学、国立北洋工学院三校院合组而成,原设西安,嗣又移至陕南。当战事初起,各校迁移时期,教育部即将原有学校调整归并,注意分布之合理化。胜利以后,学校复员,多数学校虽须迁回,然仍须遵均衡发展及建立文化中心之原则,使若干学校永设后方,以奠定高等教育之基础。本校前奉 1940 年 4 月部令,指定西安为永久校址。1943 年冬赖前校长琎为欲发展校务,电部请迁,并组织迁校计划委员会,着手筹备;旋奉复令,俟战事结束后再议。客岁 8 月日寇纳降,战事告终,奉部电令指定东北大学西安校址拨与本校使用,1946 年度起迁设西安。本校改组迁校计划委员会为迁建委员会,由刘校长任主任委员,聘萧一山先生为副主任委员,杜元载、蓝文征、徐朗秋、赵进义、曹国卿、殷祖英、高文源、岳劼恒、孙宗钰、高明、傅种孙、曹配言、王子云、周传儒、许重远、王耀东、王伟烈、贺范理诸先生为委员,统筹迁建事宜。

【洽定校址】

迁建会成立后,即积极展开工作,除函请西安地方各界资助外,复聘请胡长官宗南、祝主席芾南、陆市长翰芹、王秘书长捷三、王厅长友直、马委员雅堂、林秘书长树恩、谷主任委员正鼎、王议长宗山、陆局长福廷、王参政员普涵及刘楚材先生等为资助委员。公推萧院长一山赴西安勘察校址,萧氏9月9日首途,刘校长亦同日飞渝请示迁建事宜。东大旧址原为战干团借用,该团结束后复转借与军官总队暂驻。本校既奉令移省,迭经商洽接收,未获迁让确期。教部11月8日代电饬本校派员再与一战区长官部洽商,刘校长于12月2日亲赴西安,经与各机关首长及地方领袖士绅分别商谈,结果极为圆满。部拨校舍,承胡长官俞允,饬军官总队尽速全部迁让,不误1946年度开学。

【筹备接收】

本年2月下旬本校成立西安办事处,假青年团陕西支团部内办公,由迁建会推请徐朗秋、高文源、王耀东三委员前往主持,先办理接收校舍及购置员生食堂宿舍必需用具等。徐、高二氏4月下旬公毕返校,该会复推请殷祖英、曹配言二委员继往筹备。刘校长亦于5月中旬遄赴西安,主持一切。

【员生迁移】

本校依教部颁国立各级学校迁移办法分别订定本大学员工迁移办法及学生迁移办法,呈请备案施行。西安新校舍5月接收一部,经修葺后,迁建会移入办公。初期抵省学生亦入内居住。首批迁移教员于6月初来省。各组室调省工作人员,斯时亦陆续首途,自11日起全部在西安办公。第二批教职员于7月间抵省。随校迁移学生亦于同月抵达。赵院长进义、张教务长贻侗、徐总务长朗秋等8月初同车抵省,迁建会亦撤离城固。是月中旬青年师城固大学补习班结束,在该班任课之本校教员相继北来,于20日左右先后抵校。城固留守处职员以任务终了,亦于9月来省,迁移工作乃全部告竣。

【物品运输】

本校代运员工及其眷属行李箱箧,皆依照部颁国立各级学校迁移办法规定之限量。学生行李衣物随车自带。图书仪器等公物则尽先运输。除一部公物6月初已随教职员迁移车达省外,其余公私物品约970件,合计140吨,月底亦陆续起运,由张容正、张蕴山先生等负责押车。计首批重 40 吨,于 7 月 25 日运到;二批重 30 吨,8 月 3 日运到;三批重 40 吨,14 日运到;末批重 30 吨,9 月 19 日运到。

【建联络站】

迁建会于城固至西安沿途设联络站数处,负责协助员生搭车暨临时住宿。南郑联络站设中国饭店内,由杨名理、王佐强二先生分期负责;变石铺联络站设高级职业学校内,由宋三元、刘秉哲、宫锡三校友负责;宝鸡联络站设青年团分团部内,由张振华先生负责;西安联络站设社会服务处及车站旅客指导处内,由本校临时派人负责。

【设留守处】

6 月 11 日本校行政中心移省,城固校本部改为留守处,由迁建会办理一切结束事件,迨该会撤离城固,留城同仁公选张佩瑚、杨宗培、张润之三先生为留守委员,三委员互推主任委员一人,负责处理日常事务。该处主要工作为照顾同仁及眷属生活,协助同仁及眷属迁移,办理迁建会未了事项,代发员工薪津等。该处需用出纳、庶务及交际人员,由校派职员充任,并限定最后迁移。因有留守处及联络站之设置,员生迁移时莫不深感便利。

乙、医学院

本学院之前身为国立北平大学医学院,1937 年平津沦陷后,员生撤退,纷至西安,奉部令与平大其他学院及师大、北洋工学院等院校合组为西安临时大学。1938 年 3 月迁至南郑,改名西北联合大学医学院。翌年 8 月奉令改为国立西北医学院,独立设置。迄本年 8 月复奉令与本校合并办理。自今夏校中购得西北化学制业厂旧址后,本学院即开始迁省,现员生及院内物品已陆续抵校。

(《国立西北大学校刊》1946 年复刊第 23 期)

迁建委员会会议纪录摘要

本校迁建委员会自成立以来,对于迁建事宜积极筹划进行,前在城固曾集会多次,其重要议案,并经录登本刊,自 5 月间开始迁移,截至 8 月下旬,在西安举行会议 7 次,议决要案甚多,除有关房舍建筑家具标制各项均经逐步实施,已于建设概况中述及不赘外,兹摘录其他重要决议案于后:一、居留西安之迁建委员,其工作分为设置、修建两部门,推贺范均、曹配言、许重远、周书舲、王耀东五先生担任设置工作,由王耀东先生召集;推高味根、王子云、高仲华、殷伯西、王耀东五先生担任修建工作,由王耀东先生召集。加聘郭君实先生为设置及修建委员。二、为便利各种办事手续及联络各部门工作起见,组设迁建委员会西安办事处,推王耀东先生担任主任,下分文书、庶务、出纳、会计、生活管理五部门。三、成立采购委员会,人选请校长就庶务、出纳、会计三组室各请一人,迁建委员会中聘请2人,共同组织之。四、成立工程处,以便随时解决各项有关工程问题,推王耀东、徐朗秋二先生代表迁建会在该处主持。五、各处组室自6月11日起恢复正常办公,并备函通知各机关校本部移设西安。六、推张小涵、赵希三、蓝孟博、徐朗秋、王耀东五先生负责房舍分配及电灯设置筹划事宜。并决定电灯先装置学生自习灯、路灯、图书馆用灯,电料就地购买,由张小涵先生负责召集。七、请赵希三先生会同理学院各系办理理学院实验室设备,并请徐朗秋先生随时协助。八、组织教职员福利委员会以促进同仁福利,票选7人为委员,并专设职员2人,指定工友若干人,专负其责。

(《国立西北大学校刊》1946年复刊第23期)

第三节 军训演讲文选

一、从军学生训练讲词——中日历代战史

蓝文徵讲,郭光前 李穆三记

中日历次战争史料,我国与日本及朝鲜之史籍虽各有记载,但语焉不详,故综合三方面所记述之:

中日非正式之冲突,古已有之。约当公元前1100年时,我国东北之肃慎氏,即曾屡攻日本,日本古籍偶有记载,片鳞只爪,无从考索,见于考古学方面者,多可资证。今库页岛及日本北海道曾发现肃慎氏之遗物,可知肃慎氏之南暨日本,与之发生冲突,殆无疑问。然中日正式战役之发生,尚在东汉时。

(一)檀石槐之征任那府:东汉灵帝光和中,鲜卑名王檀石槐越鸭绿江出兵东征,攻陷朝鲜南部日本所置之任那府治,俘虏倭人千有余家,俱安置于热河秦水之

上，后皆同化矣，事见《后汉书》及《魏略》。唯不载于日本及朝鲜史中，然考日史任那府于东汉时极盛，而南北朝间骤形衰落，疑即受檀石槐征讨之影响。又我国古代帝王谥法，无谥"神武"者，在北齐后主改谥高欢为神武帝，殆于归化之日人相处，或受其传说之影响也。

（二）刘仁轨之征百济：唐高宗龙朔三年（663）命刘仁轨征百济，百济王求救于日本。遣大将秦田来津率兵五千人来援，仁轨破之于白村江口。倭人全军覆灭，江水尽赤。日人受此次打击，痛定思痛，遂于明年设防对马壹岐筑紫，又置筑紫水城，后复派遣僧侣学生来华学习，勤修战贡，故日本文物制度多仿唐朝，强盛之基，即奠于此。

（三）女真东征：中国人首次渡海征日，始于女真。战况激烈空前，且为日土首次受到外人之袭击。此事在宋真宗天禧三年（1019），女真崛起东北，势力强大，然西阻于辽，南扼于朝鲜，乃只得东向发展，由今图们江口航海于日本对马岛登陆，戮其太守及人民，进攻壹岐，扫荡净尽，更田博多湾上岸，进攻日本筑紫，激战七日，击溃日本诸侯之联军，于是掳其女子财货以归，日本称此为"力伊之乱"。后来忽必烈之征日及丰臣秀吉之侵韩，皆与此役有重大关系。但从此后，日史迭有所谓海寇及南蛮之侵扰，殆数十年，盖皆系女真之所为也。唯此事当金人建国之初，记录阙如，宋辽二史亦不载。幸日鲜各有所记，实沧海中之遗珠也。

（四）元世祖之两渡东征：至元十一年（1274），世祖遣蒙古女真朝鲜合组之联军东征日本，因自宋亡后，其遗臣多流亡日本，致当时江南谣传日将援立宋室，故世祖一再派使招抚日本，讵料日本不从，杀其使者。世祖因之震怒，决心伐日，出兵由大都进发，过鸭绿江，沿朝鲜渡海径至博多湾登陆，攻陷筑紫等地。一时日本全国震慑，其天皇亲至神社哀祷，请以身代，然元兵缺乏骑兵，及炮兵之配备，故仅敢于白日登陆扫荡，晚间宿船上，一夜台风大作，船只自相撞毁，以致溃功。第二次征日在至元十八年（1281），因鉴前事之失，特派兵两路进发，北路军仍由蒙古女真朝鲜合组编成，约6万人，循第一次征日路线，进攻博多，南路军由宋降将范文虎率水军10万，由长江口及杭州湾两处出发进攻日本西部，两路军约期会师，然范文虎心怀故国，揣二元朝，以故迁延不进，而北路亦因日人先在海岸筑有石墙，不得登陆，又遭台风，加以疾疫，结果生还无几，于是范文虎闻讯降日。华夏20万苗裔，因以浸入日本矣。

（五）明代之倭寇：倭之将士，意图报复，时扰元境，后其国内南北朝战争失败之武士，乃流为倭寇，常扰我东南沿海地方。浸至明中叶，其势渐长，倭人有村上

□重者,自称海寇大将军,骚扰所及,北迄辽东,南至粤海,嘉靖中益炽,幸胡中宪等捕杀内奸汪直徐海,倭寇始稍敛迹;俞大猷、戚继光等又大破之,倭势遂衰,渐致消亡,而有明元气亦大斫丧。

(六)丰臣秀吉之大陆政策:秀吉统一日本后,立制定大陆政策,意欲并吞中国,故先出兵朝鲜,明神宗连派李如松等往援,血战7年,仅获一胜。适秀吉死,诸侯受遗命退师,朝鲜复全,计此次大明出兵几50万,耗银800万两,国内骚动,因致经济崩溃,国本动摇,而日本侵略之野心,亦即肇端于此矣。

(七)甲午之战:清德宗光绪二十年(1894),因朝鲜内乱,遂引起中日之战,朝鲜既失,此走廊即为日人占有,遂有九一八之倭变。综之中日历代战争,皆前后关联,互为因果,朝鲜走廊,尤为中日历代纠纷之焦点,中国有之,则可以征日;日本有之,则必然侵华。故中日战争,不独由于历史的因素,亦地理环境使之然也。

(《国立西北大学校刊》复刊第7期)

二、战时经济

曹国卿讲　高骏记

何谓战时经济?即在战时用种种方法,以谋获得多量物资,供给战时需要之谓也。在现代世界战争是无法避免的,其主要的原因有二:一、人类欲望是无止境的,文明愈进步,则欲望亦随之增加,而满足人类欲望之物资有限,结果为满足欲望势必抢夺物资,战争由此而起;二、现代资本主义发展的结果,变成了帝国主义,为销售其所生产的大量商品,到处寻找市场,各帝国主义间为争夺市场而起了战争,这又是现代战争所以发生的主要原因。

战争既不可避免,所以战时经济不能不讲求。战时经济之内容,主要者包括3大部分,即:一、增加生产,以供应军事上之需求。二、节约消费,使多余之物资供战事之用。三、政府如何筹款,收购私人所有之物资与劳力,以供国家之需要,这就是所谓战时财政是也。兹将以上三部分,分别讲述之如下:

(一)增加生产

甲、增加生产之原则

1. 要有计划。在生产之前,要正确估计战时各种物资需要之消耗量,同时对于本国平时所能生产各种物资的数量也须知道。其不足之数,就是要竭力增产的。

2. 施行优先制度。战时军需品有优先生产之权,如军需工厂与普通工厂需要原料相同,该种原料,军需工厂有优先购买权。总之,在战时先从事于紧要的生产。行此制度,须按生产之缓急轻重定一顺序,届时设一监督机关,以指导监督此优先顺序之实行。

3. 生产要标准化。为供给军需品之便利起见,标准化实为必要。制造各部门要专门化,同种之兵器于各部分皆互有交换性,欲达此目的,事先须将产品定出号头,每号有一定之尺寸与样式,各厂均须遵照规定制造。

4. 生产宜合乎经济原则。所谓经济原则者,即牺牲小,而效果大之谓。全工业为战争目的,发挥其最高效能。封锁效率小之工业,将其劳动资本转移于效率大的工厂中。

乙、增加生产之方法

1. 组织集中。战时各民间工厂须按照政府计划而生产,为增大生产效率起见,技术和经营方面统一实为必要,但各个工厂,政府一一指挥监督亦不胜其烦,固应设法使其集中,组成有关公会,方便指挥。

2. 统制劳动。战时前线需要大批兵员,后方生产又需要大批的劳动,据战争经验,开战后,渐感劳动之缺乏,故国家不能不设法制,使不必要劳动移于必要之处。同时,又须采用强制劳动制,在强制劳动的时候,须注意者有四点:(1)须给予能维持其战时生活之工资;(2)工资须谋全国之一致,以免劳动之转移;(3)劳动时间延长与劳动之强化;(4)劳资纠纷须予防止,使劳动者得安心工作,增加生产。

3. 平定物价。战时物价易致高涨,其所以高涨之原因,不外物资之供给减少,需求增加而通货膨胀的缘故。战事爆发,国际交通会被封锁,因而外国货物之入口减少或中断,或本国领土一部分沦于敌手,凡此均足使货物之供给减少,他方面军需品之需求增加,结果使物价高涨。再者政府于战时为解除财政困难,常多发纸币,结果易致通货膨胀,而使物价高涨。物价高涨,政府预算每感不足,不利于财政者甚大,而人民因物价高涨感受生活困难,届时投机者多暴富,而遗民众以反感,故此时政府对物价不能不加以平定。

平定物价之方法,通常多按货物生产之原费加以相当之利润,作为法定价格。凡卖货者均须按此法定价格出卖,不准抬高,但此种办法,监督不易,常有黑市发生,最彻底的办法,为政府独占交易,重要物品的收买和供给统由政府办理,在供给方面,政府实行定量分配制,此不但限制了消费,而且能防止奸商非法的囤积。

4. 指导生产。政府按军事上所缺的物资,令各地各厂生产,并派专门技术人才去指导及改良生产方法,以便迅速增产。

(二)节约消费

节约消费,可以节省物资,以供战事之用。此种节约之方法不外二种:即由人民自动的节约与由国家强制的节约。人民自动节约,完全依着人民的爱国心,殊难持久,最后非实行强制节约不可。强制节约最有效的办法,即定量分配制。定量应以必需为基础,须先研究每人每日生活上所需之营养素若干,再定所需之食量若干,然后按此定量分配于各人。此制度之实行,各国政府多采用票券制度,政府按各地居民的居住证,发给购买券。居民持此券到政府所指定之商店,按法定价格,购买其所需之定量。

(三)战时财政

战时财政中所研究的,即政府如何筹款,借以获得大量的劳动与物资,以供战时之需要。关于筹款方法,主要者有下列四种:

1. 征购。政府以相当的代价,购取民间之物资与劳动。行此法时,政府宜注意定价,如果定价太低,则来源即有枯竭之虞;如果太高,则国库损失太大。征购时,最好由政府发行征购券,此券到战事结果后,再行分期偿还。查征购之优点有三:(1)政府可获得军事上所需要的物品,对于军需殊为便利。(2)可以限制价格,节省政府无谓之牺牲。(3)政府用征购方法,收取物资以供军用,因此可以限制民间之消费。但此法之劣点,即在于征购时物资容易规避,同时手续麻烦。

2. 征税。战时征税不外增加旧税税率,与创设新税二法。前者如各种直接税与间接税增加税率是。后者如创设战时税与临时财产税是。征税为政府筹措战费之主要方法,其优点即:(1)征税能唤起国民紧缩节省之精神,鼓动其勤劳,增加自己之所得;(2)因其节约则需求减少,因此可防物价之腾贵;(3)人民由自己之所得中纳税,其余资为政府所吸收,可免通货之膨胀;(4)战时发国难财者多,课以重税可保持财富分配之公平。其缺点为战事爆发,税收迟缓,常不能应急需,盖征税有立法及行政上之手续,故须相当时期也。

3. 募债。战时募债办法有二种,一种在国内募集,另外一种即在国外募集。在农业国家,因为信用制度不发达,银行机关不普遍,所以募集内债不易。而在工业国家则不然,至于外债之募集,非本国与外国保持良好政治关系和交通不可。

募债之优点为：(1)募债易得大量之款项，而且收入迅速，可应战事急需；(2)公债有利息，令有钱者购买，将来不但还本，且可得利，人民无痛苦之感觉；(3)公债借还期甚长，可使后代人负担战费之一部。其劣点为：(1)公债之偿还，为由多数国民征税，而支付持有公债票之富者之利息，易使分配不均；(2)公债发行，易使信用膨胀物价上涨。

4.发钞。战时增发纸币，手续简便而迅速，能应巨额战费之急需，但大弊也，易流于通货膨胀。通货一经膨胀，则物价高涨，政府之支出增加，而预算不足，有碍于财政者甚大，此其一；物价高涨不已，则工业家无法预计其成本，制出货物出卖，反不如囤积为有利，因此生产停顿，此其二；赚定薪者，以物价高涨，而薪给之增加不如物价高涨之快，结果生活日感困难，此其三；货币购买力跌落，而债权者及储蓄存款者吃亏，此其四。总之，此法害多利少，故各国政府在战时筹款，常避免采用之。

以上三段将战时经济内容，要略地述出。以时间过短，无法详述之也。

(《国立西北大学校刊》复刊第10期)

三、成吉思汗之战略及战术

黄文弼讲　刘廷佐记

(一)成吉思汗之产生及其势力之拓展

欲研究成吉思汗之战略及战术，须先明了成吉思汗之产生及其势力之拓展。在中国北部，东起辽东，西抵里海，北连西伯利亚，南至长城，延袤数千里广大荒漠之区域，历来为游牧民族马蹄所驰骋之地。当纪元前二世纪时，有匈奴民族，起于中国北部，待其统一漠北以后，其势力盛张一时，马蹄所蹦驰之区域，西至里海，中国因筑长城以抵御其侵入。其后匈奴西迁，而鲜卑民族代起于鲜卑山，由内兴安岭南侵，占据漠北之地及中国北部，即国史所称北魏拓跋氏是也。继后突厥兴起，约在七世纪时，称雄亚洲，及其盛时，与匈奴相等。八九世纪时，回鹘民族又起而代之，与中国交涉颇为密切。十世纪时，有契丹及女真民族，起于东北，统一中国北部，以及漠北一带，此即国史所谓辽金是也。十一世纪末叶，蒙古民族，起于额尔古纳河流域，造成广大帝国，其地域跨欧亚两洲，为以前所有游牧民族所不能比。其原居地在黑龙江室韦山,与室韦民族毗邻,约当 8 世纪时。由额尔古纳河迁居肯特山,其始称为孛尔帖赤诺,随后人口渐增,势力渐大,至合不勒汗时,始称汗为蒙古部落之长。传至六代,至成吉思汗之父也速该时,以勇力继承为蒙古酋长,于 1155 年(宋高宗绍兴二十五年),战胜塔塔尔,俘塔塔二人,其一人名曰铁木真。适于此时,成吉思汗诞生于额嫩河岸,其父因命名曰铁木真,所以尚武功也。当成吉思汗降生不久其父即被人毒死,而蒙古部落,亦皆逃亡,投降泰亦赤兀惕,故成吉思汗幼年生活,甚为困苦。及其年长,弟兄 4 人,饶有勇力,得克烈亦部长王罕之助,讨平蒙古各部落,恢复合不勒汗原有之势力。1203 年(宋宁宗嘉泰三年),借故灭王罕。1204 年(宋宁宗嘉泰四年),又战胜乃蛮,并灭其国,于是完全统一漠北。1206 年(宋宁宗开禧二年),即位于斡难河,称成吉思汗。成吉思汗者,盖其据有海洋大地之意也。从此蒙古之地,与金人毗连。自 1211 年至 1215 年(宋宁宗嘉定三年至八年)5 年中,皆与金人奋战,结果黄河以北之地,尽为蒙古所有,而金人迁都于汴以避之,又降服西夏,灭西辽,花剌子模(布哈尔),南抵印度河,西至地中海,北包里海咸海,尽为成吉思汗马蹄所躏之地。1223 年(宋宁宗嘉定五年)班师回蒙古,此成吉思汗时代及西征所得之结果也。及成吉思汗死后,其继承者又继续用兵欧洲,平定俄罗斯全部及里海以北,又侵入匈牙利及波兰,此乃第二次西征所得之结果。其后于蒙哥时代,又继续用兵西域,灭根答,平定波斯全部及小亚细亚一代。蒙古遂在西域建立一大帝国,在波斯建立伊儿汗国,俄罗斯建立钦察汗国,花剌子模建立察合台汗国,以及中国本部,皆统于蒙古大汗之下,其势力之大,兵锋之违,为世界侵略者所不及,虽有成吉思汗及其后代之意志坚强,才能具富,亦有其善于运用战略与战术所致也。

(二)成吉思汗之战略

1.用政治方式来打击敌人。成吉思汗不仅依靠战争来屈敌,乃以阴谋或诡计来达到其攻击敌人目的,孙子兵法之攻谋攻交,即其意也。例如,成吉思汗攻击克烈亦王罕,与合阑真之战,成吉思汗虽然战胜,而其兵力甚少,远不敌克烈之兵力,且成吉思汗之部属多逃奔于克烈亦王帐下,故其势力,甚为薄弱,于是成吉思汗挑拨王罕部下之感情,结果王罕部下起内哄,原先投奔之人,亦各散去,王罕势力即衰。成吉思汗乘机谋之。当王罕正于宴会时,成吉思汗派人诈降,使王罕不为备,而后起大兵连夜攻之,出其不意,于是王罕军队尽为成吉思汗所灭,而王罕逃至乃蛮边界,遂为乃蛮守兵所杀。又如成吉思汗攻击花剌子模时,花剌子模军队大部分为突厥及康里人组合而成,花剌子模王某汉默德和其母土耳坎不睦,其母系康里人,且于康里军队中颇有势力,于是成吉思汗乘间挑拨其母子之感情,使人说其母曰:汝子不孝,我以兵伐之,为汝报仇,以讨其罪,并保证汝之势力,汝勿为其不孝子助力耳。一其母虽未信成吉思汗之言,而康里人已怀二心,并对成吉思汗暗中通消息,不战而退,突厥亦逃散,于是花剌子模势孤,成吉思汗乘机即用全力攻之,而花剌子模崩溃。此即成吉思汗用外交政策,来打击敌人,分化敌人,而达到其攻破敌人之主要手段。

2. 用破坏手段消灭敌人之战斗力。成吉思汗每逢攻克一地后,必杀人民,获其财产,攻城时,亦将城中人民及财产扫荡一空,必如此者,原为消灭敌人之战斗力,使无反攻之能力,此乃孤军深入,为保持后方安全起见,不得不如此。所以蒙古人所到之地,其人民以为天灾,而成吉思汗亦以此自居,来达到其破坏手段。例如成吉思汗攻破花剌子模时,到花剌子模人之礼拜堂内,邀集全城阿浑毛拉告曰:"应知汝曹已犯大过,而人民之长,负罪尤重。设汝曹问我所言何据?我将答汝曹曰:我为上帝之灾,设汝无大罪,上帝曷降罪汝曹之首?次为地上财宝知自取之,勿劳汝曹自献,无应速告地下伏□,命诸人指出管家之仆,强之呈献其主财宝。每富人以一蒙古人监之,每日日出即引头至汗帐之前"。由此观之,蒙古人之掳掠,一方面为消灭敌人之战斗力(包括财力人力),一方面为增加自己的战斗力(包括人力财力),故蒙古自出征以来,其人力财力不惟未曾减少,而且时有增加者,乃其剿掠之结果也。即以现代战争看之,欲攻击敌人,必先以飞机轰炸其工业区域,及军事要点,以消灭敌人之经济及军事力量,其则一也。故成吉思汗之破坏政策,掳掠政策,于人道上虽不合理,然于战略上甚属必要。

3. 用宗教方式激励军心。成吉思汗每于攻伐之先,必以宗教仪式激励军心。例如成吉思汗攻击花剌子模时,因花剌子模杀其使臣,于是借机以征伐花剌子模为与死臣报仇,而登于高山,祈祷上帝之助。多桑史载其事曰:"……成吉思汗闻报,惊怒而泣,登于山岭,免冠,解带,置项后,跪地求天,助其复仇,断食祈祷三夜,始下山,"即其显例。

(三)成吉思汗之战术

1. 经济的战术。有利攻之,无利却退去,不攻坚,不打硬仗,避实就虚。例如成吉思汗,攻金人时,金人坚守居庸关,用铁质和石灰筑其关门犹如铜墙铁壁一般,又于关之四周,置马钉,蒙古竟绕道别攻,终为所破。又如攻潼关,时金兵守潼关,蒙兵攻凤翔。金人集重兵于潼关,阻蒙古兵东出,然蒙古军攻破凤翔后由宝鸡直赴汉中,东抵南阳,围攻金京城(开封),金人撤潼关兵援开封,结果凤翔蒙古军占领潼关包围金兵,同时南阳蒙军北上,合击消灭金兵,其战法何其妙耶!即所谓不攻坚,避实就虚之经济的战术原则也。

2. 诱击的战术。蒙古军队作战之法,全用诱兵之计。敌强则远退,据险以守,而待援军,其在包围战中,若见被包围者之勇抗,则开围之一面,于被围者溃走不成列时击之,有时佯攻,诱敌来追。蒙古军人武装轻,每人各有马数匹,迨见敌骑疲敝之时,则易健马驰还击之,亦于退走时,展其两翼,返而合围敌兵之轻追者。例如拔都征西西里亚,其城甚坚,数攻不下,即设法诱出城内敌兵,自后退而展其两翼,及至湖沼地,蒙古军即时反攻,两翼即将西西里亚包围,而全部消灭,故蒙古军所至之地如欲轻举而攻之,无不败也。

3. 撒星的战术。蒙古军队皆为骑兵,队伍不定拘守正规。或多或少,或集或散,或近或远,三三五五散在各处。其运动甚为灵活,进攻之时皆以信号或马鞭指之,由迩而遐,俄顷遥达千里,群起响应。欲包围敌人时,即可集各处散骑而围攻敌人,所谓百骑环绕,可裹万众。欲分之则千骑盈野,摧坚陷阵,集散分合,出没无常,此等战术,当时称曰:"骑兵撒星战"。

4. 必胜的战术。蒙古军队作战,自成吉思汗起以来,曾未败绩。战必胜,攻必克,战不胜不止,攻不克不停。例如作战时,先以骑兵冲锋,冲而过之,则不论众寡长驱直入,敌虽数万亦不支,如挫而不能逾其阵地,则次第继之,以至最后破敌为止。若夫攻城亦如之,敌坚守时,先以俘兵前攻之,继以正军攻之,亦有以炮火攻之。水战之者,更有掘地而攻之者,总之必以使城攻破而后已。故蒙古军围城甚围有四五年者,凤翔则至三年,而襄阳竟五年始下,但终于为所攻陷,故曰:"战必胜,攻必克",为军队必有之信念。然后从而用之,可以胜敌也。

(《国立西北大学校刊》复刊第 11 期)

四、国人何以贱视兵

赵石萍

贱视兵的心理,可以说浸透了我国社会的各阶层。这,用不着多加引证,只就俗语说的:"好汉不当兵,好铁不打钉"和"秀才碰着兵,有理说不清"就可以看出来的。

国人何以贱视兵？假如我们回答说：是由于我国民族天性爱好和平。如果这样的解答是正确的，那么，我们就可以推论：凡是爱好和平的大多由于先天的文弱。至于我国民族是否由于先天的文弱而爱好和平，这实在是一个不容易解答的问题。虽然我国民族回避战争，确是事实，但不能说回避战争，就是由于先天的文弱。相反的，回避战争，是由于环境上势力的影响，是由于历代先哲诗人骚客对于战争的描述和非战的呐喊。最显明的例子，像老子所说的："夫佳（唯）兵者，不祥之器；"孟子说的："争城以战，杀人盈城；争地之战，杀人盈野""善战者服上刑"；以及像李杜的诗中所吟咏的人民因战争所受到的丧乱流离的苦痛，像文中所描述的阵亡将士生前和死后所遭遇的悲哀，都能深切地激起人们贪生怕死一般的心情，和引出爱好和平自然的反应。但是，我们要知道，我们所得到的这样的启示，终没有达到像所称为"救主耶稣"所教诲的："打你的左脸，要把你的右脸也给他"，这样的深切。不但如此，我们更要知道：我们的民族，因为定居在广漠的原野，因为邻接游牧生活的种族。从有史以来，我们是不断地受着游牧的民族若犬戎者匈奴等等的压迫。因为常常地受到异民族的压迫，我们的民族为着自卫为着谋民族自身的积极建设，反因此养成了向强权抵抗的特性。这种向强权抵抗的特性，自从黄帝之战败蚩尤那时候就树立了根基，中间经过了几千年的滋育，一直到现时代，委座所领导的全民族对暴日的神圣抗战，更有极高度的发挥。所以，以爱好和平的民族性去解释贱兵的原因，是不对的，至少也可以说是不够的。

　　另一种解释贱兵的原因是说：舶来品的说法，当兵，纳税为国民的天职，已为现代的国家所共同认定和实施的信条了。我们的国家也当然的不能成为例外。不过兵凶战危，其结果会丧失个人的生命和戕害人类整体的和平。我们仿形尽可仿形，但不必推波助浪，让游荡的子弟，游手好闲的人们去充役去好了。在我们——自视为知识阶级的人们——则不妨回避。因为士农工商各有专司，而"士"原有特殊重大的使命——"志于道"。兵是无赖的集团，无赖的别名，是列于"四民"之外，是不足齿的阶级。这里的解释也是不对的，除由兵凶战危所推到的结论是贪生怕死，变相的表示，用不着去校正外，我们认为这样解释是错误的，可以归纳为两项去说明。

　　第一、假如我们承认，这种舶来品的政策是不错的，但是也不能就因此而一笔抹杀了我国历史上的事实。我们要知道，凡是国民就有当兵役的义务，在我国是一本"万年老账"，从有历史以来就存在，一直绵延到清末。我们不当忽略这种事实：我国古代是实行民兵制度的。人们在那时是平时则致力于耕稼，有事则效命于疆场。不止在秦汉以前,人民对于国家都有服兵役的义务,就是在秦汉以后,就是在募兵盛行的唐朝,也实行府兵制(征兵制一种办法),就是降而至于清,在清所施行的"八旗制度",是以旗统民,以旗统兵,凡是隶于旗的人民,都有服兵役的义务。它的性质也是"上马杀敌,下马耕牧",同于古代寓兵于农的民兵制。

第二、谓兵列"四民"之外。知识阶层厕身士林,无庸充役,这也是所谓士大夫之流,为自身所做的掩护之辞。并且也是抹杀了历史上的事实,凡是讲过国史的人们都知道,管仲相齐,他的治军的特点是在于"作内政而寄军令"。他的详细办法我们虽不尽知,但是根据管子和国语注,也可以看出他的主要特点。他的原则是使民政的组织与军政的组织为同一的区域。他的编组是制国为21乡,内分工商之乡6,士乡15;外有5属农民区。他的调训是以齐国当时的工商业在经济上很占重要地位,政府利用之以为饷粮之源,所以工商之乡不从役,以为国本,削减其役。而把军事征调和军士训练的重点责之于士乡的民众,所以管仲对齐桓公说:"君有此'教士'三万人,可以横行于天下"。

假如我们承认我们之所谓"士"是不异于管子所谓的"士",那么,我们自称为"士"的知识人们,就应当根据史实,认清楚自身的责任——唯有"士"才更特殊的有服兵役的重任。

然则,我国人贱兵的心理到底是怎样形成的呢?我国人贱兵心理的形成,可以说由于两种特殊的原因:一是由于政治,一是由于兵的变质,后者的原因其实也是政治的,分开来说不过是为"清醒眉目"。

由于政治的,是在于政治上养成重文轻武的观念。这种重文轻武观念的养成,是由于我国历代的帝王为便于统治起见,将武官置于文官之下,而以文职统率军队,这种统治的政策一直传沿到清末。清制更形加甚,不止文官如总督如巡抚有统领军马的大权或具有宰制军职的权柄,且后规定,文武官同品级者,武官见文官低一级,以此武官的品位,既居于文官之下,则在人心重文轻武观念的养成,自为情势所趋,"理有固然"。以这样的观念,积数千年之久,惯已成习。所以直到今日,仍然称为我国人贱兵的一个重大的原因。

兵的变质是由于我国的兵制之由"征"而至于"募"。我国募兵制发生的原因,也可以归纳为两种:一种是为填补固有兵力(征兵)的不足;一种是如所谓"举天下扩悍之徒以卫良民"。前者是为一时权宜之计;后者是为顺应时代的需求。但募兵的原因,不论是由哪一种,而我国兵的素质,则都由之而杂乱,都由之使兵成为民众之由轻视而终至贱视的对象。

募兵之由于在"举天下扩悍之徒以卫良民"的目的下,使兵构成为民众贱视的条件,用不着申说,就是以募兵为补充国有兵力之不足的目的来说,汉武帝用兵匈奴,就是以这样的目的而创施募兵制度的。他的募兵对象是死囚,是亡命者,是不良子弟,是有罪官吏,是赘婿,是贾人,是从前置籍市人者,是父母或祖父母之有市籍者。汉武帝时重农轻商,所以把贾人与市籍者同于他的兵源一律看成为贱民。自此以后,历代募兵的方针,也就都回避一般的良民,仅向社会的下层或者贱视的阶级去招致。历代相沿,每况愈下,所以唐时,人皆讳当兵,一族中有当兵者,则全族被视为贱民。而五代时兵皆刺墨,则更巡行视同罪徒。演至民国肇兴以后,北伐成功之前,那时军阀称霸,割地自雄,后多成兵匪不分,所谓"匪聚成兵,兵散为匪",而兵至此则竟成祸国殃民的工具。因而直到10年前,四川仍流行这样的口语:"匪过如梳,兵过如篦,团(民团)过如刀剃"。所以由此募兵制度的施行,因而降低了兵的素质,也因而构成我国人贱兵的有一个重大的原因。

我国现在又在推行征兵制度了。不论它是维新,还是复古,此后凡是国民都须有服兵役的义务了,所以现在对于过去养成的贱兵心理,当然要为根本上的铲除,然现在的国家和民族的需要上,只除去贱兵的心理,仍然不够,因为抗战已到了争取胜利之最后关头,因为现代的战争是以国家民族的总文化作为胜负决定的枢纽,因为征兵制的实施尚在甫经展开的序幕,我们应当加紧地改善我们兵的素质,增加战术上所需要的较高的知识和优越的文化。唯有这样,我们才能在一方面把握住最后的胜利;在他一方面借着抗战,因而建军因而建国。所以,我们知识阶层的人们再不当徒以"骄子"自行抱负,"漠视国家的安危,坐视将士的浴血牺牲;我们应当奋起追直,以精诚去感应,以行动去表证",拥护"军人第一"之伟大的号召,去发扬我们民族固有的美德,及向强权抵抗的特性!

(《国立西北大学校刊》复刊第 12 期)

五、近代战史

萧一山

近代 300 年,是中国有史以来最重要的一个时期,内而满清入主,引起民族革命之洪流,外而欧亚通航,造成帝国主义之交侵,开亘古未有之变局。殆今时积弱之象，事迹纷繁，疏理不易，即以战争一端而言，大大小小不下百余十回，殊非短时间所能晰滤。兹仅择其关系较大的三次战役来作代表：一、是清初的萨尔浒之役；二、是清中叶的大金川之役；三、是清末叶的太平天国之役。因为这三次战役，都有决定一代兴亡的性质，同时也可以看出战争的三种类型，如能仔细研究，则其余则可依例推知了。

（一）萨尔浒之役

萨尔浒之役是明清两代兴亡的关键。在这次战争以前，努尔哈赤虽已统一建州，改号称汗，虽然为明朝敌国，然而明人却仍以边境小夷视之，直到抚顺、清河失陷，张承荫全军覆没。明廷始知道建酋是腹心的大患，乃征集浙闽川甘各省兵24万（实只9万），派杨镐为经略，大举向建州进攻。

当时杨镐驻节沈阳，采包围合击之法，分兵四路深入：一路出抚顺关，沿浑河左岸入苏子河谷，杜松统之；二路由清河口出鸦鹘关，入兴京老城，李如柏统之；三路由开原出三岔口，入苏子河流域，马林统之；四路由宽甸口出佟家江，入兴京老城南，刘𫄧统之。预定3月1日会师兴京，一举荡平。这计划不能说不周密，可是对方的努尔哈赤，侦知明兵临境，就预料各路军决难如期到达，并断定由抚顺关来者必系主力，遂留五百兵卒出南路，四千老弱居守城，而自带八旗劲旅西向萨尔浒逆战，此在审敌情一方面，他已经比杨镐高明多了。

杜松领兵三万，筑大营于萨尔浒，因金兵筑界藩山城之故，亲率兵一万攻之。当时皇太极等建议分兵一半援界藩，一半攻萨尔浒，而努尔哈赤不从，因命代善皇太极率两旗之兵援界藩，自将六旗兵四万五千人攻萨尔浒，萨尔浒陷，后以优胜之余威，夹击界藩，众寡悬殊，明兵大溃，杜松因亦战殁，这是3月1日的事。马林兵听到败讯，退据尚间崖，环营三壕，火器列壕外，骑兵在后，似与杜松的轻敌妄动不同，及努尔哈赤率八旗兵至，犹能突出奋战，枪炮齐发，使金兵不及列阵，但金兵声势浩大，飞矢利刃，前后夹击，明终不支而遭歼灭。马林仓促奔逃，仅以身免。这是3月2日的事。至刘𫄧军出宽甸口，进迫兴京，尚不知失败消息，只恨朝鲜援军迟迟不进，又虑杜松军先至攘功，金汗诱之，遂分兵为四部，自率精锐先行，至阿布达里冈，皇太极率兵自高下击，代善冒明兵自西诱攻，明兵殊死战，仍遭溃灭，刘𫄧力战死，全军亦被歼，朝鲜援军降，这是3月5日的事。明经略杨镐，听到三路败报，急檄李如柏回兵，于是明倾天下之力，尽征宿将猛士，及朝鲜叶赫精锐，分道深入，使敌不能兼顾之计画，皆为努尔哈赤粉碎无遗了。

综观此役,明兵九万,分为四路,兵力分散,为失败的第一着,而杜松又轻渡浑河,分攻界藩,可谓一误再误。金兵六万,全力以赴,集中运用,是其胜算,界藩之援,不从众议,更可看出金汗的特识。倘使努尔哈赤不审轻重,分兵迎战,则胜负之数,尚不敢定,或者四路明兵都能按期到达兴京,则包围之势成,而胜败仍未可知,无如明兵主力再分,已为金汗所窥破,四路不能齐一步伐,也为建酋所料及。以合御分,各个击破,纯然是战略的关系。论兵力,论军械,明兵都比较优越,而结果则一败涂地,将士死亡过半。金兵损失,不过数百人,从此辽东多事,而明廷再没有征服建州的力量了。

(二)大金川之役

大金川的平定,是乾隆帝所夸耀的"十全武功"之二,可是实际上不过镇慑了几个土司,得到几百里的地方。大金川在今四川懋功县附近,区区数万夷人,却使搔穴犁□,还有什么值得称扬呢?但自金川削平以后,中国才知道山碉设险之利,这种战略的发明,在近代史上有莫大的效用和影响,是应该特别提出来一说的。

大金川的用兵,始于乾隆十二年(1747),有莎罗奔者,以从征西藏有功,授为金川安抚使,乃持□以兵攻革布什札及明正两土司,巡抚遣将弹治,反为所伤,清廷调张广泗督川剿治之。广泗调兵三万,用"以卡偪卡,以碉偪碉"的方法,数路分进,因其地滨河阻山,其人又长于防御,久而无功,及清廷命讷亲为经略,又起故籍军岳钟琪赴军效力,而讷亲不知兵,广泗故困之,将相不和,当然更不能有所进展。清廷乃改任傅恒为经略,傅恒至军,秉陈已往之弊,斩广泗,赐讷亲死,采用选锐深入之法,与岳钟琪分兵并进,军声大振。莎罗奔曾系钟琪麾下,至是震其余威,诣军乞降,金川之乱平。这是乾隆十四年(1749)的事。

后数年,莎罗奔兄子郎卡主持土司事,颇桀骜,寻逐泽旺及革布什扎于吉地,总督开泰檄谕之,不□,乾隆帝乃于三十一年(1766)诏阿尔泰檄九土司攻之,阿尔泰一味姑息,遂使郎卡子僧格桑坐大,因被赐死。改命温福桂林分西南两路夹击之,逼小金川境,后桂林被劾,诏阿桂代其职,温福秉性刚愎,不咨众议,致有木果木之变,中枪死,小金川复陷。乾隆帝闻报,授阿桂为定西将军,以丰伸额、明亮二人为副,更调健锐火器营二千,吉林索伦兵二千赴剿,阿桂鉴前人之失,改道出沃日攻小金川西境,令明亮攻其南,所向克捷,十月即尽复小金川之地。

此后更采"步步立栅,以次进逼,绕道别进,前后夹攻"的战法,分三路向大金川进攻:一军自小金川攻其东,由阿桂自督之;一军自党坝,渡大金川上流攻其西北,命丰伸额、明亮督之;一军渡大金川下流自革布什哨攻其西南,命富德督之。

前后进击,累克要塞,而阿桂军尤锐利,直迫逊克宗□。孛诺木始震慑,因酖杀僧格桑请降,阿桂不应而攻□□,敌亦拼命死守,以故久不能下,旋五岱,五福遥望烟焰,由□立叶,丹壩越岭□会,势大震,进迫其巢穴勒乌围破之,乾隆四十年(1775)十二月,后追之于噶尔崖(大金川之根据地),三路合围,大炮尽夜霆□,孛诺木、莎罗奔飞走皆□,乃奉印出降,俘献京师,于是大金川之乱再平。

综观此役,大金川以蕞尔之地,当清廷全胜之局,用兵三次,诛三大臣,首尾八年,縻饷七千余万两,仅乃平之。这是什么原因呢?固然金川地势险阻,气候不良,士兵献力效死,所以能负隅顽抗。然而这时的绿营兵,暮气已深,亦不堪再战了。敌人以碉堡战术据险死守,即有大兵围也毫无用处,张广泗"以卡偪卡,以碉偪碉"之法,未尝不是,但运用不得当,仍未发生效果;而傅恒"选锐深入,直捣中坚"之法,亦不能出操必胜之券。最后阿桂鉴前事之失,始创"步步立栅自护,借炮轰碉,以次进逼"之法,其中碉多径阻不必能攻克者,则绕道别进,于危岩绝巘,敌所不备处,昼夜攀登,以出其后夹攻之,碉堡遂失其效。这种山碉设险的战术,散战碉剿的用法,后来湖南治苗,滇边治猓,蜀制生番,川陕制教匪,都有所取效。

(三)太平天国之役

中华民族革命的洪流,起伏约二百年,到了太平天国,才成为汹涌的波涛,演出惊天动地的事业。这次战争,是革命对象交替的关头,是新旧思想的枢纽,在近代史上,实占着极重要的位置。

太平天国的革命义旗,高举于道光三十年(1850)广西桂平县的金田村,当时饥民抢掠,土匪骚动,而官吏置若罔闻,洪秀全等遂乘之而起。攻破永安,秀全自称天王,封杨秀清为东王,萧朝贵为西王,冯云山为南王,韦昌辉为北王,石达开为翼王。咸丰二年(1852)春,突围攻桂林,不克,改围湖南,过蓑衣渡,冯云山战死。进攻长沙,萧朝贵阵亡。这对于太平军的损失甚大,幸而北趋岳州,获得吴三桂军械,并掠帆船五千余只,实力大增,因得攻下武汉。复以疾风迅雷之势,一直向下游猛进,不过几个月,而九江、安庆、芜湖皆破,并于三年(1853)二月九日,打破南京,定都名曰天京。又派兵东攻镇江,北据扬州,太平天国的声势,遂席卷东南了。四月更遣林凤祥北伐,十月复派李开芳继之,全国为之震动。清军的荣禄、琦善等跟踪追来,虽于孝陵卫扬州二地,分建江南、江北六营,然而兵疲,指挥不当,领兵坚城,坐守而已,太平军西临武昌,南下南昌,北渡淮河,纵横长江,有众二三百万。当时曾国藩已在湖南督练湘勇,兵不过两万。出师以后,首遭靖港之败,但彭玉麟的水师,却在湘潭大捷,故能很快地恢复武汉,据田家镇,而直捣九江。太平军乘其轻进,曾将湘军水师截为两段,把曾国藩围困在江□,并三陷武昌,使湘军兵力分散。及天京内讧,杨秀清、韦昌辉相继被杀,石达开愤而出走,林凤祥、李开芳孤军深入,也先后被歼,骄阳西下,太平军遂日趋衰颓了。然而,为什么还能支持八九年呢?这全赖后起的李秀成、陈玉成骁勇善战,忠诚报国,一方利用大股的捻匪为声援,把湘军名将李续宾围歼三合;一方扫荡江浙皖赣把江南大营的总统□□楔,逼死丹阳,势倾东南,危而复兴。可是,朝政昏乱,始终没有一贯的方略,曾国藩在起复以后,从容布局,步步紧逼,攻克安庆巢湖,李鸿章自上海进苏州常州,左宗棠由衢严下杭州,杨岳斌、彭玉麟扫荡江南,直攻浦口,四面大包围的局势一成,李秀成也就一筹莫展了。洪秀全见粮尽援绝,无以为计,遂仰药自杀。其子洪天贵福嗣位,不二月,南京被湘军攻破,太平天国遂亡。

综观此役,洪秀全金田起义到天京定都,不过两年,便席卷东南,这完全是他闪电战略的成功——对民众敷陈基督教义,团结人心;对士大夫阐发民族大义,同仇敌忾,以迅雷不及掩耳之势,驰骋数千里,攻入清军的长江堡垒,截断北京的东南饷源,然而他得地不能据守,毫无一定的疆域,长江一带的重镇,上游则武汉旋得旋失,下游则□□始终未占,甚至清军的江南大营,逼近天京。江北大营,雄视扬州,对江的二浦——浦口、江浦,也不能长期保守,而又不全师北进,力争畿辅,可看他苟且偷安,在国防上无一点布置,在战略上无一点计划,这是他失败的最大原因。曾国藩采取"稳扎稳打,步步为营"的战略,不尚诡计,不求冒进,但得一地,即难撼摇。况且他的讨贼檄文,攻心战略,掀起士大夫对文化战争的义愤,这是曾国藩成功的最大原因。虽然,王闿运曾批评曾国藩用兵……谓打仗应该有一种全盘的计划,岂能因一时一地之得失而轻摇其哀兵必胜的信念呢!可是洪秀全的军事虽然失败了,而民族革命却有一半的成功,他没有把满清的皇位推倒,但满清的政权,因此转入汉人手中。曾国藩虽是维持了满清,但解散后的湘军,却增加了革命党的势力。辛亥革命之所以能迅奏肤功,还是受了这一战役的影响。

我们就上述三役来看,一个战争的成败关键,无论如何战略应居第一位,战术兵员武器,尚在其次,萨尔浒之役和太平天国之役,全由于杨镐及洪秀全所采战略的失误,或全无战略,而大金川之役,旷时糜费,也因不懂得"步步立栅,以次进逼,绕道别进,前后夹攻"的战略。这三次战争,虽仅仅是战略的说明,同时又可以表现三个时期的兴亡道理,我们如果能按照兵法的原则,印证历史的事实,就可以知道两军胜负的妙算,所以历史的研究,对于一个成功的军事家是多么重要呀!

(《国立西北大学校刊》复刊 1945 年第 13 期)

第四节　军训与从军

一、从军办法

知识青年志愿从军①优待办法实施细则

（一）从军人员原机关改组或裁撤，对于优待之处理：甲、公务机关方面，如遇改组合并，仍应照优待办法之规定，保留原职原薪津；如遇裁撤，应由直辖上级机关继续负责办理。乙、私营机关方面，如遇改组或归并，仍应予以保留原职原薪津；如遇停办，应一次发足从军期间应得之薪津；如遇宣告破产而无力负担者，由原地从军服务会或其他社会团体照上项办法办理。

（二）从军人员如系学校教职员，以业务关系必须派人代理时之处理，由教育部核查；各学校教职员从军，确需另派人员负责时，应由教育部统筹增发各学校经费，以资补救。私立学校应自行筹划经费。

（三）从军人员如系技术人员或地方党政长官（如县长或县书记长、督察专员等）从军后其职务必须派人负责，确无从派代时，应由各省政府、省党部或主管部

---

① 青年远征军简称青年军，抗日战争后期国民党建立的由知识青年组成的军队。1944年，日军发动了秋季攻势，国民党在豫湘桂战场接连失利。为了控制国民党统治区的知识青年和守土抗战，蒋介石发出"一寸山河一寸血，十万青年十万军"的号召，组建一支青年远征军。1944年年11月，全国知识青年志愿从军指导委员会在陪都重庆成立，以何应钦、吴铁城、陈果夫、张治中、白崇禧、陈立夫、张道藩、康泽、徐思平为常委。同时成立编练总监部，以罗卓英任总监，霍揆彰、黄维、彭位仁、郜子举任副总监，蒋经国任政治部主任。抗日战争时期，中国政府曾派出一支入缅作战部队，史称中国远征军，而在印度有为数不少的中国军人在接受汽车驾驶等技术培训。青年军共计征收12.55万人，有1.5万人受过大专教育。其先后编成9个师2个团，成员主要是青年学生，也有国民党下级军官。1945年10月编练总监部撤销，青年军编为第六、第九、第三十一军，三个军。其中第六军辖第202师、204师、205师，军长霍揆彰。第九军辖201师、203师、206师，军长钟彬。第三十一军辖208师、209师，军长黄维。其中206师驻陕西南郑（今汉中市），师长先后为杨彬、方先觉，计有11 631人。1945年8月15日，日本侵略者无条件投降，青年远征军206师全体官兵亦不例外，于9月9日在汉中营（616团驻地）举行盛大隆重集会，欢庆胜利。由师长方先觉主持，参加大会的有汉中行营主任李宗仁将军，外宾有美国驻中国空军司令魏德迈将军。

统筹增拨经费,以资补救,但私营企业者应自行筹划。

(四)从军人员之铨叙考绩之统一办理,从军青年铨叙考绩,由现属部队将其服役成绩通知原机关学校参照办理。

(五)从军之学校公费生及教职员发给应得之各项费用,从军学生应得之公费奖学金,应照规定保留,教职员之贷与金及研究费等,应照旧发给。

(六)各机关学校或工厂商店之职员、工人从军后,有未照优待办法办理者,应采用有效之方法:甲、公务机关对其从军职员未照优待办法予以优待者,得依法令强饬该机关执行。乙、私营机关未照优待办法予以优待者,由主管之机关及同业公会采取有效办法明令执行。丙、各地及各机关学校应成立从军青年服务会,负责督促协助优待办法之实施。

(七)沦陷省市从军学生于沦陷区收复后,查核其在沦陷学校之学历,由教育部予以承认。

(八)从军人员眷属之优待,应由兵役部统依抗战征属各种优待办法办理。

(九)知识青年退伍后得享受下列之优待:1.党政教育机关及国营公营商营事业机关人员,得依本人志愿仍回原机关服务,该机关不得借何理由拒绝其复职,并须给予升迁之优先机会;2.学生得依本人志愿仍回原校,其原系公费生、免费生及领有奖学金者,一并恢复,并特许参加升学考试;3.凡参加留学考试及各种考试,应予优先录取之机会;4.凡志愿参加国内外军事学校以及出国研究深造者,由政府择优优先保送之。

(十)知识青年因作战阵亡或受伤残废与积劳病故者,除由政府照规定从优抚恤外,其家庭得由原机关学校优恤救济:1.有子女者至其子女成年为止;2.无子女者至其配偶死亡为止;3.无配偶者至其直属血亲尊亲死亡为止。

国民政府颁布

中华民国三十四年五月

(民国档案,陕西省档案馆)

青年远征军政治工作人员实施优待处理办法

(全国知识青年志愿从军指导委员会第十一次常会通过)

(一)公教人员志愿从军担任政工者,在营如照战列兵待遇,应照知识青年志愿从军优待办法办理并保留原职原薪;如系担任政工官佐,则应依照一般军佐人员待遇,不得享受原职薪之优待。

(二)志愿从军学生担任政工者,无论为官佐或列兵,均照优待办法办理。

(三)知识青年志愿从军担任政工者,准并入各学校机关征集从军青年之配额,并由本会按照规定发给旅费及补助费。

国民政府公布

中华民国三十四年五月

(民国档案,陕西省档案馆)

军事委员会颁布全国知识青年志愿从军办法

(一)宗旨:

为提高国军素质,用强反攻力量争取最后胜利,贯彻抗战目的起,征集知识青年编组远征。

(二)标准:

甲、知识青年(男性)年满18岁者均得志愿参加。

1. 年满35岁如经特准者亦得志愿参加。

2. 女青年征集办法另订。

乙、受中等以上之教育或具有相当知识程度者。

丙、体格标准合于下列各条件者。

1. 身长152公分以上者;

2. 体重46公斤以上者;

3. 胸围76公分以上者;

4. 五官四肢及肺部正常者。

(三)数额:暂定为10万人,其各省分配数额另定之。

(四)征集:

甲、征集机关:为鼓励知识青年踊跃从军并筹划办理征集期间有关事项,特设下列各级机关。

1. 中央设全国知识青年志愿从军指导委员会。

2. 各省设知识青年志愿从军征集委员会。

3. 各县市设知识青年志愿从军征集委员会。

4. 各专科以上学校及机关得设知识青年志愿从军征集委员会。

上项组织办法另有之各机关之征集委员会组织办法各自订定,呈报全国指导委员会备案。

乙、集中地点:应征入伍知识青年按照下列三个步骤分别向指定地点集中。

1. 各县市及各机关学校应征青年应先向各该县市及各机关征集委员会集中;

2. 在各县市及各机关学校集中后即分别向所属及所在地之各省征集委员会或其指定地点集中,其路线由各省征集委员会规定之;

3. 在各省征集后应遵照全国知识青年志愿从军指导委员会指定之地点分别集中。

丙、集中期间:自1945年1月1日起至3月底止,各省市县集中办法另定之。

丁、军中管则:

1. 各县市及机关学校征集集中期间,由各该县市或机关学校征集委员会遴派适当人负责编组并率领到所属之各该省征集委员会或其指定之点交接。

2. 各省征集委员会接交后即遴派适当人员负责编组并率领到指定入伍地点交接。

上项详细办法另订之。

戊、征集费用:

1. 征集期间所需之粮食及副食费用另有规定外,其他如宿舍等之准备,应由征集或集中所在地之征集委员会负责准备。

2. 应征青年在未到达入伍地点以前,仍着自备服装。

3. 交接输送力求迅速,应以车船飞机为原则,不得已时徒步行军。

4. 征集所需各项费用另表规定之。

(五)入伍:应征入伍之知识青年除特种兵外,以按其籍贯编组为原则。

(六)待遇:除照远征军之待遇办理外,副食费酌量增加。

(七)服役:服役期间定为两年期满后退伍。

(八)优待:入伍期间家属之优待、退伍后就学就业之奖励另行规定。

(《国立西北大学校刊》复刊第5期)

核定青年从军优待办法要点

甲、知识青年从军,自入伍之日起,其本人得享有以下之优待:(一)原任职于各级党政教育机关者,保留其职务;(二)商业事业者,由原机关保留其职务;(三)

原肄业于各级学校者,保留其学籍。

乙、志愿从军知识青年之家属应享有下列优待:(一)继续享受原服务机关有关优待职员家属之各项待遇;(二)领取入伍补助金,其不愿领者,另给名誉奖励。

丙、知识青年退伍后,得享受下列之优待:(一)党政教育机关及国营公营商业事业机关人员得依本人志愿,仍回原机关服务,该机关不得借任何理由拒绝其复职,并须给予升迁之优先机会;(二)学生得依本人志愿,仍回原校,其原系全费生免费生及有领奖学金者,一并恢复,并特许参加升级考试及各级考试,应予以优先录取之机会;(三)凡志愿参加国内各军事学校以及出国研究深造者,由政府优先保送之。

丁、知识青年因作战阵亡或受伤残废或积劳病故者,除由政府照规定从优抚恤外,其家属得由原机关学校优恤救济。

戊、知识青年志愿从军,将于服役充军后,由原学校之机关,刊碑列名以示崇敬。

己、知识青年志愿从军于入伍之日起,其本人及家属之优待,除上项办法外,并依优待出征抗敌军人家属条例及其他规定之优待法令办理。

国防最高委员会
(《国立西北大学校刊》复刊第 5 期)

教育部订定志愿从军学生学业优待办法

(一)中等以上学校在学学生志愿从军者,其学业方面之优待,依本办法之规定办理。

(二)中等以上学校学生从军期间一律保留原有学籍,上项学生,如学籍有问题者,从军期满后,由主管教育行政机关追认其学籍。

(三)从军学生退伍时,得依本人志愿仍回原校,并特许参加升级考试,中等学校学生届毕业时,并准免试升学。

(四)中等学校从军学生已修满最后一学年第一学期课程者,复学后经过短期补习,准免除会考给予毕业证书,并准免试升学。

(五)大学先修班从军学生退伍时得免试升学。

(六)专科以上学校从军学生退伍复学时,其肄业时期得减少一学期,其入伍时,已修满最后一学年第一学期课程者,退伍时准由原校发给毕业证书。

（七）从军学生如系公费免费生及领有奖学金，复学时一律继续予以公费免费及给予奖金之待遇。

（八）从军学生参加留学考试，得予以优先录取之机会。

（九）从军学生志愿参加国内外军事学校以及出国研究国防科学者，得由政府择优优先保送之。

教育部
中华民国三十四年五月
(《国立西北大学校刊》复刊第 5 期)

全国知识青年志愿从军指导委员会订定女青年征集办法

（一）标准：甲、知识女青年年满 18 岁至 25 岁且无子女的，累计受中等以上教育或具有相当程度者。乙、体格健全者。（二）名额暂定 2000 名。（三）征集机关及地区，由当地征集委员会及该地专科以上学校征集委员会征集之。（四）应征手续：应征知识女青年，完全以志愿参加，应先向各学校各地征集委员会填具申请登记表，再由征集委会举行体格检查，合格后，由征集委会送往集中地点，即在该地施以训练，集中日期定于中华民国三十四年二月一日。（五）服务范围：暂定救护、政工、通讯、经理及文书等项。（六）服务年限：定于二年，未满期或在奉令复员之前，不得自由离队。（七）待遇：女青年服务队队员之征集费用待遇及优待办法，与远征军战斗兵同。

(《国立西北大学校刊》复刊第 5 期)

二、军事训练

新生入学训练

本校于 1941 年 10 月 17 日上午 9 时举行新生开学典礼，由赖校长亲自主持，训勉各生以后务应力学。下午 2 时新生编队，由赖校长兼任新生训练队队长，教务长及军事主任教官兼任队附。新训队下辖 4 区队，每区队下辖 3 分队，女生另组 1 分队，共计 12 分队 1 独立分队，选择二年级以上品学兼优学生充任区分队长。每分队有指导员1人,聘请教授及训导人员兼任。训练科目及训练方法悉依部颁高中以上学校新生入学训练实施纲要施行。训练时间自1941年10月19日起至31日下午举行结业典礼及阅兵式,并作战阅演习。计起讫为期共2周,训练成绩非常优良。

(《国立西北大学校刊》1941年第3期)

本校学生参加城固区军训检阅

本校学生军训队遵令于1943年元旦日上午9时整队前往本校法商学院大操场参加城固区学生军训检阅,计到学校有西北工学院、西北师范学院、西北师范学院附属中学、私立北平文法中学及本校等五院校。于10时检阅官及陪阅官到场举行检阅,首为阅兵式,次为分列式,末为术科各式作基本教练及战斗教练等科目。各校学生均各精神奋发,纪律严肃,步伐整齐,动作确实,深为检阅官及陪阅官所赞誉。下午2时举行射击比赛,本校学生瞄发精确,枪无虚发,结果本校以最优越成绩获得射击冠军锦标。

(《国立西北大学校刊》1943年第6期)

本校举行新生训练

本年度新生训练已于1944年10月2日至14日举行,兹将新生受训人数训练学科及小组讨论中心题目等探录于后:本年考取新生已报到者146名,本校函请各省教厅保送之学生经甄试录取者26名,亦皆先后报到,统计参加受训者共约170余人。训练之宗旨及科目,除依据部颁新生入学训练实施纲要办理外,复就国势之进展及本校之使命,酌设若干科目,如:西北研究与考察、战后之经济建设、自然科学之内容与其他科学之关系等。小组讨论会中心题目,以胜利在望,复员与建设,亟待研讨,故侧重战后之诸问。关于国际者,如:世界和平机构应如何建立、战后中国在远东之地位、如何使三民主义弘扬于世界、如何处置日本等。关于国内者,如:战后之工业建设、国防建设、文化建设、实行宪政、推行地方自治、加强地方民意机构等。为负起本大学之使命,特定如何建设西北、如何开发边疆、如何整顿学风、体格锻炼与公共卫生等,专题讨论。指导各小组讨论之导师均由训导处聘请本校对某问题之素有研究者担任。经此番训练后,新生身心当可获益不浅云。

(《国立西北大学校刊》1944年复刊第2期)

新生训练纪要

本校1945年度新生训练于10月11日开始,17日结束,为期虽短,收效颇宏,兹将经过各情分志如下:

【开始仪式】11日上午7时半,本校本部大礼堂举行开始仪式,受训新生全体出席,精神饱满,由杜教务长代表校长主持,即席致训指陈新生训练之意义及新生受训应具之精神;旋蓝训导长说明新生训练应行注意之点,均颇详悉,至9:30始告礼成。

【日常生活】受训男生共编11分队,女生编为1分队,依照队别名次发给住宿券,人各1枚,对号入指定寝室住宿。每晨6时起床,参加升旗早操,晚9时点名就寝,授集中管理方式,特注重内务整理。14日上午按室检查,结果大致均颇整洁。13日下午劳动服务两小时,搬运沙土铺填操场,打扫宿舍园地,踊跃操作,精神亦佳。课暇举行迎新球赛多次,女子排球男子篮球表演甚为精彩,一般而言,各同学于紧张气氛之中,莫不表现欣愉振奋之情!

【课程讲述】训练课程计分修学指导、环境指导二大类,平均每日四堂,一律在大礼堂讲述由学生摘要笔记. 主讲人讲述题目如下:

校长	大学生治学之方法;
杜元载	本校学则概要;
蓝文徵	训导章则述要;
徐朗秋	本校概述;
赵进义	本校的科学设施及其未来;
李贯英	个人与社会;
高仲华	大学生对中国文化应有之认识;
王文萱	社会问题;
高文源	健全人格之修养;
张小涵	化学之研究及用途;
岳劼恒	近代物理学中之不连续概念;
殷祖英	近代地理学的意义;

刘亦珩　　数学与现代文化；

刘毅然　　中国需要美国化吗；

王治焘　　修学指导；

孙宗钰　　优良习惯之养成；

许兴凯　　中华民族之精神；

王伟烈　　怎样受大学教育；

魏庚人　　注册举要；

王耀东　　体育与人生；

萧廷奎　　研究与发表；

贺范理　　生活管理；

杨名理　　读书与课外活动；

王俊杰　　青年守则。

【小组讨论】15日下午2:30至4:30，小组讨论共12小组举行，讨论题目为：一、如何养成优良学风；二、如何达成统一与民主；三、如何建设西北；四、建设新中国应以国防为中心；五、如何发展科学。由杜元载、蓝文征、徐朗秋、曹国卿、高仲华、侯云圻、王耀东、王佐强、韩宪纲、萧廷奎、王伟烈、杨名理诸先生分别指导，各同学踊跃发言，颇多见到之处。最后由各该组指导员分别予以讲评后，散会。

【个别谈话】12日下午2:30起由各分队指导员王耀东、王伟烈、魏庚人、萧廷奎、贺范理、杨名理、王俊杰、单演义、隋觉、刘星璨、王佐强、韩宪纲诸先生分别召集各该分队学生举行个别谈话，举凡性情、言语、态度、体格、嗜好、特长、家庭状况、经济情形等均属谈话考察之范围。所谈各项情形，并予详细注记，以为此后个别教导之参考。

【结业仪式】17日下午2时举行结业式，到教职员蓝文征、高文源、王耀东等10余人，新生全体参加，由刘校长主席，勉各生保持受训精神，继续精进，锻炼体魄，对工具学科、概念学科注意学习，与二、三、四各年级同学共同养成良好学风。旋由蓝训导长代表师生致词，勉各同学对张横渠先生"为天地立心，为生民立命，为往圣继绝学，为万世开太平"数语，需身体力行，始克日有成。最后由王玮代表新生答谢。仪式完毕，即开始茶会，游艺节目有歌咏、秦剧、平剧、笑话等项，表演娴熟精彩，掌声时起，直至4时40分始尽欢散会。

(《国立西北大学校刊》1945年复刊第16期)

三、青年从军运动纪事

本校联合陕南各院校响应知识青年从军运动

本校为响应中央发动十万知识青年从军运动起见,经与城固各党政机关及中等以上学校举行推动青年从军运动谈话会,决定组织城固知识青年志愿从军协进会,负责指导及协助知识青年应征,并定于本日下午开成立大会。又本校与西北工学院、西北医学院曾联衔电陈蒋委员长表示拥护之意,原电文曰:"重庆教育部转呈军事委员会委员长蒋钧鉴:奉读钧座告知识青年从军书,训示周详,同感兴奋,值兹敌寇最后挣扎,正需抗战更大力量,校长等责无旁贷,决钧旨发动陕南青年踊跃应征,雪耻报国,期于今朝。谨电奉陈,敬祈钧鉴,国立西北大学校长刘季洪,国立西北工学院院长潘承孝,国立西北医学院院长侯宗濂同叩酉(寝)。"

(《国立西北大学校刊》1944 年复刊第 3 期)

本校举行国防科学运动

本校奉教育部令于国庆得推行科学运动,经校长批示令本校科学学术团体出刊壁报,当即通知各科学团体遵照办理。计是日物理学系学会、化学系学会、地质地理学会及科学月刊社等四团体均出国防科学运动等刊,内容丰富,文字简练,引起本校同学与各界注视,对于科学知识之推广颇有贡献云。

(《国立西北大学校刊》1944 年复刊第 3 期)

从军运动纪事

自中央号召知识青年志愿从军之消息传到城固后,本校师生莫不情绪高涨,欣喜报国有路,当即成立征集委员会设置从军报名处,按日公布各项办法,传播各地青年从军消息;并分别举行员生从军谈论会,加以本校区党部分团部亦积极推动,努力宣传,故全校从军空气,极为浓厚。截至上月 22 日,教职员报名者 56 人,同学 223 人,工友 45 人报名,通译员者 70 余人,共计 394 人,现仍在陆续报名中,

兹探得各项从军消息,分志于后:

(一)征集委员会展开工作

本校于11月1日成立知识青年志愿从军征集委员会,由刘校长任主委,杜教务长元载、蓝训导长文徵任副主委,萧院长一山、赵院长进义、曹院长国卿、徐总务长朗秋,系主任王治焘、殷祖英、郭至德,教授曹配言、王耀东,副教授王伟烈、傅鹤峰,教官贺范理诸先生为委员,下设教务宣传编组三股,由王委员耀东兼总干事,王委员伟烈兼总务股长,傅委员鹤峰兼宣传股长,贺委员范理兼编组股长。已举行会议3次,各项工作推进均颇顺利,兹将其重要决议案摘录于下:

1. 电报 教育部及全国知识青年志愿从军指导委员会并电达中央通讯社已签名报名之员生工役人数。

2. 请示教育部规定从军教职员及眷属之待遇办法,留校教职员如何工作,从军学生眷属之生活如何维持?留校学生如何办理?

3. 设立"本校从军员生眷属生活设计委员会",公推徐朗秋、蓝文徵、王耀东、刘亦珩、王伟烈五先生为委员,由徐总务长负责召集。

4. 草拟"本校员生从军同志会组训通则",公推杜元载、蓝文徵、董绍良、刘汝强、贺范理五先生为起草委员,由杜教务长负责召集。

5. 请教务长与各院长系主任商讨研究停止不必要之选修科目及合并必修科,将节余时间教授有关军事学科。

6. 建议聘请教育名流组织十万知识青年从军督导系统。

7. 拟定本校从军员生眷属福利统筹办法。

8. 组织本校从军员生同志会,公推杜元载、蓝文徵、郭至德三先生负责筹备。

9. 决议于12月份内训练从军学生。一切事宜推杜教务长主持(办法另附)。

10. 所有从军学生因参加通评会话班,或从军学生训练,致必修先选课程缺席者,以公假论。

附本校从军学生训练计划

1. 期限——自12月4日至30日,共计四星期;

2. 时间——每日下午1:30至3:30授课两小时;

3. 课程——以有关军事学习为主;

4. 教师——请本校从军教师主讲,每人至少两小时。约长官部,中央军校,后防勤务部,医训所长官来校讲演;

5. 座谈会——每星期三举行座谈会一次;

6. 康乐训练——每星期六下午 6:30 举行一次,遇必要时,星期日举行野外训练;

7. 个别谈话——每日下午 3:30 起请刘校长,杜教务长,蓝训导长,徐总务长约报名学生 10 人在会议室谈话。

8. 教授科目(截至发稿时已洽定者)

萧一山先生　近代战史;

郭至德先生　兵役法;

殷伯西先生　战略地理;

董绍良先生　国防地理;

蓝文徵先生　中日历次战争史;

曹国卿先生　战时经济。

(二)同学踊跃从军

本校自发动知识青年志愿从军以来,要求报名从军者,络绎不绝。遂在校本部及法商学院分设报名处,每日公布从军同学名单,以资鼓励。11 月 20 日(星期一)举行国父纪念周时,刘校长报告教职员及工友志愿从军之情形,一时群情兴奋,当有百余同学蜂拥至记录台前,登记入伍,情况至为热烈。截至 11 月 26 日止,同学从军者已有 232 人,计文学院 46 人,理学院 94 人,法商学院 98 人。其籍贯之分配,则河北 64 人,河南 52 人,山西 35 人,山东 19 人,江苏 14 人,陕西 14 人,辽宁 7 人,安徽 6 人,浙江 5 人,吉林 3 人,广东 3 人,察哈尔 2 人,湖北 2 人,甘肃 2 人,热河 1 人,湖南 2 人,福建 1 人。

(三)工警热烈响应

本校工警激于爱国热情,纷纷请求准予报名从军,示不落后。徐总务长乃于上月 19 日召集全体工警讲话,剀切陈辞,群情激昂,当场签名者即有何五德、秦文治等 46 人,闻仍有继续报名者。

(四)参加远征军同学赴教导团受训

城固各校报名参加远征军同学,共计 65 名,本校参加者,为张学备、任和声、吴□文、冯梦英等 4 人。该批从军学生,奉命于上月 25 日赴南郊集中,转往教导团受训;城固各界特于是日上午 8 时假公共体育场举行欢送大会,由王县长仙洲主席,本校刘校长致词勖勉。会毕,各界首长代表及民众数千人列队赴车站送行,沿途各商店住户均悬旗鸣爆热烈欢送,盛况空前;又从军学生每人为由地方致送补助费 6000 元。本校同学则由校每人另发 3600 元并送纪念品以壮行色云。

(五)同学熊阳朝等赴渝参加远征军政工干部训练

本校选调合格人员2名赴渝受训,以备充任远征军政干部:该团部当于工作同志中,选派熊朝阳、王鸿业二同学前往受训,闻熊、王二同学已于11月中旬首途赴渝云。

同学盛良瑞等投效空军

本校地质地理学系二年级同学盛良瑞(河南淅川人),生物学系三年级同学黄安(陕西洋县人),经济学系三年级同学王耀(河北望都人)等3人鉴于空军作战之需要,遂毅然投笔从军考入空军军官学校,即将入伍受训。闻盛君等品学兼优,身体强健,素慕班超、终军之为人,前途实不可限量云。

(六)从军员生工警题名

1. 教师

刘季洪	谭文炳	刘月林	杨兆钧	董绍良	罗爱华	李中宪	赵焕章
刘廷佐	马　明	高明堂	阎永德	赵玉珉	过道源	傅循彝	徐朗秋
杜元载	杨永芳	钟　龄	高　明	唐崇华	曹国卿	赵石萍	萧一山
王耀东	郭至德	刘亦珩	王伟烈	蓝文征	朱有宣	孙宗钰	贺范理
殷祖英	刘汝强	王治焘	王业和	赵进义	张润之	李贯英	王佐强
高文源	贾万一	霍自庭	王魁五	曹配言	罗仲言	岳劼恒	叶瑛炯
郑云樵	李善明	毕宝粟	姜寿春	郁士元	向宗富	路文珊	周文麟

2. 学生

李金锡	赵希平	何培松	李宝芬	周为群	张　琳	石敬人	刘世彬
李穆三	唐家桢	仇荣华	胡希正	杨凤悦	刘宜生	□玉琇	张岚瑛
宋哲森	展毓琦	王怀成	李世杰	赵颖怀	桂诗晶	刘秉哲	蒋学敏
米泽惠	李秀华	吴传璋	刘　颖	张之铣	丁安义	郭光前	黄信明
赵齐英	张　辇	苑志初	赵启天	王明光	蒋景武	李祥瑞	杨清秀
李剑萍	岳　诚	郑庆昇	高显宇	孙汝琴	阎瑞西	徐只□	冯梦英
陈家诚	李毓华	干秀云	梁燕达	段蟠根	张瑞霞	宫　锡	陶亭樾
曲炳瑞	朱锡朋	陈琼德	刘治贞	蓝永谦	胡厚文	单　励	李钟武
张仁甫	谢凤瑞	陈光泽	刘庆礼	赵述曾	瞿体馥	戈治昌	方正御
薛汉鼎	唐尧夫	曲蕴明	张秀英	赵德章	吴之健	秦冠绍	瞿宁若
张汝霖	吴士英	吴英华	方永骐	吕朝吾	武德宁	齐矗华	周世忠
史美荣	张占勋	袁　衡	陈德明	苗成礼	马世衡	安九鼎	张定邦

于美文	李长生	叶淑贞	高　鹏	祈仰君	汤永成	杨霁霞	朱家骥
阎龙飞	陆秀芳	常伦厚	郭　锋	赵铭渠	勇俊龙	杨志甲	傅　维
张继孟	齐有生	王世萃	朱　冰	张学儒	陈碓球	樊恩柱	蒋震方
阎　旗	张继炎	李友三	王　鹏	秦振栋	高启伟	何金梅	李延浚
杜　默	王　铭	魏振平	王佩芝	苏正贤	郑功溥	李雨馨	李凌鳌
王　余	熊朝阳	贺士锋	程东孚	刘在城	孔繁文	杨福全	张恩庆
赵景涛	袁　山	张绍通	杨保国	杨昭忠	牛映霄	苏立功	崔致崇
官本信	李　铠	屠傅藜	周　鼎	姜效□	张子正	顾　绳	冯沂东
柳毓钟	杨远乾	陈仲伟	王沛然	崔玉珩	蒋作权	李逸君	徐伯林
骆立群	高士兴	孙素蓉	刘晓初	段赓先	武启昌	黄仲祥	吴承棣
刘　镇	居　沛	王承式	魏　刚	韩　旃	王建寅	胡若谷	□光亚
程敬扶	段新民	鹿□堂	孙文斌	赵　静	曹健厚	于之濮	庄余文
杨安之	陈　毅	尤冠雄	晋国智	田树柽	杨长玉	胡文楷	王金宝
王重仪	田　雯	李复之	袁易山	王毓锦	王鸿业	李远华	赵尤让
马焕乡	魏　勋	艾天秧	田际明	张宏勋	汪傅据	高　俊	路德昭
贾　循	刘锦第	王元鸿	杨　铎	王　耀	孙颖州	陆伯铮	陈乐哉
李冠瀛	王福熙	张存棋	孙继儒	梁致宏	张凤丹		

3. 工警志愿从军名单

刘模生	刘振山	叶□福	秦文治	刘向田	刘绅生	李永平	演炳银
何五德	余尧清	余全忠	胡廷荣	丁安世	袁自明	李成保	杨秉良
戴元庆	李春秀	慎禄堂	李玉泉	王岐山	张泰华	吴志林	杨新成
李永隆	王明遵	马成林	涂善林	黄树兴	陈建□	周瑞祥	马□山
孙元吉	余长绦	罗庆□	赵嘉福	李先明	吴润生	王秉正	田种玉
刘天林	苏克庆	杨茂成	刘□明	王明德	□天贵		

（《国立西北大学校刊》1944年复刊第5期）

本校从军学生举行座谈会

本校从军学生训练已于12月4日起始施行，除讲授有关军事学科，康乐训练个别谈话外，复于每星期三下午举行座谈会一次，共分6组。每组聘指导员2人，由本校从军教员分别担任，甲组为刘亦珩、赵石萍二先生，乙组为董绍良、朱有宣二先生,丙组为贾万一、罗仲书二先生,丁组为姜寿春、王伟烈二先生,戊组为郭至德、李中宪二先生,己组为杨永芳、杨兆钧二先生。第一次座谈会已于6日下午分别举行。中心题目为知识青年从军书,研讨大纲计,分四项:一、国际情势与国内战局之检讨;二、我国过去重文轻武之弊端及目前知识青年从军之必要;三、知识青年从军对个人国家之关系;四、对于青年从军应有之认识。

(《国立西北大学校刊》1944年复刊第6期)

从军学生第一周有关战事学科训练

12月4日下午1:30至3:10萧院长一山讲近代战史,校长及教务长均出席,5日蓝训导长文征讲中日历代战史,7日黄主任文弼讲成吉思汗之战略与战术,8日高教授明讲孙子兵法,教务长每次均出席,并闻自第二遍。12月11日起加授随军翻译英文会话8小时,聘贾韫玉、孔保罗、金家桢三先生分任,听众以从军学生经考试合格者为限云。

(《国立西北大学校刊》1944年复刊第6期)

本校从军员生踊跃 赖前校长来电致贺

本校自发动青年从军运动以来,报名员生颇为踊跃:赖前校长景瑚得悉后,特来电致贺。兹探录原电如下:"西北大学刘校长转同仁同学,闻我校从军者逾300人,部长及弟均极欣慰,谨电致贺。赖琏"。

(《国立西北大学校刊》1944年复刊第6期)

蓝训导长赴南郑慰劳本校远征军学生

本校参加远征军学生张学儒、任和声、吴鲁文、冯梦英等于上月25日离校赴南郑教导团受训已记本刊后刊第5期。刘校长对于诸生入营后之生活状况,极为关怀,乃于12月9日特请蓝训导长文征代表前往慰劳。

(《国立西北大学校刊》1944年复刊第6期)

从军学生动态汇志

本校从军学生近两周来,举行音乐会,发起组织从军同学会,欢愉活跃,情绪高涨,至于有关军事学科训练及座谈会,则仍庚积举行。兹探录各情分志于后:

(一)军事学科训练:于1944年12月11日请殷主任祖英讲"战略地理",13日董教授绍良讲"国防地由",18日谭教授文炳讲"物理学在军事上之应用",23日高教授明续讲"孙子兵法",27日曹院长国卿讲"战时经济",30日杜教务长元载讲"战时国际法"。此外,从军通译员训练每星期一至每星期五仍照常由贾、孔、金三教授分别担任。

(二)座谈会:1944年12月20日下午举行第二次从军学生座谈会,讨论题目为从军前应有之准备。共分3组,甲组由赵石萍先生指导,乙组由杜元载先生指导,丙组由罗仲言、王伟烈两先生指导,闻学生对此问题极感兴趣,发言踊跃,结果甚为圆满。

(三)音乐会:1944年12月13日下午7时在校本部大礼堂举办音乐会,到会师生极多,座无虚席,节目有清唱、口技演奏、混声合唱等,其中尤以刘月林先生与王舜诚同学之口琴合奏,刘文魁及吴传声二同学之独唱最为精彩。

(四)从军同学王沛然、程敬扶等数十人为联络情谊,俾入营后发挥效能报效国家起见,特发起组织从军同学会,先后高显宇、杨凤悦等11人为筹备委员,筹备后,于1944年12月22日下午召开成立大会,到会同学近200人。刘校长并莅临训示,当即通过简章,并决定执行委员名额12人,按从军学生人数比例由法商及理学院各推选5人,文学院推选3人,俟各院推定人选后,即可积极展开工作。

(五)第二批参加远征军学生离校入营:地质地理学系二年级学生军励(山东烟台人)、齐矗华(河北昌黎人)、赵铭渠(河南遂平人),物理学系一年级学生薛濮鼎等现已报名从军,近来有鉴于我军在黔桂滇境展开攻势,争取胜利,刻不容缓,乃于1944年12月20日自动赴南郑参加远征军入营受训,行前各该系全体师生及好友齐赴车站欢送,情绪至为热烈。

(《国立西北大学校刊》1945年复刊第7期)

全国知识青年志愿从军指导委员会电令

(一)西北大学知识青年志愿从军征集委员会,该会征额50人,由该会负责率领自1946年子月东日起开始到汉中集合入伍,并报会备查,为全国知识青年志愿从军指导委员会秘一集亥删。

（二）西北大学知识青年志愿从军征集委员会,该会所征从军青年定于1946年元月10日在西安集中飞往昆明编训,所需服装、棉衣裤、军帽、绑腿、棉大衣、棉背心、衬衣裤、棉被、鞋袜、腰皮带、白被罩、杂囊、炒米袋、面巾、浴巾、包袱皮、雨笠、背囊、针线包、白被罩、包裹均在西安分发各自随身穿带。特电查照全国知识青年志愿从军指导委员会亥宥秘一。

（《国立西北大学校刊》1945年复刊第8期）

本校知识青年志愿从军征集委员会布告

查本会奉令征集知识青年志愿从军所有志愿报名诸生,经于1945年1月3日举行体格检查完竣,由会商同检验主任医师按照配额,选取合格者50名、预备者10名,除列册呈电报告外,会将检验合格名单公布于后。

中华民国三十四年

（《国立西北大学校刊》1945年复刊第8期）

欢送纪事

本校知识青年志愿从军运动,自奉令发动以来,如火如荼,积极展开,详情已载本刊第5期。1月2日奉全国知识青年志愿从军指导委员会亥电,规定征额50名,3日即举行体格检查,按照配额,选取合格者50名,5日教职员及同学分别欢送,并举行游艺晚会,以示惜别。6日上午乘车开驶南郑,转赴西安集中,飞昆受训,全校师生及城固各界均送行车站,情况热烈,得未曾有。兹将经过各情,分志于后：

【征人题名】

3日下午举行体格检查,由校聘请医师孙文政、贾艾青、李贯三诸先生主持一切,报名从军同学踊跃受检,当晚由校长邀同孙医师及杜、蓝、徐诸先生会议,根据体格检查之记载,按照上级规定之配额,选取合格者50名（另先修班学生4名）,兹录其姓名及其他各项统计如下：

(一)题名

李穆三　段新民　张　犎　陆伯铮
郭光前　蒋震方　方正御　唐尧夫
张汝霖　安九鼎　吴士英　陶亭樾
刘绵第　高启伟　吕新吾　张恩庆
唐若愚　袁　衡　王沛然　傅　维
李逸君　李海涛　郭　锋　陈乐哉
马焕响　程东孚　魏　劼　高　骏
田际明　张存棋　柳毓钟　孙继儒
顾　绳　杨昭忠　武启昌　薛之时
杨保国　田树柽　尤冠雄　何培松
秦冠绍　常伦厚　黄仲祥　蓝永谦
史美荣　张学儒　武德宁　陈久阳
王怀成　任和春

(二)各项统计

1. 院系分配

文学院:中国文学系2,外国语文系4,历史学系1,共7人。

理学院:物理学系5,化学系5,生物学系3,地质地理学系4,共17人。

法商学院:法律学系8,政治学系7,经济学系9,商学系2,共26人,三院合计50人。

2. 年级分配

一年级8人,二年级20人,三年级11人,四年级11人,合计50人。

3. 籍贯分配

河南12,河北8,陕西6,山西6,山东5,江苏5,湖北2,浙江2,辽宁1,察哈尔1,广东1,安徽1,合计50人。

4. 年龄分配

19岁1人,20岁4人,21岁5人,22岁11人,23岁7人,24岁12人,25岁3人,26岁3人,28岁3人,31岁1人,合计50人。

【欢送大会】

5日上午9时,在校本部大礼堂举行本校知识青年志愿从军欢送大会。教职员、学生全体出席,由刘校长主席,报告从军运动推行经过及欢送意义,并勖从军学生发扬武德,捍卫国家,剀切恳挚,听者动容。嗣由教职员代表萧院长一山朗诵杜甫、曾国藩咏赞从军诗歌,及国文系高主任晋生所作《送从戎诸子》七律一首以赠。再次,由陆秀芳代表在校同学致词,并祝从军同学前途无量,身心健康。最后由黄仲祥代表从军同学致答词,誓以不成功即成仁之决心,歼灭敌寇,光复失土,歼灭敌寇,气撼山河,会场情绪紧张热烈,达于极点。

【茶会惜别】

5日上午10时40分,全校教职员在17教室举行欢送从军同学茶会。届时宾主齐聚,济济一堂,刘校长因临时有要公待理,先行辞退,由蓝训导长文征代表主席,阐述知识青年从军对国家民族之关系,及历代知识青年在军事方面之成就,旁征博引,发挥尽致。次由教职员代表王治煮先生致辞,对从军同学备加期许,再次由从军学生代表张铧答词,希望全校师长不遗在远,多加训示,俾有遵循。最后进用果点,自由谈话,亲切欢洽,有如家人。

【聚餐饯行】

5日上午12:30,学校在校本部大礼堂招待从军同学午餐。刘校长、杜教务长、蓝训导长、徐总务长及各院院长、各系主任均参加,计分6桌,每桌菜凡6色,于欢宴中尚能符合简单节约之旨,席间师生絮叙,情至真切,至下午1:30始散。

【社团欢送】

4日下午,本校同学得悉从军同学定于6日清晨首途后,即分别欢送有关好友,或举行茶会,或杯酒惜别。5日下午,情况尤为热烈,酬酢相后,几无暇晷,兹探得各班级、各社团欢送情形,表列于后。

系 级	社团名称	宴会或茶会时间	欢送方式
1. 中文系四年级		4日下午6时	聚餐
2. 政治系二年级		4日下午2时	茶会
3. 外文系一年级		5日下午1:30	茶会
4. 外文系二年级		5日下午1时	茶会
5. 化学系一年级		5日下午6时	茶会
6. 经济系		5日下午1:30	茶会
7. 地质地理系		5日下午2时	茶会
8. 政治系四年级		5日下午2时	茶会
9. 生物系		5日下午2时	茶会
10. 历史系三年级		5日下午2时	茶会

11. 物理系	5日下午5时	茶会
12. 法律系	5日下午6时	茶会
13. 商学系	5日下午1:30	茶会
14. 科学月报社	5日下午2时	茶会
15. 西大国立四中校友会	6日早上7时	聚餐
16. 西大文治中学校友会	5日下午5时	茶会
17. 西大江苏同乡会	5日下午2时	茶会

【游艺晚会】

5日下午6时，区党部、分团部联合各系系会举办欢送从军同学游艺大会，由区党部书记杜教务长元载主席致词，嗣分团部伍延璋同学、各系系会代表徐淑藻同学相继致词，最后由陶亭樾同学代表从军同学答谢，仪式完毕。旋即开始游艺，节目有吴传璋同学之女高音独唱，王舜诚同学之口琴独奏，孟君璞同学之踢踏舞，王鸣遥、张镜源二同学之口琴合奏，歌咏队全体同学之合唱：《赴战场》《新中国进行曲》《伏尔加河》等名曲，及国剧社演出之《贩马记》等，登台同学皆技术娴熟，表演精彩，直至11时始尽欢而散。

【各方贶赠】

从军同学名单发表后，各方均以长征在即，纷纷贶赠礼品，以壮行色。计本校区党部、分团部各赠"民族精神""为民先锋"锦囊1面，分团并赠每人纪念手帕1条。城固各界赠每人线袜2双，汉中孙专员、师管区曹司令赠每人毛巾1条，牙刷1只，牙粉1包。陕西同乡会赠每人刺绣丝手帕1方，河北同乡会赠每人胜利囊1双。其他私人馈赠，为数更多，兹不具录。学校则每人发给补助费5000元，伙食费1500元，医药草鞋费1000元，旅费1000元，1至4月份贷金6000余元，此外令赠线袜2双云。

【热烈送行】

万人行列

6日上午8:30，本校全体师生1300余人齐聚校本部门前大操坪，欢送从军同学。各机关首长、王县长仙洲、龙校长博珊等及地方绅士亦适时赶到，此外西北师范附中、自强中学、五三中学、城固中学托儿所等校师生，城固警察局警士则巡车站欢送。9时送行大队由校出发，首为校旗乐队及从军同学，次为地方首长绅耆由刘校长率部前进，再次为本校教职员，其后为女生，为文理学院男生，最后为法商学院男生及自动送行之民众，参加人数逾万，皆以整齐之行列于军乐声中缓步前进。

途中行色

从军学生出发时胸佩红花，上书"壮志凌云"四字，精神旺盛，顾盼生姿，杀敌报国之决心，洋溢眉宇。大队由其领道经中山街、中正街、大西街、大西关向车站进发，沿途各商店住户均系挂国旗，燃放鞭炮，送行行列则时以悲壮音调高唱《义勇军进行曲》，并高呼"青年军万岁""踏平富士山""打倒日本军阀"等口号，声震云霄，气凌斗牛，民众孩童亦夹道欢呼，万人空巷，街道为之拥塞。

车站情景

10时到达车站，与先行到达之学校团体沿公路分列两旁。城乡民众观者如堵，莫不以钦羡之眼光向从军同学致其敬仰之意。10时10分，本校教职员与从军同学摄影留念，旋即自由谈话，每一从军同学，均为四周数十师生攀谈之对象。时东北籍从军同学魏劼等亦穿经人群向东北籍教职员辞别，并请训示，当由曹院长国卿致词，勉以务抱必死决心，尽驱倭寇，收复东北；词句沉痛，情绪激昂，闻者莫不热泪盈眶，益坚壮志。

壮哉此行

10时10分，汽车2辆由南郑先后开进车站，从军同学分为两队，由贺主任教官及王教官领队依次登车，蓝训导长文徵、郭主任君实亦随车赴汉照料一切。从军同学上车时校长一一与之握别送行，群众亦热烈鼓掌高声欢呼，被送者则挥帽招手以示答谢。10点30分部署完毕，汽车徐徐开驶，一时军乐悠扬，鞭炮欢呼，交乐齐作，震耳欲聋，旁观民众多为之涕泪纵横，羡赞不已。某白发斑斑之老教授亦谓有生以来从未见此伟大热烈场面，其伟壮盛况，从可想见矣。

（《国立西北大学校刊》1945年复刊第8期）

女同学桂诗晶、李秀华志愿从军

本校奉令征集之志愿从军女青年，后于上月17日上午在校医室举行体格检查，结果外文系三年级桂诗晶、李秀华二同学应选。按桂诗晶系安徽潜山人，李秀华系河北河间人，平日攻读，倍极努力，尤长写作，此次毅然从军，精神至是钦挹。本校征委会及师生分别举行欢送会，亦极热烈，桂、李二同学已于上月28日离校赴西安集中，听候编训云。

（《国立西北大学校刊》1945年复刊第11期）

布告检验从军合格名单并定期编队由

查本会奉令征集知识青年志愿从军所如志愿报名诸生，经于本年 1 月 3 日举行体格检查完竣，会商同检验主任医师按照配额选取合格者 50 名、预备者 10 名，除列册呈电报告外合行公布。

配额 50 人：

李穆三国四，段新民国四，王明光国一，张铧外二，陆伯铮外三，郭光前史三，蒋震方物二，方正御物二，唐尧夫物一，张汝霖化二，安九鼎化二，吴士英化二，陶亨樾化四，刘绵第生四，徐铂林法二，高启伟地四，刘文魁地二，吕新吾地二，张恩庆法四，唐若愚法四，袁衡法三，蒋作权法三，王沛然法三，傅维法二，李逸君法二，李海涛法一，郭锋生二，陈乐哉政四，马焕乡政三，程东孚政□，高永发政三，魏劼政三，高骏政二，田际明政二，张存祺政一，胡若谷□□，方元鸿经一，薛毓钟经四，孙继儒经四，梁致宏经三，顾绳经二，杨昭忠经□，武启昌经一，薛之时经一，杨保国经三，张凤丹经三，田树权商二，王建寅□□，尤冠雄商二，陈毅商二

预备 10 人：

何培松外一，宫锡化四，曲炳瑞化四，秦冠绍化四，戈治昌化三，常伦厚□□，黄仲祥经一，陈久阳经□，蓝永谦地二，史美荣法三

中华民国三十四年一月四日

附件 1：全国知识青年志愿从军指导委员会电

电知从军青年于一月十日以前集中西安起飞昆明集训由。

中华民国三十四年一月三日

附件 2：陕西省知识青年志愿从军征委（人第 887 号代电）

为各县市自筹从军青年优先慰劳费用每人不得超过 30 000 元并不得在公款项下开支以资限制由。

中华民国三十四年一月四日

（国立西北大学档案，陕西省档案馆）

本校从军同学在印滇受训情形良好

本校从军学生到滇后，旋即奉令飞印度受训，编入汽车兵团，顷接杨保国及全

体从军同学由印致刘校长暨各位师长同学函称:"本校同学飞印者共48人,均已平顺抵达,身体健康,生活紧张,与战友相处,极为洽云。"又齐蠹华、赵明渠等同学前随城固青年军飞滇后,在战炮连受训,顷亦联名呈函刘校长,报告营中生活相当满意等语。

(《国立西北大学校刊》1945年复刊第11期)

刘校长访问南郑一带青年远征军

刘校长于3月底偕同西北师范学院李院长云亭赴南郑一带访问青年远征军,过历沔县、褒城、南郑各地,前后费时多日,每至一地除视察青年军日常生活外,并与各士兵个别谈话,访问疾苦,一般而论,生活良好,精神振奋,学术各科进步极速,短期内当可蔚为劲旅。刘、李二氏访问后,均感满意。关于青年远征军之待遇、管理、训练诸端,本校师生向极关怀,前于1月5日欢送本校从军学生时,曾推定萧一山、曹国卿、殷祖英、高亨、包志立、王耀东、王治焘等7先生筹计,拟组织从军学生护国委员会一类机构,并联合各校,协助政府,力求改变,共谋策进。旋青年远征军指导委员会在渝开会,刘校长飞渝出席,当报告本校师生关怀从军青年之意向,指导委员会以该会职责所在,对从军青年一切,宜应建议政府尽量改善,不必在各校另设机构转致联系困难。会后曾推定各大学校长分赴各地访问青年军,并将访问情形报告中央,以为改进依据。

(《国立西北大学校刊》1945年复刊第12期)

杜教务长在第十军干训班讲演

本校教务长杜元载氏,前应驻军第十军干训班校官队之邀,于4月20日下午2时30分前往该军讲解国际政治问题,杜教务长对当前国际局势旁征博引,分析甚详。闻赵军长锡田、副军长庆祥以下及校官以上之受训人员,均出席听讲云。

(《国立西北大学校刊》1945年复刊第12期)

青年军退役分发本校学生

青年军除任务特殊应延至任务完成交通恢复后再行复员者外,其余已统于

1946年5月底经考试后结业。其在入伍前已高中毕业或在高三下期肄业现时志愿升学者,由教部按知识青年志愿从军优待办法分发各大学,于1946年度第一学期免试入学。计此等退役分发本校学生共200余名,截至上月底止,来校报到者已近半数。

(《国立西北大学校刊》1946年复刊第23期)

本校举行慰劳驻昆从军同学募捐游艺大会

本校同学张铧等数十人去春响应知识青年从军,远征印缅,备历艰险,秋后随队回驻昆明滇池。生活特高,军中待遇较薄,天寒岁暮,倍增怀念本校师生。或谊属师弟,或叨在同窗,感战士之忠贞,念职责之未尽,爰于1945年12月22日发起举行本校师生暨青年团分团部慰劳募捐游艺大会。经多日之筹备,于上月20、30、31公演国剧三日,由本校国剧社负责演出,三日剧目如下:

第一日:《黄金台》《拾玉镯》《女起解》《乌盆记》《群英会》(全本)。

第二日:《托兆》《打龙袍》《空城计》《宝莲灯》《棒打薄情郎》(全本)。

第三日:《落马湖》《珠帘寨》《盗御马》《瞎子逛灯》《穆柯寨》(全本)。

事前师生纷纷认购剧券,每晚均告客满;复承党政军教绅商各界人士热诚赞襄,慷慨购券。本校区党部更解囊相助,经整理委员会决定,一次捐助法币28 585元。故募捐成绩,极为佳良。该会经费开支,概从撙节:(一)灯油文具及杂支费用由学校开支;(二)宣传及制票纸张费用由分团部开支;(三)化妆及招待费由会中开支。经该会于结束会议中稽核账目,共获365 100元,除开支外实汇出300 000元;聊表寸心,借慰征人云。

(《国立西北大学校刊》1946年复刊第20期)

国立西北农学院关于员生从军报名人数事给陕西省知识青年志愿从军征集委员会的代电[①]

(征字第0507号)

为电本院学生从军截止马日(21日,电报用词),计报名者23人,请饬事由。

---

① 送达机关:陕西省知识青年志愿从军征集委员会。

快邮代电

西安陕西省知识青年从军征集委员会鉴：

本院学生从军截至马日计，报名者助教郭守桂，职员赵中流、袁石民，学生邢吉喆、殷宗元、胡锦附，及高职学生赵仲武、薛立志、陈培清、陈懋、韦克敏、刘泽潭、贾永莹、何文幹，初中部学生梁给泳、蒲振全、袁金贵、董耀楣、张兴创、陈峰岳、白英科、杜绪煜、梁俊芳等共23人，特电请饬事。

国立西北农学院院长　邬OO梗印。

中华民国卅三年十一月廿四日

（民国档案，陕西省档案馆）

国立西北农学院知识青年志愿从军征集委员会移交清册

（一）志愿从军征集委员会备记1颗；

（二）志愿从军征集委员会长戳1颗；

（三）征集委员会编组股便戳1颗；

（四）征集委员会宣传股便戳1颗；

（五）征集委员会总务股便戳1颗；

（六）全国从军指导委员会来问卷2宗，内计电16件，代电13件，委任两人1件，中央干事会电1件，共31件；

（七）教育部来文卷4宗，内计训令15件，指令4件，电报4件，代电11件，共34件；

（八）陕西省知识青年志愿从军征集委员会来文卷宗，内计代电52件，电报6件，市征兵电1件，省党部电、代电各1件，共61件；

（九）有关经费来文卷1宗，内计教部训令1件、电1件，指委会电5件、代电2件，接待新电1件，共10件；

（十）有关从军公函来文卷1宗，内计特函、通知书各1件，公函6件，征委会方法1份，征委会记录1份，共10件；

（十一）全国知识青年志愿从军征集委员会来文卷2宗，内计代电9件，电16件，委应电1件，中央干事会代电1件，共27件；

（十二）教育部去文卷1宗，内计呈文4件，代电5件，电报3件，共12件；

（十三）陕西省知识青年志愿从军征集委员会去文卷1宗，内计省征会代电

10件,授权代电3件,征会代4件,共17件;

（十四）有关从军公函去文卷1宗,共计25件;

（十五）征委会报告底卷1宗,共计15件;

（十六）传单调查表卷1宗,共计112件;

（十七）青年从军名册卷1宗,内计名册5份,女生名单简历表1份;

（十八）募集从军慰劳措册卷1宗,内计措册2本,慰劳会单据及存根1件,共3本;

（十九）学业证明书卷1宗,内计45件;

（二十）从军女青年服务登记表1宗,内计12件;

（二十一）从军体格检查表卷2宗,内计157件;

（二十二）本院征集会经费收支清册1件;

（二十三）知识青年从军纪念章4枚;

（二十四）知识青年从军纪念章42枚。

接收人:代理国立西北农学院院务:邬钟琳(签印)

负责者:吴春科(签印)

监盘人:西北工学院:潘承孝(签印)

卸任院长:邹树文(签印)

负责移交者:吴春科(签印)

中华民国三十四年七月三十一日

附件：

（一）收项

1.1945年（男） 收征集费:262 500.00元。

2.1945年（女） 收征集费:630 000.00元。

上计:892 500.00元。

（二）付项

1. 开支:538 849.30元。

2. 借支（旅费、办公费等）,共计:71 600.00元。

（三）终计

收支相冲后余282 050.70元。

中华民国三十四年七月三十一日

（民国档案,陕西省档案馆）

四、国立西北大学从军学生来鸿

王鸿业同学上青年从军征集委员会函

母校知识青年从军征集委员会诸先生钧鉴:生于11月16日离校,23日抵渝,12月2日报到编队,3日开学。近数日来,生活感觉非常紧张而有意义,报载吾校从军同学甚为踊跃,惟生恐尚有少数同学不明此次从军运动之真义,故寄去复兴报2份(编者按:该报现存本校图书馆)及函一件,请布告各位同学,俾得彻底明了从军之真义与将来生活之实情。专肃敬请

公安

生　王鸿业敬上
中华民国三十四年十二月八日

(《国立西北大学校刊》1945年复刊第7期)

王鸿业同学致全校师友函

亲爱的母校各位师友们:

11月16号的那天,我和熊朝阳同学别了母校的各位,踏上了赴"青年远征军政工人员训练班"的光明大道,沿途各地的知识青年从军运动,正在狂热的震荡着,澎湃着。到了重庆以后,又聆受中枢各首长恳切训示,更坚定了我们对这次从军运动的信念。12月2日报到编队,3日行开学典礼,领袖亲临主席,对这次从军运动有明确的指示。4日开始训练,期限预计为8周(本年12月3日至明年1月31日)。第一、二周为各院长、部长及中枢各首长训话,第三、四周为新式武器之训练,第五、六周分发至重庆附近各部队中实习,第七、八周为关于"政工"教育之讲授,期满即分发"青年远征军(即这次十万知识青年军的别称)中服"。这次参加受训的共800多位同学,都是从各地党、团、军、政机关选拔保送来的,其中有70余位女同学。我们的生活非常紧张而又生气,各人穿着整齐一律的灰色服装(上体灰色棉袄,下身夹裤,另有军帽、皮带、裹腿),床铺上铺着一色的灰棉被,一两天之内发给棉大衣和雨衣、毛毯、鞋、褥等物品。伙食比母校的各食堂要好得多,清

晨馒头稀饭,午晚两餐米饭,每餐有四样菜,质美量多甚为满意。每星期三、六,有两天的"打牙祭"(四川话叫吃好的为"打牙祭")。这样的待遇据青年远征军编队总监罗卓英将军与康泽先生的保证,将来十万青年远征军的待遇亦与此相同。关于这次青年远征军征集的目的,罗卓英于5日对我们的训话中讲的非常明白,他说:"青年远征军成立之主要目的有三:(一)配合盟军,加紧反攻,争取胜利;(二)借此机会改良国军装备,提高士兵素质;(三)树立良好兵役制度,以为建军基础。"其次,我们所感觉到最愉快,就是蒋经国先生能以身作则来领导我们,在清早极冷的时候,他能脱去衣服,赤着上身来领着我们跑步,爬在复□关下的"好汉坡",有他这样刻苦硬干的精神,可预我们受训的成功,余再函陈。 敬祝

健康

经四 王鸿业敬上
(《国立西北大学校刊》1945年复刊第7期)

从军学生告别师长同学书

各位师长各位同学:

我们怀着满腔的离愁别绪,眼看着就要离开我们真挚热爱的师长与同窗共砚如兄如弟如姊如妹的同学,真是说不尽的惜别万端,说不尽的人生惆怅,自然界是寒暑推迁,人世间也是聚散靡常。虽然此一去乘风破浪,任凭它海阔天空,但人类是感情的动物:谁能不觉得情意绵绵,谁也免不了依依不舍。

在完成复兴大业的前夕,敌人还作最后挣扎,我们愿意拿我们的血肉筑成一座长城,来保卫我们的父老兄弟姊妹。愿我们暂时留在校中的师长同学,好好打下建国的基础,教育中华民族的子孙,使他们成为更刚强更有为的一代,奠定我们中华民族万世不拔的基业。各位师长各位同学,你们的责任更百倍的重要,因为"一时的英雄好做,长久的苦痛难熬"。

在这转瞬间就要别离的时候,我们一时也不想起有什么别的话要说,我们愿意在天涯海角外,给你们送来胜利的消息,那时候你们将知道我们是成功了,或者是成仁了。好,我们行了,我们去了,将来凯旋声中,我们再会。

西北大学全体出征同学谨启
(《国立西北大学校刊》1945年复刊第8期)

程东孚等上校长暨诸师长书

校长暨诸位师长钧鉴：生等自 2 月 18 日离西安,当日下午抵蜀梁山,翌晨程飞抵沾益,当晚至曲靖入营。顷奉令赴印受训,同学等 52 人,除李穆三、陈乐哉二君先行离去,武启昌君因病去昆休养,秦冠绍君因眼病留国外,余皆应选,今日(8日)已奉令开到沾益候机,匆匆敬达。

(《国立西北大学校刊》1945 年复刊第 10 期)

齐矗华致全校师长同学书

诸位师长,诸位同学：

离别学校已经 3 个月了,在这短短的 3 个月中,我们虽是行踪不定,而内心却无时不在怀念着离别时你们对我们的指示与热情,即使生活极为困难,我们也只有撑持忍耐,不馁不拔！

可是我们觉得这三个月的生活,并没有感到痛苦,只是觉得紧张,紧张得没有一点空儿,在爱惜光阴、珍惜时间的条件下,总算尽最大的努力了。

自本日起至 15 号止,除去接收由美运来的新式装备,我们二〇七师全部都集中到曲靖来,看样儿马上就可学习新式武器,大概经过 4 个月的整日对外战斗教练,就可参加歼灭日寇的工作了。来此虽说不久,思想却大加改变,不像在学校一样读读书,打打球,就算完事,现在我们每一个同学都希望早日装备起来走上战场。且从今日,我们即由在印载誉归来的廖耀湘军长指挥了,同时青年远征军的名义取消而变为新六军的一个师,其装备之精良与我驻印部队完全相同,大概一个战炮连就有吉普车 30 辆,其他不用说完全机械化了。

我们每天的生活情形,是 5 时 30 分起床,起床后早操,操后进早点,也是稀饭,不过比我们学校的量多些。上午有 2 小时的术科,2 小时的课堂。中餐完全是上好的白米,但从前所吃的米,听说是很粗糙的。晚餐还是米饭,大约每人每日所吃的东西,是米 27 两,大肉 1 两半,青菜 1 斤,其他还有油菜花生豆等物,并且每月总可加几回菜的。住的长和学校一样的床,每人发毛毡、白被、面盆、口盂、碗及羊皮背包各一件。但归新六军接收后,一切衣物用具,又要全换了。娱乐方面,每周都有美国新闻处放映美军登陆太平洋各岛的实际影片,观之不禁赞叹。田汉先生的四□剧社已来师部,每周总要公演两次,也顿令人兴奋。下午的空余时间,大家都在球场中活动,美国的朋友们更是运动迷,一到下午都在球场中跳跃起来了。我们已和他们比赛过篮、排、垒各种球类,虽球技不如人,身体高健有异,然而精神融融却无一点歧视的样子,是值得称许的。余容到曲靖后再为报告吧。教祝健康。

齐矗华敬礼　中华民国三十四年四月四日

(《国立西北大学校刊》1945年复刊第12期第8页)

张铧上刘校长书

校长钧鉴:

离开母校已经4个多月了,可是我们路上征途和师长同学告别的那一刹那的情景,我是永远不会忘记的! 当时我们是50个即将离开慈母的孩子,都含着惜别的眼泪,别了师长同学,别了我受教3年的母校;那时的心情,是痛苦,还是兴奋,我自己一些也不知道。

在我们去西安的路上,冒着风雪,爬过那积雪皑皑的秦岭,但是我们并不感到苦痛,我遍身血液的循环,和风雪一样的急,不但不会得冷,反而遍身暖热。我们沿途唱着喊着,声震云霄,真够热烈兴奋。最动人的,是我们在宝鸡等车的时候,中州小学一群天真纯洁的小朋友也来送行,其中一位小同学突然紧握着我的手,眼眶上挂着晶莹的泪珠,以呜咽的颤抖的声音对我说:"张先生,在战场上为国珍重! 我们一齐做你们的后盾!"我听了感到异样的温暖,受着莫大的激励,能以那样幼小的年纪,说出这样热情洋溢力量充沛的语句,怎么叫人不深受感动,而益坚"中国不会亡"的信念呢!

在西安勾留了十几天,后来乘机飞云南曲靖,编入二〇七师六一九团的迫击炮连受训。最初因为刚离开大学生的生活,来参加一个生活严肃行动纪律的团体,不免感到几分不快。后来渐渐习惯了,尤其官兵相处极为融洽,更增加了不少的快乐。在曲靖受了两周的初步训练,我们又奉令前往印度受某种训练。记得那是一个夜晚,我们自沾益起飞,半夜越过喜马拉雅山的顶峰,到达印度的某地,后来又转到今天正在受训的某地。

我们西大46个同学,都很好,身体健壮,精神愉快,我们常常聚在一起。每当工作之余,好似有一条无影无形的锁链拉着我们一样,不约而同的跑到一起,谈谈母校的情形,猜想母校的近况,我们时时刻刻想念着母校的一切,渴望着直接或间接能得到一点母校的消息。

我们在这儿每天都得抵抗太阳的炎威,这真是一个艰苦的训练。印度的太阳没有祖国的太阳好,热得要命,印度人的春秋季节,一年到头都是夏天,真令人烦厌。何时可以重回国门,此刻还不晓得,归国后倘能回到母校,我将报告许多纸上不便为记的事情。高启伟同学因为有事请假归国,现已离开印度,我想他会很详细地把我们的生活与近况一一禀报你。

校长请你放心,为着未来的胜利,为着祖国的复兴,为着自由和真理,我们是不惜支付我们的鲜血与头颅的,我们一定尽最大的努力,来报效国家,发扬母校的精神,绝不辜负师长同学对我们的期望。余不多禀。敬请

钧安　并视

全校师长同学安好

学生　张铧　中华民国三十四年四月十七日

(《国立西北大学校刊》1945 年复刊第 13 期)

第五节　青年从军名单

一、国立西北农学院附设高级农业职业学校三十三年度十一月份志愿从军学生名册

级别	姓名	性别	年龄	籍贯	家长姓名	住址				备注
						乡	保	甲	户	
高三四级	朱维	男	18	甘肃平凉	朱养章	白水乡				
	武忠	男	21	河南固始	武烈钧	石佛乡				
	张光昶	男	17	陕西三原	张文生					
	秦苏萍	女	19	山西万泉	秦捷三					
	金丽泉	女	19	浙江杭州	金如膏					
	王秉义	女	19	陕西高陵	王德崇					
	马文身	男	21	河南温县	马桂馨					
	王文喜	男	21	河南沁阳	王振川					

表头:国立西北农学院附设高级农业职业学校三十三年度十一月份志愿从军学生名册　中华民国三十三年十一月造

续表

级别	姓名	性别	年龄	籍贯	家长姓名	住址				备注
						乡	保	甲	户	
高三四级	王万选	男	19	河南开封	王道中					
	陈 懋	男	19	绥远萨县	陈国强					
	田生亨	男	19	绥远托县	田玉珍					
	赵世温	男	21	绥远固阳	赵陆					
	李宪章	男	19	江苏砀山	李树德					现住甘肃张掖大佛寺
	郑春台	男	21	河南济源	郑崇楷					
	俞世平	男	19	江苏江阴	俞绍纶					
	和振五	男	19	河南沁阳	和凤举					
	司道溥	男	20	河北清苑	司循孟					
	朱伯同	男	19	辽宁辽阳	朱铭轼					
	侯允昌	男	19	陕西富平	侯霭亭	信正乡	一〇保	一〇甲		
	焦天福	男	20	宁夏中卫	无	十三乡	四保			永康堡焦家营
	董明伦	男	20	宁夏金积	无	西乡				董营村
	郭环琦	男	22	山西五台	郭近汶	五台乡				河边村
	刘恕心	男	20	山东沂水	无					
	张馥芸	男	19	山西安邑	张自清					
	王国俊	男	19	河北定县	无					
	王崇蔗	男	20	河北霸县	王敬铭					
	韦克敏	男	18	陕西韩城	韦子文	龙泉乡	八保	一七甲	一户	
	方淳至	男	20	湖北广济	方台遗					
	刘世高	男	21	绥远萨县	刘克元					
	王瑞燕	女	18	辽宁金县	王恒蔚					
	赵清澍	男	19	甘肃合水	赵廷俊					
	张家瑞	男	19	河北武清	无					
	孙继忍	男	20	甘肃宁县	孙孝慈	春荣乡	五保	九甲	九户	
	冒海天	男	18	宁夏平罗	无	县城镇				平罗城内骨家巷
	朱鸿儒	男	21	宁夏中宁	朱光彩	县城镇				
	马兆祥	男	21	宁夏中宁	马成俊	四乡				

续表

级别	姓名	性别	年龄	籍贯	家长姓名	住址 乡	保	甲	户	备注
农三四级	李树勤	男	20	辽宁义县	无					
	陈壬希	男	20	湖南攸县	无	云蒸乡	十保	一五甲		
	陈伟岳	男	20	贵州平坝	无					
	何文幹	男	19	陕西泾阳	何维义	永乐镇	四保	一七甲	三户	
	李兆祥	男	17	陕西扶风	李柄华	毕公乡				尚德村李家巷七号
	闻学贤	男	20	陕西陇县	无					
	强克勋	男	20	陕西陇县	无	县功乡	十保			
	邓子宜	男	19	陕西泾阳	邓尚志	石桥乡				
	李生杰	男	21	陕西兴平	李发	安顺乡	一四保	三甲	一户	
林三四级	史建民	男	17	陕西郿县	史慎行	槐芽乡	四保			
	雷贵同	男	19	陕西朝邑	雷福同	大同乡	二保	九甲	一二户	
	陈玉俊	男	19	陕西郃阳	陈载阳	城关区	五保	十甲	六户	
园三四级	孙醒勋	女	19	江苏无锡	孙醒凡					
	贾永莹	男	18	河南陕县	贾万如	磁钟乡				
畜三四级	马英文	男	19	河南武陟	马中儒	乔庙乡				
	杨笃	男	20	陕西凤翔	杨孝英	铺钱乡	二保	九甲		
	黄嘉珥	男	19	河北大名	黄呈祥	金滩乡				现住武功车站
	岳慎思	男	19	河南温县	岳慎怀					现住长安县未央乡小柏杨村
	周永杰	男	19	陕西洋县	周朝贵	县城	八保			
农三五级	沈静芳	女	16	浙江余姚	沈学年					
	周伯舜	男	15	河南郾城	无					
	李郁烈	男	19	陕西长武	李纯碧	朱成乡	一保			
	鄂吉荣	男	20	辽宁凤城	鄂文良	高丽乡				
	骞世学	男	18	陕西鄠县	骞俊堂	伍桥乡	七保			
	王恩泽	男	19	安徽宿县	王殿元					
	蒋伯蕙	男	17	宁夏平罗	蒋伯善	邀福乡	二保			
	王双科	男	19	河南灵宝	王逢澶	虢略乡	一五保			
	刘泽潭	男	18	陕西汉阴	刘重民	涧池乡				
	陈干城	男	16	四川德阳	陈家珍					
	尉迟学温	男	17	宁夏惠农	尉迟全信					

续表

级别	姓名	性别	年龄	籍贯	家长姓名	住址				备注
						乡	保	甲	户	
林三五级	焦宪章	男	17	山西夏县	焦成章					
	朱立德	男	19	河南潢川	朱定华					
	张祖英	男	19	河南灵宝	张光聚					
园三五级	刘瑞琴	女	19	绥远托县	刘馥齐					
	陈世淑	女	16	江西南昌	陈锡鑫					
	詹掌珠	女	20	陕西渭南	无	贤孝乡				
	邓淑媛	女	19	陕西渭南	无	定通乡				
	薛立志	男	17	陕西兴平	薛生金	祝束乡				
	赵仲武	男	18	陕西葭县	赵思尚					
	苏韶第	男	16	河南灵宝	苏宜古					
	杨新民	男	18	河南□县	杨金昇					
畜三五级	史浩生	男	18	陕西大荔	史东山					
	赵维新	男	22	陕西城固	赵西恒					
	樊骥	男	22	绥远清河	樊国珩					
	马远	男	19	青海湟源	无	申中乡				
农三六甲级	熊农山	男	15	湖北嘉鱼	熊伯衡					
	徐经国	男	16	陕西武功	徐子信					
	韩钟秀	男	18	山西永济	韩义贤					
	史小云	女	18	陕西乾县	史新三	薛王乡	一保			
	徐守中	男	16	河南光山	徐慕远					
	白建恩	男	16	陕西白水	白积道	龙山乡				
	王继成	男	18	河北尧山	王恒山					
	杨煜昌	男	18	陕西朝邑	杨怀璋	大同乡	七保			
	刘毓湘	女	15	河南偃师	刘汉然					
	李永德	男	17	陕西郃阳	李诚斋					
	李公清	男	17	山东临沂	李铭传	艾山乡				
	杨希治	男	16	陕西郃阳	杨秉瑶					
农三六乙级	胡凤鳌	男	19	山西解县	胡庶运					
	张自强	男	18	宁夏平罗	无					
	黄清美	女	16	湖北汉阳	黄光海					
	陈宗周	男	16	河北平乡	无					

续表

级别	姓名	性别	年龄	籍贯	家长姓名	住址 乡	住址 保	住址 甲	住址 户	备注
农三六乙级	王 铭	男	17	福建闽侯	王以汉					
	郭士熊	男	15	陕西武功	郭志汾					
林三六级	陈蒲海	男	17	陕西蒲城	陈命初	永丰镇	五保	九甲	十一户	
	王诚德	男	18	陕西盩屋	王日宣	长杨乡	六保	五甲	五户	
	樊德书	男	20	陕西澄城	樊校臣	元里乡	二保			樊家川
园三六级	杨秋兰	女	18	陕西郃阳	杨士恒					
	曹淋君	女	14	河南偃师	曹叭仁					
	翟兴仓	男	16	陕西大荔	翟发祥	商颜乡	五保			
	魏建华	男	19	陕西郿县	魏建中	横渠乡	八保			
	王 琚	女	18	陕西蒲城	王纪武					
	周玉莲	女	15	湖北钟祥	周中规					
	杨永清	女	17	湖北黄陂	杨玉山					
	邱守鑫	女	16	福建闽侯	无					
	苏全民	男	18	陕西武功	苏全民	杨凌乡	三		一四	
	李唯一	男	20	河南孟县	无					
	撒忠业	男	18	宁夏惠农	撒维新					
畜三六级	王安隆	男	20	陕西华阴	王悦尚	岳镇乡				小张村南巷
	马志祥	男	19	陕西大荔	马应南	沙苑乡	五保	四甲	六户	
	席保贤	男	17	陕西泾阳	席自福	石桥乡	二保		一三户	席家堡
	杨培丰	男	17	甘肃合水	杨天龄	华七镇				
	陈培清	男	18	陕西泾阳	陈正经					
	薛廷杰	男	21	陕西武功	薛俊杰	在城	一			
	畅守信	男	16	陕西乾县	畅 段					
	杨忠杰	男	19	陕西武功	杨全生					
	以上总计121名									
	撒世斌	男	19	安徽和县	撒克池					
	张雲德	男	18	河南陕州	张永甫					
	符英琦	男	19	陕西武功	符仲屏					
	王 震	男	20	绥远萨县	无					

（民国档案，陕西省档案馆）

二、青年军第三大学补习班官佐简历册①

青年军第三大学补习班官佐简历册

级职	姓名	性别	年龄	籍贯	学历	经历	备注
班主任	萧 劲	男	40	湖南邵阳	军统六期毕业	青年军二零六师师长	
副主任	薛纯德	男	43	河南洛阳	国立河南大学毕业	河南省党部委员政治教官,二零六师政治部主任	
副主任	郁士元	男	46	江苏盐城	国立北京大学毕业,日本东京帝大研究	北平各大学	
教务组							
兼组长	郁士元						
组员	樊楚樵	男	46	湖北施南	文华高中毕业	西北大学注册组组员	
	郎益霖	男	25	江苏宿迁	西北大学政治系四年级肄业	曾任中学教员	
	范润泽	男	35	河北行唐	北平中国大学国学系肄业二年	西北大学文书组组员	
	赵传礼	男	28	河北徐水	中央党校十四期毕业,国立西北大学四年级肄业	国立西北大学指导主任	
书记	张耀西	男	29	陕西城固	城固中学毕业	西北大学注册组书记	
	王富润	男	23	河北完县	国立西北工学院机械学系肄业		
	王鼎昌	男	26	陕西城固	西北大学教育系二年级肄业	城固博望中学专任教员兼级任	

---

① 《青年军第三大学补习班同学录》1946年8月制作于城固。其学员均为大学生,故称"大学补习班",青年军206师师长萧劲题有"敬业乐群";潘宝泰题"学问为济世之本";补习班副主任郁士元题"读书不忘救国,救国不忘读书"。

续表

级职	姓名	性别	年龄	籍贯	学历	经历	备注
训导组							
组长	温世五	男	39	河北良乡	北平燕京大学毕业	国立二十一中学训导主任	
秘书兼干事	汪恩骥	男	32	江苏东台	国立暨南大学毕业	历任各国有私立中学教员	
干事	何东白	男	31	江苏东台	中央军校政治研究班第七期毕业	空军士校特党部干事等，干事军需学校政治部指导员	
	刘庆章	男	35	江苏	国府军委会土木工程学校二期	第一军连长副营长等职	
	卢增金	男	30	河北乐亭	西北师范学院毕业	曾任文治联师教员	
书记	张存	男	23	江苏东台	国立西北大学毕业		
	张明生	男	43	陕西城固	城固中学毕业		
	郑绮纯	男	33	江苏	国立西北大学肄业		
总务组							
组长	马魁陞	男	37	辽宁辽中	军校九期步科毕业	教官政训室主任、参谋、副主任	
副组长	苏赞才	男	40	山东	东北讲武堂八期步科毕业	队长教官	
组员	叶楚锋	男	28	浙江青田	军二分校事务人员训练班	特务长军需	
	魏存祥	男	35	河南济源	军校十六期	排连长、参谋	
	原炳耀	男	无	无	无	无	
	刘松山	男	30	湖北新化	县立中学	军械员、副官、科员	
	萧长寿	男	26	陕西西乡	汉中联立中学	排长、特务长	
书记	于乐生	男	24	河北沧县	开封高中毕业	陆军三十四师上尉、参谋	
	李明森	男	31	陕西南郑	汉中师范毕业	司书、特务员、军需	
	史杰儒	男	40	河北宁河	县中毕业	队员、科员、军需	
	关振中	男	28	吉林	县立简师毕业	司书、军需、书记	
会计主任	吴治	男	30	湖南常宁	军需学校	军需、科员、库长	
会计员	金善文	男	24	安徽蚌埠	军需学校	军需、科员	

续表

级职	姓名	性别	年龄	籍贯	学历	经历	备注
	萧俊	男	36	湖南常宁	宜江中学毕业	军需、科员	
	张灯	男	24	陕西长武	战干团经理科毕业	军需	
会计	刘冲霄	男	40	河北青苑	军政部械调班八期毕业	曾任科长、军械主任等职	
	冯秋生	男	22	湖南浏阳	无	无	
医务所军医	任志纲	男	33	山东德县	陆军军医学校六期毕业	陆军医院及师卫生队	
	杜诗聚	男	21	陕西长安	陆军卫生勤务训练所五期毕业	无	
大部队							
大队长	蔡湘澄	男	39	湖南长沙	中央军校六期工科中训团党政班一六期	排长、营长、队长、大队长等、队长主任教官	
事务员	史有才	男	24	河南沁阳	中央军校一八期步科军委会干训团	排长连副	
书记	荣耀先	男	34	安徽定远	蚌埠江淮中学军一分校事务人员训练班毕业	科员、书记、副官、库员	
少校督导员	尤存玉	男	28	青海西宁	边积学校教育专修科军委会干一团	排练队长、科长、督导员等职	
第一中队							
中队长	王秉周	男	34	辽宁洮安	中央军校九期步科战研班四期军委会干训团	排练营长、教官、队长	
中尉区队长	王毓珊	男	28	浙江武义	军校十七期步科	排长、排附助教	
少尉区队长	王自治	男	24	河南襄城	军校十八期步科	排长	
	范贯一	男	26	河南上蔡	军校十八期步科	排长	
事务员	冯清山	男	35	山东惠县	洛阳分校军士教导总队	无	
书记	李克	男	29	河北丰润	觉民高中	司书特务长、副官、书记	

续表

级职	姓名	性别	年龄	籍贯	学历	经历	备注
第二中队							
中队长	郁珍	男	31	河北玉田	军校十期步科	排连营队长	
中尉区队长	吴经熙	男	22	湖北建始	军校十八期步科	排长	
少尉区队长	任曾威	男	23	河南	军校十七期步科	排长	
	李林栋	男	23	河南林县	军校十八期步科	排长	
事务员	胡连昇	男	25	陕西南郑	西北制造厂	排副军械员、队长	
书记	王殿元	男	25	陕西南郑	省立南中高中	股员书记	
第三中队							
中队长	张南浦	男	33	湖南澧县	军校十二期步科	排连营队长、参谋长、代副团长、教官队长	
少尉区队长	刘三峯	男	28	河南滑县	军校十八期步科	排长	
	李盛德	男	27	安徽凤台	军校十八期步科	排长	
	胡坿球	男	23	安徽六安	军校十九期步科	排长	
事务员	蔡宗显	男	24	陕西南郑	联立中学	书记、干事、组员	
书记	毛鹏程	男	25	陕西南郑	联立中学	司书、事务员	
第四中队							
中队长	陈秉衡	男	30	广西蒙山	军校十三期工科、陆大参谋班七期	排练长、副营长、团副教官	
少尉区队长	吴根源	男	25	浙江兰溪	军校十八期步科	曾任参谋排长	
	顾足恒	男	29	浙江杭州	军校十八期步科、干训三队	曾任排长连副	
	王陞级	男	24	河南镇平	军校十八期步科、干训团四大队	曾任排长	
事务员	冯建民	男	32	山东平原	山东省立师范毕业	曾任管理员	
书记	黄朴	男	30	湖南道县	特联分校十八期毕业	曾任书记、副官、管理员	

本班教员简历表

职别	姓名	性别	年龄	籍贯	简历	备注
特约化学讲座	张贻侗	男	57	安徽全椒	西北大学化学讲座兼化学系主任	
特约数学讲座	赵进义	男	44	河北束鹿	西北大学理学院院长	
国文科教授	张西堂	男	45	湖北汉川	西北大学中国文学系教授	
	郑绘天	男	42	江苏萧县	西北工学院副教授	
	卢伯玮	男	52	陕西城固	西北大学中国文学系教授	
	卢宗濩	男	45	河北涿县	西北大学中国文学系副教授	
	朱人瑞	男	38	江西浮梁	西北大学中国文学系教授	
英文科教授	金干庭	男	50	河南开封	西北大学外国语文系教授	
	郝圣符	男	46	山东济南	西北大学英文教授、西北工学院英文教授兼分院主任	
	孙宗钰	男	50	山东济南	西北大学商学系主任	
	杨宗培	男	44	热河建平	西北大学商学系教授	
	刘汝强	男	49	北平市	西北大学生物学主任	
数学科教授	赵祯	男	36	河北武清	西北大学数学系副教授	
	郑恩德	男	35	辽宁	西北工学院副教授	
历史科教授	杨涤新	男	38	北平市	西北大学边政系副教授	
	孙道昇	男	40	河南	西北大学教育系教授	隋觉、张兴仁代
	贾晰光	男	39	河北束鹿	西北大学共同科目副教授	
地理科教授	李式金	男	41	广东东莞	西北大学地质地理系副教授	
物理科教授	张佩瑚	男	50	江苏江都	西北大学物理系教授	
	谭文炳	男	42	湖南衡山	西北大学物理学教授	
化学科教授	赵永昌	男	34	山东高密	西北大学化学系副教授	
	于滋潭	女	32	山东牟平	西北大学化学系教授	
生物科教授	曹觉民	男	40	山东昌邑	西北大学共同科目副教授	
公民科教授	曹配言	男	51	陕西三原	西北大学共同科目教授	周清机代
体育科教授	刘月林	男	42	河北赞皇	西北大学体育副教授	
	张润之	男	37	河北赵县	西北大学体育副教授	
国文科讲师	张叔亮	男	50	陕西城固	曾任西北大学文学系讲师	

续表

职别	姓名	性别	年龄	籍贯	简历	备注
	张震泽	男	36	山东长清	西北大学中国文学系助教	
	吴继舜	男	40	山东惠民	西北大学文学院助教、国立第一中学高中国文教员	
	赵振墉	男	40	河北赵县	国立第一中学国文教员	
英文科讲师	王业和	男	34	湖北黄陂	西北大学讲师	
	齐振庸	男	50	河北	西北大学英文讲师、国立第一中学英文教员	
	许忆痴	男	35	河北	西北大学外国语文系兼任讲师、北平文治中学校务主任	
	高竹筠	女	30	陕西	国立第一中学英文教员	
数学科讲师	蔡英藩	男	32	辽宁海城	西北大学数学系讲师	
	王协邦	男	32	青海湟源	西北大学理学院讲师	
	李宝元	男	34	河北宝坻	西北大学数学系讲师	
	张以信	男	35	河北清苑	西北大学数学系讲师	
	郭奓芳	男	50	河北深泽	国立第一中学数学教员	
	徐钦鸣	男	30	辽宁	西北工学院讲师	
地理科讲师	孙琢山	男	45	河北	国立第一中学地理教员	
化学科讲师	田玉	男	30	山西	北平文治中学教务主任	
生物科讲师	商荫清	男	38	河北	国立第一中学生物教员	
公民科讲师	朱爱山	男	35	江苏锡山	律师	
体育科讲师	郭治洪	男	31	河北无极	西北大学体育助教	
	徐敬达	男	31	吉林长春	西北大学体育助教	

青年军第三大学补习班学生大队第一中队学生同学录

姓名	年龄	籍贯	原属部队	分发学校	通讯处	备注
张象云	25	陕西渭南	炮兵营二连	甘肃学院	礼泉弥陀寺二号	
赵国栋	24	甘肃永登	同上	唐山大学	永登红城镇北关	
程维新	24	河北隆平	同上	唐山大学	隆平殿护营	
邬守一	20	绥远包头	六一七团一营三连	西北工学院	包头乌王庙小学	

续表

姓名	年龄	籍贯	原属部队	分发学校	通讯处	备注
雷重樊	22	河北永清	炮兵营二连	西北大学	西安西北大学	
曹吾民	22	河北深泽	同上	交通大学	北平西四番林山五号	
贾鼎九	25	河北大名	同上	同济大学	西北工学院董寇群转	
刘展晓	25	甘肃榆中	同上	西北大学	榆中甘草店	
傅鹤亭	21	河北易县	六一七团一营三连	南开大学	易县牛岗村	
孙洪基	20	河北肃宁	六一七团一营一连	燕京大学	能远县练石贱巷三三号	
卢光巨	20	河北昌黎	炮兵营二连	齐鲁大学	保定人纪家巷二号	
周德章	21	山西新绛	六一七团战炮连	山西大学	新绛白村	
张文明	24	甘肃天水	炮兵营三连	南开大学	天水南路早南镇张家村	
陈国林	21	江苏江都	六一八团二营五连	浙江大学	江都大本巷二号	
师全忠	23	山西河津	炮兵营一连	河南大学	河津通化东渠村	
曹元昌	22	山西陵川	同上	山西大学	陵川城北关	
段居衡	23	河南唐河	同上	河南大学	唐河溜岭店邮局	
吉承科	22	陕西韩城	六一八团二营五连	西北大学	韩城西莊镇	
员昌华	20	河南陕县	炮兵营一连	北京工学院	陕县张村镇	
徐观瀛	21	河北唐山	六一七团一营一连	燕京大学	中山路一四四号	
崔汉云	22	山西汾阳	六一七团三营九连	山西大学	太原海子边二号	
王曾	21	山西徐沟	同上	山西大学	徐沟龙家营	
郭戍山	21	山西洪洞	同上	山西大学	无	
潘寅池	21	河南长葛	同上	太原西北工学院	长葛衙后街	
王双魁	20	山西安邑	六一七团一营一连	山西大学	无	
李乾五	20	察省龙关	六一六团一营一连	无	龙关城内东街	
吕祥贤	21	河南汾阳	炮兵营	西北农学院	汾阳官莊镇	
张青林	23	山东濮县	同上	山东大学	濮阳南大街典盛斋	
丁宝章	23	河南修武	同上	黄河流域水利工专	修武清南街丁巷	
刘丕烈	23	安徽宿县	同上	西北农学院	漯河中山街青云禄	
丁荣晃	22	安徽宿县	同上	西北农学院	无	
袁传佐	22	安徽寿县	炮兵营	安徽学院	寿县北街袁家巷	

续表

姓名	年龄	籍贯	原属部队	分发学校	通讯处	备注
卫永波	21	察 省	同上	西北师范学院	无	
毛光兴	21	河南原武	同上	同济大学	原武祥河沿村	
马国彬	22	山西阳高	六一八团	山西大学	阳高南街寺巷十三号	
徐寿图	22	山西五台	同上	山西大学	五台永安村	
郝秀麟	23	山西代县	工兵营	山西大学	代县复合德	
马振洲	21	绥远典和	六一七团迫炮连	西北工学院	归绥马税厅街二五号	
刘本丰	20	河北献县	同上	西北工学院	北平西卓小沙禁胡同十八号	
杨玉林	21	河南郑州	同上	西北工学院	郑州城内主事胡同十号	
贾振华	22	河北任邱	同上	西北师范学院	任邱郑州镇	
张恒斌	21	河北南宫	同上	北京大学	南宫王连寨官庄	
袁瑞赤	22	湖北黄安	六一七团二营六连	武汉大学	黄安八里湾	
吕恒年	20	河南商城	同上	国立药学专校	商城西新店	
陆树民	21	安徽凤阳	六一七团战炮连	安徽学院	津浦路临淮关河北三铺邮交	
杨孝兴	22	河南商城	六一七团二营六连	河南大学	商城四街巷	
刘大成	22	河 南	六一七团二营四连	交通大学	老山砖桥集	
李登午	21	安徽凤阳	六一七团战炮连	安徽学院	凤阳城内花钟廊大街福康号	
崔志远	21	安徽巢县	六一七团二营四连	交通大学	巢县两河街同茂商店	
樊尧烈	21	安徽凤台	同上	安徽学院	凤台扬湖镇裕丰祥号	
薛迪礼	23	河南孟县	炮兵营一连	交通大学	孟县北樵村镇新后街	
马汉岑	23	河南唐河	同上	河南大学	唐河大牛庄	
汪 薛	23	湖北黄冈	六一八团二营五连	交通大学	黄冈冯舖	
王睦运	21	河南原武	炮兵营一连	西北工学院	荥阳祥营镇丁家楼	
魏傅斌	22	安徽颍上	同上	无	颍上县南街	
张景汝	20	河北邢台	同上	西北工学院	邢台学道街四十五号	
欧阳博	24	河南沁阳	同上	西北大学	河南沁阳	
张民铎	21	甘肃天水	同上	西北农学院	天水渭南镇	
周尚义	22	河南孟县	炮兵营	河南大学	孟县西大街	
郭泰山	22	河南修武	同上	河南大学	修武永生源	

续表

姓名	年龄	籍贯	原属部队	分发学校	通讯处	备注
罗光培	21	河南正阳	同上	河南大学	正阳邱家店	
樊仰仑	21	河南沁阳	同上	黄河流域水利专校	沁阳官庄镇	
李克顾	22	河南洛阳	同上	河南大学	洛阳谷水李村	
黎克復	21	安徽霍山	六一七团战炮连	安徽学院	霍山舞族河邮交	
章玉奇	21	安徽合肥	六一七团二营六连	安徽学院	霍邱大顾店刘家楼	
王国仕	21	安徽太和	六一七团战炮连	安徽学院	太和关集	
吴祚宁	22	安徽怀宁	六一七团抗三连	安徽学院	怀宁大桥头镇吴家楼	
朱昶中	20	上海市	同上	上海私立沪江书院	上海安庆路三八八弄七九号	
罗运鼎	22	安徽六安	六一七团三营九连	交通大学	六安苏家埠南大街	
王梦周	23	安徽立煌	六一七团二营四连	安徽学院	立煌流波憧王边木行	
张翔林	20	安徽合肥	同上	同济大学	合肥张恒春号	
戴守纲	20	安徽安庆	六一七团迫炮连	安徽学院	安庆大汉巷十号	
孙傅涛	22	安徽合肥	同上	复旦大学	合肥三河北岸大德昌	
王晓士	22	安徽桐城	六一七团抗二连	安徽学院	桐城孔城八甲王復奉	
张义坤	21	河北清苑	六一七团二营五连	北洋工学院	保定相府胡同四号	
连树声	22	河北清苑	六一七团二营四连	北洋工学院	保定穿行楼甫街六四号	
马国勋	22	河北徐水	六一七团二营五连	北洋工学院	保定将军庙七号	
李文顺	22	河北清苑	六一七团二营四连	北洋工学院	清苑城南金家庙十三号	
宋仲伦	22	河北清苑	六一七团二营五连	北洋工学院	保定穿行楼甫街六四号	
张则恭	21	山东诸城	仝右	山东大学	诸城王区小诗庄	
朱惠文	25	嫩江流南	六一七团二营四连	台湾大学	流南东门裏双发永	
陈瑞昌	22	河北清苑	六一七团二营五连	西北农学院	清苑大庄镇	
贾珊	22	河北保定	六一七团战炮连	西北大学	保定茂耀胡同副九号	
凤云飞	27	北平市	六一七团二营五连	中央大学	北平东城乾省胡同一号	
李家樑	20	河北容城	六一七团一营三连	清华大学	北平东华西永背胡同三号	
王棣生	21	山东沂水	六一七团二营五连	山东大学	沂水沂城御前埠东庄	

续表

姓名	年龄	籍贯	原属部队	分发学校	通讯处	备注
邵世康	20	绥远米苍	六一七团二营五连	西北医学院	米苍杨家河城	
伍先权	21	湖北恩施	炮兵营三连	湖北省立农学院	恩施黄流乡四保	
郭应理	21	河南偃师	六一七团战炮连	河南大学	偃师号口孜镇	
白文哲	22	河南邓县	六一七团迫炮连	交通大学	邓县罗庄	
王霞飞	21	河北大名	辎车营三连	浙江大学	大名院堡集	
王士豪	22	河南汝南	通信营一连	交通大学	汝南林杆铺王连庄	
王大卫	22	河南荥阳	六一七团二营五连	西北工学院	无	
李金铸	22	河南南阳	六一七团一营	交通大学	南阳桐河镇	
杨西山	22	河南郾城	六一七团战炮连	河南大学	郾城北街杨拐	
曲正心	22	河南偃师	通信营	西北工学院	偃师曲家寨	
段青山	22	河南偃师	炮兵营	河南大学	偃师段湾镇	
谢崇斌	22	河南荥阳	六一七团一营一连	西北工学院	荥阳须水镇	
刘家桢	20	河南南阳	炮兵营一连	西北大学	无	
何洒补	22	河南汲县	通信营	河南大学	汲县严允巷	
张学智	22	河南荥阳	炮兵营三连	交通大学	荥阳须水张寨	
张瑞先	22	河南嵩县	同上	河南大学	嵩县和义道	
马绍离	22	河南荥阳	通信营一连	河南大学	荥阳板裕刘村	
詹炳耀	21	河南偃师	炮兵营三连	西北农学院	偃师古城东村	
魏丕显	23	河南氾水	同上	河南大学	氾水魏岗村	
陈廷俊	22	河南荥阳	同上	黄河流域水利专校	荥阳张大河	
刘建基	22	甘肃固原	同上	无	固原东关九号	
杨国珍	22	河南陕县	同上	军医大学	陕县太阳渡	
李祥明	24	河南禹县	炮兵营二连	河南大学	禹县郭连镇	
陈志军	22	河南信阳	炮兵营三连	河南大学	信阳游河镇	
裴璧山	22	山西平陆	同上	山西大学	平陆中张村	
蒋寿嵝	22	陕西泾阳	同上	西北大学	泾阳云阳镇致远长	
臧振勇	23	河南孟津	同上	西北师范学院	孟津臧家庄	
秦星虚	21	河南偃师	同上	交通大学	偃师大口镇	

续表

姓名	年龄	籍贯	原属部队	分发学校	通讯处	备注
王克家	21	河南洛阳	同上	河南大学	洛阳谷水镇寄驾河	
李本惠	21	河南沁阳	同上	交通大学	沁阳东关	
尤介民	22	河南兰封	同上	西北大学	兰封睿屯	
马元良	22	河南偃师	同上	南开大学	偃师北岭省庄	
吴思敬	22	河南温县	同上	河南大学	无	
张泰光	21	河南临汝	同上	河南大学	临汝李奉街	
王学让	无	无	无	甘肃学院	无	已退学
郭化中	无	无	无	西北大学	无	已退学
沈哲	无	无	无	无	无	已退学
吴长吟	无	无	无	无	无	已退学
余华栋	无	无	无	安徽学院	无	已退学
李子青	无	无	无	安徽学院	无	已退学
陈宏晏	无	无	无	无	无	已退学

青年军第三大学补习班学生大队第二中队同学录

姓名	年龄	籍贯	原属部队	分发学校	通讯处	备注
段金声	22	河南修武	炮兵二连	南开大学	河南新乡电信局薛萌岳收转	
李克担	22	山西介休	六一八团二连	北洋工学院	山西介休城内孟家巷十八号	
李平涛	23	山西闻喜	工兵一连	北京大学	闻喜县第六区川口村南陀	
王世林	21	黑龙江龙江	炮兵二连	东北大学	北平东城南小街二〇四号	
马云	20	甘肃武威	六一八团抗三连	甘肃学院	武威北街四九号	
万雨霖	20	甘肃会宁	六一八团二连	甘肃学院	兰州五福街三号	
武鹤鸣	21	甘肃靖远	特工队	西北工学院	靖远同德药房	
高润绅	21	甘肃靖远	炮兵一连	甘肃学院	靖远东湾乡砂梁	
姬连礼	22	甘肃临洮	炮兵二连	上海医学院	无	
刘道涪	21	江苏宝应	炮兵二连	上海医学院	无	
周湘泉	21	浙江镇海	炮兵二连	金陵大学	上海市北东路二八〇号	
郑福坚	21	河北清苑	同上	南开大学	天津市第二临县 道福兴堂三号	

续表

姓名	年龄	籍贯	原属部队	分发学校	通讯处	备注
李文浡	20	河北	六一七团抗一连	同济大学	北平南北池子七四号正棋车行转	
郭毓文	20	辽宁沈阳	六一七团一连	西北工学院	沈阳城北鸭子场	
郭宗闵	22	山东德平	六一七团战炮连	山东大学	德平城东北蔡家庄	
郭占华	22	河北苑平	六一七团二连	无	无	
范海旺	22	青海西宁	同上	军医大学	无	
祁继竟	21	青海西宁	野战医院	军医大学	无	
萧鸿昌	22	甘肃临洮	野战医院	军医大学	甘肃临洮中和号	
李毓魁	21	青海西宁	野战医院	军医大学	无	
余光夏	19	河南镇平	通信一连	西北工学院	无	
王国堂	20	河南淅川	同上	中央技专	无	
刘增祥	21	青海西宁	野战医院	军医学院	无	
祁登寿	20	青海西宁	野战医院	军医学院	无	
林兴岳	24	青海乐都	六一八团通信排	西北工学院	无	
杨水林	20	甘肃皋兰	六一六团二营四连	甘肃学院	皋兰县石洞乡中学	
张克忠	23	甘肃甘谷	六一八团五连	西北大学	甘谷县磐安镇	
张文远	20	甘肃临洮	通信一连	无	无	
李桓	24	甘肃靖远	六一六团抗二连	西北农学院	靖远河畔乡	
张世恒	20	甘肃临洮	六一六团迫炮连	西北师范学院	临洮中正卫五一号	
周希义	20	甘肃临洮	山炮营三连	复学临洮中学	无	
刘宗圣	23	甘肃静宁	六一六团战炮连	西北师范学院		
薛志贤	22	河南偃师	六一八团战炮连	西北工学院	无	
李尔昭	20	甘肃武山	山炮营三连	西北农学院	武山滑门邮局	
赵作礼	24	甘肃临洮	搜索连	西北师范学院	临洮中正	
李寿彭	25	山东禹城	通信营一连	山东大学	禹城东街路南	
李世敏	23	甘肃镇原	炮兵一连	西北工学院	无	
刘增秀	21	青海西宁	同上	西北大学	西宁北街建立德号转刘新民先生	

续表

姓名	年龄	籍贯	原属部队	分发学校	通讯处	备注
李尊一	21	青海乐都	炮兵二连	西北工学院	乐都高庙子	
祁洪彦	21	青海西宁	炮兵一连	西北工学院	无	
张俊才	22	甘肃平凉	炮兵二连	甘肃学院	平凉花河镇邮局	
孙克显	22	甘肃榆中	辎重三连	甘肃学院	俞中下提乐达富号	
胡平	21	青海玉树	山炮营三连	西北工学院	无	
田过丰	20	青海西宁	炮兵三连	甘肃学院	西宁西街一九九号	
焦尔怀	21	甘肃武都	六一八团九连	西北大学	无	
李福	22	青海大通	炮兵二连	中央大学	无	
李柏琴	21	青海乐都	炮兵一连	西北大学	兴利城内	
刘尔年	21	青海西宁	六一八团二连	西北医学院	无	
吴秉理	22	宁夏中宁	六一六团七连	西北农学院	中宁鸣大洲三春昌	
薛仲英	22	宁夏海原	炮兵一连	西北工学院	海原县参捷会	
郑兴堂	21	甘肃灵台	六一六团七连	黄河水利工专	灵台大良乡同盛铭转	
宋继周	22	甘肃宁县	同上	黄河水利工专	宁县奉荣镇齐盛元转	
王守礼	22	甘肃武都	同上	西北农学院	武都	
李自芳	21	甘肃兰州	工兵一连	暨南大学	兰州市中川公园七号	
李国志	22	河南内乡	司令部特工队	西北工学院	内乡丁河街中心三队	
赵壁	24	宁夏中宁	六一六团七连	西北农学院		
马玺	21	甘肃秦安	六一六团通信排	西北大学	无	
罗渺绪	20	河南内乡	通信一连	西北工学院		
卢孝南	20	安徽合肥	同上	交通大学	无	
王云	21	甘肃武山	炮兵营	齐鲁大学	武山鸳鸯镇	
曹效元	23	甘肃临洮	同上	西北农学院	临洮青天镇	
燕文智	25	甘肃甘谷	同上	金陵大学	甘谷岩家镇	
犟宇一	21	甘肃甘谷	同上	西北大学	甘谷中农	
张金鳌	20	湖北麻城	搜索连	武汉大学	无	
李万和	21	河南孟县	搜索连	无	无	
周建国	24	甘肃张掖	六一八团二营六连	国立音乐学院	无	

续表

姓名	年龄	籍贯	原属部队	分发学校	通讯处	备注
李承宗	22	甘肃通渭	炮兵二连	西北大学	通渭西大街二一号	
王子典	20	甘肃通渭	通信营二连	西北师范学院	无	
邢鉴国	22	河北安国	炮兵一连	交通大学	河北安国	
陈好忠	22	甘肃临洮	搜索连	甘肃学院	无	
曹大武	20	甘肃临洮	工兵营通信排	无	临洮青天镇	
韦光耀	22	陕西韩城	工兵三连	交通大学	韩城福音当	
杨进宝	23	陕西朝邑	同上	交通大学	朝邑苍头镇	
赵圣符	23	山东莱阳	工兵一连	交通大学	无	
管勋蔷	21	甘肃张掖	六一六团一连	西北大学	张掖元泰兴	
高言坤	27	河南邓县	工兵三连	南开大学	邓县北堰南高	
李燕侠	21	甘肃临洮	同上	西北师范大学		
杨华林	20	山东海阳	工兵一连	山东大学	海阳一区五间屋村	
李重华	21	山东益都	同上	山东大学	益都城西北五象尧山脊上压	
马墅	24	甘肃民勤	通信排	无	民勤荣都镇	
杨灿文	19	河南洛阳	工兵三连	清华大学		
刘得禄	20	河南荥阳	同上	河南大学	荥阳县东二十里铺	
王汝湘	19	河南荥阳	六一六团六连	西北大学	荥阳县城内	
白瑾	无	湖南	绥远五师	清华大学	无	
张镔	24	河北密云	六一八团战炮连	北平大学	密云县启恒镇	
王海	20	北平	同上	燕京大学	无	
王家税	21	河北定县	六一八团战炮连	燕京大学	定县城内马家庄	
戴岚	25	河南	六一六团抗二连	北洋工学院	杨武南街本宅	
和俊民	20	河北戴县	六一六团抗二连	南开大学	戴县小陈镇	
徐祥麟	20	宁夏	六一六团抗一连		宁夏省垣牛山街一三六号	
王继成	22	河北宁河	六一八团一营一连	黄河水利工专	宁河北塘镇三官庙七十六号	
李鱼山	20	河北天津	六一六团七连	北京大学	武清标村小刘庄	
祝樊权	20	安徽立煌	六一八团战炮连	同济大学	立煌麻埠大星庙院住宅	
赵仲亮	24	河南鄎城	同上	河南大学	鄎城荣圣祠街五号	

续表

姓名	年龄	籍贯	原属部队	分发学校	通讯处	备注
刘文田	20	河北安固	六一六团抗二连	南开大学	安固县门东村	
刘息裕	21	河北沧县	六一六团通信排	北京大学	天津市第一区	
梁述新	24	甘肃临洮	通信一连	西北师范学院	临洮青天镇天佑昌	
唐德鑫	21	甘肃张掖	通信一连	西北大学	张掖龙首乡	
任醒民	24	山西沁县	六一七团战炮连	西北医学院	无	
张克俭	20	甘肃天水	工兵一连	台湾大学	无	
高登科	20	甘肃天水	炮兵一连	西北农学院	天水伏义城六巷道八号	
宁克敬	20	河南宜阳	工兵二连	西北工学院	宜阳万池镇上营	
翁元景	27	湖南新化	六一七团抗二连	无	无	
吴雁冰	22	河南信阳	六一八团战防炮连	河南大学		
刘兆乙	22	甘肃	山炮营二连	西北大学	中正街三十六号	
杨承宗	22	河北保定	六一六团抗二连	西北师范学院	无	
颉蔚华	无	无	无	西北大学	无	
唐耕勤	无	无	无	交通大学	无	
陈又新	无	无	无	无	无	尚未分发

青年军第三大学补习班学生大队第三中队学生同学录

姓名	年龄	籍贯	原属部队	分发学校	通讯处	备注
任笃行	21	山东菏泽	工一连	无	菏泽城内警卫所	
王铁群	21	山东文登	同上	山东大学	山东省文登县东回村	
张炜	23	甘肃秦安	同上	新疆学院	秦安丰乐村	
杨重贤	23	甘肃成县	六一六团机二连	西北大学	甘肃成县北关费纬	
丁联琪	24	甘肃秦安	六一六团需一连	西北大学	秦安碧玉镇	
胡必强	22	甘肃武都	工兵营一连	西北大学	武都下关街七七院	
郭经	22	甘肃武山	同上	清华大学	甘肃武山洛门镇	
李春序	23	山东寿光	同上	山东大学	山东寿光米槛灌	
郭经辉	21	山东莱阳	同上	山东大学	莱阳城内邮局转	

续表

姓名	年龄	籍贯	原属部队	分发学校	通讯处	备注
伏履毓	23	甘肃秦安	工兵营一连	东亚体专	甘肃秦安伏镇寓	
李 瞻	21	山东寿光	同上	山东大学	山东寿光米槛灌	
杨文范	22	甘肃秦安	同上	西北医学院	甘肃秦安郭嘉镇	
马春华	20	甘肃秦安	六一六团通讯排	甘肃学院	秦安高庙乡马家河	
杨镜池	22	甘肃秦安	工兵营一连	甘肃学院	甘肃秦安郭嘉镇	
王其准	23	山东莱阳	同上	交通大学	莱阳南务镇北寨庄头村	
韩国珍	21	山东安丘	同上	上海医学院	山东安丘县东北乡韩家王村北修德堂	
马务学	23	甘肃秦安	六一六团机二连	西北大学	秦安高庙乡马家嵬	
马世清	21	甘肃成县	同上	西北大学	甘肃成县北关马家巷	
吴明远	22	河南开封	政治部	国立音乐院	开封中正路北段一〇八号	
董葆藩	23	甘肃靖远	司令部通信排	甘肃学院	无	退学
孟浩然	22	甘肃泾川	特务连	甘肃学院	甘肃泾川义成镜	
樊立士	23	甘肃泾川	六一八团第一连	西北师范学院	甘肃泾川党原镇邮局	退学
展 涛	22	甘肃靖远	司令部通信排	北京大学	甘肃靖远峰湾乡	
徐 慧	22	甘肃镇原	同上	甘肃学院	甘肃镇原镇邮局	
于正兴	20	甘肃泾川	六一八团一连	西北师范学院	甘肃泾川党原镇邮局	
姜连尚	22	甘肃会宁	六一八团战防连	甘肃学院	会宁青江驿驷	
刘存芳	22	甘肃临洮	工兵营三连	朝阳学院	洮沙辛回镇永生乡	
李焕章	20	甘肃庄浪	六一八团迫炮连	西北大学	庄浪县内天顺撑号	
马傲骙	20	甘肃庄浪	六一八团迫炮连	甘肃学院	庄浪县内翟家店转山集梁	
张绍祖	22	甘肃泾川	特务连	无	无	退学
彭文选	23	甘肃景泰	工兵营通讯排	西北大学	无	退学
路尚珍	24	甘肃泾川	六一八团迫炮连	无	甘肃泾川城内秦和镇	
祁全学	24	甘肃景泰	六一八团二连	甘肃学院	甘肃景泰县	
彭文安	20	甘肃景泰	工兵营三连	西北农学院	甘肃景泰县小蘊地	
陈世勇	22	甘肃洮沙	六一八团二连	甘肃学院	甘肃洮沙辛回镇	
甘棠泽	21	甘肃泾川	司令部特工队	甘肃学院	甘肃泾川门街八号	

续表

姓名	年龄	籍贯	原属部队	分发学校	通讯处	备注
南 强	22	甘肃通渭	六一八团迫炮连	天水师范	无	退学
安履泰	23	甘肃静宁	六一八团一连	西北师范学院	甘肃静宁	
王振周	21	安徽怀远	炮三连	同济大学	安徽怀远	
侯道丰	24	河南偃师	政治部	燕京大学	无	
单逢吉	21	河南上蔡	六一八团三连	河南大学	河南上蔡县城内西大街单宅	
李延良	22	甘肃临夏	六一八团一连	西北大学	无	
赵远举	20	甘肃静宁	六一八团三营七连	西北师范学院	甘肃静宁县新民乡邮箱	
焦原诚	24	河南登封	政治部	复旦大学	河南登封城北庄	
李友课	23	青海互助	六一八团一营一连	西北师范大学	青海湟源西街积广德	
罗 东	23	河南邓县	六一八团一连	河南大学	河南邓县张村镇西罗岗	
何尽臣	21	甘肃会川	六一八团一营一连	西北师范大学	甘肃渭源温家川	
张心宽	22	山东菏泽	炮三连	北京大学	菏泽黄陵张	
周善典	22	河南孟县	六一八团二营五连	河南大学	孟县张家谨村	
毛永全	22	河南唐河	同上	河南大学	河南省唐河蔡庄	
韩 超	22	河南新蔡	六一八团一营三连	交通大学	新蔡县韩集	
徐清源	21	河南荥阳	六一八团四营五连	河南大学	河南荥阳城北蒲坑村	
韩思殿	21	河南洛阳	六一八团通信排	河南大学	洛阳西门外路南门排五十号	
李明远	20	河南荥阳	政治部	河南大学	无	
张文生	20	河南洛阳	六一八团三营九连	无	洛阳公园巷二九号	
马万里	21	甘肃甘谷	特务连	无	无	退学
刘登雏	21	甘肃临夏	六一七团迫炮连	西北大学	无	
梁志祥	20	甘肃临洮	六一七团战炮连	甘肃学院	临洮青天镇	
苍奠宇	24	甘肃甘谷	六一六团督导室	甘肃学院高中	甘肃甘谷	
王金印	21	陕西岐山	特务连	甘肃学院	甘肃兰州西民路	
刘普周	22	甘肃海源	六一六团一营一连	西北师范学院	甘肃海源南街民权巷	
罗 钢	20	甘肃陇西	特务连	甘肃学院	甘肃陇西中正街	
李蔚英	21	甘肃酒泉	特务连	西北大学	甘肃酒泉北关八三号	
孙其芳	20	甘肃高台	六一八团战炮连	西北大学	高台花桥子镇鲁村	

续表

姓名	年龄	籍贯	原属部队	分发学校	通讯处	备注
宋凤翻	21	甘肃定西	搜索连	新疆学院	甘肃定西东门外福兴粮店	
杨立法	20	甘肃民勤	特务连	西北师范学院	甘肃民勤东关丰城行	
张世选	21	甘肃酒泉	六一八团机一连	西北大学	甘肃酒泉东关一一四号	
魏兢恒	21	甘肃甘谷	特务连	甘肃学院	甘肃兰州柏道路十八号	
郭孝光	22	河南太康	工兵三连	西北大学	甘肃兰州道陞巷六号	
徐希锴	22	甘肃礼县	工兵营	西北师范学院	甘肃礼县正明街	
杨雨田	22	甘肃民乐	六一六团督导室	无	甘肃民乐洪卫乡	
李永朴	20	甘肃民勤	特务连	西北师范学院	甘肃民勤东街祥瑞新	
滕廷镐	22	甘肃靖远	搜索连	甘肃学院	甘肃靖远北湾	
阮铭琛	22	察省怀安	炮兵营	西北农学院	察省怀安县柴濠堡和行德	
徐应民	21	河南正阳	通信营一连	河南大学	河南正阳涂店	
杜伯桥	22	河南确山	山炮营一连	河南大学	河南驻马店利马镇	
李友祥	24	河南商丘	工三连	交通大学	商丘车站米集玉成号	
袁克浩	23	河南正阳	山炮营一连	中央大学	河南正阳	
李得泉	21	察省阳原	同上	西北农学院	察省阳原陈瑞昌嘘镇	
郝英汉	20	河北邢台	山炮营三连	北平铁路管理学院	河北邢台营头镇	
杨培林	20	河北永年	同上	天津工商学院	河北省永年县	
吕庆玉	20	河北临城	同上	西北农学院	河北临城中华泉	
王秋峰	23	河北清苑	六一八团	交通大学	河北清苑王家庄村	
秦士雍	22	河南偃师	工兵营三连	河南大学	河南偃师大镇	
高伯刚	22	河南偃师	同上	无	河南偃师老城西关	
李廷栋	24	河南偃师	同上	河南大学	河南偃师锡庄村	
于通道	21	河南孟津	山炮一连	河南大学	孟津县拧里村	
杨青峰	21	河南唐河	同上	河南大学	河南唐河长林镇下堰坡	该生字昉
李本仁	24	河南太康	工兵三连	朝阳学院	西安陕西高等法院李勋之转	
宁事毅	24	山东蓬莱	同上	东北大学	辽北省开原中正街六号	

续表

姓名	年龄	籍贯	原属部队	分发学校	通讯处	备注
黄止一	20	河南固始	工兵营	河南大学	河南固始南大道六六号	
黄振猷	22	河北长垣	炮兵营	西北大学	河北长垣前秦木村	
朱炳南	24	甘肃武山	六一八团战防连	西北师范学院	甘肃武山县显镇	
於耀	24	甘肃岷县	同上	西北师范学院	岷县阐正街二号	
张綦	22	甘肃临洮	搜索连	西北师范学院	甘肃临洮宝议恒转	
高永利	23	甘肃会川	六一六团迫炮连	西北师范学院	甘肃会川明太昌	
杨浸泉	24	甘肃榆中	六一六团五连	西北师范学院	甘肃榆中北关润生昌	
刘镇海	22	甘肃榆中	六一六团迫炮连	无	兰州小简门外杨家巷四号	
张海逸	26	绥远临河	六一六团一营一连	朝阳学院	临河永嘉乡公所	
黄家桢	22	甘肃甘谷	搜索连	西北师范学院	甘谷东川乡	
赵有玺	22	甘肃会宁	六一六团一连	西北师范学院	会宁郭城乡	
胥耀金	23	甘肃秦安	工兵营一连	西北师范学院	秦安郭嘉镇永成和	
边霞	无	甘肃临洮	搜索连	西北师范学院	甘肃临洮青天镇	
何世荣	23	甘肃康乐	六一六团战炮连	南开大学	康乐新治街源兴昌号交	
张琳	22	甘肃临洮	搜索连	兰州师范	临洮新民街二号	
宋生智	20	甘肃临洮	六一六团战炮连	西北师范学院	甘肃临洮辛甸镇荣盛和号	
张承良	23	甘肃榆中	辎重营	西北师范学院	甘肃榆中兴隆乡	
夏增惠	23	甘肃临洮	六一六团战防连	西北师范学院	临洮益民街五六号	
丁维善	23	甘肃	六一六一团一连	西北师范学院	无	退学
魏元青	25	山东诸城	搜索连	山东大学	山东诸城	
孔明甫	23	河南广武	山炮营一连	河南大学	河南广武古荣镇	
张仰乾	23	甘肃甘谷	六一六团四连	金陵大学	甘谷东川蒋家寺	
王志远	21	甘肃甘谷	仝右	无	甘谷孙家巷12号	
陈映堂	24	甘肃武威	六一八团战炮连	西北师范学院	武威西街福寿堂	
祁炯	24	甘肃皋兰	六一六团五连	西北大学	甘肃兰州阿干镇	
高翅远	21	甘肃武威	六一八团战炮连	无	武威东街德兴湧号转	
刘兴武	21	甘肃甘谷	六一六团二营四连	金陵大学	甘谷李家巷12号	
杨栋元	22	甘肃武威	六一八团战炮连	甘肃学院	武威复兴和	

续表

姓名	年龄	籍贯	原属部队	分发学校	通讯处	备注
李开元	21	甘肃武威	六一八团战炮连	甘肃学院	武威南大街门牌五八号	
雍维翰	22	甘肃康县	六一六团一连	无	康县早乐镇中寨车房	
李绍侗	23	甘肃甘谷	六一八团战炮连	西北大学	甘谷北街太和生	
张鹏翼	24	甘肃甘谷	工兵营	甘肃学院	甘谷北关韵盛德	
赵尔英	23	甘肃临洮	六一八团战炮连	西北农学院	临洮新民乡	
王煦	21	甘肃定西	六一六团二营四连	西北大学	定西内官营	
张焕文	21	甘肃甘谷	六一六团二营四连	西北师范学院	甘谷东川蒋家寺	
赵奠邦	21	甘肃皋兰	搜索连	无	兰州阿干镇下街五八号	
张开天	20	甘肃武威	六一八团三营机三连	西北师范学院	武威大北街聚兴和	
王义	20	甘肃武都	六一八团迫炮连	甘肃学院	武都西北外钟楼滩王一琴转	
戴昊	21	甘肃西和	六一六团机枪连	西北师范学院	西和戴家沟	教育部中央
杨元生	21	河南偃师	六一八团二营五连	交通大学	河南偃师低氏镇	
李英锢	22	辽宁朝阳	六一八团三连	东北大学	兰州华侨银行	
刘振武	20	甘肃祁原	六一八团迫炮连	西北师范学院	甘兰镇原兰垫郭代所	
胡世荣	21	河南信阳	政治部	河南大学	河南信阳长台关	
杨提福	21	甘肃天水	六一六团三连	燕京大学	甘肃天水渭南邮局转	
王增恺	22	河南广武	炮兵营	河南大学	河南广武铁炉石村	
石勃瑜	21	山东恒台	工兵营二连	山东大学	陕西鄠县秦渡镇半济堂转	
刘文庆	21	河南洧川	六一八团五连	西北大学	河南洧川筱由信记	
原镇成	20	河南温县	六一六团二营五连	无	无	退学
冯潜	21	安徽	辎三连	安徽学院	泗阳重十镇元丰号	
崔德馨	21	河南修武	六一八团通信排	河南大学	河南修武孙村	
孟繁毅	21	河南孟县	六一八团二营五连	西北师范学院	陕西宝鸡东关龙泉巷公泰昌	
李傅奠	21	河南沁阳	炮兵营	无	沁阳管庄南街	
赵圣言	22	河南修武	同上	西北农学院	河南修武姚朔庄	
赵一泓	22	河南商水	六一八团二营五连	河南大学	河南西平仪封镇	
董青海	21	甘肃天水	六一八团通信排	国立艺专	天水东乡甘泉镇	

续表

姓名	年龄	籍贯	原属部队	分发学校	通讯处	备注
王世勋	21	河南偃师	六一八团二营五连	河南大学	河南偃师	
马培杉	21	河南尉氏	炮兵营	金陵大学	河南尉氏岳云村	
石作琏	23	甘肃康乐	同上	西北师范学院	康乐景古城转线家滩	
周郁芬	22	青海乐都	炮兵营	西北师范学院	青海乐都河门街信义原	
杨发基	24	甘肃会川	同上	西北师范学院	甘肃会川官堡镇天隆长	
张维	22	甘肃庆阳	六一八团机二连	无	甘肃望川西毕镇中心小学	
张尚德	22	甘肃会川	炮兵营	西北师范学院	无	
陈民生	21	江苏阳山	特务连	复旦大学	江苏阳山城南关帝庙	
康继善	23	甘肃永靖	同上	甘肃学院	无	退学
李宝	23	甘肃岷县	师通讯排	西北师范学院	岷县东关汽车站赵汉三	
赵仁铭	22	甘肃临洮	炮兵营	西北师范学院	临洮东大街齐盛恒转	
刘承晏	24	甘肃定西	六一八团战炮连	西北师范学院	甘肃定西桥钧驿谦益老	
贾建勋	21	甘肃成县	师部兽医所	西北师范学院	成县政府教育科	
杜培荣	25	青海贵德	通讯营	西北师范学院	无	退学
李城	22	青海乐都	炮兵营	山西大学	无	退学
郭树森	22	甘肃乐兰	同上	西北师范学院	兰州市河北穆柯寨二六号	
陶延明	22	甘肃泾川	同上	西北师范学院	甘肃灵台什字镶德善堂	
赵俊	24	甘肃临洮	同上	西北师范学院	甘肃临洮兴寨05号	
来万钟	22	青海乐都	炮兵营	西北师范学院	青海乐都瑞盛永宝号转	
康宝钧	23	河南巩县	政治部	暨南大学	河南孝义镇葆和堂	
王志成	无	无	无	山东大学	无	未到队
高西庚	21	河南荥阳	炮兵营	河南大学	荥阳城东塞园村	
马明智	无	甘肃平凉	六一六团机二连	西北大学	无	
柯昌德	无	无	无	西北大学	无	退学

青年军第三大学补习班学生大队第四中队学生同学录

姓名	年龄	籍贯	原属部队	分发学校	通讯处	备注
管高山	21	绥远萨县	六一七团一连	西北大学	绥远萨县四合元	
苑之英	20	辽宁辽中	同上	东北大学	绥远新城仁普巷三号	
李吉五	22	绥远萨县	同上	甘南学院	绥远萨拉齐第一区七座	
高炳铎	22	山西代县	同上	西北师范学院	山西代县马烙村	
阎忠水	21	宁夏贺兰	六一七团战炮连	西北师范学院	宁夏诸恒兴宁街二十六号	
成继德	20	绥远归绥	六一七团一连	西北工学院	绥远归绥美人桥街四十五号	
郭秉勋	23	绥远武川	六一七团战炮连	甘肃学院	绥远武川营益道	
曹继周	20	绥远安北	同上	甘南学院	绥远安北新安镇福音堂	
郭林幹	22	山西洪洞	六一七团战炮连	西北师范学院	洪洞县西李村	北京趣县芽通机械厂
赵德功	21	河南济源	六一七团一连	无	济源东郭略村	尚未分发
卫纲正	21	山西解县	六一七团战炮连	西北医学院	西安西北医学院	
卢贞一	20	山东德县	六一七团一连	山东大学	德县城内新华街	
韩开山	20	河南郑州	六一七团战炮连	河南大学	郑州法院东街二十五号	
常怀玉	25	甘肃民勤	山炮营二连	西北大学	民勤县广庆镇	
李建中	23	甘肃榆中	同上	金陵大学	兰州顺河沁五号	
年 炳	23	青海西宁	山炮营三连	复旦大学	青海西宁先觉街三号	
李永昌	23	青海互助	同上	西北大学	互助县太平乡	
杨鸿儒	23	甘肃甘谷	山炮营营部	西北师范学院	无	已退学
王俊德	23	甘肃甘谷	山炮营二连	甘肃学院	甘谷城内上巷	
严待继	23	甘肃甘谷	师政治部	西北大学	甘谷严安镇	
南善庆	23	青海案都	山炮营二连	西北师范学院	案都邮局转	
王敏学	22	甘肃甘谷	同上	西北大学	甘谷北关永盛置	
杨治邦	23	甘肃洮沙	同上	金陵大学	洮沙苍城	
张裕寿	27	青海西宁	通信营二连	边疆学校	青海西宁西教场街五号	
张 诏	23	甘肃洮沙	山炮营二连	甘肃学院	洮沙辛店镇天发荣	

续表

姓名	年龄	籍贯	原属部队	分发学校	通讯处	备注
李铭	22	甘肃漳县	同上	金陵大学	甘肃漳县篮井镇	
刘钟岳	21	山东阳信	六一七团战炮连	西北师范学院	山东阳信何仿镇	
厚中峰	23	山东德平	六一七团抗三连	朝阳大学	山东德平厚庄	
徐树荣	22	山东荣成	六一七团抗二连	齐鲁大学	山东荣成城内	
张华堂	21	山东阳信	六一七团九连	西北师范学院	阳信三台张	
王文灼	21	山东	六一七团抗二连	山东大学		
侯健	21	山东菏泽	六一七团抗二连	山东大学	菏泽城内邮局	
杜焕德	21	山东宁阳	六一七团抗三连	武汉大学	宁阳云山店	
宁春生	22	河南上蔡	同上	西北大学	上蔡县民族街	
黄家本	21	山东德平	六一七团抗一连	南开大学	德平城南黄家集	
杨远	21	河北文安	六一七团迫炮连	复旦大学	天津河北公园和睦邮局一七号	
陈振武	23	河南罗山	六一七团抗三连	中央工业专科职业学校	罗山吉元乡杨家店	
王家祥	20	山东莒县	六一七团迫炮连	山东大学	莒县王岗	
马长振	21	河北南宫	六一七团五连	西北大学	南宫马家屯	
李守仁	21	甘肃临洮	通信营二连	西北大学	临椒山路洮二十八号	
罗泽民	21	甘肃临洮	通信营一连	西北大学	临洮中正街和产巷二十一号	
郝镇华	21	甘肃榆中	同上	西北大学	甘肃榆中南关	
魏振邦	22	甘肃永登	通信营一连	西北师范学院	永登李佛镇	
靳润江	22	河南新乡	六一六团督导室	开封大学	河南新乡朱召村	
郑崇信	22	甘肃隆德	同上	甘肃学院	隆德南街魁盛西转	
陶立业	23	甘肃泾川	六一七团八连	无	甘肃高冀珍益裕	尚未分发
陶炳文	24	甘肃泾川	同上	西北师范学院	甘肃灵台县西屯镇万央隆	
陈仙洲	25	甘肃临洮	山炮营三连	甘肃学院	临洮鸿利与	
潘复中	20	甘肃临洮	通信营二连	西北师范学院	临洮青天镇	
孙万章	20	甘肃临洮	同上	无	临洮青天镇邮局转	尚未分发

续表

姓名	年龄	籍贯	原属部队	分发学校	通讯处	备注
蒲德裕	22	甘肃甘谷	通信营一连	甘肃学院	甘谷南街东巷	
彭硕志	22	甘肃兰州	师通信排	无	无	已退学，尚未分发
吴进选	20	甘肃榆中	同上	无	无	已退学，尚未分发
景三元	22	河南卢氏	六一七团战炮连	河南大学	卢城东祁村湾	
潘忠义	22	安徽怀宁	同上	复旦大学	合肥皖财厅胡季仁转	
杜可鸿	23	山东青城	同上	西北师范学院	山东青城杜家集	
王浩义	23	山东濮县	同上	西北师范学院	山东濮县王河集	
许久康	22	山西襄陵	六一七团九连	复旦大学	本籍上北成村	
张立乾	23	山东齐东	六一七团四连	西北师范学院	山东齐鲁乔家庄	
魏四才	22	安徽霍邱	六一七团七连	复旦大学	无	已退学
程 庠	20	安徽霍山	同上	无	霍山黑石渡义源子	尚未分发
戴锦波	19	安徽定远	六一七团二连	复旦大学		已退学
吴传爕	22	安徽定远	六一七团七连	复旦大学	无	已退学
王世旭	22	安徽霍邱	六一七团五连	中央大学	霍邱业家集桥头店交	
万世章	20	安徽立煌	六一七团七连	武汉大学	立煌闻古乡方家坪交	
段长勤	22	河南偃师	山炮营三连	开封大学	偃师段湾镇	
杨亚威	21	安徽合肥	六一七团六连	无	无	已退学，尚未分发
王新华	23	河南扶沟	师政治部	开封大学	扶沟西大王庄	
刘家英	20	河南巩县	山炮营三连	开封大学	巩县回郭镇	
王铸鼎	23	河南登封	同上	北京大学	登封大金店	
侯长发	23	河南邓县	同上	山东大学	邓县急滩镇同典永	
赵 刚	21	河南睢县	同上	燕京大学	睢县信义会	

续表

姓名	年龄	籍贯	原属部队	分发学校	通讯处	备注
秦星丹	22	河南偃师	同上	开封大学	偃师大口镇	
张振华	23	河南荥阳	同上	开封大学	荥阳张河村	
徐 伦	22	河南林县	同上	西北大学	林县临汉镇	
刘清秀	23	河南洧川	山炮营三连	西北大学	洧川裴寨村	
李立特	22	河南泌阳	同上	开封大学	泌阳二仙庙	
李英俊	23	陕西平民	工兵营三连	西北师范学院	平民县西郝家庄	
王永乐	23	河南偃师	师政治部	无	偃师蔡庄	尚未分发
鲍庚戌	23	河南偃师	山炮营一连	开封大学	偃师南蔡庄景九堂	
李进阶	23	河南偃师	山炮营三连	河南大学	偃师北领杨庄	
赵鸿祥	23	甘肃皋兰	同上	甘肃学院	皋兰西新城村	
杨瑞劼	22	河南巩县	通信营一连	河南大学	巩县杨领村	
樊凌云	20	河南内黄	山炮营三连	复旦大学	内黄楚汪镇	
马天道	21	河南荥阳	六一八团迫炮连	朝阳大学	荥阳乔楼村	
王 兴	20	河南新蔡	通信营一连	开封大学	新蔡南大街107号	
于东铭	22	河南洧川	山炮营一连	复旦大学	洧川路花字	
蔡振瀛	22	河南许昌	山炮营三连	开封大学	许昌石门永蔡庄	
阮振虎	23	河南陕县	同上	复旦大学	陕县大营镇	
丁治武	23	河南偃师	山炮营二连	开封大学	偃师丁庄	
于佩琳	20	河北徐水	同上	中央技艺专科	河北徐水县	
李式敏	20	河北蠡县	同上	西北大学	河北蠡县	
郭先普	21	河南郾城	六一八团三连	交通大学	河南漯河西南十八里空缘郭	
王柏寿	24	山西洪洞	六一七团二连	山西大学	洪洞县政府收转公孙村	
李振五	24	河南偃师	山炮营三连	开封大学	偃师蔡家村交	
胡博文	20	陕西渭南	六一八团机一连	无	兰州金石巷十四号交	尚未分发
崔永江	22	河南获嘉	六一七团九连	开封大学	获嘉县望万楼	
秦家起	21	山东郯县	六一七团九连	交通大学	郯县城西北高埠庄	

续表

姓名	年龄	籍贯	原属部队	分发学校	通讯处	备注
刘家远	20	山东博平	同上	交通大学	博平城西三十五里囵刘庄	
刘质辉	22	山东高密	山炮营三连	西北大学	高密周戈庄	
杨伟堂	21	山东郯县	六一七团九连	交通大学	郯县城北四十里樟羔埠庄	
傅兆龙	23	山东寿光	师政治部	中央大学	山东寿先浮桥庄	
韩 昭	21	山西河曲	六一八团机一连	甘肃学院	山西河曲地区邮局支	
赵兴才	23	河南邓县	山炮营三连	复旦大学	邓县转	
王官顺	20	陕西朝邑	师通信排	北京大学	无	
贺 乾	21	河北武强	六一七团五连	复旦大学	北平北宽财类号	
耿济周	21	河 北	同上	南开大学	无	已退学
王有智	21	河北衡水	六一七团战炮连	清华大学	衡水高家园村	
王德先	21	河北定兴	六一七团特务排	南开大学	无	已退学
孙铁峰	21	河北安新	六一七团四连	无	无	已退学、尚未分发
郭育性	22	河南洛宁	六一七团六连	开封大学	洛宁县宋街师偃北门	
许思福	23	河南嵩县	六一七团抗二连	开封大学	嵩县工道街四十一号	
王凤瑞	22	河南嵩县	同上	河南大学	嵩县城内高都街	
李士彬	21	山西岚县	六一七团四连	西北师范学院	岚县城内西街县转街	
白法理	21	河南洛阳	六一七团机二连	开封大学	洛阳东石桥	
王 庚	22	河南洛阳	六一七团五连	开封大学	洛阳白马寺村	
郭 毅	22	河南嵩县	六一七团机二连	开封大学	嵩县城内	
赵炳炎	22	河南汜水	同上	开封大学	城南刘河	
高树志	21	山东巨野	师直属卫生队	西北医学院	巨野营里焦	
夏继禹	21	河南荥阳	师直属卫生队	西北医学院	荥阳前挑门	
冯会杰	20	河北束鹿	同上	西北医学院	束鹿安吉黑村	

（民国档案，陕西省档案馆）

第十章 学生（上）

第一节 部分知名学子的学籍档案

一、国立西北大学教育系龚全珍简历

国立西北大学新生调查表

院系：国立西北大学文学院教育系。

姓名：龚全珍①

性别：女

出生年月：十五年十一月十八日（1926 年 11 月 18 日，现填写为 1923 年古历 1 月，或 12 月）。

---

① 龚全珍（1926—），女，山东烟台人。民国三十四年十月九日（1945 年 10 月 9 日）办完注册手续，进入位于陕西城固的国立西北大学文学院教育系（1945 年教育部特令增设）。此为她入学注册时填写的《国立西北大学新生调查表》和入学受训后的第一次考试，即写一份自传。1949 年自国立西北大学教育学系毕业，参加解放军并加入中国共产党，在新疆军区子弟学校任教，并与开国将军甘祖昌结婚。1957 年 8 月，龚全珍随甘祖昌回家乡江西省莲花县务农并一直从事乡村教师工作。2013 年 9 月，获得第四届全国道德模范称号。2013 年全国三八红旗手标兵。2014 年 2 月，荣获"感动中国"2013 年度十大人物。2014 年，被评为全国优秀共产党员。2016 年，当选江西省首届"感动江西十大教育年度人物"，12 月，龚全珍家庭被表彰为第一届全国文明家庭。习近平接见时说："龚全珍同志始终保持艰苦奋斗精神，并当选了全国道德模范，我感到很欣慰。我们要弘扬这种精神，不仅我们这代人要传承，我们的下一代也要弘扬，要一代一代传承下去。向老阿姨致敬！"

籍贯:山东省烟台市。

本人现在住址:第十八室女生宿舍。

学历:1931年在烟台市私立广仁路小学(或烟台一小)。

1938年在威海卫区立中学(现填写为1938年升入烟台市立一中,1941年升入烟台市立女中)。

婚否:未

家长姓名:龚文龙(长兄,兄妹关系),职业教师,住山东烟台广仁路20号。

保证人姓名:孙宗钰(教授,师生关系)[①],住本校。

家庭经济状况:不动产、动产均无。

个人经济状况:家庭接济、朋友接济均无,已获得全公费。

自我批评及将来的希望:自知学识基础太坏,太缺乏判断力,太幼稚;希望以教育作精神的寄托,做终身事业。

对于国家现状之感想及将来希望:政治紊乱,国民教育至今不能普及,希望国家能树立一个真正为人民福利着想的政府,希望提高教育标准。

对于世界现状之感想及将来希望:世界各强国依然是发展侵略弱小民族的帝国主义,希望我国能自强起来,世界各弱小民族也不受压迫。

崇拜之人物:孙中山,罗斯福。

自 传

由济南乘胶济路车东行至青岛换轮北航,就可到达山东半岛最东端的都市烟台——我的诞生地。恬静的海水抚摸着市外的北山,山脚下展开了广大的海滩。每在傍晚时,总要仰卧在沙滩上,要母亲坐在身旁,讲我小时的事和祖父母的事。所以,虽然我没有见过祖父,但他们的影子很深刻地印在我的脑子里,并且从母亲的话中,知道父亲是祖父最喜爱的儿子,因为他有像祖父一样刚强耿直的性格和坚强的意志。父亲是喜欢过规律生活的人,对于三十余年的电报员生涯,并不厌倦。虽说是为了我们姊妹11人的教育费,不得不如此。他临死时,还再三地对我们说:"不要贪图虚荣的享受和高贵的地位,那样最易使人走上堕落的路,要过清苦规律的生活,只有这种生活才能锻炼得你们成个完人"。那时,我才12岁,刚结

---

① 孙宗钰(字式均,1896—?,山东济南人)。时任国立西北大学法商学院商学系教授兼系主任。龚全珍的"保证人",入学受训时,龚全珍听过他关于"优良习惯的养成"的报告。

束了小学生活,就失掉了亲爱的父亲。因为父亲的死,大哥不得不辍止他的大学学业,继任父亲的职位,来维持家口。他决定要牺牲他自己的学业,而完成他弟妹们的学程。因此,我便被送入了烟台市立一中,在敌伪所设的学校中攻读了三年,看到了敌人的暴行及奴化教育的阴险。几次想逃离敌区南下,但因路费无从筹措,只好吞噬着我的泪。于初中毕业后,又在威海卫中学完成了高中学程。在这六年的中学生活中,先后因王老师及朱老师的暗示领导,使在沦陷区中的我,对于祖国的消息与情况不致闭塞,并加强了我对敌寇的愤恨及对祖国的爱慕与怀念。同时,因王老师对文学的修养很深,朱老师对音乐的兴趣很浓厚,而坚定了我对文艺与音乐的爱好。

在威海卫中学毕业后,因家庭经济拮据,不得不就业于区立第一小学校。同时,由每月薪金的结余,除去小补于家中外,还积蓄了我南下的路费。在这半年的小学教员生活中,使我这颗有了创伤的心,在一群天真无邪的儿童中,又活跃起来,只有为他们尽最大的努力,才能获得最大的安慰与效果。同时,在他们屡次的询问中:"老师,咱们的军队什么时候来?"使我对于祖国的怀念更加殷切起来,因此遂促成了我与孙爱珍同学的冒险南下。

沿路经过了月余的跋涉,终于到达了久已仰慕的古老都市——西安。由居民的艰窘生活中,知道这七年余的抗战生活已达到了最高点,而在这漫长的时间内因我国旧道德观念的根深蒂固与抗战后普遍的民间宣传,使每个人都有了抗战必胜的信念,期待着胜利的来临。终于,这胜利的日子来了,每个人的心都像要跳出似的搏动着,尽情地高歌与狂叫,藉以泄处心中的欢腾情绪。但是,在尽情地狂欢以后,继而想到今后建国的责任时,便不由得更加警惕,推究我们国家遭受的这次"七七"战事的原因,军事上力量的衰微固是主因,但教育的不普及也是其主因之一。因为教育不普遍,人民对国家没有丝毫认识,国家观念无从生起,因而没有坚强的团结力。同时,因教育的不普及,士兵的知识也很低,即使有了新式武器,也无从运用,因而造成了国家不幸的命运。现在,建国的日子已到,我们要想振兴起中国来,只有从普及教育上下手。所以,根据这个观念而确定了我理想中的事业——从事于教育。但愿如诸师友所说:"珍,你有冷静的头脑与明晰的观察,希望你更埋头深造,使你充实的功课更加充实起来,以期将来对教育界有最大的贡献!"

(民国档案,国立西北大学教育系,陕西省档案馆)

二、国立西北大学外国语文系齐越文档

教育部代电[①]

(高字第41378号)

国立西北大学：

　　学生齐斌濡[②]特准分发该校先修班肄业。即仰知照。

教育部(签章)
中华民国三十年十一月八日

监印　左　仲
校对　韩幼珊

(民国档案,陕西省档案馆)

[①] 教育部复学生国立西北大学学生齐斌濡(齐越)特准分发先修班肄业一事给国立西北大学电。西北大学于1941年11月8日收到。陈石珍代校长在收文面纸上"校长"一栏签章。教务处签署意见,表明已经布告。

[②] 齐斌濡,又名齐越(1922—1993),生于内蒙古满洲里,河北高阳人。1941年国立西北大学先修班肄业。1942年考入国立西北大学外文系俄文组,1945年因参加学运被通缉。这是目前仅见的教育部有关其学籍的档案。1946年10月参加革命,1947年担任陕北新华广播电台播音员。1949年10月1日,与丁一岚一起在天安门向全世界现场直播开国大典的盛况。

三、国立西北联合大学柳青文档

国立西北联合大学公函①

（发陕 109 字第 2170 号）

陕西省教育厅：

  陕籍生刘蕴华②救济金三十六元，本校迄未收到，请查明见复由。

中华民国二十九年五月二日
（民国档案，陕西省档案馆）

四、国立西北农学院赵洪璋文档

陕西省农业改进所派令③

（发文农字第 8 号）

  关于委赵洪璋④为技佐一事给赵洪璋的委令。

中华民国二十九年二月十六日
（民国档案，陕西省档案馆）

---

① 国立西北联合大学关于陕籍生刘蕴华（柳青）二十六年度第二学期救济金学校尚未收到，给陕西省教育厅的公函。陕西省教育厅于 1940 年 5 月 2 日收到。

② 柳青（1916—1978），原名刘蕴华。陕西吴堡人。当代著名小说家。1937 年高中毕业后，考入国立西安临时大学法商学院商学系俄文选修班，一边学习俄文，一边从事苏联文学翻译。学校于 1938 年 3 月迁往陕南城固时，柳青未去，跟随八路军到前方打仗，开始了他的创作活动。他于 1936 年加入中国共产党，1938 年奔赴延安。代表作《创业史》。

③ 陕西省农业改进所关于委赵洪璋为技佐一事给赵洪璋的委令。赵洪璋于 1940 年 6 月 16 日收到。李国桢代所长在收文面纸上"所长"一栏签章。这组档案表明赵洪璋在陕西农业改进所大荔农事试验场实习、工作和调回国立西北农学院的史实。

④ 赵洪璋（1918—1994），河南淇县人。著名小麦育种专家。1936 年考入国立西北农林专科学校，1938 年转入国立西北农学院，在家乡沦陷、中断生活来源的情况下靠"战区学生贷金"修完学业。1940 年毕业后，到陕西农业改进所大荔农事试验场工作，负责小麦、谷子、棉花等多项试验。1942 年初，被老师沈学年教授调回西北农学院任助教。他先后育成以"碧蚂 1 号""丰产 3 号"和"矮丰 3 号"为代表的几批优良小麦品种，其中"碧蚂 1 号"年最大种植面积达 9 000 万亩，"矮丰 3 号"的育成推动了矮化育种的发展，为中国小麦生产做出了重大贡献。1955 年当选为中国科学院生物学部委员（院士）。

陕西省农业改进所①

（农字第 180 号）

关于派赵洪璋为大荔农场技术主任一事的派令。

          陕西省农业改进所（签章）
          中华民国三十年八月十二日
          （民国档案，陕西省档案馆）

大荔农场的呈②

（麦字第 81 号）

送技佐赵洪璋前往泾阳武功等处搜集麦作材料旅费报表，检核发款由。

          中华民国三十年十月十七日
          （民国档案，陕西省档案馆）

陕西省农业改进所大荔农场呈③

（食字第 51 号）

请核销技佐赵洪璋旅费鉴核示遵由。

          中华民国三十一年五月六日
          （民国档案，陕西省档案馆）

---

① 陕西省农业改进所派赵洪璋为大荔农场技术主任给赵洪璋的派令。赵洪璋于 1941 年 8 月 15 日收到。

② 大荔农场报送技佐赵洪璋前往泾阳等处搜集麦作材料旅费报表请核一事给陕西省农业改进所的呈。陕西省农业改进所于 1941 年 10 月 17 日收到。

③ 大荔农场请核销技佐赵洪璋 1941 年 8、9 两月份旅费一事给陕西省农业改进所的呈。农业改进所于 1942 年 5 月 6 日。

陕西省农业改进所指令①

（会字第 8 号）

大荔农场：

请发给练习生薛乃荣、技佐赵洪璋欠薪一事。

中华民国三十一年八月六日

（民国档案，陕西省档案馆）

陕西省农业改进所指令②

（农字第 96 号）

大荔农场：

技佐赵洪璋辞职应即照准一事。

中华民国三十一年三月十一日

（民国档案，陕西省档案馆）

陕西省农业改进所派令③

（发字第 85 号）

派赵洪璋为农业改进所科员一事。

中华民国三十六年七月三日

（民国档案，陕西省档案馆）

---

① 陕西省农业改进所请发练习生薛乃荣、技佐赵洪璋欠薪一事给大荔农场的指令。大荔农场于 1942 年 8 月 14 日收到。

② 陕西省农业改进所关于据报技佐赵洪璋辞职等情给大荔农场主人霍家驹的指令。大荔农场于 1942 年 4 月 12 日收到。

③ 陕西省农业改进所关于代理农业所科员一事给赵洪璋的派令。赵洪璋于 1947 年 7 月 3 日收到。

陕西省农业改进所指令[①]

（农字第 187 号）

大荔农场：

　　赵洪璋前往各场院实习，应予照准。

中华民国三十八年八月二十六日
（民国档案，陕西省档案馆）

国立西北农学院呈[②]

（教字第 2079 号）

教育部：

　　送审助教赵洪璋证件等事。

中华民国三十四年四月十七日
（民国档案，陕西省档案馆）

---

① 陕西省农业改进所关于赵洪璋前往各场院实习请核示给大荔农场的指令。大荔农场于 1941 年 8 月 23 收到。

② 国立西北农学院关于送审助教赵洪璋的证件给教育部的呈。教育部于 1945 年 12 月 17 日收到。

五、国立西北工学院吴自良文档

国立西北工学院公函[①]

（发字第2441号）

函请核发本院航空系毕业生吴自良[②]出国护照，以宏造就由。

国立西北工学院（签章）

中华民国三十二年五月三十日

（民国档案，陕西省档案馆）

国立西北工学院公函[③]

（发字第630号）

美国领事馆：

  航空系毕业生吴自良、周德章拟赴美国留学请查照惠予证明由。

中华民国三十二年八月二十日

（民国档案，陕西省档案馆）

---

  ① 国立西北工学院函请核发航空系毕业生吴自良出国护照一事给外交部的公函。外交部于1943年5月30日收到。

  ② 吴自良（1917—2008），浙江浦江人。材料科学家，中国科学院院士，"两弹一星"功勋奖章获得者。1935年中学毕业后，考入北洋工学院，先读矿冶，后转学航空机械。1937年转入国立西安临时大学—国立西北联大工学院，1938年转入国立西北工学院。1939年毕业于西北工学院（持北洋工学院毕业证）。他挑起负责研制"甲种分离膜"的重任，历时3年多完成了甲种分离膜的研究、试制和工业生产的任务，从而打破西方的核垄断使中国步入核大国的行列。1980当选为中国科学院学部委员（院士）。

  ③ 国立西北工学院吴自良周德章赴外国留学请予证明给美国领事馆的公函。赖琏代校长在收文面纸上"校长"一栏签章。

国立西北工业学院关于吴自良、周德章赴外国留学请予证明事给美国领事馆的公函

（发字第3630号）

查本院二十八年班航空工程学系毕业生吴自良、周德章在校时,学业操行均极优异,现拟出国赴贵国留学,以资深造,相应着持函前往接洽,至希查照惠予证明为荷。

此致

美国总领事馆

中华民国三十二年八月二十日

（民国档案,陕西省档案馆）

六、国立西北工学院史绍熙文档

国立西北工学院电[①]

（发字第82号）

资源委员会机器制造厂：

为学生史绍熙[②]等他就,改派李先魁一事。

中国汽车制造公司桂林分厂（签章）

中华民国二十八年六月二十一日

（民国档案,陕西省档案馆）

[①] 国立西北工学院学生史绍熙等已他就改派李先魁请予录用一事给资源委员会机器制造厂的电。机械制造厂于1939年8月21日收到。赖琏代校长在收文面纸上"校长"一栏签章。

[②] 史绍熙(1916—2000),江苏宜兴人。内燃机专家,中国工程热物理学家,中国燃烧科学技术的首席科学家,中国高校内燃机专业的创建者和教学、科研的开拓者,教育家。1935年高中毕业后,考入北洋大学机械工程专业。七七事变后,参加家乡青年抗日救亡宣传队,经安庆,至武汉,后知母校内迁,复奔赴西安,相继在国立西安临时大学—西北联大、西北工学院机械工程系完成学业。1939年以全班第一名的优异成绩毕业于国立西北工学院(持国立北洋工学院毕业证),获学士学位并留校任教。他推导出粒子在气缸内涡流中的运动轨迹方程,提出了周边混合气流形成的原理;发明柴油机的热混合理论;建立了周期性脉动式流动的能用速度分布方程;研究开发成功我国第一台转速为3000转/分以上的高速柴油机和第一台两级自由活塞式发动机压气机;建立了内燃机燃烧学国家重点实验室。1980年当选为中国科学院学部委员(院士)。

七、国立西北联合大学医学院黄日聪学籍文档

学校给医学院黄日聪、史克宪的便函通知①

录教部第 1221 号指令,关于转呈学生黄日聪、史克宪:拟以红十字会服务成绩移充第六年级实习成绩至不足三月数仍须于五年级期满后补足十一个月方准毕业等由,准予照办。即希查照仰知照。

附件 1:教育部指令(12212 号)

廿八年四月廿八日呈乙件,为转呈学生黄日聪、史克宪拟以红十字会服务成绩移充第六年级实习成绩至不足三月数仍须于五年级期满后补足十一个月方准毕业。请鉴核示遵由。呈件均悉,准予照办。证明书存。此令

部长　陈立夫

中华民国二十八年六月一日

附件 2:黄日聪呈文呈请将红十字会医疗队服务之时期移充第六年之实习事。窃学生黄日聪原系国立北平大学五年级学生,前年复参加全国医药学生首都集中训练后即赴沪报名参加救护工作。沪战爆发,遂即于沪上各难民收容所及伤兵医院服务,担任卫生及一部分之医疗工作。十月,沪上各学校相继开学,乃借读于国立同济大学上课一月,得翁之龙校长电谓南京首都医院需医务人员,亟凡愿为国效劳之四五年级同学,速即报名前往,将来服务时期当可作第六年之实习计,生与同济同学 24 人即共报名参加时正民国二十八年十一月七日也,越二日即绕道至南京入首都医院工作。其后,西至汉口,被编入中国红十字会第一医疗队,即随队先后至洛阳、兴平、徐州、许昌、汉口、宜昌等地各伤病医院服务。三月初,第一医疗队自洛阳西赴兴平,道经西安时,西安临时大学适在西安,生拟离队返校籍,竟未完之学业,商于吴祥凤院长,吴院长谓:"学校现在人、物两缺,且晋南战局紧张,恐将他迁,故汝既在医疗队,既为国服务,且能得实际经验,在队实胜于在校也。他日战事终了,国家当不负为国努力之汝等年青学子也"。生以此未离医疗

---

① 学校于二十八年六月十四日收到教育部此令,编为籍 144 第 1552 号,有常委李蒸、徐诵明、胡庶华的签名。当日即发给学生。徐诵明常委于四月十七日批示"平批如另文"。陈剑翛常委于六月十四日批示:"查原呈该生等姓名是否今黄、史二生。查明系黄、史二生"。

队。四月初,台儿庄捷报传来,第一医疗队即东驰徐州,在徐一月,工作忙甚。于五月十三日西退之末次车中,始泣别已四面楚歌之徐州,而至许昌工作。越二周,红十字会总会电令赴汉口入第一重伤医院,迁宜昌。八月初,奉令复回汉。其时,工作较轻松,且闻学校将开学。乃请常委徐代向中国红十字会救护委员会总干事林可胜先生准交涉,准予离队回校。九月十五日,乃得正式离红十字会第一医疗队。九月下旬来校报到,越三日即正式入诊疗所实习,迨学校正式开学,即随五年级补习服务期间之缺课焉。总计离校以来,计在难民收容所及伤兵医院共服务12月整,在国立同济大学借读1月,在本院诊疗所实习亦一月,按去岁六月教部颁布之医学生红十字会调遣服务办法中曾有略似下述之规定:

1. 凡医学院四五年级之学生,其在中国红十字会或军政部之各伤兵医院服务者,其服务时期得移充实习时期计。

2. 如服务机关有特设之各科补习班者,得充学校成绩计,否则于日后补习缺课。

3. 服务生将来毕业时期得仍按原应毕业之年月计,惟文凭须于缺课补读完后发给。准此,则生前岁在伤兵医院服务之12个月、回校后在诊疗所实习之一月,当可移充实习之时期而有余矣。至于第五年之缺课,则同济借读之一月及上、今二学期之全部功课,亦已无缺,全部补足。是以生在医学院之六年可谓年两无所缺,伏希钧会准予所呈,将生为国服务之一年依教部调遣医学生服务办法之规定,移充第六年之成绩,准予今夏毕业,则不独生之万幸,亦且为愿为国效劳之同志之一种鼓励矣。此呈

国立西北联合大学常务委员会

医学院学生黄日聪[①]谨呈
三月十六日

附:中国红十字会总会救护委员会服务证明书一件第一医疗队

(民国档案,陕西省档案馆)

---

① 黄日聪在"一二九"运动的12月下旬,参加北平大学"平津学生扩大南下宣传团",为医疗小组7名成员之一,曾遭反动军警棒击。主持中国人民解放军四〇一医院妇产科、武汉疗养院院长。

第二节 国立西北大学的两次学潮

一、"驱李事件"[①]

李书田致教育部长陈立夫电报

陈部长钧鉴：

本院少数学生突生暴动，业于艳电详陈。该日下午召开全体教职员会议，经商定先尽力劝导并布告。自30日起，仍照常上课，乃该少数暴动学生依然继续干扰。30晚，中央军校刘副主任代表汉中警备司令来院恳商。今晨，该暴动分子，

[①] 1938年12月30日，正当西北工学院筹备期间，发生了一场学生斗殴和"驱李事件"。李书田从1937年9月任西安临大常委，兼领临大工学院院长，在临大南迁过程中兼任校舍勘察与布置委员会主任，为临大在汉中落脚做出辛勤努力。1938年7月又奉部令兼任"国立西北工学院筹备委员会主任"。但是，他为人处事过于自尊，常流露出北洋工学院高人一筹，不善于尊重他方，取长补短；又不能以团结为重，求同存异，合作共事，加之又不能体谅当时各校流离失所暂聚一起，原有师生程度、教学水平不尽相同，以及难免门户之见的特殊情况，急于寻求一致，常致矛盾摩擦。1938年7月，李书田在筹组"西北工学院"其间，未能使母校北洋"复名"，对此耿耿于怀，固执坚持按北洋的规矩来办学，坚持对所有教授进行考试，以结果评定职称。这样一来，原北洋的教师级别未动，其他学校的教师却被"大降级"，教授大多降为副教授，副教授降为讲师，讲师降为助教。这就犯了众怒，使"西工"中其他院校师生与北洋师生形成对立之势，"驱李事件"随之爆发。1938年12月30日凌晨，原北平大学工学院30余名学生手持木棍结队来到办公大院，与原北洋工学院的学生发生冲突，两边棍棒相对。原东北大学工学院学生也结队来到办公大院内助战，一时砖石齐飞。原北洋人少，潘、周两人急忙带领北洋学生退出。李书田得知此事后勃然大怒，下令全院停课，并坚持开除3名闹事的学生代表，学生不同意，双方僵持不下。原北洋工学院学生陈之藩曾对此回忆说，其他院校的学生不喜欢李书田，被降级的老师更不待见他，一天夜里，被"贬"的人每个都到厨房拿了一根柴火棍，将李书田赶出宿舍。李书田只得到二里外的左家湾暂避。更多的原北洋学生得知情况后，又引起北洋学生与其他院校学生间进一步的冲突，致使一些学生受伤，双方情绪对立，难以调解。原联大工学院、北洋工学院、东北大学工学院、焦作工学院的四校教师共同出面，尽力做双方学生的工作，以维护新的"西工"的团结。1939年1月，李书田去重庆教育部报告事件经过，未再返校。院务工作由赖琏代理。1939年3月，李书田率领约200名北洋师生南下四川，要脱离西北工学院在四川广元"复校"。之后，在赖琏、曾养甫等人调解下，劝回大部分离校师生仍回城固复学。

竟又发动大规模暴动,驱逐原北洋学生,棍伤头部,重者九人,轻者数十人,不得已均被迫出院,经刘副主任一再弹压,东大学生仍甚嚣张。下午春藻、北海偕来,赴院对暴动学生训话,仍未后悔。晚间,优良学生500余群集书田处,详陈不能与该暴徒等共学一堂之意,另除觅民房暂居校外,派员看护受伤学生,并与胡、张两委员及刘副主任详商解决办法外,谨特电陈,敬听鉴察。

国立西北工学院筹备主任　李书田
中华民国二十七年十二月三十一日

附件:查本院筹备时期,发生学潮一案,业本钧部宥密寝电,开除为首滋事学生王有泽、林世昭、毛安民、王景哲、李道中、樊宝兰、奚彦肃等七名在案,并经本院予以自新之路,分别介绍于唐山、重大、复旦等校为借读生,计有六名,仅有王有泽因习纺织,无校可转。现在该生等均知悔悟,其有校借读者已能努力用功;无校可转者,亦感失学痛苦。拟恳钧部曲予裁减,再为从宽处置,准其一律恢复学籍,至在唐山等校借读各生,应届本年毕业者,呈请核定由何校发给毕业证书。可否之处理合备文呈请。

致陈部长。

国立西北工学院
中华民国二十九年五月二十四日
(民国档案,陕西省档案馆)

二、国立西北大学的两次学潮相关文电

西北大学呈教育部稿

窃查本校二十九年度应届毕业生名册,前经呈报钧部有案。其中姚文焕等40名,于六月二十四准鄂陕甘边区警备司令部密函略开,查报该生等信仰不坚,并有为共党活动嫌疑,拟召集举行个别谈话,善意劝导,俾有所表白自新,请将该生等毕业文凭暂予保留,一俟调查明白,再予补发等由。本校亦学生思想问题,际此抗战建国之时,颇为严重。六月二十四日本校长举行毕业典礼时,曾邀请祝司令先后召集各该生谈话,计参加谈话者32名,嗣后警备司令部通知参加广州各生,均愿接受劝导,请照发毕业证明书。姚文焕、苏农官二名俟取具本党党员三人

之保证,亦可发给。……陈志立、伍诗绥、余士铭、陆玉菊、段文燕、马介云等六名,未到汉谈话,且嫌疑重大,应请扣发证明书等由。石珍为慎重起见,后召曾参加警备司令部谈话学生,至办公室谈话一次,面加训导,并准予发毕业证明书。现在 40 人中未发给毕业证明书者,计有苏农官(因尚未取具本党党员三人之保证)及陈志立、伍诗绥、余士铭、陆玉菊、段文燕、马介云等共计七名。据本校训导处生活指导组及军事管理组调查,该生等在校议论行动尚无显著越轨情事,其中段文燕一名,事后曾于考试完毕后即赴渝迭次来函,详述未能参加谈话理由,请求补发证明书。经函准警备司令部本年九月十日警公字第 2993 发复开,该生嫌疑重大,应俟办理自首手续之后,方可发给毕业证书,渠现远在重庆,即请就近向教育部办理自首。

陈石珍
中华民国三十年九月二十三日

附件 1:教育部陈部长第 28421 号笺函,希将陈志立等思想行动及损毁发毕业证明书经过查明报部由。 七月二十五日

附件 2:西大三十年姚文焕、伍诗绥、余士铭、段文燕、陈志立、马介云、苏农官、陆玉菊,以上八人除姚文焕、苏农官二人取具保证书后得发毕业证明扣发贷金外,其余六人均扣发毕业证书和贷金。 石 七月五日。

(国立西北大学档案,陕西省档案馆)

教育部指令

(高字第 39878 号)

三十年九月二十三日呈一件——关于本届应行毕业生姚文焕等信仰不坚涉有为异党活动嫌疑,经准鄂陕甘边区警备司令部函商处理办法情形,呈请鉴核由,呈悉。查所报处理本案经过情形,大致尚无不合,其中苏农官等七名既未遵赴鄂陕甘边区警备司令部谈话,所有该生等毕业手续可缓呈报,至段文燕一名自首手续,应向党部办理,并仰转该生遵照。此令

陈立夫
中华民国三十年十月十八日
(国立西北大学档案,陕西省档案馆)

鄂陕甘边区警备司令部公函

（警稽字第 0101 号）

查贵校学生丁疏九又名丁不一，据报系奸党跨党分子，与本部所审之某案有关，兹派本部便衣稽查白鸣皋前来，希贵校将该丁疏九交其带回以便质讯。此致
国立西北大学

鄂陕甘边区警备司令部
中华民国三十一年二月

附件：西北大学公函至鄂陕甘边区警备司令部。

复上函。兹本校历史系丁教授山来函谓已向贵司令部担保丁生卜一（贵部公函内系丁不一），并得贵司令函复可请学校备函领回，恳即由校代为函转等语，相应函达即希查照，准由本校丁教授山将该生保释，并由军事教官领回严加管教为荷。

代理校长陈石珍

（国立西北大学档案，陕西省档案馆）

河南省政府快邮代电

（字第 784 号）

陕西城固国立西北工学院密特件，顷据密报查共党分子近在各地积极活动，诚欲在吾抗战建国最艰苦之阶段淆惑人心，扩充势力，以图夺取政权，对吾国家民族危害殊深。政府曾一再下令防缉而以吾党政机关谍报组织欠缺，兼以组训民众工作之忽略故终难实行。今据民等所知谨举一人用恳主席密捕办法以利党国。鲁山县鲁南乡民刘宗和为开封省立高中之毕业生，在校求学时即暗投共党活动宣传，嗣以事泄，政府派人缉捕伊，闻风逃窜溢出罗网。后伊在家乃以将其书籍杂志借读乡民，以资宣传事被民等发觉当即报告县府恳予拿办，讵知伊胞兄刘惠风与县动员委员会干事刘民则及鲁山三青团支团部主任张政一均系势友，是以案被私下解决。去暑，刘宗和考中西北工学院赴陕西城固读书，民等认为伊再借机活动危害党国，故再事渎呈恳祈主席一面通知西北工学院拿捕送交所司法办，一面迅予派人往其家内（鲁南乡石佛寺寨内）搜查书籍（书籍共一板箱常藏于后院之红

薯窑内)。现因天气暑热,窖内潮湿已将书籍移至刘宗和之住室内存放,如此双管齐下由,诚不难报除矣。今特具报上呈伏恳钧座从严法办以锄民害而安地方,则百姓幸甚矣等情,据此除分电外,相应电请查核办理见复为荷。

中华民国三十一年七月三日
(国立西北大学档案,陕西省档案馆)

教育部代电

(高字第 18912 号)

国立西北大学赖校长鉴:

据三民主义青年团河南支团部报称:据本处汝南分团报称,据其党自首人左凤岗、张熙清、李彤庭供称:共党要犯唐文郁曾赴延安受训,其兄唐文润、兄妻冯珍曾在中共中原局之竹沟开会,现因风头不好,伪造入学证明转入陕西城固国立西北联大求学等情,据此特电奉闻,并请转电教育部将该唐文润夫妇查询究办等情。准此。该唐文润、冯珍等二名应予严密注意。该生等何时入学,仰迅详细册报并连同其各项入学证件一并呈部,以备查核。

教育部高巧印
中华民国三十一年五月十八日

附件:西北大学呈文教育部函:

遵查本校并无唐文润、冯珍二生,仅有其弟唐文郁一名在此,三十年十一月由钧部分发本校经济系二年级肄业。该唐文郁于本年三月到校上课,是否开除学籍或押解警备司令部?

西北大学
中华民国三十一年七月二十日
(国立西北大学档案,陕西省档案馆)

国立西北大学学生自治会函刘校长

(自字第 1017 号)

呈这本会代表遭受处分恳祈赐知理由事。案据学校发字第 0358 号布告本会代表 11 人均受过两次之处分,窃屈峻岭同学并非本会代表,似不应与自治会事混为一谈,又该受处分之代表中其言语行动并无违反校规之处,所受处分实不知何所依据,以上两点请恳祈钧座赐予指示,以明是非,免淆黑白而安众心,实为德便。谨呈校长刘

中华民国三十五年四月十日

(国立西北大学档案,陕西省档案馆)

刘季洪致重庆中央社①

萧社长:

国立西北大学少数阴谋学生把持自治会,干涉校政,扰乱社会治安,引起多数学生不满,经代表会及全体大会两次决议解散后,彼等不择手段竟于三十日纠集百余人在校暴动,抢夺校警枪杆及校印等,包围办公室胁迫校长离校,霸占校本部,荷枪实弹致千余徒手员生顿陷危急恐怖状态,正在扩大事件中,将来能否演成大惨案,万难预料。

刘季洪

中华民国三十五年四月

附件1:警备部宋司令译转西北大学刘校长季洪先生卯铣电诵悉。已派队进驻汉中,希向宋司令径洽办理。除分电外,特复胡宗南。

附件2:抄祝主席来电。章专员卯皓亲电悉勤政密,西大风传教育部已电刘校长返校,并派督学前往处理,仰切实负责协助学生所夺枪械应限期缴出,印信应令缴还学校当局。至于为首暴动学生应依法惩办,校方执行如有阻碍时,速会同当地驻军及督饬警察充分协助,俾整纪纲而肃校风,并将遵办情形电复祝绍周。教一卯印。

附件3:朱家骅函刘校长:国立西北大学刘校长季洪兄勋:以本函呈均悉,吾兄任职以来功劳素著,值兹迁校期间,正赖专才,擘办一切,务希勉任艰巨,毋再稍散退,至当盼切。弟朱家骅印。

附件4:国立西北大学阴谋分子暴动抢枪夺印威胁校长(城固讯)。国立西北大学前因组织自治会问题引起罢课风潮,经刘校长返校后妥善处理,当即解决。惟数周来少数阴谋分子企图把持自治会作种种不法行动,引起多数学生不满,由

---

① 本电无时间,据后分析约为1946年4月前后。

各班代表会及会员大会两次决议解散,彼等竟不择手段,于本月十五日纠集百余人,在校暴动,抢夺校警枪支校印,包围办公室,胁迫校长离校,霸占校本部,荷枪实弹,致千余员生顿陷危急恐怖状态。该校各院长至主任及教授对此不法行为,均极愤慨,经开会决定一致表示与校长同去留,并于学校恢复常态前拒绝授课,现社会一般人士及学校员生,均盼政府能早日协助学校严惩暴徒平息风潮云。

附件5:鼓动并参加暴动学生名单。四人系刀刺范晓天同学者,另有57人抢夺校印威胁校长及情节重大者。三十五年四月校潮暴动学生姓名已于五月七日秘字第54号报部。开除学籍者41人,勒令退学者27人或28人,记过两次者10人。

(民国档案,陕西省档案馆)

教育部电

城固西北大学赵进义先生并转诸员生:

卯文电悉刘校长前请辞职,业已复电慰留。

教育部卯寝
中华民国三十五年五月二日
(国立西北大学档案,陕西省档案馆)

1946年西北大学校长刘季洪给教育部的报告①

文　　别:呈送达机关:教育部

地　　址:南京

---

① 1946年4月15日爆发的"四一五事件"学运的实际情况是:3月1日至7日,校方组织的"维护国权游行示威会"与学生代表倡议组织学生自治会发生对立,学生自治会筹备会组织的爱国游行大会要求美国交还琉球及促其与苏联同时撤兵。3月7日,国立西北大学学生自治会成立,并宣布罢课,要求承认合法地位,废除"壁报审查制度"等。3月中旬,学生组织"赴渝请愿代表团""赴西安请愿代表团"等,获得各方支持。3月29日,学校允诺只要复课,即承认自治会和允四代表复学。4月1日,刘季洪校长自食其言,另成立学生自治会指导委员会,对学生自治会四名负责人处以留校察看处分,并对11名学生处以记过两次。后来,又要求学生自治会改选,复不承认改选结果,并下令解散。4月14日,学生自治会要求校长刘季洪承认其合法地位,但刘拒不承认,百余学生遂冲入校本部,勒缴校警武装、印章,驱赶校长离校。次日,校方成立护校团,配备武器,与自治会学生对峙。4月23日,22名学生被捕,刘季洪返校,并开除自治会负责人卫佐臣等40名学生学籍,勒令退学27人,98人记过两次。牛汉(史成汉)等被捕。齐越(齐斌濡)、杨淑真(杨沙林)夫妇等遭到通缉。5月8日,重庆《新华日报》呼吁释放被捕和失踪学生。上海《文汇报》《时代日报》予以谴责。《解放日报》《晋察冀日报》均对学生表示声援。6月1日,陕西省高等法院汉中分院宣布:对在押学生判刑一年,缓期三年执行,准予保释,学生先后出狱。

事　　　由：为详陈本校风潮经过及处理情形仰祈签核由　校　　　长：刘
时　　　间：中华民国三十五年五月四日

为详陈本校风潮经过及处理情形仰祈签核由，审查本校少数反动学生以把持自治会不遂，乃竟不择手段于四月十五日纠众暴动，抢夺校警枪枝及关防印章，包围办公室，胁迫校长离校一节，业经以卯铣电报在案。谨再将经过详情陈明如下：

（一）二月下旬校长因公留渝，适全国各校以苏联延不撤兵东北，纷作爱国护权运动。本校教授对此异常愤慨，当即联名发表文告（仅有徐褐夫、王守礼、季陶达、原政庭、李毓珍、王衍臻六人拒绝列名）严重抗议。其时全校学生爱国情绪，至极热烈。经多班学生代表开会议决，以"反侵略会"名义拍发通电，斥责苏联违约行为，并要求立即撤退东北驻军。但此项决议，终为少数学生阻挠，未能实行。嗣本校各院长、系主任又与各班学生代表举行师生联席会议，决定于三月二日与城固各大中学同时作爱国游行，并推定学生代表筹备。讵少数学生，又提出自治会问题，声言举行爱国运动，应以组织学生自治会为先决条件，并强迫代行校长杜教务长之职，立即允予成立自治会，否则决不参加任何爱国运动。杜教务长当告以爱国运动与自治会应为两事，不能混为一谈，允准可先作爱国游行。要组织自治会事，候电校长请示后，再行决定。无奈少数学生，坚持成见终不能从，于是原定三月二日与城固各大中学联合举行之爱国游行，以受少数反动分子破坏操纵，自动参加之学生300余人。旋该生等自行成立自治会筹备会，并另于四日举行爱国游行大会，参加者约200余人。途遇本校学生张子正张贴重庆学生质中共书，乃即擅加逮捕公审，并拘禁半日，始行释放。多数学生见自治会所发电文中有要求美国交还琉球及促其与苏联同时撤兵等词，深讶爱国运动业已变质，多不直其所为。故四日晚，该生等召开全体大会，到会学生仅400余人，不足法定人数，即擅自成立自治会。并于六日公然以自治会名义，通告宣布罢课。此由爱国运动转而成为自治会问题，又为自治会问题演成罢课事件之经过也。

（二）本校全体院长、系主任，对少数学生无理滋闹酿成罢课事件，深为痛心，因于六日午后，联名发表书面劝告其要点为：1.以至诚劝告同学，务须于三月八日复课；2.在复课后，同仁等绝对负责向校长建议，许可全校性之学生组织，但须循合法的合理的民主的原则；3.复课后务希全体同学保持秩序，免生枝节。不料此项劝告，竟被该自治会之干事会完全拒绝。无已，乃于十一日召开校务会议，决议：1.学生卢永福、杨远乾、王庆新、罗讳，鼓动罢课，破坏校纪，着即开除学籍；2.准予成立学生自治会，惟须循合法手续民主方式另行成立正式组织；3.限于三月十二日一律复课，违则严惩。此项决议案公布后，该自治会坚持反对，不召开全体学生大会，仅开班代表会，擅作决议，继续罢课，且向学校抗议要求收回成命。此由各院长、系主任劝告无效而至校务会议议处之经过也。

（三）该自治会干事会，一面推派代表分赴重庆、西安请愿宣传，一面张贴标语漫画，肆意侮辱学校，损坏校誉。由是多数员生对彼等行动，益感不满。该会代表为缓和空气计，自提条件，请师长出面斡旋，遂有院系负责人十六日之劝导。其要项为：1.三月十八日一律复课，由学生代表通告；2.现有自治会即日停止活动。所有自治会印章，交由院长暂为保存；3.四同学之开除处分，暂缓执行，候校长返校，由院系负责人绝对负责向校长说明从轻处分。及院系负责人与该会代表商定以上三项。提出后，又为该自治会之代表会所否决，更转而攻击蓝训导长文徵，制造新题目以图挽回颓势。此各院系负责人应该生等之请求，再度出面劝告斡旋失败后，又由对事转而对人之经过也。

（四）校长在渝公毕，于三月二十六日晚返校，翌日即召集全体学生讲话，感以至诚，晓以大义；晚间并向各班代表剀切训导，多数学生，均极感动。各班学生斥责自治会之启事，如雨后春笋，教育系、数学系等十数班，且相继声明退出该自治会，要求复课之声浪，响遍全校。至三十日，遂全部复课。四月一日，由校聘请教授十五人，组织学生自治会指导委员会。六日校务会议决议，对侮辱师长，损坏校誉，情节较重之学生金守琨等十一人，各予以从轻记过两次，前开除之卢永福等四人，只予从轻留校察看。此校长公毕返校后，劝导学生复课，及处罚犯过学生之经过也。

（五）四月十三日，该自治会主席卫佐臣率众滋扰陕西省银行，校长据报后，当召该生严予训斥，告以不应对外滋事。该生着恼之余，乃向该自治会作不实之报告，蓄意鼓动，复于十四日晚举行班代表大会时，故意提议解散自治会，藉以刺激同学感情，而谋事态扩大。多数代表以自治会领导人屡生事端，遂予以通过。彼等见计不售，又于十五日召开全体大会，以图挽救。结果又以198票对118票决议解散自治会。至此彼等凭藉已失，无法号召。遂不择手段，铤而走险，于下午三时许，纠众百余人，冲入校本部，实行暴动，抢夺校警枪支及关防印章，强占各办公室，包围校长胁迫离校，并擅令各班发言。当时各院长系主任教授等数十人，陪同校长在办公室，目睹实情，实感痛心，及至五时许，校长及各教授始脱离学校。当晚各院长系主任及教授代表开紧急校务会议，当决定向校长急辞职，一致与校长同进退。学校顿成紊乱状态。不法学生，擅设门岗，集体盘踞礼堂，任意取用公物,遍贴荒谬标语刺伤同学,造成恐怖。种种恶行,实难罄述。此该生等纠众暴动后之一般情形也。

（六）自该生等在校暴动后,全体教职员均极痛心,立即签名表示绝对支持学校;多数纯洁学生,莫不深表愤慨,当即发起护校运动。十二日上午,签名护校学生即达400人。十七日召开护校团成立大会,签名者已近700人,占全校人数五分之三以上。十九日晨,护校团即展开工作,一面赴城内张贴标语,一面赴法商学院据守。校务总会之积极协助,并发表宣言,请社会人士予少数不法学生以有力之制裁。迨于法商学院举办登记时,除暴动学生外,莫不踊跃参加。而数十暴徒终以无人同情,内部解体,遂于二十三日夜,全部逃散。校长即于二十四日午,偕同周洪本、蔡若水二督学返校。当晚赴校本部巡视,翌晨正式恢复并于二十九日召开校务会议,对参加暴动学生,按其情节轻重分别议处,一面开列名单,依法提起公诉,理合缮具处分学生清册一份备报。仰祈

　　签核。　谨呈部长朱

校长刘函

附件1:陕西南郑地方法院检察处公函(检字第151号),函请检送王绎等妨害公务一案证据由。本年四月二十五日本陕西高等法院第一分院检察处移转侦查贵校长函诉学生王绎等20名妨害公务等情一案,相应函请将有关证据检送过处以资侦讯为荷。此致国立西北大学。中华民国三十五年四月二十七日。

附件2:陕西南郑地方法院检察处公函(检173号),函送王绎等妨害公务一案起诉及不起诉处分书请查收由。起诉案共44人,不起诉案有4人,史成汉,李振基、汪赓炎、武荣昌。中华民国三十五年五月十八日。

附件3:陕西南郑地方法院刑事判决(三十五年度诉字第75号),四十五人因妨害公务案件经本院检察官提起公诉,判决如下:牛金镛、桂诗晶、王君强公然聚众以强暴胁迫使公务员辞职,各处有期徒刑一年缓刑三年;陈世庄等十人处有期徒刑一年缓刑三年;宋致照无罪;卫佐臣等三十一人缉获另办。中华民国三十五年六月。

附件4:校长刘函警备司令部宋:查本校暴动首要分子杨淑贞、卢永福、王松益已来南郑,请贵部即予逮捕法办为荷。中华民国三十五年四月十八日。

（国立西北大学档案,陕西省档案馆）

教育部训令

(发文训字第 36575 号)

据报"学运指导委员会以此次学潮已被当局平息且其干部被捕者颇多,暴露身份者亦不少,故基本上其指导仍属失败,现谋进一步行动,学潮死灰复燃,已由该委员会负责人廖杰(化名)决定一项阴谋加法饬令其潜伏在各校已暴露或尚未暴露身份之干部分子随时离开学校,甚至离开学校所在地,自行隐秘而即以失踪有被当局秘密逮捕为藉口,同时对于若干我方之学生干部,奸党认为其在学校中能起作用甚大者亦拟设法予以架走,甚至枪杀其生命,而仍将此项责任畀诸政府当局,以高反抗情绪而使学潮重起"等情,除分令外合亟令仰密切注意防范为要。

部长朱家骅

中华民国三十六年七月二日

(国立西北大学档案,陕西省档案馆)

第三节　国立西安临时大学—国立西北联合大学毕业生[①]

一、国立西安临时大学—国立西北联合大学二十七年度毕业生

（一）原国立北平大学女子文理学院应毕业学生一览

姓名	性别	年龄	籍贯	系别
范秉如	女	25	甘肃靖远	文史学系
王惠生	女	25	安徽怀远	文史学系
李学芬	女	25	湖北武昌	数理学系
张玉梅	女	26	山西平定	化学系
傅静君	女	26	湖北沔阳	化学系
徐应湘	女	23	江苏常熟	化学系
李玉霞	女	25	河北束鹿	经济学系
刘秋英	女	23	湖南新宁	经济学系
漆承懿	女	24	江西宜丰	经济学系
卫畹湘	女	25	广东台山	经济学系
以上 10 名				

（二）原国立北平大学法商学院应毕业学生一览

姓名	性别	年龄	籍贯	系别
李宏基	男	27	河南武安	法律学系
王汉民	男	23	河南新郑	法律学系
冯连章	男	24	河北高邑	法律学系

---

① 据姚远《西北联大简史》统计：1937 至 1939 年，西安临大—西北联大毕业学生 665 人，仍发给原校证书。其中北平大学 251 人，北平师范大学 307 人，北洋工学院 39 人，河北省立女子师范学院 11 人，他校转学借读生 57 人。原件存陕西省档案馆。

续表

姓名	性别	年龄	籍贯	系别
聂慎五	男	29	湖南澧县	法律学系
赵文清	男	25	河北吴桥	政治学系
赵金铭	男	29	山东陵县	政治学系
许秀廷	男	27	辽宁沈阳	政治学系
张良珍	男	27	湖北宜昌	政治学系
孙逢告	男	25	河北盐山	政治学系
顾鸿传	男	26	江苏江都	政治学系
马锡珺	男	27	山东菏泽	政治学系
屠凤林	男	30	山东禹城	政治学系
王大鹏	男	27	辽宁怀德	政治学系
刘国政	男	27	河北昌黎	政治学系
汤国铭	男	27	辽宁海城	政治学系
于志洛	男	28	山东栖霞	政治学系
张方坤	男	28	山东寿光	政治学系
邹天爵	男	24	湖北汉口	经济学系
莫洪桂	男	27	湖南慈利	经济学系
刘百芳	男	23	湖北汉阳	经济学系
王传慈	男	23	湖南湘潭	经济学系
谭　枢	男	28	广东开平	经济学系
徐传纲	男	26	湖北黄陂	经济学系
刘树荣	男	30	山东安乡	经济学系
黄爵仁	男	26	江西吉安	经济学系
成鸿逵	男	26	山西临县	经济学系
韩镜良①	女	24	辽宁海城	经济学系
原景信	男	26	河南温县	经济学系
高中域	男	25	河北定县	经济学系

① 赴台为中兴大学教授，前夫因"匪谍罪"而被台湾当局处决。1969年成为成舍我（时年72岁）的第三任妻子（时年54岁）。后居加拿大。

续表

姓名	性别	年龄	籍贯	系别
胡家纯	男	25	河南永城	经济学系
宋海文	男	25	浙江上虞	经济学系
陈振忠	男	26	河南温县	经济学系
张　坚	男	27	山东安丘	商学系
王家骧	男	21	河南尉氏	商学系
郑登材	男	25	福建晋江	商学系
金玉琨	男	28	河北容城	商学系
刘长菘	男	26	安徽宿县	商学系
王正尧	男	22	浙江桐庐	商学系
刘鸿逵	男	26	河北平山	商学系
以上 39 名				

(三)原国立北平大学法医学院应毕业学生一览

姓名	性别	年龄	籍贯	系别
舒敏敦	男	29	江西靖安	医学院
霍炳蔚①	男	28	山东寿光	医学院
高凤藻	男	27	河北大兴	医学院
以上 3 名				
以上 3 院共计 52 名				

(四)原国立北平师范大学教育学院应行毕业学生一览

教育学系				
姓名	性别	年龄	籍贯	系别
苏光禄	男	29	察哈尔阳原	教育学系
彭志鸿	男	22	湖南湘阴	教育学系
杨国柱	男	27	甘肃皋兰	教育学系

① 留校,后为医学院儿科教授。

续表

姓名	性别	年龄	籍贯	系别
冷存忠	男	24	青海乐都	教育学系
杨少松	男	27	河北清河	教育学系
李祖寿	男	26	江苏高邮	教育学系
张清津	男	30	山东潍县	教育学系
王庆章	男	28	山东泰安	教育学系
余增寿	男	29	河北唐县	教育学系
李子华	男	29	湖南耒阳	教育学系
王文琦	女	27	福建闽侯	教育学系
刘兆珍	男	26	河北清苑	教育学系
薛启猷	男	27	河南修武	教育学系
以上共 13 名				
体育学系				
姓名	性别	年龄	籍贯	系别
贾智林	男	25	河北香河	体育学系
薛济英	男	26	江苏吴县	体育学系
王克珍	男	25	河北灵寿	体育学系
章瑞麟	男	26	江西临川	体育学系
庆　昌	男	26	甘肃渭源	体育学系
于增鑫	男	25	山东海阳	体育学系
赵殿臣	男	27	河南内黄	体育学系
高嘉棵	男	26	河南武安	体育学系
漆荫堂	男	29	甘肃榆中	体育学系
以上共 9 名				

（五）文学院应行毕业学生

国文学系				
姓名	性别	年龄	籍贯	系别
秋振华	男	26	河北藁城	国文学系

续表

姓名	性别	年龄	籍贯	系别
刘述先	男	28	辽宁西丰	国文学系
艾弘毅	男	27	吉林伊通	国文学系
陈 亮	男	26	河南内黄	国文学系
孙全兴	男	32	山东濮县	国文学系
蔡 锋	男	26	河南密县	国文学系
汪士聪	男	23	河南罗山	国文学系
宋荣熙	男	33	甘肃甘谷	国文学系
彭长贤	男	25	山东菏泽	国文学系
陈复华	男	25	安徽蒙城	国文学系
赵加均	男	29	安徽凤阳	国文学系
王成德	男	27	四川丰都	国文学系
陶稷农	男	24	山东应城	国文学系
杨 朴	男	28	甘肃临洮	国文学系
刘凤仪	女	24	陕西凤翔	国文学系
顾学颉	男	25	湖北随县	国文学系
以上共16名				
外国语文学系				
姓名	性别	年龄	籍贯	系别
赵光民	男	28	辽宁海城	外国语文学系
王冠瀛	男	30	河南沈丘	外国语文学系
张承启	男	26	湖北安陆	外国语文学系
蒋 得	男	26	陕西长安	外国语文学系
苏明璇	男	27	广西容县	外国语文学系
张周勋	男	25	湖南宁远	外国语文学系
王兆荷	女	25	南京市	外国语文学系
周景霖	女	24	陕西长安	外国语文学系
向景秀	女	23	湖北广济	外国语文学系
以上共9名				

续表

姓名	性别	年龄	籍贯	系别
历史学系				
姓名	性别	年龄	籍贯	系别
郝家修	男	26	河南汤阴	历史学系
李天枯	男	25	河南汲县	历史学系
杨其超	男	27	河南扶沟	历史学系
阎应清	男	27	山东广饶	历史学系
周之藩	男	27	江苏邳县	历史学系
李方仁	男	26	江苏丰县	历史学系
刘德仁	男	28	山东蓬莱	历史学系
郭亚雄	男	23	陕西潼关	历史学系
邵辅周	男	25	陕西永寿	历史学系
杨连英	女	24	江苏宝应	历史学系
杜葆春	女	31	辽宁梨树	历史学系
杨崇英	男	24	河南新奎	历史学系
以上共 12 名				

(六)理学院应毕业学生

数学系				
姓名	性别	年龄	籍贯	系别
李芳华	男	27	吉林永吉	数学系
孙　洁	男	25	江苏砀山	数学系
赵鹤龄	男	23	河南郾城	数学系
王秀泉	女	24	山东海阳	数学系
以上共 4 名				
物理学系				
姓名	性别	年龄	籍贯	系别
高峻岠	男	24	河北定兴	物理学系
张伯林	男	25	辽宁辽中	物理学系

续表

姓名	性别	年龄	籍贯	系别
胡维菁	男	25	浙江绍兴	物理学系
李友三	男	24	河南项城	物理学系
房殿华	男	26	黑龙江	物理学系
左禹治	男	24	四川万县	物理学系
左震寰	男	25	江西永新	物理学系
任德昌	男	26	吉林永吉	物理学系
王德敏	男	25	湖北崇阳	物理学系
刘世藩	男	25	绥远萨县	物理学系
以上共计 10 名					

化学系

姓名	性别	年龄	籍贯	系别
李焕章	男	24	河南汤阴	化学系
唐岱砺	男	28	山东莱阳	化学系
曹居久①	男	23	河南内黄	化学系
刘建勋	男	27	山西徐沟	化学系
赵士侠	男	26	山东恩县	化学系
余 虹②	女	24	安徽合肥	化学系
康定夏	男	27	四川云阳	化学系
东 滢	女	24	河北获鹿	化学系
张 岳	男	23	广西容县	化学系
孙道桂	女	23	四川开江	化学系
王焕彬	男	26	黑龙江呼兰	化学系
曾云鹗	男	25	湖南武冈	化学系
唐必嘉	女	24	贵州铜仁	化学系
叶一帆	女	27	福建闽侯	化学系
以上共 14 名				

① 后留校为化学系教授。
② 后留校为化学系教授。

续表

姓名	性别	年龄	籍贯	系别
生物学系				
姓名	性别	年龄	籍贯	系别
饶用深	男	23	江西南昌	生物学系
高景华	男	25	陕西韩城	生物学系
王汝绪	男	25	甘肃皋兰	生物学系
傅 伯	男	26	湖南湘乡	生物学系
刘杏影	女	24	福建宁化	生物学系
王义润	女	23	江苏吴县	生物学系
张仁纯	女	24	四川南溪	生物学系
以上共7名				
地理学系				
姓名	性别	年龄	籍贯	系别
吉作哲	男	24	山西猗氏	地理学系
卢念祖	男	24	广西马平	地理学系
焦福星	男	25	江苏邳县	地理学系
贾东温	男	24	绥远归绥	地理学系
皇甫珪	女	25	江苏吴江	地理学系
王成敬①	男	27	河北丰润	地理学系
以上共6名				
以上3院共计100名				

（七）原河北省立女子师范学院应行毕业学生一览

家政学系				
姓名	性别	年龄	籍贯	系别
祁延娟	女	25	山东益都	家政学系
曹泽苓	女	29	河北冀县	家政学系

① 后留校为地理学系教授。

续表

姓名	性别	年龄	籍贯	系别
娄青岚	女	24	吉林宾县	家政学系
锺桂秋	女	22	山东平度	家政学系

以上 4 名

补充名单

姓名	性别	年龄	籍贯	系别
张爱英	女	24	陕西长安	历史学系
吕秉义[①]	男	27	辽宁铁岭	物理学系
赵育吾	男	25	河北曲阳	物理学系
陈三元	男	28	山西临晋	物理学系
李 彩	男	27	陕西朝邑	物理学系
丁 治	男	27	察哈尔延庆	化学系
陆智明	男	25	山西平定	化学系
崔泽琳	男	25	河北天津	化学系
王大志	男	26	安徽宿县	化学系
康鲁生	男	24	陕西西安	化学系
段明典	男	24	山东临朐	化学系
程惠群	男	27	江苏宿迁	化学系
崔于杰	男	25	山东平度	化学系
马国春	男	27	辽宁沈阳	地理学系
刘树勋	男	26	陕西华阴	法律学系
贾树功	男	26	陕西西安	法律学系
陈壁若	男	31	江苏邳县	法律学系
朱锡鸿	男	24	江苏阜宁	法律学系
徐崇寿	男	28	山西五台	法律学系
吴信朴	男	30	江 苏	法律学系
张 华	女	26		法律学系

① 留校,后任物理学系教授。

续表

姓名	性别	年龄	籍贯	系别
宋寿昌	男	25	陕西西安	经济学系
王禄贞	男	24	河北天津	经济学系
段骧	男	25	陕西华县	经济学系
卢耀曾	男	26	河南	经济学系
王解义	男	24	山西稷山	经济学系
蒋化中	男	25	辽宁沈阳	经济学系
章恩溍	男	26	河北涿县	政治学系
王立	男	23	江苏丰县	政治学系
黄渤海	男	26	河北正定	政治学系
郭敬	男	27	陕西岐山	教育学系
蔡宗贤	男	26	新疆乌苏	教育学系
李敬齐	男	30	浙江临海	教育学系
汪知亭	男	24	安徽来安	教育学系
雷在阳	男	24	陕西蒲城	教育学系
张云锦	男	30	陕西岐山	教育学系
陶鹏	女	25	福建闽侯	体育学系
廖宝珠	女	22	广东中山	体育学系
赵淑哲	女	25	河北清苑	体育学系
于爱琴	女	23	河南郑县	体育学系
王谢莹	男			体育学系
以上补充41名				

（民国档案，陕西省档案馆）

二、北平大学农学院二十七年度、二十八年度在国立西北联合大学的毕业生[①]

二十七年度毕业生为138名,农学院为40名

李兴邦　卞世福　熊志奇　郭咸亨　党鸿达　户先哲　盛洪泽　李繁仁
董国昌　李毅民　尚仰震　吴焕斌　刘希学　张　愚　孙　方　李经培
燕天爵　赵凤岭　刘士魁　李光汉　李承先　李　琨　乔国庆　陈青莲
尹　晋　吕锡祥　于　广　孙尔寿　卜宪基　牛汝梅　胡占魁　卢运乾
骆胜骊　王乐恺　张恩泽　杨龙兴　徐观梅　邱膏泽　张鲁智　程增杰

二十八年度毕业生为145名,农学院为32名

王敬燮　朱　桓　余　麟　李元三　邱　怀　何代昌　周俊卿　茅乃纬
张震乾　张义冠　郭可诂　杨月殿　杨叔栽　廖哲文　谷耀宇　宋华岫
沙荫昌　孙麟符　盛　勋　张承任　王鸿祺　田成上　胡光烈　席承藩
曾永淦　嵇绳武　景丰龄　傅徽第　贾立德　诸燮亮　徐　帆　周鸣铮

三、1946年国立西北大学补发的二十六年度、二十七年度毕业证

第一二届毕业生毕业证书续奉教部验印发还[②]

本校顷奉教育部指令验发二十八、二十九两年度毕业生证书160张,兹将姓名刊登于后,各生请即将相关学业证书寄校换领。

李充皆　陈泽秦　李治德　王守之　刘毓金　武国安　杨俊民　李允修

---

① 据北京农业大学校史资料征集小组《北京农业大学校史》(北京农业大学出版社,1990),北平大学在离开北平这两年期间共有283名毕业生,按照1938年5月3日联大常务委员会第二十七次会议决议,"由原三校院发给毕业证书"。在毕业证边上盖有"第四学年在西北联合大学上课"的一长条小印章。1940年以后各届毕业生,以西北农学院名义颁发毕业证。其中徐观梅为女生。

② 1945年度教育部换发二十八、二十九年度160份西北联大时期毕业证,这是《国立西北大学校刊》1945年4月1日出版的1945(复刊11)刊登的《第一、二届毕业生毕业证书续奉教部验印发还》。据姚远《国黉播迁:西北联大通史》的统计:1945年由西北联大后继院校国立西北大学补发二十八、二十九年度西北联大借读生、转学生160人,1947年5月1日出版的《国立西北大学校刊》复刊第29期报道补发二十六、二十七两年度西北联大毕业生60人。总计220人的毕业证,均有西北联大四常委签名、联大文理学院院长刘拓签章、西北大学校长刘季洪签章、西北大学印和教育部核验章。

朱家骥	汤钟琰	任宗勋	张瑞五	吴伟人	赵玉琳	刘　骏	王敬堂
张庆云	苏琬华	魏洪祯	韩澍山	张□良	梁　震	张家骐	陶学俊
董作璧	郭载□	吴宝廉	刘荣藻	杜士俊	康树屏	侯启亮	杨金章
袁光美	施祖岑	李寿仙	张金兰	丁奉璋	李　琏	吴季霖	韩振洋
许全根	荫士俊	袁式鉴	苏尚武	周纪元	陆松年	屈振国	卫万瑞
马卓然	潘达生	成肇修	郭　质	黄作平	宋岳亭	张玉衡	刘泽生
马　骧	耿有仁	邱孟泽	刘世爵	吴明堂	吴宝田	王秉贞	周良田
刘艺民	刘执中	费□铭	萧　选	李鸿敏	廖序东	周清机	于满川
杜　庶	李大廷	夏照滨	李印□	米协寅	周纪元	侯　健	梁慧中
张立仁	王协邦	刘则刚	陈立云	汤世菊	戚文德	汪心润	邓豫文
任井明	郄惠麒	光开敏	刘文海	秦河荣	侯树□	于文滨	李立家
赵梦琴	王如芝	李兆尘	李□馨	熊□□	郭德成	白　健	王启明
李存禄	陈元德	王秉成	庞丕统	姚建吾	陶　钧	赵作栋	马天铎
何　尤	姚文焕	朱　霞	孙　济	黄映藩	曹振华	赵继新	杨检立
翟永安	张治平	罗光永	李从吾	周少霞	陈衡林	刘养桐	杨桂材
同经纬	梁在均	吴寒欤	刘思民	葛光华	尹光荣	赵同和	□莱澡
蓝子江	高恺芳	王　建	邱德生	马介云	邓佐明	余士铭	万　纲
夏殖蕃	吴旭升	田百川	彭光谱	段文燕	伍时绥	张振铎	王中常
王清润	傅道义	江树森	李之柱	满开茹	黄尚文	苏农官	许文富

（《国立西北大学校刊》复刊第 11 期，1945-04-01）

西北联大学生毕业毕业证书教部验印发还一部待领[①]

前国立西北联合大学二十六年、二十七两年度毕业生，除原平津三校院学生由原校办理毕业手续外，尚有一部分借读生、转学生应由前西北联大办理，因值学校改组，延未办理，现已由本校补办，呈部核定，除改正式生手续尚未完备及相片未交到者外，其余毕业证书均已奉验印发还，由本校注册组转发，希各生即将临时毕业证明书寄校换领。兹将姓名列后：

---

① 1947 年度教育部换发 60 份西北联大时期毕业证，这是 1947 年 5 月 1 日出版的《国立西北大学校刊》1947（复刊 29）刊登的《西北联大学生毕业证书教育部验印发还一部待领》启事。

前西北联合大学二十六年度毕业生

1. 毕业证书已奉验印者 12 名

孙明琦　韩廷琮　林景华　刘德馨　周亚兴　王　琚　李世声　窦之锦
姚凤祥　薛钰美　李文超　张翠珍

2. 毕业资格已奉核定俟补交相片再行呈送验印者 10 名

高福媛　米华堂（已补送）　马青云　朱婴训　赵凤岭　韩致恭　焦增钊
边　暇　刘　砥（已补送）　白文钟（已补送）

前西北联合大学二十七年度毕业生

1. 毕业证书已奉验印者 28 名

曹乃岵　王　梅　邓　鋆　张广娴　龚家相　曹国政　丁　治　李钊彬
陈三元　李　彩　段明典　王大志　程惠群　康鲁生　陆智明　崔于杰
崔泽琳　贾树功　徐崇寿　陈壁若　刘树勋　朱锡鸿　章恩潽　张　华
蒋化中　卢耀会　王解义　宋寿昌

2. 毕业资格已奉核定候补交相片再行送验印者 3 名

张爱英　赵育吾　吴信朴

3. 改正式生手续未完备应俟补办后再行呈送验印者 4 名

董宗山：应补报原校入学年月并补交高中证书

段　骧：曾否补行高中会考及格应行申复应补交及格证书

王　立：应补交原校证件及成绩表

雷□阳：应补交原校证件及成绩表

4. 尚未改为正式生应向原校办理毕业手续者 3 名

王禄贞　黄渤海　蔡宗贤

（《国立西北大学校刊》复刊第 29 期,1947 – 05 – 01）

第四节　国立西北大学历届在校生

一、国立西北大学二十八年度在校学生名录

（一）文学院：中国文学系

一年级

何德纯	方泉生	梁士桢	王毓芳	孙　萍	薛　藩	张光照	霍　恺
闵庆枌	郭述贤	曹友堂	袁如心	沈克孝	底霖三	刘式如	彭惠金
粟镜润	张　炤	刘师锡					

二年级

王　杰	王培桢	黄云兴	周仙芳	王瑞义	宁仰文	李瑞撰	李焕若
程玉儒	安爱敏	牛树禾	吴金玉	王联贞	杜学知	徐智儒	龙　云
胡宇檐							

三年级

张圣儒	杜　庶	周清机	余世礼	张洪贵	于满川	李大廷	岳邦珣
康少封	周如兰	王宗仁	李鸿敏	王振纲	潘仲元	许毓峰	华秀贞
张卜麻	张兰福	廖序东					

四年级

赵兰庭	李钟藩	申稷平	高华年	董纯溥	于靖嘉	田泽芝	王启光
杨俊民	朱宪成	李允修	李法德	王纯元	邓文惠	朱喜海	崔玉林
李繁海	武国安	陈泽秦	王守之	边瑞雯	司一中	李充皆	刘作霖
刘毓金							

（二）文学院：外国语文学系

一年级

刘让言	耿竞雄	庞文瑞	蒋恩浮	杜春陞	蔡玉柱	陈金城	刘维城
陈德顺	黄相荣	王　绩	王振铎	陈墨痕	张梦楷	王曾选	

二年级

李临江	漆瑶光	谢莲珍	钟鹤年	彭永祥	曾纪培	仇思敏	李宗虞

杜绍甫	刘踌仿	范玉宝	何生瑾	温敬守	郝孚陀	张维华	黄鸿煊
萧　群	李瑞严	姚汝江					

三年级

李印玺	随德馨	宋裕承	杨玉璞	米协寅	郝守勤	杨成堉	国令娴
张宗德	王　平	曹克寿	李泰来	王福廷	王锡瑞	夏照滨	

四年级

暴恩奎	李德滋	宋清海	李天培	陆希绩	车任重	汤钟琰	金荣庭
任海山	朱经兰	黄英烈	魏仲春	赵玉琳	吴伟人	张瑞五	任宗勋
陈式瑜							

（三）文学院：历史学系

一年级

张文祺	朱洪涛	孟荣福	杨静江	周敬人	徐德孚	陈树勤	孙振斌
张志海	曹　铎	满开茹	许家杰	李廷举	刘开邦	阎蕙涵	朱端伦
侯万里	陈洪道	莫望曾	王锡需				

二年级

高维岳	马超凡	陈耀洲	宋广祥	刘艺堂	靳爱鸾	刘子陵	杨廷寓
周南燕	王宗桂	腊以琴	向玉梅	唐克藩	江广恕	赵志迈	劳云龙
沈　达	秦　勤	赵卓立	王振新	周　敏	史纪钧	谢元璐	陈企峰
陈贤儒	严兰庆	张傅梓					

三年级

周锡贤	周春元	侯　健	朱维基	朱际镒	吴曰仁	韩　宾	陆玉菊
任　慧	武丕璋	吕兴义	窦如珍	李静贞	刘芷纯	孙希贤	王葆仁
陈济民	姚德仁	朱子云	刘尚志				

四年级

杜光简	雷挺生	鲍廷忱	荆允中	张家麟	王挺梅	李世民	黄学钟
郭锦蕙	陈瑜熙	段淑贤	姚玉栋	马培英	黄秉钧	马寿山	王敬堂
刘　骏	张庆云	苏琬华	魏洪祯	徐作霖	周桂金		

（四）理学院：数学系

一年级

凌印生	张尚信	王长仕	马树璐	杨树信	胡巨川	吕士珍	梁桂行
刘淑仪	薛维翰	张　越	茹让法				

二年级

杨绍澍　温初芳　郑宪祖　王傅林　夏景黄　武毓英

三年级

汪心润　邓豫文　陈立云　张立仁　仁井明　梁文德　刘则刚　梁慧中
汤世菊　王协邦　胡南英

数学系

赵继游　高洁生　陆润林　韩树山　张照营　张改良　董锡兰　万德阳
王尚霖　李世权

（五）理学院：物理学系

一年级

胡宗瑜　李清汝　王青槐　张庆嵩　宋丕哲　岳邦彦　周钟悌　仰华里
王　燊　刘景清

二年级

佟天元　陈嘉俊　李以道　赵登英　胡治珩　贾　坡　张玉衡　张鸿顺
张大彬　胡应诚　孙邦英　潘　湘

三年级

秦河荣　刘文海　于文滨　侯树仪　杨成民　孙傅绩　王　泰　郄惠麒
张象铎　光开敏　李成钟　翟鹏鹭　张　淇　王春山　任德昌

四年级

亢书通　王鹤绵　张　淳　陈天智　孙汝逯　董作璧　郭载阳　张家骐
张策云　陶学俊　梁　震　宁致远

（六）理学院：化学系

一年级

贾荣珍　江达榜　王凤琴　阎　铎　樊济馨　崔岚峰　杨昭羲　吕鸿畴
吴光亚　吴光耀　田立俭　胡景琦　陈济梓　刘嘉曾　王秉钊　陈可均
侯　铎　王云乡　冯百城　白桂清

二年级

朱裕民　王　珵　赵文灿　刘大用　张德莨　党锡田　陈泰云　杨万舞
陈光斗　宋秉常　孙树桦　申松昌　张　毅　曾涧华　白化蛟　何泽民

三年级

李兆庆　陈家有　张正恩　王如芝　赵梦琴　何功惠　田岁成　李立家

翟丰泰　蒲生高　田　玉　李思顺　任芳芝　宋宗璟　张静成　王大中
杨拯华

四年级

田崇礼　王耀荣　雷纪桂　刘自烈　严德浩　李世丰　刘廷栋　刘盛钦
李鸿秀　张若乾　朱施民　袁光美　杨金章　侯启亮　康树屏　吴宝廉
施祖岑　刘荣藻　杜士俊　靳佩芳

(七) 理学院：生物学系

一年级

杜子荣　胡茂松　李世元　孟培华　李赋洋　姚　震　张怀斌　房希溥
陈淑凤　关恩保　丁鹤洁

二年级

沈　朋　申秀生　傅志澄　蔡振雄　朱家骥

三年级

熊季琨　李西雪　郭德成　吴养曾　郭继武　邵书田　封玄武　孙材英

(八) 理学院：地质地理学系

一年级

张尔道　周馀斌　田在艺[①]　严济南　冉树梅　杜恒俭　魏晋贤　原芳洲
白　鉴　张兴仁　刚稚芳　戴天富　姜达权　刘奇芳　乔作栻

二年级

许辑五　王恒兴　马子骥　阎绣章　王　江　姜国杰　蒋炎林　孙振声
康永孚　沙光文

三年级

王启明　李存禄　白　健　陈元德　王秉成　庞丕统　韩　芳　李永声
李国英　倪　颖　李海清　张耀麟　艾去病

四年级

刘培桐　袁　昭　薛贻源　屈履泰　田世英　金瑞莘　赵寿祺　杨建勋

(九) 法商学院：法律学系

一年级

李国栋　田家祥　王俱敏　岳邦杰　胡钟骝　李文魁　吕忠俭　陈佑玑

---

① 大庆油田的发现者之一，中国科学院院士。

| 李季仙 | 吕贤斌 | 蒋勖存 | 刘学宽 | 吴焕汉 | | | |

二年级

| 唐文炎 | 薛志文 | 姚学恭 | 贾成允 | 鱼化龙 | 王朝璠 | 张庭宽 | 杨德清 |
| 晏克鑫 | 燕寿瑕 | 李尊贤 | 李恩武 | | | | |

三年级

何 尤	梁在均	马天铎	赵维新	朱 霞	陶 钧	姚建吾	刘养桐
姚文焕	赵作栋	翟永安	曹振华	罗光永	黄映藩	李从吾	杨桂材
同经纬	张治平	杨检立	庞桂馥	商树桂	张永增	周少霞	杨鸿福
冯自成	邢楞经	孙 济	薛绵祯	李蕙心	陈衡林	董玉堂	王秀齐

四年级

宋永年	巫其同	张通祖	王世英	李瑞堂	陈昌栋	罗吉照	陈恕人
张金兰	周纪元	袁式鉴	卫万瑞	陆松年	袁多寿	屈振国	韩振洋
苏尚武	吴季霖	丁奉璋	白希安	李永芳	荫士俊	李 琏	许全根

（十）法商学院：政治学系

一年级

宋 达	马世荣	张少旭	段良猷	秦敬先	韦德培	赵炳环	刘志聪
贾世成	秦才元	葛傅璋	苏少兰	张定国	刘光黻	陈淦源	蒋洪举
李善继	石豪三	温鸿儒	李纪瑞	张崇厚	王家楷	周培莲	巨伯鸿
刘械樑	刘绮华						

二年级

江效楚	金厚根	饶国钧	介崇仁	郭维民	李化光	谷宝申	薛 坚
张郢南	杨文炳	周盛武	王孔扬	韦德亮	喻拱北	郭丕烈	伍德济
朱荆芳	许祖岳	贺文鼎	解洁玉	李海宗	孟效先	张文柏	朱声贤
孙家箴	何瑞麟	马建中	高普渡	王新民	黄显德		

三年级

| 葛光华 | 赵同庚 | 赵同和 | 刘思民 | 尹光荣 | 吴寒欶 | 戚文德 | 诸葛容 |
| 涂运昌 | 程祥龙 | 萧树桐 | 吴曙曦 | | | | |

四年级

马承训	刘泽生	宋岳亭	张毓楷	刘淑范	刘培懋	傅葆和	王学曾
张海平	王绍祖	任 潜	张庚成	张公衡	潘达生	马 骧	余鸿翼
成肇修	黄作平	耿有仁	郭 质				

（十一）法商学院：经济学系

一年级

丁宗爽	舒慎武	杨文杰	张桂兰	陈保国	陈文赟	史凌云	李耀潢
张景铭	唐　亮	李毓文	张玉英	张光寰	王绍唐	刘福元	陈　檠
庞荫华	耿显政	王好善	杨明华	韩守湜	冯树勋	邹炳耀	萧祖恒
车作汉	赵治华	杨润痒	王雷鸣	赵廷明	刘茂林	水启宁	胡龙翔
邸作辛	李天章	王冠正	秦冠毅	钱振民	郭世绪	韩维彩	郭锡元
李峻恩	段成章	方绍岑	唐鸿业	张兆贤	朱道善	刘振铎	王庭瑞
杨馥远	孟宝琴	鲁宗海	何　珵	董光炬	杨廷钧	郝绍文	程源浩

二年级

李继鸿	赵汝泮	刘延磊	黄德仁	孔广良	熊运森	马永江	王震瀛
青葵照	黄绍洲	魏宗煦	祁东海	张文昌	蒋秉中	魏静贞	桂奕仙
孙得中	阎秉中	刘采璋	王星桥	王黄兰	施忠允	李光鄂	李新智
张仪修	王懿修	王敬阅	李建章	唐　兴	李福谦	常友章	马金铭
王　桢	白诗甫	王文亮	张子安	崔越阿	田启林	尹煜忠	陈建基
程秀刚	萧锡璋	金惟萱	仇维智	李安民	王雨农	雷丕勋	

三年级

蓝子江	谢效穆	彭光谱	王清润	邓佐明	高恺芳	王　建	青莱藻
余士铭	马介云	万　纲	邱德生	夏殖蕃	王佐才	傅道义	江树森
谢　钧	张振铎	李耀第	陈德潜	陈志立	秦西铭	赵玉珉	潘志斌
王中常	吴旭升	黄学礼	田百川	张安邦	张恩光	章泰谦	萧敏容
李玉铮	邓季直	伍诗绥	段文燕				

四年级

牟敦炜	杨子斌	杨炳彩	王滋桐	萧　选	黄秉仁	马汝庄	刘艺民
周良田	吴明堂	刘世爵	吴宝田	王秉贞	刘执中	杜荫棠	董纯铭
张　樑	谢　正	邱孟泽	梁炽光				

（十二）法商学院：商学系

一年级

张奉娟	张英秀	宋瑞先	马　渊	关书诚	郭懋馨	郑国显	闵正鉴
郭智圆	赵宗孟	顾盛佩	唐承元	陈式一	李束带	王　梯	哈美新
廖维新	姜沛南	王仲雄					

二年级

王兆金　李恩普　路绍楹　张云鹏　魏经邦　韩家骧　孙绳武　张景选
曹　贺　刘冠世　刘致岳　何宪章　郭　水　李德三　王应年　蔡少轩
余桂林　李恭贤　何君宝　唐进昌　戴保平　王延青　严忠纯　支丁先
周　楒　金茜光　曹锦魁　黄河源　郭汝埔

三年级

黄尚文　李之柱　满开泉　苏农官　龚纯青　刘大震　余先达

四年级

刘治亭　邱景和　陈汝森　冯鸿藻　周　怡

二、国立西北大学三十一年度在校学生名录

（一）文学院：中国文学系

一年级

王效基　段新民　张绪东　马植杰　杨凤悦　赵晋桢　颜景泰　何自勤

二年级

于同昭　王仲吕　王万田　王德章　任淑慧　李　杰　邵玉莹　段培玉
秦汉书　张濮滨　刘才斗　刘光宗　刘有道　刘立权　魏鸿谟　王克常
张凤珍　刘培钧

三年级

方泉生　李　华　沈克孝　孙　萍　张光照　张　炤　郭述贤　彭惠金
霍　恺　刘　骏

（二）文学院：外国语文系

一年级

王光宇　王儒亮　方慧英　田际升　李录勋　李宗杰　李振麟　李立功
荀荣望　高　麒　梁荫芝　张光汉　刘宜生　刘长龄　卢坤缇　卢光堃
杨巽田　唐家桢　吕迺正

二年级

邢相禹　吴杠衔　郅民杰　房修龄　张　琳　胡定一　胡定邦　郄藩封
耿道善　袁　坚　康宝田　高崇成　高　斌　华遵舜　董　域　樊镜明
潘致中　鲍　塏　苏武耀　刘景麟　许崇信

三年级

王　绩　　王振铎　　王曾选　　李其垠　　杜春陞　　陈墨痕　　陈德顺　　闵庆枌
曹友堂　　黄相荣　　刘让言　　刘维城　　蒋恩浮　　阎多治　　庞文瑞　　张　雄

（三）文学院：历史学系

一年级

牛发仁　　尹　钜　　段永发　　吴弘毅　　马义德　　张汉圣　　孙尔慧　　杨积雍
罗梦平　　张梦平　　赵民三　　尹良煦　　曾复光　　强华儒　　尹福熹

二年级

白日绩　　邢中乾　　李鸿超　　周子诰　　耿景恩　　孙贵儒　　张祖家　　景之怡
杨新仪　　赵文涛　　刘庆贤　　刘步超　　罗　郁

三年级

于守琨　　王绣章　　朱端伦　　朱洪涛　　李廷举　　汪流霞　　底霖三　　周敬人
孟荣福　　陈树勤　　陈金城　　徐德乎　　马育英　　唐承庆　　莫望曾　　满开茹
阎蕙涵　　王锡需　　王瑞明　　刘　磊

（四）理学院：数学系

一年级

弓金宝　　化克酵　　宋三元　　李树国　　靳雁声　　赵根榕　　阎　贞　　刘宝章
杨作栋　　李人同

二年级

卜凤祺　　石景周　　吴乃久　　胡宗慎　　夏自强　　董云麾

三年级

王长仕　　吕士珍　　胡巨川　　马元鹊　　张尚信　　张　越　　杨树信　　茹护法

（五）理学院：物理学系

一年级

王凤翙　　田进德　　田克昌　　金耀鑫　　李芳坤　　李耀曾　　胡誉洁　　苗祥庆
唐云汉　　靳舒馨　　赵恒椿　　赵立章　　萧执经　　万德明　　赵　宝　　冉长寿

二年级

石松性　　尚　志　　尚国栋　　相连城　　侯忠汉　　徐富文　　张子澄　　张　鏸
张国宪　　张镜源　　程世忠　　舒贤颂　　刘增山　　卢思豫　　蒋玉麒　　谢恩泽

三年级

佟天元　　胡茂松　　李青汝　　张庆嵩　　刘景清　　马文栋　　宋炳焜

(六)理学院:化学系

一年级

王槐蔚	王连珠	王绍周	王承荃	曲炳瑞	朱锡明	李得禄	宫　锡
徐经纬	徐昌图	张祥春	张瑞霞	张　钦	张庆馀	冯文虎	梁燕达
唐安贞	戴培厚	侯万里	陶享樾	杭世渤			

二年级

于连陞	王新治	王玉兰	王玉昌	尹培业	李九卿	李　铸	李淑华
李国桢	李芳第	郝士明	段蟠根	范树华	梁炽隆	张保安	张希谦
张象铭	张淑民	张振华	崔茂林	温玉香	赵顺中	赵忠卿	刘少炽
宫元熙	张济昌	刘宗谔					

三年级

王凤琴	王青槐	申秀生	江达榜	侯　铎	张鸿藻	陈济梓	郭奎德
冯师颜	马文显	贾崇珍	关恩保	樊济馨	刘嘉曾	刘大用	刘师锡
阎　铎	徐月卿	李德芝	魏杏云				

(七)理学院:生物学系

一年级

易瑞康	高启伟	马之刚	贾毓珂	杨文忱	刘绵第

二年级

白荣华	李国兴	李大中	雷振伦	陈淑凤	鲁成福	谭味兰	王绍兰

三年级

李赋洋	房希溥	张以敬	师宗善	丁鹤洁

(八)理学院:地质地理学系

一年级

王景瑞	王景椿	李延潽	胡信姬	孟振生	张重先	秦恩葵	杜　默
梁建式	张继书	闫锡瑞	贾向先				

二年级

毛领训	田羡尧	沈能汶	吴光荣	胡炳如	晏士龙	马　明	周慕林
张　秀	国　磊	彭恩普	董福寿	赵蕴石	阎锡玛	韩祖铭	马星佑
隆延瑞	邓正仪	徐恩寿					

三年级

丁宝田	白　鉴	朱瑞申	仰华悝	杜子荣	原芳洲	乔作栻	曾溢齐

张尔道　郑尚梅　郑国宝　魏晋贤

（九）法商学院：法律学系

一年级

王迺俊　杜成章　李薪傅　姚锡玖　陈维钰　张恩庆　董克宅　马光临
刘国琪　韩天庆　何于亨

二年级

王积广　王金荣　安凤祥　吴　淇　宋曾玉　李广乾　何瀛洲　尚元尼
李骥生　邵兰昌　孙吉元　段品齐　姜希濂　胡爱民　高宗明　池本泉
张蕴浩　张友贤　范承周　董其端　胡立宪　杨修塘　唐若愚　赵根源
曾德懋　郭廷屏　袁哲清　雍敏书　万文鹤　黄亚栋　高映昭　高祐时
魏德昌　张荣欣　王业媛

三年级

王俱敏　田家祥　李国栋　岳邦杰　徐大燮　康治五　黄应声　杨泽普
张应宽　黄泽珩　杨　端　乔　皓

（十）法商学院：政治学系

一年级

王　余　王振武　宋璿瑞　李承先　吴文俊　侯振中　高　铮　张容正
张登田　张树藩　郭俊武　熊朝阳　卫佐臣　孙中谦　蒲万霖　文成渊
成凤庭　赵　毅　马兴华　王金印　周乃昌　秦可均
李善继

二年级

于书绅　王克亮　尹殿甲　田盛雯　李　陵　王希哲　李宏寿　马麟祥
师道明　张　琤　张志和　张法斌　张鸿文　曹克良　孙炎昭　高崇英
高瀛洲　贺士铎　郑希成　程炳鑫　樊伟生　龙兆麟　寿孝鹤　韩正志
严顺亲

三年级

王兴鼎　石豪三　宋　达　宋时梧　吉荫桐　李束带　邱华坤　周学禹
周培莲　孟达元　段良猷　胡钟骝　姜沛南　孙振斌　宁文俞　马世荣
陈淦源　涂继德　张少旭　傅作民　葛傅玮　赵孝章　刘志聪　蒋洪举
鹿崇文　王克孝　田秉阳　徐心涵　刘绮华　安裕鼎　袁敦民　温鸿儒
邓必丰　张定国　翁东昌

(十一)法商学院：经济学系

一年级

王文慧	王志英	王兴鲁	王廷尉	王鸿业	同葆镇	石克邦	朱涵生
吉天培	宋永青	高宪宗	郭世昌	马凌斗	孟兆荣	胡祖畿	孙怡文
孙广均	徐玉麒	徐昭玮	冯国定	柳毓钟	张廷荣	张根成	张寿麟
张举贤	彭高鹏	刘自兴	赵 训	赵天俊	卢逊生	庞 瑚	边蒲生
韩一俊	刘冷瑜	金士宏	张应麒	张广信	赵 达	徐新贤	洪文达
顾铭悌	杨履晋	袁右铭	周之岐	段仁仙	王国桢	赵明镐	和铭观
罗洁如	罗云峰						

二年级

王升堂	王 扬	王金铭	王昭明	王休和	田 愉	田竞存	石中玉
石钟琅	卞重芸	丁钟业	任振邦	李向田	李礼让	李鸣谦	李英才
邱廉铎	邱忠恕	何 敏	吴永定	杜启政	周文衮	周玉海	孟宪堂
唐文郁	陈兆英	孙宝琛	孙克敏	梁 晨	秦世俭	姚祥春	徐德麒
马瑞玉	张印川	张尚仁	张曰琤	张星台	张荣阁	张清泰	张天坤
高景华	汤正风	郭建中	许少勤	许成勋	闵子敬	黄运升	冯 纲
程源浩	董承业	董建仕	滑 亮	杨承宣	杨 桢	杨清桂	杨亿勋
赵焕亭	赵维先	刘步祥	刘舒东	刘善述	刘存仁	钱 林	魏素桂
蓝时欣	萧鸿恺	罗鸣贵	权世俊	张清秀	赵元济	范玉宝	胡兆樟

三年级

丁宗奭	王好善	王雷鸣	王冠正	王廷瑞	王家楷	方绍岑	才济宁
史凌云	冉树梅	朱道善	李耀潢	李毓文	李天章	李峻恩	李文魁
李纪瑞	何 程	邱作辛	车作汉	尚叔辰	胡龙翔	胡德馨	段成章
郝绍文	陈保国	陈文赟	陈 檠	陈佑玑	陈 策	唐 兴	唐鸿业
唐 亮	秦冠毅	秦敬先	郭世绪	郭锡元	张桂兰	张景铭	张玉英
张兆贤	张庆熙	张学礼	鹿崇文	舒慎武	程达基	董光炬	杨明华
杨润痒	赵炳环	刘福元	刘茂林	刘振铎	刘奇芳	蔡振离	鲁宗海
钱振民	邝炳耀	韩守堤	韩维彩	庞荫华	萧祖恒	张新顺	陈芳澜
赵延明	杨馥远	韩士智					

(十二)法商学院：商学系

一年级

王宗岐　王佩琨　郭正铭　段　驹　姜时澍　范历山　贾仁溥　张本立
张字渊　阎树槐　李希荣　薛民三　翁森昌

二年级

丌嘉淮　王福田　王朝阁　王宏业　田雅兴　王如周　牛龙先　白枢衡
石文山　李天佑　常道骧　李玉如　杜惠若　狄玉琨　岑光义　沈有章
马　瑜　马洪庆　郝树文　马遵德　黄　洁　胡恩九　孙为柏　张朝斌
张绍年　张希栻　杨立中　冯凤鸣　郭立民　赵曾祥　赵　崛　殷龙珠
孙常礼　刘行钧　刘敬屏　黄河源　赵中桂　腊以琴　韩凤霖　穆嘉琨
潘炳麟　卢坤纶　韩金铮　刘桂荃　刘锡山　刘械樑

三年级

于庭桂　王　梯　王家珍　王仲雄　李世元　宋瑞先　孟培华　范瑞廷
梁士桢　唐承元　冯　渊　陈洪道　凌印生　张奉娟　张英秀　郭懋馨
郭智圆　许家杰　曹　铎　闵正鉴　赵宗孟　赵志迈　郑国显　刘开邦
刘式如　关书诚　顾盛佩　韩修业　苏少兰　赵宗周　丁蕙原　尹啸仙
徐　漾　张居礼　刘宁人　谢蕴直　哈美新（特别生）　邓德辉

三、国立西北大学三十二年度在校学生名录

(一)文学院：中国文学系

一年级

刘应科　薛子福　冯蕙兰　李　莉　阳石门　郭修慧　张志明　胡铁华

二年级

王效基　段新民　杨凤悦　赵晋桢　颜景泰　何德纯

三年级

于同昭　王仲吕　王汉田　任淑慧　李　杰　邵玉莹　段培玉　秦汉书
张濬滨　刘才斗　刘有道　刘光宗　刘立权　刘培钧　魏鸿谟　张凤珍
王克常

(二) 文学院:历史学系

一年级

李鸿度	白尚勤	李尚桂	李春茂	段　刚	鲁承科	段钟汾	王绮珍
安　仁	贾辛酉	张淑珍	骆立群	张汝霖	范守正	王　铭	张　述

二年级

张绪东	马植杰	李录勋	王祖斌	牛发仁	尹　钜	段永发	吴弘毅
马义德	孙尔慧	张梦平	尹良煦	强华儒	吴魁斌		

三年级

孙贵儒	罗　郁	白日绩	邢中乾	李鸿超	周子诰	耿景恩	张祖家
景之怡	杨新仪	赵文涛	刘庆贤	刘步超	刘秉哲		

(三) 外国语文学系

一年级

王培显	樊镜澄	齐斌濡	赵希鯑	陆伯铮	丁安义	李秀华	张　韩
李耀福	滕怀智	宁宗宪	马祺年	李剑南	刘子瑜	崔彤兰	屈俊岭
陈金环	赵珠清	桂诗昌	杨朝溪	杨春云	赵允让	望　元	蔡凤嵩
赵应清	常友文	杨淑贞	张增继	霍承舜	程友华	齐文松	

二年级

方慧英	田际升	李宗杰	李振麟	李立功	荀荣望	高　麒	梁荫芝
刘宜生	刘长龄	杨巽田	唐家桢	吕迺正	贺志光		

三年级

王振铎	邢相禹	郅民杰	胡定一	胡定邦	郄藩封	高崇成	许崇信
董　域	樊镜明	刘景麟	潘致中	鲍　垲	苏武耀	林美中	张　琳
阎多治	袁　坚	康宝田					

(四) 理学院:数学系

一年级

白尚恕	龚文乾	李联杜	陈　恬	路德昭	李普馘	张玉田

二年级

弓金宝	化克醇	宋三元	赵根榕	阎　贞	刘宝章	马之刚	阎景波

三年级

石景周	吴乃久	胡宗慎	夏自强	董云麐

(五)理学院：物理学系

一年级

王进德　窦光亚　曹国樑　袁玄晖　高显宇　赵庚荫　舒贤治　王则俭
刘世彬　胡希正　李鸿儒

二年级

杨聚寅　万德明　唐云汉　靳舒馨　赵恒椿　赵立章　萧执经　赵　宝
冉长寿　尚　志

三年级

石松性　尚国栋　相连城　侯忠汉　徐富文　张子澄　张　鐕　张国宪
张镜源　程世忠　舒贤颂　刘增山　卢思豫

(六)理学院：化学系

一年级

徐经纬　商怀明　张润林　储惠民　吉星焕　于文麟　齐寿龄　庞　鹰
陈涤凡　任　明　解毓萼　黄代祥　刘成立　马四元　武　瑜　陈运生
张广沁　秦乃文　戈治昌　李　轼　赵淑兰　吴焕然

二年级

杨作栋　段蟠根　侯万里　戴培厚　田克昌　王槐蔚　王连珠　王绍周
王承荃　曲炳瑞　朱锡明　李得禄　宫　锡　徐昌图　张祥春　张瑞霞
张　钦　张庆馀　冯文虎　梁燕达　陶享樾　孙骊方　杭世渤　唐安贞

三年级

冯百城　刘廷沛　于连陛　王新治　王玉兰　王玉昌　尹培业　李九卿
李淑华　李国桢　郝士明　宫元熙　范树华　梁炽隆　张保安　张希谦
张济昌　张象铭　张淑民　张振华　崔茂林　温玉香　赵顺中　赵忠卿
刘少炽　刘宗谔　鲍启康　李　铸

(七)理学院：生物学系

一年级

黄　安　张绍通　王秦清　张正范　饶国鼎　盛良瑞　钮金鼎　张玉林
葛宏道　宋瑞华　李选文　路维多　李必蕃　牛维乔　唐钦明

二年级

刘绵第　杨文忱　朱家骥　熊美英

三年级
陈淑凤　　白荣华　　李国兴　　谭味兰

(八)理学院:地质地理学系
一年级
| 李润生 | 唐德春 | 马吉昌 | 孙元巩 | 张允端 | 关恩成 | 张正亚 |

二年级
王立权	杜　默	梁建式	张继书	张恩普	王凤翔	李耀曾	苗祥庆
高启伟	王景瑞	王景椿	李延溚	胡信姬	孟振生	张重先	阎锡瑞
贾向先	刚雅芳	赵跻堂	何金海	张树阳			

三年级
周慕林	雷振伦	马星佑	谢恩泽	毛领训	田羡尧	吴光荣	胡炳如
晏士龙	徐恩寿	马　明	张　秀	隆延瑞	董福寿	赵蕴石	阎锡玛
韩祖铭							

(九)法商学院:法律学系
一年级
崔玉珩	王双修	田映昶	朱葆俊	方正琬	周世忠	王文运	李友梅
谢光沄	史美荣	高鸿陞	田树业	万宗武	王复荫	王德明	何益增
田生珠	袁玄晖	杨步滋	杨毓秀	王永吉	孟三元	吕翰田	王晓风
杨绍简	张占勋	陈润民	张瑞麟	马超群			

二年级
鲁成福	唐若愚	杨积雍	王洒俊	杜成章	李薪傅	姚锡玖	陈维钰
张恩庆	董克宅	马光临	刘国琪	何于亨	周咸庆	林毓楷	许嘉鸾
程瑞生	郭银珠	卢金海	蔡引敬	王天启	王　懋	邵兰昌	

三年级
王积广	安凤祥	尚元尼	姜希濂	高宗明	张蕴浩	董其端	杨修塘
赵根源	何瀛洲	吴　淇	孙吉元	张友贤	雍敏书	池本泉	李广乾
胡爱民	胡立宪	段品齐	范承周	曾德懋	黄亚栋	董攀桂	魏德昌
高映昭	万文鹤	高祐时	宋曾玉	李骥生	张荣欣	王业媛	樊士魁
赵尔寿	汤文璧	马敏行	王金泉				

（十）法商学院：政治学系

一年级

潘长庆	张俊哲	马旭初	郭明义	王大鉴	程东孚	郭心亮	侯存孝
高景山	张宏任	王家骥	吕　恭	吴佩印	孙庆云	袁　山	袁　衡
王国华	李　俊	张振川	赵崇蔚	邱德孚	赵邺夫	李学臣	黄　定
张先志	马世勋	张可运	张亚英	刘海波	刘竞昌	程敬扶	张德模
谢　超	马秉虞	吴兴干	高永发	冯炳桐			

二年级

马兴华	韩正志	王　余	王振武	宋璿瑞	李承先	侯振中	张容正
张树藩	郭俊武	熊朝阳	刘景曦	卫佐臣	孙中谦	文成渊	程凤庭
赵　毅	王金印	周乃昌	李善继	秦可均	金立功	刘豫捷	孙颖川

三年级

王树德	李宏寿	于书绅	尹殿甲	李　陵	马麟祥	师道明	张志和
张鸿文	曹克良	高崇英	高瀛洲	贺士铎	程炳鑫	樊伟生	寿孝鹤
孙炎昭	郑希成	龙兆麟	田盛雯	王克亮	严顺亲	王希哲	严孝德
吉荫桐	王建国	赵守德	马志超	江绍原	张寿彭	陈曾瑞	

（十一）法商学院：经济学系

一年级

王国桢	李寅生	王鉴林	赵振远	张　英	张卿文	杨　珍	王　绎
李□如	贾普云	张临江	蒋崇猷	郭经武	刘淑端	张永耀	尹燕翔
任　让	吕钟声	杨俊英	董　珍	王国侠	李务本	马淑德	李振基
秦国栋	张一壮	刘秦捷	张生云	赵瑞年	张守敬	赵　华	王　耀
王汝敏	朱之郁	窦奇珍	杨远乾	张　瀛	白韵兰	韦佩弦	王鸣遥
杨翠云	岐三元	蒋作钊	王国选	张秉礼	冯　琳	何靖治	张凤坡
张凤丹	尚文贞	李远华	张玉龙	刘勤捷			

二年级

张光寰	朱光祖	何曙启	和铭观	周之岐	段仁仙	栗日新	管道显
王文慧	王志英	王兴鲁	王廷尉	王鸿业	同葆镇	石克邦	朱涵生
吉天培	宋永青	高宪宗	郭世昌	马凌斗	孟兆荣	胡祖畿	孙怡文
徐玉麒	徐昭玮	冯国定	柳毓钟	张廷荣	张根成	张寿麟	张举贤
彭高鹏	刘自兴	赵　训	赵天俊	庞　瑚	边蒲生	韩一俊	刘冷瑜

金士宏	张应麒	张广信	赵 达	徐新贤	洪文达	顾铭悌	杨履晋
袁右铭	严 侗	赵明镐	罗洁如	罗云峰	杨书志	张梦阳	黄玉衡
罗梦平	陈亚罗	孙继儒	司文生	王敩超			

三年级

耿显政	范玉宝	王升堂	王 扬	王金铭	王休和	田 愉	田竞存
石中玉	石钟琅	任钟业	任振邦	李向田	李礼让	李鸣谦	李英才
邱廉铎	邱忠恕	何 敏	吴永定	杜启政	金冰雷	周文衮	周玉海
孟宪堂	胡兆樟	陈兆英	孙宝琛	梁 晨	秦世俭	姚祥春	徐德麒
张印川	张鸿春	张尚仁	张曰琤	张庆典	张星台	张荣阁	张清泰
张天坤	高景华	汤正凤	郭建中	许少勤	许成勋	闵子敬	黄运升
冯 纲	程源浩	董承业	董建仕	滑 亮	杨承宣	杨 桢	杨清桂
杨亿勋	赵焕亭	赵维先	刘舒东	刘善述	刘存仁	钱 林	魏素桂
蓝时欣	萧鸿恺	罗鸣贵	权世俊	赵元济	张清秀	唐文郁	马瑞玉
郭诚德	李德庆	董德福	张尔刚	步启光	纪静仙		

(十二) 法商学院：商学系

一年级

王光宇	张汉圣	王 沂	韩正本	尚 仁	高文质	王建寅	王福民
幺汝明	宋鸿泽	高 瑛	牛傅模	温兆图	王贞铭	贾缉熙	周金环
罗邦瑛	刘 敞	袁争先	段永言	赵崇理	王文桢	陈 毅	唐 馨
高运宏	杨祥泰	李绍卿	王保钧	张丹楹	束励中	康 选	齐保龄
夏启疆	王效君	蔡淑云	胡克启	李荣鼎	刘增纯	魏泽田	阎 恕
陆逢甲	梁月君	程金士	常书珍	崔振中	罗代明		

二年级

吴叔衍	卜凤祺	王宗岐	王佩琨	郭正铭	段 驹	姜时澍	范历山
贾仁溥	张本立	张字渊	阎树槐	薛民三	范迎堂	刘德源	叶兆鼐
孟君璞	郝树文						

三年级

王宏业	牛龙先	狄玉琨	沈有章	胡恩九	孙为柏	殷龙珠	张希栻
郭立民	常道骧	杨立中	赵 崛	赵中桂	刘行钧	刘桂荃	刘锡山
刘械樑	穆嘉琨	潘炳麟	卢坤纶	韩金铮	王朝阁	田雅兴	白枢衡
石文山	李天佑	杜惠若	马 瑜	马洪庆	马遵德	黄 洁	张绍年

冯凤鸣　腊以琴　赵曾祥　刘敬屏　王福田　韩凤霖　孙昌礼　李玉如
卢耀彤　陈贵印

四、国立西北大学三十三年度在校学生名录

（一）文学院：中国文学系

一年级
张维熙　王金元　张文铣　戴克九　米泽慧　牛金镛　闻仁同　李炳盛
白尚志　吴逸梅　刘安荣　陈钟灵　高魁勋　刘心行　刘国懿　强立言
高景亮　甲英杰　李登科　魏　刚　王宗义　蒋　昭

二年级
刘应科　李　莉　阳石门　张志明　高登河　何自勤　杨春霖　袁兔若
孔祥庸　赵立卓

三年级
王效基　段新民　杨凤悦　赵晋桢　何德纯　薛兆云　李穆三　程贞淑
李金锡　王荫桐　伍延璋　孙玉璋　梁子涵　周为群　何德范　宗寿均
李少白　王英杰

（二）文学院：外国语文学系

一年级
周谨奎　赵述曾　臧傅真　王君强　卢永福　孙雁滨　何　庚　蒋景武
袁汝临　田嘉育　邢熙坤　王家梓　南国英　乔曾锐　杨振华　赵清润
李桂芬　苑志初　岳　诚　刘明善　李子君　邓翠芬

二年级
王培显　樊镜澄　齐斌濡　赵希稣　陆伯铮　丁安义　李秀华　张　韩
李耀福　滕怀智　宁宗宪　刘子瑜　崔彤兰　屈俊岭　陈金环　杨朝溪
桂诗晶　杨春云　蔡凤嵩　傅望元　齐文松　李　凯　郭明义　樊伟彬
黄兆吉　吴海华

三年级
方慧英　田际升　李宗杰　李振麟　李立功　荀荣望　高　麒　梁荫芝
刘宜生　刘长龄　杨巽田　唐家桢　吕迺正　房修龄　蔡玉柱　华遵舜
顾祖康　赵希平

(三)文学院:历史学系

一年级

李必蕃　徐鸣惊　宁　瑜　倪祖佩　王春台　李咸中　赵元杰　赵锡禄
孙炳南　雍念书　史青云　孙凤安　傅家读　王世馨　龚希禄　朱玉清

二年级

李鸿度　张　述　白尚勤　李尚桂　李春茂　段　刚　鲁承科　段钟汾
张淑珍　安　仁　赵允让　范守正　郭光前　郭修慧　褚　灏　路　旭

三年级

张绪东　马植杰　李录勋　王祖斌　尹　钜　段永发　吴弘毅　马义德
孙尔慧　张梦平　尹良煦　强华儒　颜景泰　张育华　张金人

(四)理学院:数学系

一年级

刘　鑠　季士杰　瞿宁若　张凤英　陈怀孝　孙绍元

二年级

白尚恕　路德昭　李联杜　张玉田　李普馥　刘世彬　胡希正　华渚田
李宝芬

三年级

弓金宝　化克酵　宋三元　赵根榕　阎　贞　刘宝章　马之刚　阎景波

(五)理学院物理学系

一年级

刘允谦　张仪威　王俊英　马文定　张德丕　蒋震方　陈家诚　朱□凤
杨学文　张定邦　刘忠诚

二年级

高显宇　王则俭　舒贤治　李鸿儒　张尔藩

三年级

杨聚寅　万德明　唐云汉　靳舒馨　赵恒椿　赵立章　萧执经　赵　宝
冉长寿　尚　志　程世忠　蒋玉麒　梅佑仁　任和春

(六)理学院:化学系

一年级

吴焕然　安九鼎　赵鼎中　吴之健　张秀英　方永祺　秦冠绍　曾元猷
赵正之　王昭文　王恕仁　马世衡　廖高岗　吴英华　相九皋

二年级

徐经纬　张润林　商怀明　吉星焕　于文麟　齐寿龄　庞　鹰　陈涤凡
任　明　解毓萼　黄代祥　刘成立　马四元　戈治昌　陈运生　赵淑兰
秦乃文　秦云亭　李　轼　刘治贞　瞿体馥　牛文第

三年级

杨作栋　段蟠根　侯万里　戴培厚　田克昌　王槐蔚　王绍周　王承荃
曲炳瑞　朱锡明　李得禄　宫　锡　徐昌图　张祥春　张瑞霞　张　钦
张庆馀　冯文虎　梁燕达　陶享樾　孙骦方　杭世渤　于秀云　潘裕然

(七)理学院:生物学系

一年级

蒋学敏　刚淑芳　王桂生　李玉芙　韩　旐　马景乐　蹇质良　郭　锋
傅安秀　刘　夷　高秋芬　李秀芝　王之桢　赵德章　苏正贤

二年级

黄　安　张正范　王秦清　盛良瑞　钮金鼎　张玉林　宋瑞华　路维多
陆秀芳

三年级

刘绵第　朱家骥

(八)理学院:地质地理学系

一年级

胡厚文　陈文济　单　励　赵觉民　孙慰岑　蓝永谦　勇俊龙　吕新五
刘国恩　杨志甲　杨晓亭　杨汝贤　窦培德　管述奎　郑功溥　齐矗华
赵铭渠　王佩芝　吴鲁文　左伯麟　刘文魁

二年级

赵庚荫　关恩成　阎廉泉　王　铭　魏振平

三年级

王立权　杜　默　梁建式　张继书　张恩普　李耀曾　苗祥庆　高启伟
王景瑞　王景椿　李延潆　胡信姬　孟振生　张重先　刚雅芳　赵跻堂
何金海　时子明　关佐蜀

(九)法商学院:法律系

一年级

程金士　唐钦明　牛维乔　李选文　骆立群　高　直　张德模　牛中兴

宋鸿九	李继宗	史俊杰	宋长斌	齐长庚	申邦贤	姜纯璧	柏育荃
李傅尔	柳华藻	姚应福	何光鑫	杜鸿钧	李逸君	黄由之	常元敬
阚维琦	徐柏林	周日信	冯　云	王春台	李炳莹	高显和	毕德志
刘松涛	朱　灿	梁兆范	刘文典	柴正之			

二年级

崔玉珩	王双修	田映昶	朱葆俊	方正琬	周世忠	王文运	李友梅
谢光沄	史美荣	万宗武	田树业	陈德明	王复荫	田生珠	袁玄晖
张占勋	陈润民	张瑞麟	马超群	杨步滋	杨毓秀	王永吉	孟三元
吕翰田	王晓风	赵珠清	林毓楷	郭银珠	贾辛酉	李　俊	袁　山
袁　衡	孙庆云	杨绍简	沈　静	蒋作权	张宏义	王沛然	马兆男
高市泽	张之桢	张绍通					

三年级

鲁成福	唐若愚	杨积雍	王洒俊	杜成章	李薪傅	姚锡玖	陈维钰
张恩庆	董克宅	马光临	刘国琪	何于亨	周咸庆	许嘉鸾	程瑞生
卢金海	蔡引敬	王天启	王　懋	邵兰昌	胡清华		

（十）法商学院：政治学系

一年级

黄　定	孟庆馀	柏鸿寿	杨荫溥	田际明	张炎森	刘树森	李含正
刘峰岑	刘锋先	王　玺	王清勤	柳舒龙	卢文聚	张志仁	田　溪
高　骏	马健英	窦国瑛	孙宗城	杨金章	赵　锐	王心芝	李冠瀛
张宏勋	郭天哲	王承德	郎益林	艾天秩			

二年级

潘长庆	张俊哲	马旭初	程东孚	王大鉴	侯存孝	郭心亮	张宏任
高景山	吕　恭	王家骥	王国华	吴佩印	张振川	赵崇蔚	邱德孚
赵邠夫	李学臣	张先志	马世勋	张可运	张亚英	刘海波	刘竞昌
程敬扶	马秉虞	谢　超	高永发	吴兴干	蒲万霖	冯炳桐	张绍纮
岳邦彦	刘维穆	刘瑞珉	祝锡祯	张　威	胡燕芬	刘恩玉	马焕乡
张　志							

三年级

马兴华	韩正志	王　余	王振武	宋璿瑞	李承先	侯振中	张容正
张树藩	郭俊武	熊朝阳	刘景曦	卫佐臣	孙中谦	文成渊	程凤庭

赵　毅　　王金印　　周乃昌　　李善继　　秦可均　　金立功　　张寿彭　　孙颖川
陈乐哉　　刘军捷　　李光瑞

（十一）法商学院：经济学系

一年级

王钦宗　　贾连亭　　方富庆　　杨　硕　　顾　绳　　王鸿亮　　姜效鉴　　唐幼尧
官本信　　黎士栋　　魏福田　　赵傅礼　　饶五祥　　田启泰　　沈以慎　　张子正
王敬栋　　何秀康　　王　卓　　李世秀　　王　墅　　王赓坤　　罗荣铣　　岳德新
吴才敩　　杨昭忠　　郭菊生　　史煜章　　陈家声　　陈骐德　　郑赓贞　　李　铠
崔继光　　贾　循　　崔致崇　　陈宗浩　　苏立功　　牛映霄

二年级

张　英　　李寅生　　杨　珍　　赵振远　　赵瑞年　　张卿文　　赵　华　　王　绎
李□如　　张守敬　　张临江　　王　耀　　郭经武　　贾普云　　张永耀　　蒋崇猷
任　让　　刘淑端　　杨俊英　　尹燕翔　　王国侠　　吕钟声　　马淑德　　王汝敏
秦国栋　　董　珍　　李务本　　张　瀛　　李振基　　韦佩弦　　张一壮　　蒋作钊
王鸣遥　　张秉礼　　岐三元　　张凤坡　　王国选　　张玉龙　　冯　琳　　张生云
马文贞　　杨远乾　　刘勤捷　　白韵兰　　张凤丹　　李远华　　窦光亚　　牛发仁
张正亚　　马祺年　　李润生　　马吉昌　　萧森赏　　李立国　　郝选英　　谢文祥
杨保国　　郝仲英　　刘钧声　　汪志德　　张千祥　　史友林　　刘祥生　　王之琨
张允端　　李　兰　　雷启刚　　唐德春

三年级

张光寰　　朱光祖　　何曙启　　和铭观　　周之岐　　段仁仙　　栗日新　　王文慧
王志英　　王兴鲁　　王廷尉　　王鸿业　　同葆镇　　石克邦　　朱涵生　　吉天培
宋永青　　高宪宗　　郭世昌　　马凌斗　　孟兆荣　　胡祖畿　　孙怡文　　徐玉麒
徐昭玮　　冯国定　　柳毓钟　　张根成　　张举贤　　彭高鹏　　刘自兴　　赵　训
赵天俊　　庞　瑚　　边蒲生　　韩一俊　　刘冷瑜　　金士宏　　张应麒　　张广信
赵　达　　洪文达　　顾铭悌　　杨履晋　　袁右铭　　严　侗　　赵明镐　　罗洁如
罗云峰　　杨书志　　张梦阳　　黄玉衡　　罗梦平　　陈亚罗　　王昭明　　司文生
孙继儒　　高岫云　　毕　柔　　李宝容

（十二）法商学院：商学系

一年级

苏　青　　王毓铭　　宫玉龙　　景士楷　　李庭坚　　崔文杰　　卫兆本　　丁士奇

刘伟绪	禹学仁	石鸣源	晋国智	刘仁亭	王润生	成秀贞	吴长春
尚秋梧	罗 玮	宋德成	侯益白	李治华	田树柽	吴景林	万 里
徐维崧	尤冠雄	王安九	吴 恭	杨长玉	崔学敏	陈静渊	鲁宗义
杨锦贤							

二年级

王光宇	张汉圣	王 沂	韩正本	尚 仁	高文质	王建寅	王福民
幺汝明	宋鸿泽	高 瑛	牛傅模	温兆图	贾缉熙	王贞铭	刘 敞
周金环	段永言	罗邦瑛	王文桢	袁争先	唐 馨	赵崇理	高运宏
陈 毅	杨祥泰	李绍卿	王保钧	张丹楹	齐保龄	康 选	王效君
蔡淑云	胡克启	李荣鼎	刘增纯	魏泽田	阎 恕	陆逢甲	梁月君
陈世庄	吴叔衍	常书珍	崔振中	王志迺	郑治国	陈学焕	罗代明

三年级

卜凤祺	王宗岐	王佩琨	郭正铭	段 驹	姜时澍	范历山	张本立
张字渊	阎树槐	薛民三	范迎堂	刘德源	叶兆鼐	孟君璞	郝树文
陈之鼎							

五、国立西北大学三十四年度在校学生名录

（一）文学院：中国文学系

一年级

李治国	王明光	陈古心	李剑萍	史 岐	刘继华	柯亨嘉	赵育英

二年级

张文铣	米泽慧	闻仁同	白尚志	刘安荣	刘国懿	戴克九	牛金镛
吴逸梅	强立言	王宗义	王 瑄	谭维德	卢光柞	孙汝琴	赵颖怀
王金元	王云乡						

三年级

何自勤	刘应科	李 莉	阳石门	张志明	高登河	杨春霖	袁夬若
孔祥庸	赵立卓	李乃升	赵竹一	宗哲森	王淑梅	张国桐	

（二）文学院：外国语文系

一年级

陈天仁	耿修敬	张光笃	张仪威	顾玉秀	黄自强	何培松	石敬人

薛秉忠　　王怀成　　仇荣华　　陈文茂

二年级

李剑□　　周谨奎　　臧傅真　　卢永福　　孙雁滨　　史成汉①　蒋景武　　赵述曾
王君强　　何　庚　　宋致昭　　袁汝临　　邢熙坤　　赵　淮　　乔曾锐　　赵清润
刘存生　　刘明善　　邓翠芬　　田嘉育　　刘心行　　王家桦　　田　彬　　杨振华
李桂芬　　吴　谦　　岳　诚

三年级

樊镜澄　　齐斌濡②　陆伯铮　　丁安义　　李秀华　　张　韩　　李耀福　　滕怀智
宁宗宪　　刘子瑜　　崔彤兰　　屈俊岭　　陈金环　　桂诗晶　　杨朝溪　　杨春云
傅望元　　蔡凤嵩　　薛子福　　赵应清　　常友文　　杨淑贞③　郭明义　　霍子舜
程友华　　齐文松　　段盤石　　黄兆吉　　李　凯　　吴海华　　谢庆璞

（三）文学院：历史系

一年级

黄　烈④　马玉骐　　王象山　　冯元明　　刘元琚　　周希瑄　　王思曾　　马志恒

---

① 牛汉(1923—2013)，本名原为史承汉，后改为史成汉，又名牛汉，曾用笔名谷风。山西定襄人，蒙古族。1943年考入设在陕西城固的西北大学俄文专业，1946年因参加民主学生运动被国民党政府逮捕，判刑二年。1948年8月进入华北解放区。现代著名诗人、文学家和作家，"七月"派代表诗人之一。1940年开始发表文学作品，主要写诗，近20年来同时写散文。曾任《新文学史料》主编、《中国》执行副主编，中国作家协会全国名誉委员、中国诗歌学会副会长。他创作的《悼念一棵枫树》《华南虎》《半棵树》等诗广为传诵，曾出版《牛汉诗文集》等。

② 齐越(1922—1993)，曾用名齐斌濡。生于内蒙古满洲里，河北高阳人。1941年在西北大学先修班肄业，1942年升入西北大学文学院外国语文系俄文组学习，1946年因参加学运被通缉。1946年10月到晋冀鲁豫解放区，1947年担任陕北新华广播电台播音员。1949年10月1日，与丁一岚一起向全世界现场直播开国大典的盛况。在中央人民广播电台工作的几十年漫长播音生涯中，他以特有的庄重、深沉的声音感染了千百万听众，许多人便是从他的播音中更深切地感受到《谁是最可爱的人》《县委书记的好榜样——焦裕禄》等名篇的魅力。

③ 杨淑贞(？—2013)，又名杨沙林，生于河北昌黎，祖籍广东中山。太平洋战争爆发后，她与几个同学秘密穿越封锁线，几经辗转于1942年考入了国立西北大学，至1946年在西北大学外文系（英文组）读书。她的二哥也在西北大学法商学院读书。1944年秋与齐越在城固结婚。1945年春，参加"流火社"。1946年因参加学运被勒令退学。1946年8月至1948年10月在河北遵化解放区工作。1949年7月，先后在中央人民广播电台英播部、新华社对外部、新华社图书馆工作。

④ 黄烈(1924—2006)，字治平，湖北汉川人。黄文弼之子。1948年毕业于西北大学历史系，1954年后到中国社会科学院学术秘书处工作，任郭沫若秘书兼学术助手。1956年进入中国社会科学院历史研究所，任研究员，历任魏晋南北朝隋唐史研究室副主任、主任、所学术委员会委员、郭沫若研究会副会长等。致力于推动魏晋南北朝史学术研究，任中国魏晋南北朝史学会首任会长。

王一明　李英贤　许延瑞　许鲸伯　王忠民
二年级
张维熙　宁　瑜　饶国鼎　李必蕃　高魁勋　高景亮　李登科　范志初
王春台　戴玄之　赵元杰　孙炳南　程昭善　史青云　吴振华　徐鸣惊
倪祖佩　潘云祥　李咸中　雍念书　闵君怡　孙凤安　傅家读　陈钟灵
王世馨　曹　禹　葛树楷　李秀森　史鸿宾
三年级
郭修慧　赵允让　李鸿度　张　述　白尚勤　李尚桂　李春茂　段　刚
鲁承科　段钟汾　王绮珍　安　仁　褚　灏　郭光前　路　旭　范守正
吴傅璋　孙锡本

(四)文学院：边政学系

一年级
郭念周　俞　萍　严相华　周鸿泰　姜衍诗　李祥瑞　张邕昌　郑立升
郑德九　田春卿　俞克毅　李　达　苗成礼　杨　铎　陈景玉　张继纲
郑庆升　侯健钧　张东杰　马祥麟

(五)理学院：数学系

一年级
李玉□　季毓洁　郭黄霖　黄偘明　李植民　赵启天　刘　颖　姜耕伍
杨清秀　岳　岩　党宝濂　潘应贤
二年级
陈　恬　李世傅　张凤英　刘　鑠　陈怀孝　蒋学敏　陈文涛　孙绍元
杨健华
三年级
白尚恕　李联杜　路德昭　李普馥　张玉田　刘世彬　胡希正　华渚田
李宝芬

(六)理学院：物理学系

一年级
于美文　周忠庆　于铁柱　阎瑞西　叶志晋　傅　铨　唐尧夫　罗长薰
王世清　刘绍武　张继炎　韩纪增　李长生　吴长乐　薛汉鼎　李毓华
阎　琪　和景祥

二年级

王庆新　郭延绪　刘允谦　王俊英　张德丕　方正□　吴守仁　马文定
郭泰运　张定邦　蒋震方　陈家诚　许瑞芹　杨学文　刘忠诚　冯　宿
冯梦英

三年级

高显宇　舒贤治　王则俭　李鸿儒　张尔藩　孙荣木

（七）理学院：化学系

一年级

胡　克　赵蕴生　黄　章　叶淑贞　祁仰君　耿双全　夏文亮　刘则昭
屈资平　高　鹏　杜志鼎　杨霁霞　黄鹏程　李耕傅　孙天健　李振良
吕鸿烈　韩锡璋　赵文深　汤永成　孙聚昌　俞佑仪

二年级

张汝霖　瞿宁若　赵鼎中　吴士英　安九鼎　马世衡　吴之健　张秀英
方筱兰　秦冠绍　任　明　赵正之　王正心　王恕仁　相九皋　方永祺
高静媛　王昭文　曲蕴明　赵德章　吴英华　段兆庆

三年级

王连珠　商怀明　吉星焕　张润林　于文麟　齐寿龄　庞　鹰　陈涤凡
解毓萼　黄代祥　刘成立　马四元　陈运生　秦乃文　戈治昌　李　轼
赵淑兰　瞿体馥　秦云亭　牛文第　刘治贞　陈琼德

（八）理学院：生物学系

一年级

解兰芳　康　衍　李友三　何承德　王　鹏　崔益三　胡　彬　樊宁臣

二年级

王桂生　傅安秀　徐淑藻　刚淑芳　李玉芙　陈雄球　马景乐　郭　锋
刘　夷　樊恩柱　万清江

三年级

李大中　王秦清　张正范　宋瑞华　路维多　陆秀芳　常伦厚

（九）理学院：地质地理学系

一年级

孔繁文　李钟武　张恒明　陈光泽　袁义煦　刘庆礼　王吉林　李明馨
尉银有　杨福全　张仁甫　丛树珊　钟亦晓　李云祥　孙　管　路统勋

谢凤瑞　　刘任城　　常世荣

二年级

钮金鼎	武德宁	蹇质良	胡厚文	单　励	孙慰岑	勇俊龙	刘国恩
杨晓亭	赵觉民	蓝永谦	吕新吾	杨志甲	杨汝贤	窦培德	郑功溥
赵铭渠	左伯麟	管述奎	齐矗华	刘文魁	王佩芝	苏正贤	吴鲁文

三年级

贾向光	王　铭	赵庚荫	关恩成	阎廉泉	魏振平	刘景珍	尤伟臣
丁　宁							

（十）法商学院：法律学系

一年级

王世群	曹建厚	张瑞贤	刘恒志	王永祯	张傅曾	蒋　昭	杨宏万
李宗石	汪赓炎	魏伯豪	陈道厚	周代勋	陈明远	孙锡义	张培金
尹为鑫	刘麟巽	齐有生	李海涛	李　安	王忠民	王友仁	葛维方
刘树伟	丁五成	朱　冰	鹿春堂	杜　为	张继孟	王永福	于之汉
赵　静	鲁是福	梁　桢	孙恒谅	任善基	孙文斌	庄馀文	李飞鹏
杨安之	丁　鸣	胡建勋	王中岚				

二年级

李选文	唐钦明	骆立群	张德模	程金士	宋鸿九	史俊杰	姜纯璧
李傅尔	姚应福	杜鸿钧	黄由之	阚维琦	高　直	牛中兴	李继宗
宋长斌	申邦贤	柏育荃	何光鑫	李逸君	常元敬	徐柏林	周日信
王春台	柏鸿寿	窦国瑛	王清勤	高显和	柴正之	冯　云	朱　灿
李炳莹	毕德志	赵　澄	赵华英	李根年	高士兴	王松益	王文先
陈兆栋	傅　维						

三年级

林毓楷	郭银珠	赵珠清	贾辛西	张绍通	崔玉珩	王双修	田映昶
朱葆俊	方正琬	周世忠	王文运	李友梅	谢光沄	史美荣	田树业
万宗武	王复荫	陈德明	田生珠	袁玄晫	张占勋	陈润民	张瑞麟
马超群	杨步滋	杨毓秀	王永吉	孟三元	吕翰田	张庆云	袁　山
袁　衡	李　俊	王晓风	杨绍简	沈　静	蒋作权	张宏义	马兆男
王沛然	高市泽	张之桢	赵景涛	赵维章			

（十一）法商学院：政治学系

一年级

刘宝铸	于振三	谢元隆	方元鸿	王福熙	霍宏慎	耿大为	曹平堃
张 锷	胡善谷	侯敬源	黄桂铭	卢向林	赵德轩	杨尚义	陈震中
冯沂东	郭建安	张存祺	李泽铭	王鸿源	庄敬伯	赵着灵	

二年级

黄 定	孟庆馀	艾天秩	田际明	刘树森	刘峰岑	王 玺	柳舒龙
高 骏	杨金章	杨荫溥	张炎森	李含正	刘锋先	卢文聚	田 溪
李冠瀛	张宏勋	郭天哲	郎益林	张 汲	李鹏飞	王昭洲	张志仁
马健英	夏文旭						

三年级

蒲万霖	刘豫捷	潘长庆	张俊哲	马旭初	王大鉴	程东孚	郭心亮
侯存孝	高景山	张宏任	王家骥	吕 恭	吴佩印	王国华	张振川
邱德孚	赵郴夫	李学臣	张先志	马世勋	张可运	张亚英	刘海波
刘竟昌	程敬扶	谢 超	吴兴干	高永发	岳邦彦	张绍纮	刘瑞珉
刘维穆	祝锡祯	胡燕芬	马焕乡	田文治	魏 劼	陈宝琦	张 志
胡宗禹	刘恩玉						

（十二）法商学院：经济学系

一年级

吴焕然	韩 旂	魏 刚	孙素蓉	黄仲祥	吴承棣	冯克烈	余笃信
李效张	李清渊	马孝珍	乔序庭	何惠麟	江焕礼	杨效宝	刘晓初
殷和柏	易黄元	杨中州	段赓先	张廷质	牛国昌	李炳盛	刘 镇
王承式	薛之时	武荣昌	姜贤慈	余国栋	张星汉	杨彩文	赵国武
郑绮纯							

二年级

王鉴林	方富庆	王心慈	王钦宗	顾 绳	姜效鉴	杨 硕	王鸿亮
唐幼尧	官本信	魏福田	饶五祥	沈以慎	王 卓	王 墅	罗荣铣
岳德新	郭菊生	黎士栋	赵傅礼	田启泰	张子正	李世秀	王赓坤
刘松涛	孙宗□	杨昭忠	史煜章	陈家声	崔继光	阎伯平	金守琨
孙锡铎	王文翰	王连生	万毅民	屠傅藜	黄慧清	黄振声	王敬栋
曹自觉	郑赓贞	周 鼎					

三年级

刘步祥	牛发仁	马祺年	窦光亚	李润生	唐德春	马吉昌	张正亚
张允端	李寅生	赵振远	张 英	张卿文	杨 珍	王 绎	赵瑞年
张守敬	赵 华	李□如	贾普云	张临江	郭经武	刘淑端	张永耀
尹燕翔	任 让	吕钟声	杨俊英	王汝敏	董 珍	王国侠	李务本
马淑德	李振基	秦国栋	张一壮	张生云	杨远乾	张 瀛	白韵兰
韦佩弦	王鸣遥	岐三元	蒋作钊	王国选	冯 琳	禹文贞	李远华
张凤丹	张凤坡	张玉龙	刘勤捷	谢文祥	萧森赏	郝仲英	郝选英
汪志德	杨保国	李立国	史友林	刘钧声	王之琨	张千祥	李 兰
刘祥生	雷启刚	闫化之	贾士瑛	梁致宏	丁 震	许志大	李书存
冯家声	李首春	胡锐进	张秉礼	刘运翔	孔繁德		

（十三）法商学院：商学系

一年级

| 王重仪 | 王腾芳 | 王金宝 | 田 雯 | 王承三 | 宋瑶蕴 | 邱景峰 | 郭炳炎 |
| 李复芝 | 胡文楷 | 王舜诚 | 董郁华 | 刘士清 | 张家莹 | 张云涛 | |

二年级

苏 青	宫玉龙	王毓锦	景士楷	李庭坚	卫兆本	刘伟绪	石鸣源
刘仁亭	成秀贞	尚秋梧	宋德成	李治华	吴景林	徐维崧	崔文杰
禹学仁	晋国智	王润生	吴长春	罗 玮	侯益白	田树柽	万 里
尤冠雄	王安九	杨长玉	吴 恭	崔学敏	鲁宗义	张继礼	卢贵英
陈继虞							

三年级

吴叔衍	丌嘉淮	王光宇	张汉圣	张本立	王 沂	韩正本	尚 仁
高文质	王建寅	王福民	幺汝明	宋鸿泽	牛傅模	温兆图	王贞铭
贾缉熙	周金环	罗邦瑛	刘 敵	袁争先	段永言	赵崇理	王文桢
陈 毅	唐 馨	杨祥泰	李绍卿	张丹樾	康 选	齐保龄	王效君
蔡淑云	胡克启	李荣鼎	刘增纯	魏泽田	阎 恕	梁月君	常书珍
崔振中	王志迺	郑治国	陈学焕	陈世庄	罗代明		

（十四）三十三年度第一学期随班听讲学生

| 张秉礼 | 王金元 | 王忠民 | 侯建钧 | 常世荣 | 王中岚 | 胡宗禹 | 刘运翔 |
| 孔繁德 | 段兆庆 | 曹自觉 | 王洪源 | 庄敬伯 | 赵国武 | 杨彩文 | 陈久阳 |

(十五) 三十三年度第一学期暂准旁听学生

于秀云	孙继儒	刘恩玉	杨健华	郑赓贞	周　鼎	袁易山	石鉴章
孙其仑	王云乡	赵俊义	沈　策	赵佩文	夏文旭	汪傅璩	张东杰
马祥麟	王重琦	祁尚礼	刘延平	刁光第	房□堂	曹士琦	张蔚民
居　沛	贾兴和	张□□	郑绮纯	鲁祥福			

六、国立西北大学三十五年度在校学生名录

（一）文学院：中国文学系

一年级

毛云霄	刘俊贤	王治华	张家寰	李书坤	杨振华	李家驷	刘培龄
焦克治	冯岭安	刘醒华	朱惟雄	管慕岳	段毓琏	江化儒	栗　瑞
李晓园	水天明	陈峻云	王季洪	刘善继	张德昌	刘永安	袁海晏
张　俐	王静波	贾孟琳	陈继生				

二年级

| 李治国 | 王明光 | 陈古心 | 李剑萍 | 史　岐 | 刘继华 | 柯亨嘉 | 赵育英 |
| 李书钧 | 李树云 | 马志文 | | | | | |

三年级

| 米泽慧 | 白尚志 | 刘国懿 | 王金元 | 戴克九 | 牛金镛 | 王宗义 | 王　瑄 |
| 谭维德 | 卢光祚 | 孙汝琴 | 赵颖怀 | | | | |

（二）文学院：外国语文系

一年级

刘耀云	张　彤	陶俊奎	龚锦云	李竟泉	刘雪曦	张福星	李笳鸣
毛西超	万泮盈	何天祥	胡庆端	毕霖普	曾广钧	侯承祖	张友仲
陈　真	穆善培	赵乐星	王龙生	赵松心	梁文燕	刘德明	张延明
仇玉玺	曹家治	刘　炎	王　玮	常继曾	陈宝琛	柴子仁	

二年级

| 刘存生 | 陈天仁 | 耿修敬 | 张光笃 | 仇荣华 | 陈文茂 | 郭念周 | 史成汉 |
| 张仪威 | 顾玉秀 | 石敬人 | 薛秉忠 | 李祥瑞 | | | |

三年级

| 周谨奎 | 孙雁滨 | 蒋景武 | 赵述曾 | 袁汝临 | 邢熙坤 | 赵清润 | 刘明善 |

邓翠芬　田嘉育　刘心行　王家桦　田　彬　杨振华　李桂芬　吴　谦
岳　诚　臧傅真　卢永福　王君强　宋致昭　赵　淮　乔曾锐　李秀华

(三)文学院:历史学系

一年级

刘子愚　赵明道　盖友风　李炳新　刘成荣　赵毓杰　王浩德　李之勤
孙玉霖　杜鸿厚　谢福芩　程楚秦　张士杰　曲季波

二年级

张文铣　赵元杰　王世馨　黄　烈　马玉骐　王象山　刘元琚　周希瑄
马志恒　王一明　李英贤　刘明哲

三年级

张维熙　宁　瑜　饶国鼎　李必蕃　高魁勋　高景亮　李登科　范志初
王春台　戴玄之　孙炳南　程昭善　史青云　吴振华　徐鸣惊　倪祖佩
潘云祥　李咸中　闵君怡　孙凤安　傅家读　陈钟灵　曹　禹　葛树楷
李秀森　史鸿宾

(四)文学院:边政学系

一年级

王时中　李辅国　谭福茂　赵文荃　乔英杰　赵云亭　陈敬勉　谢永森
李治国　程少峰　罗万寿　张镇国　刘迺平　王思曾　王重琦　刘尚礼
温存智　李　星　祁习之　石维峻

二年级

俞　萍　严相华　姜衍诗　张邕昌　郑德九　田春卿　俞克毅　苗成礼
杨　铎　陈景玉　张继纲　郑庆升　张东杰　侯健钧　马祥麟

(五)文学院:教育学系

一年级

侯应云　庞金剑　张毅松　陈天爵　郑远莲　刘天禄　毕德海　王大方
负俊耀　范纯安　王鼎昌　伍振海　任建业　李□宁　亦　郎　丁　苛
邹重威　吴陆德　徐启宗　郭兰馥　焦金明　冯　玑　邢相汤　常肖苏
赵乐仁　龚全珍　刘光晔　丁秀芸

(六)理学院:数学系

一年级

薛俊华　杨乾生　王六一　屈廷敏　刘　仁　陈润道　袁沂鑫　杨梦虎

郑醒华　党宝濂
二年级
张岚瑛　李植民　赵启天　刘　颖　姜耕伍　岳　岩　潘应贤
三年级
陈　恬　胡希正　季士杰　刘　鑠　陈怀孝　蒋学敏　陈文涛　孙绍元

(七)理学院：物理学系
一年级
赵玉佩　田树兰　刘汉卿　巩祥耀　段树德　王天智　封振华　段东豪
张瑞麟　吴应麟　赵发旺　岳　忏　何寄梅　庞哲清　王世科　马世云
李长生　周忠庆　李秀文　罗长薰
二年级
于美文　刘绍武　张继炎　韩纪增　吴长乐　李毓华　阎　琪
三年级
王庆新　郭延绪　刘允谦　王俊英　张德丕　吴守仁　马文定　郭泰运
许瑞芹　杨学文　冯梦英　冯　宿

(八)理学院：化学系
一年级
杨若侠　陈泽鉴　负炎午　卢鸣岐　邵大光　要培兰　吴日昕　崔凌汉
郝祥俊　严祥和　段朝黎　张克勤　韩耀国　王国柄　乔森泉　赵金铎
于永富　张友恭　瓮秀琏　刘振茗　祁仰君　赵　冰　周怀苟　樊世民
李本善　叶德秀
二年级
赵正之　廖高冈　俞佑仪　叶淑贞　耿双全　夏文亮　刘则昭　屈资平
高　鹏　杨霁霞　黄鹏程　李耕傅　李振良　韩锡璋　赵文深　汤永成
孙聚昌　张泰璠　刘治泰　任　明
三年级
徐经纬　瞿宁若　赵鼎中　马世衡　吴之健　张秀英　方筱兰　王正心
王恕仁　相九皋　方永祺　王昭文　曲蕴明　赵德章　吴英华　段兆庆
鲍银堂

(九)理学院:生物学系

一年级
赵文麟　王凤采　袁桂生　秦振栋

二年级
李友三　何承德　王　鹏　崔益三　胡　彬　樊宁臣　沈祖培　贺　倜

三年级
黄　安　王桂生　傅安秀　徐淑藻　刚淑芳　李玉芙　陈雄球　马景乐
刘　夷　樊恩柱　万清江　郭　锋

(十)理学院:地质地理学系

一年级
赵力田　庞成业　何胤周　吕　科　任海波　侯世军　张　存　胡元功
常世荣　巩志超　吴淑月　傅静荣　辛奎德　刘启沛　霍承禹　侯惠民
谭景升　齐国儒　陈　新　张仁甫

二年级
孔繁文　李钟武　钟亦晓　孙　管　谢凤瑞　郭丙午　赵俊义　张恒明
吕新吾　陈光泽　袁义煦　刘庆礼　王吉林　李明馨　尉银有　杨福全
丛树珊　李云祥　路统勋　吴鲁文

三年级
贾向先　胡厚文　勇俊龙　刘国恩　杨晓亭　赵觉民　杨志甲　窦培德
郑功溥　左伯麟　齐蕡华　刘文魁　苏正贤　钮金鼎　蹇质良　杨汝贤
管述奎　王佩芝

(十一)法商学院:法律学系

一年级
杨笃乾　张效鹏　樊鸿谦　董介山　王怀远　杨家驹　张致平　时震中
宋砚田　陈琼英　马　霁　陈善政　相得伸　栗成立　丁悦民　王质彬
陈博恒　刘气盛　吴克刚　王俊杰　于遵辅　董希齐　王文同　张汉选
胡嘉仪　申峻峰　洪玉莲　冯显国　姜初平　瞿　垲　黄德培　杨玉贵
魏峻峰　孙文斌　周鸿春　高攀桂　毕霖锜　杨菊英　郭宗绪　宋成禧

二年级
柳华藻　王世群　曹建厚　张瑞贤　刘恒志　王永祯　耿大为　王鸿卢
骆立群　张傅曾　蒋　昭　杨宏万　李宗石　汪赓炎　魏伯豪　陈道厚

周代勋	陈明远	孙锡义	张培金	尹为鑫	刘麟巽	齐有生	李　安
王忠民	王友仁	刘树伟	丁五成	朱　冰	鹿春堂	杜　为	张继孟
王永福	于之濮	赵　静	鲁是福	梁　桢	孙恒谦	任善基	庄馀文
李飞鹏	杨安之	丁　鸣	王中岚	姚应福	李炳莹		

三年级

李选文	唐钦明	张德模	程金士	宋鸿九	史俊杰	姜纯璧	李傅尔
杜鸿钧	阚维琦	牛中兴	李继宗	申邦贤	柏育荃	何光鑫	常元敬
徐柏林	周日信	王春台	柏鸿寿	窦国瑛	王清勤	高显和	柴正之
朱　灿	毕德志	李根年	高士兴	庞琳清	王金荣	高　直	冯　云
赵　澄	赵华英	王松益	王文先	陈兆栋	王树泰		

（十二）法商学院：政治学系

一年级

杨宗昌	吕以珊	周民生	郑一平	刘心正	翟登亭	王福堂	陈宝华
李位西	朱德晖	李　简	刘玉鑫	范晓天	王立显	高明德	张志强
郭　傅	王树元	张玉衡					

二年级

王承德	刘宝铸	于振三	谢元隆	方元鸿	王福熙	曹平堃	张　锷
侯敬源	卢向林	赵着灵	赵德轩	杨尚义	陈震中	郭建安	李泽铭
庄敬伯	夏文旭	和丕祯	彭少卿				

三年级

黄　定	艾天秩	刘树森	刘峰岑	王　玺	柳舒龙	张志仁	杨金章
杨荫溥	张炎森	田际明	李含正	刘锋先	卢文聚	田　溪	马健英
李冠瀛	张宏勋	张　威	郭天哲	郎益林	张　汲	李鹏飞	王昭洲
石鉴章	孙其仑						

（十三）法商学院：经济学系

一年级

阎宝瑜	王贵亭	法树文	陈得智	张百经	徐　耕	宋之兰	马润序
杜铁铮	陈文阁	杨玉琪	魏泽波	赵俊杰	周油云	刘振芳	李景贤
郭雪萍	窦桂珍	卢有序	刘建伟	刘联邦	孟广居	张凤瑞	阎文升
湾灌博	和景祥	杨效宝	易黄元	刘文善	牟翰章	崔世勋	霍宏才
秦光裕	丁光亮	师蕴如	邓怀智	李大欣	段开秀	卜秀贞	

二年级

窦奇珍	李炳盛	吴焕然	韩　旃	何秀巘	吴才叙	魏　刚	牛国昌
孙素蓉	吴承棣	冯克烈	余笃信	李效张	乔序庭	何惠麟	江焕礼
刘晓初	殷和柏	杨中州	段赓先	刘　镇	王承式	武榮昌	姜贤慈
张星汉	赵国武	杨彩文	郑绮纯	高颖冲	朱家骥	毛鸿基	顾　绳
王钦宗							

三年级

王鉴林	蒋崇猷	禹文贞	王心芝	姜效鉴	贾连亭	王鸿亮	唐幼尧
官本信	魏福田	饶五祥	沈以慎	王敬栋	王　卓	王　墅	罗荣铣
岳德新	郭菊生	黎士栋	赵傅礼	田启泰	张子正	李世秀	王赓坤
刘松涛	史煜章	陈家声	崔继光	崔致崇	苏立功	陈德骐	周　鼎
王韵华	孙颖州	董馨远	詹素农	金守琨	王连生	屠傅藜	黄慧清
王　耀	郑赓贞	赵景霖					

（十四）法商学院：商学系

一年级

傅明道	穆长春	翟燦华	王培忠	张　英	于振枝	耿修爵	萧志远
刘瑞桢	韩庚申	佟宗新	魏金铭	王怀仁	赵典铭	廖君锡	王惠至
杨锦贤							

二年级

| 王重仪 | 王腾芳 | 王金宝 | 田　雯 | 宋瑶蕴 | 邱景峰 | 郭炳炎 | 李复芝 |
| 胡文楷 | 王舜诚 | 董郁华 | 刘士清 | 张家莹 | 张云涛 | 张森彦 | |

三年级

苏　青	宫玉龙	王毓锦	景士楷	李庭坚	卫兆本	刘伟绪	石鸣源
刘仁亭	成秀贞	尚秋梧	宋德成	李治华	吴景林	徐维崧	崔文杰
禹学仁	晋国智	王润生	吴长春	罗　玮	万　里	王安九	杨长玉
吴　恭	崔学敏	鲁宗义	张继礼	卢贵英	于学文	高　瑛	

七、国立西北大学三十六年度在校学生名录

（一）文学院：中国文学系

一年级

张建华　岳德山　王义礼　王承府　乔星南　陈明志　萧义立　黄秉礼
张升云　黄慧文　徐继聪　罗世铭　曹茂官　张　俊　石昭贤　刘振寰
李绍侗

二年级

毛云霄　李家驷　冯岭安　管慕岳　陈峻云　张德昌　周树彬　刘俊贤
李书坤　刘培龄　刘醒华　段毓琏　刘永安　王静波　李书钧　杨振华
焦克治　水天明　刘善继　袁海晏　贾孟琳　陈增淮

三年级

李治国　王明光　陈古心　李剑萍　史　岐　刘继华　柯亨嘉　赵育英
李树云　马志文

（二）文学院：外国语文系

一年级

张振河　柴子仁　孟庆云　金凤鸣　齐保兰　车汉瑛　曹天健　李慧生
程连飞　李嘉同　王经纶　杨耀墀　傅赓任　卢　正　董　震　张振鑫
孙志远　朱辅明　卢纯怡　陈家瑜　何炳华　战师愈　杨文浩　马秉智
李长清　黄祝寿　陆祥慧　陈三省　管勋善　武　钜　严待继　郭孝先
郝镇华　赵天杰　黄坤坊　王天元　李持中　同辑端　左成信　李步月
赵冬春

二年级

刘耀云　张　彤　周俊奎　龚锦云　张福星　万泮盈　毕霖普　张友仲
梁文燕　仇玉玺　王　玮　张跻处　李竟泉　何天祥　曾广钧　陈　真
王龙生　曹家治　常继曾　张家震　毛西超　胡庆端　穆善培　赵松心
张延明　刘　炎　陈宝琛　刘瑞桢

三年级

陈天仁　张光笃　仇荣华　陈文茂　郭念周　顾玉秀　薛秉忠　李祥瑞

(三)文学院:历史学系

一年级

曲季坡	慕博儒	王陆军	史为钢	杨金福	杨忆善	袁仲龄	田德礼
蓝承宇	王绩尧	张庶瞻	李性甫	畅东科	纪　蒙	郭中学	黄振猷
李式敏	张世选						

二年级

刘子愚	王浩德	杜鸿厚	张士杰	王忠民	刘成荣	李之勤	谢福芗
盖友风	赵毓杰	孙玉霖	王怀成				

三年级

张文铣	赵元杰	王世馨	黄　烈	马玉骐	王象山	刘元琚	马志恒
王一明	刘明哲	曹碧真	李树仁	葛世民	郑自修	劳云龙	

(四)文学院:边政学系

一年级

谢秉章	刘　锷	陈克海	石文瑛	陈天仓	姚正方	张学明	刘道枢
阎法邵	李均安	石受成	张镇美	曾承政	刘德广	张志诚	郭步才
吴有贤	黄子培	杜智先	张福贵	蒋连华	周新先	杨玉珍	阎嗣京
王继维	周恩民	李守仁	李永昌	祁　桐	刘增秀	喇登雄	张少宗
赵德功	丁联滨	阎毓桐	孙绪天	宋生智	李荫浓	薛经纬	冯振业
杨重贤	刘振声	党可勋	马世清	张本英	曹为伯	马育祥	石维峻

二年级

王时中	赵文荃	陈敬勉	程少峰	刘洒平	祈尚礼	高习之	郑立庆
李辅国	乔英杰	谢永森	罗万寿	王思曾	温存智	江孔儒	谭福茂
赵云亭	李治国	张镇国	王重琦	李　星	侯建钧	侯承祖	

三年级

姜衍诗	张邑昌	郑德九	田春卿	俞克毅	苗成礼	杨　铎	陈景玉
张继纲	郑庆升	张东杰	马祥麟				

(五)文学院:教育学系

一年级

丁秀芸	罗义烈	孔祥贵	王居玹	赵芝林	张崇清	李显华	魏继伯
刘　瑛	刘星煜	孙季芳	李斌龄	申宝琦	胡必强		

二年级

侯应云	陈天爵	毕德海	范纯安	任建业	丁　苛	徐启宗	冯　玑
庞金剑	郑远莲	王大方	王鼎昌	邹重威	郭兰馥	邢相汤	张毅松
刘天禄	贠俊耀	伍振海	宁亦郎	吴陛德	焦金明	常肖苏	赵乐仁
龚全珍	刘光晔						

（六）理学院：数学系

一年级

杨清秀	张德荣	舒子达	王幼鹏	傅同荣	李仪亭	王顺命	凌　岭
李　震	王继高	康多寿	魏正谊	宗秀槐	李柏琴	左克成	齐升才
陈珍纲							

二年级

薛俊华	杨乾生	王六一	屈廷敏	刘　仁	陈润道	袁沂鑫	杨梦虎
郑醒华							

三年级

张岚瑛	李植民	赵启天	刘　颖	姜耕伍	潘应贤

（七）理学院：物理学系

一年级

萧清隆	高光兴	杨明生	倪襄生	卢丕功	雷哲明	董上元	郭济武
杨寿山	李卓民	龙怀祖	郭存康	张坤来	安致贤		

二年级

赵玉佩	刘汉卿	段树德	王天智	封振华	段东豪	张瑞麟	赵发旺
岳　忏	何寄梅	庞哲清	王世科	李长生	周忠庆	李秀文	罗长薰
刘忠诚	常　毅						

三年级

于美文	刘绍武	张继炎	韩纪增	吴长乐	李毓华	阎　琪	方正御
蒋震方	张学儒	梅佑仁					

（八）理学院：化学系

一年级

朱惟雄	李炳新	马文如	马　达	何生泰	宁炳龙	方斯林	邓汉兴
陈椿长	石如琴	王汉文	尹荣鉴	张　安	曾宪亭	崔致中	惠晓霞
张祖彤	刘振远	戴祝念	王维章	李高龄	董　珠		

二年级

杨若侠	陈泽鉴	贠炎午	卢鸣岐	邵大光	要培兰	吴日昕	崔凌汉
郝祥俊	严祥和	段朝黎	张克勤	韩耀国	王国柄	赵金铎	于永富
张友恭	瓮秀琏	刘振茗	祁仰君	赵 冰	周怀苻	樊世民	李本善
叶德秀	张时雨	安九乐	杜志鼎				

三年级

赵正之	廖高冈	叶淑贞	耿双全	夏文亮	刘则昭	屈资平	高 鹏
杨霁霞	黄鹏程	李振良	韩锡璋	赵文深	孙聚昌	张泰璠	任 明
张汝霖	吴士英	秦冠绍	周岁纯	王恕仁			

（九）理学院：生物学系

一年级

王示聪	顾祥麟	谢寅堂	张珍万	王天一	尉迟学温	邢庆云	聂文清
杨淑性							

二年级

赵文麟	王凤采	袁桂生	秦振栋

三年级

李友三	何承德	王 鹏	崔益三	胡 彬	樊宁臣

（十）理学院：地质地理学系

一年级（地质学系）

张俊杰	孟孔昭	高焕章	李永宁	李庆昌	陈礼米	田万祥	郗命麒
孟庆麟	刘启发	刘家桢					

一年级（地理学系）

邵友程	张崇信	王天元	王恕仁	王治同	张汇川	王振武	马祖诰
石任君	刘炳钦	谭先谦	王鸿顺				

二年级

赵力田	庞成业	何胤周	吕 科	张 存	巩志超	辛奎德	侯惠民
陈 新	任海波	胡元功	吴淑月	刘启沛	谭景升	张仁甫	侯世军
常世荣	傅静荣	霍承禹	齐国儒				

三年级

孔繁文	李钟武	钟亦晓	孙 管	谢凤瑞	郭丙午	赵俊义	张恒明
吕新吾	陈光泽	袁义煦	刘庆礼	王吉林	李明馨	尉银有	杨福全

丛树珊　李云祥　路统勋　吴鲁文　兰永谦　武德宁

(十一)法商学院:法律学系

一年级

田树兰	吴应麟	马世云	张树阳	周毓经	张希滨	尚　义	马得洲
董孝生	夏树基	杨惠鸿	乌焕庭	魏振华	冯若易	马骊龙	傅庆智
李照震	汪永祥	武　斌	翁维巽	赵凤翔	成树万	孙云生	王明书
郑崇信	柏遇海	李晓园	赵明道	乔森泉	王用中	宋成禧	马俊风
权训民	赵宝亥	王治世	李镜润	吴宗白	骆傅桂	蔡耀成	彭醒吾
任嘉勋	严乃庄	张祖英	刘文魁	曹明训	杨惠吉	史振中	程登云
姚　钦	李广智	刘德纯	惠元中	李奇文	彭志伟	崔学圣	李国荃
林廷宦	庄桂林	马有信	严宗贤	孙　庆	朱多稼	王绍森	宋尔谦
薛治邦	靳春霖	陈　彦	萧　明	季士选	党国新	张中焰	张学信
伍汝谐	同先效	董傅祥	金龙光	丁建丰	党心镜	陈俊生	陈玉哲
李凤庭	李建才	李显功	李树楷	陈伯羽	金德樵	巩宇一	管高山
张克忠	颉蔚华	王敏学	欧阳博	刘兆乙	焦木怀	李承宗	马春华
马务学	谢沛兴	彭兴彦	盖自栋	鲁俊彦	张兴善	张宗珂	张光宗
任耀武	林　敬	董辅庭	马　玺	王积信	全志正	赵新革	任　孝
吉成科							

二年级

杨笃乾	董介山	张致平	陈琼英	相得伸	王质彬	吴克刚	董希齐
胡嘉仪	冯显国	黄德培	孙文斌	毕霖锜	张效鹏	王怀远	时震中
马　霙	栗成立	陈博恒	王俊杰	王文同	申峻峰	姜初平	杨玉贵
周鸿春	杨菊英	李海涛	樊鸿谦	杨家驹	宋砚田	丁悦民	刘气盛
于遵辅	张汉选	洪玉莲	瞿　垲	魏崚峰	高攀桂	郭宗绪	

三年级

柳华藻	张瑞贤	耿大为	张傅曾	李宗石	陈道厚	孙锡义	刘麟巽
王忠民	丁五成	杜　为	于之濮	梁　桢	庄俆文	丁　鸣	李炳莹
董庭之	王世群	刘恒志	王鸿卢	蒋　昭	周代勋	张培金	齐有生
王友仁	朱　冰	张继孟	赵　静	孙恒谦	王中岚	宋长斌	曹建厚
王永祯	骆立群	杨宏万	魏伯豪	陈明远	尹为鑫	刘树伟	鹿春堂
王永福	鲁是福	任善基	杨安之	姚应福	傅　维	李逸君	

（十二）法商学院：政治学系

一年级

张绍万	刘子健	郑佐周	张春祥	杨敬业	党铁锡	陈 鹏	田承基
余乾新	胡光宗	尚执中	刘 瀛	白 桐	饶 隐	李友梅	张国栋
杜希学	唐 毅	王继宣	黄喜才	郑义勇	魏书声	牛书祥	彭大钺
姚天楷	马书正	樊 涛	张绍禹	孙本崑	王石印	李 恒	马长润
杨文心	雍维翰	黄奠宇	刘步林	宁春生	刘东汉	李焕章	张黎夫
孙钟豫	王汝湘	王守本	赵季琴	孙万山	汪宗文	宋觉民	党宝濂
荣式晖	段开秀	卜秀贞	蔡秀珍	聂恩昭	陈金瑞	刘嘉瑞	屈 端
李宗渊	谷玉杰	王培民	杨浩伯	张秋溪	刘庙照	陈寿蔚	林庆源
张德厚	刘志宽	张作规	刘筱邦	陈更生	胡德明	张建中	郭绍文
郑大泾	姬子明	张宏德	郭逢坤	刘克礼	杨济民	刘汉业	田明昶
刘大政	赵锦川	任保定	熊克贤	柯功甫	门德茂	李天一	阎克仁
张培华	罗泽民	唐德馨	刘文庆	刘清秀	徐寿图	徐 伦	尤介民
张志华	王清海	张中光	郝善华	麻 凌	高克朋	朱 靖	李竞择
孔宪舜	王献一	李茂荣	王 煦	张挥嘉	陈海涵	许崇熙	岳成基
姬景周	余淑慧	梁崇俭	梁 鉴	杨幼泉	卫抱庆	冯柱燕	张懋修
贾佐义	韩作人						

二年级

杨宗昌	郑一平	王福堂	朱德晖	范晓天	张志强	张玉衡	程范秦
侯兴让	吕以珊	刘心正	陈宝华	李 简	王立显	郭 傅	张存祺
杨维容	周民生	翟登亭	李位西	刘玉鑫	高明德	王树元	粟 瑞
廖秉彝							

三年级

王承德	谢元隆	杨尚义	李泽铭	和丕祯	刘宝铸	方元鸿	张 锷
陈震中	彭少卿	王福熙	赵德轩	郭建安	夏文旭	高 骏	

（十三）法商学院：经济学系

一年级

二年级

阎宝瑜	王贵亭	法树文	黄仲祥	李清渊	薛之时	勇云龙	毛东虎
周鸿典	李建章	曹纯德	陈得智	宋之兰	陈文阁	赵俊杰	卢有序

湾灌博	易黄元	崔世勋	丁光亮	李大欣	张百经	马润序	杨玉琪
周油云	郭雪萍	刘建伟	张凤瑞	和景祥	霍宏才	师蕴如	徐　耕
杜铁铮	魏泽波	刘振芳	窦桂珍	刘联邦	阎文升	杨效宝	牟翰章
秦光裕	邓怀智						

三年级

窦奇珍	李炳盛	吴焕然	何秀嵘	吴才敩	魏　刚	牛国昌	孙素蓉
冯克烈	余笃信	李效张	乔序庭	何惠麟	江焕礼	刘晓初	殷和柏
杨中州	段赓先	王承式	武荣昌	姜贤慈	张星汉	赵国武	杨彩文
郑绮纯	高颖冲	朱家骙	毛鸿基	王钦宗	田惠民	张芝林	孙宗诚
杨昭忠	黄道显						

（十四）法商学院：商学系

一年级

二年级

穆长春	翟灿华	王培忠	于振枝	耿修爵	萧志远	韩庚申	佟宗新
魏金铭	王怀仁	赵典铭	廖君锡	盛浩然	杨锦贤	王承三	

三年级

王重仪	王腾芳	王金宝	田　雯	宋瑶蕴	邱景峰	郭炳炎	李复芝
王舜诚	刘士清	张家莹	张云涛	张森彦	侯益白	田树柽	凡冠雄
白骞义	刘治寰						

（十五）医学院

一年级

蓝淑贞	段培圣	于从吾	蔡海江	袁海照	杨嘉政	郭子正	解颖昌
郭学易	赵紫娟	卢　兴	邹永焘	陈金兴	窦中兰	韩景池	张经济
王荫棠	朱龙玉	业寿全	梁世森	王景仁	于　克	魏　慎	李英烈
吴延龄	郭　炯	张鸿恩	杨诗陶	武福乐	王　安	续昶光	李乾五
陈信三	刘质辉	蒋寿皋	孙在原				

二年级

金丽泉	李孝先	王世臣	杨可莹	范谨之	阎培素	宋爱兰	陈松旺
王颐玲	万志东	王肃庄	马秉渊	张品娴	魏德泉	王英恕	李淑颖
李　铮	武心明	李景月	朱秋如	陈东屏	郭仁舆	李　果	段睿麟
雷培仁	吴文瑛	李廉方	李爱麓	张希孟	李宝麟	葛允新	安式如

马志芳　吴平述　李兴起　赵更生　梁保罗

三年级

赵芳静　段西方　刘世杰　史镜铭　耿　莹　孟博爱　牛汝楫　郭绍明
原青均　姚凤舞　杜玉凤　张青云　牛恕淼　张金山　邓云山　张同文
朱世英　孟北异　王焕新　姚吉瑞　张喜葵　孙志清　刘　琤　雍念书
罗玲璋　董粹才　董舒敬　王汉勋　刘文善　郭洒勉　刘　旭　王　玥
彭　平　李式昌　帖生祥　李　铎　张永勤　陈福宣　马孝珍　任素珍
李树华　潘　明　赵淑中　葛维方　解兰芳　陈玉崑　董玉成　张豫章
王绮云　范赓修　陈惠昌　张志民　曹　铿　石　松　高思齐　龚蕙馨
王永荃　杜寿昌　田懋勋　张文轩　周家桂　贾□□　袁述先　于培荔
王淑棋　贺玉全　朱罗吉　孙维藩　张崇义　孟肇英　梁盛华　葛振东
王国深　王志杰　张　素　丛健人　李培俊　于会文　于伟卿　于维贤
田华府　王　清

四年级

王华龄　范盟泉　韩天民　李其秀　张紫萍　宋希垣　员甲祥　李培植
高伯堃　殷培璞　杨绍祖　于长岫　贾敬业　金岱宗　张德敬　任素琴
朱文骧　李　博　谭毓通　党新民　张起业　蔚震山　任秀琴　傅守训
杨鼎颐　田进兴　牛佩璋　李伯倩　任旸和　牛锦纶　王可信　温荫芬
王福盘　车重华　李秀芝　晁生根　王念斌　刘淑慈　郭学士　陈质庵
刘则礼　史美华　滕中林　丁恩深　金树礼　张春原　卢秉彝　牛汝龙
龚秉善　滕清桂　赵静冈　孙　康　万惠昌　李岳奇　孙擅友

八、国立西北大学三十七年度在校学生名录

（一）文学院：中国文学系

一年级

张采嶷　冯增烈　李一民　刘东傅　袁福民　王敬尔　李永甲　张子英
李万杰　王铁民　王博文

二年级

岳德山　王承府　乔星南　陈明志　萧义立　张升云　黄慧文　徐继聪
罗世铭　曹茂官　张　俊　石昭贤　刘振寰　李绍侗

三年级

强立言　李书钧　毛云霄　刘俊贤　李书坤　杨伯琪　李家驸　刘培龄
焦克治　冯岭安　刘醒华　管慕岳　段毓琏　水天明　陈峻云　刘善继
张德昌　刘永安　袁海晏　王静波　贾孟琳　陈增淮　周树彬

（二）文学院：外国语文系

一年级

武　钜　刘心宽　冯　惇　茹淑文　毕冀英　王延平　赵宇文　鲁文杰
赵荣誉　徐启升　何永福　王敬彬　安　伋　史鉴鲁　王棣棠　李宗周
刘　炎　李筱立　龙友云　俞　杰　郝镇华　朱正亭　王耀祖　高兆忠
郑雨需　党钦铭　冯　效　李里立　曹吉祥　田遇丰　尚刚毅　李西铎
丁澄中　张宗栻

二年级

张振河　金凤鸣　齐保兰　曹天健　李嘉祐　王经纶　董　震　卢　匡
张振鑫　孙志远　朱辅明　卢纯恬　陈家瑜　何炳华　战师愈　杨文浩
马秉智　李长清　黄祝寿　陈三省　管勘善　严待继　郭孝先　孟庆云
赵天杰　王复礼　黄坤坊　王天元　李辑瑞　李步月　赵冬春

三年级

张家震　刘耀云　周俊奎　龚锦云　李竟泉　张福星　毛西超　万泮盈
何天祥　张友仲　穆善培　王龙生　赵松心　梁文燕　张延明　仇玉玺
毕霖普　曾广钧　刘瑞桢　张跻处　何培松　曹家治　刘　炎　王　玮
常继曾　陈宝琛

（三）文学院：历史学系

一年级

陈荣京　胡如雷　王思义　杨克现　相喜德　刘念先　陈作枢　何汉南
孟贵范　刘季科　刘清阳　薛万庆

二年级

曲季坡　慕博儒　史为钢　杨金福　杨忆善　田德礼　蓝承宇　王绩尧
张庶瞻　李性甫　畅东科　纪　蒙　郭中学　黄振猷　李式敏

三年级

王怀成　刘子愚　盖友凤　刘成荣　赵毓杰　李之勤　孙玉霖　杜鸿厚
谢福苈　张士杰　王浩德　王光民

(四)文学院:教育学系

一年级

王恕仁　王崇侠　祁郁容　范养涵　田自治　刘振洲　王保民　周　正
吴希贤　张凤舞　杨思勤　孙继章　胡志新　杨金锡　殷培桂　胡誉淳

二年级

冯　玑　丁秀芸　杨至芳　罗义烈　孔祥贵　赵芝林　张崇清　李显华
刘星煜　魏继伯　刘　瑛　孙季芳　申宝琦　胡必强　李斌龄

三年级

侯应云　庞金剑　陈天爵　刘天禄　毕德海　王大方　负俊耀　范纯安
王鼎昌　伍振云　任建业　郑远莲　宁亦郎　丁　苟　徐启宗　郭兰馥
焦金明　邢相汤　常肖苏　赵乐仁　龚全珍　刘光晔

(五)理学院:数学系

一年级

李淑文　卜文兰　丁允中　何志超　任建华　李独英　耿　光　胡天禄
张宝山

二年级

杨清秀　张德荣　王幼鹏　王顺命　凌　岭　李　震　康多寿　齐升才
宗秀槐　李柏琴　吕　科

三年级

薛俊华　杨乾生　王六一　刘　仁　郑醒华

(六)理学院:物理学系

一年级

毛朝瑞　高克林　左太励　杨润生　王梦贤　金国强　贾　耕　赵鲁卿
张存恕　薛凤祥　萧清隆

二年级

巩祥耀　高光兴　杨明生　郭济武　杨寿山　王继高　魏正谊　严祥和

三年级

周忠庆　罗长薰　李长生　赵玉佩　刘汉卿　段树德　王天智　封振华
段东豪　赵发旺　岳　忏　何寄梅　庞哲清　王世科　李秀文　常　毅

(七)理学院：化学系

一年级

张贤良	刘玉柯	刘咸钦	宋遵吉	聂金城	陈厚钧	吕宗礼	刘永庆
赵玉泽	樊北平	邢德元	王振国	李宗国	刘都喜	刘惠青	孙明诚

二年级

于永富	朱惟雄	马文如	马 达	方斯林	邓汉兴	尹荣鉴	石如琴
曾宪亭	崔致中	惠晓霞	张祖彤	刘振远	王维章	李高龄	董 珠
李炳新							

三年级

安九鼎	祁仰君	杜志鼎	杨若侠	陈泽鉴	贠炎午	卢鸣岐	邵大光
要培兰	吴日昕	崔凌汉	郝祥俊	段朝黎	张克勤	韩耀国	王国柄
赵金铎	张友恭	叶德秀	周怀荷	樊世民	刘振茗	赵 冰	李本善
张时雨	张秦璠						

(八)理学院：生物学系

一年级

张佩莲	宋维秀	公靖原	刘致郁	王国珣	郭士雄	李乐垒	李树茂
仓傅家	吴世官	王治国	耿光民	安文斌	顾祥麟		

二年级

谢寅堂	张珍万	王天一	邢庆云	聂文清	杨淑性

三年级

秦振栋	赵文麟	王凤采	袁桂生

(九)理学院：地质学系

一年级

赵天贵	霍本东	赵重远	刘德基	陈润业	王应骞	王永华	袁世绥
陆 艳	何秀郿	黄致荣	王点玉	江开暄			

二年级

张俊杰	孟孔昭	高焕章	赵铭渠	李永宁	李庆昌	陈礼米	田万祥
孟庆麟	刘启发	刘家桢	袁沂鑫	邵友程	王治同		

三年级

赵力田	庞成业	何胤周	任海波	侯世军	张 存	辛奎德	巩志超
常世荣							

(十)理学院:地理学系

一年级

王荣桢　张华芳　张奠坤　王荣昌　钟守经　张永忠　梁朝选　刘贵久
王兴才　张仙明　谭先廉

二年级

张崇信　王逸初　张汇川　王振武　马祖诰　石任君　刘炳钦

三年级

王吉林　孙慰岑　张仁甫　胡元功　吴淑月　傅静荣　刘启沛　侯惠民
谭景升　齐国儒　陈　新

(十一)法商学院:法律学系

一年级

黄秉礼　宋钟铭　田保全　王景超　李志正　黄　焜　刘力贤　梁　威
武明珠　蔡克勤　王鹏飞　孙荣祖　赵仲廉　王陆军　傅志贤　靳中杰
霍蔚林　方金光　贾有义　王海彦　苏德本　王应福　李兴让　母效武
李世哲　董致祥　马建国　王光儒　刘育才　章若龙　米伟成　同志昌
袁凤楼　牟振亚　王维玺　阎酒勇　何义重　刘棠华　张生江

二年级

张树阳　田树兰　吴应麟　马世云　周毓经　尚　义　杨惠鸿　魏振华
冯若易　马骊龙　李昭环　汪永祥　武　斌　赵凤翔　成树万　孙云生
吉永科　王明书　郑崇信　柏遇海　杜尚杰　饶　隐　李晓园　赵明道
乔森泉　王用中　宋成禧　马俊风　权训民　赵宝亥　王治世　李镜润
吴宗白　彭醒吾　任嘉勋　张祖英　刘文魁　曹明训　杨惠吉　史振中
程登云　李广智　刘德纯　惠元中　李奇文　杨菊英　彭志伟　李国荃
林廷宦　庄桂林　马有信　严宗贤　孙　庆　朱多稼　宋尔谦　薛治邦
靳春霖　陈　彦　萧　明　季士选　党国新　李学信　伍汝谐　同先效
董傅祥　金龙光　丁建丰　党心镜　陈俊生　李凤庭　李建才　李显功
李树楷　陈伯羽　金德樵　巩宇一　管高山　张克忠　颉蔚华　王敏学
欧阳博　刘兆乙　焦木怀　李承宗　马春华　马务学　谢沛兴　彭兴彦
盖自栋　鲁俊彦　张兴善　张宗珂　张光宗　任耀武　林　敬　董辅庭
马　玺　王积信　全志正　赵新革　化　考　王德洲　董孝生　夏树基
翁维巽　杨敬业　李友梅　崔学圣

三年级

相得伸	杨笃乾	张效鹏	樊鸿谦	杨家驹	张致平	时震中	宋砚田
陈琼英	马 霁	周鸿春	高攀桂	李海涛	孙文斌	董介山	陈善政
王怀远	栗成立	丁悦民	王质彬	陈博恒	刘气盛	吴克刚	王俊杰
于遵辅	董希齐	王文同	张汉选	胡嘉仪	申峻峰	洪玉莲	冯显国
姜初平	瞿 垲	黄德培	杨玉贵	魏崚峰	毕霖锜	郭宗绪	

（十二）法商学院：政治学系

一年级

文祥云	李恩煦	高福海	翟崇宣	梁忠俭	雷线鹏	尚宏恬	张馥莱
胥逸波	郑炳隆	王志治	王以可	唐俊才	董俊祥	许俊英	董 瑞
严俊英	陈法正	贾立言	王瑞祥	邓文阳	魏绍徵	张也飞	吕志孔
杜振宇	魏振邦	王力行					

二年级

汪宗文	庄惠祺	张立统	魏心发	孙绍武	胡良才	孙馥荃	黄充礼
宣文辉	王天民	张绍万	刘子健	郑佐周	张春祥	党铁锡	陈 鹏
田承基	余乾新	胡光宗	张希贤	尚执中	刘 瀛	白 桐	张国栋
杜希学	唐 毅	王继宣	黄喜才	郑义勇	魏书声	牛书祥	彭大铖
姚天楷	马书正	樊 涛	张绍禹	孙本崑	王石印	马长润	杨文心
雍维翰	黄奠宇	刘步林	宁春生	刘东汉	李焕章	张黎夫	孙钟豫
王汝湘	王守本	赵季琴	孙万山	杜育民	梁 鉴		

三年级

赵着灵	张存祺	粟 瑞	程楚秦	杨宗昌	吕以珊	周民生	郑一平
刘心正	翟登亭	王福堂	陈宝华	李位西	朱德晖	李 简	刘玉鑫
范晓天	王立显	高明德	张志强	郭 傅	张玉衡	王树元	杨维容
廖秉彝	侯兴让						

（十三）法商学院：经济学系

一年级

马国彬	程培荷	张幼香	孙葆浩	陈兰贞	马尚志	及瑞麟	王荫堂
杨典文	王锡九	莽克信	刘永贞	李振声	刘涤行	张文祥	萧同善
朱线墀	陈泽湘	陈启民	梁竞明	刘成霖	王怀璋	张文凯	杜 煦
胡国琳	安仰晖	张若虚	郝桂馨	张庭娘	刘汉昌	李灼宇	郭炳荣

唐福根

二年级

党宝濂	荣式晖	段开秀	卜秀贞	蔡秀珍	聂恩昭	陈金瑞	刘嘉瑞
屈　瑞	李宗渊	谷玉洁	王培民	陈浩伯	张秋溪	刘庙照	陈寿萱
林庆德	张德厚	刘志宽	张作桨	刘筱邦	陈更生	张建中	郑大泾
姬子明	张宏德	郭逢坤	刘克礼	杨济民	刘汉业	田明昶	刘大政
赵锦川	任保定	熊克贤	柯功甫	胡德茂	李天一	张培华	罗泽民
唐德馨	刘文庆	刘清秀	徐寿图	徐　伦	尤介民	王清海	张中先
郝善华	麻　凌	高克明	朱　靖	李竞择	孔宪舜	王献一	王　煦
张挥嘉	许崇熙						

三年级

和景祥	李清渊	杨效宝	易黄元	薛之时	阎宝瑜	王贵亭	法树文
陈得智	张百经	徐　耕	宋之兰	马润序	杜铁铮	陈文阁	杨玉琪
魏泽波	赵俊杰	周油云	刘振芳	郭雪萍	窦桂珍	卢有序	刘建伟
刘联邦	张凤瑞	阎文升	湾灌博	牟翰章	崔世勋	霍宏才	秦光裕
丁光亮	师蕴如	邓怀智	李大欣	勇云龙	毛东虎	周鸿典	李建章
曹纯德	佟宗新						

（十四）法商学院：商学系

一年级

张振美	黄秉衡	魁纯儒	高静懿	罗平海	张松三	雷英杰	李瑞华
钮傅武	谢克信	石得仁	张学曾	黄守仁	熊光垣	邢定政	陈希平

二年级

傅明道	张　英	陈海涵	岳成基	姬景周	李崇俭	杨幼泉	卫兆庆
冯桂燕	张慤修	贾佐义	韩作人	屈廷敏	陈润道	王培忠	

三年级

杨锦贤	王承三	穆长春	翟灿华	于振枝	耿修爵	萧志远	韩庚申
魏金铭	王怀仁	赵典铭	廖君锡	盛浩然			

（十五）法商学院：边政学系

一年级

左成信	张坤来	李步云	陈　拓	宋觉民	彭逢瑞	李仲汉	姬子云
石晋升	吴大贞	黄宝中	彭效宣	任生琳	武承勋	侯广济	耿法恭

孔广陛	陈照泉	王清泉	张树贤	苌钧才	王醒震	张灿章	张友白
丁汉儒	赵宗贤	赵恩铭	李 刚	马文光	吴显培	马建国	马钟麟
李长生	朱克坚	罗毓仁	李庭燎				

二年级

李傅敬	高齐齐	胡 俊	张继续	贾志杰	谢秉章	刘 锷	陈克海
石文瑛	陈天仓	姚正方	张学明	刘道枢	阎法邵	石受成	曾承政
刘德广	张志诚	郭步才	吴有贤	曹为伯	黄子培	杜智先	张福贵
蒋连华	周新先	杨玉珍	阎嗣京	王 维	周恩民	李守仁	李永昌
祁 桐	刘增秀	喇登雄	张少宗	赵德功	丁联滨	阎毓桐	孙绪天
宋生智	李荫浓	薛经纬	冯振业	杨重贤	刘振声	党可勋	马世清
张本英	马育祥	郭 斌	廖宗文	石维峻			

三年级

俞克毅	王思曾	郑立庆	侯建钧	江孔儒	侯承祖	王时中	李辅国
谭福茂	赵文荃	乔英杰	赵云亭	陈敬勉	谢永森	李治国	程少峰
罗万寿	张镇国	刘迺平	王重琦	祈尚礼	温存智	李 星	高习之

（十六）医学院

六年级

鞠明诚	郭子亨	刘绍诰	汤 浈	高履勋	赵品章	宫可仁	孙廷杰
李永槐	张学忍	王新琦	刘兴泰	李义方	王 崇	王贵荣	庞廷琪
贾荣陶	史志超	景凤桃	胡雨桐	王筠默	倪育才	陈英林	贾绍林
孔玉佩	彭宝珠	刘若琪	张醒荪	陈毓芬	李淑堂	蒲朝纪	王鼎琴
陈平南	曹继德	张思敏	刘秉华	燕图南	宋聘松	高士英	谈光新
祁邦彦							

五年级

宋希垣	牛汝龙	龚秉善	李其秀	王念斌	丁恩深	员甲祥	陈质庵
于长岫	韩天民	万惠昌	田进兴	任鸿声	朱文骧	王福磐	晁生根
李岳奇	任素琴	滕中林	金树礼	孙 康	范盟泉	任秀琴	王可信
陈文焕	蔚震山	李伯倩	贾敬业	杨鼎颐	党新民	王华龄	张德敏
刘淑慈	高伯堃	温荫芬	滕清桂	李秀芝	盖淑箴	孙擅友	牛佩璋
赵静冈	金堡宗	傅守训	殷培璞	张春原	张起业	谭毓通	杨绍祖
张紫萍	卢秉彝	郭学士	李 博	牛锦纶	刘则礼	任旸和	史美华

四年级

董梓才　袁述先　曹　铿　朱世英　王　清　原青均　王汉勋　王　玥
史镜铭

九、国立西北大学三十八年度在校学生名录

（一）文学院：中国文学系

一年级

任承美　李学文　史小云　张幼房　刘道平　刘得光　刘承平　曹文林
孙绍先　曹克寄　马甲子　负得锷　萧喜源　陈绍祖

二年级

武　钜　张採薮　冯增烈　李一民　刘东傅　袁福民　王敬尔　李永甲
张子英　李万杰　王铁民　王博文

三年级

岳德山　王承府　乔星南　陈明志　萧义立　张升云　黄慧文　徐继聪
罗世铭　曹茂官　张　俊　石昭贤　刘振寰　李绍侗

（二）文学院：外国语文系

一年级

王棣棠　相喜德　王荣桢　李书印　王怀行　尹任之　李铜钟　阎蓉香
何　遂　张文荣　贾宗谊　薛长勋　李砚儒　李振华　梁履正　陈紫云
刘幼勤　王自张　毕均轲　刘志雄　周昌文　张　典　阎志中　阎锡林

二年级

孙宗诚　王明光　刘心宽　冯　惇　茹淑文　毕冀英　王延平　赵宇文
鲁文杰　赵荣誉　徐启升　何永福　王敬彬　史鉴鲁　李宗周　刘　炎
李筱立　龙友云　俞　杰　郝镇华　朱正亭　高兆忠　郑雨需　党钦铭
冯　效　曹吉祥　田遇丰　尚刚毅　李西铎　丁澄中

三年级

金凤鸣　齐保兰　李嘉祐　王经纶　董　震　卢　匡　张振鑫　朱辅明
卢纯恬　何炳华　战师愈　杨文浩　马秉智　李长清　黄祝寿　陈三省
管勋善　严待继　郭孝先　孟庆云　赵天杰　王复礼　黄坤坊　李辑瑞
李步月　赵冬春

(三)文学院:历史学系

一年级

杨博词　郁协平　侯志义　张　扬　廉登瀛　许清含　刘自省　贺志安
元运德　余羲元

二年级

王思义　杨克现　刘念先　陈作枢　何汉南　孟贵范　刘清阳　薛万庆

三年级

王金元　李剑萍　慕博儒　杨金福　杨忆善　田德礼　王绩尧　张庶瞻
李性甫　畅东科　纪　蒙　郭中学　黄振猷　李式敏

(四)教育学系

一年级

张贤良　王庆升　王克荣　王文炯　冯淑敏　曹荣久　粟应恒　石礁灵
赵光辉　吴文和　黄寿田　刘贯通

二年级

王恕仁　王崇侠　祁郁容　范养涵　田自治　刘振洲　王保民　周　正
吴希贤　张凤舞　杨思勤　孙继章　胡志新　杨金锡　殷培桂　胡誉淳

三年级

张毅松　吴陆德　冯　玑　丁秀芸　杨至芳　孔祥贵　赵芝林　张崇清
刘星煜　刘　瑛　孙季芳　李斌龄　申宝琦　胡必强

(五)理学院:数学系

一年级

冯秀英　傅章秀　杨克学　张　棣　丁仁鸿　周述岐　王文衡　刘世正
王省富　王大用

二年级

王顺命　李淑文　卜文兰　丁允中　任建华　耿　光　胡天禄　张宝山

三年级

杨清秀　张德荣　王幼鹏　凌　岭　李　震　康多寿　齐升才　宗秀槐
李柏琴　吕　科

(六)理学院:物理学系

一年级

高克林　田永晰　侯建文　任安堂　徐焕章　任自芳　秦居信　张开拓
雷印生　薛福海　石文慧　宁荫璠　王骥洲

二年级

卢丕功　毛朝瑞　左太励　杨润生　王梦贤　赵鲁卿　张存恕　薛凤祥

三年级

巩祥耀　严祥和　高光兴　杨明生　杨寿山　王继高　魏正谊

(七)理学院:化学系

一年级

曹毓英　汪曼秋　李成章　戴佩韦　陈治融　梁礼周　刘翊纶　李荫林
吴敬业　李冠群　焦生禄　仇　仁　李锄非

二年级

胡　克　邓汉典　刘咸钦　宋遵吉　陈厚钧　吕宗礼　刘永庆　赵玉泽
樊北平　邢德元　杨振周　刘都喜　刘惠青　孙明诚

三年级

马　达　朱惟雄　于永富　马文如　方斯林　尹荣鉴　石如琴　曾宪亭
崔致中　惠晓霞　张祖彤　刘振远　王维章　李高龄　董　珠　李炳新

(八)理学院:生物学系

一年级

李世杰　孙树功　闵芝兰　杨选杰　席长暄　王鉴尧　刘汉杰　高兴鹏
李济田　傅养元

二年级

宋维秀　刘致郁　王国珣　郭士雄　李乐垒　王治国

三年级

谢寅堂　张珍万　王天一　邢庆云　聂文清　杨淑性

(九)理学院:地质学系

一年级(地质地理)

安三元　梁升佐　高龙骧　张正义　吉新汉　王进道　姚培慧　郑远扬
谷镇池　李宏哲　孙国勋　雷明德　张　钵　孙树德　冯　哲　王中堂
陈景维　方　琦　霍廉镒　张希宣

二年级

谭先廉	安文斌	赵天贵	霍本东	赵重远	刘德基	陈润业	王应骞
王永华	袁世绥	陆　艳	何秀郦	黄致荣	王点玉	江开暄	

三年级

赵铭渠	张俊杰	孟孔昭	高焕章	李永宁	李庆昌	陈礼米	田万祥
孟庆麟	刘启发	刘家桢	袁沂鑫	邵友程	王治同		

（十）理学院：地理学系

二年级

梁朝选	顾祥麟	宋华芳	张奠坤	王荣昌	钟守经	刘贵久	王兴才
张仙明							

三年级

张崇信	王逸初	张汇川	王振武	马祖诰	刘炳钦

（十一）法商学院：法律学系

一年级

邵文荣	李子演	胡启仁	高上林	张林嵩	冯　泽	雷金玉	郭宏德
王廷佐	张乃政	陈必忠	秦宝田	刘冠英	万杰民	张永忠	张志德
李新泉	敖占魁	张国维	许建民	王思孝	段敬文	程　坪	严兆兴
卢亲民	李云祯	冯宗义	郭应蓝				

二年级

黄永礼	孔广陞	宋钟铭	田保全	王景超	李志正	黄　焜	刘力贤
梁　威	武明珠	蔡克勤	王鹏飞	孙荣祖	赵仲廉	王陆军	王绍森
靳中杰	霍蔚林	彭逢瑞	彭效宣	方金光	贾有义	王海彦	苏德本
王应福	李兴让	毋效武	李世哲	董致祥	马建国	王光儒	刘育才
章若龙	米伟成	同志昌	袁凤楼	牟振亚	王维玺	阎酒勇	何义重
刘棠华	张生江						

三年级

张树阳	田　笃	吴应麟	马世云	周毓经	尚　义	杨惠鸿	魏振华
冯若易	马骊龙	李昭环	汪永祥	武　斌	赵凤翔	成树万	孙云生
吉永科	王明书	郑崇信	柏遇海	杜尚杰	饶　隐	李晓园	赵明道
乔森泉	杨菊英	王用中	宋成禧	马俊风	权训民	赵宝亥	王治世
李镜润	吴宗白	任嘉勋	张祖英	刘文魁	曹明训	杨惠吉	程登云

李广智	刘德纯	惠元中	李奇文	彭志伟	李国荃	林廷宦	庄桂林
马有信	严宗贤	孙 庆	朱多稼	宋尔谦	薛治邦	靳春霖	陈 彦
萧 明	季士选	党国新	张顺□	李学信	伍汝谐	同先效	董傅祥
陈伯羽	金德樵	巩宇一	管高山	张克忠	颉蔚华	王敏学	欧阳博
刘兆乙	焦尔怀	李承宗	马春华	马务学	谢沛兴	彭兴彦	孟晋栋
鲁俊彦	张明善	张宗珂	任耀武	杜 敬	董辅庭	马 玺	王积信
全志正	赵新革	化 考	王德洲	董孝生	夏树基	翁维巽	崔学圣
杨敬业	李友梅						

(十二) 法商学院：政治学系

一年级

王力行	程云龙	段蒸民	权长寿	淡永廉	焦傅生	贺开泰	刘文秀
孙淦辰	郑荫槐	皇甫亮	李靖华	马友民	李中行		

二年级

李云祥	余乾新	文祥云	李恩煦	高福海	翟崇宣	梁忠俭	雷线鹏
尚宏恬	张馥莱	胥逸波	郑炳随	王志治	王以可	唐俊才	董俊祥
许俊英	董 瑞	严俊英	陈法正	贾立言	王瑞祥	邓文阳	魏绍征
张也飞	吕志孔	杜振宇	魏振邦				

三年级

管道显	王钦宗	齐有生	于之濮	汪宗文	庄惠祺	张立统	魏心发
孙绍武	孙馥荃	黄充礼	宣文辉	张绍万	刘子健	郑佐周	张春祥
党铁锡	陈 鹏	田承基	胡光宗	张希贤	刘 瀛	白 桐	张国栋
杜希学	唐 毅	王继宣	黄喜才	郑义勇	魏书声	牛书祥	彭大钺
姚天楷	马书正	樊 涛	张绍禹	孙本崑	王石印	李 恒	马长润
杨文心	雍维翰	黄奠宇	刘步林	宁春生	刘东汉	李焕章	张黎夫
孙钟豫	王汝湘	王守本	赵季琴	孙万山	杜育民	梁 鉴	

(十三) 法商学院：经济学系

一年级

郭济武	张志华	宋锦剑	孟祥灿	雷定一	易本鉴	张济民	羡蕴芳
程志忠	杨荣卿	张克往	杨通远	张 平	崔会文	腊清珍	夏振亚
赵宗之	唐克伦						

二年级

李咸中	马玉麒	王象山	路统勋	贾志杰	李茂荣	马国彬	耿法恭
张灿章	程培荷	张幼香	孙葆浩	马尚志	及瑞麟	王荫堂	杨典文
王锡九	莽克信	刘永贞	李振声	刘涤行	张文祥	萧同善	朱线墀
陈泽湘	陈启民	梁竞明	刘成霖	张文凯	杜　煦	胡国琳	安仰晖
张若虚	郝桂馨	张庭烺	刘汉昌	李灼宇	郭炳荣	唐福根	王怀璋

三年级

黄仲祥	党宝濂	荣式晖	段开秀	卜秀贞	蔡秀珍	聂恩昭	陈金瑞
刘嘉瑞	屈　瑞	李宗渊	谷玉洁	王培民	陈浩伯	张秋溪	刘庙照
陈寿萱	林庆德	张德厚	刘志宽	张作檠	刘筱邦	陈更生	张建中
郑大泾	张宏德	刘克礼	郭逢坤	杨济民	刘汉业	田明昶	刘大政
赵锦川	任保定	熊克贤	柯功甫	胡德茂	李天一	张培华	罗泽民
刘文庆	刘清秀	徐寿图	徐　伦	尤介民	王清海	张中先	郝善华
麻　凌	高克明	朱　靖	李竞择	孔宪舜	王献一	王　煦	张挥嘉
许崇熙							

（十四）法商学院：商学系

一年级

李均安	何志超	张宁州	李士诤	张鸿升	费正明	苏　信	朱自红
钱在琦	李增信	刘健民	李文杰	李广华	任克富	利维纬	

二年级

张振美	黄秉衡	魁纯儒	高静懿	张松三	雷英杰	李瑞华	钮傅武
谢克信	石得仁	黄守仁	熊光垣	邢定政	陈希平		

三年级

屈廷敏	陈润道	傅明道	张　英	陈海涵	岳成基	姬景周	李崇俭
杨幼泉	卫兆庆	冯桂燕	张懋修	贾佐义	韩作人	王培忠	

（十五）法商学院：边政学系

一年级

朱克坚	李庭燎	景奇珍	冯志异	郭　璟	左仲伦	李登霄	景道韫
赵元俊	阎日进	彭定国	张鸿钧	霍思湉	雷尚义	张学仁	赵怀宝
高君英	韩毓麟	张前寿	金天禄	王永谟	麻树德	龚浩然	

二年级

左成信	李步云	陈　拓	宋觉民	李仲汉	姬子云	石晋升	吴大贞
黄宝中	任生琳	侯广济	陈照泉	王清泉	张树贤	苌钧才	王醒震
张友白	丁汉儒	赵宗贤	赵恩铭	李　刚	马文光	吴显培	马建国
马钟麟	李长生	罗毓仁					

三年级

李傅敬	胡　俊	张继续	谢秉章	刘　锷	陈克海	石文瑛	陈天仓
姚正方	张学明	刘道枢	阎法邵	石受成	曾承政	刘德广	张志诚
郭步才	曹为伯	吴有贤	黄子培	杜智先	张福贵	蒋连华	周新先
杨玉珍	阎嗣京	王　维	周恩民	李守仁	李永昌	祁　桐	刘增秀
喇登雄	张少宗	赵德功	丁联滨	阎毓桐	孙绪天	宋生智	李荫浓
薛经纬	冯振业	杨重贤	刘振声	党可勋	马世清	张本英	廖宗文
石维峻	马育祥	郭　斌					

（十六）医学院

一年级

翟鸿顺	金国强	张佩莲	公靖源	李树茂	仓傅家	耿光民	庞宣文
牟希亚	薛典文	李书成	汪维民	葛治华	郎毓珑	李铁民	王　泛
马玺堂	王观武	李家骏	刘维良	刘宗立	于凌云	陈　明	王鼎颖
袁德润	刘　锐	曲静祜	李伯埙	王竹孙	张秉乾	王文翰	杨德玲
尹泉潮	李修道	张敏如	孔繁金	党汝霖	王修鼎	陈典礼	景延祉
王庆麟	梁惠萱	赵雯静					

二年级

张天柱	王济生	马登柱	文浪如	王　永	刘致涵	胡建华	孙云果
杨秉心	李傅义	蔺应祥	刘志雄	梁世森	宋　彤	耿立德	夏恩梅
刘韵溪	郭　珍	杨熙玲	杨熙屏	刘香云	兰桂芬	王耐冬	杨礼义
高瀛洲	陈金典	吕东东	任崇本	李友三			

四年级

张品娴	万至东	雷培仁	李淑颖	吴文瑛	王颐玲	王世臣	陈东屏
梁保罗	范谨之	陈松旺	马志芳	魏德泉	金丽泉	武心明	李孝先
王肃庄	李景月	李廉方	宋爱兰	赵更生	杨可莹	王英恕	安式如
张希孟	段睿麟	郭仁舆	李宝麟	马秉渊	龚蕙馨	阎培素	葛允新

李爱麓　　葛维方　　刘淑青

(十七) 先修班

谢吟雪　　童焕云　　贺蕙芳　　何穉平　　杨幼雯　　任永贤　　陈前远　　王凤阳
谢寿昌　　李世杰　　唐　英　　王俊发　　张秉英　　郭勇岭　　李鸿祺　　赵自强
梁居崑　　朱鸿儒　　阎化民　　常承法　　郭光汾　　周肇祥　　杨清秀　　赵应林
赵怀福　　刘振中　　郑生荣　　雷掌印　　崔光仁　　卢永昌　　田正域　　赵一鹤
王九恭　　同毓彪　　张可仁　　陈振华　　王吉安

第五节　国立西北大学民国二十九年至三十八年度毕业生

一、民国二十九年国立西北大学第一届毕业同学录

(一) 文学院：中国文学系

姓名	别号	性别	年龄	籍贯	通讯处
杨俊民		男	23	河北文安	河北文安
李法德		男	27	江苏沛县	徐州西北敬安集三盛永号转燕湾
李繁海		男	30	江苏萧县	陇海路黄口站新庄寨
武国安		男	26	陕西榆林	陕西榆林
王守之		男	33	江苏铜山	徐州东关外东阁里11号
陈泽秦		男	27	陕西安康	陕西安康
司一中		男	30	宁　夏	
赵兰庭		男		山东福山	
申樱平		男		陕西延川	
董纯溥		男		热河阜新	
田泽芝		女		辽宁沈阳	
邓文惠		女		湖南武冈	
崔玉林		女		河北安国	
刘毓金		女		河北南和	
朱宪成		男		河南郾城	

姓名	性别	籍贯
李充皆	男	山东文登
李钟藩	男	广西容县
高华年	男	福建南平
于靖嘉	女	辽宁北镇
王纯元	男	河南安阳
朱喜海	男	山东桓台
王启光	女	江苏临海
李允修	男	河南沈丘
刘作霖	男	四川营山
边瑞雯	女	河北任丘

(二) 文学院：历史学系

姓名	别号	性别	年龄	籍贯	通讯处
刘骏		男	29	四川遂宁	四川遂宁仁里场交
张庆云		男	24	河南博爱	河南博爱阳易庙育生堂药店
杜光简		男		山东聊城	
鲍廷忧		男		辽宁抚顺	
王挺梅		女		江西铜鼓	
徐作霖		男		江苏丹阳	
陈瑜熙		女		山东历城	
姚玉栋		女		辽宁安东	
黄秉钧		女		河北清苑	
雷挺生		男		广东台山	
张家麟		男		云南鹤庆	
黄学钟		女		山东文登	
郭锦蕙		女		山东益都	
段淑贤		女		山东泰安	
马培英		女		河南杞县	
周桂金		女		河南新郑	
荆允中		男		河南灵宝	
苏琬华		女		河南灵宝	
李世民		男		黑龙江绥化	

姓名	别号	性别	年龄	籍贯	通讯处
王敬堂		男		安徽凤台	
张庆云		男		河南博爱	
魏洪祯		男		江苏沛县	
马寿山		男		河北滦城	

(三)文学院:外国语文系

姓名	别号	性别	年龄	籍贯	通讯处
黄英烈		男		湖北钟祥	
宋青海		男		河北尧山	
汤钟琰		男		江西萍乡	
暴恩奎		男		黑龙江	
车任重		男		江西修水	
魏仲春		男		河北新城	
张瑞五		男		河南洛宁	
金荣庭		男		河南开封	
赵玉琳		男		陕西盩厔	
李德滋		男		山东蓬莱	
陆希绩		男		江苏常熟	
朱经兰		女		山东单县	
李天培		男		陕西蒲城	
任海山		男		河北满城	
吴伟人		男		河南安阳	
陈式瑜		男		福建长乐	
任宗勋		男		河南孟津	

(四)理学院:数学系

姓名	别号	性别	年龄	籍贯	通讯处
高洁生		男		河北长垣	
董锡兰		女		山东历城	
王尚霖		男		四川安岳	
李世权		男		河北通县	
张改良		男		山西崞县	
陆润林		男		甘肃榆中	
万德旸		男		湖北潜江	

张照营	男		河南舞阳
韩树山	男		山东新泰
赵继游	男		山东青岛

(五)理学院：物理学系

姓名	别号	性别	年龄	籍贯	通讯处
陶学俊		男	26	河南武陟	河南武陟大司马转陶村
梁 震		男	26	山西安邑	山西安邑
宁致远		男	26	陕西鄠县	陕西鄠县秦渡镇三余德号
王鹤绵		男		黑龙江拜泉	
陈天智		男		河南通许	
孙汝逵		男		河北滦县	
董作璧		男		山西徐沟	
张家骐		男		山西闻喜	
张 淳		男		山西平定	
张笫云		女		河北宛平	
郭载阳		男		山西崞县	
亢书通		男		山西临汾	

(六)理学院：化学系

姓名	别号	性别	年龄	籍贯	通讯处
刘廷栋		男	23	辽宁沈阳	辽宁沈阳中街兴顺西转
袁光美		男	25	江苏睢宁	江苏宿迁县皂河镇
杨金章		男	25	河北昌黎	昌黎蛤泊镇永聚祥
侯启亮		男	26	河南通许	通许西北孙家营集
康树屏		女	23	河南汝南	汝南淮府街
吴宝廉		女	24	江苏铜山	徐州九段
施祖岑		女	24	浙江吴兴	西安大保堂巷 39 号
刘荣藻		男	24	河北徐水	河北徐水东街
杜世俊		男	26	河南开封	开封西门大街 54 号
田崇礼		男		河北霸县	
雷纪桂		男		山西猗氏	
严德浩		男		广西桂林	

朱施民		男		安徽凤阳	
李鸿秀		女		河北景县	
王耀荣		男		河北邯郸	
刘自烈		男		湖南慈利	
李世丰		男		广西兴安	
刘盛钦		男		江西高安	
靳佩芬		女		安徽舒城	
张若乾		女		安徽凤阳	

(七)理学院:生物学系

姓名	别号	性别	年龄	籍贯	通讯处
陈凤桥		男		江苏常熟	
许辰生		女		河北清苑	
尤 天		女		吉林扶余	
李寿仙		女		陕西长安	

(八)理学院:地质地理学系

姓名	别号	性别	年龄	籍贯	通讯处
刘培桐		男		河南濬县	
薛贻源		男		福建屏南	
田世英		男		江苏砀山	
赵寿祺		女		河北清苑	
袁 昭		男		湖北光化	
屈履泰		男		河北衡水	
金瑞莘		女		安徽寿县	
杨建勋		男		湖南石门	

(九)法商学院:法律学系

姓名	别号	性别	年龄	籍贯	通讯处
白希安	乐华	男	26	河南武安	武安城内庙路街3号(现在)城固梁家巷3号
张通祖	景德	男	24	河北昌黎	昌黎城内西街20号
张金兰	畹秋	女	26	山东高密	高密爱棠居(现在)城固梁家巷3号
袁式鉴	钧陶	男	28	山东蓬莱	蓬莱城内县后街1号(现在)城固梁

姓名	别号	性别	年龄	籍贯	通讯处
					家巷3号
卫万瑞	幼荃	男	25	山西赵城	西安府学巷21号籍子章收转
陆松年	菊隐	男	24	山东历城	北平西单贵门关15号
袁多寿		男	23	陕西澄城	西安四府街
屈振国		男	29	陕西延安	陕西延安东关
韩振洋	皓青	男	25	河北高阳	保定厚福盈街4号（现在）城固西大街北小巷
苏尚武	赏梧	男	26	山西临汾	临汾城内万全堂或长春园
吴季霖		男	24	辽宁锦县	西乡师范学校
丁奉璋	士宜	男	31	山东潍县	城固上察院巷1号
李永芳		女	24	陕西南郑	南郑后街94号
阴士俊	冠三	男	29	河南荥阳	荥阳崔庙转南大阴沟村
李　珵	子玉	男	27	河南内黄	河南内黄流庄村（现在）西大法商周培莲转
许全根	培德	男	28	河南洧川	河南洧川山郭村（现在）西北大学庞丕统转
宋永年		男		河北元氏	
王世英		男		甘肃临洮	
陈世栋		男		湖北嘉鱼	
陈恕人		男		湖北宜城	
周纪元		男		山东桓台	
巫其同		男		江苏泰县	
李瑞堂		男		河南唐河	
罗吉照		男		湖北黄冈	
马卓然		男		河北获鹿	
萧富国		男		湖北荆门	

（十）法商学院：政治学系

姓名	别号	性别	年龄	籍贯	通讯处
余鸿翼	大钧	男	24	湖北随县	随县厉山镇茂泰永转（现在）西安双仁府53号
刘泽生	润华	男	25	河北文安	天津西苏桥

姓名	别号	性别	年龄	籍贯	通讯处
潘达生		男	25	四川开县	开县临江市（现在）成都老王纱街52号
宋岳亭		男	25	吉林富锦	吉林扶余县公安局街尤宅转
张公衡	季平	男	27	河北河间	北平西安门外大街17号
马骧		男	27	陕西耀县	耀县桂林堂转
黄作平		男	29	广东番禺	汉口法租界辅堂里46号
耿有仁		男	25	河北藁城	河北藁城土山村交
郭质	仲资	男	27	河北新安	新安县铁门镇郭森先生转
马承训		男		山东日照	
刘淑范		男		山东蒲台	
傅葆和		男		山东昌邑	
张海平		男		河南舞阳	
任潜		男		河南偃师	
张毓楷		男		河南郏县	
刘培懋		男		河南尉氏	
王学会		男		河北故城	
王绍祖		男		山东牟平	
张庚戌		男		山东牟平	
成肇修		男		山东广饶	

（十一）法商学院：经济学系

姓名	别号	性别	年龄	籍贯	通讯处
邱孟泽		男	24	湖北兴山	郑州地方法院邱院长转（现在）西安金城银行金行长转
王秉贞		女	24	湖南长沙	西安崇义路36号王景熙转
萧逦		男	23	江西永新	
黄秉仁		女	23	陕西米脂	武功西北农学院
刘艺民		男	26	河北唐山	唐山南刘唐保庄西大街10号
周良田		男	26	江苏砀山	砀山西关外北家后
吴明堂		男	26	山东曹县	山东曹县署东马家胡同
刘世爵		男	26	河北	河南六河沟新德公司
吴宝田		男	27	河北固安	

姓名	性别	年龄	籍贯	通讯处
刘执中	男	26	热河丰宁	城固上察院巷7号何梅志转
董纯铭	男	26	山西芮县	
张 樑	男	27	山西忻县	
谢 正	男	25	北平	湖北老河口河南馆街17号
梁炽先	男	25	山西忻县	
牟敦炜	男		山东日照	
杨炳彩	男		山东高唐	
马汝庄	女		河北昌黎	
杜荫棠	女		陕西榆林	
杨子斌	男		河南武安	
王滋桐	男		陕西府谷	

（十二）法商学院：商学系

姓名	别号	性别	年龄	籍贯	通讯处
刘治亭		女		辽宁盖平	
陈汝森		男		安徽石棣	
周 怡		男		浙江临安	
邸景和		男		辽宁北镇	
冯鸿藻		男		河北昌黎	

二、民国三十年国立西北大学第二届毕业同学录

（一）文学院：中国文学系

姓名	别号	性别	年龄	籍贯	通讯处
于满川		男		辽宁金川	
许毓峰		男		山东夏津	
张兰福		男		河北宁晋	
岳邦珣		男		河南温县	
张卜麻		男		河南修武	
周如兰		女		四川岳池	
胡世玉		女		陕西南郑	
张圣儒		男		河南汲县	

姓名	性别	籍贯
张拱贵	男	湖北罗田
王振纲	男	河北昌黎
李大廷	男	河南偃师
康少封	女	辽宁开原
傅祥凤	女	湖北黄陂
周清机	男	湖北武冈
余世礼	男	湖北蒲圻
廖序东	男	湖北鄂城
潘中元	男	山东夏津
王宗仁	男	甘肃平凉
华秀贞	女	湖北浠水
李鸿敏	女	河北北平
杜　庶	男	河南临颍

(二) 文学院：外国语文系

姓名	别号	性别	年龄	籍贯	通讯处
宋裕承		男		辽宁沈阳	
曹克寿		男		陕西蒲城	
郝庆荣		男		山西武乡	
夏照滨		男		江苏江浦	
王锡瑞		男		河南唐河	
李印玺		男		陕西凤翔	
郝守勤		男		河南开封	
国令娴		女		山东泰安	
王　平		男		河南洛阳	
李泰来		男		陕西绥德	
米协寅		男		陕西蒲城	
隨德馨		男		辽宁锦县	
杨成堉		男		河南安阳	
张宗德		男		河南淅川	
杨玉朴		男		辽宁沈阳	

(三)文学院:历史学系

姓名	别号	性别	年龄	籍贯	通讯处
朱维基		男		江苏靖江	
陈济民		男		山东济南	
吴曰仁		男		湖北天门	
任 慧		男		山西崞县	
窦如珍		女		辽宁辽阳	
姚德仁		男		陕西泾阳	
王葆仁		男		陕西泾阳	
周锡贤		男		江苏江阴	
朱子方		男		江苏丰县	
陆玉菊		女		山东临沂	
刘志纯		女		河南修武	
孙希贤		女		辽宁沈阳	
武丕璋		男		山西崞县	
侯 健		男		陕西华县	
吕兴义		男		河南宁陵	
朱际镒		男		湖南石门	
周春元		男		湖北潜江	
李静贞		女		辽宁辽阳	
刘尚志		女		山西寿阳	
韩 宾		男		山东泰安	

(四)理学院:数学系

姓名	别号	性别	年龄	籍贯	通讯处
梁文德		男		河北霸县	
陈立云		男		安徽宿县	
湖南英		女		湖北武昌	
王协邦		男		青海湟源	
张立仁		男		山东临沂	
汪心洞		男		湖北蒲圻	
梁慧中		女		浙江黄岩	

姓名	别号	性别	年龄	籍贯	通讯处
任井明		男		山西猗氏	
邓遂文		男		湖北汉口	
汤世菊		女		湖北武昌	

(五)理学院:物理学系

姓名	别号	性别	年龄	籍贯	通讯处
秦河荣		男		山西万泉	
季成钟		男		河南永城	
翟鹏鹢		男		河南滑县	
郗惠麒		男		陕西华阴	
王　泰		男		湖北浠水	
张　淇		男		河北隆平	
于文滨		男		山东文登	
孙傅积		男		江苏砀山	
张从周		男		河南安阳	
光开敏		男		安徽桐城	
侯树仪		男		河北宁河	
刘文海		男		河北深泽	
杨成民		男		甘肃临洮	
张象铎		男		山西汾阳	
王春山		男		河南内乡	

(六)理学院:化学系

姓名	别号	性别	年龄	籍贯	通讯处
蒲生高		男		陕西榆林	
张静成		男		湖北荆门	
宋宗璟		男		河南息县	
李兆庆		男		陕西长安	
翟丰泰		男		山西安邑	
王如芝		女		浙江宣平	
陈家有		男		湖南长沙	
王大中		男		福建闽侯	
杨拯华		男		山西崞县	

姓名	性别	籍贯
李立家	男	山西崞县
何功惠	女	湖北武昌
任芳芝	女	河南南阳
田岁成	男	山西五台
张正恩	男	湖北随县
田　玉	男	山西曲阳
李思顺	男	山西浑源
赵梦琴	女	陕西长安

（七）理学院：生物学系

姓名	别号	性别	年龄	籍贯	通讯处
孙材英		女		河南汲县	
吴养曾		男		安徽凤阳	
熊季琨		女		安徽六安	
刘宗国		男		陕西华县	
孙淑世		女		河南息县	
郭德成		男		江苏邳县	
邵书田		男		河南项城	
封玄武		男		江苏沛县	
李四云		男		河南唐河	
郭继武		男		河南汲县	

（八）理学院：地质地理学系

姓名	别号	性别	年龄	籍贯	通讯处
李存禄		男		山东蓬莱	
庞丕统		男		河南宁陵	
李永声		女		湖北光化	
王启明		男		江苏兴化	
王秉成		男		陕西长安	
艾去病		男		湖南零陵	
倪　颖		女		辽宁铁岭	
陈元德		男		江苏阜宁	
白　键		男		黑龙江绥化	

姓名	别号	性别	年龄	籍贯	通讯处
韩　芳		女		河北高阳	
李国英		女		安徽合肥	

（九）法商学院：法律系

姓名	别号	性别	年龄	籍贯	通讯处
赵作栋		男		陕西陇县	
马天铎		男		河北清苑	
张治平		男		湖北黄安	
姚文焕		男		山西解县	
梁在均		男		河北高阳	
邢棱经		男		山西定襄	
曹振华		男		陕西长安	
孙　济		男		山西浑源	
翟永安		男		山西永济	
罗光永		男		辽宁洮南	
仝经韩		男		陕西鄠县	
杨检立		男		山西曲沃	
周少霞		男		江苏睢宁	
冯自成		男		湖北竹山	
姚健吾		男		湖北浠水	
黄映藩		男		陕西白河	
薛绵祯		男		山西芮城	
商树桂		男		河南临漳	
朱　霞		男		湖南汉寿	
张永增		男		河南南阳	
董玉堂		男		河北清河	
王秀齐		男		山东文登	
赵维新		男		山西平陆	
李蕙心		女		江苏南通	
刘养桐		男		辽宁临江	
杨桂材		男		陕西渭南	
陶　钧		男		湖南湘潭	

谷景锐	男	吉林舒兰
杨鸿福	男	河南新郑
李从吾	男	山西安邑
何 尤	男	陕西长安
陈衡林	男	江西吉安

（十）法商学院：政治学系

姓名	别号	性别	年龄	籍贯	通讯处
诸葛容		男		浙江寿昌	
刘思民		男		湖南湘乡	
尹光荣		男		河南汲县	
刘可光		男		辽宁西安	
范庆立		男		河南修武	
吴曙曦		男		湖南长沙	
吴寒欤		男		四川岳池	
赵同和		男		江苏镇江	
程祥龙		男		安徽怀宁	
涂运昌		男		贵州贵阳	
萧树桐		男		江苏铜山	
葛光华		男		浙江温岭	
庞仪山		男		陕西盩厔	

（十一）法商学院：经济系

姓名	别号	性别	年龄	籍贯	通讯处
江树森		男		河南开封	
王青润		男		河南孟县	
马介云		男		湖南南县	
夏殖藩		男		湖南益阳	
陈志立		男		广东东莞	
邓季直		男		江苏镇江	
傅道义		男		河北巨鹿	
田百川		男		河南嵩县	
青莱藻		男		河南洛阳	

姓名	性别	籍贯
陈德潜	男	河北武昌
李玉铮	男	辽宁海城
王　建	男	福建福州
彭光谱	男	湖南邵阳
段文燕	男	山西闻喜
万　纲	男	湖南浏阳
李耀第	男	山西芮城
邓佐明	男	江苏阜宁
伍诗绥	男	广西全州
王中常	男	辽宁义县
潘志斌	男	湖北宜昌
吴旭升	男	吉林德惠
章泰谦	男	安徽庐江
秦西铭	男	辽宁海城
谢效穆	男	河北保定
余士铭	男	安徽休宁
高恺芳	男	山东蓬莱
赵玉珉	男	辽宁海城
邱德生	男	安徽怀宁
黄学礼	男	河南新野
蓝子江	男	四川崇庆
谢　钧	男	江苏淮安
萧敏蓉	男	江西泰和
张振铎	男	河北定兴

（十二）法商学院：商学系

姓名	别号	性别	年龄	籍贯	通讯处
余先达		男		湖南长沙	
苏农官		男		安徽石埭	
龚纯青		男		吉林双阳	
黄尚文		男		福建莆田	
刘大震		男		四川梁山	

周楫	男		江苏吴县	
李之柱	男		安徽合肥	
满开泉	男		山东恩县	
许文富	男		吉林滨江	

三、民国三十一年国立西北大学第三届毕业同学录

（一）文学院：中国文学系

姓名	性别	年龄	籍贯	毕业后通讯处
王培桢	男	27	甘肃天水	兰州西园新村2号
王瑞义	男	25	陕西安康	陕西安康城内大什字恒义森转
王联贞	女	27	山东济宁	兰州建设庙矿业处王联庆转
牛树禾	男	23	山东高密	陕西城固西北大学卢思豫转
安爱敏	女	23	山西太谷	成都西郊光华中学
李瑞撰	男	25	甘肃兰州	兰州庆安街68号
李焕若	男	26	山东单县	西北大学邵玉莹转
杜学知	男	28	河北获鹿	兰州庆安街68号李瑞撰转
周仙芳	女	27	陕西长安	西安东□苋渠堡22号
胡宇檐	男	25	四川隆昌	四川隆昌姚家巷新房子
黄云兴	男	26	陕西长安	西安东关长官坊15号
宁仰文	女	23	四川巴县	重庆下黉学巷23号
程玉儒	男	23	山东单县	西北大学邵玉莹转
惠湛源	男	26	安徽宿县	西北师范学院鸿秋转

（二）文学院：外国语文学系

姓名	性别	年龄	籍贯	毕业后通讯处
仇思敏	男	27	甘肃秦安	秦安中心街博爱诊疗所
李临江	男	27	河北成安	成安城内什字街
李宗虞	男	26	河南洛阳	洛阳西大街豫记印刷所转
何生瑾	男	28	甘肃洮沙	洮沙城内14号
杜绍甫	男	24	河南	延陵57号
姚汝江	男	25	河北天津	天津鼓楼西欧家胡同13号

姓名	别号	性别	年龄	籍贯	通讯处
彭永祥		男	26	北平	北平地安门内三眼井22号后门
黄孝蔚		男	27	湖南湘潭	湘潭南北塘邮局转
刘踌仿		男	24	四川巴县	巴县石桥铺邮局转
漆瑶光		男	27	四川江漳	江漳夹滩场邮局转
谢莲珍		女	22	浙江吴兴	泗安谢镇伯转
钟鹤年		男	26	陕西南郑	南郑县97号转
萧 群		男	25	山东曲阜	曲阜城内考棚街
郝孚陀		男	26	江苏淮安	上海辣斐德路颖村11号黄宅
张维华		男	23	河南夏邑	陇海路马牧东牛工堌
黄鸿暄		男	26	山东单县	单县黄复楼

(三)文学院:历史学系

姓名	别号	性别	年龄	籍贯	通讯处
丁卜一	疏九	男	27	安徽无为	开城大桥西元吉仓
王宗桂		男	25	河南淅川	淅川马蹬街
王振新	铭如	男	26	甘肃定西	定西县内官营
王睦钤		男	24	河南商丘	商丘城内博爱街13号
王 墀		男	25	甘肃陇西	陇西种家巷王宅
史纪钧		女	27	江苏宜兴	宜兴南门
江广恕		男	25	河南商丘	商丘城东十里教堂村
朱安仁		女	27	山西屯留	屯留桃源村
向玉梅		女	25	江西江都	都昌城内刁子巷
宋广祥	瑞麐	男	28	山东泰安	泰安大汶口东向转马家店
杜永馥	子荣	男	27	甘肃岷县	岷县岩昌镇
步玉如		女	26	河北枣强	枣强大金村
周 敏		男	25	甘肃会宁	兰州广武门外
周南燕		男	27	河南淅川	淅川下集
马超凡	阜如	男	23	河南荥阳	荥阳崔庙镇转马寨村
唐克藩	那	男	23	江苏吴县	
陈企峯	云如	男	27	山西临县	碛口镇玉泉成收
陈耀州	瀛仙	男	27	江苏宿迁	宿迁埠子南靳家桥恒泰号
陈贤如		男	26	甘肃皋兰	兰州官园南街138号

高维岳	仲仁	男	24	甘肃秦安	秦安东山街长盛通
揣得为		男	26	辽宁安东	凉县省立一中转
靳爱鸾		女	26	河南新郑	新郑西大门
张　经	敦五	男	20	甘肃陇西	陇西东区
张傅梓		男	24	陕西旬阳	南郑石灰巷10号
赵卓立		男	22	甘肃正宁	兰州新关49号
刘子陵		男	26	江苏丰县	丰县刘王楼
刘艺堂		男	25	江苏宿迁	重庆张家花园65械园村1号
谢元璐	蕴山	男	28	山东章丘	胶济路枣园寺丁王庄
严兰庆	九如	男	28	甘肃兰州	兰州南垣张家庄2号
乔潓哲		男	20	甘肃渭源	渭源官保镇

（四）理学院：数学系

姓名	性别	年龄	籍贯	毕业后通讯处
王傅林	男	27	辽宁辽阳	城固中山街24号转
李博伟	男	27	河北行唐	河北行唐城内荫泰兴转
武毓英	女	27	河北永年	河南唐河永聚大转
夏景黄	男	25	河南开封	河南开封大纸坊街34号
温初芳	男	28	陕西宝鸡	陕西宝鸡西街大生祥转
杨绍澍	男	26	河北天津	天津西头大夥巷
郑宪祖	男	24	甘肃兰州	兰州中街子20号

（五）理学院：物理学系

姓名	性别	年龄	籍贯	毕业后通讯处
曹金铭	男	30	山东巨野	四川乐至福生庄曹治村转
胡应诚	男	23	江苏武进	四川成都天仙前街142号胡千源交
张鸿顺	男	24	河南宁陵	河南洛阳民国日报社吕兴义转
陈嘉俊	男	24	河北文安	城固苗家巷2号
胡治珩	男	24	河北大兴	城固苗家巷2号
张文彬	男	28	山西洪洞	西安中正门内市民医院转
赵登英	女	25	山东济南	西北大学张桂兰转
李以道	女	25	湖北当阳	重庆中大杨秀吴转
王咸正	男	30	山西赵城	山西赵城邮局转王绪村交

姓名	性别	年龄	籍贯	毕业后通讯处
潘湘	男	28	河南内黄	西北大学化学系余虹转
孙邦英	男	26	河南南召	河南南召刘村孙宅

(六)理学院:化学系

姓名	性别	年龄	籍贯	毕业后通讯处
王琏	男	24	河南临汝	临汝东街502号守谦堂
白化蛟	男	27	山西崞县	山西忻县奇村转兰村
申松昌	男	25	河南登封	登封北大街
朱裕民	男	25	河南开封	开封大坑沿街54号
何泽民	男	25	河南固始	固始黎集何源顺
党锡田	男	26	河南叶县	叶县西大街
张毂	男	22	河南开封	开封太平街10号
张德莨	男	23	河北蠡县	河北高阳秦丰交
张家骐	男	27	河南荥阳	荥阳西大街
陈泰云	男	24	河南南阳	南阳南关东家后
陈光斗	男	27	河南淅川	淅川荆紫关德盛利
孙树桦	男	28	河南汲县	汲县李源屯邮局转北新庄
杨万舞	男	25	河南陕县	陕县观音堂魁茂和转
赵文璨	男	25	山西汾阳	汾阳指挥街

(七)理学院:生物学系

姓名	性别	年龄	籍贯	毕业后通讯处
祝玉珂	男	27	河北定县	本校数学系赵主任转
傅志澄	男	24	贵州贵阳	贵州修文王家巷王仲寅转
张毓铬	男	26	陕西榆林	陕西榆林城内交

(八)理学院:地质地理学系

姓名	性别	年龄	籍贯	毕业后通讯处
王恒兴	男	25	陕西陇县	陕西陇县西关永兴源号转交
李海清	男	35	河南新蔡	新蔡李庄桥胡庄
梁好仁	男	27	甘肃崇信	崇信西乡蔺家沟
蒋炎林	男	26	甘肃甘谷	甘谷北街裕厚昶
康永孚	男	28	山西平定	西大地质地理系转

姓名	性别	年龄	籍贯	毕业后通讯处
张耀麟	男	28	山西洪洞	西大地质地理系转
武 果	男	28	山东邱县	西大地质地理系转
许辑五	男	28	绥远集宁	重庆南温泉攻校同学会
王 江	男	27	山西曲沃	西大地系转

(九)法商学院:法律学系

姓名	性别	年龄	籍贯	毕业后通讯处
王朝璠	男	26	安徽合肥	西安东县门北街16号问交
申 霖	男	27	河北大名	城固法商学院吴淇转
李思武	男	25	湖南长沙	重庆巴县北碚综庆李思业转
李尊贤	男	27	山西繁峙	繁峙大营镇德盛祥
苗宝盛	男	27	山西洪洞	洪洞曲亭镇转华林村
郭洪川	男	26	河南遂平	遂平后贯街郭宅
唐文炎	男	24	甘肃临夏	兰州市骚泥泉57号之四
晏克鑫	男	24	陕西南郑	南郑县街97号
鱼化龙	男	25	山西解县	西安西大街新泰和号转
姚学恭	男	26	山西永济	陕西省民政厅第二科杨转
贾成允	男	25	安徽合肥	城固西大法商学院唐兴转
杨德清	男	26	山东长山	南郑东关德丰布庄转
张舜光	男	26	山东菏泽	城固法商学院姜希濂转
燕寿瑕	男	26	河南新蔡	城固法商学院郭建中转
薛志文	男	25	山西河津	西安柏树林39号薛泉清转
庞桂馥	男	27	河南洛阳	洛阳东大街陆达电科行转

(十)法商学院:政治学系

姓名	性别	年龄	籍贯	毕业后通讯处
王新民	男	25	山西解县	陕西城固马桩口13号
王孔扬	男	22	陕西鄠县	重庆歇马乡行政法院王芝庭先生转
介崇仁	男	26	山西解县	陕西城固福顺巷2号
朱荆芳	男	27	河南叶县	河南叶县城内天华楼转
朱声贤	男	26	湖南长沙	湖南长沙白沙街54号
伍德济	男	25	四川成都	成都外东太平下街46号
谷宝中	男	25	河北威县	陕西城固西北大学狄玉崐转

姓名	性别	年龄	籍贯	毕业后通讯处
何瑞麟	男	27	河北井陉	河北井陉威洲镇转庄子头村
李化光	男	26	四川广汉	四川广汉宜化路李氏祠
金厚根	男	23	江苏涟水	重庆江苏农民银行
邵企峰	男	27	江苏盐城	江苏盐城上丹怡新太
周盛武	男	25	四川开县	四川开县陈字场
孟效先	男	26	河南灵宝	河南灵宝虢镇三兴永
徐永禄	男	24	湖北应山	西大法商闵子敬转
郗若霖	男	28	河北衡水	陕西城固中山街90号
韦德亮	男	27	陕西蒲城	西安柴家什字22号
郭丕烈	男	26	陕西咸阳	西京市六谷庄12号
郭维民	男	26	河南新蔡	河南新蔡县立中学转
高普渡	男	25	山西五台	城固新街22号
黄显德	男	27	贵州贵阳	贵阳陕西路32号
贺文鼎	男	25	陕西白水	陕西白水新民巷9号
张文柏	男	26	湖北黄陂	西大法商闵子敬转
张郢南	男	25	四川中江	四川中江大钟邮局转
张廷煜	男	28	河南南阳	河南南阳广阳镇
许祖岳	男	25	山西芮城	西大法商张景铭转
孙家箴	男	25	河南商丘	河南商丘复习四街4号
杨文炳	男	26	四川新繁	四川新繁东街
解洁玉	男	31	山西万泉	城固盐店巷20号
邓志运	男	27	河南新安	西安冰窖巷8号
薛坚劲	男	25	河南武陟	西大法商孙炎照转
饶国钧	男	25	陕西城固	城固五祖庙巷新10号

（十一）法商学院：经济学系

姓名	性别	年龄	籍贯	毕业后通讯处
王懿修	女	26	河北沧县	城固盐店巷20号张润之转
金惟萱	女	25	江苏镇江	重庆复兴关丁罗学校转
刘采璋	女	25	江苏江都	西安东院巷49九号王宅转
崔越阿	女	24	河北晋县	城固法商学院张玉英转
魏静贞	女	25	河南罗山	城固王史巷四号李玉琤转

李海宗	女	25	河南新蔡	宝鸡西南城巷20号
王贵兰	女	23	山西阳曲	陕西民政厅第二科杨礼瑞转
王致增	男	26	河北冀县	西安西大街164号王宝周转
王 桢	男	26	山西怀仁	重庆市警察局王成周转
王震瀛	男	24	江苏吴县	重庆林森路特5号宏丰公司王震欧转
王敬阅	男	26	安徽阜阳	重庆北碚555信箱王介忱先生转
张子安	男	27	山西汾城	兰州南关世德店杨子真转
李新智	男	27	湖北汉川	四川万县盐店巷3号昌记转
李 诚	男	26	江西临川	重庆中国农民银行分行辛膺转
李继鸿	男	24	江苏阜宁	城固法商学院唐承元转
李光锷	男	26	河南叶县	叶县商会转
李福谦	男	25	江苏东海	城固法商学院唐承元转
李振华	男	27	河南遂平	城固法商学院赵宗周转
孙得中	男	27	河南中牟	城固法商学院传达处转
萧锡章	男	26	陕西富平	富平庄里镇裕厚成转
毛秉周	男	28	山西汾城	西安中正街市民医院刘子威转
程秀刚	男	25	山东单县	城固中山街复兴茂转
申瑞麟	男	28	山西沁县	西安宁静里1号阎守夷转
马金铭	男	27	河北巨鹿	城固中山街西记商店转
祁东海	男	25	河南汲县	汲县林落山柿庄
田启林	男	25	山西阳曲	城固法商学院郑国显转
毛炳汉	男	28	河南汤阴	汤阴城内固东北街
严仪修	男	24	辽宁怀德	城固法商学院邸作辛转
熊运森	男	22	江西新建	重庆小杨公桥高堂新村熊宅
黄绍洲	男	23	四川合川	重庆南岸龙门浩枣子湾12号
蒋秉中	男	26	河南南阳	南阳南阳瓦店东北关寨村交
青葵照	男	23	河南洛阳	洛阳城内公平街青宅
尹煜忠	男	24	河北滦县	陇海路硖石站忠义煤矿公司何宝珍转
桂奕仙	男	25	湖北黄梅	安徽立煌财政厅桂竞秋转
仇维智	男	25	山西曲沃	重庆中央大学马天荣转
黄德仁	男	24	湖北黄安	重庆南岸龙门浩新房子17号钱宅

姓名	性别	年龄	籍贯	毕业后通讯处
白诗甫	男	23	四川石柱	石柱上横街中恒足
孔广良	男	30	山西平遥	城固法商学院庞瑚转
李建章	男	27	甘肃临夏	兰州横街子116号
施忠允	男	22	浙江金华	金华含香镇
邱孝平	男	25	江西南昌	城固法商学院陈策转
刘延磊	男	24	河南巩县	河南周家口专员公署转
魏宗煦	男	23	河北良乡	
雷丕动	男	26	陕西大荔	大荔东大街醴泉涌号转
李安民	男	23	江苏萧县	宁夏康宁街14号信箱
阎秉中	男	27	绥远	绥远省教育厅转

(十二)法商学院:商学系

姓名	性别	年龄	籍贯	毕业后通讯处
王兆金	男	26	陕西耀县	陕西耀县中正巷38号
王应年	男	26	湖北黄陂	西安陕西电报管理局王席珍先生转
王延青	男	26	湖北汉阳	重庆南岸水溪正街131号
王诗英	男	27	河南安阳	西安小庙巷12号王益三转
支丁先	男	25	浙江镇海	重庆南弹子石谦泰巷37号
文熹	男	27	湖南长沙	湖南长沙东乡安沙邮箱转泗州庙
李恩普	男	26	河南洛阳	河南洛阳李村镇
李德三	男	24	河北涉县	四川北碚黑龙江路47号
李恭贤	女	25	湖北沔阳	四川万县电报路138号报干洪禄来店转
何宪章	男	26	陕西南郑	陕西南郑西街10号
何君宝	男	26	湖北汉川	四川万县当铺万丰号转
余桂林	男	26	河南潢川	河南潢川北城西大街
汪流航	男	23	河南商城	城固西北大学法商学院徐漾转
金长增	男	25	河南睢县	西安西关正街甲76号陈敦福转
孙荣秦	男	24	河南开封	河南洛阳营林街15号庄良田转
孙绳武	男	26	河南偃师	四川内江中国银行王家骧转
唐进昌	男	28	四川江北	四川江北偏岩乡转
袁治岑	男	27	河北濮阳	重庆中央党部马锡珺转

姓名	性别	年龄	籍贯	毕业后通讯处
曹贺	女	25	辽宁沈阳	陕西城固中国银行龚先生转
曹锦魁	男	28	山西平顺	陕西南郑西街10号何熹章转
张云鹏	男	26	山西闻喜	宁夏中街永昌福
张景选	男	25	河南滑县	四川内江中国银行王家□转
郭汝墉	男	28	山西浑源	城固西北大学法商学院任钟业转
郭水	男	24	河南洛阳	河南洛阳金村镇西街
路绍楹	男	26	河南孟县	四川□阳中和场万龄堂询交
刘笑侠	男	26	江苏砀山	河南嵩县河南省儿童教养院黄瑞兰转
刘致岳	男	26	陕西耀县	陕西耀县同春□转
刘冠世	男	23	陕西咸阳	西安早慈巷11号
魏经邦	男	25	青海湟源	青海湟源北大路本宅
蔡少轩	男	25	河南伊川	河南伊川县白杨镇
戴保平	男	24	四川丰都	四川丰都学校街134号戴家院子
韩家骧	男	25	西康雅安	西康雅安中山东路62号
严忠纯	男	24	江苏镇江	四川重庆交通银行吉傅礼转

四、民国三十二年国立西北大学第四届毕业同学录

（一）文学院：中国文学系

姓名	性别	年龄	籍贯	毕业后通讯处
张光照	男	22	陕西安康	安康王彪店交
沈克孝	男	25	江苏如皋	如皋吴窑镇
郭述贤	男	25	陕西华县	西安太阳庙门38号
彭惠金	男	25	江苏溧阳	溧阳胡桥
孙萍	男	25	河南安阳	
霍恺	男	25	绥远托克托	
李华	男	23	河北濮阳	河北省濮阳县西乜堌
方泉生	男	24	河南罗山	罗山西大街14号
宝庆堂	男	24	山东聊城	山东省聊城东北邓官屯
刘骏	男	25	湖南新宁	新宁东门外徐庆堂

(二) 文学院: 历史学系

姓名	别号	性别	年龄	籍贯	通讯处
于守琨	筱南	女	25	山东诸诚	山东诸城□学巷
王绣章		女	29	河南沁阳	河南沁阳县城内西门街现在通信处城固公兴永乐店
王锡霈		男	24	河南内乡	河南内乡赤眉镇中兴栈交
王瑞明	亮公	男	30	山西虞乡	山西虞乡县齐头镇邮局转王家营
朱端伦	敦五	男	26	陕西凤县	陕西凤县县政府教育科
朱洪涛		男	25	陕西鄠县	陕西鄠县大王镇东街
周敬人	欧特	男	23	山东恩县	山东恩县旧城东小屯或陕西城固中山街七四号
李廷举	天行	男	25	河南开封	河南开封旗纛街41号
底霖三	叔沛	男	25	河北藁城	河北藁城九门村
唐承庆	子光	男	25	湖北咸宁	湖北咸宁□桥镇麻舍
汪流霞		女	24	河南商城	西安习武园2号甲杨祚德转
莫望曾		男	25	河南卢氏	开封兴和北街
满开茹		男	25	河北保定	保定南白衣菴巷33号
徐德孚		男	25	河南新野	河南新野南关裕大号
陈金城	翼民	男	26	河北赵县	河北赵县东晏头村
陈树勤	俭亭	男	25	河南西华	河南西华县北十五里陈村
阎蕙涵		男	24	陕西朝邑	陕西朝邑仓顶镇
刘 磊		男	24	河南鹿邑	河南鹿邑西试量集大河口交
傅 璨		女	24	山东巨野	山东巨野县城内或西安金家巷

(三) 文学院: 外国语文系

姓名	别号	性别	年龄	籍贯	通讯处
庞文瑞		女	22	河北深泽	河北深泽乘马村交
李其垠	芸冰	男	25	山东日照	日照东关修善堂转
刘让言	纳夫	男	26	河南济源	济源东添浆邮局转
刘维城		男	26	山西临汾	临汾东关洪盛泉
陈德顺		男	25	河北滦城	滦城县邮局转
曹友堂		男	25	河北邢台	邢台县孔桥村

姓名	别号	性别	年龄	籍贯	通讯处
王 绩	跻皋	男	24	河北文安	北平宣内鲍家街笔管胡同1号
张 雄		男	26	湖北枝江	湖北枝江县董市春茂易乐号
蒋恩浮		男	23	山东广饶	山东广饶城里裹北门大街
黄相荣		男	23	辽宁黑山	黑山县邮局转
杜春陛	心如	男	25	山西崞县	崞县魏家庄
闵庆枌		男	27	河北藁城	河北藁城内
王曾选		男	25	河北宛平	宛平城内
李端严	济宽	男	24	甘肃皋兰	兰州庆安街68号

（四）理学院：数学系

姓名	别号	性别	年龄	籍贯	通讯处
王长仕		男	24	河南汤阴	河南汤阴西大街义合堂
胡巨川		男	23	河北定县	河北定县西堤阳村
马元鹏	天翼	男	25	甘肃陇西	陇西东铺
茹护法		男	25	陕西三原	三原北关田家壕1号王宅转
杨树信		男	24	河北晋县	河北晋县田村
张尚信		男	23	河南博爱	河南博爱阳庙镇转北西尚村
张 越		男	25	湖北来凤	湖北咸丰丁寨交
吕士珍		男	23	河北束鹿	河北束鹿

（五）理学院：物理学系

姓名	别号	性别	年龄	籍贯	通讯处
刘景清		男	29	河南淅川	河南淅川县西街天生楼转交
李清汝		男	25	河南济源	济源程村交焕齐交
佟天元		男	24	辽宁沈阳	广元中正路37号
马天栋		男	25	河南淅川	河南淅川振兴元
张庆嵩		男	25	河南博爱	博爱阳邑庙育生堂转
宋炳焜		男	28	山东阳谷	阳谷城北定镇宋桥口

（六）理学院：化学系

姓名	别号	性别	年龄	籍贯	通讯处
刘师锡		男	27	四川古宋	四川古宋
李德芝		男	28	山西五台	陕西耀县
张鸿藻	鉴卿	男	29	山西岢岚	山西岢岚三井镇

姓名	别号	性别	年龄	籍贯	通讯处
侯　铎	汉铎	男	25	陕西榆林	榆林南街16号
陈济梓		男	25	陕西三原	三原水津巷
阎　铎	亦铎	男	27	山西交城	交城县家巷
王青槐		男	25	河南南阳	南阳赊镇兴隆街
冯师颜	文西	男	28	河南济源	济源王虎寨
申秀生	廷玉	男	24	山东阳谷	阳谷安乐镇
刘嘉曾		男	24	河北定县	定县东亭邮局转
关恩保		男	23	辽宁辽中	辽中茨渝沱庆街
樊济馨		男	24	陕西富平	西安夏家什字76号
马文显		男	23	河南淅川	淅川振兴元号转
郭奎德		男	22	上　海	西安中国银行
刘大用	汉烈	男	27	四川蓬安	蓬安周口
江达榜		男	25	湖北汉阳	汉口汉正街老官巷66号
贾崇珍		男	25	山西崞县	崞县原平镇
徐月卿		女	29	江苏铜山	徐州三民巷4号
王凤琴		女	24	安徽宿县	宿县濉溪镇华太康号
魏杏云		女	23	湖北汉阳	武昌青石桥50号
刘国瑞		男	25	河北昌黎	西安粮政局

（七）理学院：生物学系

姓名	别号	性别	年龄	籍贯	通讯处
胡茂松		男	27	湖北应城	应城北街严家巷
丁鹤洁		男	25	宁夏宁朔县	宁夏省垣西大街丁家巷2号
房希溥		男	24	河南武安	河南武安柏延村
张以敬	叔久	男	29	河北保定	河北保定西关裕善堂药铺
师宗善	琴馀	男	28	河南南阳	河南南阳石桥夏村
李赋洋		男	23	陕西蒲城	陕西省水利局

（八）理学院：地质地理学系

姓名	别号	性别	年龄	籍贯	通讯处
白　鉴		男	25	陕西南郑	南郑周家坪
郑国宝		男	25	山西大同	洛阳东关中山街48号
曾溢齐	珞	男	23	江西九江	重庆青木关14号信箱

姓名	别号	性别	年龄	籍贯	通讯处
朱瑞申	又申	男	23	江苏涟水	汉中南关竹竿巷15号转
丁宝田	油	男	23	安徽宿县	宿县大街164号
原芳洲	油	男	26	山西河津	山西河津固镇
杜恒俭		男	24	山东东平	东平城内和平街
仰华悝	伯孔	男	25	四川灌县	四川郫县□园场
杜子荣		男	28	山西徐沟	山西徐沟县王答村
魏晋贤	任之	男	26	甘肃靖远	甘肃靖远北湾
张尔道		男	24	陕西咸阳	陕西咸阳德兴德号
郑尚梅	智	女	23	四川巴县	四川(重庆)巴县西里歇马场
乔作栻		男	23	甘肃成县	成县南大街80号
孙振声		男	26	河南内黄	河南内黄县赵固村
黄声求		男	25	湖南临湘	衡阳湖南省银行分行转

（九）法商学院：法律学系

姓名	别号	性别	年龄	籍贯	通讯处
杨　端		男	23	山西长子	三原北关后街11号
杨泽普		男	23	河南南阳	南阳民权街南段103号
康治五		男	24	陕西长安	西安糖坊街24号
王俱敏		女	22	河南孟津	西安六谷庄15号
乔　皓		女	22	河北获鹿	西安后辛门4号
徐大燮	佩炜	男	23	河南固始	固始县政府街徐宅
田家祥		男	23	安徽怀远	四川万县三马路464号
黄应声	吉甫	男	24	河南新蔡	新蔡南街黄宅
李国栋		男	23	陕西长安	西安中涝巷25号
黄泽珩	菊九	男	24	河南商城	商城苏仙石刘宅转
王斗光		男	31	江苏灌县	陕西洋县司法处转

（十）法商学院：经济学系

姓名	别号	性别	年龄	籍贯	通讯处
陈芳澜		男	27	河南汲县	河南汲县城内鼓楼后街
朱道善		男	27	湖北随县	湖北随县东关
李峻恩	李战	男	24	河南太康	开封乐观街南胡同41号
李天章		男	25	河南巩县	巩县孝义邮局转东侯村

姓名	字	性别	年龄	籍贯	通讯地址
王雷鸣		男	25	山西稷山	稷山城内东街
秦冠毅	万里	男	25	山西沁水	山西沁水城内
陈 槃		男	24	河北保定	保定城内
邸作辛	华艮	男	22	辽宁北镇	沟帮子车站大街25号
李毓文		男	23	山西襄垣	山西襄垣县夏店永兴堂
唐鸿业		男	27	察省怀来	平绥□涿鹿城□岱堡
李耀潢		男	25	河南潢川	河南潢川双柳树镇
张清溪		男	27	河南汝南	河南汝南城东六十里冯寨
张兆贤		男	28	甘肃武威	武威官驿巷44号
段成章	郁文	男	30	河南汲县	汲县城内望景楼前街1号
车作汉	昉秋	男	23	河南广武	广武县车大沟
赵延明	赵白	男	24	山东峄县	山东峄县台庄越河街赵宅
张景铭	慕渠	男	27	山西芮城	山西芮城县敬信诚
董光炬		男	25	河北隆平	河北隆平县刘通庄
王好善		男	25	山西临晋	山西临晋北马村
舒慎武		男	24	河南开封	开封新街口26号
方绍岑		男	24	河南襄城县	襄城县南街统兴文转
刘奇芳		男	25	河南唐河	河南唐河源潭镇华山阁龙
王庭瑞		男	25	河南许昌	许昌东大街
秦敬先		男	25	河南内乡	内乡马山口铸成久
杨明华		男	24	山东单县	山东单县杨大庄
钱振民		男	26	河南密县	密县超化镇
陈佑玧		男	25	福建闽侯	长安崇耻路54号
庞荫华	子青	男	25	河北定县	河北定县尧方头村
胡龙翔		男	25	陕西汉阴	汉阴高梁乡
陈保国		男	25	山西繁峙	山西繁峙城内崇义成转
陈 策		男	27	湖南岳阳	湖南岳阳县永庆乡乡公所转
郝绍文		男	26	绥远萨县	绥远省政府教育厅转
韩维彩		男	26	河南巩县	巩县马骆沟
鲁宗海		男	25	湖北蒲圻	湖北蒲圻□振兴转
杨润痒		男	22	河南洛阳	河南洛阳隋华街12号

韩士智	学忠	男	27	河北任丘	津浦路□西梁召镇
刘福元		男	25	河南开封	开封惠家胡同 41 号
王冠正		男	23	河北衡水	河北衡水
韩守湜		男	23	河南柘城	河南柘城县魏胡同
王家楷		男	25	河北宛平	郑县城内博爱街 32 号
刘振铎		男	26	辽宁北镇	辽宁北镇县立初中转
冉树梅		男	24	河北清苑	河北清苑县郎家庄
杨馥远		男	27	甘肃民勤	甘肃民勤东大街泉源涌号
郭世绪		男	24	甘肃渭源	甘肃渭源城内
陈文簦		男	24	山东潍县	潍县城里
尚淑辰	曼萍	女	25	辽宁沈阳	北平和平门内西中街 30 号
张桂兰		女	25	山东桓台	山东胶济路张店转社科
史凌云		女	24	陕西兴平	陕西三原篆灯巷 9 号
胡德馨	静之	女	23	河北容城	河北容城西关长盛堂
张玉英		女	23	江苏高邮	江苏高邮县滩上镇
鹿崇文		男	27	山东福山	山东福山城内大泉涌转
水启宁		男	23	浙江鄞县	上海浙江兴业银行转
蔡振离	中虚	男	25	河南荥阳	河南荥阳城内仁记转
赵炳环	冠英	男	26	河北献县	河北献县城南方佑屯
赵汝泮		男	27	河南舞阳	河南舞阳城内薛坑东岸
李纪瑞		男	26	山西孝义	山西孝义大孝堡李克复堂收
李文魁		男	26	河南南阳	南阳西关 40 号
丁宗奭		男	23	浙江孝丰	孝丰青石坊 93 号
何 珵		男	26	河北南宫	南宫县董家庙转
刘茂林		男	23	河南武安	河南武安和村镇转刘岗西
张学礼		男	28	河南巩县	洛阳行都报社
郭锡元		男	26	河南鲁山	河南鲁山婆婆街
唐 亮		男	26	江苏砀山	陇海路黄口站西北唐寨北唐集
范玉宝		女	25	河南渑池	西安双仁府 23 号

(十一)法商学院:商学系

姓名	别号	性别	年龄	籍贯	通讯处
刘开邦	宏业	男	28	河南安阳	安阳水冶德聚涌转交
赵宗周	以字行	男	24	河南滑县	滑县牛屯集广玉坊转西陈村
冯 渊	飞潜	男	24	陕西凤翔	西安龙渠湾9号
曹 铎	鲁愚	男	24	陕西沔县	沔县阜川乡信柜交
许家杰		男	26	江苏阜宁	阜宁东坎交
梁士桢	节民	男	24	陕西绥德	绥德三皇乡交
顾盛佩	绶鱼	男	24	察哈尔宣化	平绥路涿鹿县源盛厚转
郑国显		男	24	河南开封	开封牲口市20号
关书诚	剑尘	男	24	辽宁辽阳	剑二堡常家庄转
唐承元	建祁	男	26	江苏句容	江苏宝堰镇大有栈转东荆塘村
郭懋馨	挹清	男	27	河南孟县	河南孟县小宋乡
于庭桂		男	24	河南许昌	西安曹家巷27号
赵志迈		男	24	河南开封	河北亭河卢台镇交
谢蕴直		男	24	福建福州	南郑县庙巷10号
尹啸仙		男	25	湖南邵阳	湖南湘乡青树坪流光岭
韩修业	雍青	男	23	河南洛阳	洛阳七里河转五龙沟村
徐 漾	光正	男	24	河南光山	河南光山砖桥邮局
范瑞廷	芝生	男	26	山东历城	青岛西岭云南路和洋行
邓德辉		男	28	四川安岳	安岳通贤场王治安转
李世元		男	24	陕西渭南	西安新明街萍庐1号
凌印生		男	26	湖南衡阳	衡阳渣江元盛酒
刘宁人		男	24	陕西凤翔	西安东木头市164号
王家珍		男	25	陕西三原	西安书院门和乐巷4号
曾咏川	连山	男	23	浙江海宁	浙江硖石路仲里
苏少兰		女	24	陕西蒲城	西安王家巷10号
张英秀		女	24	辽宁沈阳	西安王家巷10号
丁蕙原		女	23	山东日照	西安中央通讯社
朱瑞先		男	25	河南开封	开封万寿街20号
哈美新		男	25	新疆伊犁	新疆伊犁东门外

姓名	别号	性别	年龄	籍贯	通讯处
陈洪道	铁生	男	24	河南宁陵	宁陵南街
王仲雄		女	23	四川	四川成都外西光华村王佳家花园
赵宗孟		女	24	察哈尔	西安东关龙渠民立中学苏少兰转
张奉娟		女	23	河北	城固新街10号李永增转
王 梯		男	28	河南	舞阳南街书德堂交
闵正鉴		男	26	河南光山	光山县文殊寺交
张居礼		男	25	陕西鄠县	鄠县邮局转
张 锷		男	30	察哈尔张北	察哈尔张垣明德街东德桑永转

(十二)法商学院：政治学系

姓名	别号	性别	年龄	籍贯	通讯处
刘志聪	颖齐	男	30	河南济源	济源东添浆邮局转
王玉堂		男	28	河南南阳	南阳赊旗镇
马世荣	野牧	男	24	河南洛阳	洛阳东关大街137号
翁东昌		男	24	福建闽侯	上海薛华直路薛华坊5号
宋时梧		男	26	河南安阳	河南安阳水治镇大东街同和庆转
石豪三		男	26	河南息县	河南息县
涂继德	徽五	男	27	湖南南县	湖南南县西庆街42号
赵孝章		男	26	浙江吴兴	宝鸡西闸口泰华建筑公司转
张定国	静吾	男	27	甘肃永昌	甘肃武威西北饭店第10号转
王兴鼎	宝德	男	26	甘肃平凉	甘肃平凉白水镇邮局
刘绮华		女	24	广东南海	陕西襃城宗营镇
孙振斌	叔允	男	26	河南洛阳	洛阳李村冯万泰号
周培莲	少逸	男	24	河北大名	河北大名县西南大辛庄
陈淦源		男	24	四川营山	成都文圣街54号
温鸿儒	季伟	男	26	陕西扶风	陕西扶风县小西街7号
宋 达		男	26	江苏赣榆	江苏赣榆青口大西门内
王克孝		男	22	湖北沔阳	重庆唐家沱上海路2号
葛傅璋		男	29	河南济源	河南济源北官庄镇
胡钟骥	中流	男	22	河南南阳	河南南阳靳岗镇
段良猷	仲嘉	男	23	河南广武	河南广武城内邮局转交
邱华坤		男	28	河南方城	河南方城马王庙街

姓名	别号	性别	年龄	籍贯	通讯处
袁教民	景正	男	28	湖北黄冈	湖北□逻梅岩村袁佶记
张少旭	予辉	男	21	河南开封	河南偃师城内西街
安裕鼎		男	23	贵州湄潭	贵州湄潭天城镇
蒋洪华		男	24	湖北汉口	重庆中央大学蒋洪志转
傅作民		男	26	陕西南郑	南郑东关
田秉阳	撷刚	男	24	安徽蒙城	皖北蒙城北大街葆丰号
徐心涵		男	26	浙江	浙江青田镇邮转
邓必丰	笔锋	男	32	湖南益阳	
周学禹		男	24	河南扶沟	河南扶沟东北曹岗村

五、民国三十三年国立西北大学第五届毕业同学录

（一）文学院：中国文学系

姓名	别号	性别	年龄	籍贯	通讯处
刘立权		男	25	四川荣县	四川荣县龙潭镇
张汉演		男	25	河南长葛	河南长葛和尚桥王庄
刘有遒		男	25	河南内黄	河南内黄东永建
刘季文		男	23	山东栖霞	北平西城太平桥48号
于同昭	汉光	男	27	河北邢台	河北邢台城内长街
王万田	若萍	男	29	山东单县	山东单县城西庄
李生泉		男	24	河北新城	河北新城县白沟河北镇
张 炤	幼安	男	27	山西五台	山西五台五级村村公所转
刘培钧	如梓	男	25	河北完县	河北完县县中下巴村
段培玉		女	23	河北大名	河北大名北皋镇南街
魏鸿谟	赓二	男	27	甘肃宁县	甘肃宁县早□镇邮局
刘才斗		男	24	四川青神	四川青神西街荣陞号
邵玉莹		男	28	山东菏泽	山东菏泽县辛集北左庄
张凤珍		女	24	河南考城	河南考城红庙寨邮局
刘光宗	诒孙	男	22	四川德阳	四川德阳同兴公转
王克常		男	21	山东傅山	山东傅山太尉庙后4号
李 杰	于早	男	24	河南开封	河南开封桂李寨

姓名	别号	性别	年龄	籍贯	通讯处
王仲吕		男	23	四川大邑	四川大邑悦来场
任淑慧		女	20	河北清丰	河北保定石柱胡同4号

(二) 文学院:外国语文系

姓名	别号	性别	年龄	籍贯	通讯处
董 域	惠民	男	26	河南临漳	西安崇义路60号临漳西羊羔村
袁 坚	德勋	男	27	湖南长沙	长沙东乡竹筒港安坡
刘景麟	宿严	男	26	河北涿县	河北涿县城内公益街保禄堂
阎多治	安如	男	26	陕西西乡	陕西西乡城内广庆寺街86号
鲍 垲		男	24	江苏淮安	江苏淮安双桃柳巷
郤藩封	维屏	男	24	山西定襄	山西定襄县北关永兴堡棣华堂收
康宝田		男	26	河北涿县	河北涿县东门内义舍永
许崇信		男	24	广东潮安	广东潮安下东隄璞园(广东梅县中山路8号)
樊镜明		女	23	河南汲县	汲县城内西大街17号
郅民杰		男	25	河南淅川	河南淅川县西坪镇西大街郅宅
苏武耀		男	27	四川江津	四川江津大板桥邮转
潘致中		男	30	河北天津	河北天津兴亚区24号路荣耀里2号
胡定一		男	27	甘肃天水	天水县新阳镇
邢相禹		男	24	山西忻县	山西忻县第四区寺庄村
林美中		男	24	湖北黄冈	汉口仓埠司泰恒转
高崇成		男	25	山西解县	山西虞邑卿镇转东安头村
胡定邦		男	26	湖北武昌	甘肃武威大井巷5号
王振铎		男	25	河南新蔡	河南汝南邮局
张 琳		女	22	河北沧县	重庆李子壩19号

(三) 文学院:历史学系

姓名	别号	性别	年龄	籍贯	通讯处
张祖家		男	24	四川江津	四川江津新街子6号
杨新义		男	24	山东郯城	山东郯城码头镇
赵文涛	松声	男	24	山东濮县	山东僕县赵庄
罗 郁		男	22	四川琪县	四川琪县南街

姓名	别号	性别	年龄	籍贯	通讯处
耿景恩		女	23	河北唐县	河北唐县拔茄镇
卢存心		女	23	河北昌黎	河北昌黎安山木井卢柏各庄
景之怡	梅庚	女	23	河北邢台	河北邢台县城东景新屯村
周于诰	隽生	男	24	四川内江	内江高粱镇安仁寨
刘步超	以字行	男	24	四川崇庆	四川崇庆石观音乡
李鸿超		男	25	陕西邠县	邠县东街隘巷24号
白日续	耀初	男	26	陕西南郑	南郑周家坪白家湾
刘秉哲		男	28	河北新城	河北省新城县辛立庄镇
邢中乾		男	24	陕西郃阳	郃阳西王村镇山阳村
刘庆贤		男	24	陕西商县	商县西大街新生成号转

(四)理学院:数学系

姓名	别号	性别	年龄	籍贯	通讯处
董云麾	公运	男	26	河南固始	固始县安山乡董家草棚
石景周	仰之	男	27	河北曲阳	河北省曲阳县石海子村
夏自强		男	25	陕　西	陕西省安康县恒口镇恒义
胡宗慎	次敏	男	27	江苏丰县	江苏丰县城南廿里□胡楼
吴乃久	曼夫	男	27	河北束鹿	河北省束鹿县王卜村

(五)理学院:物理学系

姓名	别号	性别	年龄	籍贯	通讯处
徐富文		男	26	山西五台	五台东治镇东街敦仁号
刘增山		男	24	河南浚县	河南淇县城东赵岗
舒贤颂		男	26	江苏吴县	陕西盩厔哑柏镇鸿顺泰转
张子澄		男	25	陕西榆林	榆林后水狵坨下巷1号
石松性		男	26	山西孟县	孟县县中
张　镱		男	22	山西徐沟	徐沟集义村小学
侯忠汉		男	26	山西永济	永济栲栳镇
相连城		男	26	河南淅川	淅川西坪镇億屡中
张国宪		男	26	江苏上海	西安玄风桥仁爱巷6号
卢思豫		男	24	浙江吴兴	西安崇耻路44号
尚国栋		男	26	山西永济	永济韩阳镇邮局转

(六)理学院:化学系

姓名	别号	性别	年龄	籍贯	通讯处
张振华		男	25	河南临漳	河南彰德府北辛店集
李国桢		男	26	河南郏县	河南郏县安良镇
刘廷沛		男	24	辽宁沈阳	沈阳德胜花园5号
范树华	群星	男	25	山西徐沟	徐沟县北邰村
赵顺中		男	26	河南通许	河南通许芦敖村
王薪治		男	26	河南唐河	唐河县源潭镇茂盛行
宫元熙		男	26	安徽怀远	西安书院门24号
张象铭	新之	男	26	山西汾阳	山西汾阳府学街4号
张济昌	世臣	男	28	甘肃武威	甘肃武威北街乾元永
张希谦		男	25	山西芮城	山西芮城庆盛魁
张淑民	奉先	男	23	甘肃甘谷	甘肃甘谷永门巷
刘少炽	曼舒	男	23	陕西高陵	西安南大街117号尉华堂
崔茂林		男	24	河南武陟	河南武陟任徐店
于连陞		男	28	河南临汝	河南临汝城西叶古城
梁炽隆	游宫	男	26	山西忻县	山西忻县温村
赵忠卿		男	25	河北清苑	河北清苑魏家庄
张保安		男	25	山西运城	山西运城东大街
鲍启康		男	25	山东临清	山东临清尖庄
刘宗谔		男	25	山东青岛	青岛寿光路1号
王玉昌	树农	男	26	山东胶县	山东胶县双女井街
李 铸	铁舟	男	26	山东诸城	山东诸城李□哨门
李九卿		男	26	河北井陉	河北井陉北正村
郝士明		男	24	河北定县	定县城内南大街仓门口对边
尹培业		男	26	陕西宝鸡	宝鸡西大街荣盛生转
冯百城		男	26	河北大兴	西安四浩庄14号
李淑华		女	22	河北河间	兰州颜家沟三四之1号
温玉香		女	24	山西赵城	山西赵城登临村温大德堂

(七) 理学院：生物学系

姓名	别号	性别	年龄	籍贯	通讯处
谭味兰	侠影	女	24	陕西长安	西安黄龙寺巷7号
陈淑凤		女	23	河北新河	西安中央大药房转
白荣华	念昌	男	24	陕西榆林	榆林太有当巷28号
李国兴	心川	男	23	陕西襃城	陕西襃城协税广兴成

(八) 理学院：地质地理学系

姓名	别号	性别	年龄	籍贯	通讯处
赵蕴石		女	25	河北宛平	北平尔四北祖家街5号
毛领训		女	25	河北邢台	邢台北关
马　明		女	27	河北定县	定县清川店聚源永
田羡尧		男	25	河北宁晋	宁晋东汪尚兴西院
周慕林		男	25	河北汉川	西安崇义路24号
徐恩寿	义堂	男	23	山西五台	山西五台大建安村明远堂
董福寿	汉涛	男	26	山西忻县	山西忻县令归村荣耀堂
张兴仁		男	26	山西沁阳	山西沁阳尧山南沟
雷振伦	复五	男	26	河南正阳	河南正阳县
阎锡玛	溪渔	男	25	山西五台	山西五台河边村
胡炳如		男	27	山西五台	山西五台狮子坪
谢恩泽	润生	男	26	河南新蔡	河南新蔡县西陈店谢园子
韩祖铭		男	23	河南陕县	河南陕县观音堂
张　秀		男	28	山西阳曲	太原坡子街18号
隆延瑞		男	26	甘肃皋兰	兰州西园
晏士龙		男	24	湖南湘乡	湘乡巴江

(九) 法商学院：法律学系

姓名	别号	性别	年龄	籍贯	通讯处
张蕴浩	少丕	男	27	河北南宫	南宫垂杨镇红庙狼塚村
王金泉		男	31	山西稷山	稷山县翟店镇
范承周		男	26	河南修武	修武南台村
池本泉	伯源	男	26	河北成安	城内东街
段品齐		男	26	河南项城	安徽太和光武庙

姓名	字	性别	年龄	籍贯	地址
张荣欣	乐康	男	26	河南方城	方城玉隆号
赵尔寿		男	26	山西闻喜	闻喜下阳村
赵根源	本初	男	24	陕西南郑	南郑城内挂匾村
高宗明	景云	男	27	山东惠民	惠民城东官宁村
孙吉元		男	28	山东荣成	荣成城西姚家村
黄亚栋	敬轩	男	25	山东单县	西安北院门109号广源昌转
姜希濂		男	28	山东蓬莱	蓬莱东街25号
曾德懋		男	26	四川巴县	江津□河乡怡云花
万文鹤		男	25	湖北黄冈	成都江汉路114号
胡爱民	幼如	男	27	河南项城	城东北四十里胡楼
李骥生	华骐	男	23	河南叶县	城内县党部西井院
胡立宪		男	23	江苏砀山	陇海路李庄车站东倪庄
尚元尼	仁宇	男	25	河北威县	威县七级镇高亮村
董攀佳	月轩	男	28	甘肃通渭	通渭□□镇
杨修塘	慎行	男	30	河南邓县	邓县南关街杨宅
董其端	方□	男	27	河南邓县	邓县罗庄镇复兴文转
吴 淇	淇之	男	27	河北南乐	河北南乐吴□屯
宋曾五	孟云	男	30	山东诸城	山东诸城
何瀛洲	登仙	男	26	河北濮阳	濮阳县南沙镇转何镇城村
张友贤	松寿	男	27	陕西长安	西安二府街13号
安凤翔	鸣高	男	24	四川旺仓	设局尚武乡
高映昭	明生	男	27	山西万泉	山西万泉鸟停村
汤文璧		女	23	江苏武进	江苏武进观子巷头街2号
王业媛		女	27	湖北黄陂	
雍毓书	雅轩	男	26	陕西华县	陕西华县咸立公合利转
赵书祥	麟瑞	男	26	河 北	河北省唐山会集镇
魏德昌	石夫	男	28	山东寿光	山东寿光西曹家庄
石昭量		男	30	湖 南	
李广乾	季刚	男	28	山东菏泽	菏泽北关
樊士奎		男	30	山西荣河	荣河杨蓬村

（十）法商学院：政治学系

姓名	别号	性别	年龄	籍贯	通讯处
王树德	谦	男	23	江苏淮安	安徽合肥排□镇
严孝德	力行	男	25	贵州习水	贵州习水县长沙场
于书绅	正生	男	26	河北宁津	河北宁津南街于宅
王克亮		男	24	陕西盩厔	陕西盩厔涝店和生号
张鸿文	重恒	男	23	陕西兴平	兴平南街忠盛德转
高崇英	铁鹰	男	26	辽宁凤城	凤城四台子站林□公司
曹克良	鉴平	男	27	山东单县	单县西门外太山庙街
严顺亲	静	女	23	湖北黄冈	湖南长沙西乡木里坳银孔园交
吉荫桐		男	24	北　平	北平西城大喜胡同乙6号
寿孝鹤		男	23	河北大兴	开封复保定巷20号
张寿彭		男	26	河北武清	北平东安市场内正街8号和记药房
李　暖		男	28	内蒙东公旗	绥远米仓县平西乡元润成
陈会瑞	符五	男	27	江苏睢宁	睢宁李集同昌祥
王希哲		男	23	河南息县	息县北大街斗箕营巷2号
赵光五	鸿陞	男	24	山东济南	山东堂邑县城西北赵家里庄
赵守德		男	25	山西赵城	赵城福长永
郑希成	西城	男	28	山东安丘	安丘临悟邮局
龙兆麟		男	27	河南安阳	安阳洪河屯
张志和		男	27	陕西蓝田	蓝田西大街38号
师道明		男	27	青海西宁	西宁西大街
尹殿甲	魁轩	男	29	山东乐陵	乐陵城南尹家道口
樊伟生	硕卿	男	26	山西临汾	临汾基督教会
田盛雯	中	男	26	江苏镇江	上海新重庆路咸益里中弄13号
程炳鑫	拯民	男	25	陕西华县	华县赤水镇三星和
江绍原		男	26	安徽全椒	皖东全椒西门大街
尚有为	知行	男	25	辽宁海城	北平天桥寿长街二条1号
孙炎昭	炫南	男	24	河南巩县	巩县七里铺
马麟祥		男	28	河南巩县	河南偃师回郭镇谦益祥

姓名	别号	性别	年龄	籍贯	通讯处
宁文俞		男	23	山西平陆	平陆茅津渡邮局
李宏寿	次山	男	25	山东惠民	惠民县官窑庄
王建国	柱城	男	27	山西芮城	芮城阴家窑
马志超	葆真	男	29	河北大城	大城县姚马渡镇三间房村

（十一）法商学院：经济学系

姓名	别号	性别	年龄	籍贯	通讯处
耿显政		男	26	河南新蔡	新蔡北大街路东耿宅
王升堂		男	26	河北涉县	涉县万镒成
王金铭		男	24	河北盐山	盐山城内南大街
田愉		男	26	河南唐河	唐河井楼镇
任钟业	哲民	男	26	山西沁源县	源县大石巷2号
李鸣谦	耀章	男	27	河北完县	完县常庄
何敏	若愚	男	26	甘肃泾川	兰州河北凤林关7号
杜启政		男	25	河南南阳	南阳瓦店三义长
王扬	飐之	男	26	陕西长安	西安西关正街46号
王休和		男	27	河北徐水	河北保定城北杨村
田竞存		女	25	河北	西安陇海路管理局
石钟琅		男	28	山西忻县	山西忻县段家庄
任振邦		男	26	河南项城	安徽太和先武庙
李礼让		男	30	山西临晋	山西荣河王显镇转王申村
邱忠恕		男	24	江苏上海	河南鲁山民国日报社转
钱琳	绥青	男	26	安徽桐城	安徽桐城钱家桥
蓝时欣		男	26	河南叶县	河南叶县城南老鸦张骞
罗鸣贵	天纵	男	27	四川营山	四川营山正东街11号
金冰雷		男	24	辽宁海城	海城城内
周玉海		男	24	辽宁开原	辽宁开原城内
胡兆樟	政平	男	22	河南西华	西华城内南大街路西胡宅
孙宝琛		男	30	山东菏泽	菏泽城北洪庙
秦世俭		男	23	陕西临潼	临潼桐桥永兴福
徐德骐		男	27	江苏上海	上海浦东塘口镇
张鸿春		男	24	河南修武	修武张延陵

姓名	字	性别	年龄	籍贯	地址
张曰琤	剑鸣	男	26	河南宝丰	宝丰商酒务镇
张星台	连珍	男	24	河南唐河	唐河郭滩邮局
张清泰	仰平	男	25	甘肃榆中	榆中金家崖天德福
高景华		男	26	河南洛阳	洛阳义勇前街2号
郭建中		男	24	河南新蔡	新蔡建设街郭宅
许成勋	行健	男	26	河南开封	开封后保定巷83号
黄连升		男	30	江苏砀山	砀山县南门外黄宅
程源浩		男	25	江西贵溪	贵溪永安盐栈
吴永定		男	26	河南唐河	唐河郭滩邮局
周文衮		男	22	湖北黄陂	汉口长堤街86号
孟宪堂		男	24	河南南阳	南阳赊镇
陈兆英	佩梁	男	26	山西忻县	忻县嘉禾村
梁 晨		男	24	辽宁沈阳	沈阳城内
姚祥春		男	25	河南浚县	河南汲县淇门镇
张印川		男	27	河北平山	河北平山郭苏镇邮局
张尚仁		男	27	河北涞水	涞水县南义安村
张庆典		男	30	河南修武	河南修武大陈村
张荣阁		男	25	陕西澄县	西安南广洛街17号
张天坤		男	27	河南淅川	淅川上集大顺泰转张湾
汤正凤		女	32	山东济南	山东济南城内
闵子敬		男	28	湖北黄陂	湖北黄陂县北乡方家潭
冯 纲		男	25	河南南阳	南阳诸葛武侯祠转
黄承业		男	27	山西定襄	山西定襄官庄村
滑 亮	紫明	男	24	山西临汾	临汾金殿镇苏村
杨 桢		男	24	辽宁盖平	盖平城内
赵继先		男	26	河北获鹿	河北石家庄休门村
董建位		男	26	察省怀来	平绥路沙城镇
杨承宣		男	28	河南信阳	信阳游河镇
杨清桂		男	25	河南南阳	南阳赊镇
赵焕亭		男	27	河南禹县	禹县党治街8号
刘舒东		男	27	山东诸城	诸城城内边门首街

刘存仁		男	24	湖北汉阳	河南新郑东大街
魏素桂		女	25	河南洛阳	洛阳东站西新安街 13 号
萧鸿恺		男	26	湖北均县	均县浪河镇
权世俊		男	27	陕西扶风	西安西仓 50 号
唐文郁		男	25	河南汝南	汝南龙亭街 10 号
郭承德		男	25	江苏仪征	仪征街市口大井巷莫宅
董德福		男	26	陕西永寿	陕西永寿义顺昶转
张尔刚	克谦	男	25	河北昌黎	河北昌黎西街 17 号
崔月华		女	23	河北遵化	河北保定城内史家故址菴
柯经藩		男	24	福建闽侯	北平东安门南河沿 12 号
吴开渠		男	23	山东曲阜	曲阜三省街 1 号
姚克治		男	24	安徽贵池	北平西城东观音寺 32 号
张清秀		女	26	山西赵城	赵城宁西巷 1 号
马瑞玉	季原	女	24	山东荣城	山东荣城县城内
李德庆		男	25	河南邓县	河南邓县南街允自成
纪静仙	辅仁	女	29	河北文安	文安西大街
步启光		男	24	北 平	北平朝内竹竿巷 8 号
武毓英		女	20	江苏太仓	河北良乡县城内
朱良知		男	26	辽宁锦县	北平西城新街口北大街乙 100 号
朱景清		男	24	山东广饶	天津英租界四十七号路福发大楼 1 号
舒 骏	振吾	男	27	湖南长沙	北平前外草庙下八条 72 号
许少勤		男	26	河南灵宝	灵宝虢路镇东街 15 号
杨亿勋		男	24	陕西石泉	石泉县永昌号
石中玉	钟灵	男	26	陕西沔县	沔县阜川县乡邮政代办所
李向田		男	24	陕西渭南	西安后宰门所林里 2 号
范玉宝		女		河南渑池	西安双仁府 23 号
李英才	云萱	男	25	河北宛平	宛平东城铁狮子胡同 23 号
赵元济		男	26	江苏吴县	□南车站 2 号
刘善述		男	23	陕西三原	三原县东里堡
翟建基		男	25	陕西石泉	

(十二)法商学院:商学系

姓名	别号	性别	年龄	籍贯	通讯处
张绍年	继彭	男	26	河南开封	开封徐府街148号
赵增祥	韵夫	男	26	河南浚县	河南淇县西坊街
沈有车	慎之	男	26	浙江杭县	浙江杭县临平沈宅
孙为柏	柏操	男	26	湖北黄陂	湖北黄陂东乡冯家桥
杨立中	卓然	男	28	河南舞阳	河南舞阳樊侯祠街
刘敬屏	庆平	男	28	河南光山	河南光山南关大街路西
石文山	镜泉	男	27	河南汝南	河南汝南东五十里玉泉庙
潘炳麟	明嘉	男	25	河北大名	河北大名城内东街路北
刘行均		男	27	河南镇平	河南镇平察院东街37号
王朝阁	半疑	男	28	河南邓县	河南邓县罗庄镇
张希栻	斌	男	27	甘肃秦安	甘肃秦安清嘉巷
冯凤鸣	仲明	男	25	陕西长安	西安南关一心合号
郭立民	信之	男	26	河南博爱	河南博爱六村
穆嘉琨		男	25	河北天津	西安崇孝路14号
马 瑜		男	26	甘肃皋兰	兰州市中正路243号
田雅兴	勉之	男	26	甘肃民勤	甘肃民勤德兴和号
黄 洁	筱秦	男	24	陕西榆林	榆林保和号
李天佑	公扶	男	24	山西闻喜	山西闻喜东镇邮局转大罗庄
李玉如		女	26	山西新绛	山西新绛西天池岸
卢坤纶		女	26	河北定县	河北定县南支合村
马遵德	明谟	女	24	陕西鄠阳	西安东关南大街古蹟岭10号
韩金铮		女	24	河北邢台	河北邢台旧县前
陈贵印		男	26	安徽合肥	皖东古河石溪寺罗二先生转
刘桂荃		男	27	河北清苑	河北清苑白团村
狄玉崑		男	26	河北文安	天津西苏桥镇
王宏业		男	26	山西榆次	山西榆次五都村
赵 崛	宏哉	男	25	山西平陆	山西平陆西张邮局交
赵中桂		男	27	河北涉县	河南涉县永盛成号转
马洪庆		男	26	江苏吴县	重庆江家巷特16号

姓名	别号	性别	年龄	籍贯	通讯处
杜惠若		女	26	山东潍县	四川资中银山镇酒厂
张锷		男	30	察哈尔张北	张家口德聚永转
胡恩九		男	25	山东潍县	青岛宁阳□7号
王福田	国栋	男	25	河北饶阳	河北饶阳东送驾庄交
刘域樑		男	24	河北南皮	河北南皮马村
孙昌礼	行方	男	29	山东临山	烟台奇山□西关南街5号
陈之鼎	卫铭	男	22	安徽阜阳	阜阳城内□磐桥西陈宅
牛龙光	□门	男	28	甘肃甘谷	甘肃甘谷孙家巷
常道骧	慎行	男	25	河南开封	河南开封豆腐营查交
殷龙珠		男	28	山东文登	
韩凤霖		女	25	山东曹县	山东曹县南门里
刘锡山	子明	男	28	山东寿光	山东寿光洛城
卢耀彤		男	27	河南巩县	宝鸡大□面粉厂
张谔		男	31	察哈尔张北	西安直接税局

六、民国三十四年国立西北大学第六届毕业同学录

（一）文学院：中国文学系

姓名	别号	性别	年龄	籍贯	通讯处
李少白	钧天	男	26	江苏萧县	萧县六区穆集
王荫桐	凤仪	男	25	河北盐山	盐山厚俗门里二石街
李金锡		男	24	河北天津	北平西北帅府胡同6号
孙玉璋	洁莹	女	24	吉林扶余	吉林省乾安县东街玉成信
薛兆云	汉台	男	28	山东阳谷	山东阳谷薛家寨
何德纯		男	28	河南息县	河南息县北街刘成立转
宗寿均		女	24	河北任邱	北平西什库东夹道16号
杨凤悦	枫叶	女	25	河南潢川	潢川南城西街10号
周为群		男	25	山东曲阜	
伍延璋		男	25	北平	
王英杰		女	24	辽宁辽阳	辽宁辽阳北大街春元堂
王效基	树铭	男	26	陕西华县	华县赤水裕兴隆号转

何德范		女	23	辽宁新民	
梁子涵		男	23	河北丰润	北平旧鼓楼大街7号
赵晋桢		男	26	河北曲阳	曲阳县城内汶水街增德堂
段新民		男	24	山西永济	从军
李穆三		男	23	山东阳谷	从军

(二)文学院:外国语文系

姓名	别号	性别	年龄	籍贯	通讯处
华遵舜	渔辰	男	25	甘肃兰州	兰州阿干镇下街
唐家桢	祝华	男	29	安徽桐城	安徽桐城宝华银楼
田际升		男	24	山西汾阳	山西汾阳青堆镇
刘长龄		男	25	河南内黄	河南内黄豆公镇大渡村
高 麒	子祥	男	26	陕西兴平	陕西兴平南街忠义成
吕洒正	正之	男	23	安徽临泉	安徽临泉吕大寨
梁荫芝		女	24	河南光山	河南光山商会街8号
刘宜生		女	24	江苏无锡	江苏无锡北门外江阴巷华大银行
赵希平		女	22	河南开封	河南开封前保定巷36号
顾祖康		男	25	江苏嘉定	江苏嘉定西大街191号
李立功		男	25	河北通县	四川江津施家花园
方慧英		男	24	河南汲县	河南汲县桥北街复生堂
李振麟		男	25	河南邓县	河南邓县允自成药房
杨巽田		女	23	山东临沂	云南开远车站
荀荣望	耀齐	男	26	河南灵宝	(1)河南灵宝城内济生堂 (2)成都童子街12号永兴商行
房修龄		女	26	河南开封	西安南大街普育书局转

(三)文学院:历史学系

姓名	别号	性别	年龄	籍贯	通讯处
张金人		男	27	河北滦县	河北唐山钱家营
马义德		男	26	河北吴桥	河北吴桥城内太平街
段永发		男	27	陕西咸阳	陕西咸阳西街积善堂
王祖斌	半文	男	27	甘肃秦安	秦安郭嘉镇长春魁转
颜景泰		男	27	山东滕县	山东滕县城西望家镇同春堂转

姓名	别号	性别	年龄	籍贯	通讯处
尹良煦		男	24	河北临榆	河北临榆海阳北平山营
马植杰	植仁	男	27	河北定县	河北定县西南合村
强华儒		男	26	陕西长安	西安安居巷6号爻
尹　钜	坚如	男	28	山西崞县	山西崞县
孙尔慧		男	25	陕西韩城	韩城西庄镇谦益泰转柳枝村
张绪东		男	29	安徽五河	五河河北乡张家庙交
李录勋		男	25	陕西韩城	韩城县昝村镇邮局转
吴弘毅		男	25	陕西西乡	西乡城内东大街152号
张梦平		男	29	河北南宫	南宫县大高村镇转张家土营村

（四）理学院：数学系

姓名	别号	性别	年龄	籍贯	通讯处
周景波	奔途	男	27	河北景县	津浦连镇□榆林镇立□堂
宋三元	哲民	男	31	河北元氏	河北元氏邮局
阎　贞	介如	男	27	河北元氏	河北元氏铁屯村
赵根榕		男	22	河北涿县	河北涿县台子村
弓金宝	矢石	男	25	陕西白水	陕西白水纵目镇
刘宝章		男	23	陕西榆林	陕西榆林城内

（五）理学院：物理学系

姓名	别号	性别	年龄	籍贯	通讯处
杨聚宝	青绮	男	26	河南镇平	镇平石佛寺
冉长寿	晋伯	男	23	河南密县	密县东月台
赵恒椿		男	25	河南安阳	安阳崇义村
萧执经		男	26	山西芮城	芮城
赵立章		男	25	山西浑源	浑源
赵　宝	继宝	男	25	山西大同	大同城内
尚　志	新枝	男	25	陕西长安	长安城南宝良镇
唐云汉		男	26	陕西商县	商县
蒋玉琪		男	25	陕西盩厔	盩厔哑柏镇鸿顺泰转
靳舒馨		男	25	陕西咸阳	咸阳南街16号
万德明	遒光	男	25	湖北潜江	潜江衙后街1号
张镜源		男	25	山东淄川	淄川洪山转马家庄

（六）理学院：化学系

姓名	别号	性别	年龄	籍贯	通讯处
田克昌	叔光	男	25	河南项城	河南项城东丁□
李得禄		男	25	陕西泾阳	陕西泾阳万龄堂转
朱锡朋		男	25	山西阳城	山西阳城庆成泰转
杨作栋	自勉	男	25	河南孟津	河南孟津仁义街
徐昌图		男	26	山西五台	山西五台永安村
曲炳瑞	文甫	男	26	山西五台	山西五台河边村村公所转
张瑞霞	白雷	男	25	河北获鹿	河北石家庄南大街德丰隆号转
张庆余		男	26	安徽阜阳	安徽阜阳城内后赵衙衕
孙骊方	伯骅	男	26	安徽寿县	安徽寿县城内东街
杭世渤	□之	男	24	安徽怀远	安徽怀远后土街12号
陶亨樾	荫寰	男	27	浙江绍兴	山东济南经六路纬一路北海号街11号
张祥春		男	26	山西安邑	山西连城西大街89号
田承荃		男	25	陕西乾县	乾县□□德转
王槐蔚		男	25	陕西韩城	韩城明新里营18号
冯文虎		男	26	陕西三原	三原纱帽巷24号
王绍周		男	26	陕西华县	华县罗文镇
侯万里	定远	男	26	河南上蔡	河南上蔡西街路北
段蟠根	立达	男	27	河南上蔡	河南上蔡城东北四十五里朱里店段寨
戴培厚	重□	男	26	陕西西乡	陕西西乡南关正街65号
宫　锡		男	26	山西宁武	山西宁武第三区宫家庄
潘裕然		男	30	江苏吴县	苏州葑门祖寨桥3号
于秀云	岫香	女	24	青岛市	青岛德盛路57号
张　钦		男	24	山西猗氏	山西猗氏王寮村
梁燕达		男	26	山西万泉	山西万泉梁家庄交

（七）理学院：生物学系

姓名	别号	性别	年龄	籍贯	通讯处
刘绵第	延庵	男	29	山西洪洞	洪洞县马头村

姓名	别号	性别	年龄	籍贯	通讯处
朱家骥		男	26	河南鹿邑	鹿邑西北岭子朱村
毛寿先		男	25	河北遵化	遵化城内隆泉涌转
阎隆飞①		男	26	河北涞水	北平市北新桥王大人胡同丙60号

(八)理学院：地质地理学系

姓名	别号	性别	年龄	籍贯	通讯处
孟振生	继仁	男	26	河南灵宝	灵宝虢路许家巷许树楠转
王立权		男	30	河南济源	济源武山镇邮局转曲阳村
时子明		男	24	河南商丘	商丘城内祥记
张重光	博亮	男	25	陕西韩城	韩城南街同胜福转
刚雅芳		女	24	辽宁辽阳	汉中北关正街32号
李耀会		男	24	河南南阳	南阳陆官营李堂寨
赵跻堂		男	26	河南浚县	淇县河东枋城
胡信姬		男	26	河南光山	光山城内正大街
杜 默	学静	男	26	河南林县	林县东岗镇
高启伟		男	26	陕西泾阳	西安东木头市22号
李延溎		男	24	河北深县	深县白宋庄
王景瑞		男	26	河北房山	房山县大沙锅村
王景椿		男	25	河北元氏	石家庄宝妪车站泉村中立堂
何金海	泽天	男	27	河北广宗	广宗何家营
张继书		男	25	辽宁海龙	西大地质地理系转
梁建式	北岳	男	26	山东潍县	济南东关湾龙街74号
苗祥庆	天原	男	26	山西晋城	晋城第一区苗匠村
张恩普	惠之	男	26	山西介休	介休张兰镇
关佐蜀		男	30	山西猗氏	猗氏太范村

---

① 阎隆飞(1921—2001)，满族，颜扎氏，北京人。中国植物生理学家、生物化学家。1945年毕业于西北大学生物系。1948年在植物叶绿体中发现碳酸酐酶的存在。1963年首次发现高等植物中收缩蛋白(肌动球蛋白)的存在。他还首次提出在植物细胞膜上存在膜骨架系统。1991年当选为中国科学院学部委员(院士)。

(九)法商学院:法律学系

姓名	别号	性别	年龄	籍贯	通讯处
鲁成福		男	25	河南郏县	河南郏县安乐镇东街
周咸庆		男	30	江苏砀山	江苏砀山城东北卅五里宝□镇
许嘉鸾		女	27	安徽凤阳	安徽凤阳府东街
董克定		男	25	陕西泾阳	陕西泾阳关岳庙巷
陈维钰		男	24	河北青县	河北青县兴济门连庄
杜成章	艺村	男		河南氾水	河南氾水东史村镇
杨积雍	远厚	男	24	山西新绛	山西太原□营中街77号
王积广		男	27	山东莱阳	莱阳县店埠邮局转王家横岭
卢金海		男	29	陕西邰阳	陕西邰阳义台昶号
程瑞生	祥君	男	25	陕西长安	西安东北内仁爱巷3号
姚锡玖		男	24	河南延津	开封财政厅东街30号
雍毓书		男	24	陕西华县	华县城内太平楼转交上雍家湾
何于亨		男	24	河南信阳	信阳宝山交
邵兰昌		男	28	山西安邑	北平尔宝门内绳子库6号
刘国琪	震中	男	25	河南新郑	河南新郑南街宽和楼转交
王迺俊	馨生	男	26	河南息县	河南息县西街新□□转
李薪傅		男	30	河北束鹿	河北束鹿四七营村
马光临	鸣汉	男	23	河南邓县	邓县罗□镇
唐若愚		男			从军
张恩庆		男			从军
蔡引敬		男	28	山西荣河	山西荣河宝鼎镇
王天启		男	27	陕西商县	陕西商县蓝艮商店转交
王 懋	茂之	男	26	河北内邱	河北内邱县十方村交
胡清华		男	27	河北庆云	河北省庆云县胡家蓣湾
黄泽珩	菊九	男	28	河南商城	河南商城北大街黄宅

(十)法商学院:政治学系

姓名	别号	性别	年龄	籍贯	通讯处
赵 毅	伯义	男	24	河北清苑	长安开通巷36号
周乃昌	次陇	男	26	山东东阿	东阿县□秋镇

姓名	别号	性别	年龄	籍贯	通讯处
宋璿瑞	□轩	男	24	河南南阳	南阳东大盆窑
王振武	□场	男	25	陕西武功	武功大德号
王 余		男	25	河北高阳	河北省高阳县兰家口村
孙颖川		男	24	河北武成	河北省武成县崔黄口镇
张树藩	筱□	男	26	河北成安	河北省成安县城内东大街
刘景曦	熙明	男	30	甘肃兰州	兰州市下沟街15号李瑞徵转
韩正志	郡国	男	28	陕西宝鸡	宝鸡西关德茂永号
秦可均	□平	男	27	江苏沭阳	江苏沭阳杨口镇
侯振中	子正	男	28	河南淮阳	河南周家口恒义号转
李承先	仲□	男	26	河南淅川	淅川荆紫关□□公
张容正	志经	男	26	安徽霍邱	霍邱夏家店
刘军捷	靖方	男	28	河南巩县	河南巩县神堤村
金立功	效农	男	28	河南沁阳	沁阳城内东大街
程凤庭	刚一	男	25	安徽和县	和县城内鼓楼水沟门下首
郭俊武	尔英	男	24	山西崞县	崞县原平邮局转
孙中谦		男	26	河南叶县	叶县棠村
李凌鳌	云峰	男	34	江苏沭阳	沭阳县陇西□
李善继	志光	男	28	陕西南郑	南郑山口子
马兴华		男	29	吉林宝济	本县城北大街1号
张寿彭		男	27	河北武清	河北武清前屯
李光瑞		男	24	湖北天门	汉口两仪街29号
文成渊	晓泉	男	26	陕西西乡	西乡堰口镇邮柜转
王金印	紫绶	男	28	河南临漳	临漳县马荒村
贺士铎	崇平	男	25	河北束鹿	束鹿县石家庄村
魏振祥	伯麟	男	26	吉林扶余	西安南四府街冰窖巷公字1号
陈乐哉					从军
熊朝阳					政工办受训
高瀛洲		男		河南新野	

(十一) 法商学院:经济学系

姓名	别号	性别	年龄	籍贯	通讯处
赵 达		女	25	河南淮阳	重庆沙坪坝中央大学赵树棠转

姓名	字	性别	年龄	籍贯	地址
杨履晋		女	28	河北大名	河北大名南关南街杨宅
高岫云		女	26	河北盐山	河北盐山城内□庙街高宅
王昭明		女	24	河南杞县	河南杞县文化街廿四号
段仁仙		女	25	江苏铜山	江苏铜山东南乡棠梨张德昌转冯宅庄
陈亚萝		女	23	四川成都	成都忠烈祠南街四十八号
罗梦平		女	23	湖南浏阳	浏阳东街邮局转
罗洁如		女	29	河北宛平	北平东城汪芝麻胡同24号
罗云峰		男	27	河北宛平	北平东城汪芝麻胡同24号
徐玉麒		男	24	察哈尔万全	察哈尔张家口
赵天俊	秀生	男	26	河北清丰	河北清丰旧城镇
洪文达		男	22	安徽泾县	安徽泾县郎桥河镇
高宪宗		男	23	河北抚宁	河北抚宁县台头营镇
韩一俊		男	27	河北清苑	河北保定
景 柔	季刚	男	28	山西芮城	山西芮城邮局转
朱光祖		男	26	甘肃静宁	甘肃静宁金锁镇
张根成		男	27	陕西渭南	渭南故市镇双兴合转
吉天培	树人	男	28	陕西郃阳	郃阳国家庄
王志英		男	26	陕西邠县	邠县后发长转
王廷尉		男	24	山东掖县	掖县邮局转
孙怡文	郁周	男	28	山东济南	济南南关后营场街43号
王文慧	力行	男	25	河北定县	河北定县北平谷村
张广信		男	25	河南新安	西安冰窖巷8号
冯国定	正之	男	26	河北清丰	河北清丰冯村集
顾铭悌		男	26	陕西安康	安康土地楼6号
胡祖畿		男	24	湖北武昌	湖北武昌平阅路
严 侗	钧陶	男	25	安徽桐城	安庆小南门外43号
赵 训	则民	男	26	山西阳曲	山西阳曲大盂镇李家沟
庞 瑚	夏器	男	29	山西平遥	山西平遥城内日升昌转
王兴鲁	化东	男	25	山东高唐	高唐城东杨官屯
张举贤	筱麟	男	26	河南叶县	河南叶县旧城镇

姓名	字	性别	年龄	籍贯	通讯地址
孟兆荣	兆甫	男	26	山西临晋	山西临晋南乡程村
邱廉铎		男	24	河北大城	河北大城黄岔村
和铭观		男	25	河北蠡县	河北蠡县小陈镇
刘自兴	仁山	男	28	甘肃皋兰	甘肃兰州大川渡保寿堂转
张应麒	振之	男	28	山西稷山	山西稷山县马家庄
马凌斗	文光	男	25	安徽阜阳	安徽阜阳洄溜集西首马宅
张光寰	魔天	男	23	河南沁阳	河南沁阳□村
黄玉衡	子齐	男	29	河南新乡	河南新乡七里营
杨书志		男	27	山东牟平	山东烟台儒林街永源油坊
宋永青	竹村	男	26	河北元氏	河北元氏县王全口村
袁右铭		男	26	陕西延川	陕西延川城内西明巷2号
徐昭璋		男	25	河南安阳	河南安阳城内唐子巷57号
赵明镐		男	25	河北安次	河北安次调河头镇
彭高鹏		男	25	河南罗山	河南罗山潘兴店
柳毓钟	秀夫	男	26	山西祁县	山西祁县西六支村
朱涵生		男	30	河北赵县	河北赵县北朱家庄
边蒲生		男	25	河北任丘	北平鼓楼西大街38号
同葆镇		男	26	河南唐河	唐河岗柳中心小学转
屈屡乾		男	26	河北衡水	北平花市中三条21号转
司文生		男	25	河南安阳	河南东菜园□华丰九药房转
李宝蓉		男	27	河北青县	河北青县李家村
何曙启		男	26	陕西乾县	陕西乾县儒村巷2号
张梦阳		男	26	河北宝坻	河北宝坻福头合转
栗日新		男	28	河南开封	河南开封前营门街116号
周之岐		男	29	河北天津	
孙继儒		男	30	河　北	
金士宏		男	26	安徽滁县	上海法租界复履里路拉都路口309弄华福新村6号金肖宗转
王鸿业	汝修	男	26	山西平遥	

(十二)法商学院:商学系

姓名	别号	性别	年龄	籍贯	通讯处
刘德源		男	26	河南安阳	河南安阳水冶镇
张字渊		男	26	四川中江	四川中江大镇甘春发转
郭正铭		男	26	甘肃皋兰	兰州下西关47号
孟君璞		男	26	江苏沛县	沛县城西五路孟坑村
阎树槐		男	25	山西五台	山西五台河边村
姜时澍		男	25	山西忻县	山西忻县南曹张村
薛民三		男	27	陕西吴堡	陕西宋家川邮局转
范历山		男	26	河南内黄	河南内黄县西柴庄
段 驹		男	26	陕西华县	陕西华县下庙镇
郭树文		女	25	河北天津	天津杨柳青宝昌楼转
陈之鼎	德铭	男	24	安徽阜阳	阜阳碾盘桥西陈寓
卜凤祺		男	24	河北赵县	河北赵县西关
范迎堂		男	28	河北井陉	河北井陉县南张村
王佩琨		男	25	河北安平	河北安平县槐林庄

七、民国三十五年国立西北大学第七届毕业同学录

(一)文学院:中国文学系

姓名	别号	性别	年龄	籍贯	通讯处
高登河	青川	男	29	山东德平	德平相家村
孔祥庸	向黎	男	27	山东阳谷	阳谷城南孔家庄
张志明		男	27	陕西乾县	乾县薛禄镇鼎立公
赵立卓	雪樵	男	30	山东潍县	潍县城南赵家坟庄
何自勤		男	25	甘肃甘谷	甘谷金山镇
杨春霖		男	27	陕西长安	西安南院门卢进士巷9号
袁奂若		男	25	河南项城	项城袁寨
阳石门		男	24	陕西洋县	洋县义正小学
刘应科		男	24	山西代县	代县上花庄村
李 莉		女	23	湖北孝感	城固皂角巷7号

姓名	别号	性别	年龄	籍贯	通讯处
李乃升		女	26	江苏镇江	河南镇平卫生院
赵竹一		女	26	江苏镇江	河南镇平中山街1号
宗哲森		女	22	河北任丘	北平石雀胡同7号
王淑梅		女	24	山东掖县	青岛河南路万福临转

(二)文学院：外国语文学系

姓名	别号	性别	年龄	籍贯	通讯处
樊镜澄		女	23	河南汲县	汲县西大街
李耀福		男	25	山西芮城	芮城南关
滕怀智		男	26	山东潍县	青岛西镇
宁宗宪		男	26	河南固始	固始东关
刘子瑜		男	25	山西崞县	太原南华门东二条9号
崔彤兰		女	23	陕西蒲城	蒲城东街红土场13号
陈金环	裕周	男	27	河南宁陵	宁陵西二十里陈营
杨春云		女	25	河南沁阳	西安王曲疙塔坊8号
傅望元		男	26	浙江诸暨	湄池渔村
薛子福		男	25	河南虞城	虞城南二街
赵应清		男		陕西长安	
常友文		男		河南安阳	
杨淑贞		女		河北昌黎	
郭明义		男		河北沙河	
齐文松		男		河南扶沟	
段磐石		男		河南上蔡	
黄兆吉		男		河南郾城	
李凯		男		陕西沔县	
吴海华		女		安徽桐城	
谢庆璞		男		河北束鹿	
齐斌濡		男		河北高阳	
丁安义		男		河南林县	
屈俊岭		男		河南汲县	
杨朝溪		男		河南邓县	
蔡凤嵩		男		河南太康	

姓名	别号	性别	年龄	籍贯	通讯处
霍承舜		男		河南太康	
程友华		女		广东中山	

(三)文学院:历史学系

姓名	别号	性别	年龄	籍贯	通讯处
鲁承科		男		河北安平	
白尚勤		男		河南武安	
王绮珍		女		山西清源	
张 述		男		山西大同	
郭股慧		男		湖北沔阳	
吴傅璋		女		北平市	
李鸿度		男		陕西佛坪	
段 刚		男		河北大名	
安 仁		男		甘肃甘谷	
褚 灏		男		河南商丘	
李尚佳		男		河北磁县	
赵允让		男		陕西盩厔	
孙锡本		男		安徽怀远	
段钟汾		女		河南开封	
范守正		男		河南新蔡	
路 旭		男		江苏萧县	

(四)理学院:数学系

姓名	别号	性别	年龄	籍贯	通讯处
李普馥		男		河南南阳	
路德昭		男		山西运城	
华诸田		男		陕西长安	
刘世彬		男		河北赵县	
张玉田		男		河南南阳	
刘宝章		男		陕西榆林	
白尚恕		男		河南武安	
李联杜		男		陕西武功	
李宝芳		女		河北青县	

（五）理学院：物理学系

姓名	别号	性别	年龄	籍贯	通讯处
王则俭		男		河南偃师	
李鸿儒		男		河南开封	
舒贤治		男		江苏吴县	
张尔沈		男		山西赵城	
孙荣木		男		河北唐县	
于文麟		男		河南项城	
商怀明		男		河南沁阳	
马四元		男		河南新野	
刘成立		男		河北清丰	

（六）理学院：化学系

姓名	别号	性别	年龄	籍贯	通讯处
李 轼		男		山西闻喜	
陈运生		男		陕西长安	
秦云亭		男		河南偃师	
齐寿龄		男		河北正定	
庞 鹰		男		陕西盩厔	
解毓萼		男	25	山西万泉	万泉解店镇邮局交北牛池村
戈治昌		男	24	河北东光	东光戈家辛庄
张润林		男	26	山西平陆	平陆西马村
秦乃文		男	24	河南广武	郑州石年街20号
吉星焕		男	25	陕西韩城	韩城西庄镇复兴茂
牛文第		男	27	山西盂县	盂县东关
赵淑兰		女	24	河南唐河	唐河白秋镇赵庄
黄代祥		男	25	陕西安康	安康老城大北街20号
陈涤凡		男	22	浙江镇海	上海南汇县大团镇南新桥
刘治贞		女	23	河北东光	北平后门内织染局18号
瞿体馥		女	23	江苏靖江	靖江东外城河边瞿宅
张 钦		男	25	山西猗氏	太原新城西街4号
陈琼德		女	23	广东琼山	北平东城灯市口史家胡同4号
王连珠		男	25	安徽涡阳	涡阳南关外利丰恒号

(七)理学院:生物学系

姓名	别号	性别	年龄	籍贯	通讯处
陆秀芳	达光	女	24	北平市	北平市车牌楼洋溢胡同16号
宋瑞华		女	26	河南淅川	淅川宋湾崇礼堂
张正范		女	29	河南信阳	信阳夏家井35号
路维多		女	22	山西阳曲	阳曲县上马街12号
张玉林		男	22	河北昌黎	昌黎北张各庄
李大中		男	30	山东章丘	章丘茂李庄

(八)理学院:地质地理学系

姓名	别号	性别	年龄	籍贯	通讯处
魏振平		男	27	河北获鹿	石家庄寺家庄转南降壁村
阎廉泉	佩清	男	28	河南新蔡	新蔡西八里阎湖
关恩威		男	25	辽宁辽中	辽中茨榆栈后街
王 铭	永志	男	25	河北满城	平汉路于家庄车站郭村
龙伟臣	宗棠	男	25	江苏无锡	无锡荡口镇倪家弄
赵庚荫	逸群	男	25	陕西长安	西安南四府街43号
丁 宁		男	25	吉林双阳	吉林省城东关康居胡同9号

(九)法商学院:法律学系

姓名	别号	性别	年龄	籍贯	通讯处
周世忠		男	25	河南正阳	正阳王店
张绍通		男	26	河南偃师	偃师高龙镇
赵景涛		男	26	河南洛阳	洛阳庞村
贾辛酉	生序	男	25	河南灵宝	灵宝涧口转小岭村
袁 山	维平	男	24	河南洛阳	洛阳金镛镇
蒋作权		男	26	江苏铜山	铜山文亭街17号
马超群	骥之	男	27	陕西邠县	邠县北极镇
杨步滋		男	27	山西汾阳	汾阳古庄村20号
袁玄晔		男	27	陕西醴泉	西安太阳庙街6号
陈润民		男	28	陕西蒲城	蒲城兴市镇聚义堂
王复荫		男	27	陕西安康	安康丁字街58号
朱葆俊	文颖	男	28	山西屯留	屯留驼坊镇桃源村

姓名	字	性别	年龄	籍贯	地址
谢光沄		男	24	甘肃临洮	临洮唐巷2号
李 俊		男	27	河南汝南	汝南城内倪家街9号
孟三元		男	25	陕西长安	西安大油巷22号
吴家驹	万里	男	34	山西天镇	天镇城内云龙号
万宗武		男	26	河南信阳	河南汝南万冢
陈德明		女	24	河南西平	西平城东十五里陈庄
马兆男		女	28	甘肃民勤	民勤西盛永转
方正婉		女	24	河南罗山	罗山方集
张之祯	伯益	男	31	河北定县	定县西潘村
王永吉		男	28	河南孟县	孟县张营村
赵维章		男	25	陕西淳化	淳化教育科
王晓风		男	27	山东诸城	诸城泊镇
李友梅	若松	男	26	河南洛宁	洛宁在礼村
杨绍简	继慈	男	25	河南安阳	安阳六河沟庆丰药栈转
田树业		男	25	河南武陟	武陟西乡古城村
沈 静	鲲蛟	男	24	河北清苑	清苑城内杨家胡同4号
吕翰田		男	25	河北乐亭	北平前海北河沿后门8号
郭银珠		男		山西河津	
张宏义		男		陕西渭南	
张占勋		男		辽宁黑山	
崔玉珩		男		山东商河	
赵珠清		男		河南光山	
张瑞麟		男		甘肃天水	
杨毓秀		男		山西永济	
王文运		男		河南内乡	
王双修		男		河北濮阳	
田映昶		男		陕西扶风	
田生珠		男		陕西盩厔	
高步泽		男		河北新河	

(十)法商学院:政治学系

姓名	别号	性别	年龄	籍贯	通讯处
潘长庆		男		安徽凤阳	
邱德孚		男		四川巴中	
张振川		男		河南孟县	
王大鉴		男		安徽凤阳	
王家骥		男		山西河津	
郭心亮		男		河南郾城	
梁尚德		男		江苏丰县	
张可运		男		河南濬县	
胡燕芬		女		湖南长沙	
高景山		男		河南新郑	
侯存孝		男		河南西华	
祝锡桢		女		河南固始	
刘竞昌		男		河北清苑	
张俊哲		男		陕西城固	
马旭初		男		陕西兴平	
高永发		男		河南西华	
张亚英		男		河北成安	
马世勋		男		安徽阜阳	
张　志		男		河南禹县	
刘维穆		男		河北蠡县	
张绍纮		男		河南获鹿	
刘瑞珉		男		陕西洋县	
张先志		男		陕西洵阳	
吴兴干		男		安徽岳西	
李学臣		男		河南南阳	
田文治		男		河北宝坻	
蒲万霖		男		甘肃武都	
吴佩印		男		河南汤阴	
刘恩玉		女		山西汾阳	

姓名	性别	籍贯
陈宝琦	男	辽宁辽阳
卫佐臣	男	陕西韩城
吕　恭	男	山西荣河
王国华	男	陕西西乡
赵邺夫	男	河南唐河
刘豫捷	男	河南巩县
张宏任	男	河南巩县
胡宗禹	男	江苏丹阳
刘海波	男	安徽阜阳

(十一)法商学院:经济学系

姓名	别号	性别	年龄	籍贯	通讯处
李远华		男		热河平泉	
张凤丹		男		河南南阳	
张　瀛		男		陕西富平	
张一壮		男		河北昌黎	
张临江		男		陕西褒城	
尹雁翔		男		山东汶上	
赵瑞年		男		河南舞阳	
胡锐进		男		湖南临澧	
张　英		男		山西芮城	
王国选		男		山东安丘	
马祺年		男		河南新野	
李润生		男		山西曲阳	
郝仲英		女		河北涿县	
刘勤捷		女		河南巩县	
白韵兰		女		陕西南郑	
张生云		女		河南新野	
李燮如		女	23	山西新绛	新绛城内西天池岸李安雅堂
李　兰		女	23	河北定县	定县城内同合裕
李书存		女	25	河北深县	北平德内西绦胡同51号
马淑德		女	23	陕西绥德	陕西米脂扶风寨

刘淑端		女	23	安徽阜阳	阜阳城南大桥集裕丰和转
贾士瑛		女	25		
王之琨		男	25	河北天津	天津特六区六十号路忠厚里23号
梁致宏		男	24	广东顺德	北平东单麻线胡同居易里内35号
雷启刚		男	25	河北冀县	天津旧英租界五三路义顺里4号
李立国		男	24	安徽合肥	合肥西乡长镇
杨树慎		男	24	河北天津	天津河东新开路37号
刘运翔		男	25	察哈尔宣化	宣化城里
孔繁德		男	23	安东宽甸	宽甸下路河村
张正亚		男	24	陕西华县	西安南院门卢进士巷11号
马吉昌		男	25	安东凤城	北平西单锦帽胡同8号
唐德春		男	24	陕西南郑	南郑莲花池17号
张守敬		男	27	山西汾城	汾城西中黄
赵　华		男	25	山西太谷	太谷南郭村
董　珍		男	25	青海循化	循化城内东街180号
王汝敏		男	23	陕西渭南	渭南马峪乡北庄村
王国侠		男	27	陕西榆林	榆林城内
王鸣遥	伊民	男	24	山东诸城	青岛江苏路34号
韦佩弦	济博	男	26	陕西盩厔	盩厔尚村镇邮局
张玉龙		男	26	河北宛平	北平崇内铃铛胡同14号
萧森赏		男	26	广东大埔	广东百侯锦兴酒楼
李振基	乾笙	男	24	甘肃华亭	华亭马峡口街
任　让		男	25	陕西南郑	南郑东大街363号
蒋作钊		男	27	江苏铜山	铜山庆云路146号
张永耀		男	28	山东胶县	胶县铁市街泰祥协记转
郭经武		男	22	河北大名	大名魏县镇南关
赵振远		男	25	河北赵县	赵县台兴庄
史友林		男	24	河北濮阳	濮阳常庄
牛发仁		男	26	陕西商县	商县禄杨巷1号

姓名	别号	性别	年龄	籍贯	通讯处
郭选英		女	23	察哈尔万全	北平西城护国寺巷16号
张凤坡		男	23	河北迁安	唐山北沙河桥车道山谷
石克邦		男	26	陕西华阴	华阴岳镇永和堂转
王 绎		男	24	河北文安	北平西城笔管胡同1号
岐三元		男	23	河南叶县	叶县工厂街
冯 琳		男	27	山西徐沟	徐沟郭楚王村
许志大		男	24	山东泰安	泰安大汶口西许家楼
张柳文		女	24	山西赵城	赵城城内西街邮局转
杨 珍		女	23	山西霍县	霍县城内城防街18号
贾普云		男	26	河北清丰	清丰贾枣格村
李务本	体仁	男	25	陕西临潼	西安许士庙街48号
秦国栋		男	25	山西猗氏	山西运城长春号
杨远乾		男	24	陕西蓝田	西安官家巷10号
张千祥		男	27	北平	天津中国银行张士朴转
刘钧声		男	27	山东蓬莱	蓬莱刘家沟
刘祥生		男	25	湖北汉阳	汉口特三区智民里8号
刘冷瑜		女	24	河南邓县	邓县南关街乐善堂
丁 震		男	24	山东蓬莱	天津第一区中纬六路21号
刘步祥		男	27	江苏萧县	萧县西三十里董井
张允端		男	23	陕西长安	长安斗门镇邮转
宝光亚		男	24	河北定县	定县西近□村
杨俊英		男	23	河南正阳	正阳南街阎正兴号
谢文祥		男	27	山西阳曲	太原西羊市中法药房转

(十二) 法商学院:商学系

姓名	别号	性别	年龄	籍贯	通讯处
阎 恕		男	27	河北北平	平山义羊村
尚 仁	厚齐	男	26	山西崞县	崞县单地泉
么汝明	鹤汀	男	24	河北丰润	胥各庄车站宣庄镇东老治庄
牛傅模		男	26	河南柘城	柘城北门大街牛宅
王建寅		男	25	山西代县	太原市国师街3号
贾缉熙		男	25	山西安邑	安邑邵村

姓名	字	性别	年龄	籍贯	地址
康　选		男	26	陕西醴泉	兴平店张驿正义局
高文质	毅影	男	26	陕西吴堡	吴堡宋家川邮局转
崔振中		男	25	河南孟县	孟县禹寺镇转田旺村
杨祥泰	岳东	男	26	山西荣河	荣河县转阳庄村
温兆图	瑞河	男	25	山西文水	太原城方街福寿巷2号
陈　毅		男	25	辽宁铁岭	铁岭县上石碑山村
罗邦瑛	紫碧	男	30	山西祁县	祁县城内小束街7号
罗代明	丙炎	男	24	四川巴县	上海法租界福煦路四明村10号
王志道		男	25	陕西渭南	渭南西关47号
韩正本		男	24	河南陕县	陕县观音堂邮局转
赵崇理		男	24	陕西城固	城固大西关关背1号
王文桢		男	25	河南济源	济源武山邮局转张村
段永言		男	24	陕西咸阳	咸阳积善堂
兀嘉淮		男	24	河南灵宝	开封菜市街裴翕侯转
王光宇		男	25	河南邓县	邓县城内花园街茂盛大
张汉圣		男	26	山西芮城	芮城义盛魁转
张本立		男	27	山西芮城	芮城敬信源转
王效君		男	25	山西昔阳	太原西后小河5号
张丹楹		男	29	河北东光	河北泊镇王集熬盐白庄
王宗岐		男	26	山西万泉	万泉荆村东巷
陈学焕		男	24	陕西南郑	南郑府街198号
郑治国		男	25	河南内乡	内乡师岗三合瑞号
王福民		男	24	山西解县	解县城内解元巷
胡克启		男	24	陕西临潼	西安后宰门13号
魏泽田		男	25	河北安国	安国路景
刘增纯		男	26	河北房山	房山河北村
陈世庄		男	23	山东平原	平原西南街6号
周金环	戒庵	女	25	山东菏泽	菏泽孝子街14号
王贞铭		女	23	河北昌黎	昌黎蛤泊镇王家山6号
唐　馨	绍德	女	24	江苏无锡	北平什刹海前海北河沿21号
梁月君	光霁	女	24	河北清苑	北平西四翠花街11号

姓名	性别	年龄	籍贯	通讯处
吴叔衍	男	26	四川成都	成都西牛市491号
李荣鼎	女	25	河南唐河	唐河源潭镇宇宙春
蔡淑云	女	24	湖北孝感	孝感王家店信丰祥
齐保龄	女	25	河北保定	保定城内达五道庙街9号
刘 敞	男	25	辽宁沈阳	沈阳城南十里河
袁争光	男	25	山东黄县	黄县乾仁乡和平村6号
李绍卿	男	25	河南郏县	郏县清华镇季桦楼村
宋鸿泽	男	25	河南安阳	安阳铁狮口6号
王 沂	男	27	山西阳曲	阳曲大孟镇邮局转

八、民国三十六年国立西北大学第八届毕业同学录

(一) 文学院:国文系

姓名	别号	性别	年龄	籍贯	通讯处
米泽惠		女	23	河南南阳	南阳孙坑街21号
孙汝琴	紫桐	女	29	河北昌黎	昌黎西花园5号
赵颖怀		女	23	吉林宾县	哈尔滨道外中八道街13号
白尚志		男	23	河南新安	新安李村乡晁村
刘国懿		女	25	辽宁西安	
谭维德	一超	男	22	江西南丰	山东济南城内院东大街41号
卢光祚		男	26	河北昌黎	河北昌黎安山水井
戴克九		男	26	陕西城固	南郑铺镇东街培德堂转
王 瑄	仁恒	男	24	河北行唐	行唐西关聚成永
王金元		男		河南镇平	镇平县南袁营东门内王英敏转
宗哲森		女	24	河北任丘	北平石崔胡同12号

(二) 文学院:外文系(英文组)

姓名	别号	性别	年龄	籍贯	通讯处
孙雁滨		女	23	江苏砀山	砀山城北孙老家
蒋景武		女	24	河南商丘	开封宋门大街路南69号
周谨奎		男	25	福建闽侯	福建马江下杭里7号
赵述会		男	26	河南新野	新野西赵庄

姓名	别号	性别	年龄	籍贯	通讯处
赵淮		男	23	山西浑源	浑源义兴成转
赵清润		女	23	河南息县	息县新村
刘明善		男	22	陕西三原	三原安乐村邮局
邓翠芬		女	23	山东菏泽	山东菏泽城内
田嘉育		男	27	陕西泾阳	泾阳永乐镇春生药房
田彬		女	22	陕西榆林	西安崇廉路30号
杨振华		男	25	山西平定	平定姑姑寺巷
吴谦	谦之	男	26	青海循化	循化城内
岳诚		男	23	河北静海	津浦路独流镇二道村
王家桦		男	24	河南鹿邑	郑县博爱街

外文系(俄文组)

姓名	别号	性别	年龄	籍贯	通讯处
李秀华		女	21	河北河间	河间县西柳洼村
戚傅真	宝吾	男	22	河南开封	确山公园东街11号
陆柏铮		男	26	南京市	杭州市党部陆兆英转

(三)文学院:历史学系

姓名	别号	性别	年龄	籍贯	通讯处
张维熙	明轩	男	32	甘肃秦安	秦安县陇城镇
宁瑜		男	23	山西忻县	忻县奇村镇区公所转
饶国鼎		男	22	陕西城固	城固复兴街鼎丰号转
李必蕃	茂如	男	25	陕西城固	城固上元观协盛隆转
高魁勋	子梅	男	27	河南叶县	叶县东北河北高庄
高景亮	明轩	男	25	陕西米脂	米脂庆源昌
李登科		男	24	河南灵宝	灵宝城外合吉面行
苑志初		男	25	河北大兴	北平东城交道口南大街北兵马司17号
王春台		男	23	河北徐水	徐水北关西胡同
戴玄之	祖兴	男	23	河南新蔡	新蔡城东八里关楼
孙炳南		男	25	河南汜水	河南荥阳周村
程昭善		男	27	江苏铜山	徐州文昌街2号
吴振华		男	22	河南扶沟	扶沟南大街21号

姓名	别号	性别	年龄	籍贯	通讯处
徐鸣惊	醒民	男	25	河南兰封	兰封北新朝陵
倪祖佩		男	26	江苏睢宁	睢宁城内
潘云祥		女	25	安徽阜阳	阜阳文德里4号
李咸中		女	23	河南南阳	南阳中山街三眼井
闵君怡		女	23	陕西南郑	南郑中山街116号
孙凤安	翔五	男	26	山西浑源	浑源石桥北巷5号
傅家读		男	29	山东清平	清平康庄
陈钟灵		男	25	陕西商县	商县西关街永济生转
曹 禹		男	28	山东诸城	
葛树楷		男	25	甘肃宁县	宁县城内西街3号
李季森		男	30	河北濮阳	濮阳城内东街
史鸿宾		女	23	河北沙河	沙河县下郑村

(四)理学院:数学系

姓名	别号	性别	年龄	籍贯	通讯处
陈 恬		男	24	陕西城固	城固许家庙邮代所
季士杰		男	24	安徽太和	安徽太和济乐堂
刘 镙		男	24	陕西城固	城固大西街42号
蒋学敏		男	32	河北完县	河北省完县大王村
陈怀孝		男	22	河南灵宝	河南灵宝虢略镇陈家巷24号
陈文涛	景山	男	23	江苏萧县	江苏徐州男四十五里孤山东寨
孙绍元		男	26	甘肃武山	武山洛门镇
胡希正		男	24	陕西富平	

(五)理学院:物理学系

姓名	别号	性别	年龄	籍贯	通讯处
张德丕		男	31	河南固始	河南固始县道超集
马文定		男	28	河南淅川	
郭秦运		男	26	陕西华县	陕西华县下庙镇邮局代办所
许瑞芹		男	23	河北静海	西安高阳里6号
杨学文	博一	男	24	甘肃天水	甘肃天水北乡石佛镇
冯 宿		男	25	河南唐河	河南省唐河县祈仪镇
冯梦英		男	25	河北宁河	天津东造甲城

姓名	别号	性别	年龄	籍贯	通讯处
刘允谦		男	27	山西寿阳	山西省寿阳县西洛镇
王俊英	秀挺	男	25	河南开封	河南郑县北薛岗村
郭延绪		男	25	陕西咸阳	陕西省咸阳县西街和兴号转马庄镇南街
吴守仁		男	26	山东济南	济南布政司大街38号
仁和春		男	28	浙江东阳	东阳任□
孙荣木		男	31	河北唐县	

(六)理学院:化学系

姓名	别号	性别	年龄	籍贯	通讯处
吴景宁		男	27	浙江嘉兴	南京楼子巷90号
方永祺		男	31	浙江桐庐	
王昭文		女	23	河南杞县	河南杞县文化街24号
段兆庆		男	26	河北遵化	河北遵化县城内文庙15号
赵德章	子明	男	29	浙江吴兴	开封荣火市9号
相九皋		男	24	陕西醴泉	陕西醴泉明顺恒转
瞿宁若		男	23	江苏崇明	江苏崇明协新镇
吴之健		男	25	陕西神木	陕西神木县邮局转
张秀英		女	24	河南息县	河南息县南街
方筱兰		女	22	陕西沔县	陕西沔县武侯镇
马世卫		男	25	陕西米脂	陕西米脂县扶风寨
王正心		男	23	陕西商县	陕西商县东大街梅齐园转
徐经纬		男	28	陕西临潼	西安高阳里丙6号

(七)理学院:生物学系

姓名	别号	性别	年龄	籍贯	通讯处
傅安秀		女	22	江西高安	江西高安珠湖村中正街7号
陈雄球	成城	男	26	江苏上海	
马景乐		男	26	河南泌阳	河南省泌阳县龙泉寨
郭 锋	日升	男	25	山西右玉	山西右玉县口前村
刚淑芳		女	23	辽宁辽阳	汉中北门外虎头桥公路卫生站转
万清江		男	28	河北昌黎	河北省昌黎县安山站万庄保贞堂
刘 夷		男	25	辽宁沈阳	辽宁沈阳十里河

姓名	别号	性别	年龄	籍贯	通讯处
李玉芙		女	31	河北永年	河北省永年县城内西大街
黄安		男	25	陕西洋县	山西太原五福庵31号
樊恩柱		男	29	河北新镇	北平海淀城府杨树胡同4号

(八) 理学院：地质学系

姓名	别号	性别	年龄	籍贯	通讯处
刘国恩		男	29	河南信阳	河南信阳东五里店
左伯麟	定一	男	24	甘肃成县	甘肃成县北街柴集巷
宝培德		男	24	陕西蒲城	西安东四道巷15号甲字
刘文魁		男	27	河北乐亭	河北乐亭县冯哨
勇俊龙		男	25	河南南阳	河南南阳迎春街23号
胡厚文	阜文	男	29	湖南长沙	湖南长沙东乡常新桥邮转黄茄源
赵觉民		男	27	山西五台	山西五台县东治镇
杨志甲		男	27	山西山阴	山西山阴东五浮图
苏正贤		男	25	河北正定	河北正定三角村
杨晓亭		男	25	江苏沛县	沛县二郎庙
郑功溥		男	24	河南叶县	叶县医疗合作社
吴光荣		男	27	山东平度	青岛冠县路33号
贾向先		男	23	河南灵宝	

(九) 理学院：地理学系

姓名	别号	性别	年龄	籍贯	通讯处
钮金鼎	茂海	男	24	安徽怀远	安徽怀远南门外五福音堂
杨汝贤		女	25	河北天津	河北天津旧英租界56号富顺里10号
王佩芝		女	23	河北遵化	河北遵化城内西街永盛隆交
齐矗华	岳伍	男	23	河北昌黎	河北省昌黎五区后程庄
管述奎		男	26	山东潍县	山东潍县北乡戈翟庄
蹇质良		男	30	陕西略阳	略阳县仁和堂转

(十) 法商学院：法律学系（法理组）

姓名	别号	性别	年龄	籍贯	通讯处
岳邦杰		男	28	河南开封	开封财神殿2号
王金荣	惠民	男	32	山东诸城	诸城辛兴乡大米沟庄

姓名	别号	性别	年龄	籍贯	通讯处
高 直		女	23	河北乐亭	乐亭县井坨
赵 澄		女	24	河北唐山	唐山建谢庄中街40号
赵华英		女	22	河北磁县	磁县野庄
王文先		男	24	河南邓县	邓县邮局转
王树秦		男	27	安徽霍邱	

法律学系（司法组）

姓名	别号	性别	年龄	籍贯	通讯处
李选文		男	24	陕西城固	
唐钦明		男	26	陕西南郑	南郑北街口新兴合号收转
史美荣		男	24	江苏溧阳	溧阳夏庄姚景高转
袁 衡		男	27	河南洛阳	洛阳翟泉镇
张德模	建行	男	24	安徽六安	六安苏家埠
宋金士	诺奖	男	30	山东单县	单县辛羊区程新庄
程鸿九		男	23	河南安阳	郑州德华街大公报分馆
史俊杰		男	25	山东武城	武城刘重镇
姜纯璧	连城	男	28	陕西米脂	陕北镇川堡永益长
李傅尔		男	24	河南固始	固始南后街5号
杜鸿钧		男	25	河南临颍	临颍北街59号
阚维琦	玮质	男	24	河北乐亭	乐亭阚庄
牛中兴	光华	男	24	陕西长安	西安卢进士巷41号
李继宗		男	24	河北望都	望都李村
申邦贤		男	25	河南博爱	博爱东界沟
柏育荃	玉泉	男	25	陕西沔县	南郑县城内窦家巷23号
何光鑫		男	25	河南信阳	信阳西黄寺何家岩
常元敬		男	24	山西沁水	沁水邮局转
徐柏林		男	23	江苏宜兴	武进和桥元大乐号
周日信	汉捷	男	24	陕西长安	长安三桥永顺诚号
王春台		男	22	河南镇平	镇平贾宋文记
柏鸿寿		男	22	陕西沔县	沔县东正街6号
宝国瑛		男	24	甘肃秦安	秦安龙山镇晋生麟转
王清勤		男	25	河南孟津	孟津东街

姓名	别号	性别	年龄	籍贯	通讯处
高显和		男	22	河北抚宁	抚宁双山子镇高丈子交
荣正之		男	25	河北高阳	北平宣外羊肉胡同4号
朱 璨	云若	男	23	河南遂平	遂平恒兴裕转
华德质		男	30	山东平阴	平阴三里庄
陈兆栋		男	29	上海市	上海长乐路五百街3号
庞琳清		女	25	北平市	

(十一) 法商学院:政治学系

姓名	别号	性别	年龄	籍贯	通讯处
张宏勋		男	23	河南巩县	开封游梁祠后街17号
程东孚		男	24	湖北麻城	麻城东关四箴堂
黄 定	一之	男	27	陕西南郑	山西太原五福庵街31号
程敬扶		男	25	河南夏邑	夏邑人和寨
田际明		男	22	山西汾阳	太原海子边5号
艾天秩		男	22	陕西米脂	天津二区民生路18号
刘树森	文敏	男	24	陕西富平	富平流曲镇邮箱
刘峰岑	逢辰	男	28	河南新野	新野官碾村刘宅
王 玺	尔玉	男	25	江苏东海	东海兴庄
柳舒龙		男	25	陕西榆林	榆林芝圃上巷1号
张志仁		男	23	陕西南郑	南郑南街46号
杨金章		男	27	陕西洋县	洋县龙亭铺信箱
杨荫溥		男	27	河北邯郸	邯郸县堤南堡
张炎森	绍祖	男	22	山西稷山	稷山县马家庄
李含正		男	25	陕西商县	商县商洛镇天成西
刘逢先		男	26	山东定陶	定陶西北刘庄
卢文聚		男	23	河南新郑	新郑谢庄车站转碾卢村
田 溪	雨若	男	27	河南灵宝	武昌花堤街33号
马健英		男	22	湖南永兴	湖南永兴东正街65号
李冠瀛		男	22	河北清苑	北平北太常寿街2号
岳邦彦		男	26	河南开封	开封财神殿2号
张 威		男	27	陕西乾县	乾县县中转
马焕乡		男	26	河北昌黎	昌黎东花园

姓名	别号	性别	年龄	籍贯	通讯处
郭天哲		男	26	河南辉县	辉县西关德允昌
郎益霖		男	26	江苏宿迁	江苏宿迁中山街天主堂转
张汲		男	24	河北南皮	北平东城史家胡同12号
李鹏飞		男	27	河南沈丘	沈丘李庄
王昭洲		男	24	安徽太和	太和县庙桥乡商砦堡
石鑑章		男	24	江苏淮阴	兰州中山路318号南京石榴园9号
孙其仑		男	22	江苏沭阳	沭阳邮局转

(十二)法商学院:经济学系

姓名	别号	性别	年龄	籍贯	通讯处
王耀		男	25	河北望都	望都固店
蒋崇献		男	25	河南巩县	巩县柏坡村
禹文贞		女	29	山东乐陵	乐陵城西后周家
王心芝		女	27	河南浚县	浚县赵岗村
顾绳	祖亭	男	23	江苏泰县	泰县顾高庄
姜效鎏		男	28	山东胶县	胶济线李哥庄车站转胶县三区陈村店
王鸿亮		男	22	河南沈丘	沈丘菜市街5号
唐幼尧		男	22	陕西城固	城固孙家坪
官本信		男	24	山东平度	平度东关后巷子赞育堂转
魏福田		男	28	河北安国	安国奉伯村
饶五祥		男	23	陕西城固	城固复兴街19号
沈以慎		女	24	河南罗山	河南罗山南大街55号
王景栋	伯宇	男	32	山东威海卫	
王卓	杭生	男	22	浙江杭县	沈阳中国农民银行王东生转
罗荣铣	筱宇	男	25	河南内乡	内乡丁河店豫大全号转
岳德新	福生	男	22	陕西南郑	南郑北街91号
郭菊生		男	22	陕西沔县	沔县武侯镇城内
黎士栋		男	25	河南淮阳	淮阳西互助街9号
赵傅礼	敬之	男	30	河北徐水	徐水贺寿营村
田启泰		男	23	山西阳曲	阳曲上马街

姓名	别号	性别	年龄	籍贯	通讯处
张子正		男	27	江苏丰县	丰县才妙街49号
李世秀		男	23	河南孟县	孟县西庄乡
王赓珅	少愚	男	27	山东莒县	莒县牛家庄
刘松涛		女	24	安徽太和	太和界首刘兴镇北新街同丰号转
史煜章		女	24	青海西宁	西宁西教场13号
陈家声		男	22	河北安新	江苏吴县太平巷37号
杨保国		男	30	广东中山	北戴河海滨草厂西路6号
郑赓贞		女	27	河北天津	天津四池巷8号
陈骐德		男	23	安徽寿县	寿县仓巷19号
周 鼎		男	28	河南新乡	郑州主事胡同26号
王韵华		女	22	天津市	天津西门北蔡家胡同26号
董馨远		男	27	河北行唐	行唐城内顺城街
孙颖州		男	23	河北武清	北平东城黄图冈25号
詹素农		男	24	南京市	南京珠江路196号
屠傅黎	乙青	男	25	浙江绍兴	天津旧英租界68号路东亚里18号
黄慧清		女	23	辽宁凤城	陕西凤翔东街154号
刘运翔		男	26	察哈尔宣化	望都固店
赵景林		男	24	辽宁东丰	吉林伊通县城永盛和
陈久阳		男	26	安徽六安	六安县银行转
范玉宝		女	29	河南渑池	西安冰窖巷9号

(十三)法商学院:商学系

姓名	别号	性别	年龄	籍贯	通讯处
苏 青	林峰	男	25	陕西洋县	洋县马畅镇
宫玉龙		男	25	山东牟平	牟平西南乡青山村
王毓锦	钟岳	男	25	山西汾阳	北平前门大街49号
景士楷		男	23	山西平陆	山西平陆滩村转
李庭坚		男	24	河南舞阳	河南北舞渡协丰烟厂
卫兆本		男	23	河南孟县	孟县治成镇邮局转
石鸣源		男	26	陕西延长	陕西绥德苗家坪
成秀贞		女	26	河北定县	定县城南留宿村

姓名	别号	性别	年龄	籍贯	通讯处
尚秋梧		男	26	山西太原	山西太原南村
宋德成		男	25	山西阳曲	阳曲杨兴镇
李治华	安一	男	26	河南林县	林县合涧县
吴景林		男	24	河北正定	正定平安村
徐维崧		男	27	安徽寿县	寿县李山庙
崔文杰		男	25	辽宁北镇	北镇县康屯
王润生	德民	男	28	山东沾化	沾化县黄升镇
吴长春		男	24	安徽桐城	桐城黄甲铺
万 里	庆生	男	27	江苏武进	武进东安镇
王安九		男	25	甘肃平凉	平凉白水镇荣盛公转
杨长玉		男	24	河南信阳	信阳游河镇
吴 恭	揆一	男	25	青海循化	青海循化西大街
鲁宗义	子瑜	男	23	陕西西乡	西乡贯子山邮局转
张维礼	康衡	男	25	河北昌黎	昌黎绕湾庄
于学文		女	23	河北天津	天津英租界伦敦路伦敦里3号
刘仁亭		男	30	河南安阳	安阳北大街普益书局转

(十四)医学院

姓名	别号	性别	年龄	籍贯	通讯处
鞠明诚		男	25	河南唐河	河南唐河县毕店镇
郭子亨		男	26	河南镇平	镇平卢医镇郭岗
刘绍诰		男	25	山东莱阳	山东莱阳县日花镇邮局
汤 溦		男	27	河南新乡	河南新乡姜庄大街151号
高履勋		男	30	河南叶县	河南叶县河北高庄
赵品章		男	26	河北河间	北平德胜门内大街通裕德棉丝店转
宫可仁		男	29	绥远安北	绥远安北县扒子补隆邮局
陈文焕		男	32	山西河曲	山西河曲固城交
孙廷杰		男	25	河南郏县	河南郏县西关间交
李永槐		男	26	河南郏县	河南郏县李渡口
张学忍		男	27	河南杞县	河南杞县南傅集镇邮局转
王新琦		男	24	河南太康	河南太康县立初中转交

刘兴泰		男	26	河南淮阳	河南淮阳县北虎刘屯
李义方		男	27	河南舞阳	河南舞阳县舞渡北堤街 5 号
王　崇		男	26	河南新安	河南新安普济诊所转交
王贵荣		女	25	山东德县	陕西西安尚仁路 234 号
庞廷洪		女	24	山西河津	山西河津沙渠巷庞宅交
贾荣陶		男	25	河北任县	河北任县郑家庄后街
史志超		男	29	江苏丰县	江苏丰县大史楼
景凤桃		女	25	山西平陆	西安甜水井 17 号
胡雨桐		女	25	河南确山	河南确山县东大街 12 号
王筠默		男	30	河北清苑	保定城内王子街 25 号王铁崖转
倪育才		男	26	山西山阴	山西山阴县岱岳镇大顺泰转交
贾绍林		男	26	河南夏邑	河南禹县花石镇
孔玉佩		女	25	河南淮阳	河南周口北寨小油房街
彭宝珠		女	29	河南开封	河南开封省府前街 22 号
刘若琪		女	26	河北安新	陕西泾阳泾惠渠管理局转
陈毓芬		女	25	湖北监利	湖北监利毛家口陈安记
李淑堂		女	25	河南唐河	河南唐河县上屯邮局转
蒲朝纪		男	29	甘肃永登	甘肃永登县红城镇积德村
王鼎琴		男	26	河南南阳	河南南阳县西王村邮局交
陈平南		男	25	河南南阳	河南南阳尤桥南田
曹继德		男	24	青海西宁	兰州小北前街 16 号
张思敏		男	26	河南南阳	河南南阳三十里屯邮局转大中仓
刘秉华		男	27	陕西咸阳	陕西咸阳县信裕号转官刘村

九、民国三十七年国立西北大学第九届毕业同学录

（一）文学院：中国文学系

姓名	别号	性别	年龄	籍贯	通讯处
李治国		男	26	绥远狼山	绥远狼山庆福乡
王明光		男	26	山东蓬莱	山东蓬莱城内洪家街
陈古心		男	28	陕西城固	许家庙信柜转

姓名	别号	性别	年龄	籍贯	通讯处
李剑萍	笠僧	男	25	河南开封	河南郏县安良镇老李庄李宅
史岐		男	24	陕西襄城	襄城联乡镇纪寨
刘继华		男	25	陕西西乡	骆家乡邮转
柯亨嘉		男	25	陕西西乡	陕西西乡茶镇
赵育英		女	23	北平市	北平东单四号东观音寺
李树云		女	27	河南开封	河南开封中正路中段附242号
马志文		男	27	河北遵化	河北遵化石门镇

(二) 文学院：外国语文学系（英文组）

姓名	别号	性别	年龄	籍贯	通讯处
陈文茂	洞天	男	27	甘肃榆中	甘肃榆中清水镇
张光笃	立文	男	23	陕西安康	陕西安康新建镇
郭念周	郁文	男	25	山东巨野	山东巨野城西萧官屯
陈天仁		男	26	陕西洋县	洋县马畅镇
李桂芬		女	24	河北丰润	河北唐山斜阳二条28号
仇荣华		女	23	山东莱阳	山东济南四大马路宾善里18号

外国语文学系（俄文组）

姓名	别号	性别	年龄	籍贯	通讯处
顾玉秀		女	23	山东聊城	山东聊城南大口顾宅
薛秉忠		男	24	河南确山	河南驻马店三民街45号
李祥瑞		男	26	山西崞县	山西崞县大王村

(三) 文学院：历史学系

姓名	别号	性别	年龄	籍贯	通讯处
马志恒		男	24	河北定县	南京太平路310号闪克行转
马玉麒		男	26	河南开封	开封南关木料厂街20号
黄烈		男	25	湖北汉川	湖北汉川养鱼铺
王象山		男	25	山西永济	永济柳子村
刘元琚		男	25	陕西洋县	洋县谢村镇邮柜交
王世馨		男	27	陕西城固	城固西原公邮代办所转
张文治		男	27	山西祁县	山西祁县南团柏村
葛世民		男	25	陕西陇县	陕西陇县西关复生德蓄转
郑自修		男	25	陕西泾阳	陕西泾阳裕记珍济号转

姓名	别号	性别	年龄	籍贯	通讯处
李树仁		男	25	陕西蒲城	陕西蒲城大什字巷26号
曹碧真		女	23	陕西渭南	西安小车家巷38号
张翼翔		男	27	山西万泉	山西万泉张薛村寄续生
劳云龙		男	20	山东阳信	阳信城泉劳家镇
李英贤		男	29	河南南阳	

（四）理学院：数学系

姓名	别号	性别	年龄	籍贯	通讯处
张岚瑛		女	25	山西隰县	山西太原北仓巷13号
李植民		男	25	陕西安康	陕西安康三渡乡
赵启天		男	25	河北昌黎	北宁路石门车站洼里
刘　颖		男	25	山西徐沟	山西徐沟宁家营
姜耕伍		男	25	河北任县	河北任县北大街14号
潘应贤		男	25	甘肃武山	甘肃武山洛门镇

（五）理学院：物理学系

姓名	别号	性别	年龄	籍贯	通讯处
于美文		女	26	山东安丘	山东安丘五区马朗里
蒋震方		男	28	江苏武进	
张学儒	华权	男	27	河南开封	河南开封南三圣庙街14号
方正御		男	25	河南罗山	河南罗山城内
梅佑仁		男	27	江西九江	江西庐山云天花园
刘绍武		男	26	河北唐县	河北省唐县东山阳村
张继炎		男	24	河北任丘	北平鼓楼高公庵2号
吴长乐		男	25	安徽桐城	桐城南门内西后街阳和保一甲号
韩纪增		男	25	绥远归绥	归绥新城东落凤街15号
李毓华		男	24	河北宁河	天津第一区西关昆明路义德东里26号
阎　琪	子瑞	男	26	山西天镇	平绥路天镇县城内县中

（六）理学院：化学系

姓名	别号	性别	年龄	籍贯	通讯处
任　明		男	27	山西平陆	山西平陆茅津渡福兴公转
张汝霖		男	25	河南潢川	河南潢川北城黉学街27号

姓名	别号	性别	年龄	籍贯	通讯处
吴士英		男	29	陕西米脂	陕西米脂周家签吴家岔
秦冠绍	鲠卿	男	26	山西沁水	山西沁水北大街新民巷 1 号
赵正之		男	28	陕西褒城	陕西褒城县新集镇西关
王恕仁		男	27	山西临汾	山西临汾城内吕家什字王宅
廖高冈		男	24	陕西洵阳	陕西洵阳西炮台文杏生转
叶淑贞		女	24	福建建瓯	兰州骆驼巷中路路
耿双泉		男	26	河北任县	西安忠孝巷甲 27 号
夏文亮		男	26	江苏砀山	陇海路李庄车站转夏桥寨
刘则昭		男	27	江苏萧县	陇海路杨楼站北郝集南京黄泥岗 48 号
屈资平		男	23	陕西褒城	陕西南郑南大街 19 号
高 鹏		男	26	河北涞县	河北涞县东街 19 号
杨霁霞		女	26	河北唐县	宁夏吴忠堡河东地方法院杨兆梅转
黄鹏程		男	25	陕西府谷	陕西府谷孤山堡
李振良		男	27	河南舞阳	河南舞阳城烈士祠街
赵文深		男	27	河北行唐	西北大学王维经转
孙聚昌		男	26	河北抚宁	河北唐山达谢庄后街 2 号
周岁纯		女	27	陕西长安	西安维峻路 80 号
李耕傅		女	23	河北束鹿	北平西城报子胡同 24 号

(七) 理学院：生物学系

姓名	别号	性别	年龄	籍贯	通讯处
王桂生		男	25	山西沁源	包头伊盟中学
何承德		男	26	陕西城固	陕西城固升仙村
崔益三		男	26	辽宁庄河	辽宁庄河康家屯
樊宁臣		男	25	山西洪洞	山西洪洞西梁村
李友三	挺生	男	25	河南沈丘	沈丘城内东大街 37 号
胡 彬	郁如	男	26	陕西南郑	陕西南郑龙江铺
王 鹏		男	26	山西芮城	山西芮城铁王村

(八)理学院:地质学系

姓名	别号	性别	年龄	籍贯	通讯处
钟亦晓		男	23	福建连江	福建连江一德路2号
孔繁文		男	24	山西赵城	山西赵城南石明村
李钟武		男	25	河北盐山	山东枣庄中兴煤矿西南门内职员住宅10号
谢凤瑞	辑吾	男	25	河南孟津	横水镇文公村
赵俊义		男	26	绥远安北	绥远五原
吕新五		男	25	河南偃师	偃师大口镇吕家桥
郭炳午		男	25	河南洛阳	洛阳同化街3号
孙 管	仲鸣	男	27	江苏砀山	陇海路黄口站西南孙楼

(九)理学院:地理学系

姓名	别号	性别	年龄	籍贯	通讯处
李云祥		男	27	河南洛阳	洛阳城内义勇北街六号
丛树珊		男	27	山东文登	山东文登凉水湾
尉银有		男	25	山西万泉	万泉乌停村
陈光泽		男	28	河南宜阳	宜阳涧河村
刘庆礼		男	25	河北无极	无极刘家庄
路统勋		男	27	河南宁陵	宁陵路庄
张恒明		男	27	山西芮城	芮城原村崔家
蔺永谦		男	26	河南宝丰	半札镇转纸坊村
吴鲁文		男	25	浙江金华	金华竹马馆邮交马屿
李明声		男	27	山西浑源	
袁羲煦		男	25	陕西洋县	洋县东关
杨福全		男	26	陕西平陆	平陆茅津渡

(十)法商学院:法律学系(法理组)

姓名	别号	性别	年龄	籍贯	通讯处
耿大为		男	24	河北成安	河北成安北漳堡
曹建厚		男	29	上海市	上海虹桥路程家桥
景尔强		男	25	陕西乾县	乾县梁子镇邮局转
韩叔良		男	24	陕西醴泉	西安香米园27号

姓名	别号	性别	年龄	籍贯	通讯处
王永祯		男	28	陕西洋县	陕西洋县西街新盛和转
姚应福	宜五	男	27	陕西南郑	陕西南郑南关 19 号
柳华藻		男	26	陕西安康	陕西安康西关堤内柳贞固堂
傅 维		男	25	河北抚宁	吉林永衡裕副 3 号
王鸿芦		女	23	天津	天津西王庆坨小街
宋长斌		男	29	河南唐河	河南唐河桐寨铺

法律学系（司法组）

姓名	别号	性别	年龄	籍贯	通讯处
魏伯豪	静真	男	28	河南信阳	河南信阳长台乡
陈道厚		男	26	河北阜平	河北阜平县王快镇
蒋 昭	昭波	男	26	安徽亳县	安徽亳县三河镇
庄馀文	严	男	25	吉林德惠	吉林省德惠县西五纬路源和增转
李宗石	顽伯	男	25	甘肃甘谷	甘肃甘谷北关谢家庄
陈明远	照生	男	25	陕西城固	陕西城固南乐镇邮政代办所
张培金		男	26	陕西城固	陕西城固大西关 24 号
刘麟巽		男	26	安徽涡阳	安徽涡阳县当典后街
刘恒志	晓平	男	24	山东掖县	哈尔滨道里中国十二道街 85 号
赵 静		男	24	河北深泽	河北深泽大桥头村
刘树伟		男	28	河南泌阳	河南泌阳春水镇邮局交
鹿春堂		男	24	河南夏邑	河南夏邑鹿庙
周代勋		男	24	陕西城固	陕西城固元坝子邮政代办所转
张继孟	少韩	男	26	山东濮县	山东濮县白衣阁
杜 为		男	26	河南林县	河南林县东岗镇
齐有生		男	31	山西定襄	山西定襄龙门村
王友仁		男	28	河南滑县	河南滑县屯字镇
王中岚		男	26	河南唐河	河南唐河祈仪镇
丁五成		男	27	河南新安	河南新安石寺镇
王忠民		男	26	山东朝城	山东朝城南门内
孙锡义		男	26	陕西临潼	陕西临潼县阎良镇
孙恒谦	柳村	男	28	山东城武	山东城武东南刘坊
张瑞贤		男	28	河南叶县	河南叶县旧县镇

姓名	别号	性别	年龄	籍贯	通讯处
王永福	其五	男	28	山西平陆	山西平陆茅津镇
于之濮	碧川	男	27	河北正定	河北正定北孙村
梁桢	干臣	男	30	甘肃会宁	甘肃会宁南关天泰永
杨宏禹		男	25	河南内乡	河南内乡杨集
朱冰	玉清	男	25	河南确山	确山县宏济堂转
丁鸣	吁平	男	26	甘肃甘谷	甘肃甘谷学巷
张傅曾	省吾	男	26	河南洛宁	河南洛宁城村敬慎堂
李逸君		男	27	河南偃师	河南偃师缑氏镇邮局转裴家村
骆立群		男	25	河南罗山	河南罗山南大街52号
尹为鑫		男	25	河南息县	河南息县东大街宝晋恒转
李炳莹		男	25	甘肃天水	甘肃天水中山路建国巷20号
任善基		男	26	山东平原	山东平原县车站通德号转
杨安之		男	27	河北晋县	河北晋县马坊营
鲁是福	介如	男	26	河南郏县	河南郏县安乐镇

(十一)法商学院：政治学系

姓名	别号	性别	年龄	籍贯	通讯处
杨尚义		男	26	河南郏县	河南郏县观音堂转李村镇
李泽铭		男	26	浙江缙云	浙江永康转壶镇后塘
谢元隆		男	25	陕西城固	城固西原公邮局转
和丕桢		男	25	山西忻县	太原市天地坛一巷13号
方元鸿		男	27	山东牟平	山东烟台二马路成记工厂转
郭建安		男	27	陕西韩城	韩城南街42号
张锷		男	26	河南唐河	河南唐河县兴隆镇
赵德轩		男	26	河南邓县	河南邓县中山南街
高骏		男	25	河南陕县	河南陕县会兴镇长寿堂转交东斜桥村
彭少卿		男	30	湖南常德	湖南常德韩公渡彭普济转
王福熙		男	26	河南虞城	河南商丘县北徐隆店镇二街
刘宝铸		男	28	陕西洋县	西安柴家什字31号
陈震中		男	26	陕西南郑	南郑周家坪邮局转
夏文旭		男	28	江苏砀山	陇海路李庄车站转夏桥

姓名	别号	性别	年龄	籍贯	通讯处
康承敬		男	25	陕西长安	西安西九府街17号
于振三		男	26	河北巨鹿	河北巨鹿崔家寨

(十二）法商学院：经济学系

姓名	别号	性别	年龄	籍贯	通讯处
王钦宗		男	24	山西临晋	山西临晋辛村
李效张		男	23	山西安邑	山西安邑上郭村
冯克烈	超林	男	23	山西万泉	山西万泉南薛朝村
李炳盛		男	27	陕西宁羌	陕西宁羌县阳平关
余笃信		男	28	陕西城固	陕西城固文川东
吴才叙	英士	男	25	陕西西乡	陕西西乡县茶镇信柜收转
何秀巘		男	25	陕西石泉	陕西石泉西关万盛兴号转
窦奇珍		男	26	陕西韩城	陕西韩城坡头村
吴焕然		男	28	安徽合肥	合肥梁园吴恒兴号
管道显		男	30	河南新蔡	河南新蔡西北十八里大马营
杨昭忠		男	25	山东巨野	山东巨野东门里
孙宗城		男	25	河南信阳	河南内乡师岗镇天德增号转交柳堰小学
魏　刚		男	25	吉林扶余	西安地方法院郑锡平转西安崇忠58号
乔序庭		男	26	山东济南	山东汶上邮局转
何惠麟		男	28	河北井陉	河北井陉庄子头村
段赓先	翰丹	男	25	河南确山	河南驻马店段庄
刘晓初		男	27	山东惠民	山东惠民省屯镇
殷知柏		男	27	陕西襄城	陕西襄城新集镇邮局转
杨中州		男	24	陕西华阴	陕西华阴三阳村大城子
张星汉	倬文	男	28	山东胶县	青岛华县路德昶和转
赵国武		男	26	河南温县	河南温县凤台乡四知堂
武启昌		男	26	察哈尔怀林	西安安居巷19号
朱家骥	若飞	男	28	河南鹿邑	河南鹿邑岭子镇
田惠民		男	29	甘肃泾川	甘肃平凉中学转
毛鸿基		男	26	江苏宜兴	

姓名	别号	性别	年龄	籍贯	通讯处
张芝林		男	26	江苏铜山	
王承式		女	23	河北定县	河北省定县西关久信堂王宅
高颖冲		女	25	河北涞县	河北省唐山市谢庄后街 2 号
孙素蓉		女	24	河南夏邑	河南夏邑东关大王庙后街孙宅
牛国昌		男	24	河南霸县	北平内二区南小街 16 号
郑绮纯		男	26	江苏萧县	江苏萧县城南宫庄
美贤慈		男	27	河北邢台	天津十区保定道私立慈惠中学
江焕礼	凯	男	25	安徽霍山	霍山鼓楼街江宅

（十三）法商学院：商学系

姓名	别号	性别	年龄	籍贯	通讯处
侯益白		男	27	山西平遥	西安太阳庙门 17 号
尤冠雄		男	25	陕西榆林	榆林万佛楼下巷 9 号
田树桎		男	23	陕西榆林	西安陕西省水利局
王金宝		男	25	河北沧县	北平裱褙胡同 10 号
王腾芳		男	25	陕西安康	安康当铺巷 8 号
邱景峰	冠玉	男	27	陕西沔县	陕西沔县黄沙镇邮转
田 雯		男	25	山西阳曲	西安东五道巷 16 号
宋瑶蕴		男	25	河南巩县	上海北四川路虬江路正兴里内永庆里 4 号
郭炳炎		男	26	河北望都	河北望都东关
王舜诚		男	24	陕西褒城	陕西南郑南大街益德堂转交
刘士清		男	26	陕西横山	陕西横山邮转
张森彦	大伦	男	25	陕西富平	西安西大西文献巷 4 号
张云涛		男	24	陕西韩城	陕西韩城芝川镇公德和转东范家庄
董郁华		男	25	陕西宝鸡	宝鸡北崖 23 号
白謇义		男	26	河北通县	西安维峻路 33 号
刘治寰		男	27	陕西商南	西安邮政管理局转
王重仪		女	25	河南信阳	河南信阳城内中山路 130 号
李复芝		女	26	山西安邑	山西安邑解家巷 2 号
张家莹		女	24	河南洛宁	西安冰窖巷 15 号

(十四)法商学院：边政学系

姓名	别号	性别	年龄	籍贯	通讯处
田春卿		男	22	河北丰润	太原新民东街15号
陈景玉		男	23	河北吴桥	河北吴桥上村马庄
张继纲		男	25	甘肃会宁	甘肃会宁中川镇邮局
张邕昌		男	23	陕西富平	西安西仓巷57号
马祥麟		男	23	青海乐都	西宁平安街4号
郑庆升		男	23	河北大城	北平罗家大院6号
郑德九		男	26	河南唐河	河南唐河下屯镇转
姜衍诗		男	23	山东黄县	山东黄县辛店村7号
张东杰		男	22	青海贵德	天津第十区常德道58号
苗成礼		男	23	河北唐山	河北唐山市新王谢庄前街18号
杨 泽		男	25	河北隆平	河北隆平猫儿寨

(十五)医学院

姓名	别号	性别	年龄	籍贯	通讯处
牛锡纶		男	26	山东安丘	山东安丘东古河庄
杨鼎颐		男	26	江苏崇明	江苏崇明东门外
万惠昌		男	26	山东菏泽	河北东明马厂
范盟泉		女	25	山东黄县	青岛莱芜二路21号
刘淑慈		女	26	安徽阜阳	安徽阜阳天主堂街21号
滕清桂		女	27	山东潍县	青岛范县路21号
王华玲		女	26	山东临沂	山东郯城南关福音堂
田进兴		男	27	山东东阿	山东济南南顺城街28号
谭毓通		男	25	陕西富平	陕西富平天生德号
孙 康		男	25	山东威海卫	威海卫城里德春盛转
宋希垣		男	25	山西平陆	山西平陆邮局转交
刘则礼		男	25	江苏萧县	徐州西西杨□车站北郝集
任秀琴		女	25	陕西蒲城	西安青年路澄华巷8号
温荫芬		女	27	山东临沂	山东临沂南关维新街
赵静冈		男	26	山东莱阳	山东莱阳万第镇邮局转小远村
卢秉彝		男	29	山东临沂	山东临沂南关中华基督教会

姓名	性别	年龄	籍贯	地址
张德敏	女	23	河北清苑	北平灯市口理会张横秋转
王可信	男	27	山东潍县	山东潍县尚庄
任鸿声	男	25	河南信阳	河南潢川北城万福门内
张起业	男	27	陕西朝邑	陕西朝邑永济堂转
韩天民	男	26	河南睢县	河南睢县圣公会
孙檀友	男	25	山东威海卫	威海卫埠前村
王念斌	男	28	山东潍县	山东潍县尚庄
王福磐	男	26	山西太原	上海北京西路福田村特1号王宅
牛佩璋	男	27	山西定襄	北平赵登禹路7号
贾敬业	男	27	山西忻县	山西忻县游邀村
朱文骧	男	27	河北迁安	河北迁安南关
于长岫	男	28	山东潍县	山东潍县城内十字口德源永
晁生根	男	28	青海西宁	青海西崇德巷38号
蔚震山	男	26	河北邯郸	河北邯郸城内桃园街
员甲祥	男	27	山西平陆	山西平陆南吴村
金岱宗	男	26	河北安国	河北安国固
张紫萍	男	23	河北大名	河北大名城北万家堤信柜转张家村
殷培璞	男	24	陕西南郑	陕西南郑东小关83号
陈质庵	男	25	山东历城	山东历城城南陈家庄
杨绍祖	男	27	陕西华县	陕西华县高塘镇济生堂
丁恩深	男	26	河北滦县	河北滦县柏各镇
李 博	男	25	陕西长安	陕西长安甘河镇南雷村
郭学士	男	26	甘肃合水	甘肃庆阳西峰镇仁和义转
滕中林	男	26	河南临汝	河南临汝西大街惠吉堂转
李秀芝	女	25	河南商丘	西观音堂转交郭楼村
张春原	女	25	山东荣城	青岛城阳路3号六甲
李岳奇	男	25	辽宁洮南	沈阳和平区建国路150号
高伯堃	男	26	河北新城	河北新城县张贲营村
傅守训	男	28	河北宛平	北平西单牌楼皮库胡同38号转
盖淑箴	女	25	河北平山	北平东单三条转交

姓名	性别	年龄	籍贯	通讯处
龚秉善	男	28	陕西城固	城固马桩口13号
牛汝龙	男	28	甘肃通渭	秦安魏店镇转
党新民	男	27	陕西铜川	陕西铜川东街9号
李伯倩	女	27	山东单县	西北大学医学院
李其秀	男	26	山东肥城	重庆陆军总医院
史美华	女	25	江苏溧阳	江苏溧阳夏庄
任旸和	男	26	江苏宜兴	宜兴南大街南兴菜馆后进
金树礼	男	25	河北清苑	北平三共医院
任素琴	女	25	河南开封	开封天纸坊街33号

十、民国三十八年国立西北大学第十届毕业同学录

（一）文学院：中国文学系

姓名	别号	性别	年龄	籍贯	通讯处
陈增淮	子南	男	28	山东日照	日照沈疃
袁海晏		男	28	湖北光化	光化西关24号
张德昌	馨	男	24	山东阳谷	阳谷安乐镇转
刘善继	赓	男	24	湖北汉川	汉川田二河
管慕岳		男	21	安徽凤台	凤台胡家集邮局转
杨伯琪	振华	男	24	河南孟津	洛阳西北黄水镇
李书坤	信之	男	24	河南西平	西平师临夏王村交
毛云霄	乐谷	男	26	河南广武	郑州西北三十五里祥营镇转丁楼村
陈峻云	嶕峰	男	25	河南获嘉	获嘉陈位庄交
李书钧		男	28	河北高邑	高邑县城内西街
刘醒华		男	24	河南西平	西平城北三里魏场村交
水天明	渊默	男	22	甘肃榆中	兰州顾家沟煦园交
冯岭安		男	24	河南郏县	郏县南大街
周树彬		男	24	陕西蒲城	西安玄风桥1号
刘培龄		男	24	河南太康	太康老冢集
李家驷	立民	男	22	陕西南郑	南郑中山街18号
焦克治		男	24	河南偃师	偃师城西焦村交

姓名	别号	性别	年龄	籍贯	通讯处
强立言	名卿	男	25	甘肃华亭	华亭城内街西街
段毓琏		女	23	湖 北	老河口牌坊112号
刘俊宝	民先	男	28	甘 肃	
贾孟琳		女	23	河 北	□立谢庄前街18号
刘永安		男	28	江苏铜山	徐州双沟

(二)文学院:外国语文学系

姓名	别号	性别	年龄	籍贯	通讯处
何天祥		男	24	陕西富平	兰州中山路505号
曾广钧		男	24	山东临朐	济南桿石桥外德滕南街中和里26号
毕霖普		男	25	河南镇平	镇平新民市南门外毕宅
张延明		男	25	河北定县	定县城内裴家街16号
周俊奎		男	25	河南淅川	河南淅川上集乡公所转
刘雄云		男	24	河南临汝	临汝□扎镇
万洋盈		男	24	河南西平	西平城西黄庄
张福星		男	25	陕 西	
刘瑞桢	贞甫	男	27	陕西洋县	洋县□畅镇邮代所转
李竞泉		女	21	陕西西乡	西乡北大街247号
王 玮		女	21	河北沧县	沧县北城壕上13号
王龙生		男	23	陕西渭南	渭南下□镇信箱
龚锦云		男	23	陕西城固	城固上察院巷7号
仇玉玺		男	24	河南洛阳	洛阳城内桑园街17号
张家震		男	25	山西新绛	西安报恩寺街13号
刘 炎		男	25	河南内乡	内乡赤眉邮局转

(三)文学院:历史学系

姓名	别号	性别	年龄	籍贯	通讯处
刘成荣		男	25	山西闻喜	闻喜任村
李之勤		男	23	山东菏泽	菏泽宋隅会荣街44号
孙玉霖		男	23	山东菏泽	菏泽东北□庙
王浩德		男	25	陕西洋县	陕西城固马畅镇转
王忠民		男	23	陕西韩城	韩城新民文具店

姓名	别号	性别	年龄	籍贯	通讯处
盖友风		男	24	山东莱阳	莱阳河前前村
张士杰		男	25	江苏萧县	萧县黄口张寨
刘耀华		男	25	陕西城固	城固许家庙邮代所转
谢福芗		女	25	北平市	北平西长安街大栅栏南安里9号
王怀成		男	23	河北乐亭	乐亭阳泉河小滩前五宅
刘子愚		男	26	江苏丰县	丰县刘王楼
马 启		男	25	陕西富平	富平鲁村
赵毓杰		男	25	山东泰安	
杜鸿厚		男	25	陕西米脂	

(四)文学院:教育学系

姓名	别号	性别	年龄	籍贯	通讯处
郑远莲		女	25	陕西安康	安康大北街95号
宁亦郎		女	25	山西忻县	忻县
徐启宗		男	28	陕西紫阳	紫阳毛坝关
丁 苛		男	31	江苏萧县	萧县城南三里复梅村
陈天爵		男	23	陕西洋县	洋县马畅邮局
侯应云		男	25	河南孟县	孟县城内棋盘街
李运芳		男	23	陕西盩屋	西安市北教场巷11号
庞金剑	金鉴	男	26	山东聊城	济南西大街福聚巷
王鼎昌		男	25	陕西城固	城固盐店巷20号宁宅转
焦金明		男	22	江苏江都	卅一兵工厂
范纯安		男	23	湖北沔阳	湖北武昌江陵路80号
任建业		男	24	河南南阳	南阳界中龙泉王
伍振海		男	26	绥远固阳	固阳北关茂盛号
刘天禄		男	28	陕西城固	城固东原公
邢相汤		男	25	山西忻县	忻县四区
赵乐仁	静山	男	25	河南商丘	商丘车站南福音堂
毕德海		男	26	山东平阴	平阴东三里庄
王大方		男	28	河北大名	
郭兰馥		女	24	河南唐河	唐河城南常□村
龚全珍		女	24	山东烟台	江苏武进□□□15号

| 常肖苏 | | 女 | 25 | 河南开封 | 开封梁祠后街七号西安市冰窖巷 |

（五）理学院:数学系

姓名	别号	性别	年龄	籍贯	通讯处
郑醒华		女	23	陕西安康	安康西大街
薛俊华	执亮	男	25	陕西韩城	韩城芝川镇公德和转济水村
杨乾生		男	25	陕西铜川	铜川十字口福发祥号
刘　仁	仁卿	男	24	山西芮城	芮城前斜口村

（六）理学院:物理学系

姓名	别号	性别	年龄	籍贯	通讯处
赵玉佩		男	24	陕西盩厔	西安甜水井85号
罗长薰		男	25	陕西石泉	石泉马池镇□荣泰转
何寄梅	泽民	男	24	陕西南郑	南郑中山街三号
段树德	钧青	男	24	陕西城固	城固柳桥□□箱转
周忠庆	阶平	男	25	陕西城固	城固西城巷6号
王世斜		男	25	甘肃定西	定西北关新顺昶
李长生		男	25	山西大同	大同口泉镇□□口村
岳　忏		男	24	陕西城固	西安□□32号
常　毅	东刚	男	25	陕西渭南	西安□柳巷7号
封振华		男	25	河南获嘉	河南内乡西峡口
段东豪		男	24	河南偃师	偃师邮局转
赵　密	发□	男	24	河南洛宁	洛宁故县镇邮局
庞哲清		男	25	北平市	北平市东椿树胡同16号转
李秀文	远中	男	25	山东莱芜	莱芜七区王门店

（七）理学院:化学系

姓名	别号	性别	年龄	籍贯	通讯处
王国柄	又坤	男	25	甘肃秦安	秦安东山卫□善堂转
卢鸣岐		男	25	江苏砀山	砀山城南卢屯
樊世民		男	25	山西解县	解县车盘村
安九鼎		男	26	陕西绥德	城内镜塘里
要培兰			28	山西徐沟	
崔凌汉			25	河南伊阳	伊阳城内北大街

姓名	别号	性别	年龄	籍贯	通讯处
张克勤			25	河北定县	定县德张隆转
陈泽鉴			24	陕西安康	安康新建交
韩耀国		男	26	河南渑池	渑池英豪镇
祁伯君		男	25	山西猗氏	猗氏贾庄村
赵金铎		男	24	河北盐山	盐山赵家庄
周怀符	节一	男	25	甘肃兰州	兰州中正路74号
段朝黎		男	25	河北元氏	元氏城内文明街
郝祥俊		男	26	河北清丰	
鲍银堂		男	25	河南偃师	偃师西蔡庄景元堂
杨若侠		女	25	河南南阳	南阳北门大街19号
刘振茗		女	24	河北武强	广东曲江富国煤矿
叶德秀		女	24	河南禹县	禹县仓房街21号
张友恭		女	25	河北新安	北平东四马市大街8号
张时雨		男	23	陕西长安	西安骡马市3号
邵大光		男	22	江苏砀山	砀山城南陈寨乡邵庄
负炎午		男	25	山西平陆	平陆广德村
赵　冰		男	25	江苏江宁	南京月牙巷13号
吴月昕		男	25	山东烟台	烟台东关三道街15号

（八）理学院：生物学系

姓名	别号	性别	年龄	籍贯	通讯处
秦振栋		男	24	山东黄县	黄县秦家村
袁桂生		男	24	河北徐水	
赵文麟		男	25	河北行唐	行唐常香村
王凤采		女	21	河北高阳	北平西四羊胡同5号

（九）理学院：地质学系

姓名	别号	性别	年龄	籍贯	通讯处
常世荣	仁山	男	28	甘肃陇西	陇西三民街122号
何胤周		男	25	陕西城固	城固升仙村
巩志超	叔翼	男	25	陕西商县	商县南雒镇
任海波	清源	男	25	山东平原	平原城东杨柳寺
赵力田		男	25	河北定县	定县赵家洼村

姓名	别号	性别	年龄	籍贯	通讯处
侯世军		男	25	河南杞县	杞县西大街11号
张 存	俊忠	男	25	江苏东台	上海中正南二路南新新里276号
辛奎德		男	25	山东海阳	海阳邮局
庞成业		男	25	河南修武	修武京里村

(十)理学院:地理学系

姓名	别号	性别	年龄	籍贯	通讯处
谭景升	旭东	男	23	山西阳曲	
刘启沛	兴汉	男	26	陕西洋县	洋县马畅镇春发堂
齐国儒		男	24	河北蠡县	蠡县
陈 新		男	24	河北定县	
孙慰苓		女	25	陕西长安	西安市东木头市22号
傅静荣		女	24	山西阳高	阳高小石庄村
吴淑月		女	26	河北任县	任县南街
张仁甫		男	26	山西榆次	榆次西关25号
武德宁		男	26	河南商城	商城北关
王吉林		男	25	陕西南郑	南郑北街莲花池12号
侯惠民		男	24	江苏萧县	萧县西南孙圩寨

(十一)法商学院:法律学系

姓名	别号	性别	年龄	籍贯	通讯处
申峻峰		男	27	河南封丘	开封太平街27号
杨玉贵		男	25	河南孟津	洛阳西北乡横水镇
张效鹏		男	28	河南上蔡	上蔡东洪桥张龙舞村
冯显国		男	28	江苏邳县	邳县邮局转
张致平		男	24	河南辉县	辉县峪河镇转王范村
马 霁		男	23	河南洛阳	洛阳马坡村
杨家驹		男	24	河南汜水	汜水峡窝镇转郎中□
宋砚田		男	24	河北任县	兰州中央银行宋主任转
王怀远		男	26	陕西洋县	洋县大东街41号
魏峻峰		男	28	江西宁都	河南高等法院郾城分院转
高攀柱		男	24	甘肃成县	成县北泉巷
孙文斌		男	24	河南叶县	叶县龚店街

姓名	性别	年龄	籍贯	通讯处
陈善政	男	25	陕西沔县	沔县阜川乡
吴克刚	男	28	山西临晋	西安市北广济街66号
刘气盛	男	24	陕西蒲城	蒲城洛滨镇
王文通	男	26	安徽霍邱	霍邱洪集
胡嘉仪	男	26	陕西西乡	西乡武昌馆街49号
王俊杰	男	24	陕西城固	城固小七拐巷3号
郭宗绪	男	23	甘肃陇西	陇西纪常街4号
丁悦民	男	25	山东潍县	潍县增福堂街17号
洪玉莲	女	25	河南开封	陕西西乡北大街27号
陈琼英	女	24	广东琼山	
于遵辅	男	25	山东即墨	即墨俞家屯转小寨
毕霖锜	男	25	河南镇平	镇平新民市
栗成立	男	25	河南南阳	南阳北石桥交核桃园
姜初平	男	27	四川荣昌	荣昌河市渭口
瞿 塏	男	29	江苏靖江	靖江东门外
董希齐	男	30	河南商水	商水
周鸿春	男	27	河南信阳	信阳
黄德培	男	25	河南遂平	遂平玉山北英岗村
陈博恒	男	26	河南南阳	南阳
张汉选	男	28	河南南阳	南阳
李海涛	男	30	山 西	河南郑州
相得伸	男	27	山西闻喜	闻喜
杨笃乾	男	25	陕西蓝田	西安市鲁家巷11号
董介山	男	25	江苏砀山	砀山卞楼
王质彬	男	24	河南郾城	郾城黑龙潭
樊鸿谦	男	23	陕西扶风	西安市景翼路137号
刘润生	男	28	陕西蒲城	蒲城永丰镇德发祥

（十二）法商学院：政治学系

姓名	别号	性别	年龄	籍贯	通讯处
郑一平		男	25	陕西城固	城固大七拐巷4号
高明德		男	25	甘肃康乐	康乐苏家集

姓名	别号	性别	年龄	籍贯	通讯处
周民生		男	25	河南氾水	氾水东关复兴永
张志强		男	25	甘肃武威	武威福禄巷12号
赵著灵		男	26	甘肃徽县	徽县东大街福顺永
翟登亭	朗之	男	26	陕西长安	鄠县秦渡镇通顺生
吕以珊	政之	男	24	江苏盐城	盐城高作吕宅
程楚秦	辅三	男	26	陕西洵阳	洵阳北区小河口邮局
杨宗昌		男	24	陕西鄜县	鄜县交道镇邮局
李位西		男	26	河南□华	鄢城东北老窝集沙河宋
朱德晖		男	25	江苏沛县	沛县城南三区孟楼
李 简		男	26	山东莘县	莘县城西郝庄
李福堂		男	25	河南项城	娄堤店东大王庄
栗 瑞		女	23	河南沁阳	沁阳教育局后院
张存祺		男	42	河北昌黎	昌黎南关32号
侯兴让	逊庭	男	32	山东高苑	高苑西关孟德堂
廖秉彝		男	28	陕西沔县	沔县温泉乡
陈宝华		男	24	河南氾水	氾水邮局
王立显		男	24	安徽舒城	舒城邮局对门王宅
刘心正		男	26	江苏砀山	砀山西大街刘宅
范晓天		男	25	江苏铜山	铜山五里范村
郭 傅		男	25	河南洛阳	洛阳成功街2号
张玉衡		男	27	安徽泗县	泗县双涧镇王仁记转
杨维容		男	26	陕西武功	武功三监巷2号

(十三) 法商学院:经济学系

姓名	别号	性别	年龄	籍贯	通讯处
法树文		男	24	河南荥阳	荥阳城北金寨邮局转
杨玉琪		男	25	河北沧县	沧县西门外方家花园
陈文阁		男	26	河北东光	东光曲龙河
周油云		男	26	山东莱阳	莱阳院上镇交
刘联邦		男	26	河南卢氏	卢氏城东金五朵村
魏泽波		男	25	河北南乐	南乐南大街
阚文升		男	26	江苏砀山	砀山城东阚双楼

姓名	性别	年龄	籍贯	地址
卢有序	男	26	甘肃景泰	景泰小卢塘
牟翰章	男	26	兰州	兰州五泉牟家庄6号
霍宏才	男	25	河北大名	大名张铁集
刘振芳	男	25	河北元氏	元氏东街
马润序	男	24	陕西绥德	绥德扶风寨
徐耕	男	25	河南淅川	淅川上集北锁
王贵亭	男		陕西长安	西安市许士庙街21号
阎宝瑜	男	22	陕西商县	商县东北街19号
邓怀智	男	26	河北高阳	天津第一区归绥道16号张宅转
秦光裕	男	24	河北静海	静海堂官屯韩家场
曹春德	男	23	安徽颍上	
陈得智	男	24	绥远临河	临河县政府
张百经	男	24	河南洛阳	洛阳张岭
佟宗新	男	24	辽宁通化	安东通化三棵榆树
周鸿典	男	27	河南信阳	信阳复兴路32号文池秀转
毛东虎	男	25	河南广武	广武古荥镇邮局转丁楼村
李大欣	男	26	河南偃师	偃师孙家湾
薛之时	男			
勇云龙	男	28	河南南阳	南阳东关大街33号
李建章	男	28	西安市	西安西三道巷西子1号
赵俊杰	男	25	陕西城固	城固上元观俊复生
崔世勋	男			
杜铁铮	男		陕西蒲城	
吴永欣	男			
齐载岳	男			
郭雪萍	女		河南项城	河南开封后保定巷17号
张凤瑞	女	23	河南淅川	淅川东北街1号
窦桂真	女	26	山东濮县	濮县永兴镇东五十里寺
宋芝兰	女	23	湖南邵阳	湖南长沙祝威岗文明里3号
师蕴如	女	24	河北徐水	徐水曹河镇
湾灌博		25	河南武安	河南西平合水镇

姓名	别号	性别	年龄	籍贯	通讯处
丁光亮					
和景祥		男	26	河南洛阳	洛阳上古村
易黄元		男	24	陕西石泉	石泉西关义顺福号
李清渊		男	26	陕西西乡	西乡武昌馆街 27 号转
杨效宝		男	26	陕西西乡	西乡东大街 10 号
刘建伟				山西	

（十四）法商学院：商学系

姓名	别号	性别	年龄	籍贯	通讯处
赵典铭		男	24	河南唐河	唐河源镇马湾
韩庚申	更生	男	25	河南偃师	偃师邮局
杨锦贤	景贤	男	26	江苏无锡	无锡字前街 15 号
王承三		男	24	河北保定	保定城南张登镇
于振枝	进枝	男	27	山东海阳	海阳郭城邮局
翟璨华		男	27	河南汜水	汜水周村转
魏金铭		男	25	河南洛阳	洛阳延秋镇
耿修爵	仲达	男	21	山西浑源	浑源南大街 1 号
萧志远	一帆	男	27	河北磁县	磁县时村营交
廖君锡	馀生	男	26	四川大足	四川荣昌河邑场
盛浩然		男	26	陕西潼关	潼关二层山
王怀仁		男	26	陕西韩城	韩城芝川镇公德合转西论功村
穆长长		男	24	陕西泾阳	泾阳伴捷巷 18 号

（十五）法商学院：边政学系

姓名	别号	性别	年龄	籍贯	通讯处
张镇国	继超	男	25	河南淮阳	淮阳中山南大街 81 号
程少峰		男	24	河南临漳	西安市五道什字 39 号
罗万寿		男	24	陕西西乡	西乡察院街 14 号
祁尚礼		男	27	甘肃临洮	兰州北园 5 号
李辅国		男	25	陕西蓝田	蓝田孟村镇
乔英杰		男	25	河南陕县	陕县观音堂
谢永森		男	25	陕西米脂	米脂武镇
李治国		男	24	陕西安康	安康新建乡

姓名	别号	性别	年龄	籍贯	通讯处
赵云亭		男	24	河南广武	广武李岗村
李　星		男	25	嫩江巴彦	杭州学士路思鑫坊57号
刘伯明		男	27	甘肃皋兰	兰州大川渡条城西街
高习之	子学	男	28	甘肃皋兰	兰州大川渡条城西街
温存智		男	24	青海西宁	西宁市石波街22号
王思曾		男	27	河南灵宝	灵宝下□邮局转下庄村
俞克毅		男	24	山西临汾	北平渭治头36号
侯建钧		男	24	山东平度	平度吴庄村
谭福茂		男	26	陕西渭南	渭南下邽镇
陈敬勉		男	24	河南夏邑	夏邑胡桥集北大陈营
王重琦		男	26	甘肃民勤	民勤东街广庆钰
侯承祖		男	26	甘肃和政	和政买家集
郑立庆		男	34	山东沂水	沂水东关大街北贡
王时钟		男	24	陕西凤翔	凤翔陈村镇益盛号
赵文荃		男	24	山东菏泽	菏泽王刘庄

(十六) 医学院

姓名	别号	性别	年龄	籍贯	通讯处
王　清		男	27	甘肃武山	本院李培植转交
周家桂		男	28	河南内黄	西北大学医学院马登柱转
孟肇英		男	26	山西五台	西北大学医学院李国璋
李培俊		男	26	山东莱阳	西北大学医学院刘绍诰转
于会文		男	28	山东安丘	西北大学医学院刘绍诰转
于伟卿		男	25	山东文登	西大医学院于从吾转
任素珍		女	23	河南开封	南□议兴中学
牛汝楫		男	25	河南安阳	西大医学院马登柱转
姚吉瑞		男	25	河北行唐	西大医学院赵更生转
董敬舒		男	27	山西芮城	西大医学院续昶光
陈文焕		男	33	山西河曲	西大医学院李国璋转
刘世杰		男	24	天津	西安第一区电讯管理局胡彦生转
朱德炘		男	24	江苏吴县	西大医学院丁曾然
穆淑璿		女	24	河北文安	西大医学院丁曾然

张铂龄	男	26	河北滦县	西大医学院萧明耀转
王汉勋	男	27	山西芮城	西大医学院李维清
李树华	男	26	陕西富平	西大医学院吴延龄
耿　莹	女	24	河北清苑	西大医学院王荫棠
王淑棋	女	26	河北临榆	西大医学院王荫棠
孟博爱	女	23	陕西岐山	西大医学院赵紫绡
张崇义	男	25	山西寿阳	西大医学院赵紫绡
张　素	女	26	辽宁辽阳	西大医学院赵紫绡
石　松	女	26	河北武清	西大医学院赵紫绡
于培荔	男	24	山东莱阳	西大医学院刘绍诰转
张豫章	女	23	河北清苑	西大医学院王肃庄转
赵淑中	女	26	山西平定	西大医学院葛维方转
史镜铭	男	24	陕西南郑	西大医学院周宪文转
曹　铿	男	24	河北武清	西大医学院李寿全转
郭绍明	男	25	山西安邑	西大医学院杨嘉政转
刘文善	男	24	山西忻县	西大医学院李国璋转
范赓修	女	26	河南开封	西安北关正街公字2号
朱世英	男	26	陕西泾阳	泾阳教育用品社
雍念书	男	26	陕西华县	华县城内公合利转
王志杰	男	27	陕西三原	西安报恩寺街45号
陈玉崑	男	28	河北威县	西大医学院续昶光转
段西方	男	24	河南郏县	西大医学院葛维方转
袁述先	男	24	山东黄县	西大医学院王世臣转
彭　平	女	23	河北深泽	西大图书馆刘西林转
陈福煊	女	23	陕西西乡	西乡南街基督教陈李爱贞转
董玉成	男	25	山西平陆	西大医学院李国璋转
姚凤舞	男	27	河南上蔡	西大医学院陈金典转
张文轩	男	26	山西榆次	西大医学院李国璋转
王焕新	男	27	河北正定	甘肃秦安省立工厂学校王博转
董梓才	男	24	山西浑源	西安小车家巷24号李静明小姐转
李式昌	男	25	河南林县	西大医学院马登桂转

姓名	性别	年龄	籍贯	地址
刘　旭	男	24	河北深泽	西大本部图书馆刘西林转
丛健人	男	27	山东威海卫	西大医学院杨继声转
杜寿昌	男	26	陕西米脂	西大医学院李宝麟转
孙维藩	男	28	山东黄县	西大医学院杨继声转
郭乃勉	男	24	山西忻县	西大医学院续昶光转
张青云	女	23	山东益都	
王　玥	男	26	河北遵化	西大医学院徐更立转
马孝珍	女	24	山西五台	西大医学院王荫棠转
田懋勋	男	24	甘肃天水	天水西关新生巷8号
原青均	男	26	山西河津	西大医学院杨嘉政转
陈惠昌	男	26	江苏海门	西安北院门27号郁云章
张喜葵	男	25	河北临城	西大医学院马志
帖生祥	男	26	山西应县	西大医学院王耐冬
王国琛	男	26	青海互助	西宁市崑中校友会周忠明转
潘　明	女	25	南京市	西大法商学院张树阳
贾玉莲	女	23	河南鄢陵	西大校本部□至芳转
刘　琤		25	河南安阳	西大医学院李景月转
赵芳静	女	24	山西浑源	西大医学院王荫棠转
张永勤	女	28	河南南阳	西大医学院王荫棠转
牛怒森	男	27	陕西华县	西安东大街中华大药房转
于维贤	男	26	河北清苑	西安马神庙巷5号
邓云山	男	24	宁夏永宁	西大医学院王安转
郭学成	男	27	甘肃合水	甘肃庆阳西峰镇仁和义转
葛振东	男	24	山东莒县	南郑后街
王绮云	女	26	河北昌平	西大医学院杨熙转
罗玲璋	女	26	安徽合肥	西大医学院杨继声转
高思齐	男	25	陕西洋县	西大医学院王景仁转
贺玉全	男	24	山西临县	西大医学院杨嘉政转
李　铎	男	25	陕西西乡	西乡东关松鹤轩转
张金山	男	27	河北磁县	西大医学院梁世森转
孟北异	男	25	河北获鹿	西大医学院刘香云转

梁盛华	男	26	河南沁阳	
杜玉凤	女	25	辽宁义县	西大医学院史美华转
张志民	男	26	河北新河	西安东大街426号交
解兰芳	女	27	山西万泉	西大医学院葛维方转
赵敬曦	女	28	黑龙江齐齐哈尔	西大医学院葛维方转

十一、国立西北大学三十一年度学生人数统计表

（中华民国三十一年十二月）

院别	系别	学生数													附注
		共			一年级			二年级			三年级			四年级		
		计	男	女	计	男	女	计	男	女	计	男	女	计	男	女	
总计		1020	914	106	264	228	36	216	201	15	301	269	32	242	218	24	
文学院	合	180	149	31	56	44	12	33	27	6	49	41	8	45	39	6	一、本表系按已正式注册人数填列，分发迟到学生不计；二、本大学附设先修班学生未计入。
	中	43	37	6	10	8	2	6	5	1	17	14	3	10	10	0	
	外	75	60	15	32	24	8	14	10	4	19	16	3	13	12	1	
	历	62	52	10	14	12	2	13	12	1	13	11	2	22	17	5	
理学院	合	252	233	19	64	59	5	64	62	2	70	62	8	54	50	4	
	数	29	29	0	8	8	0	8	8	0	5	5	0	8	8	0	
	物	39	39	0	11	11	0	9	9	0	13	13	0	6	6	0	
	化	92	85	7	20	19	1	23	23	0	29	26	3	20	17	3	
	生	33	26	7	18	14	4	4	3	1	5	3	2	6	6	0	
	地	59	54	5	7	7	0	20	19	1	18	15	3	14	13	1	
法商学院	合	588	532	56	144	125	19	119	112	7	182	166	12	143	129	14	
	法	93	86	7	26	25	1	21	20	1	35	32	3	11	9	2	
	政	115	112	3	30	30	0	25	25	0	29	27	2	31	30	1	
	经	241	216	25	45	37	8	56	50	6	76	70	6	64	59	5	
	商	139	118	21	43	33	10	17	17	0	42	37	5	37	31	6	

十二、国立西北大学三轮历届毕业学生人数统计表

（中华民国三十一年十二月）

院别	系别	共计	28年度	29年度	30年度
总计		610	187	205	218
文学院		176	64	55	57
	中国文学系	59	25	20	14
	外国语言学系	48	17	15	16
	历史学系	69	22	20	27
理学院		162	54	64	44
	数学系	28	10	11	7
	物理学系	37	11	15	11
	化学系	52	21	17	14
	生物学系	17	4	10	3
	地质地理学系	28	8	11	9
法商学院		272	69	86	117
	法律学系	72	25	32	15
	政治学系	62	20	12	30
	经济学系	91	19	33	39
	商学系	47	5	9	33

（国立西北大学档案，陕西省档案馆）

第十一章 学生（下）

第六节　国立西北工学院历届毕业生[①]

一、二十八年班第一届毕业生同学录

（一）土木工程学系

李自新	李奉先	黎绍熙	陈松茂	马樾荫	王文超	吴成三
陆仕鸿	陶世昌	苏青选	成继敬	王家壁	董言声	郑家龄
郑凤池	刘桐韵	袁鸿志	李惟湛	桂承业	何钟秀	赵向中
张崇峣	李宗咸	董公亮	黄克明	杜茂森	寿文彬	袁克智
梁久敬	梁武韬	张顺延	刘鸿捷	王树梓	梁文璞	刘天顺
郭安民	李耀铨	曾溶汉	孙继葆	孟庆勋	刘春一	查庆丰
王维新	李鸿谟	于福民	贺祈养	赵荣升	苏显谟	苏世锦
洪文佩	王继宏	潘寿彭	郑本群	于睿祥	郑攀桂	王达伯
姜国珍	张之梁	幺文翰	易克勋	朱吟龙	王允发	李潘华
岳崇志	皇甫其鲁					

（二）矿冶工程学系（探矿组）

刘夔	胡熙庚	訾乃全	郑锡卿	薛启帆	陈洪关	牛继武
张志侃	刘国忠	孟宪斌	李宗莪	陈泽埔	李均衡	张玉珂
刘佩来						

[①] 民国档案，国立西北工学院三十七年班毕业同学录，陕西省档案馆。

矿冶工程学系(冶金组)

张　铨　　李伯屏　　余景生　　王锦儒　　郭可切　　关荣枢

(三)机械工程学系

史绍熙[①]　刁家翔　　康升龙　　马毓藻　　吴钟岭　　杜汝霖　　潘咏熹
贾锡彤　　李先奎　　杨乃震　　陈伯英　　王维相　　石　珵

(四)电机工程学系(电讯组)

吴伯英　　夏士鸿　　张家兴　　关崇煜　　费韫娴　　尹友三　　宁循规

电机工程学系(电力组)

郭一平　　张博文　　李光亮　　彭亚豪　　宋瑞堂　　张明佳　　邹承禹
李宗岳　　唐　毅　　龚树叶　　谢　瑜　　陈　琋　　李培阳

(五)化学工程学系

马瑞章　　孔令林　　丁祥炤　　罗大章　　李尚林　　冯文蔚

(六)纺织工程学系

柳国荣　　万毓琦　　许景昱　　李有山　　张在寅　　李坤秀　　葛南极

(七)航空工程学系

周德章　　苏又泉　　吴自良[②]　余鸿才　　张相麟　　冯承祖　　戴昌晖
梁仲康　　于以增　　刘　埙　　史麟图　　高乃谦

二、二十九年班第二届毕业生同学录

(一)土木工程学系

卞希元　　郑履义　　属汝尚　　戴统三　　韩作孚　　张　寅　　王玉琳

---

① 史绍熙(1916—2000),江苏宜兴人。内燃机专家、中国工程热物理学家、中国燃烧科学技术的首席科学家、中国高校内燃机专业的创建者和教学、科研的开拓者,教育家。1935年考入北洋工学院机械工程专业。1937年抗日战争全面爆发,在安庆、武汉一带宣传抗日,后赴西安、陕南城固,相继转入西安临大、西北联大。1939年毕业于西北工学院(发北洋工学院毕业证),留校任教至1945年。1980年当选为中国科学院学部委员。

② 吴自良(1917—2008),浙江浦江人。材料科学家,"两弹一星"功勋奖章获得者。1935年考入北洋工学院,先读矿冶,后转学航空机械。1937年抗日战争全面爆发,随校内迁西安、陕南城固,相继转入西安临大、西北联大、西北工学院。1939年毕业于北洋工学院(实为西北工学院),1948年获美国匹兹堡卡内基理工大学博士学位。20世纪50年代,从事苏联低合金钢40X代用品的研究,对建立中国低合金钢系统有示范作用。60年代,领导并完成了铀同位素分离用"甲种分离膜"的研制任务。1980年当选为中国科学院学部委员。

张振全　黄蔚光　王汝信　李钟义　屈仲五　孔令义　杨大智
程云升　郑书才　陈步泰　刘　植　王振声　吴春昌　谢光源
张锡金　刘可辉　陈　瑛　欧阳振　马恒昶　薛时衡　葛玉振
侯作军　刘淑阆　陈保兴　周国庆　高志清　陈殿英　王少华
刚丕谦　刘泽沛　徐光裕　赵学典　刘　宇　郝汝林　丁建武
应继治　王天任　杨德许　余国兴　马欣曾　崔廷印　许承铎
程世烈

（二）矿冶工程学系（探矿组）

陈文澜　关树忠　吴德楣　郑耐安　林宗彩　孙肃璨　郑汉兴
续世南　陆周盛　姜辅志　吴志义　黄俊明　吴士壁　张德文

矿冶工程学系（冶金组）

张沛霖[①]　萧泽宇　冯汉杰　傅欠韩　胡振渭

（三）机械工程学系

沈克勤　梁民桓　陈大元　陈熙佐　游来官　杨玉潘　郭治洞
夏登宗　李　润　刘敏才　汪恩民　尚　进　邓　元　冯国方
杜履端

（四）电机工程学系（电讯组）

杜锡钰　隋经义　沈长荣　杨逢澍　李　均　孙绍祖　吴正万
史效名　刘奎儒　苏立本　张永余　陈宝傅　刘祖恩　张□霖
赵树光　李春山　马成标　柳毓山

电机工程学系（电力组）

朱宝鸡　邵洪沣　郑德矩　王　政　赵明权　杨俊仑　张承斌
杨松波　赵玉田　陈之锐　吴国潘　邓锟榆

（五）化学工程学系

董　渭　马万兴　蹇人诚　董好文　杨师怡　阴法邵　谢叙平
赵晋城　高家赐　刘玉振

---

① 张沛霖（1917—2005），山西平定人。著名物理冶金学家，1936年被交通大学唐山工程学院（现西南交通大学）矿冶系录取，次年至西安，考入国立西安临时大学，复迁城固国立西北联合大学。1940年毕业于国立西北工学院。1980年当选为中国科学院学部委员，中国科学院金属研究所创始人之一、原副所长，中国科学院资深院士，我国核燃料事业的主要奠基者之一，为我国原子弹、氢弹研制，核电事业核材料方面研究作出突出贡献。

(六)纺织工程学系

王降绡　　罗广铨　　苏福源　　俞汝武　　秦华新

(七)航空工程学系

买席璋　　胡学元　　卢丹墀　　张涛宾　　张开敏　　陈明育　　程仁厚
董振国　　王洪星　　张玉为　　盛恃俊　　刘大鹏　　李鹤翔　　杨鸿疆

三、三十年班第三届毕业生同学录

(一)土木工程学系

戴宗信　　葛均生　　孙　鉴　　侯　剑　　董崇珍　　方允和　　严行建
钟庆元　　雷文彬　　彭鑫先　　贾　毅　　王祖峨　　石博义　　鹿振东
赵　昌　　朱　薇　　吴正淮　　左明生　　宋毓昌　　鲁承宗　　赵化天
李立万　　铁天石　　李开勤　　林树德　　李文章　　孙长福　　李春霖
马培基　　刁　维　　刘潘周　　李秀芳　　刘国广　　屈仁武　　郑承志
秦逢尧　　王天尊　　董道临　　谷家骧　　廉　恺　　王觉民　　田喜亭
侯穆堂　　何玉书　　赵世源　　郭　谦　　王国欣　　娄伯寿　　于俊峰
谷国杰　　刘振鹤　　马俊杰　　张凤鸣　　赵振亚　　王子俊　　鲍家驹
王心钦　　郎宗毅　　高炳长　　王魁光　　傅安世　　鹿步云　　王鹤林
李学白　　杨运升　　张辅澍　　咸恩齐

(二)矿冶工程学系(探矿组)

史久光　　李利美　　侯运广　　王祖尧　　张太真　　章元滇　　袁家麟
蒋邻湘　　靳叔彦　　佟泽民　　张国政　　赵克齐　　黎光汉

矿冶工程学系(冶金组)

张省己　　袁永鑫　　袁荣生　　焦蔚芳　　甄玉琳　　傅代直　　朱宪章
由绍贤

(三)机械工程学系

鲁世忠　　刘长翥　　李勃仲　　马宝良　　袁襄礼　　翟允庆　　王傅钰
关廷东　　崔骏德　　朱长青　　李天基　　王广誉　　周用义　　周树柏
艾琦生　　□逢霖　　罗立铭　　许镇宇　　王观治　　程世祐　　孙钟和
张立贤　　阎绍华　　康天经　　王启裕　　王静宇　　徐鸿斋　　冯鸿璋
周日衡　　徐国梁　　冯维寅　　宋光洲　　巩芳亭　　李善通　　鳌　准

·1093·

曾昭正　　朱　荃　　王兴泉　　董其璞
(四)电机工程学系(电讯组)
周建畏　　郑尔章　　朱淇昌　　刘日廉　　李育珍　　魏先仟　　陈广训
黎顺仁　　安　□　　王以珏
　　电机工程学系(电力组)
陈荣章　　黄显伟　　刘定钧　　李昌龄　　李希浸　　兴景书　　鄢钦熏
金振铎　　陈廷杰　　彭其祥　　牛秉衡　　赵白璧
(五)化学工程学系
胡杏芳　　田　斌　　郭雨东　　杨茂春　　张　振　　郑淑方　　郭承俊
陈　珍　　葛树萱　　王均华　　文□阳　　燕惠兰　　梁飞彪
(六)纺织工程学
王文光①　刘震生　　苏先故　　陈　迻　　王有泽　　王兴富
(七)水利工程学系
周　汾　　孙天龄　　毛永熙　　周芳田　　王福元　　张家斌　　郭青云
房广猷　　戴子庄　　李昌荣　　张文集　　艾连根
(八)航空工程学系
童邃轩　　张桂聊　　宋超杰　　熊家骥　　李森林　　冷　霁　　荆广生
张祖烈　　王希周　　张耀宸　　黄光耀　　刘子汉　　余骥龙　　陈保善

四、三十一年班第四届毕业生同学录

(一)土木工程学系
南尚义　　龙英琪　　刘文坤　　刘锡田　　陈树年　　张昕生　　王肇灿
王熙昀　　王作霖　　李嘉昌　　梁尚武　　徐守贞　　孔繁智　　张尚德
叶大明　　马植杰　　王树岩　　侯乐天　　张汝刚　　沈启印　　李海峰

---

①　王文光(1915—2000),山西长治人。毛纺织专家、教育家,毛纺专业教材建设的创始人之一。1937年考入山西大学机械系,开课不到一个月被迫停办。在逃难途中,考入西安临时大学纺织系(后更名为西北工学院纺织系),后改为西北联大、西北工学院,1941年毕业。其一生见证了西北纺织高等教育的演化。1941—1943年 任军政部制呢厂(在重庆)技佐、中尉技佑。1943—1950年,任兰州毛织厂技师、工程师、工程师兼工务科长。1950—1957年,任西北工学院纺织系教授。1957—1960年,任西安交通大学纺织系教授。1960—1972年,任陕西工业大学纺织系教授。1972—1979年,任西北轻工业学院纺织系教授。1979—1987年,任西北纺织工学院教授、毛纺研究室主任、毛纺研究所所长。

锡士敏	王饶生	王大华	葛辰生	米钦堂	张向贤	李树荫
刘树楷	朱先泽	张树海	洪文治	韩好富	倪家生	和鸣谦
骆凤岐	李宝臣	王长祯	吴　敏	徐　海	刘炳煊	张元龙
宋祖开	吴乃道	王万镒	张帮理	秦复唐	李士清	刘龙生
王成福	张德盛	李企光	白葆琦	蓝继春	张万寿	孙　达
林　夏	赵政和	董振镛	傅　瑶	刘鸿纶		

（二）矿冶工程学系（探矿组）

梁　任	石新林	余申翰	薛舜周	苏文儒	孙熙富	刘幼炽
黄体信	刘钟瑶	胡赠璧	支鸣岐	衡正名	任宪之	胡　衡
张寅廷	李恩隆	王云龙	高志英	郑家琴	朱瑞彬	王泽汉
唐光洁	原　侃	唐健雄	张东生	余邵雷	邬延德	

矿冶工程学系（冶金组）

庄文彬	田庚锡	李恒德	业　赟	傅元庆	李保光	喻　旭
宋钟仁	张鸿文	朱家琨	薛宜远	王向离	仟成之	张维公
陈会崇	任嗣衡	任振德				

（三）机械工程学系

乔万寿	方叔贤	竺家欢	严忠锘	傅承康	田积基	萧才励
方汉培	杨子玉	董家宝	程　埙	田广文	孟宪章	张念远
丁占龙	刘成器	周忠域	王湘清	王仰舒	张志僖	谢基晋
刘椿铭	白家祺	杜鸿模	李士淳	李纪典	王　鑫	陈允功
冯广占	山继□	王仁民	余德景	王雨森	马子良	钱青云
王大奎	米增寅					

（四）电机工程学系（电讯组）

魏凌云	祝锡祺	陈伶美	田睿川	林崇明	苗生瑞	屈季陶
赵融炎						

电机工程学系（电力组）

左　垲	刘冠英	刘存章	方铭松	戴稚岚	王发庆	龙文光
杨世昌	张盛钺	胡庞德	李锡明	樊尚新	杜性林	霍时人
唐漠栖	刘洪畤	杜学富				

（五）化学工程学系

牛　宏	易孙郎	林如干	熊亮熙	杜惠文	周　法	胡明安

高汝成　　陈家麟　　李任溥　　吴景安

（六）纺织工程学系

毛华玮　　陈凤鸣　　张　溕　　顾希生　　王世贤　　张宝琦　　黎连昌
王树德　　王崇义

（七）水利工程学系

林国璋　　魏傅贤　　刘培义　　耿继昌　　李仲元　　何以余　　钱文震
任文灏　　谢惠临　　杨　㦲　　毛寿彭　　黄　恩　　王毓泰　　田九昌
梁长新　　黄庚祖　　颜邦殿　　卫广武　　赵中伦

（八）航空工程学系

陈秀侗　　吴云书　　洪汉华　　杨国梁　　王名贤　　施祖荫　　杨毓伦
陆天瑜　　欧阳青　　刘恭贤　　姚立国　　张景帆　　汤志通　　朱仲愚
邓克铎　　郎仁德　　阎德厚　　马恩春　　杜　谋　　张廷汉　　陈大彬

五、三十二年班第五届毕业生同学录

（一）土木工程学系

钟　鹏　　秦锦矛　　杨为周　　龚儒林　　施以仁　　金　奂　　廖淳恩
曹端行　　杨　峰　　范子昌　　王积厚　　张殿文　　吴慰慈　　王道学
李佑中　　陈德璋　　曹尔秀　　高斌庆　　杜家骥　　王孝泉　　戴启温
张伯烈　　王守智　　程胜骥　　潘效曾　　杨刚和　　杜世祥　　王化洽
孔庆荣　　陈达昌　　王鹏汉　　李林中　　胡世俊　　王世祺　　文国桢
金茂书　　罗兴仕　　杨洲杰　　徐绍穆

（二）矿冶工程学系（探矿组）

陆鸣冈　　石指南　　张燕骏　　王泰纪　　刘宗严　　刘永康　　张天保
张文清　　杜安远　　杨筱儒　　周祝三　　张秀庭　　韩国庆　　王增图
张士超　　张　渤　　王俊德　　蓝生智

矿冶工程学系（冶金组）

吴天柱　　吴光庆　　陆福顺　　吴光亚　　冯毓熠　　方正知　　刘　勤
孙福泉　　邱发恒

（三）机械工程学系

孙荃柱　　张锡圻　　董文秀　　石鹤声　　王公侃　　贾有权　　贾金声

郭其智　　汤　彬　　黄振华　　刘秉仁　　谢　潜　　房鸿宾　　赵祖抃
苟觉民　　陈秉听　　魏彤云　　刘衍举　　傅存廉　　王英士　　仲　鼎
王瑞□　　刁纯勇　　宋保惠　　张元统　　杨士让　　朱　淞　　于方洲
谢耀宗　　陈忠谋　　李志忠　　孙明琨　　陈秉衡　　郭　伦

（四）电机工程学系（电讯组）

邹祥麒　　胡启新　　张毓英　　王为雳　　张淑慧

电机工程学系（电力组）

李□春　　孙继祖　　冯文富　　张允昌　　卢学炯　　郭润明　　余盛钿
李肇泰　　吴家录　　张尚礼　　安　信

（五）化学工程学系

强永桢　　韦俊玲　　沈庆堃　　白崇德　　侯振民　　鲜于文林

（六）纺织工程学系

胡景琦　　姜宏道　　苏钟琦　　郭志达　　苟振元　　高明安　　卫怀珠
杨　俊　　谯　涛　　王俊灵　　赵　钰　　亢向峰　　苏文成　　彭文质
陈需时　　周　匡　　李　颖　　叶泽南

（七）水利工程学系

刘善建　　刘振华　　张永福　　刘心宽　　陈应元　　颜克毅　　贺玉川
李振华　　刘觉一　　汤学云　　王甲亮　　苏振儒　　杜家驹

（八）航空工程学系

喻观佑　　周承仁　　陆孝宽　　周光坰　　张玉衡　　王志荣　　胡世英
周鹤龄　　顾大凯　　张傅耀　　文傅源　　胡渭滨　　郭镜冰　　王福瑞

六、三十三年班第六届毕业生同学录

（一）土木工程学系

耿维恕　　张祥麟　　宋增礼　　邱俊民　　刘　班　　于密云　　贾金炳
樊景福　　李法尧　　周迺文　　赵荣富　　张　琛　　李树人　　孙　润
宋文蔚　　冯若曾　　史秉直　　魏云飞　　温种玉　　欧阳洪　　路仲希
钱承文　　吴鼎勋　　杨裕琨　　朱永洮　　张安成　　崔祥麟　　苏景畴
洪永年　　刘田文　　丁泽龙　　吴雯翼　　王　点　　由忠信　　凌昌荣

（二）矿冶工程学系（探矿组）

吕鸿畴　　张江溶　　白士林　　赵　溶　　陈璟宪　　杨　舒　　刘来邦

雷清泉　　刘镇江　　郝凤台　　张奉先　　张　权　　王士耕　　于学馥
张德辉　　刘清久　　林祖齐　　邹恒言　　党文祥

矿冶工程学系（冶金组）

韩　琛　　郭宗寨　　贾馨庵　　杨美成　　蒋建文　　姚景露　　李治远
张鸿庆　　吴子中　　李傅生　　李锡三　　朱式荣　　梁志义

（三）机械工程学系

胡先约　　杨文奇　　王德槐　　郭公卓　　郭兴绩　　彭树明　　马瑞彬
李裕兰　　郝　□　　王功让　　谢光灏　　王福顺　　梁　溱　　龚先荫
冀承绎　　李　珊　　牛子莪　　周钟悌　　张思曾　　李毓筠　　万涤生
马德润　　杨楷鉴　　殷开泰　　王　毅　　孙世纶　　史耀基　　齐华郁
宋　铮　　张　樾　　郑长祥　　杨荩臣　　王　柱　　徐锡纯　　罗庆禄
刘梦豪　　梁桂行

（四）电机工程学系（电讯组）

陈同寿　　周　恕　　赵亚洲　　萧而健　　杨　润　　王顺勋　　武羡庭
高锡龄　　何燕增　　周绪镐　　李　建　　陈佩崇　　李绪仁

电机工程学系（电力组）

王　云　　杨景三　　张　干　　王景义　　叶嘉穗　　高宝贤　　祁开德
严兆丰　　毕乃干

（五）化学工程学系

王长荣　　刘衍烈　　王光华　　和自修　　周万富　　杨思贞　　赵培烈
赵　章

（六）纺织工程学系

邓友海　　孙启晏　　胡绍正　　栗槐龄　　袁东汉　　穆鸿铭　　张凤桐
续翰林　　孙同庆　　于肚生　　冯梓桐　　王庆寿　　孙家驹　　田立俭
贾秉良　　吴霖冀　　王建中　　陈麟庆　　冯澍铎　　霍国栋　　宋敬仁
邵懿堂

（七）水利工程学系

张　灏　　张春英　　王济棠　　张开先　　乔有谟　　王钟岳　　王维华
唐纪律　　何成功　　李荃德　　宋桐生　　赵启纲　　倪京苑

（八）航空工程学系

叶逢培　　朱植淦　　余发桂　　王秉钊　　杨名新　　严筱桐　　严云初

张克勤

七、三十四年班第七届毕业生同学录

（一）土木工程学系

杨寿彭	郭成道	陈德邻	黄锐家	林化农	黄　贵	李美儒
齐路生	王宗炜	张文良	冷东阳	王瑞冥	田　林	董文明
殷万寿	陈宏祁	陈荣珍	黎翰文	沈查理	张映霜	高振□
李德慈	曹曾云	任代礼	穆瑞甫	靳雁声	邢文科	左元第
和铭升	夏炽福	龚家□	杜致堂			

（二）矿冶工程学系（探矿组）

潘静澜	韩树藩	王贞益	杨松戊	何昭文	安士恒	周　鼎
衡世元	于公纯	傅佩仁	马树立	潘　广		

矿冶工程学系（冶金组）

师昌绪①	李启东	陈傅	郝振纪	石若珣	保世祯	郭鲁生
翟师孟	李人间	李春霆	吕正田	徐尚文	王锡勋	刘锦棠

（三）机械工程学系

于树春	李继明	阎振南	刘定沐	张乐育	王文隆	尹彰埔
杜棣荣	杨福升	王　切	崔馥声	康沫狂	许英凯	徐祖燮
常金山	王仁智	王维浠	张胜瑕	胡养真	李柄权	廖元襄
陈昌佑	赵文蔚	王成志	杜学林	于　俊	郑湛如	张　□
魏福林	邱精业	郑佑泉	李义辅			

（四）电机工程学系（电讯组）

张德斋	王　荫	王殿聊	程先珍	刘汉勋	刘文萃

---

① 师昌绪（1918—2014），河北徐水人。金属学及材料科学家，中国高温合金开拓者之一，发展了中国第一个铁基高温合金，领导开发中国第一代空心气冷铸造镍基高温合金涡轮叶片。1941年，考入国立西北工学院矿冶系。1945年毕业后，作为全班第一名，他被推荐到资源委员会四川綦江电化冶炼厂从事炼铜工作。1949年在北洋任教。1982年创办并兼任中科院金属腐蚀与防护研究所所长。1980年当选为中国科学院学部委员（院士）。1994年当选为首批中国工程院院士，担任中国工程院副院长。1995年当选为第三世界科学院院士，同年当选为第三世界科学院院长。2010年荣获国家最高科学技术奖。第三、五、六届全国人大代表，九三学社第七届中央委员。2015年2月27日，被评为感动中国2014年度人物。

电机工程学系（电力组）

杨　甫	高景德①	赵秋生	李铭傅	王裕诚	畅增锐	董振远
刘友德	徐焕新	周肇选	张克庸	林炳之	任合法	

（五）化学工程学系

张承文	余一鹏	沈远基	马存厚	齐家兰	刘云峰	赵宗彝
韩宗文	幺自兴					

（六）纺织工程学系

巢祖光	程上毅	李宪梁	周钟峰	崔世和	梁汤□	薛永□
王希义	杨维者	王明哲	李希荣	董毓英	刘振寰	李庆善
阴荐璋	林之□	卢永祺	项隆璋	马淑仪	陈学礼	陈昌杰

（七）水利工程学系

李　玮	王汝浩	董敬英	许群和	李希贤	郭兴汉	魏秀民
同允奇	柳长祚	孙法明	曹孙铸	高肇俭	戎澄水	张　鑫
邵学礼	王世选	邹天乙	陈炎炉	李在钤	李化仁	谢　泽
张篮祥						

（八）航空工程学系

解诒哲	李万隘	杨炳章	程啸凡	江爱怡	戈治华	师正伦

八、三十五年班第八届毕业生同学录

（一）土木工程学系

房伟龄	李秉和	李哲明	王文生	冯福栋	孙作仁	潘大斗
邹致远	刘　怿	李伯勋	张崇文	王木声	萧芝祥	郭成德
萧执权	高林肯	李文明	李树国	徐守身	王庭槐	赵本号
刘海清	金耀鑫	李文杰	梁开基	吴宗俭	郭景周	李学斌
张衍义	苏濂泉	杨兆禄	宋卓民	王三一	张信元	卫朝宗

---

① 高景德（1922—1996），陕西佳县人。中国第一位在苏联获得博士学位的学者。电机工程专家、教育家，现代电能系统运行和控制的新理论与新技术专家，清华大学原校长。1939年高中一年级时转学至西北农学院附属高中学习。1941年高中毕业后被保送至西北工学院学习。1945年，毕业于国立西北工学院电机系，到西安西京电厂工作，后往北平工作。1980年，当选为中国科学院院士（学部委员）。他系统地发展了电机复数分量理论和电机动态过程理论，并参与开辟了电力系统线性与非线性最优控制的研究领域；发展了电力系统控制理论，创造性地研究了串联电容引起交流电动机自激问题。

项希圣　　刘文清　　许　淮　　傅钟□　　孔祥实　　王道恒

(二) 矿冶工程学系 (探矿组)

龚凤岐　　马敬轼　　曹勤修　　赵　清　　李　莲　　刘国钧　　倪□植
李芳坤　　李新民　　刘光大　　朱兆明　　魏　同　　黄先敏　　赵天禄
石阴坡　　柴靖宇　　李　瑞　　金士元　　高鸣沂　　李乐岑　　宝耀遑
李金铭　　孙启祥

矿冶工程学系 (冶金组)

刘重鼎　　康文德　　刘恒中　　任贵信　　杨　让　　王家楷　　王平子
张　毅　　李鸿谟　　黄义君　　董凤城　　何润华　　李　桢　　张世孝
杨维峻　　孙欣棠

(三) 机械工程学系

孙棣华　　汤葆祚　　邢猷洪　　李文修　　王克明　　汪　琪　　曾晔昌
杨安慈　　王克同　　王永埕　　李　严　　李祷昌　　王栋材　　王　钜
于伯铮　　冯企异　　冷大章　　辛一行　　常承溥　　黄公望　　王友富
强则松　　于淑泉　　余慕陶　　胡秉政　　胡誉洁　　周仟源　　乔继澄
戴勤学　　郭桂安　　朱丙炎　　林学翰　　李守中　　娄亮周　　王立瑾
李白容　　李世璞

(四) 电机工程学系 (电讯组)

王振瀛　　徐同义　　雷光耀　　金　彬　　杨绍南　　焦尚仁　　吴泰梁
郭世忠　　王自新　　王钟富　　杜竟因　　朱蕴辉　　孙淑贤　　张奉文
张铭修　　郝　骝

电机工程学系 (电力组)

李允中　　贾兰馨　　王守基　　张力之　　马　奇　　卜维州　　张嗣九
孙海润　　刘庆长　　绍　信

(五) 化学工程学系

冯雨荪　　张经久　　杨端容　　吴咸庆　　刘恩周　　归省身　　王至刚
赵佩曾　　谢颐年　　邓星照　　陈万泽　　钱桢荃　　张继恒　　杨柢荣
张天植　　周淑萍　　万先烈　　丁松君　　黄正伦　　蒋锡源　　郭培棠
刘绍昌　　同允祯　　杜宝德

(六) 纺织工程学系

雷启航　　梁　英　　刘德成　　杜立俊　　李贻畤　　牛光炜　　姚在生

杨海禄	刘荣昌	杨晨光	王绍武	蒙德全	马毓瑞	吴永禄
朱恒昌	程启昌	丁鸿谟	刘元龙	张鑫丰	田世芳	魏国柱
郭九恩	崔文光	张志仁	辛定远	莫崇朴	丁云霞	彭士道
李澄溪	刘醒民					

（七）水利工程学系

王秀伦	李予良	时文生	张孙振	李德鹏	王德龙	陈宝珍
周其璠	杨荫黎	王继周	康秉笃	张省吾	牛汉彩	王晋聪
钟定基	陈力行					

（八）航空工程学系

杨应臣	杜先之	王振均	王居仁	晋振标	王书仁	王慎学
姚雅月	谷仪之	张履中	易瑞康	李重阳	张家骐	

（九）工业管理学系

王　旭	王念先	蒋旨谧	张财顺	高履象	史国平	崔中□

九、三十六年班第九届毕业生同学录

（一）土木工程学系

卫云亭	王鸿诏	杨玉璧	李兴之	王树兰	冉　璋	王显武
邓绪□	杨继骞	陶联来	郝育森	贾继泽	刘会川	张励翼
孙纯忠	朱守仁	高秉培	吴久微	方　壶	常法岳	杨振中
方秉仁	陈今桂	陈　松	熊文源	王凤楼	郭延章	勇桂龙
于锡忱	高伯庸	许正楷	王世光	邵心体	郭庆德	崔万寿
张文达	杨　靖	焦文生	李俊杰	刘国铨	李子敬	范守仁
王建业	罗孝梁	胡克慎	郭铭功	陈　珍		

（二）矿冶工程学系（探矿组）

邹　璞	孟昭励	江士贤	尹清泉	阎绍熙	丁克宽	李耀三
张和瑞	支永祺	张延范	李一民	杨俊秀	郭宝鼎	王鸿恩
孟宪熷	魏符贵	王景武	刘广志	薛庆第	安怀芝	贺　年
高丕谟						

矿冶工程学系（冶金组）

王　焕	周传典	姚　由	邓恒信	王兆俊	康大中	高　侃

| 吴超万 | 高秀根 | 王□甲 | 周仁甫 | 吴华梁 | 李　铎 | 易春生 |
| 余一谦 | 刘升庆 | | | | | |

（三）机械工程学系

宋本仁	侯文耀	侯穆楷	王庚长	陈先璋	王化一	赵令谦
于云琨	张天秀	王昶炜	寇炳文	刘洪范	潘世刚	杜鸿达
樊哲滋	李柄禄	郭遒成	李峻一	胡麟祥	许庆顺	陆炳钟
张景伦	郑国民	王朝而	堂乃恩	王式曾	王　通	吴奇光
王觉世	王受升	王观民	郑傅明	安锦高	翟之宪	韩祖荫
金长星	耿清珊	姜云鸿	陈育麟	张永芳	炎金声	张太平
贾作庸	田佩瑾	刘傅谟				

（四）电机工程学系（电讯组）

邱关源	张　成	常永泉	李宗诚	吴乃天	刘干非	张绍纲
王葵榕	金毓甘	张德珍	石凤玉	杨相辉	邹兆仕	郭荫堂
李　明	宛械林					

电机工程学系（电力组）

王治咸	樊恒铎	刘祖厚	谢立炬	刘哲民	崔应龙	魏金楹
李效□	樊树枚	李东元	吕鸿谋	周廉宪	田际超	姚海彬
刘英民	王敬言	王延瑞	林汝桢	董汝琪	刘云祥	张毓芳
程天福	郭　璨	原温厚				

（五）化学工程学系

赵令琪	王文清	郭载书	蒋世正	陈星沐	李兰芳	张培荣
邹永基	范志端	刘文蔚	潘文翰	张国羽	侯志恒	魏元忠
李树坤	司克杰	谢正国	徐清杰	郭鹤龄		

（六）纺织工程学系

马凤桐	邢莲华	安瑞凤	张攻瑕	张永庆	朱万钟	高文昌
金　麟	李永钧	姚德祥	吴长玲	于世杰	阎瑞铎	程大华
熊柏龄	徐征寿	程先璋	杨为善	樊存熙	宋绍宗	郭　敏
王德昌	陈　鹏	骆席珍	娄瑞麟	张虎瑞	王固疆	史国治
俞志田	及凤书	王崇义	阎□楷	朱茂林		

（七）水利工程学系

| 王寿昌 | 李　石 | 包锡成 | 董玉璋 | 薛英臣 | 孙忠全 | 陆景义 |

涂兴文　　李莲鹤　　侯国本　　支青云　　张效哲　　张守宽　　李　本
周希孔　　张克忠

(八)航空工程学系

孔继祺　　孙鲁生　　钱□彭　　曲宗耀　　荣维万　　彭　耀　　荣湘涛
李心田　　戈　武　　李道举　　白师贤　　王俊孝　　张蓬仁　　孙方玲
杨生耀　　马克潮　　曹士睿　　叶祖荫　　胡炳烈　　万锐民　　罗毓琨
刘维照　　钱伯让　　张宏毅

(九)工业管理学系

杨天恩　　陈来驹　　李国珍　　姜仁杰

十、三十七年班第十届毕业生同学录

(一)土木工程学系

姓名	性别	年龄	籍贯	通讯录
王汇川	男	26	山东牟平	牟平象岛乡马埠崖村
唐毅萍	男	25	山东益都	青岛中山路91号国华银行转
丁其诚	男	25	甘肃甘谷	甘谷北关如盛德
贾尚勋	男	25	河北易县	北平西城宫门口中廊下19号
贾宗植	男	26	四川射洪	射洪太兴场
力尚清	男	25	山西应县	应县城内魏碑后街20号
姜大方	男	26	热河凌源	本院
刘铁珊	男	25	热河朝阳	北平西单背阴胡同罗家大院3号
张玉全	男	27	吉林农安	本院
张荣治	男	26	山东海阳	青岛平阴路32号
孟绍成	男	26	山西平遥	平遥西丰村
高微录	男	25	山东章丘	本院
董家公	男	26	山东昌邑	青岛伏龙路号六乙
沈承祚	男	24	河南汲县	河南大坑沿街67号
李寿慎	男	27	河北故城	兰州上西园9号之一
王文秀	男	26	陕西城固	城固龙头镇转汤家村
杨尚斌	男	26	河南西平	西平北街杨宅

杜　龙	男	27	甘肃临洮	临洮沙辛甸镇
蔡华宝	女	24	安徽凤阳	本院
孙枋友	男	24	山东威海	本院
朱郑伯	男	26	浙江绍兴	绍兴太酒务桥43号
郑宝章	男	24	河北丰润	北平国会街8号
张豫民	男	23	河南鲁山	鲁山民族街
马禄荷	男	25	河南汜水	西工杨东方转汜水马窑村
张凤阁	男	26	河南长葛	长葛义和恒交本院过文亮转
盛正运	男	24	山东益都	本院
李光明	男	27	山东安丘	本院李咀华转
王立勋	男	25	河南修武	本院朱振亚转修武大韩村
祝世傅	男	26	山东益都	济南经一路纬二路永贤街79号祝世昌转
卫树潘	男	25	河南新乡	本院尚大宏同学转
申效儒	男	25	山西崞县	本院尚大宏同学转
陈绍舜	男	27	山西大同	大同大庙行22号
金海亭	男	26	河南淅川	淅川东后街
杜　励	男	26	江苏徐州	成都外东年丰巷新4号
李案义	男	24	江苏泰县	泰县西仓老西河
段鸿勋	男	25	山东堂邑	本院刘德文转
张允文	男	24	陕西长安	西安早慈巷27号
贠自铭	男	25	陕西华阴	华阴中山街6号
董勋伟	男	25	陕西铜川	三原北城前街48号
周太和	男	24	河南陕县	开封蔡胡同66号
赵晋恒	男	25	山西	郑州太康路中州机器制造厂
任德裕	男	25	陕西华县	西安甜水井街甲85号
吴河南	男	31	江苏武进	武进西门外嘉泽镇
白光宇	男	27	山西五台	西安大学习巷山西贸易公司
贺献莹	男	25	安徽临泉	本院过文亮转
李盛甫	男	25	山西夏县	夏县牛家凹
张庆文	男	24	湖北黄岗	武昌荆南街28号

(二)矿冶工程学系

(采矿组)

姓名	性别	年龄	籍贯	地址
赵书源	男	26	辽宁凤城	北平德胜门内菠萝仓甲1号
杨生哲	男	24	陕西商县	西安莲花池街15号
师傅荣	男	23	山西阳高	本院付同荣转
范秀春	男	26	青海乐都	乐都东关万和祥傅水声营河车
龚声仁	男	24	陕西安康	安康沙帽石街龚福兴号
张沂洲	男	27	河南淇县	郑州天成路51号
张建怡	男	25	河北唐山	北宁路古冶赵各庄胜利路头20号
赵秉刚	男	24	河北武清	北平西城佟麟阁路18号
党增寿	男	25	陕西铜川	铜川东街19号 西安甜水井89号
李永浓	男	27	陕西安康	安康东大街永春和号
李家砥	男	23	河北天津	西安大湘子庙街黄河水利工程总局上游工程处李复平转
张鸿禧	男	27	河南临颍	临颍手帕巷16号
焦敬友	男	26	河南巩县	巩县孝义焦湾邮代所
陈华经	男	28	安徽巢县	巢县拓泉北门汪天和号
周智正	男	25	河南孟津	西安尚仁璐中国银行李林容转
陈其德	男	26	山西晋城	山西晋城耳东村 西安北柳巷19号
朱家听	男	27	河南鹿邑	开封前营门43号
李兴诗	男	26	陕西西乡	西乡县贯子山
耿怡馨	男	25	河北宁晋	北平地安门外皇城根55号
刘思涛	男	25	河北新河	北平崇文门外中帽胡同55号
田士志	男	28	山西五台	西安北药王洞新字29号
□瑛	男	29	河北玉田	玉田县城北马庄子
于邦俊	男	26	河北丰润	唐山同德里后街18号

(冶金组)

姓名	性别	年龄	籍贯	地址
宋维锡	男	26	山西洪洞	洪洞万安镇邮局转
李寿彤	男	24	河南开封	开封中正路北段130号
李武辰	男	24	河南巩县	本院

杨形章	男	24	河南济源	开封中正路南段 210 号
王永清	男	25	河南南阳	南阳桐河镇邮代所
戚书堂	男	26	河南南阳	西安尚俭路 72 号陈天泽转
于铁柱	男	26	河南内乡	内乡西峡口谦和永本院陈铁民转
岳振东	男	25	河北清苑	西安监务管理局岳振铎转
李毓荃	男	26	山西祁县	祁县贾令镇
白鹤鹿	男	26	山西介休	西工分院罗崇庆转
赵 清	男	23	山西太原	太原临泉府 25 号
张俊民	男	23	河北枣强	西安崇忠路公字 4 号
李作楫	男	26	陕西宝鸡	宝鸡德和长号
张文秀	男	25	绥远包头	包头龟龄酒巷 6 号
董继春	男	25	河南临漳	成都直接税局分局
谷何之	男	24	江苏淮安	南京珠江路文德里 2 号

（三）机械工程学系

李 棫	男	27	山西万泉	万泉解店镇转北解村
王德麟	男	26	河北磁县	本院文书组
姬篆策	男	27	山东临清	本院文书组
王继敏	男	24	山东濮县	本院文书组
翟所遇	男	24	山东博山	济南经五路纬六路德和里 289 号本院白师贤先生转
方志忠	男	26	江苏溧水	南京中华门外拓磄镇
曾韩昌	男	24	浙江绍兴	察哈尔张家口师范街新门牌 6 号
焦学虎	男	25	山东德平	徐州夹河街明理巷 61 号本院系德礼转
朱炯亮	男	25	安徽太和	太和旧县集北街
				西安三桥陇海铁路修车厂朱□桐转
魏 惠	男	26	甘肃临洮	临洮北槐巷 27 号
韩启业	男	24	甘肃天水	天水青年南路 83 号
章子璞	男	27	安徽桐城	桐城方家仓
彭自立	男	24	陕西凤县	凤县西街
杨登伦	男	25	山西临汾	西安自强路黄金庙 2 号
林复坚	男	27	福建闽侯	西安崇礼路怡园里 2 号

窦仰超	男	25	陕西韩城	西安东木头市 30 号
戴忠成	男	25	湖　　北	西安崇耻路西新城防九号
顾傅铭	男	27	安徽寿县	霍邱县城内马家大园五宅
王春元	男	27	河北乐亭	台湾台北市新生报馆崔经兴转
李思玉	男	25	山东清平	西安南长巷 8 号
刘汉绍	男	23	绥远集宁	西安南长巷 8 号
吴五凤	男	26	江苏吴县	上海吕班路蒲柏坊 12 号
赵世铭	男	26	山　　西	西工张永福转
张茂鑫	男	25	陕西蒲城	西工阎林生转
杨秋荪	男	25	江苏镇江	北平和内东松树胡同 59 号

（四）电机工程学系

（电讯组）

傅　铨	男	27	山东临沂	西安尚仁路鲁西大旅社
姜镇五	男	23	河南封丘	开封两河中学
李延奎	男	27	山东蓬莱	本院李子昌先生转
秦永恕	男	27	河南获嘉	西安电讯局王莲九转
李　成	男	24	浙江绍兴	
汤世贤	男	25	安徽桐城	桐城南门胡家井
臧作琮	男	26	山东青岛	四方区小村庄 100 号
高继显	男	27	河北景县	
邱守尧	男	25	福建闽侯	福建城内化民营支街 4 号
周士钟	男	26	河北获鹿	西安端履门 76 通
李玉才	男	26	河南内乡	内乡西峡口松昌茂转

（电力组）

张温良	男	25	河北满城	甘肃天水伏义城外坚家河 70 号
朱天章	男	25	山东菏泽	四川自流井电厂朱天史转
穆宗礼	男	25	山东高密	蚌埠电厂
刘　忠	男	24	山西沁县	陕西宝鸡　镇联勤部兵公署 31 号兵工厂
金家溱	男	24	江苏江浦	西安尚平路 3 号
宋登南	男	25	甘肃甘谷	甘谷县府街

姓名	性别	年龄	籍贯	通讯处
连文淦	男	25	山西屯留	太原皇庙西巷3号
黄正中	男	26	陕西襃城	南郑协税号
阎毓晨	男	23	河南林县	西安玄风桥仁爱巷12号
王国栋	男	25	河北濮阳	本院许群和先生转
李 瑞	男	25	江苏萧县	泰县陈家桥西南小街6号
李文博	男	26	陕西长安	长安新筑镇正顺全号转三里村
吕鸿烈	男	26	河南潢川	潢川南城西街18号吕宅
樊永铭	男	26	绥远集宁	归绥新城北马神庙甲五号
郑静铭	男	25	四川广安	广安代市镇
樊嘉祥	男	24	陕西南郑	南郑南关
朱元芳	男	25	辽宁抚顺	四川长寿韩家狮子坝1号
朱家琪	男	25	河南济源	上海金陵东路
胡德元	男	27	河北大兴	蚌埠电厂
叶志行	男	25	安徽桐城	桐城东门外林志成号转
包白水	男	25	安徽庐江	庐江冈上街陈万兴号
濮思栋	男	28	江苏溧水	西安中山门外五道什字23号
王 瑞	男	32	山东淄川	济南东关青龙后街19号
靳铁生	男	25	辽宁铁岭	青岛邮局靳罗云转
孙素莲	女	24	河南夏邑	西安尚义路30号李香亭转

(五)化学工程学系

姓名	性别	年龄	籍贯	通讯处
康 卫	男	27	四川内江	内江中山路108号杏林春药号
潘克让	男	27	陕西咸阳	咸阳东大街忠信成号
于世魁	男	25	河北正定	正定北孙村
汪松年	男	24	福建闽侯	福州科学馆黄开绳先生转
附绍鑫	男	27	四川剑阁	剑阁金仙镇
马培岚	男	24	河南开封	开封北书店街34号
焦尚义	女	22	陕西武功	西安北大街王家巷26号
赵名秦	女	24	河 北	北平和外梁家园东大院丁2号
赵文绣	女	23	山西汾阳	太原桥头街103号
郑灿章	男	25	河南密县	密县观音堂
阎受琴	女	26	河南南阳	南阳双桥铺转

| 张景河 | 男 | 22 | 河北邢台 | 邢台长街 |
| 陈 颀 | 男 | 26 | 浙江孝成 | 孝成南大街 |

（六）纺织工程学系

高 宣	男	24	河南方城	城东杨楼镇
郭永超	男	24	河南伊川	伊川海角镇
晁选民	男	25	陕西褒城	汉中黄官镇
张 森	男	25	河北吴桥	本院
李林靖	男	26	山 西	西安夏家十字13号
于树屏	男	26	河北河间	太原精营东二道街32号
焦东一	男	26	江苏邳县	江苏徐州南关状元府礼拜堂戴廷机牧师转
于鸿业	男	26	河北静海	本院
胥永锦	男	25	陕西南郑	南郑金轮巷2号
李秀峰	男	26	河南汤阴	西安端履门街30号
李 缺	男	24	山东牟平	牟平
徐克勤	男	25	河南临颍	临颍车站
王德武	男	25	陕西南郑	南郑北街209号
王永吉	男	23	陕西褒城	南郑东关392号
谷岫云	男	25	山东莱阳	莱阳
穆廷杰	男	26	甘肃临夏	永登窑街海源涌
董时兰	女	24	河南叶县	西安盐店街26号
刘宗新	男	26	河南邓县	本院樊恒译先生转
石□瑚	男	25	山东长山	西安盐店街27号
李守宪	男	26	河南罗山	信阳王家胡同1号李守纬转
邢善阶	男	29	江苏江阴	上海三马路石路景和里江阴南外板桥17号
张云峰	男	28	河北博野	北平西单新建胡同22号
张永昭	男	29	河南南阳	南阳大西关大街二忠祠对门本宅
赵漱石	女	33	辽宁沈阳	本院
房继广	男	26	江苏沛县	徐州北关坝子街福音堂胡方觉牧师转
齐斌廉	男	26	河北高阳	上海虹口山阴路底祥德路上海新村5号

叶允中	男	25	安徽凤台	蚌埠正阳关阳湖镇
赵自立	男	26	陕西咸阳	咸阳中山街卫望堂转
朱丕昭	男	27	陕西定边	定边堡牌楼南巷刘化民先生转
徐绍纶	男	27	河南镇平	南杨清华镇西统德堂转交
吴启华	男	26	辽宁安东	北平西单报子街68号
王可孝	男	24	山东潍县	青岛上海路2号
王景三	男	27	江苏萧县	徐州黄口广益书局转
亢继先	男	25	山西	西安宁静里1号
李士芳	男	24	安徽太和	太和济众堂转
徐峻	男	29	辽宁辽中	本院陈其科转
印伯芳	男	27	江苏南汇	上海正中东路成都路浦东大厦505号
侯化泉	男	27	山西繁峙	本院张景南转
曾元猷	男	27	湖南武冈	武冈高沙市开同元堂
邹道泉	男	25	江苏武进	本院
靖万安	男	26	河南唐河	本院靖承□转

(七)水利工程学系

胡兰林	男	24	河南汤阴	本院李傅生转
沈亦凡	男	24	山东掖县	青岛莱阳路十八号沈书府转本院张荣坡转
李蓬都	男	23	河南巩县	巩县回郭镇本院刘榆清转
刘文喜	男	27	山西定襄	西安新明街宁静里1号 定襄芳兰镇
赵建都	男	25	河南偃师	本院刘伦清转
黄元凯	男	25	湖北武昌	汉口天通巷31号
张景沸	男	24	河北邢台	分院张景洁转
岳迪吉	男	26	安徽凤台	蚌埠经一路51号
封文堪	男	22	江苏泰兴	泰兴黄桥东大街勤丰号
王梁材	男	29	四川云阳	重庆高工校王克明转
陈鸿彦	男	25	河北高阳	北平西斜街古直胡同1号
张泽贞	男	25	河北丰润	北平宣外南横街30号
张进强	男	26	河南灵宝	灵宝县城东重王村本宅
吴□明	男	28	上海市	马当路410弄5号王大田转

田文星	男	27	绥远托县	托县第一小学转归绥国立绥中转
屈智炯	男	22	四川泸县	重庆市立民众教育馆泸县安富镇和平街24号
李保如	男	24	河北天津	天津河东郭庄进步鞋店 西安火车站北育□中学转
侯建功	男	25	河北香河	香河城内东北后 北平前门大街老大芳糖叶庄转交
郑铸光	男	24	河南叶县	叶县城东沟李村本院孙海润转
王祖涛	男	28	河北景县	景县城内东门里 天津河东粮店后街18号

(八)航空工程学系

胡永组	男	25	山西虞乡	西安东木头市街76号瑞义通号
傅士材	男	26	陕西沔县	南郑石灰巷2号
白在中	男	28	山西浑源	本院刘友德转
杨培德	男	23	陕西南郑	南郑南街35号
侯鸣昌	男	24	河南叶县	本院孙海润转
李春喜	男	27	河南叶县	本院孙海润转
曹建国	男	27	河南淮阳	郑州一区联师
高为炳	男	24	河南汲县	汲县北门南街1号
董照远	男	24	河南禹县	禹县西关43号
董浩然	男	28	河北	本院许华和转
段兆升	男	26	河南济源	西安东关西廊门乙字14号
刘秉坤	男	25	陕西醴泉	醴泉天玉成转
王宇	男	27	河南南阳	本院张乐育转

(九)工业管理学系

李维光	男	24	河南巩县	巩县回郭镇
李桢祥	男	25	陕西横山	横山响水堡
张焜	男	25	辽宁兴城	北平内四西井胡同2号
郑尔康	男	27	江苏江都	江都槐树脚9号
祖学谟	男	25	山东武城	北平内七绒线胡同78号
郭运张	男	28	陕西葭县	西安习武园37号

颜景春	男	27	山东滕县	滕县望冢同春堂
李　胤	男	26	浙江绍兴	北平西四北大红罗厂3号
钱杏轩	男	26	浙江吴兴	南浔百间楼屋河西63号
邵祖章	男	31	河北安次	北平北新桥九道湾53号
马秉虞	男	25	河南睢州	睢县西陵寺

十一、历届毕业生统计

第一届毕业学生（二十八年班）

土木工程系：65人；矿冶工程系：采矿组15人，冶金组6人；机械工程系：13人；电机工程系：电讯组7人，电力组13人；化学工程系：6人；纺织工程系：7人；航空工程系：12人。

第二届毕业学生（二十九年班）

土木工程系：50人；矿冶工程系：采矿组14人，冶金组5人；机械工程系：15人；电机工程系：电讯组18人，电力组12人；化学工程系：10人；纺织工程系：5人；航空工程系：14人。

第三届毕业学生（三十年班）

土木工程系：67人；矿冶工程系：采矿组13人，冶金组8人；机械工程系：39人；电机工程系：电讯组10人，电力组12人；化学工程系：13人；纺织工程系：6人；水利工程系：12人；航空工程系：14人。

第四届毕业学生（三十一年班）

土木工程系：61人；矿冶工程系：采矿组27人，冶金组17人；机械工程系：37人；电机工程系：电讯组8人，电力组17人；化学工程系：11人；纺织工程系：9人；水利工程系：19人；航空工程系：21人。

第五届毕业学生（三十二年班）

土木工程系：39人；矿冶工程系：采矿组19人，冶金组9人；机械工程系：34人；电机工程系：电讯组5人，电力组11人；化学工程系：6人；纺织工程系：18人；水利工程系：13人；航空工程系：14人。

第六届毕业学生（三十三年班）

土木工程系：35人；矿冶工程系：采矿组15人，冶金组13人；机械工程系：37人；电机工程系：电讯组13人，电力组9人；化学工程系：8人；纺织工程系：22人；

水利工程系:13 人;航空工程系:8 人。

第七届毕业学生(三十四年班)

土木工程系:32 人;矿冶工程系:采矿组 12 人,冶金组 14 人(第一位为师昌绪,河北徐水人)师昌绪,李启东,陈传左,王右隶,郝振纪,石若珣,保世祯,郭鲁生,翟师孟,李人同,李春霆,吕正田,徐尚文,王锡勋,刘锦棠;机械工程系:32 人;电机工程系:电讯组 6 人;电力组 13 人(第二名为高景德,陕西葭县人);化学工程系:9 人;纺织工程系:21 人;水利工程系:22 人;航空工程系:7 人。

第八届毕业学生(三十五年班)

土木工程系:41 人;矿冶工程系:采矿组 23 人,冶金组 16 人;机械工程系:37 人;电机工程系:电讯组 16 人;电力组 10 人;化学工程系:24 人;纺织工程系:30 人;水利工程系:16 人;航空工程系:13 人;工业管理系:7 人。

第九届毕业学生(三十六年班)

土木工程系:47 人;矿冶工程系:采矿组 22 人,冶金组 16 人;机械工程系:45 人;电机工程系:电讯组 16 人;电力组 24 人;化学工程系:19 人;纺织工程系:33 人;水利工程系:16 人;航空工程系:24 人;工业管理系:3 人。

(国立西北工学院档案,61-2-83-1,陕西省档案馆)

第七节　国立西北工学院在校生

一、三十八年班在校同学录

(一)土木工程学系

袁鸿业	朱凤麟	罗应钧	杨　敏	曾广馏	梁翔南	过文亮
刘耀西	苏　浆	易　城	向毓初	赵自震	郭兆仁	汪清一
史进喜	吴成猷	郑遵民	刘宝书	常　建	王子佩	田济民
谭志敏	储天一	朱元良	魏建三	夏竹材	李从勤	王崔川
沈　颗	朱振亚	刘建国	董冠峰	渠进涧	胡尚全	张治世
李士毅	张士杰	许廷栋	张春满	李家琪	司葆生	

(二)矿冶工程学系

| 王铭曾 | 吴庭熙 | 孙佩珩 | 李长莹 | 李德纯 | 魏　桐 | 杨金鳌 |

苟　璇　范宇善　毕叔平　赵裕国　畅振范　刘绪恒　李顺昌
靳泽生　黄德俊　王开甲　刘连升　海振东　陈　屏　赵逸青
魏松堂　韩捷三　陈树勋　李新民　杨文景　李国安　阎好文
孙续文

(三) 机械工程学系

柴育良　姜长生　赵松年　辛世荣　郑广心　张延益　杨希鲁
李桂山　周永平　张永柱　田京兆　王亚峰　任维周　亢芸生
王富润　彭天义　张祉祐　王金玉　张满堂　夏文华　尚松涛
杨纯明　李赞威　林家鍅　荆赞忠　刘德文　魏绍良　董斌勋
张明辉　雷廷权　马树勋　闫瑞西　王树元　张景南　马鸿飞
杨东方　马幕新　靖成祖　闫林生　李立标　刘怀仁

(四) 电机工程学系

陈鸿钧　李景秀　张廷锐　夏庭照　王作宾　樊士璈　常文章
王光道　尚傅威　孙益智　王树果　乔绪恺　樊　耀　季泽玉
曾长风　张守信　□湘恩　赵芝田　秦冠贤　王　□　许泽然
李向涛　杨春光　柏国础　廖玉振　沈重璧　续健原　张　怡
冯慈璋　路维真　张仁安　李楚玉　李连昌　张临池　李状元
集尚信　张吉新　李一鸣

(五) 化学工程学系

白文化　任德鑫　赵文汇　马炎森　梁有诰　金钟屏　温作丁
李连元　马振宝　马怀琬　丁文凯　易礼文　杨思存　王　锟
李大同　傅廷勋　蒋其昌　刘立梅　王作霈　王敬易　蔡　诚
陆宗机　麻懋畲　杨秀华　周淑清

(六) 纺织工程学系

吴怀祖　蓝伯鉴　何祥瑞　杨国俊　曾庆振　李世清　万炳炎
张又说　王修正　邓志宽　尤　磊　邓绍宗　刘吉林　魏承祐
张兆恒　蒋秉范　林　鹏　乔绪乐　郭兴霖　刘天中　王世江
黄信明　尚振梓　张济生　李咀华　裴克明　何文澈　贺固海
王广志　俞启黛　索奎鑫　达葆贤　王国俊　李仟亮　杨增臣
张荣坡　钱济时　刘大鹮　刘文学　孙　桓　扬中执　吕以骏
徐长合　王耀祖　陈凤池　侯遂成　孙德礼　李正浩　高建纲

沈国安　　邱宗瀛　　胡晏陈　　王荣式　　戴静宜

（七）水利工程学系

黄世清　　雷德坤　　萧绳先　　张实升　　国兆强　　刘　龙　　李锡龄
杨树林　　刘伦清　　刘经政　　哈允灯　　张材新　　王宝铎　　李　潘

（八）航空工程学系

徐业宜　　扈克让　　刘　炯　　陈秉三　　易兴田　　马景松　　王光启
余定章　　张性原　　陶懋功　　李景肃　　史载京　　牛延祥　　冯致和
田绍武　　黄国材　　徐长青　　童光裕　　汪文斌　　尚大宏

（九）工业管理学系

吴友炎　　胡嗣发　　赵连璧　　马文襄　　李慧泉　　王士博　　孙铁方
赵养仁　　曾宪法　　郭　政　　李大方　　武治岐　　刘常峰　　何士平
邵喜灵　　刘天兆　　信广栋

二、三十九年班在校同学录

（一）土木工程学系

刘国瑞　　羡锡瑞　　邵志云　　潘鹏翼　　李守濡　　马德育　　陈椿长
李万和　　张文普　　沈广美　　马育德　　李仪亭　　谢崇斌　　乔登山
魏树堂　　杨国极　　李杏林　　李树屏　　赵生义　　王育民　　魏　浚
张彦钧　　傅正阳　　李持忠　　袁翟舜　　罗瑞文　　傅萝态　　张麟文
孙竹轩　　鲁宗昌　　杜光远

（二）矿冶工程学系

樊启发　　祁保剑　　阎　润　　董上元　　张九合　　王东镐　　周东伏
张载农　　王□璨　　李耀三　　杨恩溥　　孙世镠　　陈起钨　　王大元
陈继善

（三）机械工程学系

薛崇貌　　张遇春　　邓克定　　雷哲明　　王柏龄　　刘作祥　　胡　毅
秦文世　　刘元亨　　王三育　　刘英哲　　梁培寿　　范　奎　　郭子正
林兴武　　王步瀛　　许曼云　　翟文耀　　卫福民　　丁厚钧　　张晴辉
李宝善　　郭永堂　　鲁家琪　　张仁熙　　王鸿文　　王树森　　宋廷彬
郗命麒　　路　岳　　罗钻忠　　邹永寿　　安志贤　　王绳武　　向同水

车彼得　　何生泰　　盛启舜　　王居玹　　王尚仁　　朱德瑞　　张乃存
马遵路　　任　率　　李腾蛟　　傅恒志①　　段尺斋

(四) 电机工程系

吴宜倜　　张嘉阴　　白　珵　　张　农　　解诒当　　蔡耀成　　王志智
张子英　　常石渠　　李守志　　李性全　　吴延猛　　李慧生　　倪襄生
郭学易　　汪礼文　　杨作栋　　刘杏来　　李汉章　　蔚华民　　杨家训
毕大堪　　栗　寿　　苗满仓　　蔡傅贤　　李凤伟　　王丕烈　　胡哲英
姚冲谦　　杨树珊　　许关云　　郭尚义　　傅同荣　　秦寅生　　张树茂
刘更三　　李凤林　　李菊溪　　王周文　　郭　灿　　陈其科　　王　良
程连飞　　梁重伦　　张瑞麟　　马中央

(五) 化学工程学系

张景洋　　薛铭剑　　刘兰英　　韩福田　　刘如愿　　柴熙会　　顾　同
龙怀祖　　汤廉节　　羡锡瑛

(六) 纺织工程学系

□正发　　姚正钧　　黄　钧　　刘涌涛　　李玉德　　辛　仓　　徐中琪
郭村康　　王纪宪　　李天晴　　张祥英　　张廷尧　　葛靖宇　　侯同正
赵英魁　　仲舜祯　　高锦仁　　王文彬　　潘甲春　　白霆锐　　要金镜
孙步青　　陈　涛　　李清远

(七) 水利工程学系

崔星照　　崔占海　　王焕文　　金钟元　　郑　秀　　王德勋　　黄元清
刘万社　　杨　镜　　杨开元　　陈万青　　陈章霖　　谭节升　　张景深
汪福祥　　申世英

(八) 航空工程学系

吴绍基　　舒子远　　苏洁人　　杨耀墀　　刘纪元　　刘　梵　　谭铸新
王柏□　　张中行　　罗渺绪　　胡占文　　刘禅鸿　　周绍易

(九) 工业管理学系

李国卿　　路怀真　　赵景文　　王慕禹　　张松林　　王学孔　　熊立功
唐国本　　曾世麟　　陈师埙

---

① 傅恒志(1929—)，河南开封人。1950年毕业于西北工学院机械系，1962年获苏联副博士学位，回母校任教，曾任校长。1995年当选中国工程院院士。

三、四十年班在校同学录

（一）土木工程学系

苗勃然	李其绪	史绪昌	胡　平	张占洲	陈秉鑫	陈光家
陈铁民	张仲珍	祁红彦	孙富喜	杨占魁	王文才	张若柏
刘鸿亮	李宏远	张致强	王　晶	谢微勋	黄谋忠	周敬文
李月堂	王寿昌	余子莹	彭贵星	鲁受玳	黄浩然	吕子华
王文之	李毓磷	赵萝关	阎乐山	李定环	王重道	

（二）矿冶工程学系

郭依华	马清训	路荷生	张　鉴	唐肇林	葛志丰	樊伟弢

（三）机械工程学系

张超寰	白兆峰	刘　晋	杨秉政	□芝盛	郗　建	陈在铭
王效儒	钱振河	郑宗惠	邱培伦	元绕光	吴泽亮	王　良
曹明全	黄志暄	刘君强	苏增年	余宗伟	王承武	谢乔梁
刘行远	贺培初	周定勋	杜岳军	陈希铎	宋良森	王　笃
刘忠享	张守铭	金柏荣	张志坚	田肇葵	王用和	刘瑶成
彭　京	顾汝杰	郭立夫	侯鸿章	曾慎远	邹承德	孟望庆
陈珍纲	赵　溥	赵俊三	董国莲			

（四）电机工程学系

刘东泉	周长永	阎　溥	邬守一	张应荪	韩申观	贺通才
牛　东	李建宗	王作□	牟希亚	尹任之	杨玉林	宁炳龙
严乃庄	蔡飞雄	骆傅桂	潘寅池	王瑞麟	姜衍智	孟中德
李宝昂	耿　光	李金亭	王炳国	卢桐生	燕玉梁	徐志刚
王品一	孟繁沧	吴忠仁	陈昌明	唐佐梁	张雄飞	梁崇岩
黄敦穆	周在赓	李既平	冯秀藩	文　炬	张炳晃	黄太寰
周之翰	朱瞿萍	杨百俊	吴瑞书	郭　卫	马文寿	王秉钧
马金树	段敬文	罗鹏生	杨德众	赵天贵	王瑞新	胡舜德
葛耀中	张　鹤	王英慧	卢碧波			

（五）化学工程学系

赵光星	李傅旭	井海波	李　沂	张明德	龚家杭	王克秀

王　睿　　刘　馥　　黄昌秀　　赵国璧　　项钦长　　胡秉林　　梁幼青
石体伟　　鲜于景苍

(六) 纺织工程学系

张孝信　　马振洲　　周世卿　　钱崇让　　师耀民　　同允池　　鲁明庆
杨永庆　　申喜午　　周云山　　阎嗣英　　李海栋　　郭树声　　聂礼三
孟昭情　　乔思航　　侯宝昌　　冯　玑　　李春荣　　蒋伦珊　　薛民选
王安球　　周国璋　　钱在琦　　扈英超　　顾祝丰　　郑尚林　　马登桂

(七) 水利工程学系

薛德堃　　高云亭　　田畯阡　　潘篇民　　王睦运　　戴振霖　　李　勉
李福林　　阎世林　　陈焕然　　党久龄　　赵应选　　黄寿田　　夏季华
颜昌源　　李仪钰　　张延信　　张建和　　赵崇寿　　胡国有　　任建华
张开泉　　段中立　　刘　铭　　余光夏

(八) 航空工程学系

徐连仲　　成继德　　杨明乾　　田舜耕　　张天喜　　刘剑南　　李天渠
王溥恩　　邹丕先　　任天问　　王成斌　　张竞荣　　李书相　　刘志善
彭友善　　姚芳萼　　尹乐海　　曾南生　　黄泽民　　许德麟　　苏峻山
周遵训　　杨　云　　王之良　　王　泓　　张春江　　春清武

(九) 工业管理学系

高作来　　孙济康　　余世琦　　姚志成　　杨建人　　周世倬　　朱玉思
何仲山　　黄树模　　陶秉礼　　陈儆正

四、三十学年度第一学期学生数据、班级简表

三十学年度第一学期国立西北工学院学生数据报告简表

系组别	共计			一年级			二年级			三年级			四年级		
	计	男	女	计	男	女	计	男	女	计	男	女	计	男	女
合计	925	894	31	243	234	9	185	184	1	190	187	3	229	226	3
土木工程系	215	215		73	73		41	41		41	41		69	60	
矿冶工程系	148	148		34	34		39	39		30	30		45	45	
机械工程系	158	158		46	46		34	34		41	41		37	37	
电机工程系	83	80	3	21	21		22	21	1	18	17	1	22	21	1
化学工程系	42	37	5	17	14	3	8	8		6	5	1	11	10	1
纺织工程系	71	63	8	19	13	6	20	20		21	20	1	11	10	1
水利工程系	56	56		11	11		11	11		15	15		19	19	
航空工程系	70	70		18	18		10	10		18	18		24	24	
工业管理系	4	4		4	4										
先修班	75	60	15												
矿冶研究部	3	3													

五、三十学年度第一学期国立西北工学院班级报告简表

系级别	班数					
	共计	先修班	一年级	二年级	三年级	四年级
	35	2	4	8	10	11
土木工程系	4			1	1	2
矿冶工程系	5			1	2	2
机械工程系	3			1	1	1
电机工程系	5			1	2	2
化学工程系	3		一年级共分4班	1	1	1
纺织工程系	3			1	1	1
水利工程系	3			1	1	1
航空工程系	3			1	1	1
工业管理系						
矿冶研究部						
先修班	2	2				

六、三十学年度第二学期学生数据、班级报告简表

三十学年度第二学期国立西北工学院学生数据报告简表

系组别	共计			一年级			二年级			三年级			四年级		
	计	男	女	计	男	女	计	男	女	计	男	女	计	男	女
合计	901	873	28	213	206	7	178	177	1	185	181	4	227	225	2
土木工程系	207	207		65	65		40	40		41	41		61	61	
矿冶工程系	140	140		31	31		35	35		30	30		44	44	
机械工程系	150	150		41	41		34	34		38	38		37	37	
电机工程系	84	81	3	19	19		22	21	1	18	17	1	25	24	1
化学工程系	38	34	4	13	11	2	8	8		6	5	1	11	10	1
纺织工程系	60	59	7	17	12	5	19	19		21	19	2	9	9	
水利工程系	54	54		9	9		12	12		14	14		19	19	
航空工程系	60	60		14	14		8	8		17	17		21	21	
工业管理系	4	4		4	4										
先修班	97	83	14												
矿冶研究部	1	1													

三十学年度第二学期国立西北工学院班级报告简表

系级别	班数					
	共计	先修班	一年级	二年级	三年级	四年级
	35	2	4	8	10	11
土木工程系	4			1	1	2
矿冶工程系	5			1	2	2
机械工程系	3			1	1	1
电机工程系	5			1	2	2
化学工程系	3		一年级共分4班	1	1	1
纺织工程系	3			1	1	1
水利工程系	3			1	1	1
航空工程系	3			1	1	1
工业管理系						
矿冶研究部						
先修班	2	2				

七、三十一学年度第一学期学生数据、班级报告简表

系组别	共计			一年级			二年级			三年级			四年级		
	计	男	女	计	男	女	计	男	女	计	男	女	计	男	女
合计	953	923	30	383	363	20	206	201	5	181	179	2	183	180	3
土木工程系	184	184		68	68		37	37		38	38		41	41	
矿冶工程系	148	148		55	55		29	29		33	33		31	31	
机械工程系	177	176	1	57	57		46	45	1	36	36		38	38	
电机工程系	118	111	7	56	52	4	22	21	1	24	23	1	16	15	1
化学工程系	63	51	12	40	30	10	9	8	1	8	8		6	5	1
纺织工程系	97	87	10	36	30	6	20	18	2	21	20	1	20	19	1
水利工程系	88	88		34	34		27	27	16	14	14		13	13	
航空工程系	72	72		31	31		16			7	7		18	18	
工业管理系	6	6		6	6										

三十一学年度第一学期国立西北工学院班级报告简表

系级别	班数					
	共计	先修班	一年级	二年级	三年级	四年级
	33	5	8	10	10	
土木工程系	3			1	1	1
矿冶工程系	5			1	2	2
机械工程系	3			1	1	1
电机工程系	5		一年级共分5班	1	2	2
化学工程系	3			1	1	1
纺织工程系	3			1	1	1
水利工程系	3			1	1	1
航空工程系	3			1	1	1
工业管理系						

八、三十一学年度第二学期学生数据、班级报告简表

系组别	共计			一年级			二年级			三年级			四年级		
	计	男	女	计	男	女	计	男	女	计	男	女	计	男	女
合计	985	951	34	378	358	20	204	198	6	179	177	2	185	182	3
土木工程系	179	179		65	65		36	36		37	37		41	41	
矿冶工程系	146	146		52	52		30	30		33	33		31	31	
机械工程系	179	178	1	61	61		43	42	1	36	36		39	39	
电机工程系	118	112	6	56	53	3	22	21		23	22	1	17	16	1
化学工程系	65	52	13	42	31	11	9	8	1	8	8		6	5	1
纺织工程系	95	85	10	33	27	6	21	19	2	21	20	1	20	19	1
水利工程系	86	86		32	32		27	27		14	14		13	14	
航空工程系	73	72	1	32	32		16	15	1	7	7		18	18	
工业管理系	5	5		5	5										
矿冶研究部	1	1													
先修班	38	35	3												

三十一学年度第二学期国立西北工学院班级报告简表

系级别	班数					
	共计	先修班	一年级	二年级	三年级	四年级
	34	5	8	10	10	
土木工程系	3			1	1	1
矿冶工程系	5			1	2	2
机械工程系	3			1	1	1
电机工程系	5		一年级共分5班	1	2	2
化学工程系	3			1	1	1
纺织工程系	3			1	1	1
水利工程系	3			1	1	1
航空工程系	3			1	1	1
工业管理系						
先修班	1					

第八节　国立西北农学院历届毕业生

国立西北农学院三十五年①毕业生名册

(一) 农艺学系

姓名	性别	年龄	籍贯
邢本位	男	26	河南临□
张炜炽	男	25	甘肃庆阳
张孝生	男	25	河南灵宝
翟允禔	男	24	
霍纯□	男	24	宁夏永宁
贺际新	男	26	河北赵县
高□文	男	24	陕西鄠县
郭金锐	男	26	河南唐河
刘艺多	男	26	河南安阳
钮　溥	男	29	河南开封
徐致远	男	28	河南罗山
邱玉怀	男	26	浙江鄞县
杨荫□	男	25	陕西鄠县
韩择邻	男	29	河北永年
杨培恭	男	24	陕西长安
王德彰	男	24	河南林县
王汉文	男	29	河南安阳
李□兴	男	26	山西灵丘
李□贤	男	23	陕西洋县
梁正兰	男	25	河南林县

---

① 原档破损难辨，根据其中王光远院士和王建辰教授的毕业时间，推测为1946年。

梅 青	男	25	湖北广济
夏宏道	男	26	河北清丰
彭□万	男	27	江苏萧县
贺昌华	男	25	河南安阳
时毓瑄	男	24	陕西华县
张炳贻	男	27	河南密县
王爱礼	男	31	甘肃甘谷
曹而昌	男	24	河北望都
吕□涛	男	25	河南项城
胡凝敏	男	24	河南南阳

(二)植物病虫害学系

□智敏	女	27	山东桓台
李云震	男	26	河北尧山
孙树权	男	22	河北武邑
王守则	男	23	江苏吴县
路进生	男	24	河南辉县

(三)农业经济学系

安永庆	男	25	河北邢台
张延迖	男	25	陕西泾阳
左嘉猷	男	24	陕西渭南
郭士杰	男	23	陕西武功
□绍虞	男	27	河南浚县
董根□	男	23	河南安阳
吕□绪	男	26	山西盂县
娄□峰	男	30	河北青县
孙韻声	男	27	河南叶县
钱赓禹	男	27	陕西襃城
吴含曼	男	26	陕西泾阳
崔岱鸿	男	23	山西汾城
曹方久	男	23	河南内黄
王□祥	男	29	陕西三原

王凤麟	男	24	河南洛阳
王俊才	男	25	河南阌乡
王志忠	男	26	河南林县
武景惠	男	25	宁　夏
袁博文	男	25	陕西盩厔
王慕昭	女	23	陕西三原
白淑贞	女	25	河南唐河
高泰严	男	25	山东成武
余澄庆	男	24	安徽太和
阎采章	男	23	安徽阜阳
冯蕙兰	女	25	陕西米脂
孙经文	男	23	陕西临潼
□宝树	男	23	河南新安
刘人纪	男	23	陕西长安
徐同山	男	24	河南安阳
李箴铭	男	24	河南淮阳
何耀南	男	28	河南西华
白嗣志	男	23	河南淮阳
袁本可	男	26	山东博平
余　桐	男	29	安徽来安
贾同亮	男	27	河　南
□寿昌	男	29	河北清苑
赵宗泽	男	25	河北滦县
□履新	男	29	山西太原
□□积	男	27	山西清源

(四)森林学系

陈子澜	男	23	河北蓟县
李树荣	男	28	宁夏中卫
许成文	男	25	河南西峡
荀鸿望	男	23	河南灵宝
靳全盛	男	25	陕西耀县

金嘉谟	男	27	安徽休宁
汪南□	男	24	北平市
袁成章	男	28	甘肃庆阳
杨炳炎	男	24	河南开封

(五)园艺学系

张震龙	男	23	河南偃师
张 森	男	23	山西汾阳
胡启祥	男	25	河南南阳
许明宪	男	23	河南开封
刘振亚	男	23	河南镇平
王国琳	女	28	河北定县
青德厚	男	27	河南洛阳
高嘉槛	男	27	河南武安
董宝庆	男	27	河南固始
于甲猷	男	26	湖北郧县
傅望衡	男	23	湖南醴陵
杨卓熙	男	26	河北丰润

(六)畜牧兽医学系(畜牧组)

赵献瑞	男	27	山东临沂
翁森昌	男	24	福建闽侯
魏 宗	男	24	河北丰润
王和民	男	23	河北阜城
王少楠	男	24	江苏武进
王承宽	男	25	河南济源
杨化龙	男	27	山西平陆
董 伟	男	24	山东堂邑
李炳文	男	25	绥远归绥
唐耀先	男	27	甘肃榆中

畜牧兽医学系(兽医组)

| 李培荣 | 男 | 28 | 宁夏中卫 |
| 田维翰 | 男 | 29 | 甘肃镇原 |

| 王建辰[①] | 男 | 25 | 陕西兴平 |
| 陈北亨 | 男 | 26 | 山东济南 |

(七)农业化学系

张静兰	女	24	江苏武进
张仲民	男	27	河南巩县
张丕京	男	26	陕西临潼
张辛酉	男	26	河北临城
秦长生	男	25	河北南宫
秦正元	男	25	湖北汉川
周清芳	女	25	河北赵县
□□越	男	28	山东潍县
韩禅云	女	23	山东曹县
贺凤山	男	27	山西大同
刘 琤	男	25	吉林永吉
刘 肃	女	24	吉林永吉
阎嗣文	女	28	河南开封
杨佩吾	男	29	河北曲阳
吕延玉	男	24	河南南阳
尹正熙	男	23	陕西安康
田为信	男	24	河北安新
张淑蕙	女	23	河南开封
初毓芳	女	25	山东莱阳
王泽民	男	26	山东临沂
胡铁华	男	29	吉林永吉
吴淑珍	女	27	河南原武

(八)农业水利学系

□ 骐	男	27	山西大同
赵寄生	男	24	江苏泰兴
常灿章	男	26	河南郾城

[①] 王建辰(1921—),陕西兴平人。1946年毕业于国立西北农学院畜牧兽医系。我国家畜产科学的奠基人之一。

常文祥	男	25	山西徐沟
常 璞	男	26	山西忻县
郭嗣显	男	27	安徽阜阳
杨运章	男	24	陕西泾阳
刘□亮	男	25	绥远五原
刘德鸿	男	24	河南安阳
刘恩荣	男	24	河南虞乡
李青荣	男	24	宁夏中卫
马 骏	男	25	陕西朝邑
许运光	男	24	河南固始
□志义	男	24	河北定县
王玉顺	男	24	河 南
邵自强	男	27	陕西褒城
王光远[①]	男	23	河南温县
王伯元	男	25	陕西南郑
王廷瑞	男	25	山西平陆
王迪怀	男	24	陕西泾阳
孙□□	男	27	山 东
王明松	男	24	湖北安陆

（民国档案，陕西省档案馆）

---

① 王光远(1924—)，河南温县人。1942年以同等学力考取国立西北农学院水利系。1946年毕业，获学士学位。1994年当选为中国工程院首批院士。

第九节　先修班同学录、陕西同乡录
（1939—1941）

一、1939—1940 国立西北大学先修班同学录

国立西北大学附设大学先修班第一班学生一览

（民国二十九年五月第二学期付印）

姓名	性别	年龄	籍贯
王松龄	男	22	陕西长安
李建义	男	22	河南辉县
郭天柱	男	21	陕西乾县
段耀南	男	19	河南偃师
韩正志	男	22	陕西宝鸡
张荣阁	男	20	陕西澄城
黄龙飞	男	20	陕西西乡
杜继周	男	20	河南洛阳
牛子莪	男	20	山东茌平
王福田	男	22	河北饶阳
瞿允生	男	21	河南获鹿
赵一鹏	男	20	河北磁县
郭耀垣	男	22	山西沁源
汪庆滋	男	19	安徽旌德
周锦昆	男	20	陕西泾阳
和铭观	男	21	河北蠡县
郭建中	男	22	河南新蔡
屈崇谟	男	21	陕西乾县
曾崇芸	女	21	安徽无为

曹丽霞	女	19	浙江杭县
王斯曼	女	18	陕西白水
刘文萃	男	21	江苏丰县
赵　宝	男	20	山西大同
李培华	男	20	山东博兴
张镜源	男	19	山东淄川
李大中	男	25	山东章丘
邹兰昌	男	22	山西安邑
刘傅谟	男	26	陕西褒城
华遵舜	男	20	甘肃皋兰
邬展达	男	20	浙江绍兴
周筱鲁	男	20	安徽宿县
李国桢	男	23	河南郏县
唐克□	男	20	江苏□县
冯　纲	男	22	河南南阳
郭立民	男	23	河南博爱
赵丕烈	男	21	山西阳曲
郭新清	女	20	绥远归绥
谢光灏	男	19	河北清苑
刘步祥	男	19	山西岚县
杨树奇	男	21	河北晋县
张志学	男	21	陕西蒲城
邢文科	男	22	河北获鹿
周乃文	男	20	河北濮阳
林之雕	男	21	河北藁城
韩祖铭	男	19	河南□县
王　琨	男	22	绥远兴和
王秉翰	男	23	陕西长安
曹世濬	男	21	辽宁□□
白荫堂	男	22	吉林□□
王德槐	男	22	江苏□□

| 高 斌 | 男 | 24 | 湖北汉阳 |

国立西北大学附设大学先修班第二班学生一览

（二十九年五月）

姓名	性别	年龄	籍贯
李家瑞	男	20	陕西蒲城
王家驹	男	20	辽宁□□
薛元□	男	19	江苏武进
张同青	女	21	江苏吴江
万德明	男	18	湖北潜江
侯慧文	男	21	河北
黎顺清	男	18	陕西南郑
张□□	男	20	江苏沛县
王□□	男	18	江苏铜山
潘致中	男	26	河北天津
张开祺	男	21	陕西洋县
□翰文	男	21	安徽泗县
贾秉良	男	22	绥远归绥
蓝时欣	男	20	河南叶县
谭恩德	男	21	河北卢龙
马淑仪	女	20	陕西绥德
赵晋桢	男	21	河北曲阳
尹培业	男	21	陕西宝鸡
冯树铎	男	22	陕西临潼
雷清泉	男	21	陕西高陵
仲玉莲	女	20	陕西长安
张福祥	男	21	陕西渭南
乔官政	男	21	陕西富平
郭真清	女	19	山西赵城
邹荣族	男	20	陕西汉阴

谭咏兰	女	21	陕西长安
张宝□	女	20	陕西兴平
张春兰	女	19	陕西白水
杨若水	男	21	河南孟县
马广瑞	男	22	河北巨鹿
阎锡□	男	20	山西五台
郭鸿亮	男	21	河南开封
卢　□	男	20	陕西城固
刘汉□	男	18	陕西略阳
范树华	男	21	山西徐沟
王振江	男	23	山东临淄
程芳兰	女	21	安徽庐江
程振邦	男	25	安徽合肥
张登桂	女	19	陕西乾县
段瑞琴	女	20	陕西华县
钱佰让	男	22	安徽桐城
余一鸣	男	20	安徽来安
耿文彩	女	21	河北藁城
钱承文	男	20	浙江杭县
王秀梅	女	21	河北濮阳
巨伯鸿	男	22	河北濮阳
刘械梁	男	25	河北南□
杨廷钧	男	24	河北东明
王淑贤	女	21	河北大名
李□智	男	21	河北安平
鹿汉辰	男	27	河北定县
宋裴声	男	21	河北临城
□右铭	男	20	陕西延川
白□清	女	27	河南淇县

二、1941 届毕业陕西同乡

姓名	性别	年龄	县籍	系别	通讯处
胡世玉	女	26	南郑	国文系	汉中县街明德堂
米协寅	男	25	蒲城	外文系	蒲城贾曲镇邮箱交
李印玺	男	25	凤翔	外文系	凤翔沙家巷9号
李泰来	男	25	绥德	外文系	绥德四十里铺
曹克寿	男	25	高陵	外文系	西安西大街世顺成转
王保仁	男	25	泾阳	历史系	三原通化书局转
侯建	男	25	华县	历史系	西安东大街中华药房转
姚德仁	男	24	泾阳	历史系	泾阳姚家巷15号转
郗惠麒	男	30	华阴	物理系	西安东关亘垣堡6号
李兆庆	男	25	长安	化学系	西安甜水井穆家巷10号
蒲生高	男	26	榆林	化学系	榆林万佛楼上巷
赵梦琴	女	24	长安	化学系	西安南四府街43号
刘宗国	男	23	华县	生物系	华县下庙
王秉成	男	24	长安	地理系	西安东柳巷2号
同经纬	男	27	鄠县	法律系	鄠县南街万盛成
何尤	男	25	长安	法律系	西安夏家十字81号
曹振华	男	25	长安	法律系	鄠县同德堂号转
黄映蕃	男	24	白河	法律系	西安马神庙街8号
杨桂材	男	26	渭南	法律系	西安夏家十字81号何尤转
赵作栋	男	23	陇县	法律系	宝鸡和盛源转
庞仪山	男	27	盩厔	政治系	盩厔县终南镇春乐堂转
辛治华	男	24	长安	教育系	西安东柳巷2号转
房永焕	男	26	邠阳	教育系	邠阳百良镇

三、在校陕西同乡

姓名	性别	年龄	县籍	系别	年级	通讯处
王瑞义	男	21	安康	国文系	三	安康县府门口德顺荣
周仙芳	女	27	长安	国文系	三	西安东关索罗巷9号
黄云兴	男	24	长安	国文系	三	西安东关长安坊15号
钟鹤年	男	23	南郑	外文系	三	南郑东关裕兴德转
张传梓	男	23	旬阳	历史系	三	南郑石灰巷10号
温初芳	男	26	宝鸡	数学系	三	宝鸡教育用品社
张统铭	男	23	榆林	生物系	三	榆林普济寺中巷3号
王恒兴	男	24	陇县	地理系	三	陇县西关三官店13号
晏克鑫	男	24	南郑	法律系	三	南郑县街97号
王孔杨	男	20	鄠县	政治系	三	西安东大街六八三王丹亭转
韦德亮	男	25	蒲城	政治系	三	西安荣家十字22号
郭丕烈	男	24	咸阳	政治系	三	西安六谷庄12号
贺文鼎	男	22	白水	政治系	三	白水新民巷9号
饶国钧	男	23	城固	政治系	三	城固五祖庙巷新10号
雷丕动	男	24	大荔	经济系	三	大荔东大街礼泉涌号转
萧锡章	男	24	富平	经济系	三	富平庄里镇恒心堂转
王兆金	男	26	耀县	商学系	三	耀县中正巷12号
何宪章	男	24	南郑	商学系	三	南郑城内西街10号
刘致岳	男	25	耀县	商学系	三	耀县南街同春恒
刘冠世	男	21	咸阳	商学系	三	西安早慈巷11号
张光照	男	18	安康	国文系	二	安康新建联保邮柜转
郭述贤	男	22	华县	国文系	二	西安太阳庙门38号
耿竞雄	男	22	三原	外文系	二	三原东关石头巷9号
阎多治	男	21	西乡	外文系	二	西乡城内广庆寺街53号
朱端伦	男	23	凤县	历史系	二	凤县教育科转
朱洪涛	男	21	鄠县	历史系	二	鄠县大王镇东街春树巷

续表

姓名	性别	年龄	县籍	系别	年级	通讯处
杨静江	男	20	安康	历史系	二	安康恒口友于堂
阎蕙涵	男	21	朝邑	历史系	二	朝邑仓头镇交
茹护法	男	22	三原	数学系	二	三原北关田家濠1号王宅转
陈济梓	男	23	三原	化学系	二	西安梁家牌楼37号
樊济馨	男	22	富平	化学系	二	西安夏家十字76号
王铭兰	女	23	临潼	生物系	二	甘肃兰州河北咬家沟3号
李赋洋	男	21	蒲城	生物系	二	蒲城东乡马湖镇诚志堂转富源
白鉴	男	21	南郑	地理系	二	南郑周家坪邮转
张尔道	男	22	咸阳	地理系	二	咸阳长顺通转
李国栋	男	20	长安	法律系	二	西安中涝巷25号
康治五	男	23	长安	法律系	二	西安糖坊街24号
温鸿儒	男	25	扶风	政治系	二	西安双仁府44号
傅作民	男	26	南郑	政治系	二	南郑东门内春盛德转
史凌云	女	22	兴平	经济系	二	三原篆灯巷9号
胡龙翔	男	23	汉阴	经济系	二	汉阴高梁乡邮局转
王家珍	男	23	三原	商学系	二	西安书院门和乐巷4号
李世元	男	21	渭南	商学系	二	渭南西关蕃记号收转
梁世桢	男	21	绥德	商学系	二	绥德三皇庙
马渊	男	22	凤翔	商学系	二	西安龙渠湾9号转
张居礼	男	23	鄠县	商学系	二	西安大油巷20号
曹铎	男	21	沔县	商学系	二	沔县阜川乡信柜转
刘宁人	男	20	凤翔	商学系	二	西安东木头市164号
谢蕴直	男	21	南郑	商学系	二	南郑学校巷9号
苏少兰	女	22	蒲城	商学系	二	西安王家巷10号
白日续	男	22	南郑	历史系	一	南郑周家坪邮局转
邢中乾	男	20	郃阳	历史系	一	郃阳县天义成号
李鸿超	男	21	邠县	历史系	一	邠县东街隘巷24号
刘庆贤	男	20	商县	历史系	一	商县西大街新生成号转

续表

姓名	性别	年龄	县籍	系别	年级	通讯处
夏自强	男	20	安康	数学系	一	安康恒口镇恒发魁号转
张子澄	男	21	榆林	物理系	一	榆林后水凸凹下巷1号
尚志	男	21	长安	物理系	一	西安南四府街49号
蒋玉麒	男	21	长安	物理系	一	西安西木头市67号
尹培业	男	21	宝鸡	化学系	一	宝鸡中山街复盛裕号转
刘少炽	男	20	高陵	化学系	一	西安南大街117号
白荣华	男	21	榆林	生物系	一	榆林大有当巷6号
李国兴	男	19	褒城	生物系	一	褒城协水永盛全
谭咏兰	女	22	长安	生物系	一	西安黄龙寺巷7号
赵根源	男	22	南郑	法律系	一	南郑城挂匾巷24号
张志和	男	22	蓝田	政治系	一	蓝田西大街45号
张鸿文	男	20	兴平	政治系	一	兴平县南街志盛德转
张支贤	男	24	长安	政治系	一	西安二府街13号
程炳鑫	男	21	华县	政治系	一	华县赤水镇三兴和转
韩正志	男	23	宝鸡	政治系	一	宝鸡西关德盛长转
王杨	男	23	长安	经济系	一	西安西关正街45号
石中玉	男	23	沔县	经济系	一	沔县城内瑞林轩转
李向田	男	20	渭南	经济系	一	西安后宰门芍林里6号
何曙启	男	20	乾县	经济系	一	西安香米园15号乙
孙克敏	男	21	兴平	经济系	一	兴平双山农工促进社
秦世俭	男	21	临潼	经济系	一	临潼相桥镇敬生吉号
张荣阁	男	21	澄城	经济系	一	澄城义顺永转
杨仪勋	男	20	石泉	经济系	一	石泉城内永昌号
刘善述	男	19	三原	经济系	一	三原东里堡
权世俊	男	24	扶风	经济系	一	西安西仓50号
白枢衡	男	20	长安	商学系	一	长安韦曲致远诚转
马尊德	女	20	邠阳	商学系	一	西安东关南大街古靖岭10号
黄洁	男	20	榆林	商学系	一	榆林县保和号转

续表

姓名	性别	年龄	县籍	系别	年级	通讯处
黄河源	男	24	城固	商学系	一	城固济生医院转
冯凤鸣	男	21	长安	商学系	一	西安南院门大芳摄影室转
王国侠	男	22	榆林	先修班		榆林县芝圃上巷
任忠义	男	22	乾县	先修班		城固丰乐桥3号
袁右铭	男	20	延川	先修班		延川城内西明巷
张根成	男	22	渭南	先修班		渭南故市镇双冉和号转
曹树礼	男	20	渭南	先修班		渭南同义栈转
董克定	男	21	泾阳	先修班		泾阳关岳庙巷交
穆明铎	男	23	泾阳	先修班		泾阳半截巷18号
颜铭悌	男	18	安康	先修班		安康土地楼3号
石克邦	男	21	华阴	先修班		华阴岳镇永和堂
彭志诚	男	20	南郑	先修班		南郑南街108号
冯文虎	男	20	三原	先修班		三原纱帽巷43号
张东峰	男	19	城固	先修班		城固王家巷3号
邝贤友	男	18	汉阴	先修班		汉阴蒲溪乡义顺兴
杨恕	男	22	长安	先修班		西安开通巷5号
刘岬藻	男	20	石泉	先修班		石泉县忠义和号
房栋才	男	20	郃阳	先修班		郃阳百良镇交
徐经纬	男	22	临潼	先修班		西安后宰门24号
侯祥瑞	男	21	乾县	先修班		
殷知辂	男	19	褒城	先修班		褒城新集镇邮局转
刘立三	男	24	城固	先修班		城固小东关本宅
张光汉	男	22	西安	先修班		西安马厂子22号
朱宪祖	男	22	三原	国文系	三	三原太平巷
高竹筠	女	25	绥德	外文系	三	米脂县
袁重华	男	23	澄城	史地系	三	大荔此乡寺前镇
赵文艺	女	21	城固	教育系	三	城固济川巷6号
胥永福	男	22	南郑	教育系	三	南郑金陵巷2号

续表

姓名	性别	年龄	县籍	系别	年级	通讯处
裴富秦	男	24	乾县	教育系	三	乾县东街39号
崔东亚	女	25	蓝田	家政系	三	西安东九府街41号
镇运宏	男	22	安康	体育系	三	安康府门口万兴盛转
吴玉和	男	24	长安	体育系	三	西安东关景龙池12号
汪宗潘	男	23	安康	国文系	二	安康南城壕20号
马中兴	男	23	邠阳	外文系	二	邠阳县西街大义成
王丹乾	男	22	长安	外文系	二	长安韦曲镇玉顺生号转
胡敬玉	男	20	韩城	史地系	二	韩城讲书堂转
王彦信	男	24	长安	史地系	二	西安糖坊街东口北明德新
龙 章	男	22	城固	史地系	二	城固新街38号
卢 进	男	22	城固	公训系	二	城固济川巷
白毓光	女	21	榆林	教育系	二	榆林女师
周青文	女	22	城固	家政系	二	城固元坝子
郑开义	女	28	城固	家政系	二	城固上察院巷4号
刘梅英	女	19	长安	体育系	二	西安新化巷4号
李正唐	男	23	泾阳	体育系	二	泾阳东乡文塔寺
宋纯礼	男	21	乾县	体育系	二	乾县义兴长号
密世才	男	24	乾县	劳作科	二	乾县西大街荣盛福
张振钰	女	20	城固	劳作科	二	城固新街38号
余学文	男	22	西乡	国文系	一	西乡南关景家巷94号
张有智	男	24	城固	国文系	一	城固蓝店巷19号
王观睿	男	23	咸阳	外文系	一	咸阳西街义聚成号
赵以庄	男	23	澄城	史地系	一	澄城大明长号
李熏亚	男	21	鄠县	数学系	一	鄠县北乡乎沱堡
张方济	男	21	鄠县	理化系	一	鄠县文义村
孙正胤	男	20	盩厔	博物系	一	盩厔哑柏德盛源
卢 彤	男	21	城固	博物系	一	城固复兴书店转
李映海	男	21	府谷	教育系	一	府谷县邮局转

续表

姓名	性别	年龄	县籍	系别	年级	通讯处
黎顺清	男	21	南郑	教育系	一	南郑汉江小学转
郭联芬	男	21	华县	教育系	一	华县高塘镇广盛号
马富成	男	20	邠阳	教育系	一	邠阳黑池镇同心合交
郭锦文	男	19	榆林	教育系	一	榆林豆腐巷8号
牛振业	男	23	华县	教育系	一	华县高塘镇济生堂
陈泽浓	男	21	安康	体育系	一	安康西区新建铺新建小学转
郑忠国	男	22	泾阳	体育系	一	泾阳东乡文塔寺
王汉民	男	28	城固	劳作科	一	城固皂莉巷5号
冉必位	男	26	蒲城	劳作科	一	蒲城荆姚镇晋兴昌号转
孙毓荃	男	23	蒲城	劳作科	一	蒲城□市镇北姚寨邮局转
张澄桂	女	20	乾县	劳作科	一	乾县贡院巷五号
卢绍祖	男	22	城固	劳作科	一	城固西城巷九号
白文华	男	20	榆林	先修班		榆林镇川堡万成恒
刘醒民	男	21	榆林	先修班		榆林县广益成
白文光	男	21	榆林	先修班		榆林县镇川堡万成恒
孙若虹	女	20	长安	先修班		长安马神庙中巷二十八号
雍毓书	男	21	华县	政治系	一	华县咸林中学雍念书转
舒贤智	男	22	长安	物理系	一	西安西木头市六十七号

第十二章 学术期刊

第一节 国立西安临时大学—西北联合大学期刊发刊词与目录

一、《西安临大校刊》发刊词与目录
（1937.9—1938.8）[①]

发刊词

陈剑翛

本刊为临时大学目前唯一之出版物。凡校内规划、法令、文艺、课程、训导方针以及全体师生之学术言论思想，悉选载之，诚本大学"教育情报"之总汇也。临大合平大、师大、北洋极有历史之三校院，经过不少曲折历程，始在西北重镇宣告成立，在教育史上实一创举。其因革损益变迁之迹，随非常环境而演化，在院系组织上、学科教材上，处处可以窥见。且为适应战时之特殊需要，特于课外厘定军事、政治、救护、技术等训练，并由教授指导学生组队出发，下乡宣传，以尽匹夫匹

[①] 西安临时大学创办的综合性学术刊物。1937年9月10日，平津沦陷后，遂由西迁后的北平大学、北平师范大学和北洋工学院三校联合组成国立西安临时大学（后改称国立西北联合大学、国立西北大学），同年12月20日，《西安临大校刊》创刊，教育部特派员、校常委兼秘书处主任陈剑翛撰写《发刊词》，确定该刊以选载"全体师生之学术言论思想"为主旨。该刊共办12期，1938年随西安临时大学迁往陕南城固，学校改名为国立西北联合大学，该刊也于当年8月15日更名为《西北联大校刊》。

妇救亡之责。至于校内每日动态、要旨、教育上最稀罕之实验史料,不可不哀集刊布,以贻留后人。日常遭遇事件百千,瞬息万变,惟本刊文字记载或可永凭覆按。诗曰:风雨如晦,鸡鸣不已。今日吾国抗敌战争不兢至此,大多数同事同学之故乡父老,已被芟夷虔刘一空,试问此时此日,成何现象?岂非吾辈最高学府中人所当泣血椎心,锻炼磨砺,以与暴敌相周旋者耶?本刊不幸在此时出版,随吾人之忧患以俱来,洵为黑暗时代之孤儿,愿吾人勠力同心,安危共济,尽瘁此临时教育事业,以挽救当前民族之大危机,否则吾人将成为亡国士夫。本刊亦同于《明夷待访录》,岂非千古之惨痛哉! 十二月十日。

《西安临大校刊》目录

编辑、发行者:国立西安临时大学出版组
中华邮政特准挂号认为新闻纸类
本刊已呈请内政部登记
1937 年 12 月 20 日创刊

发刊辞……………………………陈剑翛	1937	1	1
教育部训令 第一七七二八号…………	1937	1	2
本校布告…………………………	1937	1	2-3
地理系工作报告……………………地理系	1937	1	4-5
调查党员…………………………	1937	1	5
救济难民…………………………	1937	1	5
组织宣传队分赴陕境各县宣传…………	1937	1	5-8
慰劳伤病…………………………	1937	1	8
友声………………………………	1937	1	8-9
北洋吴绍璘现在郾城			
北洋王树章离鲁赴豫			
北洋毕业生七人在蓉航校受训			
北洋刘之祥赴青海			
章则………………………………	1937	1	9-11
国立西安临时大学斋务组办事细则			
国立西安临时大学庶务组办事细则			
国立西安临时大学防空警备办法………	1937	1	12
本校图书馆新购中文图书………………	1937	1	13-24

适应抗战期间之生产建置与工程教育……李书田	1937	2	1–3
本校布告……	1937	2	3–4
校闻……	1937	2	5–11

  纪念周演讲

  学期延长

  第二院每周敦请校内外专家讲演目录

  添掘防空地下室

  陆军兵工学校函请　介送学生受训

本校学生人数统计

  本校借读生数目统计

章则……	1937	2	11–15

  本校学生宿舍规则

  本校职员请假规则

  本校教务处图书组借阅图书规则

  本校教务处图书组办事细则

  本校学生校外借书规则

  附保证书式

章则……	1937	2	15–16

  本校学生宣传队第三队第二次报告

天津失陷之经过及现在之状况……	1937	2	17–19
本校图书馆新购西文图书……	1937	2	20–22
拥护蒋委员长十六日告全国国民书……	1938	3	1
本校布告……	1938	3	2–5
校闻……	1938	3	6–12

  陕西建设厅委托本校代为调查陕南金矿

  本校教职员认购救国公债详细办法

  矿冶系将往安康调查砂金宣传救亡

  难民救援会函谢本校教职员捐款

  工学院敦请李乐知先生讲演隧道工程

  本校录取新生名单

  本校录取借读学生名单

友声……	1938	3	12

  北洋王从善投笔从戎

北洋贾荣恩辛瀛洲同就商雒公路分队长
　　　北洋黄金华离晋来陕
章则…………………………………………………… 1938　3　12–14
　　　本校防空灯火管制办法
　　　本校学术讲演办法
　　　本校对内对外行文之程序及手续办法
　　　本校教员请假规则
本校图书馆新购西文图书…………………………… 1938　3　15–16
中华民国二十七年新年的希望与准备……………周泽书 1938　4　1–5
本校布告……………………………………………… 1938　4　5
校闻…………………………………………………… 1938　4　5–14
　　　工学院矿冶工程学会迎新大会志盛
　　　各院系借读生统计表
　　　李冰先生兼任斋务组组长
　　　本校教职员录
友声…………………………………………………… 1938　4　15
　　　陈立夫奉命为教育部长
出版组启事…………………………………………… 1938　4　15
本校图书组启事……………………………………… 1938　4　16–17
本校图书馆新购西文图书…………………………… 1938　4　18
本校布告……………………………………………… 1938　5　1
校闻…………………………………………………… 1938　5　2–9
　　　魏寿昆教授率领学生前赴安康
　　　康绍言先生任注册组组长
　　　规定新生及转学生之暂行办法
　　　本校女生应参加看护训练
　　　纺织工程学系参观大华纱场
　　　本大学工学院第一次院务会议记录
　　　农学系征集标本
　　　农学系讲师参观陕西棉产改进所
　　　本校特殊训练技术训练队修订课程实施方案
专载…………………………………………………… 1938　5　9
　　　教育文化简讯

章则……………………………………………………	1938	5	9–12
本大学会计组组织大纲			
本大学会计组办事细则			
本大学学生借用运动物品管理办法			
友声……………………………………………………	1938	5	12
陈昌龄领队赴蒲城测量路线			
师大杨秀林因抗日受人敬重			
本校图书组新购中文图书……………………………	1938	5	13–14
本校图书馆新购西文图书……………………………	1938	5	15–16
抗战的回顾与前瞻……………………………周宗莲	1938	6	1–4
教育部令……………………………………………	1938	6	4
本大学布告…………………………………………	1938	6	4
校闻…………………………………………………	1938	6	5–10
工学院系组编制状况			
工学院土木工程系组织完成			
工学院矿冶工程学系教授聘齐			
工学院各学系主任刻正厘定分配下学期课程			
工学院各系四年级学生正选拟毕业论文题目			
工学院教授各方纷纷顾问			
工学院实验实习设备之筹维			
准各系学生互选课程			
本校撙节印刷费			
法商学院备取生暂准入校试读			
本大学教授加入航空建设协会			
李建勋博士被举为北洋同学会陕西分会会长			
本校第二院筹备装设电灯 第一院电灯亦将改良			
认购救国公债			
本大学内将设金城银行办事处			
第一院女同学姊妹班排球赛			
本校课外运动办理经过			
课外运动委员会第一次会议记录			
专载…………………………………………………	1938	6	10–11
本大学下乡宣传队近讯			

章则……………………………………………………	1938	6	11－13
本大学旁听生规则			
本大学注册组办事细则			
本校学生请假缺课规则			
友声……………………………………………………	1938	6	13－14
秦汾 程志颐 秦瑜 均入经济部			
北洋陈宗勋逃难不忘图书			
出版组启事一………………………………………	1938	6	14
出版组启事二………………………………………	1938	6	14
来函更正……………………………………………	1938	6	14
本校图书组新购中文图书…………………………	1938	6	15－16
宣传的技术………………………………………陈剑翛	1938	7	1－2
本大学布告…………………………………………	1938	7	2
校闻…………………………………………………	1938	7	3－8
女生准受军训			
学生逾期未到及请假满四十五日均应休学			
本校新购西文书籍不日到校			
冰天雪地中			
常委飞汉			
本校矿冶系赴安康勘矿队已抵汉中			
未被录取各生证件限期具领			
医学院学生抗战服务之经过			
课外运动委员会第二次会议记录			
第三次会议记录			
专载…………………………………………………	1938	7	8－11
本大学下乡宣传队近讯			
从军与争取抗战胜利			
本大学与金城银行签订驻校办事处合同			
友声…………………………………………………	1938	7	11－12
杨世襄现在皖工作			
刘鼎山现在扬子江水利委员会服务			
教育文化简讯			
本校图书馆新购中文图书…………………………	1938	7	13

本校图书馆新购西文图书………………………………	1938	7	14
国难时期的大学教育………………………………陆咏霓	1938	8	1–3
中国青年应有之反省………………………………李季谷	1938	8	3–4
本校布告………………………………………………	1938	8	4
校闻……………………………………………………	1938	8	4–7

  本校分配各项设备费

  增加公费生名额

  本校严格执行预算

  本校宣传队日内返校

  工学院第二次院务会议记录

  农业化学系组织战时食品问题研究会

  农业化学系同学会举行欢迎会

  农学系畜牧组同学参观西京牧场

  校医室布置即将就绪

  女同学篮球友谊赛

  本大学教职员人数统计

专载……………………………………………………	1938	8	8–12

  陕西省各界抗敌后援会国立西安临时大学学生支会简章

  陕西省各界抗敌后援会国立西安临时大学学生支会工作计划

  近郊兵役扩大宣传办法

  宣传纲要

  职务分配一览

友声……………………………………………………	1938	8	12

  北洋校友简讯

  师大姜世新赴南郑

  教育文化简讯

如何支持长久的抗战………………………………贾成章	1938	9	1–4
本校布告………………………………………………	1938	9	4
校闻……………………………………………………	1938	9	4–6

  本校教职员为伤兵募捐

  规定购置杂志办法

  陕西省政府规定服用土布办法

  本大学教职员职务变动及人数增减表

农业化学系组织战时食品问题研究会工作近况

友声……………………………………………………1938　　9　　6

　　　祝寿萱去四川

　　　北洋刘濬哲任中华建筑公司工程师

专载……………………………………………………1938　　9　　7－10

　　　报告南郑旅行

教育文化简讯…………………………………………1938　　9　　10

陈部长告全国学生书…………………………………1938　　10　　1－3

校闻……………………………………………………1938　　10　　3－6

　　　本校学生服务津贴将改为贷金

　　　限制学生请领证明文件

　　　高中部代理主任易人

　　　本校经费有增加希望

　　　本校慰劳下乡宣传队

　　　本校周主任宗莲监修飞机场

　　　西安救亡团体筹备游艺会

　　　工学院水利工程名誉教授李仪祉先生讲演"水工基础"

　　　中基会设置北洋航空工程讲座秦大钧博士将回校

　　　女同学姊妹班篮球赛

　　　本校为宣传队回校函谢陕南各机关

友声……………………………………………………1938　　10　　6

　　　校友姚挹芝任教育部会计室主任

　　　丛荫檀，吴瑶章，袁景章，田若南，孟继源实习期满

专载……………………………………………………1938　　10　　7－8

　　　本大学校刊编辑及发行办法大纲

　　　本大学收录借读生简章

　　　国立西安临时大学学期试验试场规则

教育文化简讯…………………………………………1938　　10　　8

为移民垦荒进一言…………………………贾成章1938　　11　　1－3

教育部训令……………………………………………1938　　11　　3

校闻……………………………………………………1938　　11　　3－7

　　　历史系参观考古学会

　　　地理系第三次工作报告

体育系第四次系务会议记录
　　本大学派员赴甘青两省考察
　　特殊军训准延一月
　　厉行军训假期作业
　　教职员宿舍将定办法
　　本校上课以鼓楼时间为标准
专载……………………………………………………1938　11　7
中国教育学会昨在陕开会员联合会
陕西考古学会参观记……………………周国　1938　11　8–9
友声……………………………………………………1938　11　9
　　王引孙赴陕北勘测成榆公路
　　续光清应陕西省立酒精厂之聘
章则……………………………………………………1938　11　9–10
　　本大学战区学生贷金办法
教育文化简讯
长期抗战应有之认识…………………………………1938　12　1–4
下乡宣传的最低条件……………………………罗根泽1938　12　4–5
士大夫心理之纠正………………………………吴英荃1938　12　5–6
教育部训令……………………………………………1938　12　6–7
本校布告………………………………………………1938　12　7
校闻……………………………………………………1938　12　7–10
　　教育系四年级学生毕业论文之题目
　　本校探矿队推测汉江中河底沙层含金
　　常委对假期军训生训话
　　特殊军训生入伍见习
　　各系学生纷往外县实习
专载……………………………………………………1938　12　10–14
　　本大学安康采矿队报告
　　本校特殊训练队政治队办理经过报告
友声……………………………………………………1938　12　14–15
　　王子祐先生即将来校任矿冶教授
　　王恒源张伯平均任新职
　　潘学勤李润之齐丰年来陕

吴沛恩调新职

　　张伯平马濬之蒋日庶秦万选王源深分就新职

　　冯嘉显在广州

　　孙铎任兰州织呢厂主任技师

　　马东民赴兰州织呢厂服务

章则……………………………………………………1938　12　15－18

　　本校实习参观规则

　　本校学生成绩评定办法

　　本校防护团组织规则

教育文化简讯…………………………………………1938　12　18

二、《西北联大校刊》①发刊词与目录
（1938.8—1939.8）

《西北联大校刊》（集训专号）

校刊第十二期，民国二十八年四月七日

发刊词（一）

集训的功用

本校常务委员李蒸

　　在抗战期间，人人都有服兵役的义务，尤其是全国青年更应当时刻准备着入伍。现在是我中华民族主奴分野，生死关头，人人都要有为国牺牲的决心，然后方能抗战取得最后的胜利，建国得以顺利的成功。

　　大学学生平时受军事训练，一方面矫正过去文人的孱弱积习，一方面培植抵抗侵略的功能，用意甚善。不过各校实施军训常因学校环境，及其它课程关系不能收到预期的效果。集中军训在暑期内举行，一方面补充平日军训的不足，一方面给学生练习过军人生活的机会，如果能认真办理，一定能得到很大的益处。

---

① 该刊共出版十八期，到1939年8月8日，教育部下令国立西北联合大学改名为国立西北大学。于是，《西北联大校刊》亦于1941年11月16日更名为《国立西北大学校刊》。其中在第十二期还专门出版了一期《集训专号》，并由本校常务委员李蒸、徐诵明、胡庶华，陕西省学生集中训练总队名誉队长蒋鼎文分别撰写了发刊词。

本年本校学生在南郑受集中军训,因为是由中央军校第一分校主任及各位教官主持,成绩甚著。各教官都富有军事学识与技能,且都热心负责,认真管理,对于学生身心修养上留有良好的印象。所感不足者,训练地点仍是借用各中等学校,未能脱离学校环境入伍军营,因而未能身受绝对严格的军事训练。希望来年军训对此加以改正。

至于本校同学受集训之后,应当维持纪律化的生活习惯,终身不懈。在学校要重视军训课业,加强抵抗侵略的意识。必须能切实身受"文武合一"的教育,然后方能时时有投笔从戎之准备。国家民族真是到了最后关头,时机时迫,人人都要赴战场杀敌。本校同学站在领导民众的地位,更应当特别重视军训,以备尽国民应尽的天职。集中军训更有其特殊的功用,盼望来年集训,根据本年的经验,更能办理完善,引起同学最大的兴趣,收到应有的效果。

集训专号发刊词

本校常务委员徐诵明

本校出版组于编辑校刊之余,拟出"集训专号",搜罗各方面之报告、讲演及杂记裒为一秩,刊而行之,将以存纪念,晓后学,而维集训精神于不敝,意甚善也。我国在古,民兵不分,北宋以后始专行募兵之制,宋明积弱,外侮侵凌,推其原因,未始不由于此。国民政府成立以来,鉴于欧美征兵制度之完善,始议复汉唐之旧,而参以西法;于是壮丁有训,商团有训,学生有训,教之以战陈之事,严之以赏罚分明,视古之不教而使战,有不侔矣。学生集训,即利用学校假期,为学生平日军训个别之检查,而复施以大规模之集合训练者也。本届集训,陕南支队设在南郑,本校学生之前往参加者凡千余人,于九月入伍,第一军分校主任祝绍周先生率领各军事教官,不辞劳苦,认真训迪,技术学科,兼筹并施。课余之暇,复延请各处军事长官及教授名流轮流讲演:或致其希望,或勖其努力,或从历史以激扬民族精神,或言古训以促进旧有文化,或说明集训与建国之关系,或开发集训对抗战之功用,琳琅满目,美不胜收;外以军事训练劳其筋骨,内以精神食粮充其肠胃;进则为国家民族致杀敌之用,退亦可训练民众,在后方效一日之长,是不得不归功于祝主任及各教官之训导有方。用志数语,并之简端,藉鸣谢意。

集训专号发刊词

本校常务委员 胡庶华

吾国古昔教育,文武并重,故六艺必有射御,文德必有武功。降及后世,重文轻武,以致书生无缚鸡之力,武夫鲜识丁之目。逊清末叶,惕于外患,提倡军国民教育,一时士气稍振,而革命精神遂极焕发。欧战而后,世界各国大都厌战,而自由主义的教育风行于世,我国亦不能例外,于是学校无训育可言,学生亦不以尚武为可贵。自"九一八事变"以还,中央迭令高中以上学校学生必受军训,除平时在学校有军事学科术科外,并于暑假受集中训练,近年且延长其期限为两个月或三个月,同时注重训言,提倡导师制。盖欲青年从事抗战建国,非有健全之身体与高尚之人格不可。教育最高当局于视事之初,即主张三育并重,文武合一为目前教育方针。故训育与军训实有融会贯通,交相为用之妙。本校于本年度添设训导处,包含军训、斋务两组,并设立导师会,通力合作,养成学生明礼义、知廉耻、负责任、守纪律之精神。本届暑期集训,由南郑中央军官学校第一分校主持,教官皆一时之选,训练严格,获益良多,回校后施行军事管理,更极顺利。同人以此次集训精神之佳,为前此所未有,故于校刊中特发行《集训专号》,以志其盛。汉之卫霍,唐之郭李,宋之韩富,明之戚俞,清之曾胡,皆允文允武,而关岳皆以好读《春秋》见称。今后民族英雄而有文武兼资者,斯刊其嚆矢也欤?

抗战中青年学生应有之努力

——十月九日蒋兼名誉总队长于陕西省学生集中训练总队部大操坪训话

各位同学:

  本人兼任陕西省学生集训队名誉队长,因为本身事情太多,并且近来身体又不大好,没有常来同各位见面,今天第一次和各位讲话,本人感觉十分高兴。

  大家都知道,我们国家现在已到了生死最后关头了,想我们中华民国有着五千年悠久光荣的历史,有着四千万方里的锦绣山河,更有着占世界四分之一的四万万五千万的人口,世界上那个国家能比得我们这样伟大,可是就因为我们自……

《西北联大校刊》目录(要目)

编辑、发行者:国立西北联合大学出版组

中华邮政特准挂号认为新闻纸类

本刊已呈请内政部登记

1938 年 8 月 15 日创刊

教育部训令·· 1938　　1　　1 – 7
 中等以上学校导师制纲要
 限制留学暂行办法
 请废止学生列队送迎案
 为达成抗战之目的必须一致努力推行兵役制度案

校闻·· 1938　　1　　7 – 28
 本校城固本部举行开学典礼志盛
 历届纪念周讲演纪要
 文理学院本学期经办之重要事项
 化学系本学期所经办之重要事项
 地理系工作报告
 教育系自办校迁移以来所经办之重要事项纪要
 教育系导师制实施办法
 学生斋舍修建情形
 注册组工作纪要
 本校常务委员会议报告及决议案撷要

章则·· 1938　　1　　29 – 32
 本校组织系统说明
 本校学生生活指导委员会简章
 本校战区学生贷金委员会简章
 本校借读生转学办法
 本校学生参加升降旗及健身运动办法

专载·· 1938　　1　　32 – 57
 张骞墓间古物探寻计划书·········国立西北联合大学历史学系考古委员会
 发掘张骞墓前石刻报告书·······················何士骥 周国亭
 抗战史料纂集大纲

师范大学国文系科目表及说明书
　　勘察安康行政区砂金矿简要报告
　　本校图书馆周年工作概况
　　本校教务处图书组办事细则
　　本校教务处图书组借阅图书规则

特载…………………………………………………………… 1938　1　58－68
　　国立西安临时大学全体学生由西安至汉中行军办法
　　奉派至汉中区觅校舍工作日记……………………徐世度
　　膳食委员会报告……………………………………佟学海

社会教育和民众组训中间的桥梁……………………黎锦熙 1938　2　2－4

论著………………………………………………………… 1938　3　1－3
　　中国资源问题……………………………………………胡庶华

教育部训令………………………………………………… 1938　3　3－13
　　搜集抗战史料　训令一
　　颁布文理法三学院共同必修科目训令二
　　颁布师范学院规程并办理法　训令三
　　附一　国立中央大学等校设立师范学院办法
　　附二　师范学院规程

章则………………………………………………………… 1938　3　13－15
　　训导处组织章程
　　规定讲师授课时数及待遇办法
　　本校职员待遇规程
　　原平大师大二十七年度复学办法
　　请发证明书及成绩单之规定

组织………………………………………………………… 1938　3　15
　　高中部改称为本校师范学院附属中学

校闻………………………………………………………… 1938　3　15－17
　　南郑办事处独立设置
　　斋务组对于宿舍及食堂之整理计划
　　司令部教职员宿舍改为师范学院学生宿舍

课程标准…………………………………………………… 1938　3　17－21
　　家政系课程标准

友声………………………………………………………… 1938　3　21

本校二十六年度毕业同学调查表			
专载………………………………………………………	1938	3	22
本校迁移行军沿途经过纪略……………………佟学海			
论著………………………………………………………	1938	4	1－3
现代方志之"三术"与"两标"………………黎锦熙			
教育部命令…………………………………………………	1938	4	3－6
颁发国训及青年守则（训令一附守则）			
甄选毕业生入三民主义青年团受干部训练（训令二附办法）			
荐举专才以备国用（训令三）			
甄选毕业生充边远省区中学教员（训令四附办法）			
抗战期间薪俸七折（训令五）			
大学训练中等学校师资暂行办法废止（训令六）			
专科以上学校军事管理办法（代电）			
章则………………………………………………………	1938	4	6－7
秘书处组织章程			
教务处组织章程			
体育委员会章程			
上学期末到本学期迟到补考升级办法			
组织………………………………………………………	1938	4	7
增设体育委员会			
校闻………………………………………………………	1938	4	7－8
国训校训同悬礼堂			
李兼院长蒸出席高级师范教育会议			
甄选毕业生充任教员名单报部			
试读生旁听生改为正式生			
课程标准…………………………………………………	1938	4	8－12
家政系课程标准（续三期）			
友声………………………………………………………	1938	4	12－15
本校二十六年度毕业同学就业调查表（国文地理生物三学系）			
专载………………………………………………………	1938	4	15－18
第二中队行军纪要……………………………刘德润			
方志广"四用"破"四障"议 ……………………黎锦熙	1938	5	1－4
论著………………………………………………………	1938	6	1－5

汉中各县诸葛武侯遗迹考……………………陆懋德

本校校歌……………………………黎锦熙 许寿裳1938　6　3
教育部部令……………………………………1938　6　6－16
　　进退教职员应由常委共同负责（电令一）
　　加派张北海先生为校务委员（电令二）
　　令饬协助征募抗战将士寒衣运动（代电一）（附组织大纲等）
　　核准本校建设经费（代电二）
　　颁发录取本校二十七年度新生（代电三）（附新生名单）
　　颁发办理会计人员暂行规程（训令一）（附规程）
　　颁发出纳食物处理办法（训令二）（附办法）
　　颁发农工商三学院共同必修科目（训令三）（附商学院必修科目）
　　颁发公立专科以上学校战区学生贷金补充办法（训令四）（附办法）
　　严禁泄露经济建设消息（训令五）
　　联合国内学术机关研究古物（训令六）（附办法）

章则……………………………………………1938　6　16－18
　　本校教员待遇章程
　　教职员住校办法
　　教职员家属就医之规定
　　学生请求贷金限制办法
　　规定及整理教职员借阅图书办法
　　规定学生缮写中西文讲义办法

校闻……………………………………………1938　6　19－22
　　胡常委春藻在本学期第一次纪念周训词
　　聘请张北海先生为法商学院院长
　　聘请许寿裳先生为本校建筑设备委员会主席
　　推定杨立奎先生等为导师会常务委员
　　遵令扣薪捐助前方将士寒衣
　　历史系征求抗日史料
　　教育系系务会议记录
　　捐金申请

校闻……………………………………………1938　6　22－23
　　本校二十六年度毕业同学就业调查（续）

文化教育通讯…………………………………1938　6　23

| 新书介绍 | 1938 | 6 | 23 |

| 专载 | 1938 | 6 | 23–27 |

　　答复教育部征询各种教育问题之意见……黎锦熙 黄国璋

师范学院师范研究所招生简章	1938	6	26
图书组新购中文图书	1938	6	27–30
论著	1938	7	1–6

　　纪念"双十二"……………………………胡庶华

　　汉中各县诸葛武侯遗迹考（续）…………陆懋德

| 教育部部令 | 1938 | 7 | 6–17 |

　　研究实际问题（训令）

　　加聘许寿裳先生为本校校务委员（电令）

　　部派第一批借读生（训令）（附名单）

　　部派第二批借读生（训令）（附名单）

　　禁止滥发服务或肄业证明文件（训令）

　　部饬分发各省服务之本校毕业生径往报到（指令）（附名单）

| 章则 | 1938 | 7 | 18–20 |

　　本校学生住校规则

　　本校旁听生规则

　　本校体育委员会校内比赛竞赛委员会简章

　　本校学生借用运动物品管理办法

　　本校校刊编辑及发行办法

| 布告 | 1938 | 7 | 20–21 |

　　未在训导处立案之学生团体禁止活动

　　禁止学生参加民先队任何活动

| 校闻 | 1938 | 7 | 21–31 |

　　本部本学期第二次纪念周记录

　　本部本学期第三次纪念周记录

　　本校法商学院本学期第一次纪念周记录

　　推定胡常委庶华等兼任学生贷金审查委员

　　改推李主任季谷兼任导师会常务委员

　　聘定文理师范两院系各年级导师

　　推荐教员须经常委书面允可

　　规定续聘新聘教员起薪日期

体育委员会第一次谈话会记录

　　　体育教员全体会议记录

　　　体育委员会第一次会议记录

　　　体育委员会第二次会议记录

　　　本校晨操由体四同学负责

　　　体四同学担任简师体育课程

　　　颁发本校会计室铜质小章一颗

　　　教育部国立各校院统一招委会函送各省保送及录取永康新生(附名单)

　　　中英庚款董事会组织川康科学考察团(附简章)

　　　中英庚款董事会在学术机关设置科学研究助理(附简章)

　　　陕西省党部派赵金铭等为本校区党部指导员

友声·· 1938　7　31－32

　　　本校二十六年度毕业同学就业调查(续)

专载·· 1938　7　32－34

　　　我个人对于抗战感想···············张书田先生讲演

图书馆新到书籍(续)·· 1938　7　34－36

专载·· 1938　7　36－38

　　　简单防毒概论··························刘茂寅

专论·· 1939　8　1－3

　　　方志拟目(总纲之部)(城固新修县志方案之一)黎锦熙

教育部部令·· 1939　8　3－32

　　　饬令本校师范学院遵照全国高级师范教育会议决议案分别办理(训令附决议案分系科目表草案)

颁发抗战功勋子女就学免费条例(训令附条例)

章则·· 1939　8　32－37

　　　本校训导大纲

　　　本校导师制实施细则

　　　修正导师会组织章程第四条

　　　本校学生改系办法

　　　本校所属各部分收付款项细则

　　　学生储藏室规则

　　　壁报出版法

校闻·· 1939　8　37－43

本大学校本部本学期第四次纪念周记录

　　　本大学校本部本学期第五次纪念周记录

　　　改组本大学建筑设备委员会

　　　组织公费生免费生审查委员会

　　　文理学院刘院长拓召集新生训话

　　　国文系普通国文教员第一次谈话会记录

　　　教育系二十六年度论文研究概况

　　　本校二十七年度各系转学生

　　　陕教厅函请饬令本校附属中学扩大公民教育任务

　　　本校导师会常务委员会规定本年度第一学期课外活动项目及日期表

专载……………………………………………………… 1939　　8　　43－45

　　　致新疆盛世才督办书………………胡庶华

　　　抗战中的县政治………………鞠海峰先生讲演

图书馆新到书籍（续七期）……………………………… 1939　　8　　46

论著……………………………………………………… 1939　　9　　1－6

　　　方志拟目（自然之部）（城固新修县志方案之二）…黎锦熙

　　　沔县煤矿区之地质………………………………郁士元

教育部部令……………………………………………… 1939　　9　　6－9

　　　颁发教育部社会教育讨论会简章（训令）（附简章）

　　　颁发非常时期专门人员服务条例（训令）（附条例）

　　　部准困难之战区学生概予免收学杂费（代电）

章则……………………………………………………… 1939　　9　　9－13

　　　本校导师会常务委员会办事细则

　　　本校大学部教员在附中兼课及附中教职员在大学部兼课办法

　　　全校一年级生写作"修养日记"及"读书札记"办法

　　　全校一年级生共同必修"国文"统整办法

　　　本校学生国语演说竞赛会简章

校闻……………………………………………………… 1939　　9　　13－16

　　　本大学校本部本学期第六次纪念周记录

　　　国文系普通国文教员第二次谈话会记录

　　　国文系普通国文教员第三次谈话会记录

　　　教育系一年级导师与学生谈话会记录

　　　二十七年度校内竞赛篮球第一周比赛结束

本大学二十七年度上学期在校学生人数统计表

　　本大学二十七年度第一学期在校学生籍贯统计表

　　本大学二十七年度第一学期在校学生年龄统计表

专载……………………………………………………… 1939　　9　　17－20

　　抗战的经验与教训（学术演讲稿）………………许兴凯

　　近代民族主义之发展及吾人应有之认识…………许重远

教育部部令…………………………………………… 1939　　10　　1－7

　　颁发第三次全国教育会议规程（训令）（附规程）

　　颁发二十六年度国库收支结束办法（训令）（附办法）

　　颁发特设先修班办法要点及经费总额（训令）（附办法及经费总额）

　　颁发会计室组织及办事通则（代电）（附通则）

　　征集学校一览（训令）

　　催填学校概况呈部（训令）

　　文化用品今后运输较为便利（指令）

章则…………………………………………………… 1939　　10　　7－11

　　陕西省各界抗敌后援会本校支会简章

　　本大学师范学院教育系小学教育通讯研究处组织规则

　　本大学会计室组织规则

　　本大学会计室办公细则

　　本大学旁听生规则（第二次修正）

组织…………………………………………………… 1939　　10　　11－12

　　本大学抗敌后援会正式成立

　　本大学成立图书委员会

　　本大学成立卫生委员会

会议纪录……………………………………………… 1939　　10　　12－18

　　本大学校本部本学期第七次纪念周记录

　　本大学校本部本学期第八次纪念周记录

　　教育系导师联席会议记录

　　教育系二年级导师学生谈话会记录

　　小学教育研究委员会第一次会议记录

　　体育委员会第三次会议记录

　　国语演说竞赛会议记录

　　本校抗敌后援支会执行委员会第一次会议记录

校闻………………………………………	1939	10	18-20

  顾次长毓琇莅校视察并演讲
  胡常委春藻请假赴西安就陕西省党部执行委员职
  张少涵先生兼本大学先修班主任
  加聘张北海先生为社教推行委员会委员
  李建勋先生兼任师范学院研究所主任
  各院军训教官受各院主任导师指挥
  博望侯墓道古物校内展览记
  新旧生报道截止日期
  乐歌为一年级必修课

特载………………………………………	1939	10	21-28

  蒋委员长严斥近卫声明

论著………………………………………	1939	10	29-38

  方志拟目(人口志)………………黎锦熙
  师范学生应有的认识和努力(讲稿)………胡庶华
  近代民族主义之发展及吾人应有之认识(续九期)…许重远

教育部部令……………………………	1939	11	1

  严禁汉奸活动(训令)

章则………………………………………	1939	11	1-4

  陕西省各界抗敌后援会本校支会简章(修正通过)
  限制借读生办法
  本大学图书委员会简章
  规定学生补缴制服费办法

组织………………………………………	1939	11	4
会议记录…………………………………	1939	11	4-11

  本大学仪器委员会成立会议记录
  本大本校本部本学期第九次纪念周记录
  本大学校本部本学期第十次纪念周记录
  师范学院第一次训导会议记录
  师范学院第二次训导会议记录
  国文系普通国文教员第六次谈话会记录
  国文系普通国文教员第七次谈话会记录
  英语演说竞赛会记录

校闻·· 1939　11　11-18
　　聘定法商医两院系各年级导师及普通国文导师
　　家政系将实习成绩义卖捐赠抗战将士鞋袜
　　收回学生旧制服捐赠伤兵或难民
　　本大学抗敌后援会工作近况
　　本大学中国语文学会成立注音符号训练班概况
　　本大学社教推委会成立防空防毒讲习班概况
　　世界救济金陕西区近讯
　　新旧生报到展期截止
　　本大学二十七年度第一学期在校借读生原校统计表
　　本大学二十七年度一年级新生学历统计表

论著·· 1939　11　19-21
　　方志拟目（农矿志）······························黎锦熙

专载·· 1939　11　21-41
　　河北民军在敌人后方的民训工作···················王镜铭
　　抗战期间城固县之民众教育·······················高振业
　　石门历险记···································何日章口述

图书馆新到书籍······································ 1939　11　42-44

集训专号目录·· 1939　12　1-87
　　集训的功用······················本校常务委员　李　蒸
　　集训专号发刊词··················本校常务委员　徐诵明
　　集训专号发刊词··················本校常务委员　胡庶华
　　抗战中青年学生应有之努力····陕西省学生集中训练总队名誉总队长　蒋鼎文
　　对集训学生今后的希望········中央陆军军官学校第一分校主任　祝绍周
　　怎样做一个时代的青年········陕西省学生集中训练总队代理总队长　周士冕
　　集中军训的使命及应注意的事件···陕西省学生集中训练总队副总队长　张德容
　　集训与建国··················中央陆军第一军分校政治部主任　林树恩
　　本校学生参加集训概况·····························赵兰庭
　　从集训生活说到大学教育军事化·····················马云海
　　集训中的一些儿观感···左禹治
　　陕南集训生活散记·································刘凤仪
　　野外实习之一幕···································异　军
　　集训剪影···孙天泰

陕南集训中之一幕……………………………………………涂廷宇
　　会餐与打靶…………………………………………………薛贻源
　　从集训得来的三点新认识……………………………………田世英
　　集训日记选摘　陕南支队名人讲演录………………………卫万端
　　中国历史上所见之民族精神…………………………………李季谷
　　如何能使此次抗战达到最后胜利……………………………徐诵明
　　中国革命之经过……………………………………………陆懋德
　　勾践的精神…………………………………………………许寿裳
　　民众心理……………………………………………………程克敬
专载
　　军训主旨与受训学生应有之自觉
　　蒋委员长对集中军训卒业学生训词
　　对各省学生集训队训词………………………军事委员会政治部部长　陈　诚
　　编辑后记
教育部部令…………………………………………… 1939　　13　　1－15
　　负责长官应先送子弟参加兵役（训令）
　　颁发民众对抗战军队之致敬办法（训令）
　　颁发兵役宣传及监督实施方案（训令）（附方案及纲领）
　　颁发学校统计室组织与办事细则（训令）（附细则）
　　颁发修正战时图书杂志原稿审查办法（训令）（附办法大纲）
章则………………………………………………… 1939　　13　　15－19
　　本大学师范学院研究所章程
　　本大学师范学院教育系小学教育通讯研究处办事细则
　　本大学消费合作社章程
会议记录…………………………………………… 1939　　13　　15－24
　　本大学校本部本学期第十次纪念周记录
　　本大学校本部本学期第十一次纪念周记录
　　本大学校本部本学期第十二次纪念周记录
　　本大学校本部本学期第十三次纪念周记录
　　体育委员会第四次会议记录
　　本大学抗敌后援会执行委员会第二次会议记录
校闻………………………………………………… 1939　　13　　24－27
　　本大学常委全体出席全国教育会议

本大学各院一年级共同必修国文科本学期实施情形

　　二十七年度各学院系公费生人选

　　二十七年度第一学期实验及放假日期

　　本大学增设大学先修班第二班（附学生名单）

　　本大学成立消费合作社

　　二十七年度第一学期校内竞赛女子篮球及男子足球比赛优胜队名单

　　二十六年度第二学期各系学生学期成绩分配概况及其集中趋势

　　二十六年度第二学期各系学生学期成绩分配概况

论著·· 1939　　13　　28－31

　　民族主义与道德

特载·· 1939　　13　　31－36

　　第三次全国教育会议 蒋委员长训词

专载·· 1939　　13　　36－52

　　青年学生学养与服务两个重要的条件······黎劭西先生讲演

　　广西教育与抗战建国·····························黄仲诚

　　抗战期间城固县之民众教育（续第十一期）··········高振业

　　石门历险记（续第十一期）··················何日章口述

教育部部令·· 1939　　14　　1－2

　　取缔敌伪钞票办法（训令）（附办法）

章则··· 1939　　14　　2

　　本大学仪器委员会简章

会议记录·· 1939　　14　　2－7

　　本大学举行总理逝世十四周年纪念大会记录

　　本大学校本部本学年第一学期第十四次纪念周记录

　　本大学校本部本学年第二学期第一次纪念周记录

　　仪器委员会第一次会议记录

　　本大学普通国文教员第八次谈话会记录

　　本大学普通国文教员第九次谈话会记录

校闻·· 1939　　14　　7－14

　　本校常委联袂返校

　　本校全体师生祭扫博望侯墓并宣誓实行国民抗敌公约

　　本校节约献金运动

　　二十七年度第一学期校内各项竞赛结果

本校学生宿舍一览
　　本校抗敌后援会为前方将士募集鞋袜在南郑举行游艺大会
　　本校抗敌后援会在医学院设立办事处
　　二十六年度医学院毕业同学就业概况
论著·· 1939　14　15－19
　　张骞通西域路线图考················黄文弼
　　方志农村调查法·······················黎锦熙
转载·· 1939　14　19－30
　　国民精神总动员
专载·· 1939　14　30－44
　　中国教育学会西北分会向全国教育会议提案之一
　　对于教育部拟订师范学院教育系课程之意见
　　石门历险记（续第十三期）
图书目录（英文部）····································· 1939　14　44
教育部部令··· 1939　15　1－4
　　兵役适龄之公务员子弟应率先入营服役（训令）
　　重申前令严禁贪污（训令）
　　颁发非常时期专门人员服务条例施行细则（训令）（附细则）
　　嘉奖本校各院一年级共同必修国文科实施办法（指令）
章则·· 1939　15　4－5
　　本大学学生成绩评定办法
　　发给师大毕业证书条件
组织·· 1939　15　5－6
　　本校成立警卫委员会
　　校医室增设法商学院诊疗分所
　　本校附设城固施诊所
会议记录··· 1939　15　6－13
　　本大学校本部本学年第二学期第二次纪念周记录
　　本大学校本部本学年第二学期第三次纪念周记录
　　本大学校本部本学年第二学期第四次纪念周记录
　　本大学普通国文教员第十一次谈话会议记录
　　师范学院第三次训导会议记录
　　小学教育研究委员会第二次会议记录

　　　　小学教育研究委员会第三次会议记录

校闻·· 1939　　15　　13－15
　　　　世界学生会中国分会敦聘李常委为董事
　　　　本校同学节约献金竞赛
　　　　本校二十七年度第二学期上课及考试日期
　　　　本大学二十七年度第一学期教师请假时数及百分比统计表

论著·· 1939　　15　　15－17
　　　　方志拟目（工商志）····················黎锦熙

专载·· 1939　　15　　17－32
　　　　报告出席第三次全国教育会议经过··········李　蒸
　　　　改良省制与调整地市财政················尹文敬
　　　　战时大学推行民众教育意见··············王镜铭
　　　　沔县考古纪实························周国亭

图书目录（英文部续）·············· 1939　　15　　32

教育部部令···················· 1939　　16　　1－5
　　　　颁发总理纪念周条例（训令）（附条例）
　　　　颁发全国人民向负伤将士行礼致敬办法（训令）（附办法）
　　　　颁发精神总动员会组织大纲（训令）（附大纲）
　　　　取缔未经中央核准之特种学校（训令）
　　　　尊重民命慎用民力慎取民财以期获取最后胜利（代电）

章则························ 1939　　16　　5－7
　　　　本大学警卫委员会组织章程
　　　　本大学警卫委员会警卫本校外宿人员暂行办法
　　　　警务组发放学生函件办法
　　　　应行毕业各生志愿请领国立北平大学毕业证书办法

会议记录···················· 1939　　16　　7－12
　　　　本校校本部本学年第二学期第五次纪念周记录
　　　　本校校本部本学年第二学期第六次纪念周纪录兼举行第一次国民月会联会记录
　　　　本校第一次次全体导师会议记录
　　　　本校抗敌支会第三次执委会记录
　　　　教育系一九四零班行政实习谈话会记录

校闻························ 1939　　16　　12－14
　　　　本校抗敌支会第二次扩大兵役宣传并慰劳出征军人家属

本校抗敌支会举行同学献金运动杂志
　　警卫会进行概况
　　本校教职员三月份疾病治疗分科统计表
　　本校学生三月份疾病治疗分科统计表
论著……………………………………………………… 1939　16　14－18
　　方志拟目（交通志，水利志）………………………黎锦熙
专载……………………………………………………… 1939　16　18－27
　　精神的改造……………………………………………胡庶华
　　青年节之意义…………………………………………陆懋德
　　总理逝世纪念大会演讲词（补登）………………… 曹配言
图书馆新到新闻图书目录（续）……………………… 1939　16　27－29
转载……………………………………………………… 1939　16　30－34
　　修正出版法
　　附校刊第十五期勘误表
教育部部令……………………………………………… 1939　17　1－4
　　颁发本年度暑期中等学校各科教员讲席讨论会办法及表（训令）（附办法及表）
　　颁发学生战时后方服务社教工作办法要点（训令）
　　禁烟纪念日应举行禁烟论文演讲图画比赛（训令）
　　调查各校学生操行成绩考察之标准及方法（训令）
呈文……………………………………………………… 1939　17　4－5
　　呈报本校对于学生操行成绩考察之标准及办法
章则……………………………………………………… 1939　17　5－10
　　本大学警卫委员会组织章程修正通过
　　本大学警卫委员会消防队组织简章
　　本大学警卫委员会救护队组织简章
　　本大学警卫委员会校警服装暂行规则
　　本大学警卫委员会奖惩办法
　　本大学警卫委员会所属人员抚恤章程
　　本大学学生操行成绩考查办法
　　规定保送申请世界学生救济金之标准
会议记录………………………………………………… 1939　17　10－12
　　本校校本部本学年第二学期第七次纪念周记录
　　本校校本部本学年第二学期第八次纪念周记录

本校校本部本学年第二学期第九次纪念周记录

　　甘宁青暑假考查团筹备会第一次筹备会议记录

　　本校普通国文教员第十二次谈话会议记录

校闻……………………………………………………… 1939　　17　　12-15

　　本校举行林公则徐焚土百年纪念

　　中英庚款董事会考选第七届留英公费生

　　本校组织甘宁青暑期考察团

　　师范学院主任导师黄海平新任川康科学考察团副团长

　　本校医学院附属诊所移南郑东关外黄家坡文家庙内

　　本校抗敌后援支会游艺募捐收支报告

　　本校为适应非常时期之出版办法

　　本校学生申请保送本届世界学生救济金审查完竣

论著……………………………………………………… 1939　　17　　15-16

　　方志拟目（合作志）………………………………黎锦熙

专载……………………………………………………… 1939　　17　　16-22

　　钱玄同先生传………………………………………黎锦熙

　　张海如先生讲演词：

　　　　报告参加中央党政训练班受训之大略及感想

　　伤寒病源与病状及其预防法………………………校医室

图书馆新到西文图书目录（续）……………………… 1939　　17　　23-26

附件……………………………………………………… 1939　　17　　26

　　本校图书馆启事

　　注册组更正声明

教育部部令……………………………………………… 1939　　18　　1-7

　　颁发"礼义廉耻"校训（代电）

　　颁发国民月会仪式（电令）

　　颁发各级学校社教推委会组织纲要（训令）（附纲要）

　　颁发师范等校院辅导中等以下学校兼办社教办法（训令）（附办法）

　　选送本校法商学院本届优秀毕业生如计政人员训练班受训（代电）

章则……………………………………………………… 1939　　18　　7-8

　　国民精神总动员本校实施办法

　　家系战区而自动放弃请求贷金之奖励办法

　　二十七年度举行毕业试验办法

本校家政系儿童保育实验室简章

会议记录……………………………………………… 1939　　18　　8－14
　　　本校校本部本学年第二学期第十次纪念周记录
　　　本校第二次国民月会议记录
　　　本校校本部本学年第二学期第十一次纪念周记录
　　　本校举行林公则徐焚土百年纪念大会记录
　　　本校社教推委会第三次会议记录
　　　本校抗敌后援支会第四次执委会议记录
　　　体育委员会第五次会议记录

校闻………………………………………………………… 1939　　18　　14－21
　　　"六三"纪念志略
　　　龚副教授锡庆追悼会志略（附传）
　　　胡常委春藻等出席战干四团讲演
　　　本校医学院暂迁南郑孙家庙等处照常上课
　　　医学院医学抄读会会章及办法
　　　本校家政系筹设儿童保育实验室
　　　本年暑期起讫及下学年注册开课日期
　　　本校社教推委会近讯
　　　战干四团招收本届毕业生受训
　　　为发动城固民众对于抗敌后援工作之征文揭晓
　　　家系战区而自动放弃请求贷金各生名单
　　　暑假为"难民征收寒衣运动"教职员方面由庶务室负责征收
　　　本校教职员每月疾病治疗分科统计表
　　　本校学生每月疾病治疗分科统计表
　　　中央各机关营缮工程及购置变卖各种财务实施办法

论著………………………………………………………… 1939　　18　　21－28
　　　方志拟目（吏治志）………………………………黎锦熙
　　　如何改进城固县禁政………………………………伍德济
　　　禁烟在城固…………………………………………刘曾瑞

专载………………………………………………………… 1939　　18　　28－36
　　　就"六三"纪念论鸦片战争及禁政…………………杨人楩
　　　本大学历史学会沔县考察记………………………杨其超
　　　伤风的预防及治疗法………………………………校医室

图书馆新到西文图书目录(续)·························· 1939　　18　　37-40

三、《地理教学》发刊词与目录
（1937.1—1937.7）①

发刊词
李蒸　民国二十五年十一月二十八日

　　本校地理系同仁同学及校外地理教师,为辅助中等学校地理教师改进教学技术,充实教学内容起见,发行《地理教学》月刊,集思广益,互相研讨,此全国地理教学界急切需要之读物,在国内实不可多得。

　　全国各国立大学中,单独设地理系者只有中山、中央及本校三处,而本校之地理系因系培养中等学校地理教师,对于中等学校地理教学关系至为密切。本校与中等学校之切实联络自属责任所在,地理系同仁、同学首先注意及此深用佩慰。

　　地理为社会科学与自然科学间之一种综合学科,内容至为繁重,以社会之现象、产业之消长、国际之政治变化不息,教学资料亦因之日新而月异,举凡地理学之新趋势与新教材,或据调查统计之记载,或藉旅行参观之见闻,一一搜集发表,介绍于大众,采取而整理之,使剥离断片之知识蔚然成为有系统之学问,则教学资料与日俱进,考斯无固步自封、抱残守阙之失,往日中等学校学生,对于地理一门往往视为枯燥呆板的课程,偏重记忆山脉、河流、湖海、港湾、岛屿,而忽略人生与自然的重要关系,欲矫此弊,须从改进教学方法入手,应用适当的教材,传授切合实用的地理知识(神而明之存乎其人)。其他专门研究之提倡,统计图表与参考书籍之介绍,皆所以裨益地理学者之进修与高深研究,亦本刊之所有事也。

　　本校为训练中等学校师资之机关,对于实际教学经验与需要,亟盼服务中等教育界同人本其体验研究之心得贡献、意见与材料,以为本校改进之依据。《地理

---

① 按其出版状况可分为两个阶段。第一阶段为《地理教学》(月刊),是 1937 年 1 月北平师范大学地理系创办。不足半年,连续出刊 4 期,后因卢沟桥事变而停刊,发刊词由北平师范大学校长、国民政府教育部社会教育司司长李蒸撰写。现存于西北大学图书馆。第二阶段为 1937 年 9 月西迁的北平师范大学、北平大学、北洋工学院等在西安成立国立西安临时大学,1938 年 4 月又迁至陕南汉中,改名为国立西北联合大学。1939 年 7 月,《地理教学》复刊,并重序期次,为第一卷 5-6 期合刊。复刊词由时任地理系主任黄国璋教授撰写。

教学》月刊问世之后,当引起全国地理教师与学者参加讨论、共同研究。我国地大物博,地理材料尚待发现与研究之处甚多,当此国难严重之时,培养民族意识,指导国防知识,开发国家资源,有赖于地理教学之培植者至重且巨,则斯刊之出,岂徒改进中等地理教学而已,教育救国、民族复兴之伟业,实利赖之。

复刊词

黄国璋　民国二十八年七月

　　地理之学,自古已盛,希腊以之穷理,罗马以之佐治,降及中世,专事记述,反形衰替。迄十九世纪科学鼎兴,德儒洪波德李特诸氏,别裁卓识,首倡地理革命之帜,冀起中世积久之衰。其于地理现象,不谨叙述,且加解释,比较异同,推求因果,前修未密,后出转精,于是地理学顿呈返老还童之观,而得跻诸近代科学之林。吾国地理之学,兴起亦早,《禹贡》一书,是其嚆矢,《史记》以货殖立传,《汉书》辟有地志,州郡方志则始于六朝,然体例相沿,浩博是务,名为地记,实则类书。领域未明,建树自鲜。迄近廿年,地理新潮滚滚东来,国内学子,闻风兴起,年来国势阽危,不可终日,政府为图经世致用,于地理一科,尤三复致意,奖掖提倡,具见热诚,于是地理更得顺利进展,在国内新兴科学中,俨如异军之突起矣。

　　然学术进展,非仅少数人事,苟非广立始基,难期收取宏效。吾国年来,虽以外感地理新潮之震撼,内睹国步之艰难,地理研究颇呈日新又新之象。大学地理学系相继设立,坊间地理作品日见增多,但中小地理教育,依然故我,迄少进步,地理教员既多缺乏专门训练,又复苦无进修机会,教法教材,一仍不变,因陋就简,改进莫由;一般学生对于地理一科大都缺乏兴趣,本其传统观念,视为无足轻重,地理知识之浅薄,可于历届各大学入学试卷中窥测之;至于一般国民,对于地理新潮,更若无所感应;视此情形,欲期地理学长足之进展,斯诚戛戛乎其难矣。如何促进中外地理之教学,以广立吾国地理进展之始基,此固全国有志地理研究之士所不容或缓之图也。

　　本校史地合系,垂二十余年,分别独立,亦将十载,在全国各大学地理系中历史最称悠久。毕业学生,遍及各省,全系员生,抑且盈百,较诸全国各大学之地理系过无不及;而按其天职,又复以造就师资为能事,对此中小地理教学不景气现象,自不免有所内疚,亟图改进,当亦责无旁贷,是以本系历年于此多所策划,本期以来,更积极充实系中图书仪器设备,改良研究环境并于改进中小学地理教学,尤多注意。凡有利于中小学地理教学之事项而为本系人力、财力之所及者,莫不规划周详,亟图实现。除设立地理教学咨询处,出版中小学地理挂图,制造中小学地理模型外,并于本年一月一日始,按月刊行地理教学杂志,期于中小学地理教员进修上有所辅助。

地理教学内容繁复,凡有裨于中小地理教学之材料者,均在罗致之列,约可分四方面言之:

一、介绍地理新知——凡地理上之新学说、新发现,或以翻译,或以转载,或以摘要,或以专著为之介绍。

二、供给地理教材——凡有关地理教学之基本知识、小区域之专门研究、国内外之教学资料及各项之新颖统计、图表等均将尽量供给。

三、讨论教学方法——凡关于地理教学之原理问题及实施方法等,将一一详细讨论,以供中小地理教员之参考。

四、解答教学疑问——凡各方有关地理之疑问,当本同人之所知或参考之所得,尽量予以公开之解答。

他如地理图书之介绍、时事问题之研究,及国内外之地理消息等亦将随时露布。惟兹事体大,本系同人力有未逮,尚望国内地理同道多予赞助,随时以鸿文见赐,藉光篇幅,而俾得发挥本刊最大效能,则幸甚也!

《地理教学》(第一卷第5－6期合刊) 目录

编辑、出版者:国立西北联合大学地理学系
1936 年 11 月 28 日创刊于北平
1939 年 7 月 1 日复刊于陕南城固

复刊词	黄国璋	1939	5－6	1
为什么地理是革命建国教育的中心科目	黄国璋	1939	5－6	1－5
对日抗战与中国地理	谌亚达	1939	5－6	5－16
城固县气候志初稿	殷祖英	1939	5－6	16－32
从地理方面检讨中欧政局的演变	黄国璋	1939	5－6	32－44
地理测绘与地理教学	郁士元	1939	5－6	45－46
地中海问题	Gorden East 著 金瑞莘译	1939	5－6	46－56
地理教学经验谈	姜玉鼎	1939	5－6	57－58
南郑商业地理之研究	卢惠如 黄绍鸣	1939	5－6	59－86

| 汉中盆地的自然与人生 | 郑象铣 | 1939 | 5-6 | 100-122 |
| 中国西北之植物地理 | 刘慎锷讲 薛贻源记 | 1939 | 5-6 | 123-125 |

第二节 国立西北大学期刊发刊词与目录

一、《西北学报》①发刊词与目录

发刊词

编 者

号称世界六大文明古国之埃及、巴比伦、印度、墨西哥、秘鲁，早为时代波浪所卷没，现今惟有中国逸绍千古，次起之希腊、罗马，虽炫耀一时，为欧美近代文化之开宗，但经蛮族之摧毁后，已成为历史上之名词矣。中华民族确有其伟大，似长江发源极西，汇合众流，穿岭渡峡，浩浩荡荡，长流不息，注泻东海，而保持五千余年之悠久历史，占据一千一百七十余万方公里之土地，并拥有四万万五千万之人口；此为黄帝子孙历经奋斗之成绩，亦为世界上仅存之硕果，是中华民国负有延续人类文化之使命，与拨乱世拯万民见青天之重责；现虽正为自身挣扎，抵御强暴奋发图存而努力；然并未忽略为人类维持正义，为世界图谋和平之使命，负重致远，振古如斯。

中华民族发祥于西北而延扩于全境，中华文化，发轫于西北而移向于东南，是

---

① 西北大学早期主要学术期刊之一。创刊于1941年9月1日，主办者为西北学会，设在本校内，编辑部也设于本校法商学院。该刊《发刊词》中指出，该刊宗旨：一是团结西北青年，以互切互磋之精神，作淬砺奋发之研究，本互勉互助之信条，达立己立人之志愿，尤注意融合种族情感，泯除种族私见，以期造成一种建国力量；二是以发扬本土文化为主要任务，务使固有文化，得以发扬，优美立国之精神，得以昌大，进而推广其精神于世界，使中国文化，复结一辉煌之果；三是汇集专家意见以全力促进西北建设，凡关于农牧之改良、林矿之开发、荒地之垦殖、交通之发展，乃至工业水利之振兴、贸易及合作事业之推广，皆为研究探讨之范围，尤注意于社会动态之调查与统计，并提供具体改革建设方案，以为政府及社会人士参考。其办刊亦要求努力充实内容，向精粹与实际方面迈进，撰稿务免空论，选稿力求严谨。停刊日期不详，今存陕西省档案馆。

西北在时间上曾占重要地位。西北地形有高屋建瓴之势,历代政变或革命,多由于控制西北而成功。西北面积,就陕甘宁青新五省言,广袤三百二十余万方公里,占全国面积三分之一,若包括晋北绥蒙于内,则有五百余万方公里,几占全国面积二分之一。西北名都兰州,位全国中央,总理曾主张建都于此,可谓谋深虑远,是西北在空间上占重要地位。

自魏晋南北朝以来,异族势力内侵,政治经济中心南移,东南开辟,成为富庶之区,随之文化中心亦向南移,所谓西北,渐失其重要性。尤其自欧美势力侵入,关津大开,沿海各省,交通发达,因而工业勃兴,经济繁荣,西方文化,竟风靡中土。西北各省,以地处内陆,交通艰阻,浸至生产落后,文化衰微,所谓大西北,愈荒凉不堪!

但西北幅员广阔,蓄藏丰富,凡高瞻远瞩之士,率皆知其于国防经济上之重要,故自清末以至抗战前,开发西北之呼声,建设西北之计划,不一而足,然均以事实困难,未得实现。迨抗战军兴,半壁河山,沦为敌有,政治经济中心,复向西移,西南西北,不特为支持抗战之根据地,且为争取胜利复兴国族之原动力;于是开发西北西南,建设西北西南之实际工作,非但政府积极推动,即社会人士,亦纷纷自动进行。而大西北在长期抗战之现状下,因国际关系,军事情形,民族问题,党派意见之复杂,其开发建设之推进,较西南困难为多;然其对国家民族之存亡兴衰,则较西南尤为重要。此伟大之任务,艰苦之工作,独依政府力量,恐不克完成;单凭社会人士力量,亦恐难期有圆满之效果。因此需要一有组织有计划有人才有实力之团体,协助政府,指导社会,以为开发建设之中心力量,而期国族之复兴。西北学会,即为完成此种目的肩负此种任务而产生。《西北学报》为西北学会主办之刊物,其目的任务,自与西北学会相辅而行。兹当发刊伊始,谨将其目的与使命,撮述于后,以为社会人士告。

(一)团结西北青年:"青年为革命之先锋队,为国家之新生命,举凡社会之进化,政治之改革,莫不赖青年之策动,以为其主方。"蒋总裁曾言之矣。在此开发大西北之过程中,一切事业之推动,计划之完成,莫不赖青年为其主力,尤须大多数青年团结,意志集中,力量集中,目的相同,步骤一致,始能发挥伟大力量。本刊今后努力之标的,自当在国家民族利益之下,不存成见,不分畛域,团结西北优秀青年,消除党派间摩擦。并以互切互磋之精神,作淬砺奋发之研究,本互勉互助之信条,达立己立人之志愿;先期培养本身为通人完人,然后再进而为国家民族努力。抑有进者,西北种族复杂,风习各异,过去地方人士,每昧于种族私见,互相排斥,互相倾轧,而社会刊物,亦有不明建国大义,时有侮辱挑拨之文字,愈使民族间发生恶感,酿成不幸事件,影响所及,势必引起野心家之推波逐浪而危害国家内部之团结;故本刊今后尤注意融合种族情感,泯除种族私见,以期造成一种建国力量。

(二)发扬本区文化:我中华民国,既有五千之历史,其文化发展,已达另一最高阶段。一般学者,谓世界有三大文化:曰印度文化,曰西洋文化,曰中国文化,各国虽有不同之文化,然均不出三大文化之范围。此三大文化,各有其独特之精神。印度文化之精神,为方向内用,其弊在脱离现世,否认人生,而其发展之极,将自毁国家,自弱民族。西洋文化之精神,为方向外用,其弊在过信物质万能、机械万能,而其发展之极,将造成人类间无穷之惨剧。独中国文化调和二者之间,可以救印度文化之衰,济西洋文化之穷。惜自鸦片战役失败后,受帝国主义政治经济文化之侵略,国人自信之心日行销减,固有文化日渐陵替。前清末叶即有"中学为体,西学为用"之口号;今年更有废弃中国文化,全盘接受西洋文化之呼声;足见中国人心已沉没于西洋文化横流狂澜之中而不能自拔矣。吾人认为一国有其立国之精神,一民族有其固有之特性,欲求国家强盛,民族复兴,首须树立国家精神,民族自信。意大利之统一,由于该国人民追慕罗马帝国时代之光荣,恢复其民族固有文化而成功。土耳其之复兴,由于该国人民追慕土耳其帝国时代之隆盛,恢复伊斯兰文化而成功。故国族之复兴,每因追慕过去光荣,发扬固有文化为其主因。我总理手创三民主义,首倡恢复民族固有道德,救起固有文明,诚属于对症下药。本刊今后将以发扬本位文化为主要任务;而尤尽其绵薄于三民主义文化之建设,务使固有文化得以发扬,优美立国之精神,得以昌大,进而推广此精神于世界,使中国文化复结一辉煌灿烂之果。

(三)促进西北建设:复兴国族,首重建设,而建设事业,千头万绪,其创端设计,要非一人之知虑所可办到;其推进完成,亦非独依政府之力量所可达到。近代任何一种事业,趋向科学化专门化,无论实际技术工作,非专业人才不能胜任;即讨论计划方案,亦非专家不克周详。夫理论常为实际之先导;计划方案,每为具体工作之规范。本刊今后将汇集专家意见以全力促进西北建设;凡关于农牧之改良,林矿之开发,荒地之垦殖,交通之发展,乃至工业水利之振兴,贸易及合作事业之推广,皆为研究探讨之范围。尤注意于社会动态之调查与统计,并提供具体改革建设方案,以为政府及社会人士参考资料。诚能以此收效,则影响所及,西北可繁荣于最近,国基将奠定于未来。

本刊既以复兴国族为目的而标榜此三大使命,今后自当努力充实内容,向精粹与实际方面迈进,撰文务免空论,选稿力求谨严。深望社会人士,多方赞襄,国内贤达,随时指示,并以诚挚之态度,热烈之情绪,欢迎鸿篇巨著,源源惠来!

"西北学会"成立大会宣言

西北为中华民国之发祥地,我中华民族之文化,胚胎孕育,发扬光大,咸在斯土。周秦汉唐之文物制度,辉煌灿烂,虽在数千年后,犹使吾人向往不已。且西北地域广阔,物产丰富,于国防上、经济上均具有重大意义,徒以交通困阻,生产落后,浸至路迢民稀,文化衰微,有清末季,远识之士,即群以开发西北为急务。总理于建国大纲及实业计划中,尤再三垂虑及之。迨北伐功成,政府即拟开始建设西北,先后派遣学术调查团体,以为开发之准备,并明定西京为陪都,对于西北之重视,可以得见。"七七事变"以后,沿海各省,相继沦陷,西北不特为我神圣抗战之后方,且为中华民族复兴之根据地,其于抗建事业,实肩负有无上之重任。如何开发西北,建设西北,繁荣西北,岂止为争取抗战胜利之决定因素,抑亦准备建国工作之必要条件。欲期西北之开发,人力物质,固皆不可或缺;然吾人深信一切文明,莫不为人类精勤之所缔造,过去西北之落后,要亦人谋之不臧。今后大西北建设工作,无论为农林之开拓,畜牧之改善,工业之振兴,公路之发展,教育之普及……固莫不需要专门技术人才,即人事之管理,事务之处置,"其法不能以自行",虽有良好之制度,亦必须有笃学敦品之士,始能有良好之效果。故欲完成开发西北之使命,应以人才之训练培植为第一要义。同仁等基于此等认识,爰拟联合西北各院校之同志,及对于西北问题有特殊兴趣之人士,组织西北学会,共同努力。"作始也简,将毕也巨"。同仁现虽不过为数百为学之青年,而殚精竭虑,黾勉为之,他日或可成为开发西北之中心力量。兹值本会成立伊始,谨就同仁共同之信念,缕述于下,以为西北人士告:

(一)服从最高领袖,奉行三民主义:总理手创三民主义,博大精深,不止为拯救中国之惟一主义,抑亦世界政治之最高理想。第二次世界大战以后,民治主义、极权主义之国家,其政治组织与政治理想,皆必然有所变更修正,而其动向所趋,同仁深信必以三民主义为依归。故同仁等虽未必尽为国民党员,然对于三民主义之信仰,则无二致,故本会今后努力之标的,自当奉行三民主义,以总理遗教为惟一之指导原理。然我国本为次殖民地之国家,今竟能与世界一等国家之强敌,抗战四年,最后胜利,已在目前。夷考其故,虽为我全国人民精诚团结共同奋斗所致，然其主要原因，实由于我最高领袖艰苦卓绝之人格，高瞻远瞩之识见。故同仁感念之余，自当绝对服从领袖指挥，且愿唤起全国国民，一致拥护。

（二）确立民族自信，加强民族团结：我中华民族有五千年光荣之历史，古代巴比伦、埃及、犹太、印度古老之民族，皆已衰颓沦亡，而我民族犹能巍然独在，可见我中华民族性之优秀与伟大。惜自鸦片战役以还，迭受帝国主义之侵略，国人自信之心，日行销灭，由排外惧外而媚外。此次世界大战，未及二年，亡国以十数，法国以一等强国，战未逾月，如摧枯拉朽，趋于覆亡；而中国独能屡挫强敌，与英国抗德，同时辉映，足证中华民族潜蓄之伟力，当可恢复吾人民族之自信。故本会同仁深愿确立民族自信，以建设本位文化。抑有进者，西北一带，种族复杂，地方人士，每有昧于种族私见，互相排斥。同仁以为欲建设西北，首应泯除种族观念，凡我中华民族，皆应精诚团结，以期救亡图存。

（三）研求精神学术，砥砺个人品性：如何复兴民族文化，国人争讼极烈。同仁深信总理所谓"固有文明，从头救起；西洋文明，迎头赶上"最能恰中肯綮，要言不繁。然固有文明，如何从头救起，西洋文明，如何迎头赶上，自非于专门学术，有精深之研究不为功。本会之成立，系以学术研究为目的，深愿能于学术上有所贡献。惟我国教育，因受资本主义国家之影响，每偏重于科学之研究，而昧于人生之通义。本会同仁不仅愿为专家，且拟勉为通人。虽然，"士先器识而后文艺"，古人已先我言之，而我国学者，往往只知研究学术，忽略个人修养。不知智识阶级之人格道德，小则影响社会风气，大则关系民族存亡，征之往史，无一或爽。故同仁不敏，不敢以学术研究自限范围，且愿进一步砥砺品性，提倡士气，以期他日共赴建设西北之大业。

复次，尚有不能已于言者，同仁等或借隶西北，或求学西北，或现服务于西北，均因鉴于西北之重要，故有西北学会之组织。然同仁深知西北为中国领土之一部，建设西北，即所以建设国家，亦即所以复兴民族。大处落眼，不妨小处着手，故以开发西北，研究西北为工作之目标，绝非有地方观念之偏见，封建思想之残存，此则当本会成立之际，不能不掬诚奉告于我国人者也。

最后，同仁自惟能力绵薄，工作艰巨，甚愿海内贤达，不吝指示，西北学人，踊跃参加，抗战伟业，实利赖之。固不仅同仁等私衷欣幸已也。谨此宣言。

西北学会为复兴西北文化而成立！

西北学会为促进西北建设而成立！

开发西北资源争取抗战胜利！

完成三民主义文化建设！

西北学会万岁！

祝"西北学会"成立

姜 琦

所谓西北，在历史上讲，本是我中国民族之发源地；在地域上讲，又是我中华民国之中部。不过，后来因为我国固有的文化随时代之推进及版图上之扩张而南移，所以有所谓"西北"这个名称的产生。由此，可见所谓"西北"，也不过为谋称谓便利起见，姑以示别于近日所谓"东南""西南""东北"等地域而已。究其实，所谓"西北"这个名称在根本上似乎不能成立的，若从历史上或从地域上讲，与其称之为"西北"，不如称之为"中原"。因为如此，所以从前有人倡议我国国都应移于长安，这是颇合理的。近年以来，所谓"开发西北"或"建设西北"之呼声很盛，并且促进也很猛烈，其目的或者就在于此。具体地说，所谓"开发西北"或"建设西北"，其目的不仅在于要使西北文化之进度能于向来所谓"东南文化"并驾齐驱，并且要使西北文化迎头赶上去而成为全中国文化之重心。原来所谓"东南"及"西南"乃至"东北"之文化，溯本追源，尽发源于西北；不过，因为它自海禁开通以来，在地理上占有交通之便宜，故有长足的发展之可能而已。如果我们本着"数典不忘祖"这个原则，那么，我们应当复归于西北文化把它重新建设起来，然后才有所谓"中国本位文化"之友现；否则，任其所谓"东南""西北"及"东北"吸尽欧美舶来之新文化，好像无根之树木，容易被风吹倒的一般。但是，鉴诸过去情形，我国办理高等教育者，大都只注重于东南、西南及东北诸地域，设立许多大学。就我国高等教育之沿革而论，固然我们应当认为北平是我国高等教育之发源地，譬如同文馆便是我国高等教育机关之鼻祖，然后从地理的观点，我们似乎可以认为广东首先接受欧美舶来之文明，以开我国高等教育之端绪；其次就是上海，譬如南洋公学，它与北京同文馆之设置时间不相上下。因为如此，所以我站在地理的观点，认为我国高等教育之演进的顺序，是自珠江流域起，沿着东南海滨跳到上海，再由上海沿着长江流域或沪宁铁路（即现在的京沪铁路）一直到达武汉或到达津、平，最后渡过长江上流到四川的成都或越过山海关，到达东北的沈阳而进行的。这许多地域上所有各大学之过去的原名称，我无暇追述，单就现有的名称而论，例如广州中山大学、上海交通大学、暨南大学、同济大学、浙江大学、中央大学、武汉大学、山东大学、北京大学、清华大学、东北大学等等（省立及私立大学不计）都是沿着江河流域，（但黄河流域因位在中原之附近，未尝为人所注意到）或铁路干线（但陇海路也与黄河流域有同样的情形）而分布的。因此，这许多大学，无以名之，名之曰："线的大学"，极端地说，可以名之曰："点的大学"，它并没有顾到一面，更未曾顾到全面之设置。这样地提倡中国文化之建设，是不是合乎三民主义的最高原则，使全国人民都能够享受高等文化之福利呢？充其量，它只有使那些寄居于江河诸流域及铁路诸干线近傍之少数青年学子便于享受高等文化的福利之机会而已。自从抗战发动时期以还，东北及东南诸省所有省公私立的大学，先后逐渐迁移于西南和西北两所；但是介乎西南和西北之中间，除掉原有的四川大学一所，可以说是真正地专为发展四川文化而设立的外，其余各大学仍然是因抗战的关系，暂时退避于西南各省，如广西云南及贵州乃至四川而已。请看这许多大学仍然坚决地保持原有的名称，就可想而知了。固然，我们若站在对外的立场，我们应当希望抗战快些得到胜利，把所有各大学搬回到原设立地；然而若站在对内的立场，我们不可尚存地域的观念，仍然使这许多大学回复旧态，都再集中于一线之上，甚至集中于一点之上。论者或以为照几何学上的原则，万象起于一点，如果一点能够先成立而稳固，自然由点而线，再由线而面，然后由面而体。因此现在各大学在目前虽都集中于某一点或某一线之上，然而文化一经成就，自会推及于面，并且能够扩张于全面。但是请鉴诸过去情形，国内各公私立大学之数量，究竟怎样，它们只有始终停留于某一点或某一线，政府在平时若下一命令要其迁移于内地，它们无一不起反抗而不愿意受命的。除非在抗战时期，它们为敌人所胁迫，姑作别论。再就西北方面而论，陕西一省，也在抗战以后，才有所谓"西安临时大学"之产生。所谓"临时大学"，顾名思义，一望便可知诸当局最初并未曾想到久居于西北了。因为所谓"临时大学"，本是由北平迁移而来之几个国立大学凑合而成，它们的用意如同东南各大学暂时退避于西南诸省一样，也极不愿意即刻化为西北自身所有的大学——由点线的大学转变为面的大学。民国二十八年夏，教育部鉴于过去的教育政策之错误，使高等教育酿成那种畸形发展的状态，乃毅然下令改组西北联合大学，按其性质，分类设立，并且一律改称为西北某大学某学院，使它们各化成为西北自身所有永久存在的高等教育机关，这样一来，我觉得所谓西北大学及西北师范学院、西北工学院、西北医学院，乃至国立西北技术专科学校等，才算是我国的最初成立之面的大学或学院。况且陕甘两省这个幅员辽阔和蕴藏丰富的面积，如前面所说，它在时期上既是我中华民族之发源，在空间上又是我中华民国之中部。因为如此,所以现在的西北各大学之任务比之原有的东南、西南及东北各点或各线上的各大学之任务,其重大之程度,不啻倍蓰一般。具体地说,现在西北大学或各学院尤其西北大学,不啻是原来集中于各点及各线之上的一切大学之基石。这一块基石,又像一颗铜钻。它所发出的诸光线,是先由体而面,再由面而普照于一切线或一切点之上,然后使任何一线或任何一点吸收去作为它自身的光线之导源而有所发扬光大的一般。西北大学之任务既然是如此的,因此,我们跟着西北大学之后而成立的西北学会有怎样的任务?可不言而喻了。此地我不必多说,只有庆祝西北学会之成功,以奠定全中国文化之基础,并作为全中国文化之重心。

三十年四月二十八日写在国立西北大学

"西北学会"成立的意义

尹任之

"开发大西北"!"建设新西北"! 十几年来,谁人不听到这样的呼声。但我们要问:为什么发生了这样的呼声?为什么不"开发大西南""建设新西南"?

我们应当深自觉悟,何以西北必须出发,必须建设,原因是西北太落后了,经济上落后,文化上也是落后。本来,整个中国就是落后的。东南、西北、西南、东北,都不是例外。不过,落后自各落后,程度上仍有不同,而最落后的,恐怕就是这辽阔的西北。千千万万的呼声,都偏重西北,这便是一个重要原因。自醒自知,正所以自惕自励,事实如此,我们也不敢讳言。

然而,呼喊了十几年,实际究竟做过些什么?笔者提出这个问题,并非企图做什么答复,目的乃在提起关心者的觉醒。不过有一件事很值得我们庆幸,那便是西北学会的成立。它的成立,就是为了实行十几年来的口号:开发西北,建设西北,服务西北。

西北是中华民族的发祥地,无论在文化上,经济上,政治上……都曾领导全国,放出无限的光辉,这是事实,我们深以此自豪。然自豪并非自满,我们追忆过去,正所以加强我们的自尊心与自信心,从而热烈的希望我们的将来,坚决地创造我们的将来。西北经济落后,那是穷! 文化落后,那是愚。但愚与穷,并非主观的必须如此,而是环境使然。我们姑不必去分析过去的环境,那是专家们的领域。我们认定了一条铁律,就是:人是环境的主人翁。我们承认,过去西北的落后,一部分也由于人的不争气。"事在人为",西北学会的成立,便是对症下药,从蓄才上着手。它的作法,是借着纯洁的学术组织,使有志之士,取得联络,以便互相督促,互相勉励,互相帮助,彼此之间,造出一个相同的目标,相同的理想,而由于这个相同的目标与理想,诚挚的结合成事业的同志,同心协力,推进共同的工作——建设西北。

自然,建设西北的大业,千头万绪,并非一个西北学会所可担任得了。不过大处着眼并无碍于小处着手;而西北学会不仅有它的远大目标,也还有它的实在力量。以现在而论,会中志友已达数百,且包括各种专门人才,如各能深切检讨所学,把握现实,丢开所有修饰门面的恶习,而切实追寻真正有用的学问,然后一心一德,致力于建设的事业,则我们可以断定,西北学会必能结下美满的果实。"转移风气,在乎一二人"!一二人同心合作,便可以转移风气,何况数百人之多!我们对于西北学会,实在抱有无限的希望。

但西北学会的工作范围,并不拘泥于西北。会中志友既不限于西北人士,学问尤不带有任何地域性。我们所以偏重西北,一方面固由于西北特别需要开发,另一方面也由于时代的要求。抗战必须建国,建国尤必先建设后方,以为复兴之基。我们的祖先在西北奠定了中华民族数千年光荣历史的基础,而当这多难兴邦之际,我们更要艰苦努力,从建设西北上着手,为我中华民族开拓无限的将来。

总之,西北学会之成立,是深合时代的要求,其意义重大,定为国人所共见。会中志友,自当知所努力,而贤达之士,当亦乐予帮助,乐多予督责。

目录(要目)

编辑、发行者:西北学会学术部
(陕西城固县国立西北大学法商学院内)
印刷者:中国文化服务社陕西分社
1941 年 9 月 1 日创刊

西北学报发刊词	编者	1941	1	1–3
西北学会成立大会宣言	西北学会	1941	1	3–5
祝西北学会成立	姜琦	1941	1	5–7
西北学会成立的意义	尹任之	1941	1	7–8
由地理上认识西北	殷祖英	1941	1	8–13

陕西建省沿革史（待续）……………许兴凯	1941	1	13－32	
吐鲁番古代之文化与宗教……………黄文弼	1941	1	32－35	
建设西北应理解之两问题……………王季平	1941	1	35－40	
建设大西北首在研究西北……………王雷鸣	1941	1	40－41	
西北最高学府的风光…………………刘志聪	1941	1	41－47	
介绍西北大学教授最近著作…………编者	1941	1	47－49	
附录……………………………………	1941	1	50－54	
西北学会成立大会时所发出之电告……西北学会				
西北学会章程…………………………西北学会				
论战后国都问题………………………殷祖英	1943	1－2	1－10	
研究中国之古外国语文与研究西北……何士骥	1943	1－2	10	
陕南砂金…………………………………张遹骏	1943	1－2	12－20	
回疆典型之吐鲁番盆地…………………殷祖英	1943	1－2	21－27	
夏商两代与西北…………………………杨向奎	1943	1－2	27－34	
甘肃境内黄河航运的地理根据…………王钧衡	1943	1－2	30－34	
中亚草原沙漠………G. B. Cressey 著 李式金译	1943	1－2	34－43	
闲话兰州………………………………王继民	1943	1－2	43－50	
编辑后记………………………………编者	1943	1－2	50－51	

二、《国立西北大学校刊》发刊词与目录
（1941.11—1950.02）[①]

发刊词

编　者

　　自部令改组西北联大为本校以来，瞬已两载。以国步之艰难，库藏之空乏，本

---

① 　西北大学早期创办的综合性学术期刊，其前身为西北联合大学创办的《西北联大校刊》，1939年8月8日，教育部令改国立西北联合大学为国立西北大学，于是原《西北联大校刊》亦于1941年11月16日改名为《国立西北大学校刊》。在《发刊词》中指出，本刊"以报告本校重要设施及各院研究工作为主"，同时还要与"全国学术界，时时共同商讨，与毕业诸校友，取得密切联系"为办刊主要宗旨。1950年2月10日改名为《西大校刊》。

校物质上之建设,尚未能尽如吾人之所期。然而全校师生埋头苦干之精神,固始终不懈;毕业生之服务社会者,亦咸有相当之成绩,此则可告慰国人者。

惟是本校为西北唯一之大学,凡所研究与设施,既愿就教于全国学术界,藉谋意见之互换;而毕业校友,为数已多,平时与母校之间,亦宜声息常通,俾承本校一贯之教学方针,贡献于党国。以是本校去秋以来,即拟议出版定期刊物,以完成此任务,限于财力,未能即时实现。兹者年度更始,本校一切事业,正向前途迈进,而发布校刊,亦势难再缓。爰于经济可能范围内,月出二次,内容暂以报告本校重要设施及各院研究工作为主,篇幅有限,未能求详。倘由此而能与全国学术界,时时共同商讨,与毕业诸校友,取得密切联系,则本刊之发行,为不虚矣。

《国立西北大学校刊》目录(要目)

编辑、发行者:国立西北大学出版组

印刷者:大成印书馆

1941 年 11 月 16 日创刊

篇名	作者	年份	期号	页码
日食观测报告	物理系	1941	1	1-4
日蚀观测记录	地质地理系	1941	2	1-2
陕南经济调查之一——近五年来城固之物价指数及其变动之研究	熊运森(经济系四年级学生)	1942	5	1-3
陕南经济调查之一——近五年来城固之物价指数及其变动之研究(续)	熊运森(学生)	1942	6	1-3
青海撒拉族之生活与语言	杨涤新	1942	复刊4	1-7
人才教育的基础	杨宙康	1943	复刊5	1-3
纪念牛顿诞生二百周年	岳劼恒	1943	复刊5	4-5
人与事	曹配言	1943	复刊6	1-3
战后世界集体安全机构之推测	杜元载	1944	3	1-3
大学须养成学术研究风气	萧一山	1944	3	3-4
中日历代战史	蓝文征	1945	7	1-2
战时经济	曹国卿	1945	10	2-4
成吉思汗之战略及战术(学术讲稿)	黄文弼	1945	复刊11	1-4
国人何以贱视兵?(学术讲稿)	赵石萍	1945	复刊12	1-3
近代战史(学术讲稿)	萧一山	1945	复刊13	1-4

篇名	作者	年份	期号	页码
振发教师之专业精神（为庆祝张教授小涵讲学二十五周年而作）	萧廷奎	1945	16	1-2
婚姻与恋爱（学术讲稿）	陈东原	1945	18	1-5
梁任公先生之学术思想	周传儒	1946	20	1-5
教育价值与历史修养	陈东原	1946	20	5-7
蔡松坡与民初政治	许兴凯	1946	22	1-4
西北文化建设与中国前途	赵进义	1946	24	1-5
论教育应否入宪与应否独立成章	杜元载	1947	25	1-3
中西经济同异论略	罗仲言	1947	26	1-2
释国文	高明	1947	27	1-6
复员期间我国高等教育上所急需之补救办法	马师儒	1947	30	1-5
论乐教	徐朗秋	1947	30	6-8
成功之道	刘季洪	1947	31	1-4
政党制度与中国	任卓宣	1947	31	21-24
意志作用中的多心现象与多心原则	孙道升	1947	33	1-7
原子能及其应用	Chadwieh 著 岳劼恒译	1947	复刊23	1-3
论大学训导	霍自庭	1948	34	1-3
历代石经评议	关益斋	1948	34	3-7
敦煌莫高窟在东方文化上之地位	王子云	1948	35	1-4
春秋旨多论（春秋六论之一）	张西堂	1948	36	1-7
大学之起源与理想	吴雨僧	1948	36	7-9
楚都考	冯永轩	1948	37	1-4
史前考古学略说	裴文中	1948	37	16-18
略谈宝鸡	尉银有 丛树珊	1948	37	18-19
为学与做人	马师儒	1948	38	1-2
论"边疆四至政策"	黄奋生	1948	38	2-4
周易遯卦解	江绍原	1948	39	1-6
春秋慎微论（春秋六论之二）	张西堂	1948	40	1-7
对于新民主主义下大学教育之管见	岳劼恒	1949	1	1-3
怎样学习马列主义	徐劲	1949	2	1-6
团结起来为贯彻新民主主义教育方针而努力	丛一平	1949	3	5-7

《国立西北大学校刊》1945 年 7 月复刊第 14 期发表的学生毕业论文题录

数学系

代数基本定理集解

Srgrange 氏方程式及其应用

ühersslung fur Die Differcrtialund integralgleiehungen

解析函数之特性与其积分

物理学系

定向广摆

热电子放射原理之研究

波力学中物质波之讨论

振荡与检波

集斜度与等厚度干涉之比较

原子构造概述

广义的 Newton 第二定律

电子 e/m 比值之测定

狭义相对原理在近世物理中之应用

Bohr 原子构造学说

狭义相对原理之概念

化学系

光学异构物

格里那德试剂及格里那德反应的应用

译 Hall 定量分析

人体化学泛论

几个有机上之理论概念

原子构造与光谱

芳香族化合物构造的理论

利用花青素为石□代用品之研究

食物营养素之分析

原子核

罕土金属

电解质平衡

I, B, γ 放射线

染料

电离学说

肥料的化学研究

纸浆工业之研究及表□纸之改良刍议

生物学系

城固淡水藻类之初步调查

地质地理学系

宝石的研究

中国震旦纪地层的分析

中国之钨矿

黄铁矿之研究

中国石油地质

中国硫磺的分析

棉花地□的研究

锑

中国煤矿的分析

陕西泾惠渠沿渠地质

陕西经济地理

中国文学系

庾子山集研究

元曲中之假语汇释

墨子与宗教

曹子建的诗研究

儒墨法先生考

王阳明学说之研究

说文声训考

息县方音谱

《礼记》中之孔子

七十子言行集录

建安文学

西大图书馆图学目录

说文解字疏证

外国语文学系

罗米欧与朱丽叶(译)

大雷雨(译)

Wordsworth the Pacl of Nature 巡按(译)

Wilham Hazlill a□□dn Essayist

列宁格勒之夜

译俄文注释维吾尔文字典

Sir walier Soalt

农民

Coleridgee Poctic woeks

Stulg on Arldison

A Shorf History if Chinese old Drame

历史学系

洪承畴传

清初的学术思想

李自成与张献忠

殷商社会研究

三国之外交

唐太宗论

顾亭林的经世学

大清帝国创建考

诸葛亮传论

汉末群雄割据之势

唐太宗之研究

范仲淹评传

英国议会政制之原始及其发展

法律学系

一般侵权行为论

中国婚姻制度

我国近代司法制度之演变

刑事责任论

教唆犯论

订婚结婚与离婚

中国县政研究

中外平等新约订定与外国人在中国法律上之地位

劳动立法之起源内容及其立法精神

监狱制度论

希伯来论

家论

婚姻法概论

保权行为论

遗产继承论

保障人权与司法制度

私权社会化论

中国县政论

中国亲属法婚姻论

春秋战国时代中国法律思想面面观

建立三民主义法系之商榷

政治学系

社会发展与社会思想

三民主义研究

民国以来之中央政府

新县制暨中国地方自治问题

墨子之政治思想

□权行使之研究

行政与科学管理

三民主义政制论

民主主义的展望

行政效率论

新县制下的县乡级行政论

三民主义的民主政治论

行政督察专□制度之研究

地方行政革新论

中国县政建设理论的体系

中国国民党之研究

中国县政建设论
中国地方自治
论地方自治与民权
我国行政动向论
中国地方自治理论之检讨
实施地方自治之应知问题
三民主义与共产主义、法西斯主义
中国政治理想之演变
新县制实施之改进
经济学系
论我国中央与地方财政之划分
工业建设与土地问题
王安石经济政策之研究
战时工业建设之区位问题
西北经济建设
战时中国经济建设
币值之跌□及其对策
中国工业政策
我国的营业税
我国战时物价问题之研究
我国土地税之研究
我国之土地问题
秦汉经济史
桑弘羊王安石对汉宋历代经济影响
货币机能与物价
战时我国土地税研究
民族资本与工业建设
战时中国工业建设之面面观
战后复员与经济建设
财务行政论
中国社会经济形态论
遗产税论
抗战以来甘肃省农业经济概况

成本与物价
战后我国经济建设
西北经济建设初步商榷
民生主义租税政策
管子的经济思想
战时物价统制研究
货币
中国经济建设之途径
我国农业金融之研究
日本国民经济
论我国工业建设利用外资政策
商学系
企业组织的设计
论陕西省属银行之建设及其特殊影响
企业经济论
我国工业建设论
我国专卖事业不应取消论
近代企业之人事管理
我国战后工业建设论
我国□然主计制度之研究
陕西工业建设之研讨
论银行之设立
论国际货币合作
甘肃外销商品
夏威夷群岛之中国农夫(译)

三、《西北月刊》发刊词与目录

（1943.7，出版一期后停刊）[①]

发刊词

袁明道

西北为吾民族发祥之地，抗战复兴以还，西北地位，益形重要，所谓建设西北问题，更由政府积极推动，而渐趋实施。本区党部，适于此时，服务西北，按照"以党建国以党治国"之旨，自应站在党之立场，随时致力于党政与国策之宣扬，以仰赞政府建设计划之进行，而完成其时代赋予之使命，因是爰有本刊之发行。倘由此而使西北一般民众，对本党主义之真谛愈有深切之认识，一致笃信力行，并借以引起社会人士对西北问题之研讨建议，随时供政府之参考。是则本刊之出，庶为不虚也。

《西北月刊》创刊号 目录（要目）

编辑者：西北大学区党部西北月刊社

经售者：各埠各大书店

1943 年 7 月 15 日创刊

题词……………………………………	朱家骅	1943	1	封2
创刊词…………………………………	袁明道	1943	1	1
论立法与法治…………………………	严可为	1943	1	1
五千年来中国经济史观………………	罗仲言	1943	1	4
孔子的诗文观…………………………	于赓虞	1943	1	13
漫谈国防与地理………………………	董绍良	1943	1	20
西陲喇嘛教盛行之原因………………	李式金	1943	1	21
圣者……………………………………	孙艺秋	1943	1	25

[①] 西北大学早期创办的综合性学术期刊，创刊于 1943 年 7 月 15 日，其创刊号有时任教育部部长朱家骅"知难行易"的题词，《发刊词》由袁明道教授撰写。他指出，该刊的主旨在于："仰赞政府建设计划之进行，而成其时代赋予之使命"，同时"使西北一般民众""一致笃信力行，并借以引起社会人士对西北问题之研讨建议"。该刊因办刊经费困难，仅办 1 期遂停刊。

| 本刊的旨趣 | 袁明道 | 1943 | 1 | 26 |
| 编后 | 编　者 | 1943 | 1 | 封3 |

四、《西北学术》发刊词与目录

(1943.11—1944.2)①

发刊词

郭文鹤

西北大学，为西北最高学府，过去数年，整理行政，对于学术，颇少贡献。今者学校当局，痛感文化使命之重，椎轮大辂，先轫本刊，借以发扬我民族之精神，融合现世界之思想，且特别研究民族发祥地之西北数省，以冀对西北建设有所赞益，其意义至深且大也。同人不敏，肩此艰巨，谨于本刊出生之日，略陈数言。

（一）发扬我民族之精神，必须研究学术。我中华民族本世界上最优秀无比之民族，前此数千年，屹立于东土，繁衍滋大，实列祖列宗艰苦缔造之力。近百年来，因循不自振作，遂为帝国主义者所蹂躏，然四万五千万之民族，岂能永远呻吟辗转于他人铁蹄之下，而不自谋解放与独立。七年抗战，我民族求解放与独立之肇始也。国土沦陷，达十数省；人民流离，几及全民族之大半，而愈挫愈奋，百折不回，最后胜利，匡复国土，已不在远。有人谓我民族已届衰老，必自覆亡，观于今之抗战，其亦自悔其言之谬矣。又有谓我民族更此抗战一役，即已强大，亦非信实。《易》曰：天行健，君子以自强不息。个人如此，民族亦何莫不然。自强不息，即精神发扬永续无间之谓，人类生命，凭附于物质，而发扬于精神。精神发扬，斯生命悠久，故发扬民族之精神，即所以永续民族之生命，此非学术堪深，透彻了解宇宙人生之真谛者，莫由跂及也。我民族人人诚能研究学术，以发扬民族之精神，则民族之危亡，立可挽救，而将来之强大，亦可预期；我民族人人诚能研究学术，以发扬民族之精神，则知互助以求生，本人类之天性，而损人利己决不肯为。今日世界上之弱小民族，皆我民族之同类也，即帝国主义者之民族，亦我民族之同类也，团结全世界之民族，使皆求解放与独立，并组织民族国际，以进谋世界之大同，非我民族，岂异人任。

（二）融合现世界之思想，必须研究学术。过去及现在，全世界思想可划为三

---

①　西北大学早期创办的综合性学术刊物，于1943年11月12日创刊于陕西城固，为文理综合性学术月刊。创刊号有校长赖琏的题词和郭文鹤的《发刊词》。于1944年2月15日停刊，共出版4期。

大分野：一为中国，二为印度，三为西洋。三大分野之思想，各有其优点，亦各有其劣点，取一舍一，均不免偏颇，然印度与西洋，其主观观念极强，对于自己思想，则尊重之，对于他人思想，则鄙夷之。其有我无人，凌厉直前之慨固有所长，亦有所短也。我中国不舍己长，亦不护己短，对于自己思想，决不完全放弃，对于他人思想，亦能尽量接受。故过去印度思想，一入中国，即为中国所吸收，现在西洋思想，一入中国，亦为中国所吸收。凡新旧思想之接触，大致有三时期：第一时期，为新旧思想冲突时期；第二时期，为迎新厌旧模仿新思想时期；第三时期，为新旧思想融合时期。西洋思想之入中国也，已三百余年，经过冲突时期，进入模仿时期，尚未完全达到融合时期。欲竟此融合之全功，其责任悉在吾辈。我国父之三民主义、民生哲学、民生史观，即融合古今中外思想而铸成者也。国父开其端绪，发扬而光大之，其责任亦悉在吾辈，夫思想为精神之结晶，精神乃能力之发展，而学术又思想之表现也。一时代之思想，必表现于一时代之学术，而凝结成为一时代之文化。文化以学术之累积而益大，社会以文化之光辉而日新，故改进社会，必自研究学术始。研究东西学术，融合现世界之思想，其裨益我民族之社会改进，自不待再言而明。

（三）建设西北，必须研究学术。我国东南地狭人稠，不能自活。我民族发祥西北，而今之西北，广大荒芜，亟待修复。此国人所已知也。卧榻之侧，他人鼾睡，我不修复，必有他人代任其责，此亦国人所已知也。并世各民族，其土地狭小者，皆侵占他人领土，夷为殖民地，用以自肥。此弱小民族，所以与帝国主义斗争之原也。我民族本非弱小，亦受帝国主义者之凌虐，苟非奋起图存，不仅亡国，且将灭种。图存之道，一面抵抗，一面建设，建设百端，而修复西北，增进全国生产力量，容纳东南过剩人口，尤建设中不可一日或缓者。过去吾辈标举归故乡运动，即欲唤醒族人，移徙西北，从事民族发祥地之建设。今则建设西北，已成国策，如何建设，尚少切实可行之方针。我大学设在西北，原负有建设西北之重任，则研究西北如何建设，实本大学所责无旁贷者也。本刊发行，特别注重西北之研究，即为此故。

总之，欲确保我中华民族之生存，必须先建设中华民国，欲建设中华民国，必须注重西北发祥地。而发扬民族之精神，融合世界之思想，又为建设中华民国之先决条件。本刊揭橥斯义，悬的以赴，我民族人人，其共勉旃，我本刊同人，其共勉旃。

《西北学术》 目录(要目)

题词	赖 琏	1943	1	1
发刊词	郭文鹤	1943	1	1
汉中区的史前文化	陆懋德	1943	1	2
论人性(上)	麦 萍	1943	1	4
磁针与火药考	罗仲言	1943	1	7
玉树的民风	李式金	1943	1	11
八代诗选述旨	易忠箓	1943	1	14
南胡引赠刘北茂	王汝弼	1943	1	16
希腊悲剧:伊列克特拉	霍自庭译	1943	1	17
偶极矩与分子构造	张贻侗	1943	1	22
近代若干种点集合之发见	杨永芳	1943	1	43
谈吹玻璃	吴 锐	1943	1	45
法律系主任施宏勋博士新著《继承法新论》	新书介绍	1943	1	46
国立西北大学《西北学术》月刊暂行简则		1943	2	封2
评我国现行所得税制	曹国卿	1943	2	1
两汉之选举制度	张震泽	1943	2	13
论人性(上,续)	麦 萍	1943	2	24
说文最初声母笺释叙录	朱人瑞	1943	2	34
撒拉人语文习俗之调查	杨涤新	1943	2	36
唐诗选述旨	易忠箓	1943	2	46
观古杂谭	陆懋德	1943	2	48
几个定理的新证明	刘亦珩	1943	2	49

中国物理学会第十一届年会西北分会论文概要

(1)不溶性气态表面膜压力之热力学推论 …… 虞宏正 1943　2　52
(2)融化的 $Na_2SO·10H_2O$ 及 $CaCl_2 6H_2O$ 中之冰点
　　分子量测定法 …… 岳劼恒 1943　2　54
(3)酒石酸甲脂之旋光研究 …… 岳劼恒 1943　2　54
(4)Biot-gernoz 型复杂化合物之旋光的研究 …… 岳劼恒 1943　2　55
(5)玉蜀黍提取 Xylose 之初步实验 …… 岳劼恒　苏林官　1943　2　58

标题	作者	年	期	页
中国物理学会第十一届年会西北区分会报告（筹备经过，开会纪事，到会会员名单，讨论提案，论文题目）		1943	2	57
本刊征稿简则		1943	2	封3
老子通释	张纯一	1944	3	1
非完整质点系与阿伯尔氏方程式	赵进义	1944	3	1
食品内的矿物质及其效用	唐尧衢	1944	3	7
生命维他命	转自1943年5月20日《中央日报》	1944	3	10
泛论农村工业化与工业农村化	张延凤	1944	3	11
撒拉之习俗	杨兆钧	1944	3	17
武溪杂忆录	尤绂瑞	1944	3	35
补陈书艺文志序	冉昭德	1944	3	35
神禹颂	张纯一	1944	3	35
莽镜考	何士骥	1944	3	37
编辑后论		1944	3	封3
释数学（民国三十二年西安暑讲会第一讲）	傅种孙	1944	4	1
论西北文化国防问题	殷祖英	1944	4	1
论人性（中）	麦萍	1944	4	4
吐鲁番之历史与文化	黄文弼	1944	4	15
秦丞相考	张震泽	1944	4	18
诸葛亮躬耕陇亩辨	林冠一	1944	4	23
汉中古迹杂咏	陆懋德	1944	4	25
希腊悲剧：伊列克特拉续	霍自庭译	1944	4	26
本刊征稿简则		1943	4	封4

五、《西大学生》（要目）

编辑、出版者：西北大学出版组
经售者：中华书局 中国文化服务社
1945年10月16日创刊

标题	作者	年	期	页
利用外资	东奇	1945	1	1-5
论文学	国文系 卢光祚	1945	1	5-8
归心	国文系 赵立卓	1945	1	8
发展科学与战后建设	化学系 孙天健	1945	2	1-4

篇名	系别	作者	年份	期	页
《国防论》读后	地质地理系	尤伟臣	1945	2	5-7
迎新献辞——"有朋自远方来,不亦乐乎?""乐莫乐兮新相知"	经济系	赵传礼	1945	2	7-8
论文学(续)	国文系	卢光祚	1945	2	10
怎样维持远东和平	政治系	田 溪	1945	3	1-5
绘画写生经验谭	国文系	杨春霖	1945	3	5-8
"草木皆兵"的公演	政治系	孙其峇	1945	3	8-10
橘林纪游	国文系	赵立卓	1945	3	10
怎样维持远东持久和平	政治系	田 溪	1946	4	1-5
一点读书的小意见——献给一年级的新同学	法律系	朱葆俊	1946	4	5
木材、皮胶、模图制成的世界上最快的飞机	Trevor Glenny 著 经济系 张允编译		1946	4	8
论治学	国文系	水天明	1946	5	1-5
明日之大学教育	商学系	石鸣源	1946	5	5-11
写给家乡的菊花	外文系	毛西超	1946	5	11
山花子	国文系	孔向黎	1946	5	11
月夜	外文系	周谨奎	1946	5	12
西北重建问题与西北大学	政治系	田 溪	1946	6	1-6
大学生之修养	外文系	岳 诚	1946	6	6-8
从卢得声之字有黑义说	国文系	杨春霖	1946	6	8-10
满庭芳	国文系	孔祥庸	1946	6	10
三民主义文化建设的理论体系	政治系	吕 恭	1946	7	1-6
中国工业建设应取之途径	地质地理系	尤伟臣	1946	7	6-8
玉真冢考察报告	历史系	王浩德	1946	7	8-10
看山与看树	国文系	水天明	1946	7	11-12

六、《地质通讯》目录

(1948—1949.02)

编辑、出版者:国立西北大学地质学会

1948 年创刊

(1949 年 2 月 1 日出版第 2 期)

陕西城固地质略志·············· 张伯声　1948　1

陕西煤之探讨………………………	白超然	1948	1	
西大地质系之前瞻…………………	杨钟健	1949	2	1-2
岩名语尾"岩、喦、礯、礹"之商榷 …………	张伯声	1949	2	2-5
陕西煤之探讨(续)…………………	白超然	1949	2	2-5
磁铁矿侵入矿床及其有关矿床之生因(译文)……	张 存	1949	2	7-9
历届毕业系友动态简报………………	希 昱	1949	2	9-11
校闻及系闻…………………………	编 者	1949	2	11-12
鸣谢、稿约、编后……………………	编 者	1949	2	12

第三节 国立西北工学院期刊发刊词与目录

一、《国立西北工学院季刊》[①]

（1939-09 创刊）

发刊词

赖 琏

吾国工程刊物，无论数量与质量，均难与欧美各国相比衡。在此抗战建国之大时代中，……工业人才已感供不应求，工程刊物尤有尽量扩展之需要。

今更编纂定期季刊，发表本院师生研究考察之所得，增进全国技术人员研讨工程学术之兴趣。……调查统计，力求确切；研究计划，务期周详。

创刊号要目

陶马斯吉尔珂瑞斯盐基法	张清涟	1939	1
钢铁书籍提要	张清涟	1939	1
陕西城固地质志	张伯声	1939	1

---

① 由国立西北工学院编译委员会创刊于 1939 年 9 月，规定：凡"富研究性之工程论著，或调查及与抗战建国有关之具体建设计划"均可刊登；栏目分论著、计划、调查、设计、特载、杂俎等，涵盖一切工程学术及有关自然科学、一般物质建设问题及工程人员修养等，由西北印务局印刷出版。编译委员会另出版有"国立西北工学院丛书""国立西北工学院通俗工程丛书"等。

公路桥梁之设计	杨大金	1939	1
中国建筑之批判及其改良	杨大金	1939	1
战前水泥之输入及我国之水泥工艺	陆宗贤	1939	1

二、《国立西北工学院月刊》
（1948.01—1949）

发刊词

编者

学校应有经常性定期刊物。纵的方面：检讨过去，策励将来，使前事不忘，后事有师；横的方面：更需随时报道学校进步情况，希望有关机关社会贤达，给予宝贵批评和指导。同时与毕业离校散步天涯海角之校友，也可利用这种刊物，来作沟通意见，联系感情的工具。

本院成立于国家抗战军兴之时，财力不足。在各种困难的条件下，虽先后已出版《概况》《通讯》，但经常定期刊物，迄付阙如。事与愿违，每引为遗憾。胜利以还，复员西安，经济物质，仍綦拮据。顾爱护关切本院各方面，时以院务消息见询。而离院校友，亦渴望明了母校进展情形。需要至属迫切，未敢再事缓图。爰经同人之积极筹备，决定自三十七年一月份起，出版西工月刊。

本刊内容：暂置"院闻""著述摘要""图书仪器介绍""校友通讯""建设概况""新到教师介绍""重要记录""名人讲演""法令摘要"等栏。限于筹备之仓促，力量之不充，良不能骤臻理想之完善。不过钩玄提要，撰录从真，俾阅者对于本院随时获一简单概念，谨弁数语，敬希各方惠谅！倘辱进而教之，则尤幸焉。

目录

本院复员经过情形	潘承孝	1948	1	3-4
教师介绍		1948	1	4-5
仪器介绍		1948	1	5
卫生设施概况		1948	1	5
一二 分院学生自治会理事会成立		1948	1	
一三 分院自治会创办工友夜校		1948	1	

教部重新订定先修班保送办法	1948	1	
优秀清寒自费生助学金筹募运动	1948	1	
校舍建筑委员会	1948	1	
三十六年度新生公费及奖学金审查委员会	1948	1	
学生临时救济审查委员会	1948	1	
训育委员会	1948	1	
教职员福利金委员会	1948	1	
校景设计委员会	1948	1	
新年同乐会	1948	1	
本院自元月份起遵令调查待遇	1948	1	
本院校景之布置	1948	1	
各种委员会题名—审议委员会	1948	1	
教员升等审查委员会	1948	1	
编译委员会	1948	1	
换发教职员学生佩用证章	1948	1	
重要人事异动	1948	1	
水利部薛部长莅院训话	1948	1	
联总教育器材之分配	1948	1	
国剧社新年公演	1948	1	
雨丝风片话台湾	1948	1	
编后话	1948	1	
三十六年度中央公教人员久任奖金给与办法	1948	1	
法令摘要—教育部代电	1948	1	
房屋建设概况	1948	1	
房产建设概况	1948	1	6-7
法令摘要	1948	1	7-8
院闻	1948	1	8-9
校友通讯	1948	1	10
编后语	1948	1	10
论著:大学训育与大学生活……马纯德	1948	2-3	2-3
房产建设概况	1948	2-3	4
图书介绍	1948	2-3	4
广播预告	1948	2-3	4

新书名单……………………………………	1948	2-3	5-6
本院新到仪器…………………………………	1948	2-3	7
法令摘要……………………………………	1948	2-3	7
院闻…………………………………………	1948	2-3	7-8
论著:本院工土系训练方针之商榷…工土系主任 赵文钦	1948	4	2-3
西北各校院迁移问题………………张兆荣教授	1948	4	3-4
机械工厂概况…………………………杜晓农教授	1948	4	4
国立西北工学院三十六学年度毕业生统计情况……………	1948	4	5
国立西北工学院三十七学年度第一学期各系级学生人数统计表…………………………………	1948	4	5
教师介绍……………………………………	1948	4	5-6
仪器介绍……………………………………	1948	4	6
图书馆近况…………………………………	1948	4	6
院闻…………………………………………	1948	4	7-8
编后记………………………………………	1948	4	8
论著			
闲话灰铸铁…………………………杜晓农教授	1949	5	1-3
教员会已正式成立田鹿鸣等当选理事	1949	5	
派员赴川勘查院址图书仪器开始装箱	1949	5	
本学期提前结束	1949	5	
"纺织"等系通讯相继出版	1949	5	
水工实验室概况……………………………王维华	1949	5	4
图书仪器介绍 ………………………………	1949	5	5
迁委会记录摘要……………………………	1949	5	5-6
法令摘要 …………………………………	1949	5	6
院闻…………………………………………	1949	5	7-8
消息拾零……………………………………	1949	5	8
编后记………………………………………	1949	5	8

三、《纺织通讯》目录

国立西北工学院纺织工程学会通讯社主编

1947 年 3 月 1 日

目录

纱厂平均织数之求法……………………………………崔玉田

师友动态

院系花絮

给毕业系友的一封信

系友来鸿

编后

四、《化工通讯》目录

国立西北工学院化工系创办

《鲜于文林先生纪念专刊》1948 年 4 月 2 日出版

五、《西工友声》目录

（国立西北工学院校友总会编印，季刊，1940 年 10 月创刊，出至 1948 年 8 月 15 日。其主要刊登"服务社会之经验,研究学术之心得,以及改革事业之建议"。另外,还刊登校友动态、校友分会及诗文唱和等内容。其使命是把母校、校友和社会国家联系起来。创刊号刊登有校旗、校歌、训词等）

要 目

在进行中本院之建设与革新	1940	1
本院一年来大事记	1940	1
一年来本院之义举	1940	1
踏出校门之战士	1940	1

第四节　国立西北农学院期刊发刊词与目录

一、《西北农报》发刊词与目录

（1946—1947）

发刊词

章文才

农业生产,为一切生产事业中之基础部门,其关于国计民生,民族命脉者,至深且溥。纵观人类社会进化之历史,则凡文化发达较早之民族,必据有适于农作之土地,其致力耕稼,亦较他民族为先;横察当代进步之国家,对农业生产,一心尽力保护提倡,以富工商各业之资源。是农业生产,不特为社会发展之重要阶段,民族文化之标准尺度,实与人类社会始终不可分离者也。

我国为世界文明古国之一,其致力于农业者,由来甚久。远古即设教稼劝农之官,历代不乏兴农贵粟之政;礼重黍稷,典有新耕,其见于政治制度者,斑斑可考。而豳风之诗,击壤之谣,亦具见农业劳作之生活风尚,夙已遍及民间。中华民族之繁衍生息,受赐于农业者,盖四千年之久;迄于今日,民生之荣枯,国帑之盈亏,犹视农产品岁收之丰歉为转移。故农业之在我国,实有悠久深远之历史意义,与其他工商业国家,迥不相侔者也。

我民族对于农业之经营既如此悠久,而所处土地之沃腴,气候之温和,又远非其他国家所堪比拟。是其农业之发展,理应凌驾各国而为其先导者。惟考之事实,则适得其反:播种犹恃人力,雨润端赖天时;耘耔锄耰,粪肥收割,率皆墨守旧法,毫无改进。举凡近代国家于农业上所采之科学的技术,用以节劳作、尽地利而战胜天时者,皆与我芸芸农夫、茫茫田亩,了不相涉。由是农业落后,农事废弛;中国之农产品,不特在世界商场上失却其优越之位置,即在国内亦屈于舶来的农产品之下。遂使身以农业立国自诩之民族,并农产一项,亦不能自足自给。民生因之日蹙,民困因之日甚。此总理所以于"吃饭问题"详加阐发,而于增加农产方法,开渠造林计划,不惮枚举也。

本校秉总理之遗教,应社会之需求,创设经营,垂及十三载,虽内部设施尚未完备,而欲担负其应尽任务之心,则未敢后人。所谓应尽任务者无他,盖拟欲研究教学诸方面,实地探究改进中国农业之新方法、新技术,并以有效办法推广于民间,以期于复兴中国农业、建设国民经济诸切要工作上,贡献一部分力量是也。筚路蓝缕,虽无何成绩之可言,同策共进,则有待国人之襄助。用是纠合同人,各供其所知见,略加次第,裒集成册。虽限于人力财力,暂难决定刊期,但是后研究有得,自当陆续问世。尚望农界同调,海内贤哲,不以其谫陋而教正之,则幸甚!

编者　三十五年七月十日

《西北农报》目录(要目)

发刊辞	章文才 1946	1(1) 3
小言:农民离村	郭敏学 1946	1(1) 4
今后我国农业教育之方针	章文才 1946	1(1) 5
近今木材利用之趋向	王　正 1946	1(1) 9
农业建设与土地改革	熊伯蘅 1946	1(1) 12
植物病原菌之生理分化	王云章 1946	1(1) 14
我国农业金融史之检讨及改进刍议	孙耀华 1946	1(1) 17
飞□的发生和防治	吴达璋 1946	1(1) 19
各级农业教育之人才训练问题	孙　元 1946	1(1) 24
推广优良小麦品质之繁殖保纯与检定	邱玉怀 1946	1(1) 26
经济研究之统计分析法	龚道熙 1946	1(1) 31
泾阳302号小麦示范与推广	王　绶 1946	1(1) 34
窖藏青贮料之调制	王　栋　卢得仁 1946	1(1) 36
本院新育成之大麦良种－3102与3120	王绶等 1946	1(1) 40
陕西富平之藕	任省鉴 1946	1(1) 42
兴平调查归来	袁克义 1946	1(1) 46
牛舌犁	1946	1(1) 48
硫磺铜及四氯化碳对绵羊胃虫之效力	潘亚生 1946	1(1) 50
牛产犊期之管理及育种期之疾病	阎昭才等报 1946	1(1) 52
暑期赴鄠县林场暨太白山实习之观感	孙金波　阎金祥 1946	1(1) 57
本院农业推广处农村合作组工作之过去及将来	朱介民 1946	1(1) 60
八月农情(编者)	1946	1(1) 61

农林文献（编者）	1946	1(1) 64
编辑后记（编者）	1946	1(1) 67
牛产犊期之管理及育种期之疾病（续完）	阎昭才 1946	1(2)
陕西郿扶垦区难民集体农场调查报告	高泰岩 余澄衷 1946	1(2)
窖藏青贮料之调制（续完）	王 栋 卢得仁 1946	1(2)
九月农情（编者）	1946	1(2)
桃之授粉试验	路广明 1946	1(2)
秦岭一带之丁香	崔友文 1946	1(2)
农林文献（编者）	1946	1(2)
经济研究之统计分析法（续完）	龚道熙 1946	1(2)
小言：献校祝寿	郭敏学 1946	1(2)
农业建设与保护佃农	熊伯蘅 1946	1(2)
介绍马铃薯良种——"七百万"	王 绶 宋玉墀 1946	1(2)
ACAPRIN 治疗小型焦虫病	潘亚生 1946	1(2)
控制黄河洪流问题之商榷	黄长龄 1946	1(2)
农事顾问（编者）	1946	1(3)
发展我国特产外销之管见	孙耀华 1946	1(3)
十月农情（编者）	1946	1(3)
编辑后记（编者）	1946	1(3)
控制黄河洪流问题之商榷（续）	黄长龄 1946	1(3)
雏鸡瞌睡病	潘亚生 1946	1(3)
土壤中胶体之组成与离子置换	王志鹄 1946	1(3)
T.V.A.之水力计划	刘祖典 1946	1(3)
D.D.T.制造概述	刘鹏生 1946	1(3)
裂区相倚不分试验之规划及分析	宋玉墀 1946	1(3)
变异数分析之自由度分离	王 绶 宋玉墀 1946	1(3)
编辑后记（编者）	1946	1(3)
控制黄河洪流问题之商榷	1946	1(4)
黄河流域行道树之选择	1946	1(4)
冬月农情	1946	1(4)
从春化发育观点看冬麦与春麦	1946	1(4)
农业农学与农学生	1946	1(4)
玉树一带藏区之乳制食品	1946	1(4)

太白山之林垦及其他		1946 1(4)
农村文艺		1946 1(4)
新岁献辞(编者)		1947 2(1)
小言:职业教育	郭敏学	1947 2(1)
创设自耕农政策的意义和方法	熊伯蘅	1947 2(1)
绥远后套灌溉现状及其改进	石秉直	1947 2(1)
重要家畜害虫及其防治概要	吴达璋	1947 2(1)
关于关中区蔬菜栽培几点意见	杜赓甡	1947 2(1)
渭河滩之狩猎	金嘉谟 余澄衷	1947 2(1)
大豆植株性状与产量关系之研究	时揩宜	1947 2(1)
棉种处理对发芽生长影响之初步研究	邱玉怀	1947 2(1)
秦岭野生有花植物移植志要	崔友文	1947 2(1)
磺胺族药物与盘尼西林	张培桉	1947 2(1)
山里姑娘	竹 心	1947 2(1)
惟妙惟肖	筱 虞	1947 2(1)
春夜 晚眺	心 孔 思 孔	1947 2(1)
祝新年	散 仙	1947 2(1)
武功"骡马会"素描	建 民	1947 2(1)
客腊农情(编者)		1947 2(1)
小言:差之千里	郭敏学	1947 2(2)
爱尔兰创设自耕农的政策和成绩	熊伯蘅	1947 2(2)
再论经营果园之理论与实际	谌克终	1947 2(2)
农村教育与社会改造	曹秉国 孙涤华	1947 2(2)
中国马种改良问题	孙忠雪	1947 2(2)
重要家畜害虫及其防治概要(续)	吴达璋	1947 2(2)
棉种处理对发芽生长影响之初步研究(续完)	邱玉怀	1947 2(2)
秦岭野生有花植物移植志要(续)	崔友文	1947 2(2)
本院农业推广处工作之回顾与展望	姚 鋈	1947 2(2)
磺胺族药物与盘尼西林(续完)	张培桉	1947 2(2)
华岳纪要	余澄衷	1947 2(2)
狩猎日记	世界闲人	1947 2(2)
农谚	任省鉴	1947 2(2)
一月农情(编者)		1947 2(2)

农林文献(编者)		1947	2(2)
小言:自西徂东	郭敏学	1947	2(3)
园艺种苗消毒之重要及其方法	谌克终	1947	2(3)
华北玉米增产之方法	王效贤	1947	2(3)
反刍兽之臌胀病	潘亚生	1947	2(3)
合作农场之沿革	高泰岩 余澄衷	1947	2(3)
重要家畜害虫及其防治概要(续)	吴达璋	1947	2(3)
第三年牧草研究试验报告	王栋 卢得仁	1947	2(3)
草堆重量占测法	崔埍溪	1947	2(3)
秦岭野生有花植物移植志要(续)	崔友文	1947	2(3)
本院观赏树木志要	朱象三	1947	2(3)
章君瑜先生著花卉园艺各论序	谌克终	1947	2(3)
郿县汤峪温泉	竹 心	1947	2(3)
我的希望	竹 心	1947	2(3)
二月农情(编者)		1947	2(3)
农林文献(编者)		1947	2(3)
植物荷尔蒙在农业上之应用及其功效	谌克终	1947	2(4)
猪之优劣选别法	崔埍溪	1947	2(4)
重要家畜害虫及其防治概要(续)	吴达璋	1947	2(4)
大荔农场新育成小麦良种	霍家驹 张 霆	1947	2(4)
玉米大豆间作栽培之研究	时措宜	1947	2(4)
秦岭野生有花植物移植志要(续完)	崔友文	1947	2(4)
本院附近名胜——后稷祠(摄影)(编者)		1947	2(4)
三月农情(编者)		1947	2(4)
农林文献(编者)		1947	2(4)
日长作用与春化处理之理论及其应用	谌克终	1947	2(5)
因子具四级别时相倚不分试验之规划及分析	宋玉墀	1947	2(5)
农产加工对我国农家之重要	刘均爱	1947	2(5)
如何办理各县农业推广	宋介民	1947	2(5)
重要家畜害虫及其防治概要	吴达璋	1947	2(5)
本院农场之大豆良种	贺涤新	1947	2(5)
江西土壤侵蚀及其保存	傅徽第	1947	2(5)
四月农情(编者)		1947	2(5)

农林文献(编者)	1947	2(5)
西农校景之一——教稼楼	余澄衷 1947	2(5)
经营农村副业应考虑之条件	王效贤 1947	2(6)
西北垦殖的可能性	袁克义 1947	2(6)
重要家畜害虫及其防治概要	吴达璋 1947	2(6)
西北区推广繁殖站历年来之繁殖推广工作	刘敦道 1947	2(6)
武功天气简述	孙毓华 1947	2(6)
江西土壤侵蚀及其保存	傅徽第 1947	2(6)
关中园艺谚语	任省鉴 1947	2(6)
五月农情(编者)	1947	2(6)
农林文献(编者)	1947	2(6)
维他命C与人生之关系	谌克终 1947	2(7)
关中烤烟草栽培问题之商榷	贺涤新 1947	2(7)
重要家畜害虫及其防治概要(续)	吴达璋 1947	2(7)
本院农场最近育成之三个优良小麦品种	沈学年 赵洪璋 翟允禔 1947	2(7)
川康及湖北之樟科植物	王作宾 1947	2(7)
窖藏青贮料积贮后温度变化之测定及其解释	王栋 庐得仁 1947	2(7)
各种冬季麦类对后作产量影响之初步观察	纽溥 1947	2(7)
关中农艺谚语	任省鉴 1947	2(7)
六月农情(编者)	1947	2(7)
农林文献(编者)	1947	2(7)
盩厔老子说经台	竹心 1947	2(7)
永佃制度在陕西	马宗申 1947	2(8)
台湾楠梓仙溪森林开发之刍议	荀鸿望 1947	2(8)
树木种子容量重量与粒数之关系	李树荣 1947	2(8)
绿篱及其应用树种	崔友文 1947	2(8)
大麦之遗传	王绶 时措宜 1947	2(8)
玉米之开花习性及其交配	贺涤新 1947	2(8)
桃之授粉实验	路光明 1947	2(8)
七月农情(编者)	1947	2(8)
编者后记(编者)	1947	2(8)
饲蚕桑叶代用植物之研究	姚天沃 朱权 1948	3(1)
畜牧学诠释	崔堉溪 1948	3(1)

玉米自交后之退化现象	贺涤新 1948 3(1)
大豆产量因子之研究	王绍渊 1948 3(1)
土壤冲刷与水土保持	刘鹏生 1948 3(1)
土壤微生物学研究之新途径(续完)	王志鹄 1948 3(1)
泥沙分类命名之商榷(续完)	沙玉清 1948 3(1)
黏滞流体在管渠中之流动(续完)	祁开智 1948 3(1)
渭河滩地植物社会之构造	闻洪汉 1948 3(1)
编后(编者)	1948 3(1)

二、《国立西北农学院院刊》目录

体育室	1946 3
总务处	1946 3
章程规则	1946 3
高职消息	1946 3
美国农业进展之趋向	章文才 1946 4
陕西省农贷与农业改进之关系	李国桢 1946 4
国立西北农学院农业推广设计委员会组织章程	1946 4
国立西北农学院农业推广设计委员会办事细则	1946 4
三十五年度本院招生委员会第一次会议记录	1946 4
国立西北农学院各系组联席会议	1946 4
编辑出版委员会第一次编辑会议记录	1946 4
国立西北农学院院产及场务整理委员会第二十一次委员会议记录	1946 4
三十四年度第二学期第三次院务会议记录	1946 4
本院介绍	1946 4
院闻	1946 4
校友近讯	1946 4
测候所历年各月雨量统计表	1946 4
学校风格与秩序整顿	1947 6
会议记录	1947 6
院闻	1947 6
校友近讯	1947 6
为纪念十三周年校庆献言	唐得源 1947 7

校庆日告回校校友	熊伯蘅	1947	7
祝三十六年度校庆	王志鹄	1947	7
祝校庆并告校友		1947	7
本院概况	黄毓甲	1947	7
各系概况		1947	7
院闻		1947	7
校友近讯		1947	7

三、《西北农林》发刊词与目录
（1936—1948）

发刊词

本院负有改进西北农业复兴与西北农村之使命，创设经营，十有二载，对于教学研究及推广三部事业，积极努力，毋或稍懈，夙为社会贤达所洞鉴。编辑出版方面，……曾发行《西北农报》一种，专载具有研究性之学术论文，其合于学术化及通俗化之期刊，尚付阙如。现为适应社会之需要，特创办《西北农林》，逐月发行。兹于创刊之初，谨贡片言，藉明意义之所在。

我国农业刊物，为数甚少，西北方面，尤感缺乏，本报发行之旨趣，即在弥补此项缺陷。倘能因本报之发行，而引起农业机关农业学校以及社会贤达之注意，类此刊物，风起云涌，则尤为本报衷心所求，此其一。我国农业技术落伍，农民生活贫苦，其主要原因，即在新科学研究试验与实际农业经营脱节。本报之发刊，在使本院研究教学诸方面所获得之新技术与新方法，以有效方法推广于农民，并对西北之农业，作更深切之了解，俾教学研究更能超乎实际，此其二。最近中美农业技术合作团莅院视察，美籍团长赫契生先生在讨论会席上宣称："美国农业应用科学原理及研究改进，生产激增，加州在1944年以百分之九之农民，生产价值1 824 000 000美金之农产品，其他各州亦突飞猛进"。他山之石，可以攻错，异国农业之进步，足资吾人借镜之处颇多，故欧美各国最新农业研究试验之成果，本报亦将尽量介绍，藉借吾国改进之参考，此其三。抑有进者，农业教育与农业建设之应密切联系，夙为社会贤达所公认，总裁曾谓："今后各级学校教育，当与地方组织及事业之需要相适合，既使学校教育不至空疏无用，又使青年学生得有广大出路"。故本报之另一意义,即谋将本院事业与地方贤达及农界先进,公开商讨,藉以明了其需要,以作研究试验及培育青年之准绳。

本报草创伊始,筚路蓝缕,自审尚无成绩可言,惟鉴于本院所负使命之重大,与夫社会人士对本院期待之殷切,谨将本报之企望,胪陈一二,藉求教正。

(一)我国农业有数千年之历史,经验累积,至足珍贵,惜不知利用科学方法加以改进,因之进步迟缓,难与欧美新式农业并驾齐驱。本报一方面尽量介绍国内外最新农业研究之成就,以供吾国农民之采用,一方面极力搜求我国固有之农业经验,藉作研究改进之张本,期以自身为桥梁,使新科学与旧经验得以密切联系。

(二)本院师生十二年来不断之努力,自信尚有相当成就,惟以埋头于研究教学,缺乏通俗化文字之流传,以致研究试验之所得,农民尚少采用。故本报之发刊,企望本院师生之工作,得以与农民取得联系,使农民明了本院之一切事业,无一不与彼等生活有密切之联系,俾我师生对于吾国农民,能多有服务之机会。

(三)西北地处边陲,国人向多漠视,农业改进工作,亦较落后,实际西北幅员辽阔,特产丰富,尚能改进利用,不特农产可望增加,对于工业建设,亦可多所助益。故本报企望对西北农业改进与农村复兴,多抒言论,藉以引起国人之重视,共同为大西北之开发与建设,携手努力。

且也以我国农民知识之不足,文字效能,每难普及,故本报之读者对象,尤着重在各地农村实际工作人员及农业职业学校与中小学教师,盖尔等服务于地方较久,素获农民敬仰,本报将本院师生研究试验所得之良好结果,透过尔等而转达于农民,较之直接推广于农民,实事半而功倍。是本报之能否发挥其绝大力量,实有赖于各地农村实际工作人员及中小学教师等之协助与合作也。

为《西北农林》复刊谈"农林研究"

章文才

二十五年秋,本院应事实之需要,编印《西北农林》创刊号一期,二十七年复连续出版二、三、四共三期,嗣以圣战步入严重阶段,兼因印刷材料来源不易,八年以来,迄未续刊。前者文才秉命教部,一度承乏斯院,为加强学术研究工作,特组织学术研究委员会。但学术研究之结果,贵能与中外农林学术机关交换切磋,始可百尺竿头,日有精通;爰复组织编辑出版委员会,除创刊通俗化之《西北农报》

一种外,并决定复刊《西北农林》,专载富有研究创作性之学术论文。盖我国农林研究性之刊物,为数过少,因之所有农林科学知识,每多借重外国,抄袭他邦,而失却本国农林学术之独立性,此其一。亲朋酬酢,"礼尚往来",科学上之交换,亦复如此,但我国缺乏学术上之伟大贡献,可以与外国机构互相交换,此其二。农林科学极富地域性,外国所研究之结果,每多不适用于我国,即在本国甲地所得之研究结果,亦未必适用于乙地,必须就地研究,就地改进,此其三。农林事业若无合理之研究试验作其基础,则不能求其有日新月异之进步,但合理之研究试验,贵在各研究机关之能相互切磋,此其四。《西北农林》之复刊,固不敢谓本院对于农林学术研究,已有若何成就,但愿在我国农林研究刊物极端缺少之现状下,肇其端始,俾使西北农林研究事业与中外农林研究机关取得密切之联系,而谋农业学术之发展与改进。爰于复刊之初,试一探讨我国农林研究之目的,藉作今后从事农林研究工作者之参考。

(一)农林研究要着重实用生活之改进

农业技术在我国虽然已有数千年之历史,但自后稷教民稼穑以来,纯恃经验之传授,缺乏科学之根据,徒有农业劳动而无农业科学,以致故步自封,不能精益求精,其结果虽号称以农立国,而民生凋敝,衣食不足,此种病态现象,迄今愈益显著。农林科学为应用科学之一种,自当按科学研究方法造成近世之改良技术,藉以解决衣食住行生活之一部分问题。

(二)农林研究要着重科学学术之阐明

一种科学必有科学学术之演进,积每一科学家点滴心血之结晶,始能创造真理之实现。Mendel氏在豌豆上之杂交研究,发明其遗传定律,使植物品种得以改良;Pasfeur氏在污水上之细菌研究,发现其杀菌原理,在医学化学及农产制造上得以进步。从事农林研究工作者,虽其所研究之范围至为狭小,但整个农业改进工作,即聚此无数之微小成就,始能获得长足之进展。

(三)农林研究要着重大多数人民之福利

我国农林技术之应急求改进,实为无可讳言之事实,惟我国农林研究历史甚短,当前问题,千头万绪,研究工作人员在献身研究之先,当择其缓急,权其轻重,以求速效而裨益国家人民。换言之,即如何可以将研究结果,增加大多数农民之利益,与增进大多数人民之福利。

(四)应用研究与理论阐述均为我国农林研究之亟要应相提并重通力合作

目前我国从事农林研究工作者,恒自居为应用科学家或理论科学家,彼此歧视,互相攻讦。实际中国农林研究之问题,应用理论,两感缺乏,而同样重要。应用研究固为解决当前民生问题刻不容缓之要图,理论阐述亦属释明某种现象必需之学识,二者当相互合作,不可偏废,藉使我国幼稚之农林科学知识,由一点一滴真理之发现,然后研究应用,以求改进我国之农林事业。

农林研究之目的,既已约略论及,兹再就农林研究人员应有之态度,略述所见,藉以自励,并与从事研究工作同仁互勉:

(一)农林科学乃应用科学之一种。恒受气候与区域之限制甚大,故应随时在田间寻求问题,然后针对问题,研究试验,最后以其结果推行于田间。实验室 In vitro 之试验结果,每不足以代表解决农民问题之真理。

(二)农林研究在决定某一问题之后,应承先启后,博览古今他人已得之结论,并熟悉其尚未解答之问题何在,然后再求进一步之解决,方不致徒耗时光,空劳而无所贡献。

(三)农林研究须有创作性,不能抄袭或重复他人已做问题之一部,以致空费时间,而无补于实际问题之解答。当先有合理之理想(并非异想天开之狂想),并须有学理与经验之根据,方可冀其成功。不以理想作基础之观察,乃是乱想;有理想而无实验之证明,乃是空想,均非科学之研究也。

(四)我国以及国外之农林研究报告中,颇多毫无根据之研究结论,阅读与引证之时,当慎重考虑,切忌不加思索,人云亦云,甚至视为定律。须以科学之推论与试验之证实,始能达到千真万确之结论,决不可受其欺骗,以讹传讹。

(五)农林学术所牵涉之范围甚广,近代之农林研究,必须联合若干方面之科学合作研讨,始能获得满意之结果。坐井观天,往往顾此失彼,使真理仍在混沌之中。西洋近代各项农林研究工作,多集合该问题之各方面专家,共同研讨,因此其研究结果,有多至七八人共同具名发表,故能体大思精,面面俱到。

(六)农林研究须以基本科学原理为基础,表面之观察记载以及通俗传闻之资料,不得谓为满足。例如灌溉水之应用,本极简单,惟据伦敦大学 E. J. Salisbury 教授在 1937 年发表论文,谓水有 Monohydrol, Dihydrol, Trihydrol 三种不同之现状,联合成为各种性质之水,雨水系属 Trihydrol($H-H_3O_2$),对于植物之生长最佳,此或可解释我国花匠浇灌贵重花卉之用雨水而不用井水之意义也。研究农林问题,举凡遗传、化学、物理、数学、生物、病理、昆虫、土壤、植物、气象诸有关之基本科学,均须作为解答该项问题之基本知识,方能触类旁通,举一而反三。

(七)农林研究须要有恒心,始终不懈,方克有成。盖农业研究之对象为有机体,在研究过程之中,恒受外界因子之影响而显示不同之性状,必须经过长久之时间,始能确定其结果。德国大科学家 Liebig 有言:"科学发明之秘诀,在乎视无一事乃系不可能者也。"此语用诸农林研究,尤为允当。

农林研究,应从农民田间作业上寻求问题,决不能空中楼阁,从意境中作假想,但农业问题,千端万绪,其与环境因子之关系,亦极复杂,故研究方法之适当与否,颇足以影响其结果之成败。兹就鄙见胪举农林研究之方法如下:

(一)决定问题之范围

农业分门既繁,种类复多,其所应行改进之问题,亦至为复杂,在同一时期内,势不能全部进行。故应寻其结症,窥其底蕴,悉心决定研究问题之范围,以为工作进行之准绳。

(二)参阅他人之研究结果

在研究工作进行之先,应广事研读他人之研究报告,俾明了其研究经过及其所得之结论,藉资参考,并作进一步之研究,避免重复与浪费。

(三)决定研究之适当方法

研究之方法,应预为决定,并选择最简捷且经证明其为最有效者,以免事倍功半,徒耗光阴与金钱。

(四)决定研究应用之材料

全部工作进行时所需之材料,均应事先决定,并预为置备,以免临渴而挖井。

(五)决定研究之程序及步骤

研究之程序及步骤,事先应逐项列举,不厌求详,俾本人及共同参加工作者,可以齐一步骤,遵循预定之途径,从事研究工作。

(六)举行合理之田间或实验室试验并分析结果

按照预定之程序与步骤,举行合理之田间或实验室试验,并将试验所得,悉心分析而审判其结果。

(七)推测并反证所得之结果

按照科学原理,推测及反证所得之结果,并加以讨论,务求避免错误与偶然之结果。

(八)说明所得结果之应用价值

农业为应用科学,研究结果之价值,即以应用之程度而决定,故研究工作者,应将其研究结果之应用价值,详为说明,俾利推行。

吾人鉴于西北幅员之广,物产之丰,而农业问题,复如此其繁多,已往从事实际研究工作,又如凤毛麟角,屈指可数。益感本院今后之研究事业,亟应加强推行,而《西北农林》之复刊,更具有其伟大无比之任务。深望本校全体同仁,群策群力,共矢决心,使此大西北唯一具有研究性之农林刊物,在今院长唐得源先生领导之下,源源问世,并勉负如下之使命:

(一)引用科学方法研究西北农林问题,并将研究结果,利用本刊公诸于世,以供中外农林科学家之参考与讨论,俾能获得适合西北之优良农业品种与农事方法,推广农民应用,藉以增加西北农业生产,发展西北农村经济,改善西北农民生活。

(二)本院学术研究委员会每学期决定各教授研究之西北农林题目都二百余种,拟将其研究结果,择要在本刊陆续发表,俾各教授之研究工作,能因本刊而与中外农业研究机关发生密切联系,藉使本院之研究工作,更能因之而加强与改进。

(三)本刊刊登之农林技术或农业经济方面之文字,均系创作性之学术研究报告,对于西北青年有志从事农业研究工作者,实为一良好之指针。此对未来西北农业之发展与改进,其价值或未可以数值计。

(四)本刊之问世,同仁在虚心寻求真理,同时尤虚心接受批评,盖有批评始有改进,有改进始获真理。然真理在进步中,故本刊亦常在进步中求指教。

《西北农林》目录(要目)

发刊词	玉 照	1936 创刊号
本校在武功筹备以来之情况		1936 创刊号
农艺组农场概况		1936 创刊号
水利组概况		1936 创刊号
体育概况		1936 创刊号
本校附设高级职业学校概况		1936 创刊号
复兴中国农业论	戴家齐	1936 创刊号
关于造林园艺之我见	戴季陶	1936 创刊号
我们须要提倡西北农村建筑	李仪祉	1936 创刊号
本校试验场土壤之初步研究	王子芳	1936 创刊号
本校农场主要作物选种之经过	郭渐达	1936 创刊号
棉花杂交育种法	翁德齐	1936 创刊号
陕西武功美棉天然杂交率之研究	陈焕庭 刘润涛	1936 创刊号

美国堪萨斯大学小麦育种法 ········· 沈学年	1936	创刊号
开发西北中的林业建设 ········· 倪文新	1936	创刊号
甘宁青三省林政之概况及其改进之刍议 ········· 齐敬鑫 译	1936	创刊号
陕西防旱工作中林业之任务 ········· 齐敬鑫	1936	创刊号
渭河滩地之性状及其树木之培植 ········· 赵云梦	1936	创刊号
陕西秦岭黄土层与河滩林木之分布及造林 ········· 夏受虞	1936	创刊号
青峰山森林概况 ········· 李含章	1936	创刊号
华山松种子发芽试验 ········· 李灏 周文光	1936	创刊号
陕西汾县之梨 ········· 谭其猛 吴耕民	1936	创刊号
河南灵宝之枣 ········· 屠鄂 吴耕民	1936	创刊号
畜牧概言 ········· 李林海	1936	创刊号
陕西渭河区域灌溉计划书 ········· 顾葆康 译	1936	创刊号
甘青森林植物调查采集纪要 ········· 白荫元	1936	创刊号
勘察甘宁青农业试验场场址报告 ········· 安汉	1936	创刊号
本校附近十四县农业调查报告 ········· 沈学年 翁德齐	1936	创刊号
中原社会教育馆视察记 ········· 戴家齐	1936	创刊号
中国诗歌中的农民苦 ········· 李曙放	1936	创刊号
田间 ········· 李云秀	1936	创刊号
咏武功农校 ········· 李仪祉	1936	创刊号
谒姜嫄墓 ········· 彭家述	1936	创刊号
游后稷祠 ········· 彭家述	1936	创刊号
经苏武墓 ········· 彭家述	1936	创刊号
改进农业生产	1936	创刊号
本校学则	1936	创刊号
关于经营西北农林专校办法之意见书 ········· 戴季陶	1936	创刊号
森林组概况	1936	创刊号
农村事务处年来促进各地农村合作事业之概况	1936	创刊号
农村人口减低之省区	1936	创刊号
本校组织大纲	1936	创刊号
与子元先生论本校用人施教方针书 ········· 戴季陶	1936	创刊号
四年来对于西北初期造林中主要树木之研究 ········· 齐敬鑫	1938	2
陕西关中沿渭河一带畜牧初步调查报告 ········· 沙凤包	1938	2
太白山森林调查报告 ········· 牛春山	1938	2

中国豆渣酿酵中一毛微新种之研究 施有光	1938	2
陕西关中区农村金融问题之初步分析 南秉山	1938	2
陕西渭河滩地土壤之研究及其与造林之关系 赵云梦	1938	2
山西清源之葡萄 吴耕民	1938	2
白菜田间技术之研究及其实验差误之分析 管 超	1938	2
白菜品种比较实验 管 超	1938	2
白菜种植时期实验 管 超	1938	2
茄子肥料三要素实验 管 超	1938	2
陕西渭河流域之杂草 孔宪武	1938	3
黄龙山之土壤 周昌云	1938	3
陕北畜牧初步调查 沙凤包	1938	3
关中农村人口调查 蒋 杰	1938	3
植物抗虫育种 沈学年	1938	3
附录	1938	3
武功葡萄之二星浮尘子 黄其林	1938	4
陕西渭河流域之杂草（续） 孔宪武	1938	4
苟蓉种马牧场饲料之研究（摘要） 朱先煌	1938	4
附录	1948	3
国立西北农林专科学校森林组武功张家岗气象	1938	4
民国二十四年一月逐日气象要素平均表	1938	4
民国二十四年二月逐日气象要素平均表	1938	4
民国二十四年四月逐日气象要素平均表	1938	4
民国二十四年五月逐日气象要素平均表	1938	4
民国二十四年六月逐日气象要素平均表	1938	4
民国二十四年十月逐日气象要素平均表	1938	4
民国二十四年十一月逐日气象要素平均表	1938	4
民国二十四年十二月逐日气象要素平均表	1938	4
民国二十五年一月逐日气象要素平均表	1938	4
民国二十五年二月逐日气象要素平均表	1938	4
民国二十五年三月逐日气象要素平均表	1938	4
民国二十五年四月逐日气象要素平均表	1938	4
民国二十五年五月逐日气象要素平均表	1938	4
民国二十五年八月逐日气象要素平均表	1938	4

民国二十五年九月逐日气象要素平均表		1938	4
民国二十六年一月逐日气象要素平均表		1938	4
民国二十六年三月逐日气象要素平均表		1938	4
民国二十六年四月逐日气象要素平均表		1938	4
民国二十六年六月逐日气象要素平均表		1938	4
民国二十六年七月逐日气象要素平均表		1938	4
民国二十六年八月逐日气象要素平均表		1938	4
民国二十六年十月逐日气象要素平均表		1938	4
民国二十六年十一月逐日气象要素平均表		1938	4
民国二十六年十二月逐日气象要素平均表		1938	4
武功农作物虫害之初步调查	黄其林	1938	4
关中农村金融调查	蒋　杰	1938	4
民国二十四年三月逐日气象要素平均表		1938	4
民国二十四年七月逐日气象要素平均表		1938	4
民国二十四年八月逐日气象要素平均表		1938	4
民国二十四年九月逐日气象要素平均表		1938	4
民国二十五年六月逐日气象要素平均表		1938	4
民国二十五年七月逐日气象要素平均表		1938	4
民国二十五年十月逐日气象要素平均表		1938	4
民国二十五年十一月逐日气象要素平均表		1938	4
民国二十五年十二月逐日气象要素平均表		1938	4
民国二十六年二月逐日气象要素平均表		1938	4
民国二十六年五月逐日气象要素平均表		1938	4
民国二十六年九月逐日气象要素平均表		1938	4
为《西北农林》复刊谈"农林研究"	章文才	1947	2(1)1
土地国有论的派别和主张	熊伯衡	1947	2(1)5
土壤微生物学研究上之新途径	王志浩	1947	2(1)19
粘滞流体在管渠中之流动	祁开智	1947	2(1)27
泥沙分类命名之商榷	沙玉清	1947	2(1)32
由洵县西北将台乡抵三道湾一带之森林	王　正	1947	2(1)44
大豆种皮色泽遗传之研究	王　绶　时措宜	1947	2(1)55
关中苹果的经济栽培	陈锡鑫　陶辛秋	1947	2(1)61
武功棕色金龟子之研究	吴达璋　薛绍轩	1947	2(1)77

秦岭之植物地理观	钟补求	1947	2(1)	83
斑衣之观察	张书忱	1947	2(1)	91
金铃子治疗山羊肠胃寄生虫之研究	潘亚生	1947	2(1)	97

四、《西北水声》发刊词与目录

发刊词

民族文化的创造与建立,需从三方面努力,第一是真理的探讨;第二是知识的传授;第三是事功的实施。这三者彼此间的关系非常密切,如同我们的耳目、手足一样,是莫可分离的。

本刊的使命就好比灵敏的神经,活泼的血液,把各方面的机能、多方面的力量,紧紧地亲切地联系起来,共负起建设西北水利文化的重责!

《西北水声》第1期,第1卷,1940.6.

第六卷 第一期 1946年3月15日出版
还我河水	沙玉清	1946	6(1)	1-4
相对平衡之几种简单证明法	邢丕绪	1946	6(1)	5-10
梯形渠道线规图	陈椿庭	1946	6(1)	11-18
黄土压实及其渗透率	余恒睦	1946	6(1)	19-23
SIGN CONVENTION IN THE MOMENT AREA METHOD	孟昭礼	1946	6(1)	24-33

第六卷 第四期 1946年9月15日出版
从改变历史之宜昌大坝谈到战后建设	邢丕绪	1946	6(4)	51-56
黄水滞率之初步测定	李翰如	1946	6(4)	57-68
泽薮和稻人	沙玉清	1946	6(4)	69-74

第六卷 第五六合期 1946年11月15日出版
麦秋巡渠至南北安村遇大风雨	胡步川	1946	6(5)	75-76
江苏旱灾研究	沈煜清	1946	6(5)	77-92
河渠水流基本认识	陈椿庭	1946	6(5)	93-102
河清与清河	沙玉清	1946	6(5)	103-?

五、《西农青年》目录

新青年应有之认识	万元钦	1940	1(1)
农院花絮 记者		1940	1(1)
短剑	周 尧	1940	1(1)
柑橘介壳虫及其熏蒸	周 尧	1940	1(1)
毕业同志动态(编者)		1940	1(1)
青年读物介绍		1940	1(1)
霜及霜之预测(续完)	王植璧	1940	1(1)
迎三十年	李鸿滨	1940	1(1)
沔县农村经济之鸟瞰	倪方域	1940	1(1)
美国大豆发展小史	刘大同 译	1940	1(2)
孩子,该回到阵营了(滴)		1940	1(2)
活跃在幕府山区的战士		1940	1(2)
西北的水利建设	李翰如	1940	1(2)
武功二十七号小麦之改良经过	沈学年	1940	1(1)
农产运销的重要	马孟余	1940	1(1)
开发西北应走的路径	苏麟江 讲 王怀顺 记	1940	1(2)
宪政运动中青年应有之认识	郭 祺	1940	1(2)
柑橘介壳虫及其熏蒸(续)	周 尧	1940	1(2)
英国之合作青年团	张德粹	1940	1(2)
狂欢之夜演出特辑		1940	2(5-6)
现代青年与抗战建国	田毅安	1940	2(5-6)
迎"五四"青年节	王志鹄	1940	2(5-6)
本处筹备的回顾与前瞻		1940	2(5-6)
农院花絮(四则)记者		1940	2(5-6)
致本分团离校同志书	龚道熙	1940	2(5-6)
荷属东印度	龚道熙	1940	1(1)
编余(编辑室)		1940	1(1)
献给青年	程可达	1940	2(5-6)
西北农村经济调查之一例	王德崇	1940	1(4-5)
宝鸡县概况调查	王永棠	1940	1(4-5)

标题	作者	年份	期号
"党""团"的关系		1940	1(4-5)
农产运销与发展农业	王器瑚	1940	1(4-5)
团长宝训		1940	1(4-5)
团长宝训		1940	1(4-5)
畜牧事业对于国计民生之重要性	王化南	1940	1(4-5)
西北羊毛增产计划大纲	赵增荣 王化南	1940	1(4-5)
团长训词		1940	1(4-5)
柑橘介壳虫及其熏蒸(续)	周尧	1940	1(4-5)
霜及霜之预测	王植璧	1940	1(4-5)
在暮色的苍茫中	倪方域	1940	1(4-5)
鸭嘴口戛舞		1940	1(4-5)
农院花絮:庆祝总裁寿辰农院情况热烈		1940	1(4-5)
教部授奖各大学教授农院四大金刚得奖		1940	1(4-5)
昆虫学家周尧博士近特发起调查全国昆虫学家		1940	1(4-5)
足球季到农院球赛白热化		1940	1(4-5)
农院青年团近正筹备成立"青年剧社"		1940	1(4-5)
青年团农院分团奉中央团部令直属中央		1940	1(4-5)
新年将届农院积极筹备师生同乐会		1940	1(4-5)
国际问题专家罗天乐博士来校演讲		1940	1(4-5)
诗	周尧	1940	1(4-5)
编辑后记		1940	1(4-5)
毕业同志动态(编者)		1941	2(1)
青年读物介绍		1941	2(1)
短剑	周尧	1941	2(1)
柑橘介壳虫及其熏蒸(续完)	周尧	1941	2(1)
新青年应有之认识	万元钦	1941	2(1)
农院花絮	记者	1941	2(1)
霜及霜之预测(续完)	王植璧	1941	2(1)
迎三十年	李鸿滨	1941	2(1)
沔县农村经济之鸟瞰	倪方域	1941	2(1)
民族意识论	姜国干	1941	2(3-4)
武功农作物害虫续志	万长寿	1941	2(3-4)
从"五四"运动说到青年团西农分团的成立	万元钦	1941	2(2)

"狂欢之夜"之舞台布置	李念	1941	2(2)
狂欢之夜演出特辑		1941	2(2)
武功二十七号小麦之改良经过	沈学年	1941	2(1)
农产运销的重要	马孟余	1941	2(1)
现代青年与抗战建国	田毅安	1941	2(2)
迎"五四"青年节	王志鹄	1941	2(2)
农产价格(续)	王器瑚	1941	2(3-4)
怎样学习统计学	龚道熙	1941	2(3-4)
绵羊角之遗传	华尔维克 谭克里	1941	2(3-4)
做人与服务	王德荣	1941	2(3-4)
我国战时物价问题之研讨	罗有道	1941	2(3-4)
团务动态(四则)	记者	1941	2(2)
告本分团团员书	龚道熙	1941	2(2)
本处筹备的回顾与前瞻	王谦光	1941	2(2)
农院花絮(四则)	记者	1941	2(2)
农院花絮(四则)	记者	1941	2(3-4)
编余(编辑室)		1941	2(1)
献给青年	程可达	1941	2(1)
荷属东印度	龚道熙	1941	2(1)

六、《西北畜牧》目录

牧草之重要	王栋	1943	1(2)
影响窠之大小仔猪产重及母猪泌乳力之各种因	郑子久 译	1943	1(2)
宁夏省滩羊产区访问记	张泽载	1943	1(2)
豆秸肥育羔羊的价值及其利用法	梁钰译	1943	1(2)
为负责驿运诸君进一言	赵增荣	1943	1(2)
增进繁殖群中家禽生产之方法	郑永泉 译	1943	1(2)
软性乳	苏麟江	1943	1(2)
农林部第一役马繁殖站在关中	诵匏	1943	1(2)
几种牧草中胡萝卜精之含量	黄兆华 译	1943	1(2)
陕西同羊与其毛质之一般的观察	李秉权	1943	1(2)

七、《昆虫与艺术》目录

篇名	作者	年份	期(页)
发刊词	周 尧	1946	1(1)
献诗	周 尧	1946	1(1)
各省应速成立昆虫局	周 尧	1946	1(1)
祝词	党玉峰	1946	1(1)
椿皮灯蛾（臭椿皮蛾）之重记载	张书忱	1946	1(1)
中国之熊虫	张魁凤	1946	1(1)
致某公园		1946	1(1)
胡铁生先生		1946	1(1)
各方声援		1946	1(1)
本所三月份基金捐募公布		1946	1(1)
本所消息与启事		1946	1(1)
蛬蠊之解剖（实验指导）	虬髯客	1946	1(1)
立夏吟	天 哲	1946	1(1)
食虫植物	天 哲	1946	1(1)
昆虫界消息		1946	1(1)
为创设天则昆虫研究所募捐启事	周 尧	1946	1(1)
天则昆虫研究所基金募捐办法		1946	1(1)
昆虫表皮之最近研究	朱象三 译	1946	1(5-6)
益虫与害虫	汪仲毅	1946	1(2-4)
Offrire	Chou Io	1946	1(2-4)
人体虱之研究	周 尧	1946	1(5-6)
椿皮灯蛾之重记载（续）	张书忱	1946	1(2-4)
怀念业师 SILVESTRI 教授	周 尧	1946	1(2-4)
□剖	虬髯客	1946	1(2-4)
赠诗	熊伯蘅	1946	1(2-4)
编后	编 者	1946	1(5-6)
昆虫与艺术赞	景梅九	1946	1(2-4)
世界昆虫学近讯	象三 进生	1946	1(5-6)
Il Viandante	Chou Io	1946	1(2-4)
《圣经》中的昆虫故事	卢十一	1946	1(2-4)

斑衣蜡蝉名称之考证	周 尧	1946	1(5-6)
食虫植物	天 哲	1946	1(5-6)
□植物	天 哲	1946	1(2-4)
斑衣蜡蝉之研究	周 尧	1946	1(2-4)

八、《西北农专周刊》要目

布告	1936	1(1)
公函	1936	1(1)
工作报告	1936	1(1)
校闻	1936	1(1)

  农业经济组消息一束
  畜牧兽医组调查
  农村事务处成立新社
  水利组学生毕业旅行
  抗敌将士后援会成立
  中国西北植物调查所成立

| 专载 | 1936 | 1(1) |

  刘士林先生讲演

| 附录 | 1936 | 1(1) |

  本校暂行章程
  图书馆概况

图书目录	1936	1(1)
训令	1936	1(2-3)
公函	1936	1(2-3)
工作报告	1936	1(2-3)
校闻	1936	1(2-3)

  畜牧兽医组调查
  农业经济组调查
  大批仪器到校

| 专载 | 1936 | 1(2-3) |

  西北农牧史话

| 附录 | 1936 | 1(2-3) |

本校学则
　　　　学院体格检查结果表
新到图书目录 ………………………………………………… 1936　1(2-3)
训令 …………………………………………………………… 1937　1(4)
布告 …………………………………………………………… 1937　1(4)
公函 …………………………………………………………… 1937　1(4)
会议 …………………………………………………………… 1937　1(4)
工作报告 ……………………………………………………… 1937　1(4)
校闻 …………………………………………………………… 1937　1(4)
　　开学注册上课
　　水利组第一届毕业
　　农业经济组消息三则
　　森林组春季造林
　　农民短期训练班结束
　　总理逝世纪念
专载 …………………………………………………………… 1937　1(4)
　　嫁接的功效
附录 …………………………………………………………… 1937　1(4)
　　本校会计规程
　　农村事务处合作社说明表
图书目录 ……………………………………………………… 1937　1(4)
布告 …………………………………………………………… 1937　1(5)
公函 …………………………………………………………… 1937　1(5)
会议 …………………………………………………………… 1937　1(5)
工作报告 ……………………………………………………… 1937　1(5)
校闻 …………………………………………………………… 1937　1(5)
　　革命先烈纪念日
　　欢送水利组毕业同学
　　森林组学生赴邠县林场参观
　　本校春季运动会
　　本校仪器室定购大批仪器
　　附小将举行儿童节
专载 …………………………………………………………… 1937　1(5)

  华北林木概况

附录 ································· 1937 1(5)
  本校训育大纲
  本校秘书处办事细则
  本校教务处组织规则
  本校总务处组织及办事简则
  二道原果树园艺场二十五年度已栽植果树之面积及株数

图书目录 ····························· 1937 1(5)

第三届春季运动会(专号) ················· 1937 1(6)

布告 ································· 1937 1(7)

呈文 ································· 1937 1(7)

会议 ································· 1937 1(7)

工作报告 ····························· 1937 1(7)

校闻 ································· 1937 1(7)
  本校订购大批仪器
  水利组毕业生分别到各水利机关服务
  渭河北岸草滩已划为本校畜牧场
  本校军训教官易人
  土壤专家周昌芸先生莅校

专载 ································· 1937 1(7)
  如何利用土地
  华北林木概况(续)

附录 ································· 1937 1(7)
  春季运动会给奖露布
  运动会成绩一览
  园艺场试验工作计划大纲

图书目录 ····························· 1937 1(7)

训令 ································· 1937 1(8)

会议 ································· 1937 1(8)

工作报告 ····························· 1937 1(8)

校闻 ································· 1937 1(8)
  农业经济组统计工作开始
  本校高职林二级学生赴太白山实习

　　　　本校高职农林三年级学生赴国内各农林机关学校参观
专载 ………………………………………………………………… 1937　1(8)
　　　　气候地势土壤与园艺植物之关系
　　　　华北林木概况(续)
　　　　泾洛渠工程报告书
通讯 ………………………………………………………………… 1937　1(8)
　　　　顾颉刚先生来函
　　　　本校毕业同学致校长函
附录 ………………………………………………………………… 1937　1(8)
　　　　本校会计股办事细则
　　　　本校庶务股办事细则
指令 ………………………………………………………………… 1937　1(9)
会议 ………………………………………………………………… 1937　1(9)
工作报告 …………………………………………………………… 1937　1(9)
校闻 ………………………………………………………………… 1937　1(9)
　　　　学期试验　集中军训
　　　　工警夜校游艺会
　　　　印刷股新到大批仪器
专载 ………………………………………………………………… 1937　1(9)
　　　　有机肥与化学肥的作用及施肥的方法
　　　　葡萄的地下扦插法
附录 ………………………………………………………………… 1937　1(9)
　　　　本届水利组毕业生服务地点
　　　　学生自治会赈务会启事
图书目录 …………………………………………………………… 1937　1(9)
训令 ………………………………………………………………… 1937　1(10)
公函 ………………………………………………………………… 1937　1(10)
会议 ………………………………………………………………… 1937　1(10)
工作报告 …………………………………………………………… 1937　1(10)
校闻 ………………………………………………………………… 1937　1(10)
　　　　李树芳先生逝世
　　　　同学齐赴西安受训
　　　　图书馆消息

  工友暑期训练班开始授课
专载 ……………………………………………………… 1937 1(10)
  本校林场郿县分场廿六年春季造林育苗等报告
通讯 ……………………………………………………… 1937 1(10)
附录 ……………………………………………………… 1937 1(10)
  本校二十六年度招生简章
  本校附设高级职业学校廿六年度招生简章
训令 ……………………………………………………… 1937 1(11)
呈文 ……………………………………………………… 1937 1(11)
公函 ……………………………………………………… 1937 1(11)
会议 ……………………………………………………… 1937 1(11)
工作报告 ………………………………………………… 1937 1(11)
校闻 ……………………………………………………… 1937 1(11)
  辛校长杨秘书长在京公毕返校
  高职廿六级参观返校
  本校职员谢群英先生逝世
专载 ……………………………………………………… 1937 1(11)
  本校林场郿县分场廿六年春季造林育苗等报告
通讯 ……………………………………………………… 1937 1(11)
附录 ……………………………………………………… 1937 1(11)
  本校校务会议规则
  本校各组组务会议议事细则
  新到图书目录
训令 ……………………………………………………… 1937 1(12)
布告 ……………………………………………………… 1937 1(12)
公函 ……………………………………………………… 1937 1(12)
工作报告 ………………………………………………… 1937 1(12)
校闻 ……………………………………………………… 1937 1(12)
  中校教员暑期讲习班消息一束
  工程委员会近讯
专载 ……………………………………………………… 1937 1(12)
  地质土壤研究室廿六年度土壤研究工作计划
  本校林场咸阳分场廿六年春季造林育苗等报告

附录 ……………………………………………………	1937	1(12)
本校注册股办事细则		
本校印刷股组织规则及办事细则		
本校校医股办事细则		
呈文 ……………………………………………………	1937	2(1)
工作报告 ………………………………………………	1937	2(1)
校闻 ……………………………………………………	1937	2(1)
金陵大学教授朱惠芳先生来陕调查核桃林		
讲习班消息两则		
本校派员各地招生		
实业部派皮作琼先生来陕调查森林		
中国银行派员来校合办农村事业		
畜牧兽医组采购畜种		
专载 ……………………………………………………	1937	2(1)
本校园艺组蔬菜栽培试验方针		
萝卜品种试验		
附录 ……………………………………………………	1937	2(1)
新到图书目录		
笺函 ……………………………………………………	1937	2(2)
工作报告 ………………………………………………	1937	2(2)
校闻 ……………………………………………………	1937	2(2)
受训同学消息		
暑期讲习班将届结束		
教育部批准本校职员留学		
专载 ……………………………………………………	1937	2(2)
白菜品种比较试验		
白菜移植试验		
通讯 ……………………………………………………	1937	2(2)
毕业同学武君致校长函		
武君致本刊编辑室函		
本刊编辑室复函		
附录 ……………………………………………………	1937	2(2)
新到图书目录		

第十二章　学术期刊

训令 …………………………………………………	1937	2(3)
会议 …………………………………………………	1937	2(3)
二十六年度第一次校务会议纪录		
工作报告 ……………………………………………	1937	2(3)
校闻 …………………………………………………	1937	2(3)
本校招考新生揭晓		
本校开学日期已公布		
本校收纳借读生		
赴太白山调查		
合作社消息		
专载 …………………………………………………	1937	2(3)
高职林科学生参观报告		
附录 …………………………………………………	1937	2(3)
本校附设高级职业学校录取各生名单		
本校在西安开封武昌三处招考专科新生名单		
公函 …………………………………………………	1937	2(4)
工作报告 ……………………………………………	1937	2(4)
专载 …………………………………………………	1937	2(4)
果树实验计划提纲		
二十六年度果树实验设计		
高职林科学生参观报告（续）		
通讯 …………………………………………………	1937	2(4)
刘士林先生自太白山致校长函		
太白山实习学生致校长函两件		
附录 …………………………………………………	1937	2(4)
本校园艺组售品目录		
指令 …………………………………………………	1937	2(5)
笺函 …………………………………………………	1937	2(5)
工作报告 ……………………………………………	1937	2(5)
校闻 …………………………………………………	1937	2(5)
校长返校视事		
本校成立抗敌后援会分会		
"九一八"纪念日全体出发宣传		

陶孟和先生来校参观并有演讲
　　开学—注册—补考
　　高职消息二则
专载 .... 1937　2(5)
　　宣传大会关于"九一八"扩大宣传工作之检讨
　　原生质流动现象之观察
　　高职林科学生参观报告(续)
通讯 .... 1937　2(5)
　　刘士林先生自太白山致校长函
附录 .... 1937　2(5)
　　本校二十六度招考之状况
公函 .... 1937　2(6)
会议 .... 1937　2(6)
工作报告 .... 1937　2(6)
校闻 .... 1937　2(6)
　　新任总务长到校视事
　　后援会募集棉衣运动
　　救亡剧团来校公演
　　战区贫苦学生服务
　　后援会另设宣传艺术两训练班
　　劳动服务办法规定
　　教授代表选出
　　训委会检查内务
专载 .... 1937　2(6)
　　关于葡萄
　　高职林科学生参观报告(续)
通讯 .... 1937　2(6)
　　陶孟和先生致校长函
　　毕业同学致校长函
附录 .... 1937　2(6)
　　本校教职员及同学慰劳抗敌将士捐款清册
训令 .... 1937　2(7)
布告 .... 1937　2(7)

公函 ··	1937	2(7)
会议 ··	1937	2(7)
工作报告 ··	1937	2(7)
校闻 ··	1937	2(7)

　　救济战区同学
　　时事讨论会消息
　　畜牧组添购大批牲畜
　　为故筹备员郭厚庵先生树碑
　　救亡剧团公演完毕
　　国防技术训练
　　试读生到校十六人
　　后援会慰劳西安伤员
　　特别军事训练

专载 ··	1937	2(7)

　　勘水利组同学
　　日本之育种事业及其趋势
　　农具研究计划

通讯 ··	1937	2(7)

　　王典章先生致校长函
　　吴印禅先生致校长函

附录 ··	1937	2(7)

　　新到图书

布告 ··	1937	2(8)
会议 ··	1937	2(8)
工作报告 ··	1937	2(8)
校闻 ··	1937	2(8)

　　本校全体同学出发各县宣传
　　本校防空队组成
　　本校慰问来武休养伤兵
　　本校缝成棉衣已送去五百件

专载 ··	1937	2(8)

　　陕西省核桃木初期营林之三年计划

通讯 ··	1937	2(8)

顾颉刚先生致校长函
附录 ……………………………………………………… 1937　2(8)
　　救济战区贫苦学生办法
　　本校防空队组织简则
　　本校防空暂行办法
　　本校教职员同学及工警等为抗战将士捐募棉背心运动之捐册
公函 ……………………………………………………… 1937　2(9)
工作报告 ………………………………………………… 1937　2(9)
校闻 ……………………………………………………… 1937　2(9)
　　本校抗敌后援会二次赴武功慰劳受伤兵士
　　本校救亡剧团将赴汉南
　　民众学校经费有着
　　本校抗敌会战地服务团赴泾阳受训
专载 ……………………………………………………… 1937　2(9)
　　武功县农业金融初步调查报告
通讯 ……………………………………………………… 1937　2(9)
　　陶孟和先生致校长函
　　毕业同学致校长函
附录 ……………………………………………………… 1937　2(9)
新到图书目录
训令 ……………………………………………………… 1938　2(10)
呈文 ……………………………………………………… 1938　2(10)
公函 ……………………………………………………… 1938　2(10)
会议 ……………………………………………………… 1938　2(10)
校闻 ……………………………………………………… 1938　2(10)
　　辛校长因公赴汉
　　本校举办小学教师训练班
　　本校抗敌后援会会员寒假赴宝鸡扶风工作
　　本校教职员组织宣传队宣传保国从军要义
　　戏剧团分途远征
　　本校第一期农民合作训练班开课情形
　　园艺组设立工人训练班
　　本校农场设立农工夜校

扶武两县划为本校合作实验区

专载 …………………………………………………………… 1938　2(10)
　　　开山山林概要
　　　本校羊奶滋养成分之分析
　　　栽培植物染色体数表
　　　黄土之施肥问题

通讯 …………………………………………………………… 1938　2(10)
　　　童冠贤先生致校长函
　　　本校沙玉清先生等致校长函

呈文 …………………………………………………………… 1938　2(11)

会议 …………………………………………………………… 1938　2(11)

校闻 …………………………………………………………… 1938　2(11)
　　　李仪祉先生逝世
　　　特种技术训练班已结束
　　　各路救亡剧团先后返校
　　　本校抗敌后援会改组
　　　本校实施军事管理

专载 …………………………………………………………… 1938　2(11)
　　　陇东之行

通讯 …………………………………………………………… 1938　2(11)
　　　罗登义先生致校长函
　　　梅培基同学致校长函

附录 …………………………………………………………… 1938　2(11)
　　　赵云梦先生来函
　　　本春推广树苗果苗简要办法
　　　本校新到图书目录

公函 …………………………………………………………… 1938　2(12)

会议 …………………………………………………………… 1938　2(12)

校闻 …………………………………………………………… 1938　2(12)
　　　总理逝世第十三周纪念本校植树运动概况
　　　本校植树节举行农村宣传周
　　　本校战区学生贷金办法公布
　　　本校补助贫寒学生

民众教育委员会广大组织
　　举行补考
专载 ………………………………………………………… 1938　2(12)
　　陇东之行(续)
通讯 ………………………………………………………… 1938　2(12)
　　李峰先生致校长函
　　虞宏正先生致教务长函
附录 ………………………………………………………… 1938　2(12)
　　陕西省各界抗敌后援会本校分会工作报告
　　本校军事管理纲要
　　本校战区学生贷金暂行办法
　　本校救济贫寒学生办法
训令 ………………………………………………………… 1938　3(1)
公函 ………………………………………………………… 1938　3(1)
会议 ………………………………………………………… 1938　3(1)
校闻 ………………………………………………………… 1938　3(1)
　　周昌芸教授将赴西康调查
　　本校植物调查所派员赴鄂西采集标本
　　本校举行成立四周年纪念大会
　　本校增加办公时间
　　黄龙山调查本校派员参加
　　本校畜牧兽医组一年级同学赴西安参观
专载 ………………………………………………………… 1938　3(1)
　　黄龙山垦区畜牧调查报告及建议
　　陇东之行(续)
通讯 ………………………………………………………… 1938　3(1)
　　湖北石厅长致校长函
　　复石厅长函
　　傅成镛先生致校长函
附录 ………………………………………………………… 1938　3(1)
　　公用器物损失处理规则
　　请求补发徽章办法
　　全校清洁施行办法

训令 ………………………………………………………	1938	3(2)
校闻 ………………………………………………………	1938	3(2)

  本校第四届春季运动会盛况

  五卅纪念日之收麦运动

  本校派员赴甘肃临洮协助农业职业学校

  高职第一届毕业纪念册筹备会汇款

  鲁南抗敌将士

  本校抗敌会捐款救济负伤将士

  本校农经组一二年级赴咸阳西安参观

  本校水利组二年级赴咸阳西安参观

  本校森林组二年级赴南五台实习

专载 ………………………………………………………	1938	3(2)

  本校附近鸡卵孵化之检讨

  陇东之行（续）

通讯 ………………………………………………………	1938	3(2)

  校长致徐专员函

  王学书先生致校长函

附录 ………………………………………………………	1938	3(2)

  本校图书馆新到图书目录

电令 ………………………………………………………	1938	3(3)
布告 ………………………………………………………	1938	3(3)
公函 ………………………………………………………	1938	3(3)
会议 ………………………………………………………	1938	3(3)
校闻 ………………………………………………………	1938	3(3)

  辛校长因公赴汉

  部视学到校

  本学期上课考试及暑期实习情形

  师生同乐会盛况

  新任会计主任到校

  新任军事教官到校

  "七七"举行盛大纪念会

  附小举行高秋二七级学生毕业典礼

专载 ………………………………………………………	1938	3(3)

赞助第一军随军服务团垦荒栽培马铃薯刍议
通讯 ·· 1938　3(3)
　　　校长致行营谷厅长函
　　　陕西民政厅长致校长函
　　　顾谦吉先生致校长函
　　　沈其益先生致校长函
　　　吴印禅先生致校长函
　　　董涵荣先生致校长函
　　　胡运枢同学致校长函

附录 ·· 1938　3(3)
　　　本校各组暑期实习大纲

训令 ·· 1938　3(4)
布告 ·· 1938　3(4)
公函 ·· 1938　3(4)
校闻 ·· 1938　3(4)
　　　辛校长将因公赴川
　　　本校二十六年读各组学生暑期实习概况
　　　本校调查工作
　　　暑期集训
　　　本校告知筹备招生
　　　畜牧兽医组增加设备
　　　本校出版物消息
　　　本校抗敌后援会缴解七七献金及黄灾捐款
　　　省立华县初级农职来校参观

专载 ·· 1938　3(4)
　　　西安咸阳参观日记
　　　太白山实习报告

通讯 ·· 1938　3(4)
　　　叶秀峰先生致校长函
　　　李赋都先生致校长函
　　　雷兴翰先生致校长函
　　　沙凤苞先生致校长函
　　　牛春山先生致校长函

杨金鼎先生致校长函

梅培基先生致校长函

附录 ………………………………………………………………… 1938　3(4)

国立西北农学院筹备委员会简章

慰劳前方将士捐款补录

本校新到图书目录

第五节　国立西北师范学院期刊发刊词与目录

一、《国立西北师范学院校务汇报》目录

《国立西北师范学院校务汇报》从第 1 期至少到 87 期。

编辑：国立西北师范学院出版组（第 1—56 期）

兰州国立西北师范学院出版组（第 57—87 期）

发行：国立西北师范学院出版组

兰州国立西北师范学院出版组（第 57—87 期）

印刷者：城固建国印刷局（第 1—56 期）

兰州俊华印书馆（第 57—77 期）

甘肃省银行印刷厂（第 78—86 期）

西北文化建设协会兰州印刷厂（第 87 期）

西北师范大学现藏情况（电子及纸质）：最早第 7 期，

其中 15、34、40、41、54、57 六期只有电子版，中间还缺：第 9、10、11、12、17、36、38、39、64、65、66、67、74、76、77 期。

目录

第 7 期，廿九年二月十六日出版（1940 - 02 - 16）

国立西北师范学院第八次纪念周讲演 ……………………………… 李建勋　第 1 - 4 页

师道论 ……………………………………………………………… 李建勋　第 1 - 4 页

部令修正西南少数民族虫兽偏旁命名令 ………………………………………… 第 4 - 5 页

部令：部令全国专科以上学校学生学业竞试办法 ……………………………… 第 5 - 6 页

《伤兵之友社》征求社友函及办法 …………………………………… 第6-7页
本院二十八年度在校学生学历统计表 ……………………………… 第8页

第13-14期,廿九年六月三十日出版(1940-06-30)
纪念周演讲词 ………………………………………… 刘　朴　第1-3页
校闻:教育部陈立夫视察本院 ………………………………………… 第3页
部令:部令公布专科以上学校清寒优秀学生中正奖学金办法 ……… 第3-5页
部令规定专科以上学校学生学业成绩考核办法要点 ……………… 第5-6页
全国专科以上学校战区学生贷金偿还办法 ………………………… 第6页
部令颁发各级学校实施农业生产办法大纲 ………………………… 第6-7页
本院教职员学生工友劳动服务工作时间分配表 …………………… 第7-8页

第15期,廿九年十一月三十日出版(1940-11-30)
国立西北师范学院本学期第一次纪念周记录 ……… 李建勋(湘宸) 第1-2页
学校的性质 …………………………………………… 李建勋　第2-3页
第四次院务谈话会记录 ……………………………………………… 第3-4页
二十九年度各系教授名单 …………………………………………… 第5页
二十九年度各年级导师名单 ………………………………………… 第6页
二十九年度各委员会名单 …………………………………………… 第6-7页
布告抗建论文比赛本院及格学生 …………………………………… 第7页
通函转知部定教员服务奖励规则 …………………………………… 第7-8页

第16期,廿九年十二月十五日出版(1940-12-15)
新生训练专号 ………………………………………………………… 第1页
序言 …………………………………………………… 李　蒸　第1-2页
教育部令发高中以上学校新生入学训练实施纲要及科目及教材大纲 … 第2-4页
本院新生入学训练大纲 ……………………………………………… 第5页
本院学生训练中队组织纲要(附组织系统表) ……………………… 第5-6页
教务实施细则附课程纲要及时间表 ………………………………… 第6-7页
训练实施细则 ………………………………………………………… 第7页
军事训练实施细则 …………………………………………………… 第7-8页
小组讨论会实施办法(附讨论会一览表等) ………………………… 第8-9页
国立西北师范学院个别谈话用表、新生个性调查表 ……………… 第9页
新生训练会议记事 …………………………………………………… 第10页
内务检查记事 ………………………………………………………… 第10页
附录一:新生训练队队长队附及指导员一览表 …………………… 第10页

附录一:各系主任及一年级导师一览表 ………………………………… 第11页
附录一:各小组讨论会指导员名单 ………………………………………… 第11页
附录一:二十九年度新生训练名单 ……………………………………… 第11-12页
附录一:小组讨论会分组名单 …………………………………………… 第12-13页
附录二:李院长在新生训练开学典礼训词 ……………………………… 第13-16页
附录二:广博与专精,提高与普及——黎先生在新生训练毕业典礼训词 … 第16-23页
附录二:新生入学训练期满毕业典礼新生代表毕业答词 …………… 张鸿儒 第23页
附录三:壁报《欢迎专号》发刊词 ………………………………… 甄成德 第23页
附录三:壁报《欢迎专号》迎新献辞 ……………………………… 刘光远 第23-26页
附录三:新生同乐会记事 ………………………………………………… 第26页
附录三:迎新大会记事 …………………………………………………… 第26页
附录三:体育同乐日纪实 ……………………………………………… 第26-28页
附录三:编辑播音 ………………………………………………………… 第28页

第18期,三十年一月十五日出版(1941-01-15)

国立西北师范学院本学期第二次纪念周记录 ………………………… 第1-4页
大学生应有的认识与努力 ………………………………… 王凤岗 第1-4页
训导会议第二次会议记录 ……………………………………………… 第5-6页
社会教育推行委员会第二次会议记录 ………………………………… 第6-7页
国立西北师范学院附设民众学校预算书 ……………………………… 第7页
国立西北师范学院乡村社会教育施教区组织纲要 …………………… 第7-8页
校闻:三十年元旦本院庆祝志盛 ……………………………………… 第5页

第19期,三十年一月卅一日出版(1941-01-31)

国立西北师范学院二十九年度第一学期第三次纪念周记录 ………… 第1-4页
大学青年的婚姻问题 ……………………………… 齐国樑(璧亭) 第1-4页
第五次院务谈话会记录 ………………………………………………… 第4-5页
各种课外活动指导员名单 ……………………………………………… 第5页
学校教职员养老金及恤金条例(二十九年七月三十日修正公布) …… 第6-8页
致汪事务主任慰勉在师大及本院继续服务已满二十年函 …………… 第8页
校闻:成立军训组并改校医室为卫生组 ……………………………… 第8页
校闻:本院乡村社教施教区开幕典礼志盛 …………………………… 第8页
校闻:增进西北交通 …………………………………………………… 第8页

第20期,三十年二月十五日出版(1941-02-15)

国立西北师范学院二十九年度第一学期第九次纪念周记录 ……… 李院长 第1-2页

英美日角逐下的泰国	邹豹君	第2-4页
中等以上学校添授总裁言行案应于训导时多加讲解令		第4页
教育部指示本院节约建国储蓄额数函电		第4-5页
规定各部分布告牌设置地点		第5页
教职员诊病办法		第5页
本校劳动生产农场近况		第5-6页
国立西北师范学院乡村社会教育施教区筹设经过报告书		第6-8页
国立北平师范大学校友会四川省长寿县支会校友录		第8页

第21期,三十年二月廿八日出版(1941-02-28)

国立西北师范学院二十九年度第一学期第十次纪念周记录	李院长	第1-3页
第四次教务会议记录		第3-5页
部令转知核定划分四季界限之标准		第5-6页
学校教职员养老金及恤金条例施行细则		第6-7页
校友通讯——师大校友会兰州分会成立		第8页
国立北平师范大学校友会兰州分会简章		第8页

第22期,三十年三月十五日出版(1941-03-15)

国立西北师范学院二十九年度第一学期第十一次纪念周记录	李院长	第1-2页
家事教育之重要性	齐国樑(璧亭)	第2-3页
国立西北师范学院二十九年度第一次学生生活指导委员会会议记录		第3-4页
国立西北师范学院二十九年度第二次学生生活指导委员会会议记录		第5页
国父逝世十六周年纪念植树纪实		第5-7页
北平师大三十八周年纪念刊出版		第7页
国立西北师范学院教育系小学教育通讯研究处招生简章		第8页

第23期,三十年三月卅一日出版(1941-03-31)

国立西北师范学院二十九年度第一学期第十七次纪念周记录		第1-3页
教育与政治	金澍荣	第1-3页
教育部对本院兼办社会教育嘉奖指令二件		第3页
专辑:乡村社会教育施教区开幕典礼纪实		第4-10页
专辑:寒假兵役宣传及慰劳抗属工作报告		第11-21页
附录:三郎庙	国二甄成德	第22-23页
附录:慰劳抗属的麟爪	国二孙毓苹	第23-24页
校闻:本院各种课外活动近况		第24页
校闻:校友总会第二届理监事联席会议第一次会议记录		第24页

第 24 期,三十年四月十五日出版(1941-04-15)

国立西北师范学院廿九学年第二学期第一次纪念周记录 ………… 李院长 第1-4页
第三次学生生活指导委员会会议记录 ……………………………………… 第4页
实验国文教学谈话会记录 …………………………………………………… 第4-5页
文艺奖助金管理委员会征求抗战文艺作品办法 …………………………… 第5页
教育与政治 ………………………………………………………… 金澍荣 第6-10页
乡村社会教育施教区协进会委员会委员名单 ……………………………… 第10页

第 25 期,三十年四月三十日由版(1941-04-30)

国立西北师范学院二十九学年第二学期第二次纪念周记录 ……… 第1-3页
令知筹备兰州分院办法仰遵办由 …………………………………………… 第3-4页
各机关调用现职人员应商得主管机关同意 ………………………………… 第4页
第三次训导会议记录 ………………………………………………………… 第4-5页
修正教育部所属机关学校会计室组织及办事通则 ………………………… 第5-8页
校闻:师大校友总会转函 ……………………………………………………… 第8页
校闻:本院乡村社教施教区近讯 ……………………………………………… 第8页

第 26 期,三十年五月十五日出版(1941-05-15)

国立西北师范学院二十九学年度第二学期第三次纪念周记录 …… 李院长 第1-2页
集体活动与教育创造 ……………………………………………… 黎锦熙 第2-4页
教育部订颁国立专科以上学校教授休假进修办法 ………………………… 第5-6页
社会部征求《民间读物》附办法 ……………………………………………… 第6-7页
教育部令准予师大高故教授步瀛转请褒恤(附本院呈文) ………………… 第7-8页
本院兰州分院校舍建筑委员会委员名单 …………………………………… 第8页
校闻:师大在陕同学会来函

……………………… 第 27 期第8页,三十年五月三十一日出版(1941-05-31)

国立西北师范学院二十九学年度第二学期第六次纪念周记录 ……………… 第1-3页
李蒸院长详细报告在兰州设分院事宜 ……………………………………… 第1-3页
部令毕业总考应一律遵办 …………………………………………………… 第3-4页
部令搜集教育行政资料 ……………………………………………………… 第4-8页
部令营养补救办法 …………………………………………………………… 第8页
校闻:本院本年度招生简章摘要

……………………… 第 28 期第8页,三十年六月十五日出版(1941-06-15)

国立西北师范学院二十九年度第二学期第七次纪念周记录 ……………… 第1页
专科以上学校训育问题 …………………………………… 李建勋(湘宸) 第1-6页

学生生活指导委员会第六次会议记录 ·· 第 6 页
三十年暑期体育讲习班简章(附四期课程计划) ····················· 第 7－8 页
国立西北师范学院劳作专修科三十年度招生办法
　　·························· 第 29 期第 8 页,三十年六月三十日出版(1941－06－30)
国立西北师范学院第一学期第八次纪念周记录 ··························· 第 1 页
职业指导与学校教育 ························· 赵进义(希三) 第 1－3 页
学生生活指导委员会第七次会议记录 ···································· 第 3－4 页
暑假学生活动讨论会记录 ·· 第 4－5 页
部令颁发卅年暑期中等学校各科教员讲习讨论会办法 ·············· 第 5－7 页
滇缅铁路金公债条例 ·· 第 7－8 页
校闻:本院院务概况印就 ··· 第 8 页
训导专号,三十年暑期出版(1941 年暑期)
训导专号 ·· 第 1 页
本院训导方针 ·· 第 1 页
序言 ··· 袁敦礼 第 1－6 页
本院二十九学年度训导行政计划及实施情形 ·························· 第 7－30 页
计划部分 ··· 第 7－12 页
实施部分 ··· 第 12－30 页
国立西北师范学院训导处二十九年度上学期工作报告 ············ 第 12－22 页
国立西北师范学院训导处二十九年度下学期工作报告 ············ 第 22－30 页
本院训导实施纲要 ··· 第 30－37 页
二十九年度学生健康状况 ··· 第 37－38 页
本院本学年度内关于训导问题之研究 ···································· 第 38－42 页
学生营养状况之研究 ··· 第 42 页
本年暑期学生活动之预定办法 ·· 第 42 页
国立西北师范学院暑期学生活动讨论会记录 ·························· 第 42－44 页
暑期学生活动指导委员会第一次会议 ···································· 第 44 页
第 30 期,三十年九月十五日出版(1941－09－15)
国立西北师范学院第一学期第十一次纪念周记录 ···················· 第 1－2 页
川康边区的情形 ······································· 林冠一 第 2 页
函知本院行政组织遵照部令改正 ·· 第 3 页
兰州分院十月一日成立 ··· 第 3 页
函送本师范学院区中等教育辅导委员会第一届会议记录 ·········· 第 3－6 页

小学教育通讯研究处小学教育研究委员会第七次会议记录 ………… 第6-8页

第31期,三十年九月三十日出版(1941-09-30)

国立西北师范学院第一学期第九次纪念周五月份国民月会暨革命政府成立纪念
会记录 …………………………………………………………………… 第1页
纪念日意义 ……………………………………………………… 曹配言 第2页
本院三十学年度新聘教授姓名 …………………………………………… 第2—3页
本院三十年度录取新生榜示 ……………………………………………… 第3-6页
院务谈话会记录 …………………………………………………………… 第6-7页
日蚀观测告报 ……………………………………………………………… 第7-8页

第32期,三十年十月十五日出版(1941-10-15)

本院十月份国民月会记录 ………………………………………… 李院长 第1-3页
兰州分院筹备谈话会记录 ………………………………………………… 第3-6页
国立西北师范学院实习指导委员会第一次会议记录 …………………… 第6-7页
部令嘉奖本院小学教育通讯研究处 ……………………………………… 第7页
部电收到本院青年号飞机捐款 …………………………………………… 第7页
核定本院教授蔡钟瀛齐国樑为休假进修教授 …………………………… 第7-8页
部令饬知切实注重学生体格 ……………………………………………… 第8页
校闻:国庆日记事 ………………………………………………………… 第8页

第33期,三十年十月卅一日出版(1941-10-31)

本学期第一次纪念周记录 ………………………………………… 李院长 第1-4页
三十年度新生训练谈话会记录 …………………………………………… 第4-5页
出版委员会第一次会议记录 ……………………………………………… 第5-6页
乡村社会教育施教区第六次区务会议记录 ……………………………… 第6-7页
修正国内出差旅费规则 …………………………………………………… 第7-8页
校闻:本院乡村社会教育施教区近讯 …………………………………… 第8页
校闻:分院教职员先后赴兰州 …………………………………………… 第8页

第34期,三十年十一月十五日出版(1941-11-15)

纪念周讲词 ………………………………………………………………… 第1页
一个教师的宇宙观与人生观 ……………………………………… 王凤岗 第1-5页
教务处规定本学年度各系学生转系办法 ………………………………… 第6页
本院各委员会委员名单 …………………………………………………… 第6页
本学年度出席院务会议教授代表选举结果 ……………………………… 第6页
修正支出凭证单据证明规则 ……………………………………………… 第7-8页

校闻:李院长定期赴兰州主持分院新生训练事宜 ……………………………… 第 8 页
校闻:国父诞辰本院区党部分团部联合举行时事座谈会 ……………………… 第 8 页

第 35 期,三十年十一月卅日出版(1941-11-30)
劳一开学典礼李院长训词 ………………………………………………… 第 1-3 页
第六次院务会议记录 ……………………………………………………… 第 3-4 页
部发非常时期改善教职员生活办法 ………………………………………… 第 4-6 页
部发非常时期改善教职员生活办法施行细则 ……………………………… 第 6-7 页
校闻:教育系二年级旅行霸王寨 …………………………………………… 第 8 页

第 37 期,三十年十二月卅一日出版(1941-12-31)
纪念周讲词 ………………………………………………………………… 第 1 页
边疆教育 ………………………………………………… 张云波 第 1-2 页
新年金石书画展览筹备会会议记录 ………………………………… 第 2-4 页
部令抄发修正国民体育法 …………………………………………… 第 4-5 页
部令征求高初中本国史地课本 ……………………………………… 第 5 页
赴兰旅途报告 ………………………………………………………… 第 5-7 页
校闻:师大三十九周年纪念日记事 …………………………………… 第 8 页

第 40 期,三十一年三月卅一日出版(1942-03-31)
纪念周讲词 ………………………………………………… 李院长 第 1-3 页
中等学校国文教学实验委员会第一次会议记录 …………………… 第 3-4 页
部令:发动注音识字运动 ……………………………………………… 第 4 页
部令:"汉字"改称"国字" ……………………………………………… 第 4-5 页
部令:修正学校教职员养老金及恤金条例第二条第八条 …………… 第 5 页
校闻:本院小学教育通讯研究处第四期招生(附招生简章) ………… 第 6-7 页
附录:中国教育学会改选理事 ………………………………………… 第 7 页
附录:陕西省政府复本院教职员代电 ………………………………… 第 7 页
附录:教与学月刊社征稿函 …………………………………………… 第 7 页
本院学术季刊创刊号总目 ……………………………………………… 第 8 页

第 41 期,三十一年四月三十日出版(1942-04-30)
纪念周讲词 …………………………………………………………… 第 1 页
教师的社会责任 ………………………………………………… 唐得源 第 1-3 页
教育部代电增加教育人员生活补助费 ……………………………… 第 3 页
部令:处理敌机掷下物品须知 ……………………………………… 第 3-4 页
部令:各级学校及社教机关推进国民精神总动员及新生活运动工作实施纲要

………………………………………………………………………… 第4-7页
部令:中等以上学校学生三民主义论文比赛办法 ………………………… 第7-8页
校闻:本院全体师生春假赴宝山旅行 …………………………………… 第8页
校闻:本院学术季刊创刊号出版 ………………………………………… 第8页

第42期,三十一年五月卅一日出版
纪念周讲词 ……………………………………………………………… 第1页
吾国高级师资训练之待决问题 ………………………… 李建勋 第1-6页
部令:嘉奖本院对于精神教育之实施 ……………………………… 第6页
部令:嘉许本院对于社教活动举办农事工艺家事展览等 ………………… 第6页
部令:三十一年度大学师范农工学院辅导中等学校办法大纲 …………… 第6-7页
校闻:本院李院长赴渝 …………………………………………………… 第7页
校闻:本院举行系际技巧运动比赛及体育系技巧运动表演会 …………… 第7-8页
校闻:本院举行春季运动大会 …………………………………………… 第8页
校闻:本院国语注音符号讲习会成立 …………………………………… 第8页

第43期,三十一年六月卅日出版(1942-06-30)
纪念周讲词 ……………………………………………………………… 第1页
天才与社会 ……………………………………………… 郝耀东 第1-4页
本院暑假学生服务进修第一次会议记录 ………………………………… 第4—5页
部令:战时专科以上学校学生剩用假期服务进修实施细则 ……………… 第5-6页
部令:修正著作发明及美术奖励规则 …………………………………… 第6-8页
校闻:本院李院长公毕由渝返院 ………………………………………… 第8页
校闻:《战时与战后教育》出版 …………………………………………… 第8页

第44期,三十一年七月卅一日出版(1942-07-31)
部令:当前之文化政策与宣传 …………………………………………… 第1-6页
部令:限制各级学校现职人员自由去就 ………………………………… 第6页
教育部代电检发本院捐献青年及教师号机捐奖状 ……………………… 第6-7页
国立北平师范大学校友会重庆沙磁区分会成立大会决议案 …………… 第7-8页
谈谈本院图书馆 ………………………………………………………… 第8页

第45期,三十一年八月三十一日出版(1942-08-31)
本院区党部举办学术讲演敦请本院汪教授堃仁讲演 …………………… 第1-6页
部令奖励编译职业技术教材(附暂行办法及申请表式) ………………… 第6-7页
谈谈本院图书馆(续) …………………………………………………… 第7-8页
校闻:自本年度起兰州分院改为本院城固部分改为分院 ………………… 第8页

校闻:本院暑期体育讲习班举行毕业典礼 ………………………………… 第8页
校闻:汉中体育协进会委托本院开办陕南各县体育教员暑期训练班 ………… 第8页
校闻:本院区党部举办新党员训练 ………………………………………… 第8页
第46期,三十一年九月三十日出版(1942-09-30)
纪念周讲词 ……………………………………………… 李院长 第1-3页
本院区党部举办学术讲演敦请本院汪教授堃仁讲演(续) …………… 第4-5页
谈谈本院图书馆(续) ……………………………………………… 第5-7页
校闻:本院学生暑期乡村社会服务经过 …………………………… 第7-8页
第47期,三十一年十月三十一日出版(1942—10-31)
纪念周讲词 ……………………………………………………… 第1页
黄河的问题 ……………………………………………… 邹豹君 第1-3页
部令:检核大学学生毕业成绩铨定任用资格办法 …………………… 第3-4页
部令:备用人员登记条例施行细则 ………………………………… 第4-6页
教育部节约建国储蓄团代电(附全国节约建国储蓄三十一年度竞赛及核奖办法
…………………………………………………………………… 第6页
谈谈本院图书馆(续) ……………………………………………… 第6-8页
校闻:本院续招各系科新生 ………………………………………… 第8页
第48期,三十一年十一月卅日出版(1942-11-30)
纪念周讲词 ……………………………………………………… 第1页
甘宁青三省师资问题考察经过报告 ……………………… 郝耀东 第1-3页
院务谈话会记录(兰州分院) ……………………………………… 第3-5页
全国节约建国储蓄三十一年度竞赛及核奖办法(续) ………………… 第5-7页
部令检发部聘教授服务细则 ……………………………………… 第7—8页
校闻:本院及党部团部联合举行总理诞辰纪念会及时事座谈会 ………… 第8页
校闻:本院先修班续招新生 ………………………………………… 第8页
校闻:本院筹备庆祝周年纪念 ……………………………………… 第8页
第49期,三十一年十二月卅一日出版(1942-12-31)
师大暨本院四十周年纪念日讲演词 ……………………………… 第1页
主席袁敦礼先生报告 ……………………………………………… 第1-3页
教授代表李建勋先生讲词 ………………………………………… 第3-6页
来宾杨宙康先生讲词 ……………………………………………… 第6页
函电及祝词 ……………………………………………………… 第6-8页
四十周年纪念日记事 ……………………………………………… 第9页

师大校友总会第四届年会记录 …………………………………………… 第9-10页

第50期,三十二年一月三十一日出版(1943-01-31)

本院第一届毕业生毕业典礼报告暨讲词………………………………… 第1页
李院长报告及训词 …………………………………………………… 第1-3页
来宾祝司令绍周讲词 ………………………………………………… 第3页
来宾魏专员席儒讲词 ………………………………………………… 第4页
教职员代表袁志仁先生训词 ……………………………… 袁敦礼 第4-5页
附本届毕业生名单 …………………………………………………… 第5页
部令:各级学校不得收容超过学龄之学生兵役适龄学生依法抽签得服兵役 …… 第6页
部令:五届十中全会对于教育部工作报告之指示 ………………………… 第6-7页
部令:征求中等学校辅导丛书办法及各科教材教法注意要点 …………… 第7—8页

第51期,三十二年二月二十八日出版(1943-02-28)

纪念周讲词——明初的移民 ……………………………… 张云波 第1-3页
部令:对各部队机关或私人通信时应书明收件人信箱字号姓名次章不得直书其
　　级职 ……………………………………………………………… 第3页
部令:雇用人员登记条例自三十一年十二月一日起施行 ………………… 第3页
部令:中央卫生实验院心理卫生咨询办法 ………………………… 第3-4页
部令:战时后方服务人员其直系尊亲属在沦陷区内死亡不能奔丧成服者拟于
　　事平之后准予公假归葬 ……………………………………… 第4-5页
师大校友总会第四届理监事第一次联席会议记录 …………………… 第5-6页
学校会计心理上之错觉与纠正 …………………………… 袁剑雄 第6-8页
校闻:本院乡村社会教育施教区改设为社会教育实验区 ………………… 第8页
校闻:本院社会教育实验区二周年纪念 …………………………………… 第8页

第52-53期,三十二年四月三十日出版(1943-04-30)

纪念周讲词 …………………………………………………………… 第1页
由抗战检讨中国学术界 …………………………………… 张云波 第1-3页
本院第九次院务会议记录 ………………………………………… 第3-7页
部令:振作行政精神整饬行政纪律纲要 …………………………… 第7-8页
部令:中等以上学校训导设备要项 ………………………………… 第8-9页
铨叙部函送备用人员登记条例表件全份 ………………………… 第9-16页
备用人员登记条例 ………………………………………………… 第10-11页
备用人员登记条例施行细则 ……………………………………… 第11-12页
备用人员登记申请须知 …………………………………………… 第12-15页

备用人员登记保证办法 …………………………………………… 第15－16页
保证书 …………………………………………………………… 第16页
校闻：本院李院长在渝公毕返兰 ………………………………… 第16页

第54期，三十二年五月卅一日出版（1943－05－31）

纪念周报告暨讲词 ………………………………………………… 第1－3页
部颁师范学校国文课程标准 ……………………………………… 第3－6页
部发工作竞赛推行委员会工作竞赛奖励办法 …………………… 第7页
校闻：北平师大校友总会"校友通讯"出版 ……………………… 第7页
校闻：李湘宸齐璧亭两先生六秩大庆会记事 …………………… 第7－8页
校闻：方言调查干部训练班开班 ………………………………… 第8页

第55期，三十二年六月三十日出版（1943－06－30）

纪念周讲词 ………………………………………………………… 第1页
青年成功之路 ………………………………………… 康绍言 第1－3页
部颁简易师范学校国文课程标准 ………………………………… 第3－7页
部召训导会议决议各校履行遵照事项 …………………………… 第7－8页
校闻：本院师生欢送毕业同学 …………………………………… 第8页

第56期，三十二年七月三十一日出版（1943－07－31）

本院第二届毕业生毕业典礼报告暨训词 ………………………… 第1－4页
主席黎劭西先生报告 ………………………………… 黎锦熙 第1－2页
李院长训词 …………………………………… 汪如川（代读） 第2－4页
毕业生李灏答词 …………………………………………………… 第4页
附本属毕业生（即四年级离校实习生）名单 …………………… 第4－5页
部发非常时期公务员考绩条例 …………………………………… 第5－8页
第四十一次工作讨论会记录，第8页

第57期，卅二年十月十五日出版（1943－10－15）

三民主义青年团中央团部张书记长训话 ……………… 张治中 第1－3页
师范生免服兵役令 ………………………………………………… 第3－4页
本院学生会计年度支领公费及制服津贴办法 …………………… 第4页
本院教职员住宅及宿舍调查 ……………………………………… 第4－5页
本院三十二年度迁校记 ……………………………… 佟学海 第5－8页

第58期，卅二年十月三十一日出版（1943－10－31）

本院本学年开学典礼记录 …………………………… 李院长 第1－3页
郭主任讲演 …………………………………………… 郭毓彬 第3－4页

劳作科孙主任讲演	孙一青 第 4 页
本年各区新生姓名	第 4—7 页
校闻简报十三则	第 7-8 页
国立西北师范学院教职员日用品必需品购买分配委员会简章	第 8 页
国立西北师范学院教职员日用品必需品购买分配委员会委员名单	第 8 页

第 59 期,卅二年十一月十五日出版(1943-11-15)

纪念周记录	第 1-3 页
三十二年度新生姓名(西安区)	第 3-4 页
新生训练录要:新生训练第一次会议记录	第 4-5 页
迎新同乐大会记事	景时春 第 5-7 页
本院大举植树	第 7-8 页
校闻简报:本院新生训练活动	第 8 页
校闻简报:本院课外活动	第 8 页
校闻简报:本年度城固分院来兰州本院教授	第 8 页
校闻简报:三民主义青年团中央团部张书记长惠允拨款二十万元,计划建筑青年馆	第 8 页
校闻简报:本院社会教育及国民教育实验区拟举行成立典礼	第 8 页
校闻简报:函告西北盐务管理局购盐事宜	第 8 页

第 60 期,卅二年十一月三十日出版(1943-11-30)

国父纪念周记录	李院长 第 1-3 页
青年应有的修养	李 蒸 第 2-3 页
三十二年度新生姓名	第 3 页
专上教员支给学术研究费令	第 4-5 页
本院社会教育实验区及与市政府合办国民教育实验区举行成立典礼志盛	第 5-6 页
本院学生参加兰州市中上学生三民主义文化建设演说竞赛及论文竞赛获得特奖	第 6-7 页
本院图书馆新到图书	第 6-8 页
校闻简报	第 8 页

第 61 期,卅二年十一月十七日出版(1943-11-17)

师大及本院成立四十一周年纪念专号	第 1 页
引言	第 1-2 页
纪念典礼记录	第 2-6 页
李蒸院长在师大及本院成立四十一周年纪念典礼上的讲话	第 2-3 页

来宾及校友讲演	第3—6页
来宾及校友贺电等	第6—8页
游艺节目	第8—9页
校友总会第四届年会及理监事会议报告	第9页
后序	第10页

第62期,卅二年十二月卅一日出版(1943-12-31)

国父纪念周记录	李院长	第1—2页
文艺作家的心理	郝耀东	第2—3页
本院师范研究所研究生凌洪龄准授硕士学位		第3页
教育部对于本院之嘉奖与指正		第3—4页
校闻简报:本院师范部职员刘克敏追悼会		第4—5页
校闻简报:本院三十二学年度寒假时间		第5页
校闻简报:本院公利互助社选举理事		第5页
校闻简报:本院劳作专修科一二年级自本学期在兰上课		第5页
校闻简报:本院校友会主办之《校友通讯》编印		第5页
校闻简报:本院学生寒假活动		第5—6页
校闻简报:截止本学年本学期末兰州本院教职员统计		第6页
校闻简报:本院举行聚餐团拜及欢迎同人活动		第6页
校闻简报:本院院长率教职工于寒假赴青海商洽工作		第6页
本刊启示		第6页
西北论集:就西北论西北	罗家伦	第6—8页

第63期,卅三年二月十五日出版(1944-02-15)

纪念周记录	李院长	第1—3页
改定旅费标准		第3—4页
小学教员函授学校简章及招生简章		第4—5页
校闻简报:寒假活动比赛结果公布		第5—6页
校闻简报:本院聘哈美新教维吾尔语		第6页
校闻简报:本院学生报名参军		第6页
社会教育实验区三周年纪念盛况		第6页
西北论集:新疆的地理情形和西北国防	殷祖英(伯西)	第7—8页

第68、69、70期合刊,卅三年六月三十日出版

| 院长赴渝返校训话记录 | | 第1—3页 |
| 本年度实习教师及毕业生题名录 | 李 燕 | 第3—5页 |

校闻:辅导中等学校概况	第5页
校闻:运动会纪实	第5-6页
西北论集:新疆的民族与文化	黄仲良 第6-8页
教务谈话会记录	第8页

第71期,卅三年十一月三十日出版(1944-11-30)

纪念周记录	李院长 第1-4页
本院知识青年从军委员会成立	第4页
本年度新聘教授名单	第4页
本年度录取新生	第4-6页
校闻:校舍建筑	第6页
校闻:分院迁移	第6页
校闻:专科添设	第6页
校闻:人事专办	第6页
校闻:附中分校	第6页
校闻:家庭教育实验区成立	第6页
本院第三届毕业实习生毕业典礼院长训词(补志)	第7-8页

第72期,卅三年十二月三十一日出版(1944-12-31)

本院及北平师大成立四十二周年校庆纪念专号

本院及师大四十二周年纪念日讲演词	第1-5页
主席李院长报告	第1-3页
谷主席讲词	第3页
丁秘书长讲词	第3页
校友郭维屏先生讲词	第3-4页
教授代表蔡钟瀛讲词	第4-5页
函电祝词及礼品	第5-9页
四十二周年校庆志盛	第9-10页
校闻:校庆声中欢送远征军	第10页
第六届校友总会大会记录	第10页

第73-74期,三十四年二月二十八日出版(1945-02-28)

中国之道德教育	胡国钰 第1-5页
部令:志愿从军学生学业优待办法	第5页
部令:国外留学办法	第5-7页
部令:师范学院学生实习办法	第7-8页

本年度录取新生(续) ……………………………………………… 第8-10页

校闻:本院放寒假 ……………………………………………… 第10页

校闻:院长因公赴渝 ……………………………………………… 第10页

校闻:易秘书来兰 ……………………………………………… 第10页

第75期,三十四年三月三十一日出版(1945-03-31)

纪念周讲词 ……………………………………………… 第1-2页

和战春秋 ……………………………………………… 吴澄华 第1-2页

第三次院务会议记录 ……………………………………………… 第2-3页

本院知识青年自愿从军题名 ……………………………………………… 第3-5页

师大校友总会第六届第一次理监事联席会议决议录 …………… 第5-6页

铨叙部函送备用人员登记条例表件全份(续五十二、三期合刊) …… 第6-8页

备用人员登记表 ……………………………………………… 第6-8页

校闻:本院最近出国之两教授 ……………………………………………… 第8页

校闻:东方文教研究院王恩洋先生捐书 …………………………… 第8页

校闻:公利互助社理监事选举结果 ……………………………… 第8页

本院社教实验区四周年纪念大会盛况 …………………………… 第8页

第78、79、80期合刊,三十四年十月三十一日出版(1945-10-31)

部令:令颁改进师范学院办法实施时应行注意事项 ……………… 第1-2页

部令:令发中等以上学校社会教育推行委员会组织规程 ………… 第2-3页

部令:令颁促进注音国字推行办法及各省市县推行注音符号办法 …… 第3-5页

部令:核发教职员福利金并规定应行注意事项 ……………… 第5页

本院章则:本院三十四年度聘任教职员施行原则 ……………… 第5-7页

本院章则:作文批改及指导办法 ……………………………… 第7-8页

本院章则:日记写作办法 ……………………………………… 第8-10页

本院第四届毕业实习生名单——本院迁兰后第一次毕业典礼 …… 第10-12页

本院一年级新生名单 ……………………………………………… 第12-14页

本院奉部令主编第二卷中等教育季刊经过 ……………………… 第14-17页

校闻:教育部高等教育考察团莅校视察(补志) ……………… 第17页

校闻:李院长赴渝履新 ……………………………………… 第17页

校闻:师大校友总会为复校事召开全体大会 ……………… 第18页

校闻:复校代表返兰 ……………………………………… 第18页

校闻:本院开课 ……………………………………… 第18页

校闻:《学术季刊》第二期征稿 ……………………………… 第18页

学术业务类码表(附本院办公学术化类码表) ………………………… 第1—12页

第81期，三十四年十二月卅一日出版(1945－12－31)

建国应注意师范教育 …………………………………… 邓翠英 第1—2页
本院及师大四十三周年纪念会记录 ………………………………… 第2—6页
纪念仪式 ……………………………………………………………… 第2—4页
函电祝词及礼品 ……………………………………………………… 第4—5页
校友总会全体大会记录 ……………………………………………… 第5—6页
部令：专科以上学校教员应约出国讲学或研究办法 ………………… 第6页
部令：全国公私文物损失登记办法 ………………………………… 第6—7页
第五次院务会议记录 ………………………………………………… 第7—8页
校闻：复校运动之一段 ………………………………………………… 第8页

第82期，三十五年五月三十一日出版(1946－05－31)

部令：发中等以上学校战时服役学生复学及转学办法 …………… 第1—2页
部令：三十五年度通用中心宣传标语 ……………………………… 第2—3页
部令：公务员直系亲属在沦陷区内死亡战时不能奔丧成服办法 …… 第3页
部令：征集教育文化资料要点 ……………………………………… 第3—4页
部令：修正全国人民纪念国难办法 ………………………………… 第4页
部令：国立各级学校迁校办法 ……………………………………… 第4—6页
审计部甘肃省审计处公函——公务员除法令所定外不得兼任他项公职业务 …… 第7页
第十八次教务会议决议录 …………………………………………… 第7页
第八次院务会议记录 ………………………………………………… 第7—8页
第七次主任导师会议记录 …………………………………………… 第8—9页
第五届毕业实习生名单 ……………………………………………… 第9—12页
校闻：复校运动之一段(续八十一期) ……………………………… 第12页
校闻：黎代院长飞渝 ………………………………………………… 第12页
校闻：《学术季刊》第二期出版 ……………………………………… 第12页
校闻：本院放暑假 …………………………………………………… 第12页

第83期，三十五年十一月三十日出版(1946－11－30)

部令：电发收复区学生还乡旅费支给表 …………………………… 第1页
部令：令准垫发未送审或已送审尚未核定资格教员之学术研究补助费 ……… 第1—2页
部令：电发收复区籍教职员还乡旅费发给标准及应行注意事项 …… 第2—4页
国立西北师范学院国文学系所属科目表 ………………………… 第4—10页
教务会议记录 ……………………………………………………… 第10—13页

本院第五届离校实习生名单 …………………………………………… 第13-14页
本年度新生名单 ………………………………………………………… 第14-16页
校闻:黎院长行踪 ………………………………………………………… 第16页
校闻:易代院长即将返兰 ………………………………………………… 第16页
校闻:本院开学及上课 …………………………………………………… 第16页
校闻:本年校庆拟扩大举行 ……………………………………………… 第16页

第84期,三十五年十二月三十一日出版(1946-12-31)
四十四周年校庆纪念会讲词 …………………………………………… 第1-4页
主席易代院长价讲词 ………………………………………… 易　价 第1-2页
兰大校长辛树帜先生讲词 ………………………………………………… 第2页
兰州市党部书记长李瑞征先生讲词——代表兰州党团政联席会宣布十里店
　　公路改名为"李蒸路" ………………………………………………… 第2-3页
兰大文理学院院长董爽秋党生讲词 ……………………………………… 第3页
兰大训导长段子美先生讲词 ……………………………………………… 第3页
教职员代表王非曼先生讲词 ……………………………………………… 第3-4页
毕业生代表胡国钰先生讲词 ……………………………………………… 第4页
函电祝词及礼品 …………………………………………………………… 第4-5页
校庆日记事 ………………………………………………………………… 第5-7页
部令:调整公教人员生活补助费标准 …………………………………… 第7-8页
部令:公务员因公伤病核算医药费办法 ………………………………… 第8-9页
教务会议记录
第二十四次教务会议记录 ………………………………………………… 第9页
第二十五次教务会议记录 ………………………………………………… 第9-10页
校闻:十里店公路改名"李蒸路" ………………………………………… 第10页
校闻:李前院长云亭先生将返校讲学 …………………………………… 第10页
校闻:本院将放寒假 ……………………………………………………… 第10页

第85期,三六年四月三十日出版(1947-04-30)
纪念周讲词 ………………………………………………………………… 第1-2页
自我发现与自我实现 …………………………………………… 胡国钰 第1-2页
部令:免役禁役缓征缓召申请审查办法 ………………………………… 第2-4页
部令:奖励编译职业技术教材暂行办法 ………………………………… 第5页
部令:院长黎锦熙辞职照准遗缺聘易价代理 …………………………… 第6页
部令:函发著作发明及美术奖励规则 …………………………………… 第6-8页

院务会议记录
　　第十次院务会议记录 ··· 第 9 页
　　院务谈话会记录之一 ··· 第 9－10 页
　　院务谈话会记录之二 ··· 第 10 页
教务会议记录
　　教务谈话会记录 ··· 第 10－11 页
　　第二十六次教务会议记录 ·· 第 11－12 页
　　校闻:黎院长辞职经过 ·· 第 12 页
　　校闻:教育部聘易价代理本院院长 ·································· 第 12 页
　　校闻:本院将运到大批图书 ·· 第 12 页
第 86 期,三十六年七月三十一日出版(1947－07－31)
　　从国际现势谈到西北建设 ··· 第 1－4 页
　　部令:关于本学年度各校公费制度八项原则 ······················· 第 4 页
　　检发国立中等以上学校及省立专科以上学校学生给予公费办法 ······· 第 4－5 页
院务会议记录
　　院务谈话会记录之一 ··· 第 5－6 页
　　院务谈话会记录之二 ··· 第 6－7 页
教务会议记录
　　教务谈话会记录 ·· 第 7 页
　　第二十七次教务会议记录 ··· 第 7－8 页
　　第二十八次教务会议记录 ·· 第 8 页
　　易代院长价于七月一日就职 ·· 第 8 页
　　校闻:易代院长赴京向教育部述职 ··································· 第 8 页
　　校闻:本院举行第六届毕业典礼 ···································· 第 8 页
　　本院放暑假 ··· 第 8 页
第 87 期,三十六年十月三十一日出版(1947－10－31)
　　部令:公务员请假规则 ·· 第 1－2 页
　　部令:部准自卅六学年度正式成立附属小学 ······················· 第 2 页
　　院务谈话会记录 ·· 第 2－3 页
教务会议记录
　　第二十九次教务会议记录 ·· 第 3 页
　　第三十次教务会议记录 ·· 第 3－4 页
　　第三十一次教务会议记录 ·· 第 4－5 页

第三十二次教务会议记录 ………………………………………… 第5-6页
第六届离校实习生名单 …………………………………………… 第6-7页
本年新生名单 ……………………………………………………… 第7-8页
校闻:易院长由京返校 ……………………………………………… 第8页
增建校舍工程开始 …………………………………………………… 第8页
仪器三大箱航运到校 ………………………………………………… 第8页
训导专号 …………………………………………………… 1945年年导专号
本院训导方针 ……………………………………………… 1945年训导专号
本院训导实施纲要 ………………………………………… 1945年训导专号
二十九年度学生健康状况 ………………………………… 1945年训导专号
本院本学年度内关于训导问题之研究 …………………… 1945年训导专号
学生营养状况之研究 ……………………………………… 1945年训导专号
本年暑期学生活动之预定办法 …………………………… 1945年训导专号

二、《国立西北师范学院学术季刊》[①]发刊词与目录

编辑兼出版者:国立西北师范学院出版委员会
发行者:国立西北师范学院出版委员会
印刷者:城固建设印刷局(创刊号)
兰州青年印刷厂(第二期)
经售者:国立西北师范学院出版组
地址:陕西城固(创刊号)
兰州十里店(第二期)

本院的使命与校风——代发刊词

李 蒸

本院系于二十八年九月一日奉令就西北联大之师范学院独立设置而成立。其前身则为北平师范大学,故本院的使命为继续师大尚未完成的使命,本院的校风系袭沿师大固有的校风。师大所负的使命是双重的:一为实施教育专业训练,

---

[①] 《国立西北师范学院学术季刊》创刊号出版于中华民国三十一年三月十五日,由于印刷器材及费用高涨,以至于学校无法承受,因此至1949年七年多的时间,只出版了三期。

培养中等学校各科师资,教育行政人员,及研究教育学术专家,二为钻研高深学术,探讨宇宙真理。师大除负有一般大学的使命之外,同时亦负有教师专业训练之使命,但其修业年限则与一般大学一致。批评师大者认为实施专业训练之分量不足,师大无异于普通大学,但事实则不然。师大自成立以来,三十余年间,培养毕业生五千余人,其中百分之八十以上均服务于教育界,且"能以教育为终身事业,卓然有所建树,久已誉满士林"。师大已为国家培养数千青年导师,组成国家的教育干部,筑成踏实的社会基层。本院继承师大的光荣历史,产生于抗战建国的大时代中,负起西北各省中等学校师资训练之重大使命,期有以副国家之重托,并能维持师大精神于不堕。

五年制的师范学院制度系现任教育行政当局所创立。实源于民国初年之高等师范制度,但学生程度则予以提高。为求较师大的专业训练更加充实,故增加修业期限,注重教学实习,未来效果虽不能逆睹,但此种重视师资专业训练之精神实于国家民族前途有至大之关系。本院负西北区各省中等学校师资训练之重责,正值民族生死存亡之关键,自当遵照国家教育宗旨,认清本身使命,努力迈进,本院所负之使命应有下列各项:

(一)遵照国家建国理想及中华民国教育宗旨及其实施方针,促进中等学校教育之发展,并协助西北各省教育行政当局扩充中等学校数量及改进其内容。

(二)遵照国家青年训练政策,实施青年训练及研究青年问题。

(三)发扬中华民族固有文化与道德,并充实其生活力。

(四)倡导尊师重道之义,建立良好学风。

(五)陶冶国民人格,奠定复兴民族之基础。

(六)倡导改良社会风气,提高社会文化水准。

(七)领导教育思想,发挥教育主张。

(八)扩充教育事业,实现教育功能。

(九)坚定抗战意志,树立建国精神。

(十)提倡科学教育,促成国家现代化。

简单言之,本院对于国家民族之复兴,社会文化之促进,及西北人民与在学青年之陶冶训练,均负有领导责任。本院为西北区师范教育最高学府,其使命实不仅限于课室教学,及狭义的师资培植,必须致力民族文化之发扬,国民道德之树立。换言之,本院实有参加整个西北文化建设工作之任务。所谓西北文化建设工作,要而言之,可分:(一)恢复民族固有道德;(二)提高社会生活水准;(三)推进各省公民教育;(四)供给人民精神食粮。广义文化之含义实包括生活的各方面,但具体分析则为增进知能,创制文物制度,与征服自然,以求生活需要之满足,与生活方式之改善。西北为中华民族发祥之地,亦为中国文化发源之地,谈文化建设应从西北做起,盖因其有历史的与社会的良好基础,略加人力即不难振奋复兴。西北人民至今保有中国古风,所谓礼义廉耻之民族道德,可以随处有所表现,兼以人民之诚笃勤劳,体格健壮,如施以适当之领导,必能勇往迈进。本院所负使命甚大,虽深感能力绵薄,但以职责所在,亦必竭力而为之,惟愿各界人士协力进行,以期早日奠定民族复兴之基础。

本院的校风系沿袭师大固有的校风而来。所谓校风,即一校的风气,其所自来,常于不知不觉之中形成一种力量,但居其中者自然受其支配,受其影响,而能感觉到如与其相背而行必至举措不安。校风的形成,由于一般学生行为的表现。学生的行为,必须是合理的,进德的,公认的,自然的,然后方能成为一校的校风;所以既可称为校风,则学生的行为必是好的,学校的名誉也是好的。一般人常说的某校校风不良者,严格来说,某校只有校纪破坏的事实,而无所谓校风。

校风的形成有几方面的关系:第一、学校必须有悠久的历史,然后方能有确定的校风。较长的时间方能有较多的改造经验的机会。学校成立愈久,学生团体生活的方式愈有标准,盖因新陈代谢作用,使过去好的经验保存下来,传流下去,不良的习惯亦受自然淘汰逐渐革除,所谓风俗习惯的养成,乃是日积月累的成果。英国的牛津、剑桥两大学,欧陆的巴黎、柏林、罗马各大学,与夫美国的哈佛、耶鲁、哥伦比亚等大学,无不有其特异之校风,皆因具有数百年之历史,自然形成一种学校风气也。今日而谈校风问题,必须首先注意维持学校之长久历史。凡有历史的学校必能保有良好的校风,虽其中偶因一时的社会风气不良、时代思潮的影响,及临时发生事件,而遭受一时的破坏,但于校风之本体无关,纪律恢复,校风即依然存在。第二、学校必须有正确的教育方针,使全校师生均有共同目标与共同认识,然后齐一意志,集中力量,共谋校务之发展,则学校为一纯洁的学术机关,学校生活自然养成优良的风气。所谓正确的教育方针,当以遵照国家建国理想,教育政策,及学校特有精神而订定者为准,同时要绝对依照实行,不可因应付偶发问题而任意更改,此种类似学校之根本大法,实为形成校风之伟大力量。第三、学校教职员必须能负责领导学生,举凡思想方面,课业方面,生活方面,精神方面,均能以身作则,以教育家态度教导学生,以最大热忱为学校服务,则学生未有不敦品励行,服膺教诲者。学校当局之立身行事尤为重要,校务处理必须能以"公诚"二字出之,视学生如子弟,遇有过失,必须负责纠正,绝不可放任纵容;本爱护之热情,立严师之教范,果能如是,则校风自然培植起来。第四、政府当局与社会人士必须尊师重道,为学生树立楷模。我国自古有尊师重道之风。但自"五四"以后,学生误解自由之说,每有罢课辍学之书,师道陵夷,士习嚣张,而今日之为人师者亦有不知自尊,甚或利用学生争夺权位,学风败坏至于不可收拾。挽救之道,端在政府当局视教育为神圣事业。慎选教师、尊重教师、信任教师、扶助教师,庶几表正影直,风气丕变。教育为国家之命脉,在复兴民族之大时代中更见其重要,政府不但不应以普通职工视教师,亦不应以普通公务员视教师,政府为民族子弟择师,虽不必如昔日学生家长之礼拜私塾先生,但必须尊崇其地位,保障其生活。社会人士都是学生家长,尤须在心理上及行动上尊重教师在社会上之地位,为子弟示范。今日之教师未尽健全,固系实情,但此为个别问题,不可使其影响一般教师之尊严地位。教师之人选标准与尊师重道之风当有联带关系,但终不可因少数教师之欠缺,影响整个教师地位所应得之尊崇。第五、学校生活安定与教学内容充实亦为建立校风之重要条件。抗战以来,许多学校因生活问题不得解决,教学设备简陋,课业荒废,不免时起波动,但此为一时特殊现象。抗战胜利之后,学校恢复正常,只要政府及学校当局对此三方面加以注意,则问题解决亦属易事。

师大校风之建立当然亦受上述各方面的影响。师大创设于前清光绪二十八年,四十年来虽经过数度名称与组织上之变更,但始终保持师资训练之目的,专业训练之精神,故有始终一贯之校风,民元至民八之间为北高师时代,当时学校有蓬勃奋发之气象,良好校风即于此时建立基础。学生均以养成勤学之习惯,教师亦都有诲人不倦之精神。在此时期培养出来的学生,现在是全国中等教育界最健全之师资。"五四"学潮起后,师大学生有一部分负实际领导责任,故学校风气因受时代思潮影响亦不免有浮动情形,但并未动摇校风之根本。民十二,高师改为师大,正值故都军阀扰攘时会,学生参加政治革命工作者不少,又兼教育经费时常欠发,教职员多不能安于职守,所以当时学校亦呈不安定现象。迄民十六北伐完成全国统一,教育制度亦随政治之变动不时更易,直至民二十以后学校情形始又安定下来,恢复以前高师之气象。师大历民十至民二十间之十年扰攘纷乱时期,虽学生课业及学校生活均受不良影响,但校风始终未变者以其有历史的基础故也。民二十一至七七事变五年之间为全国学风最优良时期,当时师大内部更趋稳定,内容更加充实,如无敌人入侵之事变,师大当可逐渐发展日臻上理。"七七"以后,师大奉令迁陕,与北平、北洋两校合组临时大学,继改联合大学,由西安而汉中,流离转徙,除大部分教授与一部分学生随校西来,其余学校之一切图书设备、校舍校具均遗落故都,物质基础一扫而空,所幸全校师生本师大之传统精神,重新振奋,经过四年之努力经营,政府之切实援助,现在又规模粗具,而师大校风亦得由本院承袭,将见其有发扬光大之气象。

本院所承袭之师大校风为何?凡作师大学生者均能知之,但形诸文字则甚难述说完全,不得已下列诸形容词可以描写近似:"刻苦耐劳""诚朴笃实""埋头苦干""不尚宣传"。师大学生之表现如此,本院学生之表现亦如此,四十年来,此风不变。再进一步具体分析学生之行动,可得下列各项:

(一)努力课业,有刻苦好学的精神。

(二)吃苦耐劳,有实干苦干的精神。

(三)服从命令,有奉公守法的精神。

(四)忠党爱国,有拥护领袖的精神。

(五)参加课外活动,有服务社会的精神。

(六)爱好运动竞赛,有注重体育的精神。

本院现有校风系师范学校应有之校风,可称平淡无奇,惟本院对于国家民族所负之使命重大,不能以现有之校风为已足,故必须进一步努力培养学生之志趣,使下列两项见诸事实:

(一)养成钻研高深学术之风气,培养教育科学专家。

(二)树立伟大崇高之人生理想,创造文化,解除人类痛苦,发扬我中华民族忠孝仁爱信义和平固有之美德。

就第一点说,本院希望能做到如法国之高等师范学校,对于学术上,最低对于教育学术上,能有所贡献。就第二点说,本院希望能产生如昔日之伟大教育家,继承先圣孔孟精神,师法大儒曾左气概。本院现有之生活环境与教学设备均不足以言高深学术之研究,但在精神训练方面,正可利用抗建大时代,努力教育家人格之陶冶,同时对于建国大业有切实之贡献,深愿本院同学均能以此自勉。

三十年度新生训练讲词(《国立西北师范学院学术季刊》创刊号,第1-6页,1942-03-15)

目录

创刊号,三十一年三月十五日出版(1942-03-15)

本院的使命与校风——代发刊词 .... 李 蒸 第1-6页

【教育】

抗战后吾国高等教育之趋势及其改造	李建勋	第1–10页
西北中等学校师资问题之一斑	金澍荣 杨少松	第11–18页
学校管理引论	唐得源	第19–25页
中学训育的专论及方法	王凤岗	第26–36页
"民众"意识的研究	王镜铭	第37–43页

【文史,艺术】

中国古今语文之综合的研究	黎锦熙	第45–50页
答杜生学知问诗子飞句义	刘朴	第51–52页
广韵反切上下字表及校勘记	赵兰庭	第53–64页
考古一得	何士骥	第65–67页
山东孝友传	刘朴	第69页
刘氏六修谱序	刘朴	第70–71页

【文艺】

月夜泛闽侯西湖乐舫记	刘朴	第71页
巩县刘雪亚母寿颂	刘朴	第72页
发嘉陵江温泉公园往缙云山(五古五首)	刘朴	第72–73页
决河(七绝)	刘朴	第73页
寿劭西五十晋二(七绝)	刘朴	第73页
奉和柏荣见寿(七绝)	黎锦熙	第73页
与劭西游郑侯陵园联句(五绝)	刘朴 黎锦熙	第73页
自渝返城固途中杂诗(乐城集下)(五古)	黎锦熙	第74页
奉和家大人庚辰九日登高宴集元韵(七古)	黎锦熙	第74–75页
辛巳上巳节轩招禊分韵得风字(五古)	黎锦熙	第75页
浣溪沙(戏作)	黎锦熙	第76页
又成二绝句	黎锦熙	第76页
与叶君鼎彝耿君振华李君东岳诸同门话及先师高阆仙先生身后凄然有感诗以志哀(用中华新韵)	顾学颉	第76页
偶成四律	高鸣图	第76页
白屋先生墓表	刘朴	第77页
略谈一九四二年文坛之展望	甄成德	第78–80页
白德罗斯基(Paderewaki)论	刘朴	第80页
声乐探微	王汝弼	第80–84页

隋唐八十四调解说	李世权	第85－94页
顺容性与分字构造	张贻侗	第1－20页
变形虫的采集及其简易的培养法	栗作云	第20－24页
小型国音字母表、注音符号发音表、国语周刊南郑版合订本		第24页

本刊作者略历

编辑后记

中等教育季刊征稿简则

第2期,三十五年一月卅一日出版(1946－01－31)

政教

今后教育建设之路	李　蒸	第1－4页
"民主"与"科学"的心理建设	黄金鳌	第15－20页
关于吾国高级师资训练几个重要问题	李建勋	第21－25页
中国教育史上关于孔子二三事	许椿生	第65－70页
徐幹中论序注（原卷之七）	程金造	第71－78页

语文

介绍三十年前语文教育界一个英雄	黎锦熙	第11－14页
复合词构成方式简谱	黎锦熙	第5－9页
各级学校"作文"教学改革案	黎锦熙	第79－83页
中等学校国文讲读教学改革案述要	黎锦熙	第85－88页

文艺

广境界论	叶鼎彝	第61－64页
左徒考——屈赋发微之一	王汝弼	第38－40页
律诗作者第一人——徐陵	顾学颉	第26－30页
长江集考辨——贾岛年谱附录之三	李嘉言	第41－43页
李后主传论	顾学颉	第31－37页
蜀中杂咏（五古五首）	黎锦熙	第10页
归途（五古一首）	黎锦熙	第10页
北碚师大校友宴集（五绝一首）	黎锦熙	第10页
自北碚游北温泉雨归舟偶成（七绝三首）	黎锦熙	第10页

史籍

| 史籍剬读 | 程金造 | 第44－49页 |
| 羿居西方说——兼论上古传说中之东方民族 | 阎文儒 | 第50－60页 |

附录

本院学术季刊创刊号要目 …………………………………………… 第4页
本院出版(或代售)表谱书目提要 …………………………………… 第20页
　(甲)语文之部(1) …………………………………………………… 第20页
　(甲)语文之部(2) …………………………………………………… 第25页
　(甲)语文之部(3) …………………………………………………… 第37页
　(甲)语文之部(4) …………………………………………………… 第40页
　(甲)语文之部(5) …………………………………………………… 第70页
　(甲)语文之部(6) …………………………………………………… 第78页
　(甲)语文之部(7) …………………………………………………… 第83-84页
　(甲)语文之部(8) …………………………………………………… 第88页
中等教育季刊要目(国立各师院联合刊)第二卷第一二期合刊 ………… 第43页
中等教育季刊要目(国立各师院联合刊)第二卷第三四期合刊 ………… 第49页
本院郭鸣鹤教授专著三种 …………………………………………… 第30页
本期作者略历
编辑后记
国立西北师范学院学术季刊第三期要目预告

第3期,三十八年七月出版(1949-07)

卷首语 …………………………………………………………… 上官业佑
智慧活动之条件 ………………………………………… 胡国钰　第1-6页
论哲学与中等学校师资之训练 …………………………… 慈连熠　第7-8页
中等学校的课外活动之原理与实施 ……………………… 郭鸣鹤　第9-20页
耶芬斯名学系统之修订 …………………………………… 汪　震　第21-23页
心理失常的原因及其救治 ………………………………… 郭士豪　第24-27页
中等学校师资应如何训练始能提高其效率 ……………… 景时春　第28-30页
体育活动对于心理卫生的贡献 …………………………… 陈毓瓒　第31-33页
论大学国文教学 ………………………………………… 于靖嘉　等　第34-40页
孔子及孔门谈诗 …………………………………………… 易君左　第41-45页
黄河流域入声区的入声韵音考证 ………………………… 刘耀藜　第46—49页
金文汇编器铭索引自叙 …………………………………… 何乐夫　第49-51页
绛华楼金石经简诗录 ……………………………………… 冯国瑞　第52-60页

三、《师声》① 目录

创刊号，三十一年十二月十七日出版（1942-12-17）

本校成立四十周年纪念日感言	李 蒸	第1-2页
四十年来的国语运动	黎锦熙	第3-6页
中国教育之传统及其动向	王凤岗	第6-10页
中国体育的症结	董守义	第10-12页
师大精神与今日西北师院之使命	徐知良	第12-14页
四十年来之中国社会教育	李瑞征	第14-16页
国立北平师范大学及西北师范学院校史述要		第16-19页
祝刘立尧先生四十整寿歌	佟学海	第19-20页
自传（新生训练成绩选登）	刘志读	第21-23页
六书杂说	曹 鳌	第23-24页

第2期，三十二年一月一日出版（1943-01-01）

增码补注书目答问序	黎锦熙	第1-2页
吾国教育方针与西北文化建设	李 蒸	第3-5页
北平师大及本院成立四十周年纪念会纪事		第5-8页
北平师大及本院成立四十周年纪念会纪事【节录】：贺词等		第9-11页
致谢与自勉	佟学海	第12-14页
统计学上中点数及其他百分点数的算法之商讨	胡国钰	第18-14页

第3期，三十二年二月一日出版（1943-02-01）

中国语文之历史的演进	黎锦熙	第1-5页
塔尔寺盛会速写	郑象铣	第5-8页
词二首——送黎锦熙、岁暮	齐振鹏	第8页
鱼类脊柱之构造及其发生时所经之步骤	包桂浚 译	第10-8页

第4期，三十二年三月一日出版（1943-03-01）

中国语文之历史的演进（续）	黎锦熙	第1—5页
贾岛年谱自序	李嘉言	第5页
自传	王丕仁	第5-6页

---

① 学术性半月刊《师声》由国立西北师范学院编辑及发行，创刊号出版于中华民国三十一年十二月十七日，共出版了五期，因经费困难停刊。

教育部训令层转五中全会对《教育部工作报告之指示》:免除受师范教育学生
之兵役禁用服务未满期限之师范毕业生 ················· 第6-7页
筮仪的数学解释 ··· 仲澜

第5期,三十二年六月出版(1943-06)

纪念周记录:《从屈原的生平来看人生的意义》 ············ 胡仲澜 第1-3页
转注说 ·· 曹 鳌 第3-5页
安宁堡春游(词二首) ··· 齐振鹏 第6页
编者:介绍个优美的读书环境 ····································· 第6-8页

四、《纪念专刊》①目录

序 ··· 李 蒸
总理像
校钟及校歌
蒋主任题字 ··· 蒋鼎文
校史概略 ·· 第1-15页
国立师范大学在陕同学会:母校三十五周年纪念献词 ······ 第16-18页
祝母校三十五周年纪念词 ······································ 卢宗澧 第18页
苏幕遮 ··· 刘拓 第18页
抗战期中我们应有的认识和应尽的最低责任 ············· 杨立奎 第19-20页
师大三十五周年纪念感言 ······································ 黄国璋 第21页
纪念师大与中国教育 ·· 罗根泽 第22页
母校三十五周年纪念日感言 ··································· 冯成麟 第23页
人工的放射现象 ·· 岳劼恒 第24-27页
纪念母校与战时教育 ·· 张德培 第28-31页
纪念师大三十五周年 ·· 蔡 锋 第32-33页
在"西安"纪念"北平"师大的校庆 ··························· 薛贻源 第33-35页
从全民抗战谈到师范教育的出路与任务 ··················· 赵兰庭 第35-39页
教育与思想 ··· 徐国荣 第39-40页

---

① 《纪念专刊》所见史料有《国立北平师范大学卅五周年纪念专刊》《师大卅七周年纪念增刊》《师大卅八周年纪念专刊》。《国立北平师范大学卅五周年纪念专刊》由李蒸题写刊名,民国廿六年十二月十七日印行(1937-12-17)。

怎样实施战时学校教育	李祖寿	第40-45页
献给妈妈	高华年	第46页
"但愿……"	彭长贤	第47-48员
忆慈母——师大	孙全兴	第48-49页
黎明之影	赵继三	第50-51页
本会成立经过与最近情况	王焕彬	第52-53页
编者的话		第54页
附录:师大教职员姓名录		第55-59页
附录:师大附中校友录		第59-60页
附录:师大在陕校友录		第60-64页
附录:师大在校同学录		第65-77页
附录:本刊捐款人题名录		第77页

《师大卅七周年纪念增刊》二十八年十二月十七日（1939-12-17）出版，国立北平师范大学编印，城固西北印务局印刷。

目录

师大对于国家的贡献	李 烝	第1-3页
祝母校三十七周年纪念文	赵乃博等	第3-4页
师大的真精神	左震寰	第4-5页
离开母校以后	张 敬	第5-6页
庆贺师大三十七周年的两点小认识	田世英	第6-7页
作为二千年改革根据的周礼上公民教育	许兴凯	第7-11页
祝词		第11-12页
贺函		第12页
贺电		第12页

《师大卅八周年纪念专刊》中华民国二十九年十二月十七日（1940-12-17）由城固国立西北师范学院编行。

目录

发刊词		李 烝
讲述总裁对于教育青年之训示	李 烝	第1-7页

师道论	李建勋	第 7－9 页
中等学校师资训练问题之检讨	王凤喈 廖人祥	第 9－27 页
师范教育与中国科学化前途	吴承洛	第 27－28 页
师范学院心理学课程之商榷	程克敬	第 28－39 页
忠告一年级的同学	刘 拓	第 40－42 页
中等学校国文教学改革案	黎锦熙	第 43－60 页
论指斥史通者之谬	张遂青	第 61－72 页
国立西北师范学院附属中学历史实验教学实施经过报告及关于历史教材教法之管见	徐知良	第 73－85 页
师范学院教育系中学教务行政实习指导纲要拟议	冯成麟	第 85－89 页
附录：师范学院与师范大学之比较	李 蒸	第 89－97 页
附录：为什么要推行国语	黎锦熙	第 97－99 页
国立北平师范大学校友总会简章		第 99－100 页

五、《国立西北师范学院院务概况》①目录

封面：铎形校徽

序	李 蒸
沿革	第 1 页
国立西北师范学院组织系统表	第 2 后夹页
主任职教员	第 1－5 页
国立西北师范学院教职员著作一览表	第 6－13 页

教务方面

国立西北师范学院学则	第 14－22 页
国立西北师范学院课程纲要	第 23－44 页
统计表	第 44 后夹页
兼办社会教育二十八年度工作概况	第 44－45 页
兼办社会教育二十九年度工作计划	第 45－47 页
毕业生	第 47 页
国立西北师范学院三十年度招生简章	第 47－49 页
设备图书仪器标本器械药品及用具	第 49－51 页

---

① 《国立西北师范学院院务概况》出版于民国三十年六月（1941－06），由黎锦熙题写刊名。

| 出版物 | 第51页 |

训导方面

训导概述	第51-55页
普通体育概况	第55-56页
卫生概况	第56-57页
二十九年度新生入学体格检查统计表	第56后夹页
国立西北师范学院训导实施纲要	第57-62页
校舍	第62-63页
国立西北师范学院师范研究所一览	第64-86页
附属中学概况	第87-90页
小学教育通信研究处成立经过及工作概况	第90-96页
儿童保育室	第96页
乡村社会教育施教区	第96-97页
劳动生产农场	第97页
本院在兰设立分院简讯	第97-98页
师大三十八周年纪念专刊总目	第98页

六、《国立西北师范学院近况》①目录

校史简述——代序	李 蒸 第1-2页
国立西北师范学院组织系统	第2页
国立西北师范学院及附属机关教职员人数统计表	第2页
教务概况	第3-4页
训导概况	第4—6页
学生	第6页
经费	第6-7页
校舍及设备	第7-8页
师范研究所及函授学校	第8-10页
师范研究所概况	第8-9页
附设中心学校国民学校教员函授学校工作概况	第9-10页

---

① 《国立西北师范学院近况》于民国三十三年十二月十七日(1944-12-17)本校成立四十二周年纪念日出版。

附属学校及兼办事业	第 10-13 页
附属中学近况	第 10 页
附小实验班近况	第 10-11 页
社会教育实验区工作实施	第 11 页
本院兰州市政府合办国民教育实验区工作实施	第 11 页
家庭教育实验区成立经过及现状	第 11-12 页
家政系儿童保育室概况	第 12-13 页
附录：出版刊物	第 13 页
附录：研究所研究专刊一览	第 13 页
附录：校友通讯概况	第 14 页

七、《中等教育季刊》编辑后记与目录

（全国各师范学院轮值主办，1941 年创刊，1942 年第二卷由国立西北师范学院主办）

编辑后记

编者

本期内容分为论著、专科教学问题讨论及报告与介绍三大部门。三十一年春奉部令主编第二卷各期，当即积极筹备，时值物价陡涨，部中协款，每期仅三千元（全卷一万二千元），不足太远。因呈部同意，以经费关系，全卷四期，改出合刊两次，以图撙节。此严重之经济问题，实为本刊迟迟难产之主因。

陕南一隅，印刷器材本极贫乏，于第二卷第一、二期合刊中已声言之。前者，此间本有新五号字，嗣为铅字主人运往西安营业，以致陕南区内，竟无新五号。本卷第一、二期合刊，系用新五号字排印，第三、四期合刊（即本期）不得已而用老五号字排印，一卷之中，前后两期，竟用两种不同之字体，实属不得已而为之。当此抗战期间，限于物力，铅字未免模糊，错误亦所难免，均请读者原谅。

本刊征稿简则

（一）本刊以研究中等教育理论与实际问题为目的，除由各合作机关同人撰稿外，关于中等教育各方面之投稿，均所欢迎。凡与中等学校各科教材教法上作

精深探讨之文字,尤必尽量刊登。

（二）投寄之稿,不拘文言白话,均需缮写清楚,并加以新式标点符号。

（三）译稿须附原书,如原书不便寄附者,须将原文名称、著者姓名、出版日期、地点注明。

（四）来稿篇末请详细注明地址,并请附寄作者略历。

（五）原稿经本刊登载后,酌致薄酬,每千字自五元至十元。已在他处发表之文稿,虽经登载,亦不致酬。

（六）来稿不论登载与否,概不退还,惟长篇巨著,附足退还邮资者,不在此限。

（七）来稿经登载后,其著作权即归本社所有,如欲保留者,请预先声明。

（八）本刊对来稿有酌量增删之权,其不愿修改者,请预先声明。

（九）本刊为便利全国中等学校教师咨询起见,特辟问答栏,如有询问事宜,当代请专家详为解答,其重要者,当由本刊发表之。

（十）来稿请暂寄陕西城固国立西北师范学院中等教育季刊社。

1942 年第 2 卷目录

川省县中之问题及今后改进之检讨	袁伯樵	1942 年第 2 卷第 1 期
当前中学制度上几个显著的问题及其解决途径	常道直	1942 年第 2 卷第 1 期
乡村中学与乡村建设	傅葆琛	1942 年第 2 卷第 1 期
现行中等数学教育之批评与改进	陈伯琴	1942 年第 2 卷第 1 期
试验六年制中学一年后	汤茂如	1942 年第 2 卷第 1 期
农业教育之改进	安事农	1942 年第 2 卷第 1 期
加强督导教员进修以改进中等教学案		1942 年第 2 卷第 1 期
美国中等学校教师与世界的挑战	巴克柯勒 孙元瑛 译	1942 年第 2 卷第 1 期
合于建国需要的几个中等教育实施原则	袁伯樵	1942 年第 2 卷第 1 期
建议各省设立"教育科学馆"案		1942 年第 2 卷第 1 期
部颁修正中学数学课程标准讨论	余介石	1942 年第 2 卷第 1 期
从整个国家教育之刷新来谈中等教育	钱 穆	1942 年第 2 卷第 1 期
三十年上期四川省中等学校一览及统计	薛鸿志	1942 年第 2 卷第 1 期
请中央统筹编印中等学校教科用书以利教学案		1942 年第 2 卷第 1 期
四川省中等教育现状与今后设施	郭有守	1942 年第 2 卷第 1 期

当前之师资问题	宋大鲁	1942年第2卷第1期
我们怎样办理绵阳中学	黎光明	1942年第2卷第1期
等教育会议四川省政府教育厅提案		1942年第2卷第1期
从中学生的"用"来说中学生的"学"	蒙文通	1942年第2卷第1期
中等教育的歧路与出路	章柳泉	1942年第2卷第1期
师范教育改造问题的再认识	朱智贤	1942年第2卷第1期
现行小学师资教育制度之商讨	方惇颐	1942年第2卷第2期
如何减少学生英文语法错误	吕叔湘	1942年第2卷第2期
数学教学上两个实际问题	陈伯琴	1942年第2卷第2期
中学各学科的德育价值	王成瑜	1942年第2卷第2期
改进中等学校教学法的几个先决问题	孙元琪	1942年第2卷第2期
中等学校废止体罚问题	王崇阶	1942年第2卷第2期
中等学校整饬学风问题	贾承天	1942年第2卷第2期
训导的原则及其方法	陆传籍	1942年第2卷第2期
论"实业计划"与"国防计划"在中学地理科	田世英	1942年第2卷第2期
初中数学课程之精神及与小学高中数学课程之	李修睦	1942年第2卷第2期
统计学中所用数学材料的调查	胡思齐	1942年第2卷第2期
论课外活动与中学教育	刘唯公	1942年第2卷第2期
如何训练"全能教学"的师范生	陈梓北	1942年第2卷第2期
课程编制的理论与方法	孙帮正	1942年第2卷第2期
中等教育分区办法之检讨	袁伯樵	1942年第2卷第3期
推进幼稚师范教育问题	吴慧铃	1942年第2卷第3期
师范学校课程中的各科小学教学问题	许椿生	1942年第2卷第3期
师范学校数学教学之实际问题	陈伯琴	1942年第2卷第3期
调整中等学校师资训练制度私议	常道直	1942年第2卷第3期
论课外活动与中学教育(续)	刘唯公	1942年第2卷第3期
中等学校师资之供应问题	金澍荣	1942年第2卷第3期
如何坚定师范生的服务心	丁秀君	1942年第2卷第3期
《告川省中等学校教职员书》	张 群	1942年第2卷第3期
师范教育的实际改进	郭有守	1942年第2卷第3期
教师之魂与魄	汪通祺	1942年第2卷第3期
缩短现行学制总年数之一拟议	章柳泉	1942年第2卷第3期
师范学校的三大危机	王崇阶	1942年第2卷第3期

师范学校毕业生服务的商榷	贾承天	1942年第2卷第3期
我们办理省立资中师范学校的经过	江东之	1942年第2卷第3期
师范学校辅导地方教育之实施	洪石鲸	1942年第2卷第3期
青年生活科学化与国防科学化	陈立夫	1942年第2卷第4期
生物学之略史及其与教育之关系	禹海涵	1942年第2卷第4期
写给教初中男生的音乐教员	张芗兰 田清心	1942年第2卷第4期
美国三十个中学的实验	檀仁梅 译	1942年第2卷第4期
试论公民科的意义	黄熙庚	1942年第2卷第4期
初级中学英语课程标准目标释义	吴 棠	1942年第2卷第4期
各国中学课程之比较研究	雷国鼎	1942年第2卷第4期
中等学校地理教师之任务	郑象铣	1942年第2卷第4期
中学军训效果的实验研究	王欲为 译	1942年第2卷第4期
中学教学法上兴趣和注意问题	孙邦正 译	1942年第2卷第4期
内地中学推行直接英语教学法之商榷	冯和侃	1942年第2卷第4期
美国中等教育前途的研讨	孙元琐 译	1942年第2卷第4期
本刊征稿简则		1942年第2卷第3-4期
编辑后记	编 者	1942年第2卷第3-4期
中学公民科协助训导之教学方法	王凤岗	1942年第2卷第3-4期
中学教学法上的讲演法和问答法	孙邦正	1942年第2卷第3-4期
专科教学问题讨论		1942年第2卷第3-4期
中等学校兼办社会教育之商榷	沈灌群	1942年第2卷第3-4期
中等教育辅导月刊第二期要目		1942年第2卷第3-4期
国立中山大学师范学院季刊第一卷第一期目录		1942年第2卷第3-4期
中学生的偷窃问题	魏泽馨	1942年第2卷第3-4期
中学历史教学问题几个具体的讨论	郭树干	1942年第2卷第3-4期
国立西北师范学院出版物（四）		1942年第2卷第3-4期
介绍教育部生物标本制造所	施白南	1942年第2卷第3-4期
国立西北师范学院出版物（一）		1942年第2卷第3-4期
今后中等学校导师制实施的趋势	环惜吾	1942年第2卷第3-4期
中等教育辅导月刊创刊号要目		1942年第2卷第3-4期
怎样教师范学校的统计	高振业	1942年第2卷第3-4期
改进师范学校与师范区制度之商榷	徐国荣	1942年第2卷第3-4期
重庆市公私立中学国文数学英语历史地理等		1942年第2卷第3-4期

五科报告与介绍		1942年第2卷第3-4期
中央及各省市师范教育新方案概览	杨允元	1942年第2卷第3-4期
论广西国民中学	李 森	1942年第2卷第3-4期
国立西北师范学院学术季刊创刊号要目		1942年第2卷第3-4期
贵州省三十年中等学校教师暑讲会概况	李相勖	1942年第2卷第3-4期
国立西北师范学院出版物(二)		1942年第2卷第3-4期
国立西北师范学院"校务汇报"		1942年第2卷第3-4期
改进中等学校公民科的教学	龚启昌	1942年第2卷第3-4期
国立西北师范学院出版物(三)		1942年第2卷第3-4期
论中学国文课程的改订	叶绍钧	1942年第2卷第1期

第六节 国立西北医学院期刊创刊词与目录

一、《国立西北医学院院刊》目录
(1941)

题名	年卷期
陈学穆叶访樵先后结婚	1941年第4期
本年度严格审查学生贷金	1941年第4期
新聘教授均已先后到院	1941年第4期
本院区党部筹备就绪	1941年第4期
一年级学生补行宣誓	1941年第4期
王文华氏来院视察	1941年第4期
中药研究所即将成立	1941年第4期
分院学生宿舍建筑完毕	1941年第4期
劝告二十九年度毕业生应征书	1941年第4期
寒假扩大兵役宣传	1941年第4期
公共卫生教学区办事处工作报告	1941年第4期
成立地方病研究所	1941年第4期
防空设施完成	1941年第4期
国立中等以上学校学生贷金暂行规则	1941年第9-10期

院长刘教官联袂返院	1941年第9—10期
本院举行七七纪念	1941年第9—10期
本院贷金暑假补课及服务办法公布	1941年第9—10期
青年国举办青年招待所	1941年第9—10期
二十九度毕业生应征报告	1941年第9—10期
国立西北医学院学生营养补救办法	1941年第9—10期
院务会议择要	1941年第9—10期
提倡国术运动	1941年第6期
存米每石百元	1941年第6期
徐院长名著《药理学》发售预约	1941年第6期
院长赴西北勘察	1941年第6期
本院附属医院院闻	1941年第6期
本院规则汇编	1941年第6期
本院规则汇编	1941年第7期
本院新生举行月考	1941年第2期
本院各处组负责有人	1941年第2期
本院举行竞赛	1941年第2期
本院学则	1941年第2期
征调毕业生七名	1941年第5期
军部军医署专科军医暂行条例	1941年第5期
军医署卫生预备员暂行条例	1941年第5期
征用二十九年医药科毕业生办法	1941年第5期
战区学生申请贷金审查办法	1941年第7期
五年级学生举行总考	1941年第7期
六年级实习离院暂行办法	1941年第7期
借读生修订办法奉令规定期限	1941年第7期
华侨奖学金每年级取优秀学生一名	1941年第7期
院长西北勘察校址观感颇佳	1941年第7期
抗战建国论文特辑:从敌人的国基说到我们的	1941年第7期
教部发款扩充本院图书仪器	1941年第7期
教务处图书组借阅图书规则	1941年第7期
南郑青年节本院派员参加	1941年第7期
练习医师服务规则	1941年第7期

于院长来院视察 并对全院师生训话	1941年第14-15期
民国三十一年元旦本院院刊增刊前言	1941年第14-15期
专论	1941年第14-15期
生物化学医学之关系	1941年第14-15期
图书概况	1941年第14-15期
附属医院概况	1941年第14-15期
总务概况	1941年第14-15期
六年级学生实习医院一览表	1941年第13期
本院院闻	1941年第13期
战区学生贷金审查标准	1941年第13期
各省奖学金	1941年第16-17期
医务会议摘要	1941年第16-17期
章则汇编	1941年第11-12期
布告三	1941年第11-12期
布告四	1941年第11-12期
训导处布告	1941年第11-12期
院闻	1941年第22-23期
专科以上学校清寒优秀学生中正奖学金办法	1941年第13期
校训与学风	1941年第14-15期
战区学生贷金委员会布告第一号	1941年第4期
五年级学生救护伤民	1941年第4期
建筑浴室及理发室	1941年第4期
新仪器一部到院	1941年第4期
筹备书画展览会	1941年第4期
贷金委员会布告第二号	1941年第4期
院长在假期补课	1941年第4期
颜守民教授休假研究	1941年第4期
德文教员邓马爱娜离院	1941年第4期
第二届竞试本院学生首途城固	1941年第9-10期
学生郑桂贞张学礼二名不服征调开除学籍	1941年第9-10期
本院新生名额增为六十名	1941年第9-10期

分类体系

| 学生贷金自六月份起增加四元 | 1941年第9-10期 |

重庆即将成立校友会	1941 年第 6 期
抗战建国论文特刊	1941 年第 6 期
教务处布告二	1941 年第 6 期
生产运销事业委员会工作活动	1941 年第 6 期
学习技巧	1941 年第 6 期
心理卫生与精神治疗之重要	1941 年第 6 期
精神变异的表演方法	1941 年第 6 期
本院定期招生	1941 年第 6 期
院务会议摘要	1941 年第 4 期
院务会议摘要	1941 年第 6 期
院务会议摘要	1941 年第 7 期
怎样改善患者的心理	1941 年第 6 期
教务处布告一	1941 年第 6 期
第四次教务会议摘要	1941 年第 6 期
会计主任受训回院	1941 年第 6 期
厉行戒烟节约运动	1941 年第 6 期
本院第十五次院务会议	1941 年第 6 期
南郑儿童健康比赛结果	1941 年第 6 期
精神分析法举例	1941 年第 6 期
本院组织考试委员会	1941 年第 2 期
院务会议纪录择要	1941 年第 2 期
本院学生操行奖惩办法	1941 年第 2 期
演剧慰劳荣誉军人及抗属	1941 年第 2 期
本院学生研究风气浓郁	1941 年第 2 期
毛黄二主任联袂返院	1941 年第 2 期
国立西北医学院三十一年第四班结业学生名次	1941 年第 20－21 期
民国三十年征用医药专业毕业生服务实施办法	1941 年第 20－21 期
国立西北医学院民国三十一年第三班毕业生应征	1941 年第 20－21 期
函请毕业生报到	1941 年第 5 期
教部战时卫生人员征调委员会章程	1941 年第 5 期
战时应征调卫生人员工作待遇暂行标准	1941 年第 5 期
中央党部视察员葛覃来院视察	1941 年第 7 期
定期举行首届春季运动会	1941 年第 7 期

全国各中学生纷纷函索招生简章	1941 年第 7 期
本院节约建国储蓄团工作活动	1941 年第 7 期
五月十九日起举行月考一周	1941 年第 7 期
训导会议规则草案	1941 年第 7 期
解剖节全体学生奠祭	1941 年第 7 期
教务会议规则	1941 年第 7 期
附属医院实习规则	1941 年第 7 期
部令征调毕业生展缓期限	1941 年第 7 期
总务会议规则草案	1941 年第 7 期
略论蛋白质	1941 年第 14-15 期
会计概况	1941 年第 14-15 期
关于公医制度的商讨	1941 年第 14-15 期
哲学与教育对于青年的关系	1941 年第 14-15 期
甘肃、湖南两省学生福音	1941 年第 13 期
专科以上学校学生学籍规则(续完)	1941 年第 18-19 期
国立西北医学院学则(修正呈部核准)	1941 年第 18-19 期
江西省省内外专科以上学校赣籍学生奖学金规则	1941 年第 16-17 期
专科以上学校学生学籍规则	1941 年第 16-17 期
训导布告	1941 年第 16-17 期
抗战建国之基本问题	1941 年第 16-17 期
布告一	1941 年第 11-12 期
招考新生揭晓	1941 年第 11-12 期
布告二	1941 年第 11-12 期
法定传染病	1941 年第 18-19 期
破除迷信	1941 年第 22-23 期
部令	1941 年第 22-23 期

二、《西大医刊》创刊词与目录

（1949-09—1期后停刊）①

创刊词

侯宗濂

大学之使命，乃为国家教育高等人才者。一方教授大学生，使之学得高深学问，一方则应领导研究工作。大学非贩卖旧学问之市场，乃创造新知识之泉源。创造新知识，惟研究是赖。国外各大学未有不做研究工作者，无研究工作之大学不能成其为大学。亦即虽有大学之名，却无大学之实者。中国过去政治不良，以致人力、物力、财力之分配不当，无谓浪费，因之大学设备不周，经费不足，人力缺乏，遂乃大学除教学外，而兼能做研究工作者殊为寥寥。

今后在计划经济方针下、计划教学方针下，大学教育定当突飞猛进，焕然一新。吾等滥竽医教者能不有所警惕，力求赶上世界新潮流乎！

理想虽如前述，然亦不能希冀一步登天。俗云："行远必自迩；登高必自卑。"提倡研究之前奏曲，必先倡导学术风气，是以本院近来成立医学学习会、讲演会、读书会等等。先自大家读书做起，先自大家交换医学知识做起，为完成是项初步过程，乃发行本刊。此所以用文字交换大家之医学知识者，如能因此进而得介绍医学知识于群众，则实为得收获于意外矣。

至若本刊内容，亦将由综说——综合以前之许多创作加以有系统之整理介绍，时或加以自己之独特见解者；译述——翻译国外之著作中有兴趣有价值者；摘译——外国原文过长择要而译录者之记载，而走向专著。

所谓专著者，乃有创作性（Originalitat）之专门著作。从某一病历，而论一事，而达到纯学理之研究报告。至此，本刊乃成为一有价值之医学学术刊物，间接证明本院同仁研究工作之成功。此外，当然随时亦可介绍医界珍闻，以至重要院闻等。最终达到 Lancet 之情形，世界知名。略陈拙见，愿与同仁、同学共勉之，是

---

① 西北大学早期创办的学术性刊物，为综合性医学双月刊。1949年9月1日创刊于陕西西安。西北大学医学院主办，由该院出版委员会编辑出版和发行。创刊号有西北大学医学院院长侯宗濂的《创刊词》，仅出版一期。

为序。

一九四九年八月二十一日晨写于西安医隐庐。

《西大医刊》第1卷第1期 目录

编辑出版者:国立西北大学医学院出版委员会
发　　行:国立西北大学医学院(西安西五路27号)
1949年9月1日创刊

创刊词	侯宗濂	1949	1	1
百日咳为好发于哺乳儿期内之急性传染症	隋式棠	1949	1	2
矢毒之生理学的效能及其临床应用	王兆麟	1949	1	7
由龋齿论营养	汪功立	1949	1	11
主动脉弓之异常	张怀瑶	1949	1	16
常山	孙国桢	1949	1	17
三叉神经痛及其治疗	李国璋	1949	1	21
关于矢毒之实际应用	王兆麟	1949	1	26
恶性瘤病之管理与医教	毛鸿志	1949	1	27
腓肠肌之一异例	张怀瑶	1949	1	32
视网膜色素变性之"组织疗法"	陈庆魁	1949	1	33
院闻	编　者	1949	1	36
补白(医林幽默录八则)		1949	1	25,31,32,35

第十三章 高等教育演讲文选

第一节 部长、校长教育演讲

一、校训与学风(一)

陈立夫①

大破坏时代业经过去——所遗留下来之破坏心理虽成强弩之末,但此种心理所造成之风气犹有微波,有待作最后之努力以荡平之。大建设时代正在猛进,建设的要求在心理上所表现之成分如何,乃建国成败之决定因素,时间固不容我人顷刻犹豫也。

因共同心理而产生之习尚谓之风气,其原动力为道德,其风尚恒由上而下,故曰"闻伯夷之风者,顽夫廉,懦夫有立志;闻柳下惠之风气者,鄙夫宽,薄夫敦"。"君子之德风也,小人之德草也,草上之风必偃"。而其影响则出之于化学作用而非物理作用。故行之而不著,习焉而不察,力量之大不可以御拒,故曰"大德敦化",潜移默化而不自知也。

今日吾人所自许者为复兴民族,所自勉者为建设国家,为欲建设国家故必须扫除一切障碍。抗战者扫除障碍所必经之阶段也。由此而知吾人今日所需要之教育,所如过去重在为家庭父兄培育善良子弟,而重在为国家民族培育建设干才。建设干才究应具备何种心理始能负荷重大艰巨之任务?则曰"建设心理"而已。何谓建设心理?曰"礼义廉耻"四维所形成之心理是也。管子谓"礼义廉耻,国之

---

① 陈立夫(1900—2001),浙江吴兴人。1938 年至 1944 年任国民政府教育部部长。曾数次到西北大学。

四维,四维不张,国乃灭亡"。所以救国教育,必从明礼义知廉耻做起。至于建国力量之养成,应从人民管教养卫能力之训练入手,人人能自治治事,自信信道,自育育人,自卫卫国,始能建设独立自由之新中国。于此,我人应知救国建国并非二事,救国乃建国之起点,建国乃爱国之成功,二者仅有先后之分,不明礼义不知廉耻之人,决不能自治自信自育自卫,尚安能付托以治事信道育人卫国之重大责任?

我国今日之教育,一面应养成明礼义知廉耻之风气,一面应造就有组织能力,有领导能力,有生产能力,有自卫能力,能担当管教养卫事业之人才,而礼义廉耻为管教养卫之根本,所以,总裁在第三次全国教育会议中,确定以礼义廉耻四字为全国各级学校之共同校训,其意义非常重大。简言之,即以明礼义知廉耻负责任守纪律为全国国民行为之共同标准。造成社会风气,必先从养成学风入手。我人深信:学校为教化之源泉,学风为民风之先导;校训为学风之目标,而礼义廉耻为发挥管教养卫效能之途径。

何由明之?兹特提出下列四语,加以讨论:

(一)崇礼以尽管之效;

(二)尚义以成教之道;

(三)守廉以致养之功;

(四)明耻以储卫之能。

首先,我人讨论崇礼以尽管之效:管之先决要件,须有组织,有纪律。我人试观任何大规模工厂,无论其机械如何复杂,但仔细加以分析,一轮一轴,无不层层节制,井井有条,组织有系统,动作有规律,此庞大复杂之机器,可用双手管制,实由此故。吾人所谓"礼以节人""礼之用,和为贵",(和即各方面能配合之意)即指社会之组织与管理,亦须从条理系统秩序做起之意。礼以个人言为应对进退之规矩,以集体言为人类集团生活中组织与纪律之基础。无论在大庭广众之间,或千军万马之中,礼在静的方面,指示我人以应守之岗位;在动的方面,指示我人以应守之秩序,务使动静进退,有条有理。我人如能依礼而行,决不致有冲突凌乱之现象。各守岗位,各循秩序,是礼之基本要求。但此"规规矩矩之态度",仅为组织初步之成功,尚不足以尽量发挥管理之功能。欲求得最大之效率,则应行注重者,不仅在仪式方面之礼,而在精神方面之礼,礼之重要精神为"敬"。孔子有言:"礼云礼云,玉帛云乎哉"!其意即谓不仅形式之整齐,应加以注意,尤须在心理上做到"敬"字。孟子有言:"恭敬之心,礼之端也",其意义尤其明显。恭敬乃"主"之谓。"主"字对人有见贤思齐之意。能见贤思齐,则无时不求进步,能专心致志,则无处不在研究,二者皆有积极之功用。能执一不二,则不致见异思迁,始终其事,有消极之效果。盖我人治事,如能时时刻刻,心心念念,专注在此一事,必能将全部精力,集中于内容之研究与方法之改进。因内容之了解与方法之改良,可使管理手续愈见简单,管理方法愈合科学,故曰"礼节为治事之本"。

能专心致志,乃能有恒心,有毅力,此即所谓"敬业"。所以,礼之内在力量在积极方面能随时取人之长,补己之短,以整个心力,集中于事业,时时力求进步,在消极方面,以严格规律,检束其身心,处处排除障碍,在此种严整纪律之下,管理之效能,自能从表里同时发挥尽致。推其致此之由,实由于崇礼。试观过去学校对于学生之管理,不予重视,教员间有不受校长之指挥,学生不听学校之命令,养成无组织无纪律之生活与习惯,见师长毫无礼貌,对常人态度傲慢,真如孟子所谓"上无礼,下无学,贼民兴,丧无日矣"。以此种无管理能力组织技术与纪律精神之青年,置之于凌乱复杂腐败之社会中,如何能望其为社会扫除恶习,建立纪纲,完成组织。即学校不崇礼,即社会无秩序,国家无纪纲之源泉也。苟能以崇礼为学风,则外而有序,内而有敬,整齐严肃,管尽其效矣。故曰"崇礼以尽管之效"。古人云:"见其礼而知其政";即是此解:"克己复礼",即由此故。

(《国立西北大学校刊》1941年第2期)

校训与学风(二)

陈立夫

其次,再论尚义以成教之道:义者事之宜也。是是非非,不可不辨别清楚,是非不明,一切判断即失去准则。孔子曰:"君子喻于义,小人喻于利",义利之辨,非常重要。喻于义,乃行为以公是公非为标准,喻于利,乃行为以私人利害为标准,盗贼杀人放火,何尝不为其个人抢夺之便利打算。从前宋儒陆象山先生在白鹿洞书院,讲义利之辨,听者至于泣下,其言何以令人感动如此?简言之:义利之辨,即是人兽之别,所谓"人之所以异于禽兽者,为知义也"。历史上有多少人,只因一念之差,重利轻义,终身堕落而不克自拔。可知我人对于义利之辨,不可不慎:义为是非顺逆之标准,亦为人类集体生活中互助合作之基础。凡能牺牲自我助人为善者皆为义,反之即为不义。故大义不明,一举一助,无不陷错误;大义既明,则必见义勇为,义无反顾,甚至舍生取义,亦所不惜。所以教民之道,必须从去私欲,布公道痛下工夫,而归根结底于义之一字。匹夫匹妇,能深明大义,即使知识稍有欠缺,事业上之成就,虽受限制,然而道德上之成就,则无可限量。盖义之表现,所以能损己利人者,必有其内在之条件,此条件为何,即爱的力量之发挥是也。爱之潜伏曰仁,爱之表征曰义。有伟大之同情,始有伟大之牺牲。爱己而不使之被辱以至牺牲生命者曰义烈;爱人而代抱不平以至损害自身者曰侠义,爱国而至舍身杀敌者曰取义;见国家垂危,人民痛苦,起而革命以图挽救者,曰起义。事之大小,虽有不同,其出发点无非出之于爱出之于伟大之同情心与责任心而已。近来我国教育,师生有如路人,同学视同旅客。情爱云乎哉?责任云乎哉?同情之心不生,责任之心不著,人兽之分,盖已几希矣!无怪乎抗战以来,多少知识分子之失节附逆,甘居下流。此种现象,盖由五十年来新教育忽视义之一字所致。但在学校未立之穷乡僻壤,当倭寇到临之时,往往有义民烈女,可歌可泣,临死不屈,杀身成仁,舍生取义之事迹发生。此为五千年来重视道义之风气,所发生之效果,在历代贤豪中。一般人民所崇拜者,为深明春秋大义之关公,司马迁作《史记》第一篇列传,即叙述伯夷叔齐不食周粟之故事。在民间传说中,关公伟大之处,在彼能认识贼汉之分,封金挂印,千里奔驰,寻求故主,曹操任何利诱,皆不足以动其志。此种通俗文学流行民间,无形中深入人心为最有价值之教训。所以在此抗战时期,到处有不为敌人甘言所诱之义民,抛家弃产,退出战区,心目中只知有国民政府,绝对不与敌伪合作,足见尚义之教,效果甚大。至于伯夷叔齐之不食周粟,更为千秋万世留下不甘做顺民之模范。故孔子深加赞美,曰"求仁而得仁,又何怨"?伯夷叔齐不与敌人共戴一天同履一地之精神,虽可与日月争光,但在今日,我人决不能仅仅模仿伯夷叔齐之进一步,发挥见义勇为,不与敌人同天共地之精神,赴前线驱逐强寇,以恢复失地,扫净胡尘,争取抗战之胜利;或在后方竭尽智能,增加生产,努力各种建设,以奠定建国之基础,庶几足食足兵,为正义人道求得永久之保障。学校当局,自应时时以此训诲学生,使之平时能尚义以养成"正正当当之行为",在战时更须尚义,以求舍生取义而准备作"慷慷慨慨之牺牲"。宋儒云:"饿死事小,失节事大。"虽指妇女之贞操而言,但在今日每一受教育者都应以此种节操自励。更须有见义勇为之气概,发挥其同情心,养成其责任心,以助人为乐,以服务为荣,学校以此为教,社会以此为劝,必须人人能成为急公好义之士,教育之功效始见,故曰:"尚义以成教之道"。今日受教育者,应时时抚躬自问:"读圣贤书,所学何事",而以"惟其义尽,所以仁至",为理想人格之完成。

复次,论守廉以致养之功:廉在个人为公私取与之倾巢出动,亦为人类集体生活中分工守分之基础。吾人以有所不取为廉字之释义,惟其有所不取,始能取所当取。凡人对于取与有"清清白白之辨别",始能与人无争;与人无争,始能保持互不侵犯之规约;必使人无犯我之借口,乃能造成自尊之地位:能尊重自己之人,始能受人尊敬。养廉之道,在于勤俭,勤所以增加生产,俭所以节省浪费,生之者众,食之者寡,则无求于人;无求于人,即为有与于人之始,故曰:"勤俭为服务之本"。人人于己能为"实实在在之节约",于人乃能为"慷慷慨慨之助与",所谓"节用以爱人"即是此意。爱人莫大于施惠,损己以益人,未必人人皆能做到;然而从节用方面入手,以己之所取有限。即间接多留若干以济人之不足,此即为廉之最终目标。余作此言,盖因廉吝之间,区别虽大,但往往被人曲解,明明吝啬,而以廉洁自居,二者不可以不辨。吝是待人刻薄,廉是自奉俭约,由于廉之不肯妄取一钱。一钱不浪费,自然能不滥取。故曰"俭以养廉"。天下败德荡俭之贪官污吏无不由于奢侈成习,所入不敷出,无术自给,乃出于盗取公帑假公济私之途。但俭只是自奉菲薄并非待人苛刻之谓,不浪费一钱,决非一钱不用之意。如果剥削别人,乃贪污之变相,决非廉洁。所以廉吝之别,在于待人厚薄方面,而不在于用财多少方面。用财而可有益于人,虽日费万金,不得为奢;不用财而有害于人,虽一钱不用,不得为俭。晏子一狐裘三十年,豚肩不掩豆,并不足贵;所贵者在彼自奉之俭如此,而贫民赖以举火者数百家。可谓节用而爱人矣。孔子之所以特别嘉奖其弟子颜回者,以其能箪食瓢饮而不改其乐,克己复礼,而三月不达仁,于己力求俭约,于人力求富足,此其所以可嘉也。今之教育人者,其能以此道勖勉学生乎?纸张笔墨之浪用,不问也;衣洋服,吸洋烟,不问也;学问无寸进,而家产已尽;来自田间,而养成四体不勤,五谷不分之情况,欲望有增无减,而能力则所得无几。迨入社会,其安能抵抗腐恶势力之同化耶?政治贪污,经济破产,学风不修,有以致之也!今之学校,若不急起直追,严加管教;社会若不积极提倡,示以模范,则奢侈之风不戢,贪污之行难除,以十八世纪之生产能力,供二十世纪之消费速率,而欲望其不民穷财困者难矣!人人知廉,则侥幸之心不生,侥幸之心不生,则能各自安分守己,立功创业,以尽其职责。如此则事事有人创造,人人乐于服务,天地间养成之物,增进无止境,则最大多数之人可得其养。故曰"守廉以致养之功",亦即约取而后能博兴之意也。

(《国立西北大学校刊》1941年第2期)

校训与学风(三)

陈立夫

最后论明耻以储卫之能：耻在个人为善恶邪正之辨别，亦是人类集体生活中自立自强之基础。昔人以"有所不为"为耻字之释义。惟其有所不为，乃能为所当为。凡己之一切，无一能比及他人，则己是否能厕身人类，已成问题，至此而尚不以为可耻，惟偷生苟活以自全，真所谓恬不知耻矣。所谓"不耻不若人，何若人有"？所以耻是人格之保障，即时时保持其做人之及格标准。知耻即能自强不息，日新又新，求善求进，永无止境；自身一切胜过环境，即为自卫之最好方法。故曰"知耻近乎勇"。吾人对于自身外来之利益，不妨礼让，而对于学问道德之精进，不可有一时知足。惟学问道德，为我所真有，他人不能夺取之，不能污损之，而我可用之以自卫，可用之以利人，可用之以卫国。天下惟有自强，乃能雪耻，个人如此，国家亦如此。四年抗战，可以得此教育矣。西谚"天助自助者"。不求自助，为日惟求助于人，其思想已可鄙，其行为更可耻。至若抄袭他人之主义为己有，凭借他人之力量作傀儡，其不为人所挟制利用者难矣，自发自立之精神一失，所余留者仅为倚赖与奴隶之心理而已，人格已丧失殆尽，正气亦所留无几，其不入于邪慝之途，不可得焉。进而言之：对上谄媚，对下必骄傲，几成为天经地义，盖失之于东隅者，必有以收之于桑榆也。上谄下骄者必无恶不作，损人利己，认为当然。卖官鬻爵，不以为异。悖入悖出，醉生梦死，放僻邪侈，无所不为。故曰耻是善恶邪正之分野；换言之，是自爱与不自爱之分，是人格与无人格之别，自爱者人必爱之。养耻之道，应从心地整洁做起，故曰"整洁为强身之本"，必身固不可离也。自爱之人，必能有所不为，且必能为所当为。盖由内在之正气，发生正当之行为，其气之发，能由于"切切实实之觉悟"，其气之用，能作"轰轰烈烈之奋斗"。决非血气之勇可比，太史公描写荆轲之神勇，以一好勇斗狠世俗所谓勇士之秦舞阳作陪。秦舞阳只是血气之勇，而荆轲可谓天下之大勇。彼以当时人人坐视秦始皇之并吞六国，亡人社稷，横暴无理，荼毒生灵，竟无一人敢出而制裁，乃天下之奇耻大辱。于是，身入虎狼之秦，舍生取义，为天下被侵略者雪耻图存。彼明知其行之险，"壮士一去不复还"，为认为入秦之举，乃为所当为，义无反顾，至于成败利钝，非所逆睹。今当国家危亡之际，人人多果能切实觉悟，以无所作为不能挽救国难为可耻，必能奋起卫国之决心，发挥建国之能力，无论在前方后方必均能对侵略国家，轰轰烈烈进行军事经济之战斗。因此内在之勇,不发则已,发则其锋不可当。由此观之,我人当说"明耻教战"四字,实有因果之关系,明耻是教战之先决条件,因教战必先鼓舞其战斗勇气,而此种勇气,贵于持久,决不可犯"一鼓作气,再而衰,三而竭"之弊病。侵略国兵士作战,可以破坏纪律,容许抢劫奸淫种种不法行动以激励勇气,但一遇打击,即一蹶不可复振。唯有从知耻而求雪耻之决心与毅力,始能持久作战,视死如归,所谓"明耻以储卫之能",即以教育力量,使我国人人知科学不如人,必须迎头赶上;工业不如人,必须及时建立;武器不如人,必须自求制造。今日国内各项事业之改进,无一不赖自力更生。雪耻必先知耻,知耻乃能免于耻矣。自强自立之精神,必须由学校立其基础也。

总之,礼义廉耻,为全国校训之目标,亦为学风养成之基础,管教养卫,为个人能力培养之目标,亦为文化建国之基础。崇礼而管尽其效,则政治建设之基础固;尚义而教成其道,则教育建设之基础固;守廉而养教其功,则经济建设之基础固;明耻而卫储其能,则军事建设之基础固。军事经济与教育,为革命建设之三大武力,三者俱固,而复能管得其当,则民族之复兴,与文化之复兴,可立而待焉。礼义廉耻,岂独能养成敬人爱人自敬自爱之完人而已,又岂独能造成有组织、有纪律,能合作、能分工,有不为、有不取,重自强、重自立之团体精神与社会风气而已,抑亦立国之管教养卫四大要政之基础所自出,且为世界正义和平之基础所赖以树立者也。盖礼犹国际公法也,义犹互助协定也,廉犹互不侵犯条约也,耻犹门罗主义也。若四者之口血未干,而盟誓已渝,则世界之和平,其尚能保障乎?我故曰,礼义廉耻,实为修身以至平天下之至理,不可忽视也。愿吾教育界诸君,阐发校训之优良学风,以培育"大刚中正"之民族特性,进而创造三民主义之新文化,以促进世界于大同,而尽各人之天职焉!

(《国立西北大学校刊》1941 年第 2 期)

二、安定第一　纪律至上

赖　琏[①]

本人奉命长西北大学,两月以来,一再恳辞,实因西北工学院既须同时兼顾,深恐精力不继,两方俱难有所成就。乃承同仁同学多方敦促就职,感谢之余,甚觉

---

① 赖琏(1900—1983),字景瑚。福建永安人。1942 年 5 月至 1944 年 8 月 1 日任国立西北大学校长。这是赖琏校长首次对全体学生讲话。

惶恐。我以身许国,一切听命国家,服从总裁。政府既不肯收回成命,我对树人大计,复凤具信心,只得勉为其难,暂时接办,以求无负同仁同学之期望。好在西大、西工在临时大学时代,原为一家,后虽分立,而两校相隔亦不过数十里,西大同仁多为老友,不但来此并不生疏,且可向同仁多多就教。

本人就职之初,人皆愿知我的办学方针,实则为政不在多言,我为习工程者,不会勾心斗角,不善投机取巧,只知用平凡而坦白的态度,来解决所谓困难的人事,用简单而率直的方法来应付所谓复杂的环境。人人都要看同仁同学有无办法。如果同仁互相信赖,相见以诚;同学又能遵守纪律,用功求学;那么整个西大自然有办法,自然蒸蒸日上。我既已就校长职,对于校务之推进,自当绝对负责任,讲效能,对于一切人事之处置,自当绝对开诚心,布公道。只要同仁同学精诚合作,我一定殚精竭虑,尽心尽力,为学校增光荣,为员生谋福利。

罗马非一夜所能造成:我们办学,更不是变弄戏法,说了什么,立刻就有什么效果。一定要假以时日,始可有成。我不唱高调,不讲空话,不轻然诺,不打空头支票。职责所在,埋头苦干,尽力以赴,脚踏实地,实事求是。过去种种,一概不谈。今后愿与同学开始新的生命与新的生活。我要叫出两个很平凡的口号:一个是安定第一,一个是纪律至上。因为我们一定要先有安定,才可以求进步和发展。一定要先有纪律,才可以纳学校于正轨,使它成为有组织有秩序的机构。诸位同学爱护母校,更关切自身的学问和事业,当然愿意把这两个口号彻底实行。

中华民国的教育方针,就是我的办学方针。我们在国家至上、民族至上的大原则之下,笃信三民主义,拥护政府国策,争取最后胜利。而教育最高目的,乃在培养有人格有学识之健全国民。如果我们办学只灌输一点学问技能,而忽略了人格陶冶;这种教育就是舍本逐末,可谓完全失败。我们一定要把总裁所训示的明礼义、知廉耻、负责任、守纪律作人格教育的真谛。今日为青年彻底觉悟的最后机会,诸同学大多来自战区,目击敌寇之残暴……当知人格修养乃为救国自救的根本。

本人向来了解青年,同情青年,信任青年,因为青年是有理想有血性的。但是,青年也有许多不可讳言的短处,青年易为感情所冲动,易受环境的支配,加以社会上各种腐化恶化势力的引诱与压迫,常常造成一般青年盲从、妄动、嚣张、浮躁的习气。所以,我们领导青年,一定要加强训导与管理,我们要求全体同学遵守纪律,服从命令,因为在学校能守纪律,在社会才会奉公守法。现在能听命令,将来才可命令自己的部属或学生,既不能令又不能受命,就是世界上最可悲哀的人。

希望同学们牢记这一句话。

我们要下决心来革除过去一切不合理的现象。什么拥护与打倒,什么欢迎与拒绝,什么请愿与示威,不是别有用心,就是思想落伍,在国难中闹学潮,更为良心所不许,国法所不容。同学们如经合法的程序,提出合理的建议,本人自当尽心考虑,但在任何环境下,决不受人要挟与威胁,更不许任何人干涉学校行政。师生各守岗位,各有职责,分工合作,群策群力,自可殊途同归,使西大发扬光大。

同学们要同我一样有决心,共同清除一切派别与地域的成见,我们在这里只有一个集团,就是西北大学。无论先生和学生,都要一致爱护这个集团。我可以尽力扶植合法社团,尤其是学术团体之发展,但对于封建势力的树立和不合理的小团体的活动,我为维系西北大学之完坚,一定严加制裁。我对事公开,对人公允,宁因严格执行纪律,而被一部分学生所不喜,而决不愿讨好学生,采取姑息政策而致误人子弟,成为国家民族的罪人。我尊重学生人格,决不利用学生;但亦决不许我的学生,受人利用,做人工具,供人牺牲。我自信尚为青年富于热情,平日爱护学生,胜于家人兄弟。但是,君子爱人之以德,小人爱人以姑息,所以我对学生之爱护,是以德而不是以姑息。

西北大学的神圣使命,应使成为名副其实的西北最高学府,既有循循善诱的优良教师,复有好学不倦的有志学生。此时此地,我们远观周秦汉唐之兴盛,环视大西北区域之雄伟,人人应以恢复旧的光荣,建设新的文化为己任,为最高理想。所以我们要深刻警觉,健全自身;一定要树立严整校风,注重人格训练,倡导学术精神,加强读书空气。读书就是求学的广义解释,就是德智体群四育的平衡发展。在大学里,只有读书重于一切,所有团体的或属于政治范围的活动,都应退居次要地位。至于用新的名称来玩旧的花样,更是毫无意义。我对全体同学,一视同仁,凡遵守纪律用功读书立志向上报国情殷的,都是我的好学生。甚至过去曾陷思想错误,走入歧途的人,只要革面洗心,痛自悔悟,我亦一定予以自新之路。我办学的最高目的,就是要为祖国培养有学识,有抱负,能服务,肯牺牲,勇敢诚毅,有守有为的大时代青年。

当这国家民族存亡绝续危机四伏的时候,我愿大声疾呼,要求同学们提高理想,确立向前奔向上进的志愿,坚定三民主义的信仰,建立服务的创造的进取的奋斗的人生观。同学们虽历受战争之痛苦与磨炼,但亦同时得有千载一时的报国机会。你们对祖宗对子孙都要尽责任,因为你们负有继往开来承先启后的使命。国家民族殷切的期待你们。父兄师长严厉的督促你们,你们一定要坚定意志,把握时机,争取胜利。我们决不容许你们失败和堕落,因为你们的成功,就是国家民族的成功! 同学们努力! 奋斗! 朝着胜利和成功的道路迈进!

(《国立西北大学校刊》1942年第1期1-3页)

三、教学与卫道

赖 琏

本人奉命承乏西北大学校长,辱苟诸同仁函电欢迎,无任铭感,当时曾向政府一再恳辞,良以西北工学院办理已将四年,不愿半途而废。后来政府虽命兼管两校,而精神时间,均感不敷,尤觉惶恐。我既以身许国,一切应听命国家,现已决定勉为其难,自当在诸同仁指教与协助之下,□对负责。今日旧友新交,相聚一堂,心中非常愉快,很想将我一点感想,就教于诸同仁之前。

有人愿闻我之办学方针,实则为政不在多言,卑之无甚高论,中华民国教育方针,即为我之办学方针。我们一定要在三民主义的最高信仰下,注重人格陶冶,加强管训工作,倡导学术精神,建立整严校风,消弭派别或地域的成见,革除过去一切不合理的现象,不用姑息政策,不谈自由主义。我们的最大目的,就是要为国家民族,培养有学识,有抱负,能服务,肯牺牲,勇敢诚毅,有守有为的健全国民。

我做事向来不唱高调,不说空话,只知脚踏实地,实事求是。我为学工程者,秉性既甚愚拙,而又好走直线。自幼即闻两点之间,惟直线最简短最经济。教育事业为百年树人大计,应无勾心斗角之必要。今后办理西大,一定开诚心,布公道,负责任,守纪律,殚精竭虑,尽心尽力,增进西大光荣地位,为同仁同学共谋福利。至于校风如何整饬,生活如何改善,我当一面悉心研讨,一面随时准备接受诸同仁的指教与合作。我对同学提出安定第一和纪律至上两个口号,请求各位对此目标,共同努力。我们不求速效,但望假以时日,埋头苦干,只知今日耕耘,不问他日收获。我们一定要精诚团结,打成一片,把西大变成一个大家庭,一个坚强的学术堡垒,大家培植它,爱护它,使它发扬光大。

西北大学处于巴山秦岭之间,复为张博望侯的故里。此时此地的我们,远观周秦汉唐之兴盛,近见西北区域之雄伟,不但对于先民的功绩,表示无限的敬仰,而且对于祖国的前途,更具无穷的希望。我们应该以恢复旧的光荣,建设新的文化为己任,为最高理想,所以西北大学的神圣使命,应该使它成为西北文化的基石,和名副其实的学术机构;一面有循循善诱的教师,一面有敦品励行的同学。师生合作，互相劝勉，向前迈进。

我们要加强读书空气，首先要切实提倡尊师重道的精神。所谓读书的广义解释，就是德体智群四育的平衡发展。在大学里，我们要把读书当作第一件事。其他一切政治活动或团体活动，都要退居次要地位。大家都养成重视读书的风气，学生才知道守纪律，有礼貌；才能够尊敬师长，服从训导。今后对师长不敬或别有怀抱鼓动学潮的学生，决予最严厉的处分。非仅所以保持师长的尊严，亦所以维系国家的纪纲。

训导工作和导师制度，自然是树立人格教育的基础。我们为人师表的，更要兼有严父慈母的态度，以身作则，推己及人，才能收事半功倍之效。五四运动为功为罪，聚讼纷纭，可不论列；可是，二十年来，学风败坏，青年浮嚣；一班野心政客官僚和……，复以青年为玩弄的工具，斗争的武器。此辈实在是国家民族的罪人。我们从事教育者，对于这种现象，一定要下决心，严于纠正，更要负起责任，转移风气，使彷徨歧路的青年，都能导入三民主义的正轨。我们给青年充分的理解与同情，同时一面教导，一面感化；以有教无类的信心，收潜移默化的效果。甚至已被邪说所麻醉的人，我们也要唤醒他们，拯救他们，给他们自新之路。

昔人谓师长之职责，一为传道，二为授业，三为解惑。今人仅知师长为授业与解惑者，几乎把传道那个使命完全忘掉。我们要大声疾呼，使大家都明白师长不仅是灌输知识技能的人，而且是伟大人格的现实模范。我们从事教育者，不但要把传道为己任，并且当到人欲横流义利不分的时候，更要提起卫道的精神，来和一切恶势力斗争，来为国家民族奠定百年树人的基础。孟子以仁义为针对当时的功利主义，现在国命危殆，不绝如缕，我们一定要动员教育界的同人来卫道，来求仁义，来寻真理。希腊哲学家所谓"我爱生命，我更爱真理"；我国先哲谓"杀生成仁舍生取义"，应该成为我们从事教育者的人生哲学。诸同仁牺牲一切，忍受一切，来从事清苦麻烦的教师生活，可谓与抗敌将士同具不朽的荣绩。可是诸位在利他主义当中，还有极丰富极愉快的收获。得天下英才而教育之，对人引为第一乐事。我们亲眼看见许多青年，在我们的培养教导下，成为社会的中坚，党国的干部，这与父兄看见自己的子弟成家立业，有什么不同。同时我们当教师的，一面在谆谆教人，一面又在孜孜求进，世界惟有这种职业，是伟大神圣而又利人利己的。孔子所以能够发愤忘食，乐以忘忧，不知老之将至，正是因为他诲人不倦，而又学而不厌。我们从事教育者，实在应该以孔子的精神为精神。还有一点，我们办教育，不但天天在学问上用功夫，并且天天和青年学子接近，我们教他们，也有不少的地方,可以受他们的影响。他们勇敢,他们激昂,他们有热忱,有幻想,他们富有前进的精神和创造的能力。我们不能因为青年一时的错误而厌恶他们,正要时时受着青年精神的激励,站在时代的前面,领导他们,走向成功之路。

我绝非高谈理论而不面对现实者,同人生活之艰苦,与教学上之种种困难,我不但寄予无限同情;且亦当就国家财政与学校经济之可能范围内,尽力设法补救。我们不但为同事,且当国家危难之秋,亦为同生死共患难者,正应守望相助,疾病相扶持。我们在西大同事的时间,久暂不定,而因同事而成为终身友好,其愉快更非言语所能形容。我们具有共同目的与理想,复负有共同责任与职务。我无他长,但知以"学而不厌"自勉,我来西大,非教人,乃来领教;非役人,乃役于人。敬求诸同仁不吝指教,共谋西北大学之发扬光大。

(国立西北大学校刊 1942 年第 2 期 1 - 3 页)

四、负继往开来的使命,做顶天立地的国民

(国立西北大学第三届毕业典礼训词)

赖 琏

我就校长职不久,就来主持这一次毕业典礼,觉得非常荣幸。我今天送二百多位毕业生出校,国家便多了二百多位青年战士。我们的情绪自然是愉快不是伤感,是兴奋不是悲哀。

我们处在这个动荡扰攘的世界,看见暴力日益嚣张,文化日趋摧毁,人类命运的悲惨,几非言语所能形容。当然有不少的人,感觉失望灰心,以为世界末日快来临了!可是,我们同时又看见四万万五千万同胞,以坚强的毅力,和必死的决心,抵抗倭寇的侵略,负荷建国的使命;现在更进一步与二十八个同盟国精诚团结,并肩作战;我们如果还抱悲观的见解,除非自甘堕落外,实在没有任何理由。我们虔诚的深信:三民主义的理想,正义人道的主张,一定可以得到最后的胜利。生于此时此地的青年,既可贡献能力,革新世界,又可为国家民族尽忠效命;真可谓千载一时的机会,都被我们占有了!

诸君在大学毕业的时候:有的人很畏惧,恐怕没有能力,来应付这个复杂的社会;有的人很骄矜,以为大学毕业了,可以目空一切。这种矛盾的观念,实在都是错误。一个有志向的青年,一定要有自信力,所以不应该妄自菲薄;同时更要戒慎恐惧,虚心受教,所以不应该妄自尊大。学问浩如烟海,大学教育不过是研究学问

的开端。你们如果保持求知欲,发展向上心,自然可以急起直追,升堂入室,在学问上有造诣和贡献。你们如果进了四年大学,一知半解,就自认满足,甚至离开学校,就和书本脱离关系,这就叫做自暴自弃,不可救药。我想同学们决不会是这样。

诸君所学不同,报国则一。近年我国深感工业幼稚,科学落后,大家尽力提倡物质建设。我为学工程且系办理工程教育者,当然也是绝对主张中国要迅速的工业化现代化的。可是我站在学术的立场,且为国家作永久的打算,不能不认为学术的发展,应该力求各科的平衡。工程学科的偏重,实在是一种过犹不及的畸形现象。

我们常常把学问随便分成实科文科:工农医药之类,自然叫做实科。谈到文科,大家以为是空洞而不切实用的东西。这样分类,既不正确,而这种鄙视文科的心理,也有立加改正的必要。譬如说:文学哲学似乎是学不足以致用的科目了;可是,它能倡导正确思想,它能发扬民族精神,而且还能陶情冶性,正心修身,甚至可以改变当前的现状,影响未来的局势。这种心理建设的工作,国父在建国方略中,也是列为首要的。至于政治思想与政治制度的研究,经济学说与经济政策的探讨,可以改善社会的组织,可以加强政府的机构,可以促进国家的进步。这种科目为现代国家所必需,我们更有积极提倡的必要。

就把自然科学来说吧!"科学救国"的口号叫了多少年;科学是什么,国人似乎还不甚明白。有的以为修马路,建洋房,就是科学。有的以为开工厂,制枪炮,就是科学。甚至一班崇拜科学的人,也说数学理化之类太偏重理了。近来学工科的日多,学理科的日少,恐怕就是这个原故。实则自然科学的重要性,远在应用科学之上。一切实用工程,都要以自然科学为基础。要望工程学术日新又新,迎头赶上,还要用全力发展自然科学,才可与时代需要相配合。

我们常把"学以致用"这句话看得太呆。"致用"固属重要,而为学问而从事学问,尽瘁学问,具有深刻的意义。一个人不问性近何科,或所习何科,只要学问是真实,只要能以学而不厌的精神,贯彻始终,总可以对人群有贡献,在学术上有成就。

古人说得好:"学然后知不足"。一个人如果自认满足,就是表示他不学无术。所以诸君毕业以后,一定还要继续努力,精益求精。学问正如一部大著作,诸君在大学毕业,只可算读了这部著作的序言和目录;要知书中精义,非再向前进,再对里钻不可。在现代国家,做一个健全公民,不但要有专门学问,还要具备普通常识。二者同样重要,缺一不可。诸君必须随时学习,随时补充,才不至成为时代的落伍者。

大学教育是以阐扬学术为目的。可是,我们在追求真理的过程中,绝对不可丝毫忽略人格的修养;因为做人是比求事更加重要的。大学教育如果只灌输了一个青年的知识,而没有培养他的品格,陶冶他的性情,这种教育就是彻底失败。况且没有道德的人,有了学问,学问适足以济其奸恶,甚至贻害国家。历史和现实的教训太多,我也不必枚举。希望诸君永远不忘人格教育的重要意义。

诸君今日离开母校,步入一种冷酷残忍的社会,随时可以遇着困难和险阻,随时可以遭逢打击与威胁。意志不刚毅,信仰不坚定的青年,很容易做环境的奴隶,命运的俘虏,畏葸,消沉,失败,堕落。你们一定要以战斗的精神,抗拒声色权利的引诱和腐化恶化势力的压迫,根除一切贪赃枉、法舞弊营私的卑劣行为,永远保持灵魂的纯洁与人格的健全。

诸君对于身体的锻炼与爱护,也要时时特别注意。很多有为的青年,因为私生活不整饬,弄得精神萎靡,甚至把身体都残害了。这是很可悲哀的事。诸君应知一个人要有强壮的体魄,才有健旺的精神,而体育和德育智育的密切联系,诸君更是知道得太清楚了。

诸君从小学到大学,过了十多年的集体生活,当然明白合群习惯与合作精神的绝对需要。我们要做健全公民,要实行民主政治,要使中国成为现代国家,都要以全力培养这种习惯,提倡这种精神。凡是在一个集团当中,闹意气,分派别,存偏见,怀嫉妒的人,都可以破坏团体生活,都可以成为国家民族的罪人。希望诸君深切了解这一点。

现在国家需要人才,同时又似乎人才非常缺乏。我看不是中国没有人才,而是一班稍有才学的人,把人生的调子降得太低,弄得上下交征利,除了赚钱吃饭以外,好像没有其他目的。有志气有热血的青年,应该提高理想,把救国家,救民族,救世界,当作我们的终身事业。我们要以三民主义的信仰为至高无上的规范,同时还要具有浓厚的民族观念和强烈的国家思想,以及服务的、向上的、创造的、奋斗的、牺牲的人生观。古圣先贤的坚忍不拔的意志,成仁取义的信念,临难不苟的气节,就是我们数千年来的民族精神,我们应永远保持并且还要身体力行,发扬光大。

这几年,时局骚动,战事蔓延,学校教育无虑讳言的有许多不完备的地方。西大过去也常常发生不幸事件。诸君在心身修养方面,自然不免有种种缺陷。然而,诸君也不能把一切责任,都推之于社会和学校。一个青年应该有自立自治的精神。而自立自治之先,一定要晓得自省和自责。我们在学校生活中,有没有愚昧或谬误的行为? 是不是辜负师长? 是不是愧对国家? 我们是人类,人类总不免有过失。有过失,就要有勇气去纠正。我们对人要宽大,而律己必须十分严谨。时时悔过,时时自修,自然过去一切教育上的缺陷,都可用自力更生的精神,加以适当的弥补。

我们晓得智仁勇是天下的三大德。智者不惑,仁者不忧,勇者不惧。我们三者具备,就可整饬私人生活,就可发扬公民道德。我常常叫同学们服从命令,遵守纪律。我又常常劝勉同学们要立志,要向上,要刻苦耐劳。我今天更希望诸君立身行事,要忠要诚;待人接物,要公要正;意志既要坚强,胸襟更须豁达;与人相交,要重信义;处理公务,要讲效率。诸君进到社会,担任各种职务,一定要把这些话切实做到,永远不可忘记。

以上所述各点,都是老生常谈。可是,你们如果躬行实践,一定可以成功,否则一定失败,毫无疑义。一个青年的成败,在过去不过是个人的私事,现在就与整个国运有关;因为国家需要人才,费了许多人力财力,培养一个失败的青年,有形无形的损失,实在非常重大。所以国家不容许你们失败,母校不容许你们失败。千言万语,总括起来,我要求诸君从今天起,更要保持高尚的理想,健全的人格,坚定的意志,进取的精神。天降大任于诸君,诸君应以天下兴亡为己任,用血汗和功业来报答国家的深恩厚泽!

诸君当离开母校的时候,睹见母校已有新的气象和新的生命,自然对于母校前途,发生无穷的希望。我就职的第一天,提出"安定第一"和"纪律至上"两个口号,现在虽不敢说有何成就,但是,至少已向安定和纪律的道路迈步前进。此后同仁同学群策群力,当然可以使母校得到合理的发展与进步。毕业同学更应以事实,尤其是人格修养和工作成绩,来替母校辩护一切,表现一切。诸君要和母校及各地校友取得密切的联系。母校也随时随地注视诸君事业的进展和名望的树立,继续不断地加以指导与协助。

诸君的成功,就是母校的光辉,也就是国家民族的荣幸。我为诸君的师长,亦为诸君的诤友,临别依依,叮咛再三。诸君既决心以全部生命和能力贡献国家,一定要紧张不要因循,要前进不要堕落,要奋斗不要消沉,更要公而忘私,忠贞自矢,自强不息,贯彻始终;负起继往开来的时代使命,誓为顶天立地的健全国民。要是这样,我们就可以雪耻救国,就可以争取胜利,就可以完成革命任务,就可以建设富强康泰的现代国家!

望诸君为国自爱！祝诸君进步成功！

（《国立西北学校刊》1942年第3期第1-4页）

五、学校组织的重心

（在九月二十五日开学典礼的讲话）

刘季洪①

诸位先生诸位同学：

今天是本校三十三年度上学期开学典礼的一天，也是本人参与全体集会的第一次。愿将本人对学校几个基本问题的看法，提出来向大家报告一下。

甲、学校组织重心问题

学校为教师职员同学所组成，我们必须先认识学校组织的重心，然后一切举措施为，才能轻重合度，如网在纲，而不致于舍本逐末。我们为明了学校的重心所在，可以回溯一下过去私塾的情形。当时为家长的延聘教师，教育子弟，家长因为想子弟读书有成，所以对于教师特别尊敬，学生对师长更为恭谨。因此教师也就以诲人不倦的精神，对学生传道授业解惑，使学生获有成就，所以私塾的重心是在教师。后来学校制度成立，政府就委派人员代替学生家长来延聘教师，一个学校的成功与否，依然是在教师身上。假使一个学校不能认清这一点，不能为教师布置适宜的研究教学环境，不能使教师在乐道安贫的生活中，得到精神上的安慰，必使学校受到莫大的损失。这是我们应当注意的第一件事情。

乙、学业进修问题

我国一般人入大学的机会甚少，大学生约占人口的万分之一，我们的同学很幸运地进入大学，假使把四年马虎混过，真是辜负了国家和自己。我们讲学的人假使不能使同学充分利用时机，加紧学习，也是扪心有愧。所以学业进修是最重要的一个问题。在学业方面要谈到：（一）课程；（二）教材；（三）课外阅读；（四）研究资料。

关于课程在旧时中外都很简单，中国不外经史子集，欧西各国也不外乎文史、法政、哲学、神学诸科。自从十七世纪科学发达，十八世纪工业革命开始，自然科学便被人重视而进入课程的范围。又因工业发展的结果，社会组织有了变化，社

---

① 刘季洪（1904—1989），江苏丰县人。1944年12月23日至1947年10月任国立西北大学校长。原题为《在九月二十五日开学典礼的讲话》，姚远提炼为《学校组织的重心》。

会问题渐渐发生,于是学校里又增添了社会科学的科目,课程既然逐渐扩充,人的精力有限,不能兼治各科,所以才分科研究,训练专才。但是晚近大众又感觉到分科固然可以专范,然对一般文化陶冶,每多忽略,以致关于人生缺乏普遍了解。所以有些人又注意到广泛知识的重要,这就是渊与博的问题。现在的课程编配,也可以说是在这个歧途上徘徊。究竟怎样可以双方兼顾?是要希望各院系能研究出一个妥善的办法。

其次是教材问题。现在大学所用的教材各校各教授不同,有的用外国教本,有的自编讲义,内容甚为分歧。这些教材是否适合?是否联系?是否不重复?颇有研讨的必要。希望各院系邀集各教授对本系必修选修各课程的教材加以检讨,务使衔接一致,分配得宜。

再次是课外阅读问题。每个学生倘若只读教科书,那么四年合计不过读书几十本而已,那是不够的。必须课外阅读,以作补充。假设每人每周课外读书二至四本,一年以五十周计,可能读百本到二百本,四年合计可读四百到八百本。虽然还是很少,总可补充了一些知识,而为以后终身治学的基础。关于课外阅读也不是漫无标准的,希望各系将学生四年应读书籍列为书目,图书馆所无的,我们当尽量购买,有价值的书可买复本,总要使同学有计划的多多读书。

最后是研究资料问题。世界上有地位的大学,都是因为能在学术上有特殊的贡献。一个学校能在学术上有所贡献,并不是偶然的,必须由教授领导,经年累月,埋头研究,然后方能有所成就。而在研究过程之中,一定积累若干重要资料,这些研究资料如能随时整理保存,务使这个大学能有特殊重要的宝藏。例如英国伦敦经济学院所以被人重视,就是因为它有若干教授工作在四五十年以上,将他们研究结果或整理出来的资料一齐保存在学校里,这些资料为其他学校所无,其价值远在普通图书之上。所以我们希望各院系教授领导学生多多从事各种专题研究,使本校学术资料日益增加充实,则本校学术地位,方有日渐提高的可能。

丙、品格陶冶问题

学校不仅在灌输知识,尤须陶冶品格,讲到陶冶品格,我们首先要树立共同的道德标准,假使遇一问题各人想法不同,观念不同,那么行为自然容易分歧。我们先贤早遗给我们许多道德要目,如智仁勇,忠孝仁爱信义和平,礼义廉耻,莫不可作为行为规范。青年守则更是综合四维八德以及三达德的精粹,而成为我们全体国民所应共同遵循的道德标准。我们都依照去做,自然行为会纳入正轨,行动能彼此一致,但是我们有了行为规范,还应当有实践力行的精神。我国过去教训子弟,先注意洒扫应对,就是注意实践的意思。中庸上所谓"人一能之己百之,人十能之己千之,"更强调了力行应有的精神。其次,我们除去修己以外,还要求善群之道。现时社会人与人的关系日益增加,团体生活的训练极为重要。团体生活的主要条件,在能重组织守秩序,而组织秩序习惯的养成,则应从实行自治始。过去学校亦曾有自治会的组织,但因职权不清,易生流弊。今后学校应就学生各种不□的生活中,分别指导学生实行自治,比如膳食管理、宿舍卫生、课外运动等等,都能以团体组织自治方式去做。……对善群的习惯也会渐渐养成。

丁、体能锻炼问题

本人因为身体不强,深感苦痛,所以特别希望同学多多注意体魄的锻炼,这包括两方面:一是卫生,一是运动。

卫生是消极的防治疾病的发生。不久以前本人曾到同学宿舍看了一次,整洁的固然有,不整洁的却属多数。环境不整洁,不但使我们身体易生疾病,精神上也会受到不良的影响。我们房屋虽不好,但在穷困之中,清洁整齐仍应做到。其次要谈到运动。运动是强健身体的必要手段,是积极的,更值得我们注意。有人以为每天走一段路就可强身,那是不够的。另外,必须在特定时间,在空旷场所,去认真运动。早操不仅是学校精神的表现,也是锻炼身体的机会,应当切实认真去做,现在下午有的时间没有排课,我们要每位同学都每天利用闲暇时间,到运动场去做半小时到一小时的运动。

戊、本校的特殊使命

本校原来是个规模庞大的大学,后来农工医师范各院先后单独设立,现在只剩下文理法商三院,我们的特殊使命就是提高西北文化的水准,领导西北学术的研究。我们每系都要尽到这个责任,要侧重西北问题的研究。比如历史系除研究一般史学外,要注意西北边疆史、中俄外交史的研究;地质地理系除一般地理地质科目外,也要特别研究西北的地质地理,这样才能负起我们特殊的使命。其次我们要研究华北各省高等教育的复员问题。我们的同学大多来自河北、河南、山东、山西、察、绥等省,这些省份现在大多沦陷敌手,我们的行政机构教育机关均已解纽,将来失地收复,我们如何恢复机构补充人才,在目前应当未雨绸缪。我们家乡的问题,应当由我们同学密切注意,认真研究,这也是我们达成战时特殊使命的一端。

以上是几个大问题,其余学校细事,留待将来与大家见面时再提出来报告。

(《国立西北大学校刊》1944年复刊第1期)

六、同学相处之道

（在十月二日国父纪念周的讲词）

刘季洪

诸位先生，诸位同学：

今天是本年度新生入学后上课的第一天，我们学校从今天起加入了许多新分子。我们应当如何相处？如何携手共进？是值得大家注意的。现在想趁此机会讲一讲同学相处之道。

本校今年招考录取以及部令分发的新生约计二百五十名。这些新同学到校后与各同学至少有一年以上相处的时间，大家离校后，彼此皆为校友，关系亦极密切。朋友的关系为五伦之一，是值得重视的。假使善于相处，生活就能和谐美满，不善相处，精神定感苦痛。但是怎样才能造成和乐的生活环境呢？我以为我们应有：（一）亲切的友谊；（二）优良的校风；（三）完善的行政。

先讲亲切友谊的造成。两人以上的相处必须以仁爱存心，行忠恕之道而劝善规过互相尊敬，然后才能和谐无间，亲爱精诚，德业日晋。何谓仁爱存心？大凡与人接触，我们心理上不外乎有两种倾向：一是敬爱，一是憎恶。敬爱别人的时候，态度谦恭礼貌，言行也能合度，这样予人以良好印象，别人对我们自然也会发生好感。在憎恶别人的时候，自己态度举止，不自然而然的会流露出心理的倾向，这样自然使别人对我们没有好感。所以待人接物的时候，自己存心如何是非常重要的。我们应当尊敬别人，牺牲自己，帮助朋友。人群相处，低等野蛮的阶段，总是竞争，进步文明的阶段才知道合作。我们是国民中的精华，应当修养到亲仁民，仁民爱物的境地。我们的朋友，好的我们要帮助他，鼓励他，使他百尺竿头更进一步，在学问上事业上有所建树。不好的，我们要分析他不好的原因，原谅他，规勉他。我们有了仁爱的心，还要行忠恕之道。何谓忠恕之道？照一般的解释，尽己之谓忠，推己及人之谓恕。我们与朋友在一起，首先要尽竭自己的力量，自力进步，不要完全依赖别人，不要节省自己的精神力量，而累及朋友，到自己力有不逮的时候，朋友自然乐意帮助我们。其次，我们要做到己所不欲勿施于人的境地，我不愿人家讥笑我，侮辱我，我也就不讥笑人，侮辱人。这样自可杜绝一切纷争冲突。对人不满意，有误会，总要易地以处，为人着想。比如学校里的膳食，是应当大家去办理的，因为人多，不能都去直接管理，所以就推举代表替同学去管理，他们办伙食的人固应竭尽心力，谋大家福利，而其余的同学也应尽力协助，力求制度办法的改善，而未可不负责任，专事批评。这就是与朋友相处的忠恕之道。再次我们还要劝善规过，这一点很重要，不能做到这一点，那我们就不易日有晋境。普通劝善的朋友比较多，因为鼓励人向上进步，别人容易接受，也乐意接受。规过比较难，做到的人也不多，因为多数人皆不能接受别人的批评。我希望我们同学在一起，遇朋友有过失，立即规勉；有过失的同学，要能接受批评，勇于认错，彻底悔改。忠言虽然逆耳，但古今能成功的人，没有不能接受忠言，博采众议的，吸取各人的优点，改正自己的缺点，才能渐向至善之途。曾□生先生，曾谓事业能有所成，得力于悔字者至大，所以我们遇有过失，要坦白承认，不讳不饰，友朋劝规，更要虚心接受。古人所谓能下人者能上人，也就是这个意思。

其次，我要讲的是优良校风的影响。在行政上，有各种办事的准则；在个人方面，习惯可以规范日常的生活；在团体里面，风气的力量极大，可以形成大众的趋向，影响个人的品格发展。一个学校常有一个学校的校风，倘若学校有优良的校风，那么学生耳濡目染潜移默化都会渐渐走向好的方面。现在要问怎样才是优良的校风？关于这一方面我想提出大家公认的几点：第一是读书的风气，第二是劝俭的风气，第三是运动的风气。一个学校如果读书的空气浓厚，则不用功的学生，必为同学所轻视，教授亦必以多对学术有贡献为乐事。全校师生终日在传道问学、质疑解惑之中，和谐聚处，人人均将受其陶冶，而形成好学的风气。关于日常习行方面，也有若干美德应当互相勉励而使成为公共的习尚。其中最重要的就是劝俭的美德。所谓勤可补拙，俭可养廉，勤快实为成功的根本。我们先祖筚路蓝缕缔造国家，而后人懒惰糜费，不知愤发，俨然成为破落户的子弟。现在大家在大学读书，必须树立风气，改造社会，勿以现时生活艰苦为可忧，而应视为应有的磨炼。还有运动的风气，也应当积极提倡。现时我国一般人体格均差，文人尤甚，所认在学校中必须扩充运动设备，用各种运动比赛的方法鼓舞喜好运动的兴趣，渐逐推广，养成公共注重体育的习惯。

最后，要讲一讲完善行政的重要。人类集团事务繁多，管理众人之事，使能互助合作、共生共进，这就是行政的责任，学校行政发我们职员应负责任，责无旁贷，先要使行政系统完备，使上下关联，如身之使臂，臂之使指，然后才能丝丝入扣，提高效率，将各种事务，迅速办就。此外在执行的时候，要公正严明，不敷衍，不苟且，于大众有害的，立即取缔。于大众有利的，设法兴办，这样才能维持最大多数的最大福利，才能造成有利于同学的学习研究环境。以上是就学校行政而言，再就同学的团体组织讲，也要有严密的组织，共同遵守的规章，在共同生活中培养自治的能力,练习做事的方法。果能如此,方可精诚团结,无所争扰。

　　以上所说的,都是造成和谐安乐的生活环境的基本条件,希望大家共同努力,共同勉励,使我们在和谐安乐的环境中,有一日千里的进步。

(《国立西北大学校刊》1944年复刊第2期第4页)

七、回顾与前瞻

刘季洪

　　今日为西大成立五周年纪念之辰,吾人于欣愉庆祝之余,缅怀既往,环顾现实,展望将来,益觉责任重大,有待努力之处正多,爰述所感,以与吾全校师生互相勉励:

　　西大为战后新生之大学,然若追溯往史,则今日之文理法商三学院实由西北联合大学、西安临时大学演化而来。更早之前身,则为北平师范大学及北平大学。师大、平大为国内著名之学府,创办已达四十余年,吾校承袭如是光荣之传统,合计前后之时间不愧为国内历史悠久之大学;而师大、平大之流风余韵,亦仍能保存不替,此与战后新兴之其他大学固迥不相侔。吾全校师生缅怀昔日之余绪,允应砥砺奋发,精进不懈,以光大发扬过去光荣之历史。此回溯既往,吾人所宜互相勉励者一也。

　　吾校之成立,主为抗战客观形势所决定,可谓生于忧患。数载以还,学校虽尚可按部就班,逐渐成长,而敌骑仍旧纵横宇内,今秋以还,烽烟且渐遍及西南奥区,形势险恶,尤胜往昔。大学之使命,固为保存民族文化,研究高深学术,而文化学术亦必附属于独立国家,始有意义。环顾当前局势,必先捍卫国家,效忠民族,然后始能言学术之研究,文化之保存。"皮之不存,毛将焉附",务望我全校同学懔于国难之深重,奋其无畏之精神,踊跃从军,投袂赴战,以热血头颅保卫国家,维护学校;以参战热情,提高我校在国内之地位。此环顾现实,吾人所宜勉励者二也。

　　目前,吾校适龄同学,奋勇赴战,保卫国家,固为当务,而展望大局,盟军合围之势已成,敌寇覆亡之兆日著,预料不久当可尽逐敌骑,复我故土,结束战事,恢复和平。是以虽处此千钧一发之时,而学校未来进行计划,仍不能不预为筹谋。其首宜绸缪设计者,厥为永久校址之问题。吾校永久校址,设于西安,部令早经指定,惟环境如何布置?房舍如何建筑?均尚待吾人妥为筹为划,以免临时仓猝;又以吾校为西北唯一之大学,故对西北文化之建设,西北问题之研究,实负有不可推卸之责任。为研究便利计,除学校设立西安外,应在西北各适宜地点,设置研究机构以调查实况,搜集资料,此种机构以设于何地为适宜?以如何分布为安善?亦切实研讨,预为计划。此展望将来,吾人所宜勉励者三也。

大学之使命,不仅在教育青年使知研究之门径;尤须本身能致力高深学术之研究,俾有创获,造福人群。以故国内外著名大学,莫不设置研究所,网罗人才,搜集资料,锲而不舍,朝夕以赴。吾校虽为西北最高之学府,但以近年人事迭有变更,致未尚遑及此。今后自应添设,以为西北学术研究之中心。本年度起,各院将酌辟研究室,扩充设备,延揽专才,以为改设研究所之准备。期于一年以内,逐渐完成。此展望将来,吾人所宜勉励者四也。

大学推广教育,自十九世纪中叶剑桥牛津首先倡导以来,西欧各国著名大学莫不注意及此,以尽辅导社会之责。吾校设立西北,对向称落后之西北各省文化水准之提高,一般教育之促进,科学知识之传播,社会风气之转移,自应引为己任,悉力以赴,庶能辅助地方,推进教化。此展望将来,吾人所宜勉励者五也。

吾校成立近今,才仅五载,前后毕业同学为数尚不过多,惟吾校既决定设立西安,则今后毕业同学之散布西北各地者,自当与日俱增;而建设西北,改造西北,自亦吾毕业同学责无旁贷之使命。凡吾同学务须认清责任,劝谨厥职,以不矜不伐之态度,作坚忍不拔之奋斗;学校对毕业同学之联系与督导,亦将拟具计划,务期加强,力求改进,藉以造成吾校特殊之任务。此展望将来,吾人所宜勉励者六也。

学校要务,方面极多,诸待努力。以上所举,不过荦荦大者,尚希我全校师生,毕业同学通力合作,互勖互勉,以发扬过去之光荣,完成未来之使命。

(《国立西北大学校刊》1944年复刊第4期第1页)

八、劝本届毕业同学

刘季洪

国家的隆替,系于人才的兴衰,因为人才对于国家极关重要,所以在抗战期间,政府于万般困难中,仍竭力维持教育事业,务使人才培养的工作不致中辍。诸君来校学习四年,于今告一段落,在抗战的目前,真可以说最堪庆幸。我们回想一下,从"七七"事变到现在,将届八年,在这八年之中,国家艰危万状,前方无数军民喋血杀敌,保卫国土;后方千万同胞贡献财力,协助抗战;诸君在这样的一个时期,仍得到清苦不移从事教职的各位先生谆谆教导,完成中学的阶段,结束大学的课业,这真太难得了。我们一方面固然庆幸,一方面也要珍惜这样难得的机会,而愈加奋勉!关于今后应行努力方面,我愿意提出以下三点来与诸君互相劝勉。

西人常说"毕业即始业",这句话意义深长,值得我们真切体味。本来学无止境,读书研究决没有终了完毕的时候,况且我们学习的时间至为短促,在大学里面所学的又不过是各科的基本知识及一些为学的方法而已。以短少的时间,学得片断的知识,来应付繁复的现代社会,自感不足,必须以大学所得知识做基础,继续研究,扩充知识,才可以立足社会,肆应裕如。过去的为学,比较简单,只要把往圣先贤的传统学术,彻底了解,牢记脑海,并可适应当时社会而运用自如。现在情形不同,社会时刻变化,科学日新月异,我们不仅须融会往圣先贤的学问,还要明了当前社会的情形,更要钻研科学,考察发明促使人类进步,加强征服自然,这样才是真的迎头赶上。所以今后诸君仍要在学术上继续研求。

现代国家的基本条件,是政治上的民主,及生产上的工业化。我国今后无疑的要成为现代化的国家,也就是要走上民主及工业化的大道。民主不是空喊口号徒唱高调可以实现的,必须一般国民的教育达到相当的水准,社会福利办理相当的普遍,社会组织已经相当的健全,然后民主才有牢固的基础,才能推行顺利而少流弊。工业化也不仅是生产技术的问题,与组织严密,配合妥善,管理得法,注意效率等项,皆有密切的关系。建设现代化的国家是当前普遍一致的要求,诸君步入社会,有应负起建国的任务,或从事教育事业、社会福利等事业,或倡导请求效率严密、合理的风气,以促助民主与工业化的实现。所以,诸君要认清时代,担负起建设现化国家的使命,这是第二点。

本校设在我国的西北,因为这一带完整大学的稀少,所以在这广大的地区,甚至在华北的各省,它都占有相当重要的地位;地位重要,使命也就来得特别重大,战事不久当可结束,北方各沦陷区的复员工作,为安定社会推行政教等等业务,我们都应当勉力去做。至于"建设西北"那更是我们义不容辞的责任。一个学校价值的高低,不仅系于校内办理是否完善,措施是否合理,还要视毕业校友服务成绩的良窳以为断。假使各位校友在社会上都有贡献,都有成就,那么本校的地位自然会随而增高,换句话讲也就是无负它设立的使命。本校前五届的毕业校友已经散布各地服务有年,诸君应与彼等取得联系,互相观摩,携手并进,同时也要与学校密切联系,将服务情形工作心得随时报告学校,使校内一切改进可以以为根本,以为依据;使校内研讨的学理更能与实际情形密切配合互相印证。所以,诸君要与母校及过去毕业的校友密切联系,共谋本校特殊使命的达成,这是第三点。

最后愿诸君惕砺奋发,自强不息。祝诸君身心健康,前途无量。

(《国立西北大学校刊》1945年复刊第14期)

九、校庆献辞:本校之现在与将来

刘季洪

本校由北平师范大学、北平大学、北洋工学院递嬗而来,迁设陕南,即将八载,改称今名,亦已六岁。承社会人士之扶掖,赖全校员生之努力,虽当艰困环境,仍能逐渐成长。不佞承乏校务以来,所得三秦及西北各地人士之匡助尤多,每一念及,铭感无既。兹逢本校成立六周年纪念之辰,谨将校内实际状况及将来发展方向择要肤陈,俾各界人士洞明各情,更可进而教之。

就现状言,年来系组迭有增加,刻分文、理、法商三院,包括中国文学、外国语文、历史、边政、教育、数学、物理、化学、生物、地质地理、法律、政治、经济、商学等学系,就中外国语文、地质地理、法律三系,复析为英文、俄文、地质、地理、法理、司法等组,共计十七系组,惟边政系之设立,仅有一年之历史;教育系则系本年度所增设,内容未充,自待努力。

以言师资:则本校教授,原多讲学平津,蜚声海内,抗战军兴,始避地南来;近年更自各方延聘硕学之士,藉资增益。现全校93位教授之中,服务十年者已逾半数,且有任教达二十五年以上者。盖多具备安贫乐道诲人不倦之精神,用能专心教学,不轻迁易。在师资缺乏之目前,有如此基础,洵属难能。

设备方面,则尚待充实。盖以师大、平大原有之图书仪器,全未携出,早已荡然;战时经费支绌,运输困难,添置又至不易;惟近年亦自国内外陆续添置,已稍充备。现有中西文图书杂志二万余册,标本仪器药品数千种。其已订购而在运送途中者,亦有相当数量。故目前普通实验与必要参考,略可敷用,惟仍需大量补充耳。

在校学生1120人,来自二十五省市,就中以籍隶陕、豫、冀、晋、鲁诸省者为最多,以院系分配言,则法商学科之学生几占全数二分之一。本校为如此广大之区域培育人才,责任至重。如何造就优良之专才以适应各地之需要,如何使各科人才均衡发展以符合百业之需求,殆莫不需本校妥慎考虑,悉力以赴。

毕业学生先后共计六届,凡1 369人,分隶三十二省市,大多从事经济教育普通行政各部门之业务,勤勉服务,尚具成绩。迨收复地区秩序恢复以后,分布地域当必随而扩大,对社会之贡献,自亦可增多也。

本校将来发展之方向,约有下列六端:

一曰完成迁建计划。陕南僻处一隅,不宜大学设立,欲图今后之发展,自以迁校为急务。本校永久校址,早经定为西安,校舍亦由教部明令指派,刻正积极筹备以期早日北徙,预计明春五月开始迁移,来秋布署完毕,先行上课。惟已有之房舍,或狭小不敷,或不切实生,永久校舍,仍须另行建筑。拟择西安近郊环境幽静景色宜人且有发展余地之地点,逐步兴建,宏具规模庶可垂诸久远。如无特殊困难,迁建工作,一二年内当可初步完成。

二曰充实教学设备。设备之良窳,关系教学研究之深巨,尽人皆知,无待赘论。本校成长于战时,格于事实,各项设备,自难臻于完善。一俟交通恢复,即应大量补充,不仅仪器药品标本模型参考图书期刊专集须广事征求,设法购置,即其他与教学有关之特种设施,如博物馆、气象台、生物园等,亦当酌予添设,务使教学实习,两感利便。

三曰努力学术研究。大学之任务,除聚集员生从事教学外,尤须致力研究,期于学术上有所创获。本校近年已注意及此,先后设置考古室、西北文物研究室、边政研究室,搜集资料,开始研究。今后自当力图扩充,于短期内成立各科研究所或研究室,延揽专才,分头进行。再本校既设于西北,则对西北之自然与社会,自应加意探究,一面实地调查考察,搜求各地文献;一面分请教授,研究各项问题,将所获资料,一一保存,分别整理,相机发表。如此穷年累月,积聚自富,对国内外学术界,或不无贡献也。

四曰改善生活环境。生活环境足以影响教学,战时此种事例,俯拾皆是。迁校后对员生之日常生活,允宜加以改善,如环境布置之整洁幽美,衣食住行之合理卫生,休闲娱乐之适当调剂,体格健康之积极促进,同仁子弟之教养,疾病体弱之看顾,皆应注意规划,求其周备。务使员生生活学府之中,精神不困扰于琐务,身心得均衡之发展,斯可致力学术,宏其造就。诚能如是,则高龄教授或亦不求退休,仍留学校以余晚景;斯时虽不登坛讲学,但其好学精神恬淡胸怀,使学生于耳濡目染之中,当亦获益匪浅也。

五曰增设需要院系。目前交通梗阻,学生来校至感不便,不久复员完成,诸般情况定可改善,而来学学生亦必随而大增。加之西北各省今后步入建设时期,百业发展,社会繁荣,指日可待。所需干部人才之供应,学术研究之辅助,当然与日俱增。为容纳深造之青年适应社会之需要,必须酌添院系,如现有之法商学院改为法学及商学两院，各系之分组者改组为系，以及其他新院系之增设等，皆当依实际之需要，渐次求其实现。

六曰协助地方建设。本校为西北唯一之大学，历年毕业同学亦多散布西北各省，则全校员生对西北地方建设之协助，自属责无旁贷。除针对需要训练学生期切实用并按年供应大批干部人才从事建设而外，当督励毕业校友，各就岗位，勤奋工作，服务地方。各地实际问题，亦甚愿参加研究，求学理之验证，并期对于地方建设能竭尽绵薄也。

本校规模虽已初具，但尚待充实发展，今后应行注意之点至为繁伙，大致方向，则如上述。至盼全校师生共同努力，求其实现，并希地方绅耆社会贤达多予匡助，俾得日有晋境，则幸甚矣！

（《国立西北大学校刊》1945年复刊第17期）

十、成功之道

刘季洪

今天是本校第八届毕业和医学院五年级结业典礼。回想本校创立于抗战期中，诸生多经过流离困顿，以完成这一段学业。胜利复员后，本校始有一永久固定校址。今天在此地举行毕业典礼，还是迁校西安后的首次。在这创痛未忘，忧患未已的时候，谨郑重向诸位毕业同学讲几句话。

本人对于诸位同学，无论在校学习，或者是毕业后处身社会，无时不希望诸位，对于学问、事业都能成功，对于国家民族，甚至对于人类都能有大的贡献。所以今天讲的题目可以姑名之曰"成功之道"。但是，如何才能达到成功，我想不外几个条件：第一要靠自己的才能，其次要靠自己德性的表现，再其次还要看所遭遇的环境，和自己控制环境的能力。简单说来，就是修业、进德和际遇的问题。今天就把这几个问题再向诸位一说，作为我对于诸位行将离校的惜别，也是对诸位同学的期望；同时，也是负教育责任的人的殷切情怀。

第一，先讲修业

诸位修业期满，行将毕业，在学业上已经告一段落。但是，学问是无止境的，诸位在校对于学科虽然各有专得，但这在学问的探讨上，才做了一个初步工作，仅只是由他人经验的启示而获得的初步理解。这种理解还还嫌空疏，不够深刻，不够精确。所以，诸位在求学修业的过程上，虽已告于一个段落，而在另一方面的

"修业"却正在开始。将来投身社会中,一方面就自己所已得的理解,用事业的实际情形来验证;另一方面从实际事物的学习中,更获得新的启发,然后,从前所修的业才真为我有,逐渐扩充成自己的知识。在继续不断的学习中,才能得触类旁通之效,才能得潜修发现之乐。这样方能踏上"成功之道"。对于人类的贡献是不待言的了。假若一出校门,便认为修业的事已经完结,虽然与世浮沉,未尝不可以照旧生活,那么,人类对于他不再寄托以希望,"成功"也就与他绝缘了。这是我们对于学业应有的认识,也是刚毕业同学所不可忽略的理解。古人常说"居业",居业就是生活在他所业的里面。又说:"居之安,则资之深,资之深,则取之左右逢其源。"希望诸位同学,对于所修的业,也能"居之安而资之深",那么才能知道学问并不是一种死板的知识。它是我们的"济世之本"。但是,单是"修业"的贯彻,对于"成功"的条件还不够。

第二,再讲进德

人生受教育,"成德""达才"是这一件事情的两面,也是教育的两种目的。前面所讲的修业,是偏重于"达才"方面的话;这里所说的"进德",便是属于"成德"一方面的。谈到这一个抽象名词的德,它便是我们每一个人由于天赋所获得的资质、性能,经过人生和环境教育的过程,而将这性能发挥放射到其他的人或各种事业上,这便谓之德(所以德有美德也有恶德)。教育的效能,便是改变人的资质,以发展人们的美德的。我们对于业要修,对于德也要修。现代教育,重视个性的发展。但发展个性,并不就等于发展自私,这是一般个性较偏的人常所误解的。我们要尽量发展我们的个性,也要修治个性上或有的缺陷;同时,更应当了解所有的人都有个性。我们一方面能用理智控制着自己个性上或有的缺陷和偏私,一方面具有理解和宽容他人个性的雅量,人们才可以和谐幸福的相处。这种理性是人类异于其他动物的地方,也是"道德"一语所由的发生。因为"道德"是人与人的相互关系下才产生的。普通人认为"道德"是单独存在的事物或信条,用以管束我们的行为的。这是一种错误见解。由于我们理性的发展,以及对于人类共同生存的情怀,使得我们的个人生活在态度上表现得更为合理,便形成人与人间之"礼节"。所以,礼节是人类的德性所表现的合理态度。这种合理的态度表现在某一民族生活习惯时,我们可以说是这一民族的礼节,也可以说是这一民族的道德;同时也表现了这一个民族的文化水准。凡是一个个性坚强,生活态度活泼,而理性甚强,共存观念最切的民族,将是世界最优秀的民族。实际讲来,"进德"是理性的表现,而道德和礼节,则是理性的生活。我们要进德,首先要培养我们的理智。

要从修业上扩大我们的理解和认识。同时,我们的理性越强,更能增加修业的热望和成功的信心。这是我们对于"进德"应有的观点。古人讲恕讲仁,恕是进德的消极一方面;仁是进德的积极一方面。我们如其没有"成功"的决心,便不能认识"仁";如其没有克制自我的毅力,便不能体会"恕"。所以我们讲进德,要从发展理智着眼,要从改进个人性质和改善个人任性的生活着手。就一般的态度上讲,我们对人要宽厚,但不要失之柔懦;要刚毅,但不要失之粗暴;要方正,但不要失之迂拘;要精明,但不要失之刻薄;要豁达,但不要失之疏忽;要谨慎,但不要失之畏缩;要豪而勿失之奢,俭勿失之吝。在一般人心目中,我们将是一个刚毅、豁达、精明谨慎、宽厚正直,而生气勃勃的青年,是一个富于正义感,而又有坚强理性的青年。这是诸位同学进德的理想。我更奢望:这是将来社会上认识我们西大毕业同学的一种标识。希望诸位毕业同学,能各用自己的热情,继续各人所修习的业;并且也能各用自己的理智,去增进个人所禀赋的德,来共同负起国家进步的责任。这是"成功之道"中的两个要件。

第三,再谈际遇

前面所讲,乃是成功的基本条件,是成功的内在的因,是成功的动力。但是,要让它结出成功的果实,还需要一个良好而适宜的环境。这种环境,古人名之曰"遇"或是"际遇"。古人对遇不遇的问题看得太重,好像诸葛亮不遇刘备的三顾,也就只好"草庐终老"了。一般人看来,际遇好像就是一种运气,没有运气,也就好"嗟老叹穷"。古人所以看重"遇"的关系,正因为世俗上靠天的观念太重了。我们现在不能不承认际遇的重要,但是掌握际遇,还是要求之在我。现在一般青年,平常对于社会只有批评而没有理解,究竟社会的病象与病因是如何,他都茫然,一切只有"不满"。所以,一旦进入社会,稍稍碰几个钉子,或者别人对他发表一套理论,不是堕落便就下流了。这种青年,他只想在社会上生活,而没想到"成功";他对社会,只有"取"而没有"予",所以发牢骚,怨运气,甚至堕落,这是当然的。须知诸葛亮在襄阳种田的时候,对于那么一个混乱的局面,已经把转变它的情势分析得清清楚楚;在他没有到四川的时候,对于西蜀的政治情形和治蜀的方策,也都有了一部笔稿本了。他刚出山的时候,不也是一个二十几岁的青年吗?他所碰的钉子,不也十分的严重吗?

古人说:"英雄造时势,时势造英雄",固然,现在不是英雄的时代了。但我们要知道:所谓"英雄",也不过是才能和毅力特强的人,我们不要"崇拜英雄",我们却不能不要能力。我们不能单靠着"际遇"的环境,我们要有了解环境和改造环境的能力,所谓"际遇",包括着三个因素:一是社会;二是社会中的人;三是社会中的事。我希望诸位同学对此也要有三点特别注意:

(一)对于社会要有透彻而清晰的认识,对于社会的缺陷要有悲悯而伟大的同情;对于社会的远景,要有一远大而切合实际的理想。不能一无所知,一无计划,悉以不满或厌恶了之。

(二)对于社会中的人,要以能力取得人家的信仰,以品德取得人家的爱戴,才能有事业可谈。

(三)对于社会中的事,要认清他的因果连环性,要有分析而更综合的观察;不能因小以失大,也不能顾枝而忽叶。不拂逆,不操切,以求得适当之处理。到这里,才是你德性理智作最好表现的时候。

这样,在际遇的环境中,只要事有顺于天理,合乎人情,适于世界之趋势,合于人群的愿望和需要的时候,我们便要像一个先知先觉者,决心作去,终有成功之日是。这便已达到"成功之道"上的立德立功之阶段了。

对于诸位所要讲的话很多,姑止于此。总之,现代的事业完全靠着学问,已经不是赤手创帝业的时代了。如其想献身社会作一番事业,就应当以学问为第一。如其想研究学问,也应知各科学问,都直接间接有益于人生,它的本身也是一种事业,应当以事业为第一。只要我们不自私,不取巧,成功是必然的。

(《国立西北大学校刊》1947 年第 31 期)

十一、现今中国教育改进上之重要问题

马师儒[①]

我国经过长期战争,社会政治经济文化各方面均有极大之变迁,教育既须适应社会潮流,自当亟谋改进。明春全国教育会议召开之意义,主要者即为适应时代需求,依据宪法规定,制定改进教育之具体方案。窃意下述诸问题,在现今中国教育改进上极关重要:

一曰根据教育理想确定教育宗旨。我国曩日所定教育宗旨,非失之过度抽象,流于空洞,即失之过度具体,胶柱鼓瑟。是以颁行虽久,绩效未宏。今后似当

---

① 马师儒(1888—1963),字雅堂,陕西米脂人。1937 年起相继任西安临大、西北联大、国立西北大学文学院教授。1948 年 4 月 30 日至 9 月 21 日任国立西北大学校长。这是时任国立西北大学文学院院长马师儒应学生自治会之请于 1948 年 12 月 20 日晚六时于学校二十八教室的演讲。

调和二者之间,本简单、明了、实用三原则,易过于具体之列举为概括而抽象之列举,至所改定之条文亦应与宪法第一五八条相符合。

二曰实施宪法中关于教育之规定。如"教育科学文化之经费,在中央不得少于其预算总额百分之十五,在市县不得少于其预算总额百分之三十五,其依法设置之教育文化基金及产业应予以保障"及"国家应注重各地区教育之均衡发展,并推行社会教育,以提高国家之文化水准。边远及贫瘠地区之教育文化经费,由国库补助之。其重要之教育文化事业,得由中央办理或补助之"。

三曰大学之经费分配与特殊补助,应尊重宪法均等精神,以谋各地区教育之"均衡发展"。

四曰推广边地教育,大抵一国之独立统一,全赖国内各宗族间在文化上有共同基础。我国边地教育素称落后,欲树立文化上共同基础,非积极发展教育予以特别扶助不为功。

五曰增进行政效率。我国教育行政组织,应有适当之改进,俾教育效能得以充分发挥。苟各地行政奖惩失当,则优良者无从激劝,怠惰者不知警惕,教育功能因此即无从表现。今欲增进行政效率,须厉行守时运动,讲求实际效果。

六曰各级学校训育方法应彻底改革,使"训导"与"管理"从此能发挥相得益彰之功效。大学生之德育基础大致已形成于中小学之教育生活中,惟社会习俗与环境风尚亦有左右之人心之力量。外铄式之强制管理,在中学阶段已非至善之策,若施诸大学,尤非所宜。盖大学生之理智生活自较中学时代益为强烈,其在理智方面应有之满足亦更为需要。训导属于人格感化问题,重在人与人间道德人格之接触,有伟大之人格,即可影响整个之行为;有良好之诱导,即无繁杂之章则,仍能培育优良之学生。为教师者,应以身作责,且须确实了解青年心理,使其于潜移默化之中收人格感化及人格陶冶之功效。我国一般学子,大率缺乏自治自助之精神,仅重摹仿与接受,少有自动与发明,传统训练教(育)方法之不良实为重要原因。故今后教师主要之任务,应为指导与鼓励学生能作自动之学习,自发之行为,并具有自行组织之能力,以养成其独立的自治的自主之格。

七曰充实各级师资安定教师生活。近年师荒问题极为严重,揆厥原因,皆由教师待遇菲薄,终年劳碌所得,不足供个人温饱,遑论仰事俯畜,是以中途被迫改业者比比皆是。欲使教师能以教育英才为最高之快乐,终身不愿脱离教育事业,首须尊重其人格与地位,使其精神上先有极大之慰藉;复予以物资之救济,以安定其生活。

八曰文教机关之建筑与设备,政府应早拨巨款使其能迅速完成,以奠定文化基础,以改善教育环境,经年累月,自可收获圆满效果。以上诸端,皆属荦荦大者。吾人身受高等教育,对本国教育文化应负有极大责任,亦应时加研究力促改进云。

(《国立西北大学校刊》1948 年 12 月 40 期第 16 页)

十二、复员期间我国高等教育上所急需之补救办法

马师儒讲 教育学会记

本人今晚应教育学会之约,来商讨目前的教育问题,一时不知道应从何说起,又何种问题最值得我们进行讨论?筹思良久,始决定现在所叙述的这一个问题:"复员期间我国高等教育上所急需之补救办法"。兹拟分项略述如下:

(一)战争对于教育上一般的影响;

(二)中国的高等教育在此次战争中所受的损失;

(三)敌人预定的高度破坏以及预谋的复员障碍;

(四)在复员期间高等教育上急应实施的补救办法;

(五)今后高等教育进步的展望;

(六)建设西北高等教育的重要性。

(一)战争对于教育上一般的影响

吾人欲知战争对于教育上之影响如何,应先明了战争对于一般文化生活上之影响如何。我们在人类的文化史上观察,战争对于社会上一般的影响虽然很大,但是也总外不了这有利或者有害的两途。有许多悲观派的哲学家,他们认为战争是摧残人类文化之进步和发展的;在人类的文化史上说,战争虽然是无可避免的,但也确实是很不幸的,因此他们才主张战争的爆发是愈迟愈好,而其结果则是愈速愈妙,惟其如此,才可以避免许多文化生活上很重大之损失。至于乐观派的哲学家,则承认战争为社会进化之原动力,它可以将社会上多年的恶习,以及一切所有的积弊洗荡净尽,实为最彻底之革命方式;但在人道上、在科学上和在国际和平的立场上观之,实在还是应当设法消弭战争,永杜人类彼此互相屠杀之悲剧才是。据康德的研究结果,认为战争是摧残文化,并且损害人类幸福的,它可以使人类精神的和道德的文化,再降落到原始的自然状态和残暴的动物状态以内的。按他想,战争的结果,实在不仅是物质遭受破坏和损失而已,在教育方面观际,战争的

影响尤大,因为在战争期中,时局的动荡,精神的不安,物质的缺乏,人员的消耗等,都可以使每一个人均不能专心致志,从事学术的研究,致使科学的发达,因而大受阻碍,甚至于完全陷入一种停顿的或退化的状态。英国人传统的政治哲学和他们很聪明的对于战争的态度是:1. 极力避免战争;2. 在万不得已时也可以立即参与战争;3. 无论如何,战场须远离本国,并且极力设法移置在外国;4. 要在极短的时期,极少的代价中,求得极大的效果和利益。英国人所以对战争如此之谨慎者,不是只顾到本国经济上的利益,也不是只想逃避在战争中的一切损失,实在还因为战争是对于一般的文化进步上和教育发达上,可以发生极凶恶的影响的。

(二)中国高等教育在此次战争中所受的损失

在此次大战中,我国之高等教育所受的损失,是比较任何的交战国家都为重大,不仅教育之大部设施破坏无余,即人才方面损失亦大;当战争爆发之际,沿海教育发达诸区域,均先后陷入敌手,多数教育机关,亦均迁至后方,临时设置校舍,开课讲学,幸使弦歌未辍,但是设备上难免因陋就简,图书仪器亦散失殆尽,且在战争中,国家经济支绌,无力指拨巨款,充实各校设备,致使教学上发生了极大的困难,一切文物的损失,几乎不可以数计,此其一也。至于人才方面,或因流离转徙,中途牺牲;或因故转业,离开了清苦的教育生活;或年已衰老工作尚无人继承,此等损失,各大学均不一而足,教育部亦应有统计。现今和平会议中,虽责令敌人赔偿我国一切文物损失,然而所列举者,能有几何?真得到归还和赔偿者,又有几何?此外,有形无形之损失,真不可以数计,实非日本现在所能一一补偿者。我们目前极应抱残守缺,继续发展,力求充实,第一先恢复旧观,然后再逐渐进步。凡此种种,均为吾辈受高等教育者,对于国家民族当前极重大的一种使命和任务。

(三)敌人预定的高度破坏以及预谋的复员障碍

此次敌人侵入我国,并非一时偶发的盲目冲动,实则处心积虑,经年累月,早已具有一种最狠毒之计划和极详密的阴谋的。试观田中奏折中所述并吞中国,称霸东亚之所有一切条陈,即不难窥出日寇侵略中国之极大的野心;后来九一八事变的发生,侵占东北,入寇长城,此即为日本先发制人之试探,亦即妄想实现其大陆政策之先声。敌寇的居心,总欲使我中华民国亡国灭种,永远陷于万劫不复之地,永久成为日人之奴隶牛马。兹姑举二例,即可见日寇毒辣手段之一斑:当敌人占领天津期间,不仅平民惨遭屠杀,而且凤意要迫害我国高等的知识分子,并且破坏所有的一切文化机构,如派人携带燃料,彻底纵火焚毁南开大学即其一例。又如日人盘踞江浙后,即将中国最大富源之蚕桑,积极地予以高度的彻底破坏,更为要灭绝饲蚕营业,并且将所有一切的桑树,不论大小,一齐砍伐,不留一根一苗,欲使中国丝业根本推翻,战后即欲恢复旧观,据日人的估计,亦决非短期内所能实现。此种阴谋,实为人类文化史上,罕有的一种卑鄙恶劣的事例,敌人如何处心积虑,怀着极大的恶意,想要摧毁我们的文化事业、教育事业、以及生产事业,由此亦可见一斑矣。

(四)复员期间高等教育上急应实施的补救办法

谈及目前(复员时期)高等教育上所亟需的补救办法,此乃千头万绪,一言难尽的事情,决非在短时间内,仅凭一人之感想,所能提供完善的。兹就个人所见,列举十二点,藉供讨论时的参考:

1. 确定高等教育复员的预算

英美各国在大战期中,即早已拟定许多的战后复员计划,而中国则既未有此项准备计划,更未料想胜利之来,是如此之速,所以卒然胜利来临,各项的复员工作,均感到措手不及,因此在一切复员的进行上,均难期其顺利。就高等教育而言,事前并无整个有系统的复员计划和复员预算,因此临时手忙脚乱,穷于应付,勉强筹措,随便运用,自难满意,且多顾此失彼,先后、缓急、大小,斟酌的均欠妥当;如能早在二年或三年前,有充分的准备和完整的计划,则当时教育复员,定可"纲举目张,有条不紊",复员的人事上,亦定可以感到顺利。但是,已经过去的,可以不必论,亡羊可以补牢。今后欲使教育渐趋完善,则逐年逐项,大小预算之确定,现在仍然还是很迫切而需要的,因为计划、预算、准备这三者,这也是必不可缺少的,直到现在,实际上也还是迫切需要的。

2. 补救高级师资缺乏的恐慌

战后因学校较前增多,师资缺乏已成为普遍现象,今虽设法补救,仍难抵补损失,添足缺额,故必须想出迅速而有效的补救办法,始可以解除高等教育上师资缺乏的问题。我想第一要加强师资的培植,第二要扶助师资进修的机会,并增派留学生出国研究,以应目前的需要,并且从根本上解决高等教育上现在极严重的"师荒"问题。

3. 补助一般学生的生活

抗战期间国家的教育经费,无疑意多半是用于救济流亡学生之贷金公费上了,由于这样的救济,才可以使多数有志的青年和许多不甘为顺民、不愿受奴化教育的人们,均能享受公费的待遇,完成了他们的学业,由此献身报国。这个教育功效,的确是很大的,但是"公费"现在也很有问题,有和无的争论,全数半数的区别,不惟向隅者易感不平,即审查者亦难定标准。值此物价波动不已之际,生活迫人,学校有时亦真难以应付,若只奖助优秀贫寒学生的这一部分,而不顾及其他大部分的学生,这吃饭问题,在事实上实难处理,应付稍不适当,问题即愈来愈多,愈演愈复杂了。固然这一种问题,在各大学、在各学区是不一律的,有的学校根本上就没有这问题,有的学校虽有而不严重,但是有些学校确是很严重的,它简直好像是在航程中潜伏着的一块暗礁似的。

4. 安定一般员工生活

由于物价之飞涨,公教人员待遇菲薄,生活困窘已极,自难安心服务或从事学术研究;在教员之外的其他员工,在现今的生活状态中,亦多人人自危,求其能安心服务,增加效能,实大不容易,"调整追随不上物价",问题终究还是解决不了。学校是一个大的团体生活,大的问题固然应当先行解决,小的问题随后也得想个解决办法。

5. 防止改业和转移的趋势

就本校言,教授中之转业者,现已不少,化学系即可以为例。现在因交通不便,一动不如一静,尚有大部分肯留在此间服务,但是欲使教育界人士能在一个地方好久不动,安心从事本行工作,必须给以相当满足的生活,尤其服务边远省区高等教育机关的这许多人员,政府尤应特别优待,如此方可使教师安于教学,边疆的高等教育,才有发展之可能。

6. 添置一般必要的设备

设备要看经济的情形来决定,这是人人所知的,但是一般必要者,如教室、办公室、图书馆、科学馆、实验室、研究所、陈列室、体育馆、操场、医疗室、浴室等设备,均为必不可少者,在各大学中,不但是要应有尽有,而且要力求完备,不可过于简陋。

7. 增购研究工具

《论语》上说:"工欲善其事,必先利其器"。故如图书、仪器、标本、模型、显微镜、药品等主要的研究工具,必先求其充实完善,方可达到治学的坦途,得到美满的收获。例如显微镜一项,在欧美的一个研究室中,也可以有几十架,在国中现在几十个人也只能守着一两架来观察,这样的研究结果,是不问可知的。

8. 提高学生素质

目前学生程度,较战前普遍降低,这是无可讳言的事实,并且由试卷及录取标准上亦可证明。这种现象,在各交战国也都是有的,故复员期间急应设法提高,矫正现在已有的弊端,使学生于毕业就业期间,在社会上将来亦能受人欢迎。

9. 认真考核学业成绩

为要达到上项高等教育的目标,培植出来有用的人才,必须督促学生的学习,认真执行成绩考核,在抗战期中已经开例的保送学生,亦应认真考核,举行确确实实的编级试验,以期得到美满的成绩。

10. 防止高等教育之逆转及不合理之分配

抗战期间文化中心,已由沿海各省,移来到西北、西南等边区,因此高等教育渐渐地有了合理化的分配,今后仍宜防止人才和物质之逆转和逆流,勿使再集中于平、津、沪、汉或偏于沿海沿江,而不顾边区或贫瘠的省区。无论如何,在战后的高等教育上,我们务使各地方都有均衡的发展,尤其不应将人力物力,都便利了一二大学,而令其他者均感到向隅或失望。

11. 教授进修之必要

现在科学进步,日新月异,我们受战事的影响,已经不知落后了多少,若不急起直追,更不知落伍到什么程度。教授如果没有机会进修,即无法增授新知识,以追赶科学之新的进步,必须教员先有进步,然后学生才可以随之而进步,所以要先有先生的进修,然后再期望学生的进步。现今出国的学者,多系游历考察性质,与事无补,所以必需有专门的进修,方可以有更大的贡献,如果仅靠英美选派,实不如由本国选派为妥当,并且体制上也光荣的多了。

12. 教育复员完成之估计

我们抗战期间,对于教育复员完成的估计是看得太容易,想得太乐观,并且距离真正的事实是太远了,现在经过了实地观察之后,我们才发现了过去估计的差误。不论在物质的方面或者精神的方面,有了实在的事实告诉我们,真正的教育复员是要耗费相当长的时间和相当的财力精力的。现在欲恢复战前高等教育之旧观,破坏较甚者约需十年,较轻者亦需五年。吾人应担负复员的重大任务,必须要用人的精力,物的动力,尽量的缩短时间,增加建设的效率和速率,俾复员得早日完成,各种的科学和艺术,都可以有猛飞突进的发展。

(五)今后高等教育进步的展望

如若高等教育的复员,果真能提早完成,它的进步或许比战前更速快更美满的,但是要得到这美满的进步,必须解决高等教育自己本身的问题。

1. 力求质量兼顾

现今的高等教育,决不可以只注重量的增加,尤宜注重质的提高。因为高等教育,不比普通教育,它是培养专门人才的教育,这一种专门的人才,它将来要负担社会上专门的任务,若滥竽充数,势难胜任,必先本身健全,方可任重致远,收到取精用宏的教育效果。

2.适应自然的社会需要

在现今的高等教育上,无论学区的划分或院系的区分,必须与自然的环境相配合,再来适应社会的需要。如兰州大学设立兽医学系,山东大学设立海洋系,即是为了适应社会要求和配合自然环境的,将来在重工业区或农业区或畜牧区,都应在普通的大学之外,更特设各种专门的学院,以宏造就。

3.主张合理的分配

中国过去高等教育之分配,不合道理,这是事实,人人所知的,现在我们主张不但校址之分布,应求均衡,即院系之分配,亦须要向多方面发展,决不可再集中在几个热闹的地点,总要为全国的文化教育着想,不应有丝毫的成见、偏见和私见。

(六)建设西北高等教育的重要性

西北在国防上之重要,已为一般人在此次的抗战中所切实认识和体验到了,西北为工业上之富源,有发展重工业的必要,亦为一般人士所共知共晓,即在商业和艺术等文化建设上,亦均有发展高等教育之必要,因为此等建设事业,必先有高等教育来领导,并且积极的来推进,然后才可以收到最确实的效果。因此我们断定,要建设西北,必先奠定西北高等教育之基础,并且要突飞猛进,才可追赶上现代进步的科学和艺术。我们观察中国高等教育之发展情形,知道中国固然不如英美等国,而西北之高等教育更远不如沿海沿江的各省,吾人应于建设西北之大目标下,先使各种的文化事业都有均衡的发展,更需要使高等教育专门学校,有特殊的大进步,然后西北、西南、东北、东南,都可以在高等教育上,彼此互相配合起来,成为一个健全而完美的系统。此不但为高等教育之幸,亦即为国家之幸。

今天在座诸位,既然都是受高等教育之人士,那么我们大家就应当团结起来,也都应该知道一件当前很重要的事,就是希望凡受过高等教育的人士,将来必须要担任社会上高等的责任,亦要给社会上尽高等的义务,我们要爱护高等教育,同时也更要促进高等教育的进展。

(《国立西北大学校刊》1947年6月30期)

第二节　教授教育演讲

一、休闲教育活动特刊献词

杜元载①

本校本学年自去年九月十五日注册二十一日开课,至今年一月二十四日共计上课四月有余,计二十周,现正举行学期试验,并定二月五日起放寒假两周,校长拟利用此两周之余暇,分令各处组实施休闲教育。校刊同人议于二月一日发行特刊,索词以献,谨致数言以就正于本刊之读者。

历来学者对于休闲活动认识不同,有谓高等动物及人类均有分化发达的各种器官,一种行动仅需全能力之一部,此间未经使用之各器官所蓄之过剩能力,自然当寻他种业务以发泄之。此之谓休闲活动"过剩精力说",诗人西拉,哲人斯宾塞倡之最力。

有谓休闲活动,乃将特殊才能于未实用时预习之。例如小猫之弄球与树叶,及一切活动物体,此为捕鼠之预习;小鼠之互追互啮,是为防御攻击之预习;女孩之玩洋囝囝,男孩之捉迷藏,亦莫不为其将来生活之预习;此之谓休闲活动"业务预习说",心理学家顾□士倡之。

有谓休闲活动,乃人类繁忙生活中必然之反应,藉使身心上机械之紧张,暂成弛缓,以使生理上之新陈代谢。此之谓休闲活动"身心修养说",为此说者,比比皆是也。

以上三种学说均从人类本能出发,尚未足以说明休闲活动之实质,盖"过剩精力说"偏重生理上之刺激,而忽略外界之刺激,因外界之刺激,不一定为游戏活动之反应,有时且可为工作之反应。至"业务预习说"亦可作如是解释,盖业务预习之游戏,皆为社会上既成之事实,非尽囿于本能之驱使也。又"身心修养说",亦系以本能为其归宿,对于环境力量则漠然视之,似又舍本而又求末矣。

我以为休闲活动,不仅发生于本能,而且渊源于环境,使环境苟善,则游戏之

---

① 杜元载(1905—1975),湖南溆浦人。曾任西北大学教务长、法商学院教授兼院长、政治学系主任等。

类别亦□。孟母择邻而处,俾孟子之戏为俎豆祭祀,是环境对于游戏之影响,不亦大乎?环境如何改善?教育之力实多,美国授人以"善用余暇"为中等教育极重要之目标。孔子曰:"志于艺,据于德,依于仁,游于艺。"游于艺,据朱熹注为"游者玩物适情,艺者礼乐之文,射御书数之法"。由此可见,孔子希望人游于艺,乃游于礼乐书数射御之六艺,勿游于低级兴味之酒色博弈矣。

兹于寒假之余,本校设有开架式之图书杂志,与有价值之文物展览,又有各种音乐戏剧之演奏,棋类球类之比赛,凡足以娱乐身心,陶冶德性,增加智慧,助长官能之游戏,均必酌量实施。吾人懔于英国惠灵顿将军之言曰:"滑铁卢一战,英军之能战胜拿破仑,纯由英人精于棒球竞技之功。"可见游戏对于国家民族之价值矣。又侧闻美国教育家杜威之言曰:"工作先之以游戏,而且产生于游戏。"世传星期日为安息日,实即为前六日之工作而安息,也可见工作与休闲,实不能强为划分。吾人惟有工作时尽力工作,休闲时尽力休闲,是能得休闲活动之三昧矣。

(《国立西北大学校刊》1945年复刊第9期)

二、战前大学每集中一隅 致地方文化有畸形发展[①]

(在九月二十四日国父纪念周的演讲)

杜元载

上月二十四日本校举行本学期第一次国父纪念周,由杜教务长元载主席,领导行礼后,即席报告校务,略谓:

抗战胜利,全国腾欢。本校于佳音传来之翌日即成立迁建委员会,除就本校教授中遴聘若干人为委员外,并敦聘西安党政军各首长及地方绅耆为赞助委员,积极推进迁建工作。九月七日校长由汉飞渝,出席全国教育善后复员会议,对迁校一事,迭向教部请示,顷奉教部指令,准将西安东北大学旧址拟交本校,并由部函请第一战区长官部及陕西省政府协助本校接收。萧院长一山赴西安勘察校址,与高味根、曹配言两教授在西安与各方接洽结果,均极圆满,足堪告慰。

本校颇感谢教育部及省政府,与地方士绅之鼓励赞助,拟即日派委员前往接收,并从事修理,以便明春在西安新校址开学上课,藉答各方爱护本校人士之盛

[①] 原题为《杜教务长在九月二十四日国父纪念周的演讲》,姚远择其讲词另拟为《战前大学每集中一隅 致地方文化有畸形发展》,以突出其"战前大学每集中一隅,致地方文化有畸形发展,与夫重床叠屋之弊,今后应求适宜之分布"的重要观点。

意。窃念一最低限度之大学营建物,除教室、办公室、教职员及学生宿舍外,必须兼有图书馆、实验室、体育馆及大礼堂,与各学院教学有关之特种设施。例如文学院必有历史博物馆人类模型室民族生活陈列室等之设施;理学院必有科学馆、观象台、生物园等之设施;法商学院必有假设法庭、实习银行、商品陈列所等之设施。本校蜗居城固七年于兹,非仅特种设施无地营建,即学生宿舍课堂亦多付阙如。在抗战期中尚可原谅,抗战胜利后如依旧因陋就简,虽百喙亦不能解矣。在西安之东北大学旧址,作过渡可也,如欲长居久安,则不可。我贤明之地方当局,亦有鉴于此,将于西安古风景区之城南五里,勘地建校。余希望所建之校必须专为大学而建筑,其最低限度之营建物,亦必须应有尽有。本校愿在建筑图□与需要上多加努力,但拨款征地,责在政府耳。

本校同学众多,而图书馆书库与阅览室均感狭隘,现将大成殿辟为阅览室,较为宽敞;图书馆书库移设尊经阁,新阅览室与书库遥遥相对,尊经阁古木参天,绿茵铺地,花香扑鼻,鸟鸣嘤嘤,堪称读书胜地。

本校上学年图书仪器购置费已达硕百余万元,内中委托中央图书馆代购者均已购到,在美订购图书仪器,暑假期中已运到理化仪器二十一箱,又最近运抵昆明之七大箱究未悉为图书为仪器,抑二者均有,经与该地运输机关商妥,已承许转运。

西京图书馆于数年前以防敌机轰炸,迁来城固,设城固分馆,藏书甚丰。本校顷已函请陕西教育厅饬该馆将本校所需图书全部借交本校参考,该分馆正候厅令办理。

本校本期呈准添设教育学系,以西北幅员辽阔,除西北师范学院外,尚无其他培养中等师资之学校,本校为适应地方需要,应负起发展西北教育领导西北中等学校之使命。本期新开教育课程较少,俟明年当使有志受师资训练之本校学生,均有学习教育科目之机会。

最近教部召集全国教育善后复员会议,已于本月二十日开幕,吾人谨祝此次大会之圆满成功。曩于抗战期间,多数学府为避敌机轰炸而内迁;兹者抗战已获胜利,自应亟谋复员,并须力求改善。战前大学每集中一隅,致地方文化有畸形发展,与夫重床叠屋之弊,今后应求适宜之分布。战前与战时各大学以限于人力物力率皆因陋就简,今后对图书仪器及各项设备应力求充实,师资亦应力求健全,教学效率必须提高,如此方可达到发扬文化恢宏国基之目的,切勿自囿于狭隘错误之复员,而买椟还珠,舍本逐末,是所望于我教育当局者。

(《国立西北大学校刊》1945 年复刊第 15 期)

三、论教育应否入宪与应否独立成章

杜元载

关于教育应否入宪与应否独立成章？有三说焉：第一说主张教育非仅不能在宪法中独立成章，而且不应入宪。其理由则谓宪法为国家根本大法，修正手续，规定至为艰巨，非若普通法律随时可以改变修正者。是故国家教育宗旨与国家教育政策不必入宪，即此理也。万一国家欲公布其教育宗旨与教育政策，得以法委律或命令行之。盖教育必须迎合潮流，适应现实，而与时俱进故也。

第二说主张教育应入宪，其在宪法中得设置专条，而不必独立成章。其理由则谓宪法之价值在言简意赅，举一反三，不能诸事列举，包罗万象。例如1874年之瑞士宪法，仅第27条为关于教育之规定。又如1886年之哥伦比亚宪法第41条，1893年之比利时宪法第17条，1919年之卢森堡宪法第23条及1926年之丹麦宪法第83条，皆为教育专条之规定。等而下之，又如1928年之古巴宪法第31条，1931年之墨西哥宪法第3条，与夫今年中华民国宪法草案政治协商会议之修正案，而于人民之权利义务一章中，加入人民有受国民教育之权利与义务之专条。

第三说主张教育应入宪，并应在宪法中设立专章。其理由则谓人民有受教育之权利，若不于宪法中明白规定，将随时有被政府剥夺之危险，但教育之门类甚多，有初等、中等、高等之三级教育；有基本、补助、中学、职业、特殊、文化各种不同性质、不同程度之教育，断非一条或二条条文所能包括，所能保障者也。是故1919年之德国新宪法第四章，同年芬兰新宪法第八章，均有教育专章之增订。此外，如1928年之立陶宛宪法第九章，1933年之葡萄牙宪法第九章，又同年秘鲁宪法第三章，皆为教育专章之规定。反观我国，民国十二年曹锟公布之宪法，曾有教育专章之拟定。民国十四年段祺瑞公布之宪法，亦有教育专章之拟定。至于民国二十年国民政府公布之训政时期约法，其第五章国民教育，即中国现行之教育专章。又五五宪草第九章，亦堂堂一教育专章也。

此三说也，第三说最为合理，第二说次之，第一说更次之，兹谨分别评论于下，是否有当？尚希读者有以教之。

第一说主张教育不列入宪法，此门外汉之意见。盖国家之职务非囿于法律、军事而已，教育、经济亦国家之重要职务。晚近欧美各国宪法莫不有教育文化之增订，盖教育为国家之百年大计，人民之精神食粮，民族之基本国防，其重要性与国家之法律军事同等。若谓教育宗旨与教育政策可以法律命令行之，则人民之平等、自由、受益、参政诸权利，亦可以法令行之乎？要知宪法为法律之母，而法律为宪法之子，法律不得抵触宪法，而宪法则可废止法律。二者效力不同，价值自不能等量齐观，故教育列入宪法，非妨碍教育之进步，乃保障教育之独立。又正因宪法修正不易，故教育权利得以恒久不渝。至于教育能否适合现实，乃宪法之修辞问题，与应否入宪无关也。

第二说主张教育在宪法中得设置专条，实无独立成章之必要，此说也，既不知教育范畴之广大，复未识教育事业之重要。晚近各国宪法关于教育之规定，在宪法条文中，有十条以上者，指不胜屈。即近如我中华民国训政时期约法国民教育章，自第47条起至第58条止，凡十二条。又五五宪草教育章，自第131条起至第138条止，凡八条。

最近号称扩张民权之政协宪草修正案，曾将五五宪草之教育八条删去，而择要列入其他各章中。忽视全国教育界之要求，剥夺国民在约法上之既得权益，诚不智之甚矣。幸而国民大会之教育界代表如朱家骅、胡庶华等八十余人，自行草拟教育专章，提付审查，藉资补救。否则中国教育又不知开倒车至如何境地矣。要知中国今日为教育文化落后之国家，彼欧美诸文明国，尚多凭借宪法以掩护教育，我国更应加深教育之努力，虽人□己百之比例，规定于宪法之中，亦不为过耳。

第三说主张教育在宪法中应设专章，余颇同意。惟查现时中外各国宪法，关于教育立法，尝呈买椟还珠之势。例如五五宪草第131条"中华民国之教育宗旨，在发扬民族精神，培养国民道德，训练自治能力，增进生活技能，以造成健全国民"。又如民国三十五年十一月在南京召开之国民大会，关于中华民国之教育宗旨，曾拟为"中华民国教育，以培养国民具有民族精神、民主精神、国民道德、健全体格与科学知能为宗旨"。此两条教育宗旨，实未足以明示中华民国之特性。盖任何国家，其教育宗旨，均在培养国民之德育、智育、体育故也。若于此两条教育宗旨上，各冠以中国立国之最高原则三民主义，即成为中华民国之教育宗旨矣。

关于国家教育政策，亦尝语焉不详。试归纳各国宪法上所规定之教育事项：如公私立学校须受国家监督；学龄儿童受免费之国民教育；超过学龄未受国民教育之成年人，得受免费之补习教育；教育经费明白规定在中央与地方总预算中占若干百分比。此外由国家奖励学术研究思想自由，与夫补助久于其职之优良教师及品学兼优之贫苦学生。此为局部教育政策则可，谓为全部教育政策则不可。盖中等教育、高等教育，国家必须有其实施之政策；又特殊教育、职业教育，在国家教育政策中,亦必须详为规定。此项完美之教育政策,余于各国政党之政纲政策中见之,但各国宪法则多付阙如,诚怪事也。反观中国历次宪法草案,亦多犯此通病。即行将于民国三十六年元旦公布之中华民国宪法,对于教育政策亦遗漏甚多……

总之,教育宗旨与教育政策,应明白规定于宪法之中。专条不能包括,即专节亦不能收容,必须设立专章,而将各级教育与各类教育尽量收入于宪法之条文中,与其挂一漏万,毋宁宜滥勿缺。中华民国新宪法公布在即,无论分章施行或全部施行,而皆纳中华民国于宪政之路,一洗三十五年来无宪法国家之耻。吾侪不仅竭诚拥护,且将奉行不渝也。

(《国立西北大学校刊》1947 年 1 月 25 期)

四、婚姻与恋爱
（在国父纪念周的讲词）

陈东原[①]

今天讲青年切身问题"婚姻与恋爱",分为七段来讲:

（一）婚姻的意义

1. 性生活的满足

此点非常重要,人都有天生的性本能,有许多青年因逾龄不婚或遇不满意的婚姻,以致精神上起了变态,性生活能满足的是美满的婚姻,否则便不美满。

2. 两性人格的完成

男女双方各有许多优点,在单独方面有不能完成的性格,结婚以后潜伏于女性的优点,如温柔、细心可传播于男子;同样的,男性勇敢、冒险、镇定及富于创造的精神,也可以传播于女子。因此,我们可以说婚姻能促进整个人生观念的确定,两性人格的完成。女子在未结婚前大都高傲,对人生一切茫然,于婚后育儿时才发现母性的伟大而格外慈爱耐烦不躁。

3. 结合终身的伴侣

婚姻绝对不是单纯的性生活,不正当的苟合和卖淫都不能称为婚姻生活,夫妻有甘苦共尝休戚与共疾病相扶持的密切关系,父母兄弟朋友同僚都受时间空间

[①] 陈东原(1902—1973),安徽合肥人。教育部督学兼社会教育学院教授。专于中国教育史。这是 1945 年 11 月 19 日在国立西北大学的演讲。

的限制,决不能有几十年的共同生活,天地间社会上永久营共同生活的只有夫妻。

4. 种族本能的发挥

性生活的满足是为个人、种族的绵延,不仅为个人也是为国家民族,或许二十岁左右的青年想不到这一点,但是四五十岁的中年人,往往为没有子嗣而感到很大的苦恼,这就证明种族本能发生作用。对国家社会有所贡献,是人生的目的,把种种优美的精神及德性绵延下去,个人固有此要求,就国家社会而言,意义更为重大;个人要延续宗嗣下去,整个国家民族也要绵延下去。孟子说:"不孝有三,无后为大。"这句话多么伟大,民族主义就包括在里面,机械的发明与科学的进步固是强国的要素,而人口的增加尤其重要。婚姻是合两家之好,不仅是夫妻两个人的关系,我国旧式结婚要告庙祭坟是对祖先表示已经有了继承人。

(二)恋爱原因与作用

我国古代的婚姻都由家长主办,现在自由婚姻要特重爱情。爱伦凯说:"无论怎样的结婚,如果有恋爱就算是道德;如果没有恋爱,虽然经过法律上的手续,也是不道德。"民国三十一年有人制表调查成渝大学关于婚姻问题的意见发出一千份,收到344份,可用250份,计男156份。表中有一项是问有了异性朋友的男女,它的动机是什么,归纳起来有七种:

1. 精神安慰　　男37.6%,　女37%
2. 不知不觉　　男23.7%,　女36%
3. 砥砺学行　　男16.3%,　女18%
4. 生理需要　　男13.4%,　女4.2%
5. 结婚　　　　男7%,　　　女3.4%
6. 经济　　　　男0.5%,　　女0.3%
7. 家庭　　　　男1.5%,　　女1.1%

这个调查我们感觉相当正确,把上列动机归纳一下可变为三种:(1)生理需要与不知不觉属性的吸引,男37.1%,女40.2%;(2)精神安慰与学行砥砺属升华作用,男53.9%,女55%;(3)结婚、经济、家庭属社会条件,男9%,女4.8%。这三种动机以升华作用最高尚,在结婚未成熟时期,应加强升华作用,共同研究学问欣赏艺术游览风景,以增进彼此间的了解。

(三)婚姻选择的条件

"一见钟情",在莎士比亚的诗中描写很多,但这样实际上彼此认识不清日后易生反悔。婚姻选择的条件很多,男女眼光不一样,在上节所举的调查中男女选择的条件各有十项：

男对女的选择的条件：性情 24.1%，健康 17.3，容貌 13.8%，品行 13%，兴味相投 8.7%，学问 8%，聪明 7.4%，处事能力 5.3%，社会地位 1.5%，经济 0.9%。

男对女的要求次序，从前注重花容玉貌，现在要求性情相投身体健康，这样相当合理。

女对男的选择条件：健康 19.9%，品行 17.1%，性情 16.5%，学问 11.8%，兴味相投 11.7%，聪明 8.6%，容貌 6.4%，处事能力 4.6%，经济 2.2%，社会地位 1.2%。

女青年对男青年的要求，第一是健康，男青年得注意。但以上调查结果只能看出男女青年的一般趋向而已，不能定为原则。我们都晓得社会学家潘光旦先生，我曾以此问题相询，他提出三项标准：(1)身体健康；(2)品貌端正；(3)身家清白。潘先生对优生学极有研究，这三项标准当然经过他周详的考虑。身体不好，不宜结婚；品貌端正，性情自好；身家清白，自魏晋南北朝以来就很注意，因个人禀赋和祖先遗传有关，娶一个忠厚老诚的农家女子比娶一个放荡无羁父亲所生的女子要强得多，所以要特别注意对方的家世。此外我补充一点，要观念相近，人的生活每为观念或理想所支配，彼此的性情也许不合，观念相近的性情可变更。例如你喜欢交游可选择爱热闹的朋友，若不爱活动就选择性情恬静的人；选择伴侣时要注意对方的生活理想，理想相近的宜于结婚，否则不宜。

（四）婚姻适当的年龄

古代男子三十而娶，女子二十而嫁之说，不尽可信。因二十而冠十五而笄便可嫁娶，故古代人事实上结婚很早，在清代男子十七八岁女子十五六岁结婚的很多，所说的二八佳人，在现在看来还未成年。我们常见教堂中有外国的老姑娘，好像欧美人结婚很晚，其实不然，如美国人结婚的中数年龄男子二十五六，女子二十三四。按美国人须生活独立有一定职业可维持家用后才结婚，上述年龄不算太晚。我看中国人结婚的适当年龄，男子应为二十二岁至二十五岁，女子十九岁至二十二岁，女子至迟到二十五岁，男子二十八岁；再晚则不合宜。男女年龄的比较，普通都认为女龄应比男龄小，有一位对婚姻问题很有研究的英国教授定出一原则，女龄应为男龄的二分之一加七，在中国不能完全拘泥于这个原则。我以为二分之一男龄加"七"适用四十以上之男子，男满三十应加"八"，满二十应加"九"。婚姻以爱情为基础，对于年龄大小不必过于计较。

（五）性知识与性道德

以上说过性生活的满足极为重要，新婚期内为增燕婉之乐，不妨减低工作。

性生活要在新婚不久后建立起来,青年对这种知识缺乏了解,无间中外。美国牧师白菲德尔云:"十八年来为青年男女证婚无虑千万,但此辈新郎新娘对于两性知识往往是十足的盲目者,无怪乎美国人的婚姻,多陷于仳离的惨果!"有许多青年夫妇对性生活茫然,故易起反感,真正夫妻乐趣,要两三年后才能领略到,也有终不感觉的。欲获此种知识,可看书或问你所信任的人。在结婚前应保持身体健康,若爱拈闲花野草,身体坏了,便没有健康的性生活,不但个人痛苦无穷,家庭幸福亦因而减少。有一不记名的调查,问结婚前可否与对方有性的关系,不反对的男43%,女29%,平均36%;反对的男54%,女66%,平均60%;未置可否的,男3%,女5%,平均4%。反对的理由:(1)怕传染疾病;(2)怕有了小孩;(3)怕社会指摘;(4)减少对结婚的重视;(5)足以摇动婚姻的基础。后两项理由尤为重要。不反对婚前有性关系的原因,一为生理作用,二为好奇心理,但既获满足以后逐渐冷淡下去,这就降低了婚方的爱情,减少了相互的尊重。不如正式结婚,因有家庭义务观念,爱情较为稳固。简括起来说,性道德有两点:(1)不要求爱人在结婚前有性的关系;(2)不乱交,a.可免传染病,b.保持身体健康,c.保持爱情专一。在我国有一种坏现象:过去是纳妾现在是成立伪组织,这是不合理的,因夫妻是终身伴侣,多妻不能造成终身的结合,精神上更不能为百分之百的热诚联系,目的虽为寻欢,事实上到了相当年龄便会感觉不快乐。在道德上受指摘,在法律上犯法,既不能调和妻妾之间,精神上一定非常痛苦。所以有这种现象,因社交不公开,在结婚后若男女仍都能有异性朋友便无此现象。过去男女间的关系很歧视,男子一有女朋友,便认为有特殊关系,这是很大错误。须知牡丹虽好,须靠绿叶扶持,若有了妻子的人还有许多女友,可以在一块谈谈玩玩,便不至再有纳妾的思想。男女除自己的终身伴侣外,再有异性朋友,是促使婚姻上轨道的一点。但须认清者:(1)男女有异性朋友,然社交与恋爱要有分别;(2)结婚后仍可有异性朋友,而以不妨碍婚姻及家庭为原则。

(六)婚姻的满意与不满意

婚姻绝对满意甚难,在恋爱时期女对男更难满意,这或因看惯生厌之故。袁宏道有诗云:"看多自成故,未必真衰老。譬彼自开花,不若初生草。"据上节所述之调查,男女对对方满意程度所占的百分比:100分的,男6%,女4%;86分至99分的,男22%,女15%;61分至85分的,男37%,女51%;21分至60分的,男30%,女21%;20分以下的,男7%,女9%。男对女之不满有下列诸点:(1)无情;(2)自私而不体贴;(3)埋怨太多;(4)性情暴躁;(5)自负;(6)不诚恳;(7)批评丈夫;(8)小心眼;(9)好争辩;(10)不真实。女对男的不满有以下诸点:(1)自私而不体贴;(2)不真实;(3)好争辩;(4)埋怨太多;(5)无情;(6)感情用事且神经过敏;(7)不热诚;(8)收入之管理;(9)批评妻子;(10)不忠贞。

(七)婚姻生活的艺术

1. 了解

互相了解可弥补夫妻性情不同之缺憾,了解其历史环境愈多,谅解的成分愈大。应了解的事,如志趣、学问、事业、健康、爱美观念、待朋友的态度、用钱习惯及嗜好等。

2. 自制

不如意事决不当时发脾气,踢套鞋;不当别人面,指摘妻或夫;不随时随地呶呶不休。

3. 信任

夫妻间有许多争吵都由误会而成,若你完全信任他,他为你的真诚感动,自然信任你。

a. 经济的信任　除家用外应有多余的钱,妻子也不可控制丈夫的经济。

b. 异性朋友的信任,为美满家庭所必需,对方应有被信任之道而公开。

4. 慰藉

"不如意事十常八九",故慰藉为人生最高尚艺术。慰藉是表示对对方很关心,夫妻要彼此安慰不要太严肃。

夫对妻:分别时早回家;妻的生日要设宴庆祝;岳家的人来了要好好招待,岳父母病了,要去探亲;对儿女要共同照顾;妻很劳苦时,要安慰。妻对夫:饮食烹调要合夫的口味;对他的工作要感兴趣;设法使家庭愉快;对夫家亲戚亲热。

5. 欣赏

要彼此赞美使对方精神快慰,如丈夫对妻子说:"你的身体很好,你现在还这么漂亮。"或夸奖她的烹饪技术,说:"你做的菜真是好吃。"她明天一定再到菜市买来做给你吃。若对她说:"你的外套穿了这些年还是好看?"太太也许就不去买新的了。要谋生活艺术的培养,这样不惟家庭生活美满,自己在社会上服务也无后顾之忧,夫或妻对自己的伴侣持欣赏的眼光,抱久而敬之的态度,常藉各种事件作爱的表白,这是人生高尚的艺术。

(《国立西北大学校刊》1945年复刊第18期)

五、教育价值与历史修养

陈东原

教育的价值,可以明显说是教育的品价,要评论教育的价值,我们须研究教育最重要的意义。普通说来教育是为了求知识,因为我们获得了丰富的知识,可以运用知识做学问救国家。求知识不仅是在学校里,如爱迪生、马克思等这些学问家,并不全是经过中学大学而求得知识,他们都是从自修中得到成功。所以说教育唯一的目的是求知识还不够,必须有另外的一大目标就是求智慧。我们仅凭在学校里,从书本上得到的知识来创造事业服务社会是不够的,我们可以回想到在小学中学阶段的老师,现在和我们知识相差无几,由此可证明学问在一天一天的发展,科学在十年前的情形就不同于今天,所以我们不仅在学校要切实学点东西,同时不要忽略了在做学问的过程中还要学点智慧。我们不仅要学各种知识,就是治学的方法也要切实注意,并切实去学,更可求得大的发展,然后用我们的智慧去做学问,必定事半功倍。

仅此两点还不是教育的完全价值,还有一点最有价值的是求生活的理想,这也是教育最高的目的。理想 IDEAS 译成观念亦可,它具有支配人生的力量,能矫正人的行为。我们的生活中有几种特性,如勇敢、冒险、向上、热心、进取、廉洁、贪污、懒惰等,这些都可以变为理想。虽然这些特性不能每人都有,如果发生了一种欲望配合起我们的情绪,就会得到一种生活的理想。譬如孝顺父母这是理想,不仅是理智所想做到,同时也是一种情绪的要求,希望顺从父母的话言,遵照父母的意见;更可想到父母年迈发白,养其天年的日子不多了,自然是竭尽孝道以侍奉父母;这就是一种生活上的理想。不孝父母者又是另一种理想。理想的作用既如此大,故从事教育者就要研究教育的最高目的——生活的理想应当如何培养。美国的教育家克伯屈举出教学的三种方法:一、主学习;二、副学习;三、附带学习。如女生学习缝纫,缝纫是正面的工作,也可以说是正面的学习,但所得到的价值并不大;必须注意到衣料的颜色,那一种材料相宜,那一种材料便宜等,这叫做副学习;又如怎样保持洁净,怎样使衣料做出的衣裳正确、美观,这便是附带学习。整齐、正确、谨慎、美观这些抽象的东西必由课外寻找。不但缝纫工作是如此,如作文章及做其他事情亦是如此,由此训练可以步入生活的理想之路。再如现在本校的各位教授们处于目前清苦的环境下,他们没有抛弃他们的责任,依然抱着诲人不倦孜孜不息的精神,努力研究埋首著作,这些都是师长们的生活,值得我们学习。他如师长们的处理事情有条不紊,也很值得学习。所以,我们在校当留心观察去追求理想生活,将来实在受用无穷。

因此,我对教育的评价,认为以求生活的最高理想为首要,智慧次要,再次才是求知识。

在现世纪科学进步一日千里,社会现象日趋复杂之时,我们置身社会想树立优良的风尚,必须用远大的眼光去观察。如某校有其特殊的校风,这种校风完全是受大家的生活力量所支配,有了一种理想,就会发生一种力量,而要追求高尚的理想必须发愤向上,这种向上心就是历史的修养培成的。历史修养的益处:

(一)解决生活问题——研究历史的人,有了历史上的经验,才有新的方法,更会有大的贡献。研究历史必先学习哲学,以哲学来应付问题,自可迎刃而解。故研究历史,体验旧的方法,其意义却是新的,由博学而后得到多的方法,再运用智慧的训练,当可解决一切生活问题。

(二)增强民族意识,1295年马可·波罗在中国游历,回到意大利后作东方见闻录,描写到中国出产如何的丰富,中国驿道如何的宽阔,中国的礼节如何的完备等……这书引起西洋人的东渐,而有环游地球一周的收获,由此可知中国文化的悠久。又如中国在汉朝就发明了纸,而欧西诸国在1450年才普遍用纸。再说印刷术,西洋印刷术就是由中国传入的。当公元930年,中国即开始印九经。由此几点史实,不惟知道中国文化高尚悠久,且足证明中华民族的智慧是可自信的,所以有历史的修养可以培强民族意识。

(三)可使道德心加强——人与人相处首重信义,中国所谓五伦便指明了人与人关系的发生必建筑在信义上,发挥的力量表现在社会上,如子女对父母、夫对妻、妻对夫等,如果有历史观念,则不致有不肖之子及离婚等事的发生,然后处人厚诚,故可增强道德心。

(四)可使生活意义丰富——有了历史不看单面的事物而着重于立体,即感到生活意义的不同。今天走到城固郊拜谒汉博望侯张骞墓,那里几片残砖一座古坟,在普通人看起来并没有什么价值,有历史观念的人,便可以想到两千年前的这位大外交家,躯体虽殁而精神犹存。若再想到他如果活到今天岂不是又为国事奔走吗?如果走到临潼的华清池就可回想到杨贵妃的一切,并可想到今天竟是如何的风味,故研究历史的人可使生活意义丰富。

(五)可晓得"现在"重要——历史的造成是过去的一分一时一刻一天一年若

干年的过程,又如日记就是一页一页集成的。有了历史观念,知道今天的重要,就一定努力现在,四年后的今天,便可想到今天是过去的历史了。大家的欢聚也都南北分散了,到那时回味今天的一切,实在晓得了"现在"的重要,更觉得"今天"过得太快了。我们读历史既知道"今天"过得太快,就知道爱惜今天。在自己的脑海中想到古往的英雄豪杰流芳千古,而那些佞臣贼子则遗臭万年;多少人的著作,遗留在今天,多少人的高官而今与草木同朽了。我们知道有价值的事而传诸久远的太少了。由这些有价值的事可体念到人生意义的伟大,所以有历史修养的人才会苦干,创造光明的前途,努力伟大的事业。

总之,我们不仅要寻求知识和训练智慧,并且对于目前的事物要有历史眼光的观察,如此可珍重现在,努力将来,切切实实地努力我们的事业。所以,不论学什么学科的人都应知道教育的价值及历史的修养。

(《国立西北大学校刊》1946年复刊第20期)

六、大学之起源与理想

吴 宓[①]

中国古代的大学,有它自己独具的历史,可是中国近代大学的形态,却是从西洋接受过来的,并非承袭自古代中国的大学。谈到西洋的大学,当然是从希腊哲人苏格拉底、柏拉图等人的讲学而起,但这是就学术的内容材料而言;论到大学的组织规模办法,则只能溯源到十一世纪至十二世纪之间,西洋的最早的一个大学是意大利北部的保朗那(博洛尼亚)大学,创立于1088年。其次是法国的巴黎大学,创立于1100年,第三个是英国的牛津大学,创立于1167年,剑桥大学则创立于1289年。在意大利保朗那大学的时代,在某地先有某有名学者居住,讲论学问,然后才有自各地来听讲的学生,自置宿舍。"大学"即各地学生大集团之意。中世纪时学术的研究,由宗教的僧侣所专任,所以学生宿舍的前身,所谓学院,实在就是道院的僧房。在巴黎大学里,因为便于同国同乡学生一处住宿,所以设立了四个民族分部,情形仿佛像现在的学院,但民族分部之分划,并不是由于学习科

---

① 吴宓(1894—1978),陕西泾阳人。字雨僧、玉衡,笔名余生。中国现代著名西洋文学家、国学大师、诗人。清华大学国学院创办人之一,被称为中国比较文学之父。时为武汉大学外语系主任。这是1948年4月6日在国立西北大学大礼堂的演讲,同时用两周时间讲授世界文学史纲、文学概论、中国小说等。

目的不同而定,却是把民族国籍相近的学生,归纳在一个民族分部中。这种分划的办法,有时很不合理,不合于近世的地理与国别,只大概区分而已。

记述中世大学教育的名著,有英国希拉达主教的《欧洲中世的大学》(三大本1897年出版)。书中记载当时大学的情形非常详尽,凡大学的组织、体制、课程、学风各方面都给我们画出一个清晰的轮廓。书里面又提到风潮罢课的事,往往是由当地商民的欺凌学生而起,结果学生以"迁地为良",自动迁往他城,这样便给该地商人(房东及饭店老板等)以经济的损失。

中世的大学是近代大学的雏形,在课程方面也是渐渐增加。意大利保朗那大学,专教授罗马法一科。巴黎大学时代,则除了法学的讲述研究外,又有神学和医学共三科。当时的神学,范围很广,从基础科学的"逻辑"一直到专究形而上问题的"玄学"更上到"神学"都包孕在里面。当时所谓"医学",实在兼指较原始的"自然科学"和"生物学",足以代表中世时代科学的主流,给近代科学的研究一种最伟大的启示。关于法学的研究传习,中世的大学承袭了古代罗马法的研究。神学之范围博大极了,古代或近世哲学中各种"体系""问题",都在范围之内,只名词不同而已。统而论之,中世的大学,规模是原始的,组织是简单的,但在学术的研究传播方面,却是表现了很光辉的成绩,对世界整个的文化,发生重大的影响。

英文的"大学"这一个字,就字源推求,是由拉丁文演变而来的。拉丁文的这一个字,是"大集团"的意思,即是说四方八区的人,萃集在一处而讲论学问,便是大学之始。然而,大学既是一个才智之士的集团,而讲论学术,便不能不有一种憧憬中的远景,一种理想中的至善境界,历来的教育家哲学家和有眼光有远识的学者,都以他们的理想,拟具一种体系,来说明他们所憧憬中的大学。如英国纽曼在1847年前后,作了一本《大学的理想》,申述他自己的意见,很有卓识。今综合前人的见解并加上我个人多少年来读书观察和实际经历之所得,且针对今日中国大学之弊病,逐条论列如次:

(一)大学应以"人"为主,不以"房舍""组织""章程"为主:我们从大学的起源看来,大学先有讲学的教授,有听讲的学生,然后才有住宿的房舍,然后才有组织。有讲学的人与从学的人,才有学问有教育。最近英国文化委员会顾问,指导英语教学的专家林苏弼先生到中国各大城讲学,他在武汉大学讲演,谈到武汉大学校舍建筑弘美,四周风物如画,认为是一个极好的读书环境,不过他又说:校舍的弘美风物的明丽并不是武大的灵魂,有真正读书的人则数间茅屋仍然可以弦诵不辍。林苏弼先生的这种主张,确是不磨之论。近世中国的大学教育,受美国式教育的影响太大,过分注重过分胶着于学校的外观形式和组织。往往一个学校拥有很好的校舍和一个极庞大的组织,但是缺乏有名的学者和有志的学生,这是大学教育的悲剧。另外有一种弊病,就是教授与学生之间隔阂很深,譬如我们知某大学的教授住宅与学生宿舍的所在地,隔离太远,地缘上的远隔,引起印象上的生疏和情感的淡漠。我以为教授与学生间应当以学术为中心点,毫无偏蔽毫无私见地去亲近去合作才是。不过学生与教授,甚至一般男同学与女同学之间的感情,乃是一种学问上的感情,一种探索智慧时"同路人"的感情,并非其他实利的感情。此外我还想对学生的课外活动说几句话。美国哈佛大学前教务长哈斯铿氏说:美国大学的弊病之一是太注重学生的课外活动,如运动、跳舞、集会结社之类,往往占去学生大半的精力和时间。我对于最近中国大学生的热衷于政治行为,亦深为慨叹。这都是课外活动喧宾夺主的地方。结果"课外活动,恰好成了课内不活动的口实",如哈斯铿氏的隽语所说的!

（二）大学应以图书仪器为主:大学以"人"为主外,我再强调大学应当注重于图书仪器的充实。因为一个大学没有参考书没有课本没有仪器,所以弄到先生的讲述,变成类似演剧式的表演,变成类似背书式的复诵,学生上焉者不自动地去研究,不读参考书,下焉者连笔记也懒得记,课堂上只凭先生枯竭的记忆,把他所熟知的知识榨出来,然后再压缩到学生的记忆里,如此陈陈相因而已。有了完备充实的图书设备,才能导引学生做到"课外阅读"的一步。有了完备充实的图书设备,然后教授和学生才能在书籍里面接触,神交于书中。一本书代表一个作者的思想体系,代表一个作者的全人格,代表一个完美的境界,一个整个的世界。惟有神交书中才能使爱好智慧者忘记国界,忘记地域,忘记年龄,忘记一切足以窒碍人类高尚思想的"偏蔽"与"黏滞"。我们知某国立大学的图书馆是国内大学最好的图书馆的一个,搜集的书籍很完备,又有各系分设的图书室,无非要诱导同学,培养一种酷好读书的习惯和风气。因为一般人的习惯,"虽有书而不读",所以书不在多,只要学生肯读书。

（三）大学是造就通才硕学者的学术机构:大学不是专科学校,更不是职业学校,大学注重于高深学术的研习,注重于相关部门的知识的融会贯通。大学的目的是要造就"博而能约"的学术通才,不是要训练"职业的"及"技术的"人才。在大学里面,要传授根本学问,如纯粹自然科学等。事事物物都要推求它的法则和原理,追求一种无窒无颇的"圆通智慧"。自然科学社会科学是这样的,文史哲尤其如此。我要正告诸位,大学生的目的和意向,绝不能止于求到职业,应当在求职业以上,更追求一种更高更美更抽象的理想——这种理想就是学术的本身。

（四）大学是给教者学者一个疏懒闲暇的地方：英文的"学校""学者""学问""奖学金"几个字原出于希腊文的,其本义是"闲暇",惟有不为目前生活所迫孳孳奔走,而能有闲暇的人,才是能研究学问的人。大学生能利用闲暇,离开目前最实利最直接的事物的氛围,而驰骛憧憬于更远更抽象的智慧境界的人,才算真正了解大学生活的真精神——大学生需要空想幻想理想。中国近代的教育,受美国教育职业化的影响极深,一般大学生都胶着于职业的获得,金钱名利的追求,这是研究高深学术的态度吗？

（五）大学教育,是要造就出类拔萃的领袖人才,而非一种普及教育：记得从前在美国读的课本中,美国前总统威尔逊亦曾说过：大学生应该重质不重量,选拔最优秀的人才,"精益求精"。可是现在我国的中学生却都要升大学,要把全国每一个人都造成文学士理学士,徒有虚名,而无实学。这是错误的。人类禀赋才智原有不同的阶层,出类拔萃的领袖人才,并非人人可以做到的,更非降低程度,敷衍吹嘘所可养成的。

（六）大学生要树立风声,化民成俗,尽其领导社会的责任：我们应当先把大学造成理想的社会,把大学生造成理想的人物,然后再用毕业生去指导社会,领袖群伦。曾文正公在《原才》一文中也论到"风俗之厚薄奚自乎"？他以为在乎一二人。这所谓的一二人,就是才德兼备的高级的知识分子。

（七）大学是保存人类精神文化的遗产的地方：一国一族有它自己光荣的文化遗产,全人类有全人类的公共产业。一般高级的文化遗产,都少实利的效用,所以必需靠最高的学术机构去保存它光大它。我个人对中国语文一向主张：白话纵可行,而文言决不可废。文言并不是死的文字,并非像拉丁文一样,而如英美一般的通行文字,报纸商业亦均用之,故有其一般的价值。至于经史乃是我国先贤精神文化的总结晶,凡是国民都应当了解,而大学里研究文史哲的同学,尤其应当诵读。所以我主张"文言断不可废,经史必须诵读"。其理由因为时间的限制,不能对诸位多讲。

(《国立西北大学校刊》1948年第36期)

七、英国大学之学生生活

初大告①

英国大学之特点即无一所为国家设立,均系私人或自由社团所筹建。著名之牛津与剑桥大学,以历史关系,与新兴之其他大学在组织与内容方面多有不同。两大学由数十原属独立之院所合组而成。学生入学均向大学部及各院分别请求考试及格,始能注册。大学本部之职务,在规定各科课程,举行公开讲演与示范,举行毕业考试暨授予学位,并设置研究课程与设备及一般训导事项。关于学生之管理膳宿以及集团生活之训练等问题,皆由各学院自身负责。英国大学一般教学方法,多采取讲演式,牛津、剑桥二大学并采用导师制,每人所负责辅导之人数有限,以补讲演方式之不足。每星期有一二小时之讨论,由导师提出问题与指示学生研究方法,即论文及读书报告等,均在讨论之列。如导师得人,学生受益无穷,远非集团听讲可比。牛津、剑桥大学图书馆,其收藏书籍,均在三百万册左右,对此二校图书馆,英国出版家皆有赠送新书之义务,其内容丰富,与日俱增。论及大学生之生活,各校彼此不同,就住宿一端而言,牛津、剑桥保持英国传统之教育精神,注意校内社会生活之训练,学生一律住宿校内,学校对各种社交活动如比球、赛船、茶会、野宴以及各种学术研究会等,咸极重视,各学院师生同学间无形中养成亲密合作之精神与风气。如学院额满,不得已而住于自租宿舍,亦必须由学校与宿舍主人订立合约,委以代负管理及报告学生日常生活之责。英国大学每年分三学期,上课期间甚短,住宿约三十周,实际上课则仅有二十周,三四个月之暑假,为学生休养精神锻炼身体时期,假期内必须离校。女生之入大学,始于1880年,现牛津、剑桥女生各占男生五分之一,牛津、大学有四所女子学院,剑桥有二所女子学院,男女同学混合上课,分院寄宿。学生每学年之费用,在牛津、剑桥约需英金三百镑以上。曩日凡欲考入牛津、剑桥者,多限于上等社会,近年则已渐形开放,惟视学生学力之优劣为标准。外国学生报名投考时,须呈缴本国中学或同等学力毕业证书原文与英译本各一份,另外须缴本国使馆或政府机关之证明文件,经核准后方能参加入学考试。研究生须呈缴第一学位之证件与在原校毕业论文,

---

① 初大告(1898—1987),山东莱阳人。1948年8月至1949年7月,先后担任西北大学外语系主任和西北师范学院英语系主任。精通世界语,是我国推广世界语的先行者之一。这是时任国立西北大学外国语文系主任初大告教授应课外活动组之请于1948年12月12日晚6时于期刊阅览室的演讲词。

证明该生有研究高等学术之能力。贫富不同阶级不同观念不同国籍不同之大集团,为大学之恒有现象,学生在其中观摩陶冶造诣无量。而英国牛津、剑桥二校尤以成为造就领袖人才,训练大政治家外交家之场所著称于世,故英国之所以强盛,当归功于大学教育之健全云。

(《国立西北大学校刊》1948年12月40期)

八、大学为学术渊薮

傅种孙①

英人富自治精神,若干建设事业,纯由民营,成绩卓著,蒸蒸日上。反观我国虽皆设有官署,专司其事,而成效寡鲜,厥因安在,亟宜省讨。英人崇尚自由,然今日咸能深体时艰,对政府衣食住行之合理管制,莫不切实遵守。私有财产,业主不能自由处置;贫富生活享受,一律平等;民生主义,彼已先我实行。英国大学如牛津、剑桥二校,历史悠久,其学院均各自独立,与我国按照系列分为文、理、法、商、工、农各学院者迥异。其学院成立情形,亦与我国不同,当一硕学鸿儒在世或自远方莅临时,皇家或贵族有自愿为其捐建房舍筹募基金敦聘讲学者,即成立学院,若干学生慕名从游。厥后其他学者闻音来会,亦于其地设立讲座,复招来若干学生。阅时既久,此辈教授学生所组成之学院,更相联合成为大学。各学院之机构,依其历史或性质而自定,各有可以自由处置之财产与特具之设备。大学校长由各学院院长中遴选充任。大学为学术渊薮,教授工作,以研究为主,讲学乃其余业。研究结果,辄有论文发表。学生修业,由导师负责指导,自行研究或集体讨论。学生之管教考非若我国学校胥由教授一身担任,导师管理,教员讲演,集体或外聘名学者考试,责任既专,功效斯宏。彼邦教学管训及考试方式,未始不可供我国参考云。

(《国立西北大学校刊》1948年4月36期)

---

① 傅种孙(1898—1962),江西高安人。1937年起相继任西安临大、西北联大、国立西北大学数学系教授。1945年至1947年,西北大学派往英国进修考察。其讲词原题为《中英对照》,颇难反映其就大学以"讲学"为主还是以"研究"为主,并作中英大学职能比较的演讲主旨,姚远择其原话,另拟为《大学为学术渊薮》。

九、一个人生观

高元白①

大学生负有改良人生创造文化之使命,故必建立正确之人生观,俾能策励实践,奔赴理想。"人生观"即对人生之全整究极系统批判之认识。可标三问,以申其旨。一问"人为何生?"曰:原因有五:维护生命,延续生存,发展生活,策划生计,寻求生趣是也。目的亦有五:遂生、永生、共生、善生、美生是也。二问"人何以生?"曰:人以"行"营生,行可约分为六,即保、养、育、群、知、乐。表现之特征亦有六,即奋斗的,劳动的,历史的,社会的,理智的,好美的。三问"人如何生?"曰:以"仁"为理想。仁者爱人,必须克物,是为物质建设,此为人对物之态度;仁者爱人,必须互助,乃有社会建设,此为人对人之态度;仁者爱人,必须成己,所谓"仁者人也",是谓心理建设。心理建设,即所以发扬人之特征,本奋斗的精神,用劳动的力量,施展人之权能,更须负历史的使命,尽社会的责任以服务,施其理智,发其美感以创造!三问计有五原因,五目的,六条件,六特征,三建设,三态度,一言以蔽之曰人生行仁。

(《国立西北大学校刊》1948 年 4 月 36 期)

十、动乱时期的心理健康

王立础②

在漫天烽火遍地狼烟之现况下,多数人遭受家破人亡流离失所之惨痛,更加以国币贬值,物价腾踊,几无人不感受生活重压,其必然结果,促人意志动摇,心理变态,以致养成残忍、冷酷、缺乏同情及自私自利之性格,人与人间无真挚友谊与完全谅解。此种人群所组合之社会,自必动乱不安。行为乃心理表现,病态行为即系病态心理之反映,是以沉湎声色货利恣情欢乐者有之,穷途潦倒满腹牢骚者有之,随波逐流与世推移者有之,放荡不羁伴狂讽刺者有之。求其能清操自励独清独醒者,实如凤毛麟角。故正义不彰,无是非功过,成一纯粹之功利世界,其结

---

① 高元白(1909—2000),陕西米脂人。1937 年起相继任西安临大、西北联大、国立西北大学中文系教授。

② 王立础,四川人。国立西北大学医学院耳鼻喉科教授。1947 年任附设医院院长。

果当更加速社会之动乱。斯种病态心理如何矫正?可分治标治本二途:以言治本,应固国本,裕民生。古人云:"民为邦本,本固邦宁。"又曰:"仓廪实,则知礼节;衣食足,则知荣辱。"是在秉国政者从事稳定币值,管制物价,增加生产,平均分配,俾人民生活确实获得改善。以言治标,须吾侪知识分子,发扬旧道德,实行新生活,克己复礼,以行仁为己任,义所当为,悉力以赴,成败毁誉,在所不计,冀改造社会风气,拯救陷溺人心。苟因吾人之倡导获收移风易俗之效果,则匪特一般人之病态心理赖以矫正,且可由此重建一温暖和煦平安宁静之新世界云。

(《国立西北大学校刊》1948年4月36期)

十一、大学之文史研究与现代科学

陈梦家①

大学非职业人才之培植机构,亦非一种终极之专家教育,而系一般纯粹学术教育过程中之阶段。大学教育造就之人才,系对纯粹学术有较高深之认识了解,且具有高尚完美之人格,以所研究之学术予国家人民以广大利益。窃意大学学生应具有三种修养:一、对现代科学应有一般之基础训练与了解。二、对外国语言文字应有基础训练。现代之异于古代,即由于今日世界各国接触频繁,闭关自守之观念,已因历史发展而否定。每一国家知识分子对其他国家语言文字多应学习,大学学生能充分运用一种以上之外国文,对研究工作乃极大便利。三、对中国文史应有较深刻之认识。此点尤感重要,一国国民,尤其研究学术之知识分子,对其所生所长国家通用之语文及历史传统自应认识,无待赘言。文史研究与现代科学,无论在本质上方法上均毫无冲突,相反者彼等恒可互相依存互相协助。自方法上言,研究文史之科学方法为胡适之先生所提出,而此种方法之应用,已肇始于清代。有清学者治学方法曰朴学方法,一曰汉学方法,以此种方法合乎科学,故清代之考据乃有伟大之成就。吾人试思一具有数学知识,曾受"逻辑""心理学"训练,对"比较语言学"有充分了解之学术工作者,其头脑即属科学头脑,以此种头脑研究文史,处理古代素材,将有若何辉煌之成果。研究自然科学,须在实验室工作,而研究文史亦有其实验室。研究历史应观古迹测古地,从事考古应常赴各地考察。西安有历代文物古迹可供吾人研究。如城内之碑林即为一片未开垦之荒

---

① 陈梦家,国立清华大学教授,这是陈梦家先生应西北大学之请于1948年12月18日下午三时在学校二十八教室的讲演。

原,一块碑刻即属一篇文献,其可资考证处至多。予恒感国人民族性中缺少数种能力:一、缺少抽象艺术(音乐)之创造力,国人长于造型艺术(绘画塑像等),而对音乐方面则表现极弱。二、缺少宗教精神。国人仅有祖先崇拜等,而乏真正之宗教精神,可谓有迷信而无宗教。三、缺少研究机械科学之能力与兴趣。一般人言及近代西洋科学,辄喜云:"中国古已有之。"如指南针、罗盘、火药、造纸、雕版等,而谓"光学""电学""声学"上之端倪,已可于墨经上下中窥见。实则中国科学思想极不发达,乃无可否认之事实。以上三点,新中国之大学生应深切知之。前二者关系尚浅,后者若不亟图补救,实为中国进步之障碍。曾子曰:"士不可以不弘毅,任重而道远。"吾人当以此自勉。时代愈艰难,生活愈困苦,愈能培养伟大之人格与深沉之智慧。

(《国立西北大学校刊》1948年12月40期)

十二、论大学训导

霍自庭

大学以研究学术、砥砺品格为中心任务,而大学行政则以促进学术研究及品格砥砺而存在。大学训导为大学生行政之一,其中心工作,在于培养优良学风,高尚人格,俾青年学子有恢弘之襟度,高远之理想,贞亮之品节,笃实之行为,陶成真才实学,储作建设新中国之桢干。故训导工作,实为大学行政之一重要部分,宜使光大而进步,表现出教育之真精神,以收示范之效果。近年以来,由于各地学潮之蔓延,形成整个教育之不安,因之引起一般人士对于中国教育史上新兴之训导制度,发生一种重新估价之争论。论者有认为训导既不能积极做到诱掖进修敦励品行之目的,却反易使学生发生反感,而主张废除者。又有认为优良之品质,为做人之基础,而国家民族之前途,成系乎国民之品质。精神道德之基础不固,则一切物质建设不仅不能成功,更决不足以走上建国之大道。是以训导制度更有积极加强之必要。两者各执一词,莫衷一是。余则以为高等教育,必须以理性作基础,训育和教育实不能分开,盖大学学生,不仅对学科须融会贯通,而对事实更应判断清楚。大学为培养人才之地,而培养人才,非但须从学科上做工夫,且须健全学生品格;健全品格,必须训导工作之加强而后可。大学教育尚自由发展,贵自动创造,为一般人之所公认,而大学训导,乃以发展自治自律之精神,建立共信共守之目的为宗旨。我国学生在中小学时代,所受规律训练不甚严格,因之良好习惯之基础尚未巩固,是以仍应予以规律训练与自律训练。大学学生生理上或已相当成熟,而社会性的成熟性,则多未逮。其一般行为仍易为感情冲动所支配,难以作理智上之控制,是以自我觉悟、自力更生习性之养成,实为必要。故予以有计划的合理的指导,以便顺应其个性,完成其发展与创造,尤为刻不容缓。况大学时代,为学生一生之黄金时代,在这个时期,身心最为健全,智力最为扩展,故为求学储才之最宝贵时期,负责教育人士,应把握这个机会,让青年珍视这个宝贵时期,训导其敦品励学,蔚为国用。是以仅从片面看出近年来教育不安之现象,而即主张废除此种关乎教育前途之训导制度,实乃因噎废食之偏见。夫未看出目前教育所以不安之症结,以谋实际困难之解决,与夫实施方法之改进,藉收训导之宏效,而遽主张废除此优良制度,大不可也。

考之大学训导所以不能立刻收显著效果之原因,固然因为知识比较容易测量,而训导结果,只能从行动和事业上反映出来。然目前环境之恶劣,破坏力往往超过建设,大而国际情形,整个陷于混乱,不能给青年以道德上之助力;反顾国内,又值战变频仍,遍地烽火,人民在饥寒流亡线上挣扎,不能走上建设之康庄大道。加以社会不宁,道德低落,学生之行为,受社会之恶影响,消沉者有之,激动者有之。就学校本身言,设备不完善,不能提高研究空气,师生生活不安定。复以人事复杂,党派分歧,全体师生,亦难协同一致,群策群力,步入指导生活促进学习之坦途。因之青年精神无所寄托,堕入烦恼苦闷之深渊。偶一遭遇刺激,因之枝节横生,致使训导人员训导工作,犹如久病沉疴,大有国手难以下药之势。然整个教育即是一个训导问题,训导工作,实乃大学教育重心之一,无论遭遇如何困难,亦得力图解决。而实施方法,尤应积极改进,俾教育走上正规,以达理想目的。依笔者意见,认为大学训导,应注意下列各点:

第一,认清使命,决定方针:大学使命,不仅在传播学术,更为领导社会前进之一种机构,大学必须站在时代前面,方能负起大学使命,裨益人群。然欲达此目的,必先使青年有担当大事之自信力。是以做训导工作之人,须看清远景,望远学校之前途,认识学校之使命,然后决定训导学生之办法,以为运用。现今社会上虽呈现混乱现象,但学校必须在艰难困苦中,增加学生之自信力,使其能远处着眼,近处着手,学生能恢复自信力,方可训练其担当大事,当其立志负起重大责任时,则自然能接受学校之训导,当学生具有自觉心以后,社会愈混乱,其自己责任就愈感觉重大。如此学校方能站在社会前面,方能使社会受到学校教育感化。

第二,言行一致,心口如一:大学学生,感情丰富,容易冲动,明白正义是非之所在。但另一方面，因阅历关系，判断上常常不能十分正确。因判断有问题，方向就容易错误，所以负责训导人员，及授业解惑之师长，当接近学生，了解学生，进而开导学生，必须和学生生活在一起。更要言行一致，身体力行，心口如一，丝毫不苟，立场严正，是非清楚，藉收"身教"之效果，以为学生之楷模。

第三，以积极的疏导，代替消极的防范：训导学生，应抱爱护态度，训导原则，首应尊重学生人格，以发扬学生自尊、自勉、自爱心。积极方面的工作，更重于消极的制裁。是以训导方法，应以积极为主，消极为辅，训导者应富于循循善诱之精神，而少抱严厉制裁之态度。所谓循循善诱，换言之，即是循应学生之心理，导之入于正规焉。是以大学训导，应采取积极善诱方法。因为积极之训导，在培养优良之品性；消极之训导，在纠正不良之行为。直接命令式之训导方式，只能维持秩序于一时，而不能收训导之真正价值。

第四，增进师生感情，培养亲爱空气：大学之理想与精神，应一切寄托于学术道德之上，教育以爱为出发点，大学教授爱学术，爱青年。不仅爱之，而且抱有极大之愿望以成全之。是故师生间之关系，应如家人父子之亲切，而训导人员，更应以教导者之立场，视学生如子弟，以道义相劝勉，勿视为对立之一群。勿猜疑，勿疏远，有因势利导之妙用，无意必固我之管制，而生活愈多接触，情感愈益密切，久而久之，则潜移默化，精神感召之效果自宏。

第五，导之以理，约之以法：大学之所谓大学，应该包罗一切，学生思想尽管自由，尽管讲民主，但做学生必须守纪律，学校校规，一如国家法律，全校学生应一致遵守。如纪纲失却威信，则必枝节横生，如水泛滥，不成体统，是以大学训导仍应重视规律训练与自律训练。换言之，大学训导全部作用，必须导之以理，约之以法，两种任务，相互为用，相辅而成，然后才能收到训导的效果。盖以实施生活指导，必须一面循循善诱，一面切实遵行，寓精神于知行合一之中，务使学生，不仅口头接受，且能切实奉行。否则若仅有循循善诱之精神，而不能切实奉行，则虽能使学生一时感动，而优良之行为，仍不能培养。故严格管理，积极启导，寓训导于威爱兼施之中，则学生自能心顺意服，而收巩固规律生活之成果。

第六，至公服人，至诚感人：中国社会风气之最坏，而普遍于一般人之做事者，殆莫过于徇私而害公，尚伪而忘诚。语云："物不得其平则鸣。"是以负责训导工作，对于学生一切，应只问问题是非，而不可论党派异同和关系之深浅，以免引起不平之鸣。盖惟至公，乃能去天下之私，所谓至公服人者是也；惟至诚乃能去天下之伪，所谓至诚感人者是也。是非明，赏罚公，诚心开导，公以处事，则人皆迁善，心悦诚服,校风丕变矣。

综上所论,训导问题,欲其达到理想鹄的,完成诱掖进修、敦励品行之成效,除训导人员自身努力,实施人格感化外,校内各种课业,日常生活,各种活动,均需配合起来,而尤需仰赖全校师生群策群力,协同一致,始克有成。

(《国立西北大学校刊》1948年1月34期)

十三、为学与做人——为第九届毕业同学赠言

霍自庭

本校第九届同学诸君,攻读四载,转瞬即届毕业之期,回顾讲肄之欢,自有惜别之怀!但诸君前途事业,却要从此开始,我正抱着无穷希望,所以有些诚恳的话愿向诸君叮咛嘱咐!

第一是关于治学的——我们知道大学教育的目标是培养学者,也就是为国造士,所以诸位毕业之后,应该永远保持学者的态度。所谓学者态度,便是"好学不倦"的态度。荀子说:"学至乎没而已也。"一个学者应该终身以研究学术为职志,以期对于文化的创进,有所贡献。诸君在大学所学的,不过是一个学术的门径而已,今后正应锲而不舍,继续探讨,庶可不断地有所成就和发明,以尽开拓文化的使命。诸君在学术机关工作,固应有此精神,即在其他机关服务,亦应当把职业的内容作为研究的课题,以求学术上的收获。我们中国的读书人往往把求学作为功名利禄的手段,一旦声名地位达到了,便束书不观,不求进步,这是最大的错误。要知道人生的意义与价值,就在于不断的学习,不断的改造,不断的创进,以发扬文化的光辉。程明道说:"不学便老而衰。"诸位应当引为警惕。

第二是关于做人的——诸位求学固然应当专治一门,极深研习,但专知必须先有通识,才能致广大而尽精微,因为先博而后约,其约乃确,不博而约,便是抱残守缺。庄子所谓:"天下多得一察焉以自好,譬如耳目鼻口皆有所明,不能相通,犹百家众技,皆有所长,时有所用;虽然,不该不偏,一曲之士也。"可见求专才必先做通人,惟有在学术文化的涵泳中,才能了解人生,发扬人格。荀子说:"君子之学也,入乎耳,著乎心,布乎四体,形乎动静,端而言,蠕而动,一可以为法则!"如此则投身社会,才能有特立独行,做群众的模范,为时代之前驱,转移风气,改造社会。曾国藩说:"风俗之厚薄,自乎一二人心之所向。"切不可无视了个人行为对于社会所发生的影响。孔子说:"君子之德风也,小人之德草也,草上之风必偃。"孟子

说:"闻伯夷之风者,顽夫廉,懦夫有立志;闻柳下惠之风者,鄙夫宽,薄夫敦。"我国自抗战以至于今,民生日益困苦,道德日益堕落,正需要知识阶级,化民易俗。绝不可随波逐流,与世浮沉,甚至变本加厉,无所不为。试看可敬可爱的大学生,投入社会,不能自持,一批一批的汩没下去,令人何等心伤!往时学生毕业,我劝他们不可过于狂狷,今日学生毕业,我又劝他们不可过于现实。希望诸君务必有坚苦卓绝的精神,保持光明磊落的人格,以大公至诚的态度,发挥领导群众的作用,以期转移风气,改造社会。那么才能纲维人纪,保存国脉。再往大了说,即是世界的和平,也要靠所有的聪明睿哲的学者,求其实现。曾子说:"士不可以不弘毅,任重而道远。"诸君要抒远怀以拓宏猷,励志行以图治平,切不可妄自菲薄。

我所说的这两点,都是老生常谈,平平无奇,但对于诸君却极为切要,所以作为临别赠言,希望共同努力!

(《国立西北大学校刊》1948年6月38期第1-2页)

十四、人才教育的基础

杨宙康

这次由赖校长之约,得与诸君聚首,互相切磋,深觉得欣幸愉快。本人由湖南动身,经过重庆、成都、周□汉褒而至城固,看了不少的历史名迹,愈向北来,名胜愈多,到了汉中一带,历史的伟迹更使人不能不留连向往。我们西北大学,得天独厚,设在这个地方,使我们于研讨之余,日亲先贤余风,尤其令人愉快而且兴奋。

自"九一八"倭寇开始以武力进攻中国,用最残酷的手段,杀害我们的人民,摧毁我们的文化,企图灭亡我们的国家民族。我们……不得已起而抗战,不但抗战,我们还要同时建设我们的新国家,在这个时代之中,我们所遭遇的敌人是凶狠的,我们的任务是重大空前的,所需要的人才,更是千千万万,分门别类,无一项不需要人才来建设。

然而,中国现在是不是有那么多的人才?一般人总说:"我们缺乏人才"。是的,我们建立共和已经三十余年,交通事业还是那么迟滞,飞机大炮还需仰仗外国,一般学术还是没有长足的进步,真似没有人才。但是中国有五千年的文明,中国人的聪明才智在任何民族之上,我们有何理由说我们不能产生人才呢?

我以为中国并不是不能产生人才,乃是一般人没有认清造就人才的因素,而加以努力。人才的因素,也可说是人才教育的基本条件。大学是人才教育的机

关,所以办大学,就必须注意这基本条件。这可分四点来讲:

(一)恢弘志气

以前顾亭林先生打算恢复明室,周游南北,遍揽同志,共同革命,到后来,人家问他结果如何?他说:"北方之人,饱食终日,无所用心,难矣哉!"这便是说,全国人们,都没有志气,所以国家没有办法。那么,我们现在反躬自问,我们是不是有同样的危险呢?一般人能自知振作的固然很多,但是,只在想花天酒地,升官发财的恐怕也不少。在大学里读书的学生,有志救国,发愤为雄的固多,而只图混学分,拿文凭,弄个资格,预备在社会上得个好位置,享乐享乐的,恐怕也有。就是志气大一点的,也不过想弄个一官半职,光宗耀祖。试想,这样的怀抱还谈得到什么人才?国父说:"人要立志做大事,不要立志做大官。"现在求立志做大事的,不可多得,而立志享大乐者,却大有人在,如于此中求人才,诚大难矣。因此我们必需首先恢弘志气,以天下为己任。立志不怕大,愈大愈能鼓励我们发奋。决没有能立大志,而又自甘堕落的人。所以,志气是人才的原动力,发动机,刺激素,兴奋剂。这个原动力若是没有,其余一切就谈不到了。

(二)磨炼精神

俗云"人穷志短",立志做大事,究竟是不容易的事情,所以第二点,应当磨炼精神——坚苦卓绝,百折不挠的精神。孟子说:"生于忧患,死于安乐",又说"天之将降大任于斯人也,必先苦其心志,劳其筋骨,空乏其身,行拂乱其所为。所以动心忍性,增益其所不能"。这用中国哲学来讲,概括是"天行健,君子以自强不息",用达尔文的学说来讲,便是"物竞天择,优胜劣败"。环境给你一种挫折,你若经得起,担得住,你便会出类拔萃。否则永不能抬头。

精神是人的基本,没有精神,不能生存,精神衰落,便不能有大作为。有的人,起初精神也许很好,可是经过一种挫折,受了打击,往往自馁退缩,自暴自弃,终于失败。须知那种挫折,正像一块磨石,它能把你精神的刀,磨得更加锋利;那种挫折正像一炉烈火,它会把你精神的钢炼得更精。然而你必须磨,必须炼,才能锋利,才能坚强。你愿意锋利坚强而怕磨怕炼,岂不是南辕北辙吗?所以吃苦是人才锻炼第一要义,古今中外的英雄豪杰,哪个不有坚苦卓绝的精神!而坚苦卓绝的精神,又哪个不是由环境磨炼而成?此类例证很多不烦列举,总之,欲求自己成为人才,不但先要恢弘志气,而磨炼精神也是很要紧的。

(三)放宽度量

可是有些人,志气也大,精神也很坚韧,但是度量狭小,不能容人,不能与人合作,仍是归于失败。人类是团体动物,任何人不能离开国家社会而单独生存,必须互助,互助才能在生活事业上有进展。如果气量偏狭,不能容众,势必使人不相容,互相猜忌,互相攻击,结果必然将事业毁败。

中国现在虽还不到这个样子,可是一般看来,好人常常不能合作,而一般坏人反能合作,反而朋比为奸。所谓好人,便是指那些有才学有毅力的人,这般人是可以成为人才的,然而因为他们的气量太狭,便也不能做大事了。我们常常称颂某人人格伟大,细细研究起来,大部分是指他的度量大,能原谅他人,不求他人原谅自己;能容他人,不求他人容纳自己。一方面是伟大,一方面是自立。我们要建国成功,百废俱兴,这恐怕是必不可少的条件。

(四)深研学术

学术虽然是社会的人群的,但也必须从个人方面做起。《大学》所说"治国平天下",必须自"格物致知"起。"治国平天下",近乎上面所说的立志做大事,"格物致知",则近乎现在所说的深研学术。现在社会复杂,除了治国平天下,尚有许多大事,而学术通常分为哲学科学艺术三大部门,每部门中又有许多流派,较之古代,也是不可同日而语,但所谓恢弘志气深研学术与治平格致,道理仍然没有两样,便是说如果我们想做大事,必需先以学问充实自己。

抗战以来,社会上喊有口号,说:"学术救国"。我们有五千年历史,圣经贤传,汗牛充栋,近年来海运大通,外国书籍传入中国的也很不少,我们为什么还声嘶力竭地嚷学术救国呢?就是因为学术仍然是学术,我们并没有去深切研究。我们的敌人日寇,敢于以蕞尔小岛,进攻中国,就是由于他几十年来的日日研究学术的结果,所以,如果我们同日本打仗,打的是学问,也未始不可。德国战败后十几年,又起而向全欧挑战,甚至把世界都搅做一团,它凭了什么?也不过是凭了他们继续不断地深研学术,学术之于一个国家,是这样的重要!清末外患日亟,我国爱国之士,都说外侮之来,由于本国不强;本国不强,由于教育实业之不发达;教育实业之不发达,又是由于学术之贫乏。于是他们痛哭流涕,奔走呼号,其奈多数人竟不觉悟,直到现在。虽然新中国正在生长,然而学术一项,还比不上先进国家,研究之风,也还不够。大学是学术机关,有些学生还只图马马虎虎混足学分,拿张文凭拉倒,别的更不必说了,如此下去,我们希望产生人才,岂不为难!

更以各人自己利害来说,以后统一的国家,上轨道的国家,决没有不学无术的人鬼混的余地,以前军阀时代,目不识丁者可做督军,自然没有读书也可做政客,以后的科学社会中,这种现象决不会有。就是想靠文凭吃饭,也决不可能,非有真才实学不能在竞争中生存,更不能在竞争中称人才。

总而言之,人才之造成,必须有多方面的修养,上面所举四点,乃是修养之最低限度,简单点说,一个人才之造成,必须具备上述四个基本条件,缺一不可。当然人才教育的内容,也就非具备上述四个基本条件不可。诸君人人欲为人才,可为人才,应为人才,对此自必有深刻的认识,但望努力迈进,时时自省,莫辜负了国家父母和自己。

(《国立西北大学校刊》1943年第5期)

十五、人与事

曹配言

国父在少年时代,曾上书李鸿章,主张"人尽其才,地尽其利,物尽其用,货畅其流",这四句名言,对于做人治事之道,批示周详,包括无遗,可为吾人立身处世之座右铭,治国平天下之指南针。总裁主持军事行政外交各重要部门,日理万机,而对人和蔼可亲,处事有条不紊,可为做人治事之模范。由国父到总裁,均视人与事的问题,无论在何时何地,人与事两方面如有相当之解决,自可收事半功倍之功效。

我国数千年来,所谓一治一乱,社会不安定,政治不上轨道,考其最大的毛病,全因注重"人"情而忽略"事"理。不问何人只要与上峰有相当关系,对于所事虽有贻误,而不至受到惩处;反过来说,如无亲友渊源,就是如何尽职,亦难得到长官之信任。所以要澄清吏治,一定要将人和事的问题,得到合理的解决。最近中央各机关设有人事主管专科,其用意亦即在此。

现代新兴事业中,如邮政、银行、公司等机关,录用人员标准,采取考试制度,施行科学管理,和年功加俸,虽说不见得完全做到"人尽其才,克尽其职"的地步,但是比较政治机关差强人意。一个人在少年时代,如果受到相当的教育后,考入某机关。在服务期间,对于自己工作,小心翼翼,按部就班,迨年事稍长,担负较重,个人地位逐渐递升,对公事已有相当阅历经验,对私生活问题亦可同时解决,以与过去在政治上求介绍寻门路,而徘徊歧路者相比,不啻有霄壤之别矣。

王阳明说:"除了人情事变,则无事矣,喜怒哀乐,非人情乎?自视听言动以至富贵贫贱,患难生死,皆事变也,事变亦只在人情里。"可见人与事的关系,甚为密切,要以人来管事,同时要以事来取人,两方顾到,自有裨益。兹就个人管见,将人与事两方面问题,缕列于后。

（一）就"人"而言

要做到人无遗散而克尽其才。古人说"为政在人。"又说:"人存政举,人亡政息。"又说:"得人者昌,失人者亡。"可知人的问题至关重要。所谓"人尽其才"者,即是因才器使,野无逸贤的意思。如果行政上能够做到此地步,则上无倖进之士,下无屈没之才,政治自可清明矣。

1. 要有中心信仰

吾人立身处世,不可无中心信仰,否则就要误入歧途,中途变节,倒行逆施。吾人现在应以三民主义为中心信仰,以力行哲学为正确的人生观,终身行之,则受用无穷矣。

2. 个人修养

不外律己以严,待人以忠,要其归宿乃出于一"诚"字。"诚"字的含意:所谓"诚则明矣",就是说诚则近乎善;所谓"至诚无息",就是说惟诚自无间断乃能悠久。所以,诚字乃吾人一生为人立业之根本。

3. 知人善任

高攀龙说:"人才难得,知人实难。"总裁说:"政治入手办法,在乎得人。"曾国藩谓:"得人之道,当广收,善用,勤教,严绳。"一件事情,绝非一个人所能成功,不但要知人,而且要善用人,用人之道,不外谦恭礼士四字。要我们具有开门纳贤的雅度,惟才是尚,把瞻循私情攀登援引的习惯完全打破,把植党营私自立门户的心理完全扫除,开诚布公衷心无私的征揽全国一切人才。

4. 对人应有礼貌

古语说:"和气致祥。"青年守则第五条"和平为处世之本。"一般人应该对人要有礼貌,如有过失,应积极的指导,少加恶意的批评。

5. 地方人士之联系

孔子说"十室之邑必有忠信如丘者",可见到处有贤人君子,应有相当之联系,自可得到许多的便利与协助;千万不可存畛域之见,发生扞格,致妨碍事业之进行。

6. 以德服人

中国政治,从来注重以德服人,不注重以力服人。因为以德服人,才能保持亲密和久远的关系,如以力服人,到力量衰弱时就要破裂。

（二）就"事"而言

要做到事无废弛而克尽其功。欲求成功一番事业,应该做到人人有事做,事事有人负责的地方。

1. 要以身作则

吾人做事要本国父"人生以服务为目的,不以夺取为目的"……古人说:"其身正不令而行。"就是对事要我们以身作则,与部属同甘共苦的意思。

2. 遵守时间

无城市化什么事情,失败的预兆,就是不事前准备,即是在时间上不大注意,或准备而不充分。即普通宴会小事,千万不要以为我个人地位重要,让大家等候,甚至因地位较低者,请客不到,亦伤感情。

3. 不怕困难

拿破仑说:"我之字典中无难字。"国父领导革命四十年,失败十次,再接再厉,毫不灰心,卒底于成,我们青年应当效法。

4. 办事要能容忍

忍字为事业成功之最要条件,古今中外人士都重视之,吾人处理一件事情,要加以各方考虑,认为可行者负责去做,并要持之以恒,凡事小心谨慎,自无意外问题发生。

5. 财政公开

一个机关里的财政应量入为出,收支平衡,并要绝对公开,以昭公允。

6. 行政学术化

我们在机关里办事千万不要荒废自己学业。曾国藩训子书中"余在军中,不废学业,读书写字,未曾间断"。国父无论在海外旅行或过军事生活,均手不释卷,一生伟大事业之成功,全在此点。

总括起来说,人事问题,在平时甚为重要,而在战时更不敢忽视。谨蒋总裁在新运八周年纪念日告同胞书中所说之话,向大家介绍,作为本文之结束。一、"负责任,守纪律,明是非,别公私,是实行战时生活的基础";二、"我们要以明礼尚义崇廉知耻做起,我们要养成沉着厚重笃实的精神,且莫稍有浮躁浅薄虚伪苟且的习气"。语重心长,可为吾人做人治事之指南针,愿与国人共勉之。

十六、大学须养成学术研究风气

(萧院长一山在十月二十三日国父纪念周讲)

诸位先生，诸位同学：

自前清咸同以来，提倡自强维新，模仿西学，最早有北京同文馆之设立。光绪二十四年始设京师大学堂，分为八科。这是新学的权变，但在一般人的心理上，仍未脱科举之旧习，是以研究学术之风气极为淡薄，学生以文凭为获得做官之资格，虽废科举之名，而仍存科举之实。任教的人大半是政府官吏，是否受学生欢迎以及欢迎之程度若何，要视其官阶以为准，盖学生可以恃为奥□也。梁任公先生谓："学校一变名之科举，而办学亦变质之八股。"实为当时学校最好的写照。

蔡子民先生出长北大，他知道学校腐败，是由于科举的遗毒。所以到校第一次讲演，就说明：大学学生当以研究学术为天职，不当以大学为升官发财之阶梯，自此学生趋向为之一正，全国学校的风气亦为之改变，当时研究学术之风气蓬蓬勃勃。新文化运动和五四运动之掀起，都受了他的影响。

民国六年以后，至北伐成功以前为研究风气最盛时期。蔡先生领导北京各大学，把研究学术的风气渐渐弥漫于全国。各校师生皆以研究学术为目的而不以为手段，日常接谈，均纵论国家社会世界各种问题，很少有人谈到个人的职业。当时学会林立，刊物极多，学生购阅书刊争先恐后，至于学术讲演每周必有数次，听讲者皆踊跃赴会，拥挤不堪，各校毕业生因学术研究风气的激励，除出国留学者外，多不愿领取毕业证书，以表示求学并不是为文凭混资格。对于职业问题，非到毕业以后，绝不轻易提出来，好像注意职业是一种不体面的事，当时的学术研究空气，真值得我们深深的回忆。

蔡先生离开北京以后，研究的风气虽稍稍降落，然而仍有一种伟大的力量，与北洋军阀抗争，以保存学术独立的局面。民国十六年张作霖自称大元帅，以刘哲为教育总长，以胡匪之作风，用强力……改组北京各大学。学术独立的尊严，自由研究的风气，为之破坏。从此以后学风就日趋于卑靡了。

民国十七年国民革命军北伐成功，蔡先生长大学院，本有改造教育的很好的理想，无如一般人不了解其主张，致不久去位。蔡先生对于大学教育的认识非常深，他说：大学与专科学校截然不同，大学为从事学术研究进而创造发明世界的理则的，专科学校仅依理则而应用。故一在养成通才，一在培植专家，不宜混淆。后来学生骛虚名,专科亦改称大学,而主持教育的人也有些莫名其妙,以致把大学和专科学校弄得没有什么区别了。大学既专科化,则一般人以为大学也是训练职业技术的机关,对于学术研究自然就忽视了。

在另一方面看,北洋军阀打倒以前,学术界同情国民革命,有许多人参加了革命工作。党的活动,掺进到学校,而学术研究的空气也受了很大的影响。

抗战以来,大学受到物质环境生活人才的种种限制,学生又多以求学为升官发财之途径,近几年来投考大学的学生常有不依自己的天才和兴趣来选择院系者,而惟视各院系之出路如何以为归。譬如近年来学生以投考经济系为最多,而各校经济系复有设会计统计组者,实则在外国任何大学都是没有的。回想五四时代的时髦学科是哲学,现在各大学的哲学系几乎无人问津了,彼此对照,即可知"功利主义"又在翻身了。

学术二字本来是一体的两面:在原则上是一致的,在作用上是分开的。大学系研究"学"之体,专科系发挥"术"之用。所以大学的主要宗旨为创造发明,探求真理;专科主要宗旨系运用理则,实行建设。体用合一则文化昌明,时人不明白这种道理,只求急功近利,于是纯粹学术的研究,反无人注意,而大学之作用几乎完全丧失了。

现在全国各大学真能不愧为最高学府者,实在太少了,我们希望一个大学应该切实负起领导文化创造文化的责任,不要把它变成一个技术训练班,不要把它变为一个职业养成所。那才可以名副其实。目前第一步,至少先要恢复民国十七年以前的学术研究之风气,大学才能有它本身应有之价值。

如何恢复学术研究风气呢?只要我们先认识大学教育的根本意义是以研究学术为目的,而不以为手段,升官发财的利禄思想是错误的,端正趋向,悉力以赴,则自然而然地就可以养成新的风气了。

我国的旧教育,以大学小学来分科,所谓大学八条目,从格物致知,正心诚意、修身,以至于齐家、治国、平天下,这是何等的详明。又说大学之道,在明德,在亲民,在止于至善,何以不说:大学之道,在升官发财?解决生活?清初刘献廷先生尝曰:"人苟不能斡旋气运,利济天下;徒以其智能为一身家之谋;则不能谓之人。"我们可以套用他的话来说,学者苟不能研究学术,推进文化,徒以其知能为升官发财之具,则不得谓之学者。假如我们能认清这种目的,勇往迈进,提倡研究风气,造成学术环境,才不愧为一个大学,才不愧为领导文化的学府。

北平大学是本校的前身,我们第一步要恢复北平时代的研究风气,然后再求进步,师生之间,应彼此以学术为目的,多作学术讲演或研究工作,谈论的时候,不要摆"龙门阵",要研究人生的各种问题,久之就可以养成风习,必然会感觉一种特殊的乐境。风气养成以后,则学术独立的性质,自可表显出来,所谓贫贱不能移,威武不能屈,无论在个人在学校,都应有此勇气和力量,愿我师生共勉之。

(《国立西北大学校刊》1943年第6期)

十七、振发教师之专业精神
——为庆祝张小涵教授讲学二十五周年而作
萧廷奎

教育为建国基础,乃恒久事业,其有无进步,缘由故多,而师资之是否健全实为主要因素。试观泰西列强之大中小学教师,因曾受专业训练,故咸能秉其学不厌,教不倦之精神,以研究学术探讨真理为依归,培育英才奖掖后进为职志,匪特个人于学术上可获成就;而教授生徒,亦能化雨广被,人才蔚起,科学因以昌明,国运因以隆盛,铁证在前,诚堪借鉴。

我国自孔子杏坛设教以来,历代固尚尊师重道之风,然抱"学能优则仕"之思想者亦不乏人,近受功利主义之煽惑,益形加厉。抗战军兴后,以物价高涨,待遇菲薄之教师,劳碌终年所得不足供个人最低限度之温饱,遑论仰事俯畜,是以中途迫而改业者比比皆是;不惟造成师资普遍之恐慌现象,而学风日弛,师道陵夷,诚教育前途之大隐忧也……应立志做教师以挽颓风而固邦本……

教师之优否及有无专业精神,影响于教育及国家之前途,既如此深巨;故国人对始终献身教育之专业优良教师,理宜倍加崇敬,政府亦应特予奖勉,方称允平。本校化学系主任教授张小涵先生自民九讲学高师,联任迄今,已届二十五周年,其湛深之学识及专业教育之精神,洵堪钦佩,特揭一二,藉供观摩,并矫世风。

先生早岁留学英伦,专攻化学,返国后即主北京高等师范讲席,虽教学成绩,誉满士林,所授之理论化学于国内已素具权威;然先生益虚怀若谷,态度蔼然,循循善诱,竭叩两端之后,犹恐不及,假期或课余,他校有延请讲学者,亦少辞谢。其恳恳款款诲人不倦也如此。

溯自北伐以前,军阀割据,政局不安,教育经费,时常拖欠,平津各校罢课之事,时有所闻。教师以难于果腹,多弃学就商,或夤缘仕进,而先生虽生活艰窘,箪瓢屡空,然仍执鞭授徒,未尝稍离岗位。迨抗战后,教师生活益为困苦,习科学者相率开工厂,营实业;而先生仍留学府,诵声得以不辍,其安贫乐道之精神又如此。

先生服务教界虽久,而研究之精神益坚,对新出版之科学书籍杂志,靡不悉心披览,故思想见解,与时俱进,未尝后人。平日著述有 Langmuit 之 ocret theory 顺容性与分子构造,偶极矩与分子构造等篇,深受国内科学界之重视,现正译编 Getman 之理论化学,并研究有机化学内不饱和之键(例如 $C=O,C-O$ 等之电子布置法),不久当有圆满之结果。即教即学:可谓深得教学相长之真谛矣。

兹者抗战已获胜利,建国之工作亟待展开,推进教育尤为当前之急务。社会人士对为国育才不慕荣利之教师,应一改过去之漠视,养成尊师重道之良风。政府应制订法令,保障教师之职位,提高教师之待遇,安定教师之生活,奖励教师之进修。如此,国人始乐于从事教育,教育之发达亦指日可待。本校师生以先生讲学已届二十五周年特于十月十日举行庆祝,聊表崇仰敬佩之忱,意亦在斯,予非专美先生,实欲藉先生以唤起国人对教育之注意而振发教师之专业精神也。

(《国立西北大学校刊》1945 年复刊第 16 期)

十八、论乐教

徐朗秋

我们读《乐记》读到:"是故乐在宗庙之中,君臣上下同听之,则莫不和敬;在族长乡里之中,长幼同听之,则莫不和顺;在闺门之内,父子兄弟同听之,则莫不和亲。故乐者,审一以定和,比物以饰节,节奏合以成文,所以合和父子君臣附亲万民也。是先王立乐之方也。"

这一段话,把我们古圣先王立乐教以配合礼教,求得万民协和之道,以及审察吾人情感之心声,用乐器以表达其节奏之理,扼要地说出,足见我唐虞盛世,已经注意到乐教的重要了。黄帝命令取竹制黄钟之管以正六律和五音,可以称为音乐之祖。《舜典》:"命伯夷作秩宗典三礼;命夔典乐;教胄子,八音克谐。"《乐记》:"昔者舜作五弦之琴,以歌南风;夔始制乐,以赏诸侯。"这种说法,虽不免被后人看作庙堂贵族的音乐,然而"大章"乐歌颂帝尧;"咸池"乐歌颂黄帝;"韶"乐歌颂舜;"夏"乐歌颂禹。这都是人民之声,是我们研究音乐史的人,不可忽视的。

梁沈约说中国原有乐经,亡于秦火。后人虽怀疑乐经的有无,但是《礼记》明有乐教的纲目,《诗经》乃是当代的歌词,伶官传授乐器,虽不一定先有圣人手定的乐经,而乐教的设施,总是朝野所重视的,不过秦以后已现衰微之象罢了。宋欧阳修说:"由三代以上,治出于一,而礼乐达于天下;由三代而下,治出于二,而礼乐为虚名。"清方望溪也说:"自周以前,上将纳民于轨物而身先之;自秦以后,身不能而于民亦荡然不为之制,其宗庙百官之仪,仅有存者,亦虚器耳。"这都是说从殷周礼乐盛世以后,就渐渐衰微而且忽视了民间乐教。《乐记》:"郑音好滥,淫志;宋音燕女,溺志;卫音趋教,烦志;齐音敖辟,乔志;此四者皆淫于色而害于德。"这是子夏回答文侯问"溺音"的释例。晋室偏安,南北朝多荒淫的君主,齐之《伴侣曲》,陈之《玉树后庭花》,都是淫于色而害于德的亡国之音。写到这里,想起现代的《毛毛雨》《妹妹我爱《你》《桃花江》以及海派歌曲的淫靡之音,"世乱则礼慝而乐淫"(《乐记》),真叫人不寒而栗!中国究竟成一个什么样的国家?民国已三十六年了,连一个国歌还不曾制定(以党歌代用的国歌有时间性),代表民族性的歌曲也不多。咳!"隔江犹唱后庭花"的情景,再重现于今日,吾民真要叫冤枉了!

以上简要地说明先王以礼乐设教的至意,和后世轻视"与民同乐"的音乐消沉——如欧阳修、方望溪所云——意思不在复古乐而保存国粹,是在复乐教以发扬国策。过去的只好让它过去罢,现在的及将来的,不能让它跟过去的一样的过去,要我们努力现在,发扬创造现代化、大众化的中华民族的音乐,纳民于轨。

振兴乐教,也需要先从心理建设,我们相信先王乐教理论的正确,亟应发扬;我们也相信现代音乐理论的进步,亟应追求,我们尤应该相信乐教的伟大使命。我不用古人的谓"审一以定和,比物以饰节","治出于一,而礼乐达于天下"那种笼统说法,分析几点简单论列,以见音乐教育的效能。

(一)声音训练

一个歌唱家、戏剧家或演说家,对于发音器官的保护和运用,没有不讲究的。歌唱好的,语言也清晰而洪亮,演说声音好的,不一定歌唱声音就好,这是乐音训练严格的关系。所以,音乐教育对于歌唱和语言的声音训练,是具有同样大的功能的。

(二)听音训练

吾人发音各有不同的音色、音量,如果没有经过发音训练的,他唱出的音阶音调,不一定正确,不正确时,自己也听不出。经过训练的,不但自己发音正确,并很容易听出人家不正确的音,更能分辨出各种乐器发音的正确性。这是音乐教育对于听音训练的功能。关于各种声音的情调和节奏,也可有个正确的明辨。

(三)欣赏自然音的训练

鹿鸣、马嘶、虎啸、猿啼、松涛、鸟语……无处不有自然声音的美妙,中国旧曲的《百鸟朝凤》《平沙落雁》,俄国的《船夫曲》,以及童声歌唱(《小麻雀》等)都是摹仿自然音而来,所以音乐教育可以使你吸取大自然的声感,进而欣赏大自然的美妙。

(四)性情训练

如果把一位暴躁的人送到教堂里常听听赞美诗歌,他会变成温柔而慈祥;或者把一位懦弱的人送到军营里常听听赞歌,他也会变成刚毅而勇敢。"情动于中,故形于声,声成文谓之音"(《乐记》),这是"声感"作用,不一定要了解歌唱的词句。曲的作用和效能,也在此。

(五)品格训练

音乐有中和性,不但能改变你的性情,而且能提高你的品格。高歌一曲,能激发你向上,使你心旷神怡,使你精神永远陶醉在艺术圈里,积极奋发,把握你至高至上的人生观。用音乐来调剂精神,恢复精神,都不过是品格训练的小因子罢了。音乐不只是娱乐呀!

(六)仪态训练

一个歌唱家或演奏家对于他的仪表姿态,没有个不讲究的,尤其在他登台演奏的时候,要有尊严而不冷酷,整齐而不呆板的仪表,活泼而不轻佻,敏锐而不粗率的动作。自己先有训练,同时予人以可亲可爱,尊而敬之的印象,进而示人以模范。实在不做音乐家也要这样。

(七)团体意识训练

个人不能离群而独立,如果一个人缺乏了团体意识,可断言一事无成,因为他失去了一切人的助力了。音乐里有大合唱、轮唱、分部合唱、乐器合奏等等,都能严格的训练你只有团体没有个人,以大我的成功,表现小我的成功。因为和声的进行,不容许你独异的。所以,受过音乐训练的人,在任何团体里,他都会表现他个人对团体的道德的。

以上七项训练,偏重在受音乐教育者的本身训练,我们不能希望人人都成为音乐家,但我们希望人人都应当受音乐教育。以下还要申述一项:

(八)音乐的感召作用

在我们中国历史上,有不少是利用音乐的感召力而成大事的:像项羽困在垓下时,听得四面楚歌而兴叹自刎。伍子胥吹箫乞食于吴市,得到吴王的赏识而为他伐楚报仇。司马相如弹一曲《凤求凰》而引来一个美人卓文君做老婆。诸葛亮抚琴退敌,虽是史无可考,也是证明后人相信音乐确可有此力量。这次世界大战,德国占领挪威京城奥斯洛时,就是先用军乐队和先头部队大唱其"到城里去"而进城的,城内二十五万军民先听歌声,然后听见飞机声,才知道这城给敌人占领了。希特勒没费一颗子弹而取得一座大城。

我们有了以上的信念,当了然乐教对于个人,对于国家民族是如何的重要了。教育界不应该忽视,执政者尤不应该忽视。由乐教可以看政治,"是故治世之音,安以乐,其政和;乱世之音,怨以怒,其政乖;亡国之音,哀以思,其民困;声音之道,与政通矣"(《乐记》)。我们现在到处听到淫靡之音,甚而至于学校里也能听到"桃花江上美人窝",收音机里也能听到"正月里来正月正",宁非亡国之音!这是执政者的责任,也是教育者的责任。我敬谨建议推行乐教的办法:

(一)中小学重视音乐课程,并多作音乐活动;

(二)大学列音乐为共同必修学科,并当作音乐演奏及传习;

(三)社教机关注意推广民众音乐及活动;

(四)政府奖励音乐家制作中国现代化的民族性的歌曲及改良乐器;

(五)政府奖励音乐家戏剧家创造中国新歌剧(中国故事,欧美技术);

(六)请政府速颁国歌及典礼乐(闻国歌已在征求制谱试唱,典礼乐亦经制定而迟未公布);

(七)中央及地方,多培植音乐人才,并优予任用(如音乐教员待遇,不得低于其他任何科教员待遇);

(八)严格统治职业乐队及音乐灌片公司,并审定其曲谱歌词;

(九)严禁淫靡歌曲唱本之流传;

(十)中央及地方建设音乐馆;

(十一)政府印布音乐教材;

(十二)尊崇黄帝,勉劝后人(黄帝是音乐之祖);

(十三)扩充国立音乐院,并奖励其高才生出国深造;

(十四)加强国立礼乐馆工作,使成为学术机关。

(《国立西北大学校刊》1947年6月30期)

十九、广博与专精　提高与普及

黎锦熙[①]

今天是总理纪念周，又是国民月会的日子，又是本届新生训练举行毕业典礼。纪念周每星期一次。国民月会每月一次。新生训练每年才一次，就新同学的在学期间说，五年只这一次，更就新同学升入大学的学历说，终身只这一次。所以今天我说的话，以新同学为出发点，而以整个的师范学院为立场。现在文化教育界有两个问题。一个是"通材"和专家哪样重要？一个是大学与社会是否相联？我以为这是不成问题的问题：通材和专家都重要，缺一不可。大学就是革新社会的，大学与社会不发生关系，有何用处！但是，这个答案还不彻底，因为把通材和专家，还是划为两种；把大学与社会也还是打成两橛了。现在应该这么说：通材就是专家；大学就是社会。要说明这个道理，可以把语句换一换，如就一事，举出实例：

（一）广博与专精

民国二十七年，教育部把大学课程改了，规定一年级不分系，设置共同必修的科目：国文，外国文，中外通史或文化史，社会科学，数学与自然科学，论理学和哲学概论（二年级）。这一学年的科目，大体上简直是把高中的课程温理一遍。现在大学一年级生，往往怀疑，读了这些"广博"的课程，到二年级分系以后，究竟对于本系"专精"之学有多少用处？有人说：就因为近来高中毕业生的程度太不够标准了，所以不得不在大学一年级补此中学一段基本工夫。又有人说：这乃是为造就"通材"起见的。我以为教育部的大学课程改制是对的，而怀疑和批评的话也是对的。随便举几个耳闻目见的琐事作证：暑中入川，为西北大学和西北师范学院访聘教授，归途过成都，有个朋友介绍一位历史学专家，曾留学欧洲得了学位回来的，见面一谈，知其对于西洋史研究甚精，连一些统计的数目字都记得。已而说到成都，他道："成都地方真好，难怪汉朝要在这里建都"。我怔了一怔，旋又发现他的话也不错，蜀汉确是在这里建都的，不过刘备并不是"要"在这里建都，他原是"不得已而为之"呀。因又谈到当年魏蜀吴三国的形势，他道："蜀是四川，吴是江苏，不知江西两湘闽广诸省属谁，若是都属魏，魏的地方可真大！"我觉得不好再谈下去，只得对他说："似乎高中的中国历史教科书里边就附有一个简单的三国

[①] 黎锦熙（1890—1978），字劭西，湖南湘潭人。中国科学院哲学社会科学部学部委员。1937年起，历任西安临大、西北联大、西北师院、西北大学教授，系主任、学校秘书处主任、西北师范学院院长等。

疆域图吧。"其实,就是初中乃至高小的历史教科书里边都有的。因此想到:凡专家,至少中学各科已修毕的课程都不要忘记,尤其是与各该专家本行有关的课程。例如西洋史与本国史,这其间是不容画一条鸿沟的,就算分个深浅,深的研究,成了专家,浅的常识至少也应当以高中毕业的程度为不要忘记之最低限度。否则,这种专家出来办事,除开他所专精的一个小范围以外,一切都不懂,我不知道他怎么能应用他所专精的学理,来解决社会上的实际问题?固然理工等科有所不同,但如一个工程师或医生除他所学的这一门以外,一切都不懂,在他的业务执行上恐怕也要受点影响。这种专家并不是没有用处,只是成了一种机械,一种器具;做起文章来,只算是新"八股';教起书来,也只算是新"冬烘";谈起天来,除他自己的专门术语之外,满都是外行话,他说的专门术语,人家不懂,人家所说常识的话,他却是闻所未闻。我敢断定:要医治这种毛病,方法很简单,很具体化,只须让他温习中学时代所读的各科教科书,每日一小时,轮流不已,周而后始。以上是就学问说,再就做人说:专家是社会的领导者,若缺乏广博的常识,误己误人的事皆所不免。暑中我在重庆乡下,邻家有一个理学院刚毕业的大学生,患病狂热,医生说的是伤寒症,让他注意,他听了,即刻买半斤粗面条,和辣椒大葱豆豉煮了,吃个干净。次日体温更高,医生一问,说,吃坏了!因为他把伤寒症与伤风感冒并为一谈,他连高小所读的常识卫生功课都忘记了。纵然伤寒旧名,望文生训,容易致误,但通俗的谚语也有的:"饿不死的伤寒,撑不死的痢疾。"教科书也忘了,"妈妈经"也不知。我的朋友萧迪忱君常对我说:现在一般知识分子,对于卫生医药的常识太缺乏了,大学中应该设此公共必修科。他是从近年经历得来的感想。我想:卫生医药,性命攸关,常识缺乏,尚且如此,其他可知!其实这些常识,按照小学以至高中的各科课程标准,应有尽有,依次递进,初不料中学毕业生升学以后,原件一概璧还,到大学毕业,变了专家,对于一切生活常识,有些简直和没有受过教育的人一样。所以,无论求学和做人,都要以广博的常识为基础。例如没有广博的常识,尽管专精一门,成了一个专门学者,也是没有出息的,因为他不是通材。我们可以把专家分为两种:一种是通材的专家,唯一的条件就是具有广博的常识,并能应用这些常识于他所专精的学术上,使他所专精的学术能够社会化,实用化。一种是非通材的专家,我已说过,不是没有用,只是机械,只是器具,只能做八股式的文章,只能当冬烘式的教员。从而我们又可把通材分为两种:一种是专家的通材,这与通材的专家是一而二,二而一的;一种是非专家的通材,这也不失为一个最优等的高中毕业生。但是,真要成个专家,广博的常识之外,还要积有广博的经验,才能把它所专精的学术真正研究透彻。试举一较为高深的例:中国的哲学,从孔子到王阳明,对于宇宙和人生,每一家的主张都可以概括做几个字,或者一两句话。学者把握着那几个字或一句话,专精起来,可以终身受用不尽。尤其是隋唐以后的禅宗和尚,他们的教学方法,叫做"参话头","话头"就是那几个字或一句话,儒家模仿,谓之"宗旨"。现在通行,演为标语。"参"就是参验的意思,参的方法只是精专,把全副精神集中在这个话头上,不得旁骛,不许杂乱,可谓绝对地专精了。有名的禅宗话头,例如"麻三斤",老和尚说出来,小徒弟领受了,就去参去,禅房打坐,参到三年,还不能参透,勉强拟个答案,老和尚听了不对,给他一棒或一喝;他退了下来,没有办法,就去"行脚"。行脚是禅家最重要最伟大的工作,一个瓦钵,乞食用的;一件袈裟,御寒用的;此外别无长物。走出庙门,过山登峰,遇水摆渡,大都会,小市集,穷乡僻壤,绝壑幽岩,无不经历;王侯第宅,文武名流,豪商巨贾,贩夫走卒,村姑□妇,牧童野老,毒蛇猛兽,刀兵水火,无不接触。但他时时刻刻专精一念的就是"麻三斤";他游过天下名山大川,名都巨邑,历尽饥寒苦闷,惶恐、颠沛,为的就是"麻三斤"。行脚三年,一天在一个村庄里,听见一位老太婆说了一句很平常的话,或者看见一只狗赶一只猫,或者看见人家灶锅里烧的开水沸腾了,或者看见树上的苹果落,……他忽恍然大悟,豁然贯通:原来"麻三斤"就是这么一回事啊!赶快回来,报告老师。老师点头,就算学分通过,他毕业了,悟了,参透了。这是中国最高哲学禅宗的教材和教法。他的教材,现在看起来太神秘了,但是他的教法,可以说是最平凡而又最巧妙的,就是用"行脚"的方式,旅行、考察、观察、实习,让学者去积广博的经验,所见所闻,眼前书物,一丝也不放过,时时刻刻把广博的经验来参证他这专精的一点。久而久之,宇宙间的一切,都成为他这种专门研究的材料,都可以证明或发挥他这种专门研究的原理原则,乃至都可以触动他的灵机,完成他的归纳,来发明创造他这种专门研究的新原理新原则。试问:这种专家岂有不成功的?不要以为这只适用于哲学的研究,或者限于社会科学的研究,就是自然科学和应用科学也都如此,若不然,为什么人人都常见的开水沸腾,苹果落地,只能让瓦特和牛顿出来做发明家?文学也是如此,若不然,为什么司马迁写一部《史记》,先要遍觅名山大川?所以无论求学和做人,广博的常识是可以从书本讲习得到的以外,还要从实际事物的阅历上,积渐得到广博的经验。这不但可使他所专精的学术能够社会化,实用化,还可进一步推进他对于所专精的学术更能有所创造和发明。这样的"通材的专家",才可以列于上品。

(二)提高与普及

民国二十七年,教育部颁布师范学院规程,提高高级师资的程度,增加年限,五年毕业,比普通大学还多一年。同时,因抗战建国的基本问题,必须迅速解决,组训民众,普及教育,除短期义务教育和民众的成人补习妇女补习以及种种社会教育都继续推进外,更于二十九年实施新县制,配合一种国民教育,以保为单位,设立中心学校,把普通小学,短期义教,民众社教都综合起来,不拘成式,总以迅速普及为主。教育部还要于正式官制中特设"国民教育司"以专管之。师资惟患其不高,教育惟患其不普。师资之高,高到大学四年还不够;普教之低,低到三四个月就可以毕业;拿一副滑稽对联配上,高的高到"三十三天堂,替玉皇大帝盖瓦",低的低到"十八层地狱,给阎罗老子挖煤"。教育者的训练,与被教育者的要求,离得这样远,差到这样多。有人说,师范学院为高级师资训练,是造就中等教育的教师的,与国民教育属于初等教育者不相干。姑无论高级师资与国民教育的研究和推进,不能说不相干,也无论中等教育之中就包含了初等教育的师资训练(即师范学校);更不能说不相干。现且设一疑问:高级师资是造就中学教员的,一个中学教员,教的是些中学生,这种师资,只要在中学毕过了业,再加上一两年的教育专业训练,他既有了中学毕业的学科程度,又受了一两年教育专业训练,能运用教材和教法,他为什么不能当中学教员?为什么中学教员的学科程度一定要大学毕业,比中学毕业要增高四年之多?为什么师范学院四年还不够,更要增高到五年之多?中等教育的普及性虽不比初等教育,但就一国的文化程度而论,当然是愈发达愈好,而造就这种师资,竟不可以将就一点,宁缺毋滥,只顾提高!提高师资训练的效果,或者就和普通大学一样,可以多造就一些学术上的"通材的专家",究竟对于普及教育以迅速唤起广大的民众有何关系?

说到这里,可以先下一个判断:提高就是为的普及,非提高就不能普及。

记得十余年前,有人也谈过这个"提高与普及"的问题,主张一切学术,越提得高,越及得普,譬如灯,高灯才可以远照。

此譬甚妙,但非"合喻",因为不容易举出实例来,没有实例,虽"喻"而不能"证"。我且举一实例作证。这个实例,也可以说是我在暑期中一种工作的报告。

国语推行,从清末到现在,已有三十年的历史,最初的目标只在教育普及。清光绪十八年(1892),厦门卢戆章先生发明的"切音新字",参用西文字母,拼写闽南方音,用来做通俗文字的新工具,推行颇广,其目标就只在教育普及。到光绪廿六年(1900),宁河王照先生又仿照日本假名的办法,发明"官话合声字母",用来拼写北方的方音,做通俗文字的新工具,推行更广,其目标也只在教育普及。不过他曾说了这么几句话:"官者,公也;官话者,公用之话。"于是,赞成"官话字母"的天津严修先生和桐城吴汝纶先生,才大张旗鼓,把"国语统一"这个标语张贴出来。卢、王、严、吴这四位先生,对于语言音韵之学都是外行,对于中国汉语方音的分布更说不上有什么调查研究,所以他们并不知道"教育普及"和"国语统一"这两件事是含有矛盾性的;直到现在,一般对于教育学和语言学没有专门研究的外行先生们,还以为这两件事就是一件事呢。到了光绪三十年(1904),桐乡劳乃宣先生宣布他的"简字全谱,就划定全国的方音为北京,江宁,苏州,闽粤四个区域。他主张拼音文字新工具的推行,第一步是'方言统四',第二步才是'国语统一'";方言统四为的是教育普及,不能和国语统一并为一谈。因为,他是一个音韵学专家,又了解教育的要点,所以,也才能够看出"教育普及"和"国语统一"这两件事中间含有矛盾性的消息来,才能够定此先后两步的设计。并且他这种设计,是有办法来统制这两件事的矛盾性,使能相反相成,归于一轨的。例如,他所定的拼音"简字",其字母的加减有一原则:"以随地增制通其变,以有增无减统其同",这是精理名言。现在推行注音符号,以国音注音符号为主,四十个,不得减少;又以方音注音符号为辅,必须是国音注音符号拼不出来的方言,才可以随地增制。并且由中央教育机关统筹制,制定"全国方音注音符号总表",更扩大范围,包括边区各族的语言在内。这种办法,就是适用音韵学专家劳先生"简字全谱"的原则的。就前清的语文改革运动这一般历史看来,可知"普及"的工作要做的合理而有效,必须靠"提高"的专家有所贡献。

民国二年(1913),教育部仿照国会的体制,开"读音统一会",想把中外各专家创制的中国字母综合讨论,折衷一是。八十个会员之中,除各省蒙藏华侨代表之外,由部延聘或指派音韵学专家和教育行政专家共四十余人参加。这个议定字母的事,是纯学术的性质,根本就不适宜于这种广大复杂的组织,所以会场之中,专家与非专家起了冲突,专家与专家之间又发生了摩擦。现在通行的注音符号,就是民国二年这个大会议决的,但它究竟是根据音韵学专家的原案,比前清各家所发明的进了一步,例如王劳两家的字母,都拘守从前"反切"的成法,上下两字,一声(子音)一韵(母音),无论拼何字之音,只许用两个字母,因此,字母的数目太多,总在七十个以上;民二所定的注音符号,就减少了一半,字母少,则易学易记,所谓简单化了,简单化则易"普及",这又是"提高"的专家所贡献的,因为他们利用了中国音韵学上的"四呼",发明三个"介母",不限双拼,容许三拼,字母的总数减少一半了。

民国八年（1919）又发生一个国音标准问题，这是属于"统一"项下的，虽与"教育普及"不是一事，但也可以拿来作证。民二除议决注音符号之外，又议决六千多个常用字的国音。国音者，就是对于某字应该把注音符号怎样拼音，拼好了，作为全国读音的标准；民二的大会是采用代表制，以票数多少来决定每个字的国音，并不是决定一个地方自然的语音为标准的，所以不免有些南腔北调。到了民八，国音字典跟着注音符号由政府颁布出来，于是教育心理专家、教学法专家、和语言学专家又起而提出抗议了，说是：照这种国音来读白话文，说普通话，找遍全国，找不出一个教员来。试验几年，果然如此。到了民国十二年（1923），就决定了北平地方自然的语音为标准国音，登时就得到可以当教员的一百五十余万人；从此以后，全国的小学校，海外的华侨，广播电台，有声电影，凡需要使用公共统一的国语的，都自然而然地通行了这种国语。到民国廿一年（1932），部中就正式废止了旧的国音字典，从新公布"国音常用字汇"。依普通的常识说来，全国各地方代表多数票决的字音，当然是最普通的读法，可以做统一的标准，易于"普及"的了，谁知道竟大谬不然！例如民二就依从了语言学教育学和心理学这些"提高"的专家的指示，何至于绕这个十几年的大弯子？

民国十二年（1923）又发生一个汉字改革问题。因为汉字难学难记难写，不便再做现代中国教育普及的工具，所以应该废掉，改用拼音的汉语新文字；而这种拼音的汉语新文字，就应该采用罗马字母（即拉丁字母），因为它是早已国际化的，而又实用化。实用化者，心理上，自初中以上的学生，到四五十岁的领袖人物，对于这廿六字母，大都是"已"学而能的，不像注音符号只有一部分的小学生认识，进了中学以上的又忘记了，四五十岁的领袖人物还待补习而又不愿意补习；物质上，一切印刷铅字和打字机等都是现成的，不像注音符号还待另行铸造。当时国中的语言文字学专家，一部分是热心鼓吹，一部分是举手赞成，到民国十五年（1926）就议定了"国语罗马（即拉丁）字"，十七年（1928）政府也把它公布了，叫做国音字母第二式，而注音符号则称国音字母第一式。这种"普及"的运动，理由充足，办法周详，并且有了权威的语文学专家站在这条阵线上，又得了政府的认可和法令的根据，应该可以逐年推进了；殊不知在"提高"的方面，语文学专家虽然够了格，但又缺乏了社会学专家的参加和指示。

原来汉字这样东西，在中国社会上的根据太深厚了，尽管有百分之八十以上的文盲并不认识它，但扫除文盲的工作，究竟还靠这百分之二十以下认识它的非文盲来做。认识汉字的少数人,究竟是蚩蚩者氓的领导者;假如一旦废除了汉字,这些少数人立刻就如"猢狲失树",茫无依据,在精神生活方面简直不能过日子,现在大家各自揣度,是不是这种情形?就是热心改革汉字,提倡汉语拼音新文字的人,提起笔来,只写汉字;书报函件,只见汉字;对于"国语罗马字",既嫌其语音标准太严,四声拼法难记;而民国二十年(1931)从海参崴传来的"中国拉丁化新文字",又因各拼土语,四声不辨,同音词多,意义难测,以致隔日便不能自喻,两人即难期共晓。在这种情形之下,废除汉字,终是空谈。假如乡下文盲,受了拼音的汉语新文字的训练,能读能写,一进城,起首就看见城门口三个大字,不认得,还是文盲;进到城中,大街小巷,铺店招牌,机关名称,货单报纸,一切都是汉字,他对于一切都还是文盲,那么,只好废然而返,心说上了当了。试问:谁有力量能够一下子就改造这种汉字社会的大环境?所以,民国廿四年(1935),只好先让注音符号与汉字结了婚,成双作对,永远不离,这就是本年暑中教育部国语推行委员会决议继续推行的"注音汉字"。注音汉字,字字注音,先从印刷白话读物入手;看这种读物的人,如果认识汉字,你就读汉字好了;如果有些汉字不认得,你就在这个不认得的汉字旁边找老师;如果一个汉字都不认得,你就不睬汉字专读旁边的注音符号也行。至于要写作一点儿东西的人,如果要用的汉字都记得,你就全写汉字好了;如果有些汉字不记得,你就把注音符号拼出音来代替这个不记得的汉字;如果一个汉字都不记得,你就不必写一个汉字,尽把注音符号拼出音来代替汉字也行。这种办法,并不是退化,并不是将就,是看清了社会的一切机构,一切社会活动的连带关系,才知道社会改革不是单枪匹马可以做到的。废除汉字,要循其自然的程序;推行拼音的汉语新文字,要搭上过渡的桥梁。这也是从"提高"的研究和经验,而得来的一种"普及"的手段和技术。

  以上把三十年来推行国语的几件工作引来作例,证明"提高"与"普及"是息息相关的。一种教育上的大主张,大设计,像上述的语文改革问题,音韵学专家,语言学专家,文字学专家,教育行政专家,心理学专家,语文教学专家,社会学专家……这些专家都要总动员,并且要由几个"通材的专家"综合调整,实际设施,才可以逐渐贯彻这个大主张,实现这个大设计。就教育的立场说,一切文化总以"普及"为归宿,然而普及的方法与技术又谈何容易?硬叫它普及,它越难普及,那么,只有让教育者自身的学术程度"提高",提高就是为的普及,非提高就不能普及,因为提高了才可以把怎样普及的方法和技术发明出来,所以一切学术,越提得高,越及得普,譬如灯,高灯才可以远照。

师范学院比照大学四年还要增高一年,这种制度是对的,但也不要误会,以为这个纯是为的教学技术与专门职业的训练;要知道师范学院在专科学术的本身上,至少也须与大学的训练同等,而且更要"提高",养成"通材的专家",能够在教育上有革命性的大主张,有创造性的大设计,有怎样贯彻这个主张与实现这个设计之方法与技术上的大发明,否则只是造就一些"教书匠""管理员",或者教育机关的公务员,陈陈相因,碌碌没世,对于文化"普及"的效率,是不能多所增进的。

总而论之:广博与专精,提高与普及,前者是凡大学一年级的教育训练应该注意的,后者是师范学院更宜注意的。凡大学一年级皆修习普通科目,而师范学院的年限增加为五年,假如施教者不明白改制的原理,教材不适合于改制的目标,将来此制若告失败,大一各科目及师院各系的教员应负一半责任,而政府不为详定课程细目,不为编选教材用书,或者定了编了都不适宜,也应负一半责任。

广博与专精是相反的,提高与普及也是相反的,但虽相反而实相成。不广博,即无以培植专精的基础;非提高,即不能创立普及的方术。倒过来说,不专精,即无以发挥广博的效用;非普及即不能适应提高的目标(因为一切高深的学术和思想,为的都是"最大多数的最大幸福")。

再补充一点意思,就是:上来所说,意在着重"广博"与"提高"的工作,假如扶东倒西,又把下半截"专精"与"普及"拉下来,忘掉了,其流弊也和上举画鸿沟的"专精"与职业式的"普及"一样,只造就一些新八股先生与陈陈相因的教书匠之类。做广博的工作,要时时把握着"专精"的目标;做提高的工作,要时时顾念到"普及"的任务,然后下半截才算不拉下来,没有忘记。这个只有一种扼要的办法,就是研究实际问题。凡学者,无论习何科,读何书,著何论,必须能够利用当时此地日常接触的实际材料,对于所学,或作例证,或备归纳,必须练习解决当时此地日常生活的实际问题,根据所学,或加判断,或做试验。这就是广博而专精,提高而普及的最扼要的办法。

一千年前有一部书叫做《礼记》,其中有一篇《中庸》,九百年前又把它编为四书之一(要这样说法才是有广博的国学常识,假如一个大学生还说四书是二千年前孔孟时代编成的经书,那就是外行,不够格了),《中庸》里有两句话:"致广大而尽精微,极高明而道中庸。"本题"广博与专精",就是发挥"致广大而尽精微";"提高与普及",就是推阐"极高明而道中庸"。本题两个"与"字,不如中庸的两个"而"字,因为"与"字把上下分成两件事了,不如"而"字虚灵些,可以串作一件事。然而中庸的"而"还不是最上的究竟义,应该这么说:广博就是专精,提高就是普及,所以通材就是专家,大学就是社会。总之,我所说的,都不过"中庸之道"而已!

(《国立西北师范学院校务汇报》第16期,1940-12-15)

二十、教师的社会责任

唐得源①

各位先生,同学:

今天我所讲的题目,是《教师的社会责任》。在前周与本院区党部讲话的题与此相类,但取材却不完全一样。这个题目可分做五方面来讲:

(一)教师责任之变迁。近数十年来,在中国教师的责任已一天天地扩大。首先我们从学校内部说起,最早教师的责任只在于灌输知识,后来渐从灌输知识扩大到教学生做人;到了今日,教师除教书与指导学生做人之外还要参与学校的行政。再进一步,教师的责任不但要教育校内的学生还要教学校外的成人。换言之,教师的责任从培养未来国家社会的主人翁——儿童,进而扩大到培养目前国家社会的主人翁——成人。他的责任不但要把学校办好,还要把社会改好。从此,我们可以知道,近数十年来,教师的责任是继续不断的扩大。

(二)教师的社会责任为何?关于这一点,可分三方面来说:第一,教师的责任在于宣传主义唤起民众。这一点是大家很知道的,不用多说。第二,教师的责任在于辅导政府,改良政治。政教配合,自古已然,书曰:"天降下民,作之君,作之师"。礼曰:"能为师者,然后可以为之长,能为长者,然后可以为之君。"现在政府更明文规定,特别在中心学校,规定校长由乡(镇)长兼任。其教员亦均为基层政治建设之干部。严格地说来,他们不仅是辅导政治,而且是直接地参与了政治。大中学校虽无规定,但将来一切实施须与政治配合,那是毫无可疑问的。第三,教师的责任在于表率群伦,改造社会。教师应该领导社会,造成良好的社会风气。所谓良好的社会风气,必须是:1.崇尚气节,即孟子所谓"富贵不能淫,贫贱不能移,威武不能屈"的意思;2.注重操守,即知廉耻,不苟取的意思;3.尽忠本分,即明地位,负责任的意思;4.舍己为群,即牺牲个人利益,成全大众幸福的意思。

---

① 唐得源(1904—1992),山东临淄人。历任西安高中校长,西北师范学院、西北农学院教授,西北农学院院长等职。1941年起,任西北大学各院系共同科目教授。早年曾协助李仪祉先生兴办水利教育。1944年,在西北农学院训导主任任上受聘担任陕西省立师专筹委会委员。

（三）教师何以要担负领导社会的责任？第一，自教育方面观之，教育之发展必须有良好的社会环境，否则，在不良的社会中，绝不能希望良好的教育效果。社会改革，实为改良教育之先决条件，因为学生的良莠，并非完全决定于学校，家庭、社会都有教育的作用。只求学校的进步，而不求社会的改良，教育作用便要互相抵消，绝难获得优良的效果。第二，自社会政治方面观之，举凡主义之宣传，政治之批评，与夫社会风气之改善，除了教师，没有再适当的人了。因为教师的知识、道德、抱负等等，都为一般人所不及，他是最适合于担负改造社会与改良政治责任的人。

（四）教师领导社会的方法。第一，要以身作则，就是一种正当行为或风气。教师先要躬行实践，作为表率，社会风气便可受其影响而逐渐改良。《后汉书·郑玄传》载："（玄归乡时），道遇黄巾贼数万人，见玄则拜，相约不敢入境。"贼本恶徒，具有德者，尚不敢为恶，教师行为对社会之影响，可以想见。第二，要多做善意的批评与建议。有的教师对于政治社会，不加闻问，只顾埋头教书；但另有一般教师，只管批评，不察事实的真相，甚或出之恶意，不以政治社会的改造为目的。这都是两种各走极端的不当的态度。我们认为教师应有批评与建议之责，是因为教师的知识丰富，品格高尚，态度公正，抱负远大，而最富同情。因此他们的批评是公正的，他们的建议是正确的。政府正须靠许这种正确公正的舆论，以衡量施政的好坏。如果教师不问政事，不加批评与建议，那便是放弃自己的责任。不过教师的批评与建议，应该是客观的、积极的和一般的。因为必须如此，一切的批评与建议，才能发挥一种指导作用而不致引起误会与反感。

（五）教师应如何乃能善尽其责任？

第一，在教师本身方面：1.教师本身要有健全的品格和道德。必如是，教师才能受人的信任，使人悦服，一切事务的推行才格外顺利；2.教师要有丰富的社会科学的知识，对于社会有深刻的研究并明了其真象。必如是，乃能作对症下药的改造；3.教师间要有密切的组织与联络。这样，一方面可互相讨论以收集思广益之效，他方面集体的批评或建议，自然要来的有力得多，且可避免私人间的纠纷。

第二，在政府方面，政府应该1.多方延请教育界人士参与政治，以使为之师者为之长，如此政治乃能清明，廉洁风气乃能建立；2.多与教师以发言机会，并尊重其言论；3.切实做到政教合一。在小学阶段政教已行配合起来；在中学似应以省立中学区为单位，由专员公署倡导组织设计委员会请中学教师参加；在大学应以大学区为单位，联合该区内之政治当局，及大学教授，组织研究设计之机构，以期对于政治、经济、教育共同讨论,藉供实施之参考。

诸位都是将来的教师,今天讲此题目的目的,在使诸位知道自己责任之重大,而知所以警惕,积极准备,以肩负将来之重大任务。……"今天的教育家,应该自认为冲坚折锐的前线战士,应该自认为移风易俗的社会导师,应该自认为筚路蓝缕的开国先驱,应该自认为继绝存亡的圣贤英杰。"这是我们为教师者应有的认识,也是我们应负的责任。

(《国立西北师范学院校务汇报》第41期,第1-3页,1940-04-30)

二十一、中国之道德教育

胡国钰[1]

(一)道德教育之意义

道德教育简单地说即是培养良善行为或良善品格的教育。究竟道德教育应当注意外部的行为抑或注重内在的品格,这里面原有许多争议,姑置不论。此处主要的问题,还是在"良善"二字的解释。苏格拉底说:"道德即幸福",这和中国俗语所说的,"为善最乐"颇相近。程子也说:"学习孔孟,要寻求孔孟乐趣",这里面也含有"福德合一"的意义。苏格拉底的弟子便成两派:一派注重道德方面,一派注重幸福方面。功利主义的首创者边沁出,便明整旗鼓,主张快乐即道德,痛苦即罪恶,而且以为人人都是在求快乐免痛苦上下功夫。人民所以不免有罪恶之行为,都因为对于快乐的大小久暂,思虑未周,计算未精的缘故。这一派普通称为心理的快乐主义。但是,一个满意的猪和一个不满意的苏格拉底其中的价值显有差别。所以,后来的功用主义者如穆勒便主张快乐的性质,尚有高低之差别,并且主张人人应当寻求高等的快乐,这一派普通称为伦理快乐主义。其终结便提出,"最大多数之最大幸福"为至善之标准。美国的文学家卡莱尔以为这种哲学把人类的生活,降低为猛禽的生活,猛禽在天空翱翔,即是在寻求它的快乐,而称这种哲学为"猪之哲学"。德之康德出,便提"好意"为至善之标准,而置结果的快乐痛苦于不问不闻之列。康德的"好意"极近于孔子的"仁",孟子把孔子的"仁"推衍成为"仁义",孔子罕言"利",孟子说"何必曰利",董仲舒阐明这种意义,而说"正其谊

---

[1] 胡国钰(1894—1984),字仲澜,湖北省江陵人,满族。1937—1949年任西北联合大学教育学院教育系、国立西北师范学院教育系教授。1949年后,任西北师范大学教育系主任、教授、教务长,终身从事教育学科的教学与研究。

不谋其利,明其道不计其功",其本意原是但问耕耘,不问收获的意思。耕耘既勤,收获自佳,正心诚意修身是出发点,齐家治国平天下是期望中的自然的结果。所以,孔孟的根本主张,可以概括于"修己以安人"一语之内,而以"仁"或"好意"贯其中。所以,在儒家学说中"良善"二字之意义与康德之说极相近。而又与功利主义不相违。

(二)中国之传统教育

自汉武帝表彰六经罢黜百家以后,中国的教育以儒家的教育为主干,以佛老及其他各家之教育为旁支,所以中国的教育可以说即道德教育。拿中国之传统教育和西洋近代教育相比,前者讲支配自我(即克己),后者讲支配自然。辜鸿铭说:中国之教育在为人,西洋之教育在求知。这种教育之结果,对内有时行到小康,对外却往往不利。汉时不敌匈奴,晋时不敌五胡,唐时不敌女真契丹。宋儒惩前人之失,努力恢宏儒术,谈心性,讲修养,道德教育之色彩最为浓厚。然而,徽钦、被俘少帝赴海虽有数十圣贤,终无补于覆亡。颜习斋讥评他们说:"无事袖手谈心性,临危一死报君王",于实际毫无补益。明儒之教育与宋儒大同小异,其结果亦略相伯仲。清儒又惩宋明儒之失,以通经致用相号召。顾炎武说:"凡文之不关于六经之指,当时之务者一切不为。"黄宗羲说:"学者必先穷经,然拘执经书,不适于用,欲免愚儒,必兼读史。"古籍中谈六经之用者,请以《庄子·天下篇》为例。《天下篇》中说:"诗以道意,书以道事,礼以道行,乐以道和,易以道阴阳,春秋以道名分。"顾、黄通经致用的思想,或者是受这种言论的影响,究竟其所谓通用,是否果适于用,其中颇有问题。颜习斋的学说固然也是本于六经讲求致用,但对于通经那一方面,已经不加重视。他说:"学问固不当求诸瞑想,亦不当求诸书册,惟当于日常行为中求之。"不过他的学说在清代并未盛行,清儒通经致用的教育,其结果如何,这在清朝中叶以后有了答复。自鸦片战争开始,割地赔款,接踵而至,于是国人又感到旧教育之不切实用,而努力从事于新教育之提倡。

(三)中国之新教育

中国之新教育自光绪庚子以后,开始实施,系直接间接模仿西洋之教育,而以提倡科学的知识为首要。西洋这种教育,也是在受到痛苦经验以后演变而成的。在中古黑暗时代,人民生活在愚昧贫穷中千余年,经 Petrarch 等学者发现希腊罗马之文化,形成所谓文艺复兴,在教育上便成为所谓人文主义的教育,以研究古代文学为方法,以复兴古代生活方式为目的。最后的不免流于空谈无补于实际。后经 Erasmus 等学者之提倡,努力恢复原始的人文主义,而称为人文的唯实主义。

其中亦有主张自实际生活中以求教育者,历史上称之为社会的唯实主义。然而,当时宗教战争兴,继续混乱百余年,人民之生活不特未见改善,且困苦加甚。科学的唯实主义者培根提倡科学的研究,始形成欧洲的近代文明。培根说学问上的病态有三种:一为幻想的学问,如炼金术、占星术等;一为争辩的学问,如宗教哲学等;一为修饰的学问,如文学诗歌等,而以科学的知识为真正的学问。藉科学知识以支配自然,所以有"知识即权力"之名言。欧美各国之富强,科学之发达,实为其主因。中国之教育,在宋明可比之为文艺复兴时代之人文主义,主旨在通经,而未明言致用。在清初可比之为人文的唯实主义及社会的唯实主义,主旨在通经而致用。在清末及民国时代,可比之为科学的唯实主义,主旨在不通经而致用。五四运动时,有主张全盘西化者,有主张将线装书搁置三十年不读者,中国的教育演变到这时,可以说全部改观。

(四)中国新教育之成败

科学的唯实主义,在欧美为富强之源,在中国所促成之结果,不特国家未臻于富强,外患反日益加亟,社会反日益紊乱。"二十一条"之承认,东北四省之被占,除忍辱含垢外,几无应付方策。于是,新教育又成为全国上下责难之目标,而披以"洋八股"之恶名。七七事变后,几无一人不承认新教育之失败。廿八年全国教育会议集中国教育界名流于一堂,详加研究讨论,共同承认"教育界要有坚强之自信,教育界要有深刻之自反"。自信者知识教育有成就,自反者道德教育有失败,这一种意见实极正确。初等教育可比之开矿,中等教育比之冶铁,高等教育比之炼钢,社会上实际训练比之成器;中国近代之社会脱离常轨,一切科学事业均未发达,使大学毕业者,不特无实际训练之机会,且反有失业之恐慌。于是,习农业者转而经商,习工业者转而任教,学非所用,用非所学,极混乱之能事。钢铁之效丝毫未显,钢铁之用于是被人所忽视。短期训练机关,对此稍加训练,使成为有用之材,即自以为功,转而轻视冶铁、炼钢者之贡献。全国教育会议敢于自信有成就,不能说不是一种硕见。最近为提高军队之素质,乃招致寻常所认为无用之知识青年从军,正足以证明这种见解之正当。不过在道德方面,虚伪、圆滑、偏狭、自私、放荡、疏忽等现象,随处可见,这一点不能不说是一种失败。中国之旧教育,原以道德教育之优良为特征,而中国新教育,反以道德教育之失败为归结;成功方面之效用未显,失败方面之象征特著,正好像邯郸学步,所欲学者未得,所已学者反倒丧失。

(五)中国新教育道德教育失败的原因

中国新教育中,道德教育之失败,教育只负一半责任,社会、政治、经济各方面应当分负一半责任,或者是一大部分责任。中国自海禁大开以后,交通频繁,社会即在加速改变中,自然的结果,对于旧有者要加批评,对于新来者要加容纳;如放足,如剪发,原应努力推行,但矫枉者往往过正。如非孝论者,非继母虐待子女时口中之孝,非恶姑欺压儿媳时口中之孝,原属正当。其极也,《孔融传》中非孝的一段话——父之于子,当有何亲?论其本意,实为情欲。子之于母,亦复奚为?譬如寄物瓶中,出则离矣——却常为人所称引。非贞节论者反对"生未一面,死无二心"之贞节,原具有极强之理由,其终也无正常夫妇之关系,亦在推翻之列。视一切礼教为吃人之工具,视"孔家店"为罪恶之渊薮。当改者亦在改,不当改者亦在改;当批评者,也在批评,不当批评者亦在批评;社会行为,几无一定标准可以遵循。个人为万事标准,在中国应用得最适当。道德教育在这样社会中进行,其结果可以想见。再从经济方面说,欧美机器业国家,生产过剩,中国为其倾销的最大市场,中国的手工业自难与之相敌,中国人以中古式的生产,而作近代式的消费,遂致工业凋敝、农村破产。内有饥寒之逼迫,外有车马、衣服、宫室之诱惑,拜金主义因之风行全国,道德教育在这样环境中要收到效果,确乎戛戛其难。再从政治方面说,中国的新教育,自诞生时即与政治的纷争打成一片,青年学子即有人教之如何勾结,如何拉拢,如何抓住,如何排挤,如何威胁,如何利诱,如何拥护,如何打到,美其名曰政教合一。殊不知教育政策,与政治政策,应相合一,政治纠纷与教育实施,实应相分离,这是中国道德教育的一种致命伤。至于政治舞台上的贪污现象,更足以予青年以极大之诱惑。外人讥评中国人,筑路则群集而吃路,开矿则群集而吃矿,路矿既尽,则转向他往。这虽是过甚之词,但也是一部分实情。其他徇私、枉法、蒙蔽、倾轧等现象,可不必详谈。青年学子加入这种团体而不与之同流,不是被人目为疯子,便是为人目为呆子。这样的结果,岂能全归咎于学校的教育。

(六)中国道德教育的出路

中国采取欧美的教育,知识方面虽有成就,道德方面却属失败,我们研究中国道德教育的出路,应当先看看外国的道德教育何以不像中国这样失败。现在也从社会、政治、经济三方面来说:欧美的社会虽时时也在变迁,但并不像中国变动得这样剧烈,所以社会行为也还有相当固定的标准,并且在欧美社会里,宗教也还有相当势力。从科学的观点看,宗教虽不尽真,但不真者不尽属于无用,宗教对于知识教育,或有多少阻碍,但对于道德教育,不能说没有帮助。再从政治方面来说,西洋近代的文明,一方面是科学,另一方面却是民本主义,实施民本主义的结果,政治相当清明,贪污难于进行。我们采取西洋的文明,只在科学方而有微许成就,在民本主义方面,口头上尽管谈到,实施上距离尚远。至于经济方面,欧美的实业,纯为科学的应用,生产已少问题,其尚未臻至善之境者,厥为分配问题,如何达到经济的民本主义,西洋学者,正向此方面努力研究,中国地虽大,而物不博,所以只有互相争夺,互相剥削,形成一种交争利的局面。所以,谋中国道德教育之出路,传统教育中的通经,已知其无效,引用西洋之宗教,亦大可不必,只有在社会、政治、经济中找办法。第一,应谋社会之安定,以建立社会行为之标准。第二,应使政治清明,努力向民主迈进。第三,应促进各种实业之发达。教育和这三方面联系起来,共策国民道德程度之提高,庶几中国之道德教育将有出路。有人或者要说:政治经济社会之进步以教育为基本,而教育之改善,又以社会经济政治之进步为条件,这样互相推诿,岂不寸步难行? 但君子求其在我,若教育界同人具大志愿,发大慈悲,不随俗浮沉,本孔子修己安人之主张,一方面从事德行之修养,一方面兼谋社会经济政治各科科学知识之充实,不顾成败,专意进行,使之蔚为风气,未必不能支将倾之大厦,挽既倒之狂澜,这全看教育界之努力如何?

第三节　大学生教育文选

一、论治学

国立西北大学国文系　水天明

《论语》二十篇,"以学而时习之"一篇为首。陆渊明经典释文云:"以学为首者,明人必须学也",此解至精,盖学者欲以□□也(见《说文解字》);亦欲以效法也(见《尚书大传》)。凡人求学,当其博览古今中外典籍,观之以自然,合之以人事,治理富才,积学储宝,此所谓效法也。其后,则以他人之成绩为研究基础,推陈出新,进而萌生自多我之感悟,自我之发明,此所谓觉悟也。斯二者,当交互影响,发挥作用。吾人审择为学之鹄的,要在出于自我之趣好,勿为其他观念所蒙蔽;否则勉强为之,或永无成绩,或虽迷途知返,而事倍功半。昔刘子玄自序其言幼好史志,后即事之;其所观撰史通,驭熟驾轻,得心应手,盖响□一定,心力会集之作也。有志者,得无勉乎!

祛疑蔽者,消除种种陋见也。俗人就学,每蔽于若干陋见,或厚此而薄彼,或顾此而失彼,大抵其所最锢蔽者有三:一新旧之蔽;一中西之蔽;一有用无用之蔽。此其未能深明学之道也。深究乎学之含义,然后知此三者,均蔽也。何以言学无新旧也?夫天下之事物,自科学上观之,与自史学上观之,其立论各不同。自科学上观之,则事物必尽其真,而道理必求其是。凡吾智之不能通,与心之所不能安者,虽古之圣贤言之,有所不幸焉。……今之学者,非一切蔑古,即一切尚古。蔑古者,出于科学之见地;尚古者,出于史学之见地,各不相知,此所以有古今新旧之说也。何以言学无中西也?世界文化愈进步,则一切文化活动如学术等,即愈趋于全面性;交通日繁,商业日盛,于是产生综合之文化;居今日之世,言今日之学,未有闭门造车,故步自封,而能成功者。治《毛诗》《尔雅》者,不能不通天文博物;而治博物学者,苟质以《诗》《骚》草木鸟兽之名状,不能知其性,问其变,则于此学固未为善也。何以言学无有用无用也?欧洲近世工商农业之进步,固由于物理化学之兴;然物理化学高深穷理之部,与蒸汽电信有何关系乎?动植物之学所关于农林畜牧者几何?天文之学,所关于航海授时者几何?科学犹若是,而况文学哲学乎?故欲知人生宇宙,虽宇宙中一现象,历史上一事实,亦未始无所贡献。故深湛幽眇之思,学者有所不避;迂远繁琐之识,学者有所不辞。事物无大小远近,苟思得其真,纪得其实,极会归,皆有裨于人类文化也。

虽然学者终其身以赴之方向,固亦定矣。但若识不途径,终将茫然不知所措也。明察所欲研究之学术门径规模,以读书言,则目录学为最有用。目录学之目的,在于"辨章学术,考镜源流",对各种学术,皆就其纵横方面,广列前人近人研究之成绩,著有版本卷数,以易其求;撮其篇目旨意,以识其略;使学者就其范围,肆意取读,虽不能全,庶几近之。否则读书之志,虽汹涌难遏,其所响□;虽昭然划一,而歧路纷陈;有穷途之叹,不知遵何路,就何道,然后得以仰止高山,达我目的。大儒教人,童稚无知者可教也;愚呆思学者,可教也;独学入歧路者,必将谢之。此途径之要也。《荀子·劝学篇》言:"其数则始乎诵经,终乎读礼。"又言"将原先王,本仁义,则礼正其经纬蹊径也;若挈裘领,诎五指而顿之,顺者不可胜数也"。恶乎始,恶乎终,道途径之义,若挈裘领以下,则为途径之用。今则学科之分益也,说明门径之书,因之亦富;吾人参酌思虑,以进可也。

为学既识途径,则当进而次其先后,所谓轻重缓急不可紊也。为学最忌好高骛远等,舍本逐末。唯其好高,故根基不实;唯其舍本,故无渊源。譬如数学,未知算数代数几何,而望企于微积分,此所谓好高□。譬如治史,不谈"二十四史"《通鉴》"九通"等书,而日涉猎于笔记说荟档案史料之中,此所谓舍本逐末。故学之程序,至要也。所应先究,不可置之于后;所应涉猎,不可以代精研先究者,有先究之境界;深尝乎此境界之况味,然后"欲穷千里目,更上一层楼",则步步实在矣。精研者有精研之价值,道其微末,然后涉猎百家,泛览中外,则枝叶扶疏矣。孔子曰:"其本乱而末治者,否矣;其所厚者薄,而其所薄者厚,未之有也。"殆即语此,今之言文字者,不以我国最古最完备之字源书说文,为其先读书,往往遍究钟鼎,继以甲骨,叩之文字简约之义,则瞠目不知所对,此不立程序之弊也。再则学之博约,亦尝厘其先后。有以为先约精于一艺,后持以贯通群书者;有以为先博览乎百家,继而专研其所好者。兹则学者参其性质环境,求便而定之。要以由博返约,由约观博可矣。

顾为学之道,其实际工作之开始,究在乎研读参阅欣赏吟味比较说明种种。方法之应用,古代学术,疆界不分,混蒙为一,研究之实际方法,因而较为空泛。自乎近世,科学之分科益密,其方法乃日进于严密详尽。习科学哲学者,固将有待于方法熟练;习文学者,亦不能例外。故为学者,当思如何搜集材料,排比整次,考析而说明之,乃能补前修之未密,导后学以有方。譬如,研究历史,始则注意史料,凡文献口碑实物各方面,皆须顾及,或独览,或抄录。然后,运用校勘学之方法,以辨其文伪事伪,存真去赝,然后观其同,以统计;观其异,以比较;列为种种图表纲目,将所得史料,约之其下。然后,将遍读史料,覃思致绩以结果,归纳为意见,或作为专题论文,或编为普通新史。此即通方法也。例如读《论语》,先就崔述诸人可信之说,以剔其伪;参酌何晏集解、皇侃义疏、朱熹集注、刘宝楠正义、焦循通释,以通其文;依据《史记·孔子世家》等,以明孔子身世行事,再分类抄读其议论,如论仁者括为一类,论孝者括为一类,批评时人者括一类等。更就孔子批评诸贤,以诸贤所述语,以窥各人之学业性行。再如作孔子学案等,俱其法也。故通研究之法,则左右逢源,有所依傍,不致虽有其书,而读之之术,用心良苦所得殊鲜也。

为学之道,其功至苦。苏秦发愤,悬梁刺骨;董子下帷,目不窥园。读书旧理,必深辨乎甘苦,知类地方,更有俟于困顿。此固人所谓"困知勉行"也。然事晓情趣,则功倍其力。学有与味,则心得必丰;此近人所以力求读书求学之艺术化也。益情趣之法,有自学者所处之环境着手者。如令其研究室或书斋,布置优雅,光线明丽,令其生活享受之需用,有求供自如之乐,他如写作工具之齐备适手等是也。有自学者精神之遭遇着手者,如安慰其身心,破除其寂寞,鼓励其所得,是也。此数端之企及,不能纯待他人,必待学者自身有以致之。间断研究之时间,可以加强工作之效能。休息疲劳之精力,调剂读书之种类,其效亦然。如覃思一深奥之专题,久而格不能入,则稍停其工作,或弹琴、或咏歌、或观剧,使思想不及其事;然后俟其兴趣复生,再以求之。调剂读书种类,如苦读枯燥之物理化学,历若干时,易以轻松明快之散文,真情洋溢之诗歌,使精神复苏,再以竟其功也。古人恒言"琴书自娱"或"纵见名山大川"。欧西作家,常有奇特之嗜好,如嗜吸烟斗,鸣饮酒醴,嗜进咖啡。亦有好鹦鹉等小动物者,暇时调弄,其乐怡然,并为益其求学情趣。亦有独学无友,孤陋寡闻,得一良朋,倾心而谈,足以增其兴趣者也。

研究学术,昔则埋首书案,穷年通经,所资之材料,唯书本文字而已。今则文化大进,非特自然科学须深观乎自然之种种形态,即哲学文学等,亦莫不皆然。自然科学之取资自然,为直接之研究,实际之观察。如研究植物中之杜鹃科,其所求范围,为四川峨眉山,则峨眉山所有之杜鹃花,其种子根茎花叶之形态,其因环境影响天气阳光坡度高低等所生之差异,其花期之长短等,均需以□目或仪器直接观察,而分析归纳之。文学哲学之取资自然,为间接之吟味,印象之触发。如文学家观峨眉山红白如海之杜鹃于明丽之春阳下,含蕾怒放,则可以诗歌散文等,表达其所因而发生之情感。如哲学家,则可因此杜鹃花而思及杜鹃鸟,因杜鹃鸟而悟常人情感之黏滞,因而又悟解脱之至乐,或更涉及人类思想种种方面矣。此对自然之态度虽不同,而其取资自然之需要则同。故吾人为学,如研究地质,则当实地勘察,旅行采验;如研究考古,则当作锄头之发掘;□观自然,必得其全也。

人类之生存活动,最要者为人之体相及人与人之关系,故研究学众,亦当合以人事。人事之情况,语大则有语言文字,有政治组织,有经济基础,有社会形态,有风俗习惯宗教结社等;语小则个人有处世之态度,有生活之方法;凡此诸端,并能有裨于学,不论其研究自然科学社会科学,抑人文科学也。近人论清儒之治音韵学,为"考古功深,审音功浅";所谓审音功浅,即未能合人事于所学,宜其成就较微,无大裨于方来也。顾为学之合人事,求其参合也,非尽依媚人事也。合人事,则能得人事之真,采人事之长;依媚人事,则囿于世俗,终成为浅。王国维尝论:"诗人须能出世,亦能入世。能出世,故能观;能入世,故能写。出世故有冷静之理智,入世故不失赤子之心。"其所谓能出能入,即合人事之谓也。近代作家所谓向现实社会学习,亦以其学,合人事耳。

前既言为学之道,其功至苦,吾人又知求学,常为一继续不懈之长期努力。以此漫长艰苦历程,设无沉雄之志,将难免于中道返折,故坚定意志之用,可不注意也。意志之坚定,为一崇高之修养。无此修养者,初学则兴致淜发,及稍经挫折,了无成绩,于是气衰;继则频入歧路,虽更知返,然已,然思止矣。有此修养者,初则平平,沉毅以赴,虽遇困难,坚不为动,屡蹶屡起,以期于成。其所以志意坚定若斯,与其本心之超功利致否有关。设其本心纯洁而超乎功利,为学而学,则学如生活,缓步行之,有困难则谋克服,无所得,亦不之顾。但本心贪功利者,则不然,行之既久,益增其厌;了无成绩,乃灰其心,于是志意摇摇然危矣。古有学者之成功,无不历"久而弥坚"之学习过程。荀子曰:"故不积跬步,无以至千里;不积小溪,无以成江海;骐骥一跃,不能十步;驽马十驾,功在不舍。锲而舍之,朽木不折;锲而不舍,金石可镂。"发挥此理,诚可谓惬心贵当之言也。古今之大学者,大哲人,如孔子、如玄奘、如苏格拉底、如亚里斯多德,无不终其身以为其学,设其彷徨,岂可致乎?

古今学者纷繁,而能卓然成家,有所树立,明心见性,经世致用者则少。此由于学者务于记诵烦琐之功,所谓玩物丧志者也。为学之道,在己在应使生活因以丰满,灵魂因以纯洁;对外则当经世致用,化民成俗,以学术辅翼政治,以学术指导社会,使整体之文化,向最光明之前途迈进。故学者非工匠也,其所为之学,非如工匠之技,可以俾贩获利也,而当与生活混为一体,与人格同其崇卑。非特纯知方面,足以影响后学;授以精博之识,其相伴而生之道德作用,亦当感召来兹,使用"高山仰止,景行行止"之心。学者为学愈久,则其人生之境界愈高。所谓美其身,利其行,明耳目,化身心者,殆璨然大备。出而经世,则其学说其行为,均可发人深省蔚成时风。荀子曰:"君子之学也,入乎耳,著乎心,布乎四体,形乎动静,端而言,蠕而动,一可以为法则。"此就化身心言也。"能定然后能应,能定能应,夫是之谓成人。"此就经世务言也。《颜氏家训》曰:"古之学者为己,以补不足也;今之学者为人,但能说之也。古之学者为人,行道以利世也;今之学者为己,修身以求进也。"亦并语此。

(《西大学生》1946 年第 5 期)

二、明日之大学教育

国立西北大学商学系　石鸣源

(一)明日大学教育所负的使命

教育是国家的灵魂,是人类文明进步的推动力,一个国家要在今日的世界上独立自由幸福的生存着,人类社会要不断地向前进展,不发达教育,特别是大学教育,是绝不能达到这个目的的。在过去交通未开,各国不相往来的时代,文化低落,尚能生存。然而在二十世纪的今天,由于科学的发达,交通的便利,每个国家已成为世界的一环了,绝不能单独生存在另外一个世界,要生存必须顺着世界的潮流前进,否则只有灭亡。

现在的潮流是向着文明的国家特别是科学发达的国家支配落后的国家的路上走,我们相信这个事实会随着时代的前进而日益明显的。因为如此,所以现在各国积极发展教育,加紧研究科学。如苏联的教育复员经费竟超过其他建设的费用。英美等国正在尽力地,有计划地扩充教育。如果说过去各国明争暗斗竞争最激烈的是军备,那么将来会转到教育上、科学上的。因为一件新武器的发明就可以战胜一切,控制全世界的。这次大战中美国发明原子弹促日本迅速投降,就是明证。但是,科学发明的基础是大学教育,要发展科学必须先发展大学教育。大学教育的发达与否,不仅可以决定国家的兴衰存亡,而且关系着世界的安危治乱。

中国是一个文化落后,久受列强压迫而向在贫愚病弱的圈子里摸索的国家,现在经过八年的血战,已挣脱了一切的束缚与压迫,踏上了独立自由的大道,但是本质上的老毛病——贫愚病弱,并没有消除,而且比以往更严重了。胜利后的中国好像是穿上美丽外衣的大病初愈的人,她的健壮还需要相当时期的休养锻炼,所以中国今日需要大批有活力有才能的青年专诚地来为她效力,和病愈的人需要充足的养料是一样的迫切。如果不能供给她的需求,那么她将会陷入更悲惨的命运中的。这些有活力有才能的青年从哪里来呢?无疑的就是要从大学中培养。所以,明日的大学教育,负担着培育英才以建设独立自由幸福的三民主义的新中国的伟大任务。

现在我们的敌人轴心国家都已屈服了,中国已踏进世界列强之林,然而我们能保证从此中国永远不会再受他国的侵略压迫吗?世界残酷的战争绝对不会再重演吗?这是谁也不敢断言的。由历史上血的经验和现在国际间的情势来看,到处都埋藏着战争的种子和暗礁,我们中国的处境尤为险恶。我们要想维持世界和平,使世界走上光明繁荣的大道,必须一方面促进各大国的真诚合作,一方面要我们中国先赶快建设成一个富强的新国家,以成为世界的安定力。同时为了根绝战祸计,应该把我们中华民族的固有美德——八德,尽量地发扬光大,传播到全世界的每一个地方,灌输到全世界每一个人的心里,使侵略战争的思想消灭,而养成互助互爱,共存共荣的观念。美故总统罗斯福曾说:"中国应该以精神来领导世界。"是的,我们应该负起这一责任。我们认为要使世界战争永远消灭,根本的办法是要改变人类自私仇视自傲的思想,要改变此种思想,中华民族固有的美德就是唯一的良药。罗斯福总统说的那句话是含着极重的意义的。所以,明日的大学教育又负担着一项更伟大的任务,就是吸收外国的物质文明来建设新的中国,传播我们的精神文明于外国,实现人类的永久和平。

(二)明日大学教育之原则

我们检讨过去的教育发展史,观察今日的大学现状,我们觉得明日的大学教育,应该注意下列几项原则:

1. 普遍

我国土地辽阔,各地经济的发展,政治的进步极不一致,而教育的发达与否常随着经济政治的变迁而变迁。在海禁未开以前,中国的教育多集中在黄河流域几省里,自鸦片战争帝国主义闯开了中国的门户以后,中国沿海各省的经济飞跃发展起来,政治、文化日显重要,于是教育亦随之发达了。尤其在近数十年来,中国的教育特别是高等教育,大都集中在沿海的几个大都市里,如平、津、京、沪等地,使中国的高等教育形成了惊人的畸形发展,这是世界其他国家所罕见的现象。我们的文化所以落后,人民老是跳不出"愚"的圈子,这不能说不是一个重要的原因。

自卢沟桥事变爆发后,日寇的炮火把沿海各省的大学都赶到内地来,使偏僻落后的地方亦有大学的设立,全国的文化因之普遍的提高,这从文化前途上来着想实是一可喜的现象。可惜当抗战方告结束,复员正在开始的今天,内迁各大学都在争先恐后,纷纷要求迁回原地,不管国家的计划如何,各地的需要如何,这不能不令我们失望。我们为中国教育前途着想,为中华民族未来打算,今后必须以最大的决心与努力,来按各地的实际情形与需要,合理的、普遍的迁移与建立大学,不能以少数人的赞成或反对,而错过了千载难逢的普遍发展大学教育的良机。受教育是人民的权利,我们应该让每一个人都有受大学教育的机会,而不能让某一地方或某少数人所独享。所以,明日的大学教育须力求普遍,只有如此才能使中国走进文明富强国家之林。如果仍保持着过去畸形的现象,那么中国永无跳出贫愚圈子的可能。

2. 平等

受教育是每一个国民的权利,谁也不应该以任何理由予以剥夺或限制,尤其是在民主呼声高唱入云的今天,更成为天经地义的定理。世界各国在积极地推行这一点,我们中国亦应赶快向这一方向走。在过去我们的教育,特别是大学教育是不平等的。就以宗族来说,我们一向保持着汉族优越的偏狭观念,认为做官和受高等教育是汉人的特权,其他宗族好像没有资格。这不是说得过分,事实上我们平心想一想,我们在满蒙回藏各族里曾设立过多少学校?曾为教育事业尽过多少力量?他们受大学教育的人有多少?这固然原因很多,但是忽视其他宗族亦不能说不是重要原因之一。以男女来说,中国一向受着传统思想的束缚,如什么"三从四德""女子无才便是德""男女授受不亲"等,使女子沦为奴隶,流于寄生,有才亦不得施展。近二十年来,女子受教育的虽逐渐增多,然与男子相比较仍甚悬殊,受大学教育的则更寥寥无几,这能说不是轻视女子,限制女子受教育事实吗?再以贫富来说,中国的教育历来多为富家子弟所独享,贫人是不得染指的,特别是大学教育更是如此。现在虽然受大学教育的人数较多了,但贫寒子弟仍占极少数。

所以,今后的大学教育,必须要真正的平等,不能再让少数人独享了。我们应该一方面普遍设立学校,一方面清除宗族间男女间不正确的旧观念,使每一个宗族,每一个男女,都有平等受大学教育的机会。同时对于真正贫苦子弟,应该予以种种的方便与鼓励。不然,中国绝大多数贫家的子弟,永无受大学教育的可能。只有如此才能使各宗族的文化相沟通,感情日益增浓,打破了一切隔膜歧视,而亲密地团结起来,使无数的男女皆能受到大学教育,将为建设新中国而贡献其伟大的力量。

3. 统一

教育是整个国家机构中最重要的一部分,而不是某少数人私有的。无论学校的迁建,课程的规定,人事的调整,待遇的高低,皆应由国家依据实地的环境与需要来作合理的决定,万不可迁就少数人的意旨而破坏了全国的统一性。现在抗战业已胜利,复员正在开始,我们今后对于大学教育,应该一面根据国家的需要,迁移后方的各大学;一面酌量各地的情形,有计划地新建大学,务使中国大学教育走上正当发展的道路。

现在各大学最棘手,最恐慌的就是教授问题。因为中国人一向都重视人事关系,无论哪一界,哪一部门,里面有人事都是一个小团体,一个小团体的一个上台,大家蜂拥而来;一个下台,大家纷纷退开,好像大家任事不是为国家而工作,而是为某一人而工作。教育界虽然没有其他各界显著,但亦不能说没有。因此,人事一有变动,非掌权者小团体内之教授,便请不来,或留不住;尤其是在偏僻的地方,更为困难。因而使各校教授分配形成了分配不均的现象,有的大学,学者名士满堂,有的大学平常的师资都不敷分配,这是非常不合理的现象。我们为了使全国大学教育普遍的发展,对于教授应该由国家适当的调遣分派,而不应该纯由私人的关系来联系。关于教授与学生的待遇,在原则上各校必须一律,不可有的学校特别优厚,有的学校则限制学生。各校的课程亦须统一的适当的规定,不可有标新立异独树一系的现象。教育是国家的,办教育的人应该为国家而办教育,求学的人应该为改进社会,造福大众而求学,每一个人绝不应该走进可耻的自私圈子里。

4. 重科学

现在的世界是科学的世界,科学发达的国家可以富强,可以左右全世界,现在的美国就是明证。若美国科学落后,不能发明原子弹,则世界局势不会如今日这样。现在世界各国都日以继夜拼命地钻研科学,企图发明新武器,以统治全世界。这是时代的趋势,将来各国对于科学更加重视的。

我们中国是一个农业国家,在科学方面昔日虽然有过光辉的历史,伟大的发明,然而现在已被现代科学的先进国家撇在几千里以外了;所幸的是在八年多的血战苦斗中,又坚强地站立起来了。我们要想赶上其他国家,必须顺着世界潮流,拼命地在科学的大路上往前跑。我们若仍停留不动,或缓慢而行,那将会离其他国家更远的;要想与列强并驾齐驱,是绝无希望的。

所以,今后的大学教育,须特别重视科学。国家应尽量购置与建造各种科学设备,以便大学师生的研究;同时应竭力提倡与奖励研究科学的人士,使从事科学者安心工作。这样才能使中国荒凉的科学园地里有新奇的花朵开放,世界科学的舞台上有中国科学家出现。我国现在不是缺乏土地,也不是缺乏资源,更不是缺乏劳力,而只是缺乏科学。只要今后科学能飞跃的发达起来,我们确信中国很快地就可以变成名副其实的四强之一,也可以确实负担起维持世界和平的重任。

5. 重气节

中国本是礼义之邦,历代都是讲仁义重气节的。因此,国家每到危急之秋,风雨之会,杀身成仁、舍生取义之士史不绝书。然而,这只是好的一方面,在另一面也正有着许多结党营私、贪财图利之佞臣贼子,做着违背国家民族利益的勾当。因为如此,各代明君常有提倡道德、表彰气节之举。如汉光武为挽救社会颓风,特重气节,而汉祚因以中兴。今日中国为国效命廉洁自守的志士仁人,固然不少;但是为非作恶,贪污枉法之徒也大有人在。这种社会的恶流渐渐波及到学校里,特别是大学中来了。有许多学生的坦白纯洁的心地上,已经沾上了罪恶的、可耻的污点,如偷窃、骗人、作弊等,在哪个大学里没有发生过?在学校里尚不能保持正直清廉的人格,出了学校哪有不同流合污之理?这是中国身上的一块毒疮,不可不及早治疗。

中国现在虽然渡过了巨涛恶浪的苦海,达到了胜利的彼岸,但是在他的前面依然障碍重重,如欲迅致富强,必须有无数纯正无私为国尽忠的有为青年来推着他前进。如果大部分的青年,特别是受过大学教育,属于领导地位的青年,只图个人的利益,不顾国家民族的安危,那么新生的中华民族,将又会仆到而陷入可怕的境地中的。所以,明日的大学教育,必须特别重视气节,不仅使每一个人养成"临财不苟得""临难不苟免"的高尚人格,把现在沾染的污点洗涤净透,而且要负起移风易俗的作用,使中国的每一个角落里洋溢起新的气象来。

(三)理想的明日之大学

过去的大学不能满足国家的需要,今日的大学亦不能负担起时代所赋予伟大的任务,所以国家急切地期待着明日的新大学出现。明日的大学是什么样的大学呢?

1. 明日的大学是一个强烈的熔炉,而不是演剧的戏院子

大学是国家培育专门人才的机关,国家的兴衰存亡,与大学教育的优良与否关系极切,尤其是在危难的中国更是如此。因我国现在虽然外患已除而内部尚未巩固,祸国殃民之徒和贪官污吏尚未理清,新中国的建设方才开始,所以国家今日急待着大学能培养出一批有活力有才能有道德的青年来,领导大学共同奋斗。但是,现在的大学能不能培养出来国家所期待的人才来呢?这是值得考虑的。固然现在的大学里,有理想有抱负先鸡鸣而起,后斗转而息,终日埋头苦读时时锻炼身心的人不少,但是整天跑饭馆、进赌场、做生意、追密斯、敷衍鬼混的亦不能说没有;思想纯正品德高尚见义勇为临财不苟的人固然很多,但是营私舞弊、胡作非为、损人利己的无耻之徒,实亦不乏其人;真正认清了环境、认清了时代,专心向学以备将来献身国家的人固然不少,但是喜新厌旧、好高骛远,只求皮毛不追根底而盲从附和的亦大有人在。这样的大学怎能达到国家的期望呢?

所以,明日的大学绝对不允许如一个戏院子一样,里面正人君子、佞臣贼子、志士仁人、盗匪流氓,什么人都有,而应该是一个强烈的大熔炉,在这个熔炉里可以把每个人内心的一切不良的杂质熔化掉,而锻炼出纯正坚强的人格来,也可以陶冶出经邦济世的才能和经得起狂风暴雨忍受得了饥寒困苦的精神来。大学的门里多走进去一个人,将来在社会上就可以多增加一个人才,只有这样的大学,才不致枉费国家的资力,更不会培养出一些起负作用的分子,增加国家的困难。因

此明日的大学对于良好训导制的建立,新学风的培创,不能不注意。

2. 明日的大学是一个雨后的春园,而不是冬天的荒野

在春天到来,尤其是细雨后,花园里是一片清新的景象。鸟儿在枝头欢唱,花儿朵朵怒放,蜂蝶翩翩飞舞,草木欣欣向荣,整个的园里充满着生气,充满着愉快,冬天惨淡冷落的痕迹一点儿也不存在。一个理想的大学也应该这样,每一个学生可以如花草一样地,随着个人的性情志趣,尽量地向上发展,毫无一点束缚,如小鸟蜂蝶一样地快活,没有丝毫的烦愁在心头缠绕着。

人的天赋各有不同:有的喜欢文学,有的长于科学,还有的酷好艺术;有的爱静,有的爱动;有的好探求学理,有的好观摩实际;在研究的时候,各人应该选择自己最喜爱最感兴趣的科系学习。这样,学习起来才能如顺水推船,不仅不觉得吃力苦恼,而且会得到惊人的进步,意外的收获。世界上最不幸最痛苦的事是做自己所不愿作的工作,学自己所讨厌的科目,不能发展自己的个性,表现自己的天才。在历史上无数伟大的科学家、文学家、艺术家……他们所以成功,都是由于对所研究的极有兴趣。一个人如果学性情不相近的功课,就好像在冬天沙漠中旅行一样,满怀都是苦恼,遍野都是荒凉,永难找到一点赏心悦目的景色,更难发现鸟语花香的乐土。我们相信如果让牛顿、爱迪生等学文学,莎士比亚、泰戈尔等学科学,一定不会有那样大的成就的。有许多学生投考时只选出路最好的系,而不管自己的兴趣如何,这是睁眼跳井,自讨苦吃;也有许多学校极端限制学生转院转系,不管他真实的情形如何,这是很残酷的事。所以,明日的大学必须顺着学生的个性所好去发展,绝不可如压在石下的花草,使它无开花结果的机会。

在学生生活方面,应该充满着乐趣愉快,使每个人的心目中只感到生活的充实、幸福,而感不到丝毫的寂寞、枯燥。在操场上可以看到活泼跳跃的运动者;在课堂里可以听到热烈讨论学理的声音;在月夜柳下,有琴笛抑扬,笑语荡漾;在日出花间,有歌音婉转,书声琅琅。每个人的心情都浸沉在学习的热潮与正当的娱乐中,而没有一个把一点精力、一分时光消耗在花街柳巷可耻的地方。

整个的学校就像一个雨后的春园,每一个角落里都充满着蓬勃的生机,而不像冬天荒野那样凄凉。每个人的生活非常舒适愉快,每个人的学业都飞跃的进步。

3. 明日大学是一个美满的家庭,而不是商品交易所

现在有许多学校,不客气的说,已经变成商品交易所了,里面没有情谊,没有友爱,更没有尊敬,而只有欺骗、虚伪、敷衍。先生上课好像是出卖商品,只要想法把商品推销出去,而换得高的价钱,便算把责任尽到而心满意足了。至于他的商

品成色如何,内容是陈腐破烂,抑优美合时?学生得到以后能否经世致用?他们是置之不问的。上课时,先生在讲台上讲先生的书,学生在座位上做学生的事;先生为报酬而上课,学生为点名而听讲。在师生情感方面,双方中间好像有一个千丈厚的冰块相隔着,双方情谊的温暖永远不能对流。在学校,下课铃一响,先生匆匆而走,学生纷纷而散,很少相谈。在校外,学生见了先生总是不理,先生见了学生常常避开,相互间宛若路人,漠不相识。所谓"尊师重道",所谓"误人子弟如杀人父母"的古训,在今日学生、先生的脑海中已很模糊了。同学们亦如市场上的顾客一样,你买你的东西,我看我的货品,但若利害略有冲突,便斤斤计较,各不相让分毫。在这样的学校里,怎能培育出真才实学,有作有为,为国家所需要的人才来呢?

所以,明日的大学必须如美满的家庭一样,师长对学生和自己的子女一样看待,用所有的精力和心血来教导和培育他们,使每个人走上学习的做人的正道上。不苟且,不敷衍,不怕辛苦,不嫌麻烦,抱着"教不倦"的精神,把自己一生所得的经验学识全盘灌输给学生,希望他们都能成为完善的人才,将来出了学校为国家负担重任,为社会创造福利。

学生对于师长亦应如对父母一样的尊敬爱护,只要师长说得合理正当,即须诚恳的接受,切实的遵行,绝不可侮慢师长,使其伤心而消极;应该以"勤学好问"的精神,时时向师长请教,决不怀混文凭的心理来马虎应事。师长爱护学生,学生尊敬师长,大家的心永远是融合在一起的。同学间亦应互相帮助,互相敬爱,共同研讨,共同策励,彼此宛若兄弟一样。

只有在这样充满着和乐气象的学校里,才能使学生的学业一日千里地进步,才能使中华民族的文化史上写下光辉灿烂的一页。

4. 明日的大学是一个新奇的世界,而不是罪恶的渊薮

在这个世界里,每个人都是清廉的、直正的、热情的、诚挚的,永远看不到贪污枉法营私舞弊者的影子和欺诈、忌恨、虚伪等一切罪恶的行为。大家都怀着一个理想,就是要为国家民族而充实自己,为全人类的幸福而探求真理,使自己将来真正能负担起建设富强的新中国及造福全人类的神圣使命。

每个人的体魄是健壮的,精神是振奋的,思想是正确的,志向是远大的,老病残弱、卑鄙、幼稚、庸碌之辈在这个世界里是找不到的。每个人的全副精神都贯注在自己的学问事业上,没有一点用在不正当的地方。有的在研究新的发明;有的在从事伟大的著作;有的在草拟改造社会的计划;全向着为人群谋福利的大道

迈进。

在学校方面，环境是清静幽雅适于研读的，一切设备是充实完备的。在图书馆里，书堆如山，一切古今中外的书籍杂志，应有尽有，你想看什么书，就能找到什么书；在实验室里，放满了各种的仪器药品，你想实验什么，就可以实验什么；在你学习的进程上受不到一点阻碍。

总之，这个世界是新的、美的、善的，你可以看到社会上所看不到的事物，听到社会上所得不到的消息；它会孕育出伟大的力量，把人类社会推向更自由、更平等、更幸福、更美满的境地去。

（《西大学生》1946年第5期）

三、西北重建问题与西北大学

政治系二年级学生　田溪

（一）绪言

胜利似乎冲晕了一些人的脑袋，所有的视线都有聚集在京、沪、平津、武汉和一些曾经沦陷了的地方；即或从一些很有权威的报章杂志上，阐述复员问题时，也很少谈到西北建设问题了；较之前二三年建设西北高唱入云的时代，真有天渊之悬殊。西北的建设问题，在今天，是正在走向低潮，这隐伏着一个莫大的危机，就是如果在今天仍然着眼于一切治标的建设，重蹈历史上的覆辙，在中国战后的经济上看，将是一种无比的浪费。

西北建设问题，确因胜利而减低了它的重要性吗？不！绝不！相反地，抗战的胜利，更促使西北建设成为当前的急务。何以？请看下列三点理由：

1. 因为西北为我国建国的根据地

……"西南是抗战根据地，西北是建国根据地。"由此可见西北的重要，且因胜利的来临，它的重要性更为增加。

西北何以为我国建国根据地？其理由约有下列数端：

（1）西北蕴藏大量资源与动力，足够电化西北发展重工业之用，且可以之奠定建国基础。

重工业之资源，当以铁、铜、铅、锌、锡、镁、锰、钨等与非金属之石油、煤、硫矿、盐、硝石、石绵、石墨、石灰石、云母、石膏等矿产为重要，而因近代科学发达，白煤亦为工业主要动力之一。先以陕甘言之，仅就已发现或已开采者而言：关于铁矿，如陕南巴山一带的铁矿已有一部分出货，甘肃永登县西南一百二十里□街煤田附近已发现菱铁矿，皆实例也。甘省现有铜矿，惟产品不丰；锰在甘省亦有发现，其他铅、钨、锌、铝等矿，率以缺乏精密之地质调查，至今仅知其有，而不知其详。至于陕甘二省之煤产亦多，惟蕴藏量之多少，至今尚无正确统计，就以采出者而言，质地不佳，不宜于炼焦，为其缺点。甘盐虽不算佳，但火硝与芒硝据间蕴藏颇富，曾在敦煌发现一大硫磺矿。祁连山间地层，藏有各种矿藏，以铜矿最有希望，其他煤、铁、砂金，均续有发现，祁连山麓之石油，更较陕西延长之油质量均佳。又陕西盩厔县、鄠县二县的石墨产量亦丰，堪与甘肃之油产相媲美。至于水力，陕西尤为丰沛；黄河纵贯东陲几无处不可利用而发电，且其水流湍急，倾斜度过大，实为发展水电最有利之条件；甘肃亦然。因思清刘献廷曾曰："西北非无水也，有水而不能用也，不为民利，反为民害，旱则赤地千里，潦则淹没民居。有圣人者出，整理天下，必自西北水利始，水利兴而后足食，教化可施也。"如此可知，西北的水力若能善加利用，在促进建设事业发展上，实具有极大之价值，而陕甘尤然。

新疆矿藏最足令人兴奋，除锡、锑、镍、□尚少知悉外，铁、铜、铅、锰、铬、镁、钨、钡、铝等矿，均已在该省多处发现，尤以煤产为最多；迪化附近，几为整个大煤田，据说某一次煤矿自燃，曾连续燃烧若干年之久，殊为可惜。此外，如硫磺、硝石、石墨、云母、石膏等，亦有发现。盐碱几随处可取。石油矿则分布于南北两疆，其质量闻均超过甘肃。

宁、青两省因建制较晚，至今尚无产考材料可资佐证。但就习知者而言，贺兰山一带有铁、煤；青海有一县据说八处为煤，诚不可多得也，且境内尚不少铅的大现。盐为两省质量最好的产品。硫磺亦为青海特产之一。将来酸碱工业或于青海有发展的可能。其他闻宁夏产□砂，青海产硼砂，在现况下其产量均尚不能期其过多。西宁附近产云母，其块相当大，并产绝白之砂石，亦为难得之产品。此乃宁青二省之已发现者。至宁夏之贺兰山中，及整个青海的处女地——神州奥区，其境内万山重叠，蕴藏各种金属矿产之可能性亦大；而黄河、湟水、大通河等，贯通其间，又可为动力之源泉。果能再作进一步之调查，将有更多之发现，殆为建设重工业之理想地带矣。

此种矿产，不论在工业动力上或国防建设上，都具有极大的价值。上述各种情形，虽非正确统计，然各省矿藏的丰富，富可窥见。不论自资源或动力上省，电化西北，奠定建国基础之工作，极易实现。所以我们说西北为我国建国之根据地，此其原因一也。

(2)战争告诉我们,中国要林立于四强,必须发展国防工业——重工业,而重工业的疾展,则以西北为最理想的地区。

关于资源方面,已概见上列诸条,西北当已具备重工业发展之条件。至其在全国所占地理之位置,建立国防工业,亦至为适宜。溯自七七事变爆发以还,日寇以极少代价,极短时间,即以席卷东南,囊括华北。这是一个不可讳认的事实,它给我们一个极大的教训,就是在中国海军未建立以前,或所有海军不足以保卫自己领海时,重工业的建立,似应着重于内陆地带。当然,内陆地带在交通上要较东南沿海为困难,但我们决不能因讨现实的一点便宜,而置我国国防工业于万劫不复之危境。

且西北之腹地,较西南尤为广袤,农业之发展,极有前途,此地亦极有助于重工业的发展。

再从我国历史上看,所有统一局面,必先控制西北,在西北经营具有相当基础时,始渐及全国,而雄峙东亚。所以我们说,西北是建国的根据地。此其原因二也。

西北既为建国根据地,抗战胜利,岂能忽略建国?故建设西北诚为今日刻不容缓之事。这就是我们所以强调抗战胜利西北建设更形重要的原因。

2. 因为抗战胜利,使我们最感头痛的"人"的问题解决了。这是千载一时的良机,假使再错过了,至少下列三种人,也不会远离乡井,而从事艰巨的西北建设工作了。

(1)志愿前赴边疆工作的公务员或学生。

这一类人,现在说起来,当然不多,但我们不能因为不多而忽略了他们伟大理想的完成。关于这一类人,政府应予以种种的优待,如搭乘舟车、飞机的便利,及提高待遇保障其生活等。并且,政府应立刻令行后方各省市县府及各专科以上学校彻底调查志愿前往边疆工作人员,详示其待遇办法,按照计划,遣送前往。假使不如此,收复区域如此辽阔,谁不思家?谁不念故?谁不愿回到自己的故居?做点小事,潦倒一生,在个人说起来,这是断送前途,在国家说起来更是一个不可计算的巨大损失!

(2)遣散退伍官兵,应一律有计划地送往西北。

抗战胜利后,除维持常备兵额六十师外,国家势不能以现在之庞大预算,继续维持现在之庞大兵额,以故势非令其退伍,别无他途。惟此辈官兵在军中日久,解甲后有无家可归者,亦有虽能返家而无恒产及恒业可资维持其生活者,应即由主管当局,妥筹遣散善策,依次移往西北。

(3)所有因战争或其他缘故而致破产的人。

抗战八年,沦陷区房屋田地,有毁于日本之炮火者,有失于河水之泛滥者,破产之家,当亦不在少数。对于此辈的安插,我们以为应变消极的救济方式为积极的予土方式。因为这一些人,假使政府只予以临时的救济,而其本身又不能以一极有限之救济俾生活永获解决,所以当他再度生活发生困难而无人救济时,他便会铤而走险,扰乱社会秩序。故吾人为谋长治久安之计,这一类人亦宜及早运往西北,贷予其生活必需工具,咸令自食其力,则不仅可以安定地方,亦大有助于西北的建设。

但有一点是我们所不敢苟同的,就是"罪民徙边"之举。假使要这么做,至少会引起下列几种不好的影响:

A. 这一种形同流放的徙边,将会予从事西北建设者一大打击,因为他们大多来自学校部队,或各级行政机关,原是满怀着建设西北的热望,要他们与罪犯为伍,恐怕不是一件可能的事。

B. 为犯民着想:历史已经变更,徙民实边的时代已经过去,所以我们觉得,罪犯的处置,积极地教育与感化,要较消极地徙边与流放妥善得多,所以我们特别强调"罪民徙边"是一件不应为亦不能为的事情。

因之,在建设西北的人力这一点上看,西北的建设,确因胜利来临而应乘此机缘积极促其完成。同时也只有把握住这一点,——可用而富裕的人力——西北建设的严重问题——人的缺乏——才可以得到适当的解决。

3. 因为抗战胜利,我们的政府已确立了一个坚忍不拔的威信,在外债的借贷上,其信用远超任何时代。

研究这一点,使我们认为战后美国依然有庞大的经济输出力,那么在远东,基于多年之融洽相处,中国或可列为其输出国之首位,在时间上或可很快。中国具有美国所认为商业的理想投资条件,如中国的借债能力及偿还能力都很高,接受外资的方式与技术问题等,也都可圆满解决。假使从政治观点上看,中国更是东方一个最能与美国合作而崇尚民主的国家。因而我们重新提醒国人,时间不容再缓,外资即将源源而来,如不改弦更张,速从建国根据地建设开始,又在蹈过去的覆辙,那么,消失了这个机会,在今后数年或数十年间,恐怕是不再容易获得了。

根据上述三端,除第一项西北为我国建国根据地为其主观之条件外,其他资本与人力均为最优越的客观条件,这些条件形成了胜利后西北建设的更重要地位的基础。

（二）西北重建与西北大学

何以说是重建？由于西北主观客观条件的具备，到处听到"开发西北"的呼声。我们不同意这种说法，因为西北是我们中华民族的故乡，远在几千年前，西北即已开放。当先秦在西北建设东亚大帝国时，文化武功，灿然大备，而当时世界大部分地方尚在榛莽未开。近代西北的荒落，也不是未建设，完全是我们做子孙的未能善缵遗绪，把祖宗的基业荒芜了。山岳童秃，是我们未尽保护之责；河流泛滥，泥沙冲积，良田渐渐沙漠化，是我们不修先人之业；由于积年累月的斫丧，以致天常干旱，地变硗确，人口逐年稀少。当今的西北问题，除了发掘矿藏之外，无所谓开发，而是重建，不论从天时地利人和上看，都是重建。

这繁杂的重建责任，已落在西北大学的肩上。

这里我们所提的西北大学，是行将迁建于西安的西北大学，它包括文、理、法、商、医、农、工诸学院，是一所完备的大学，而兼有各科的研究院；也只有像这样一所规模宏大，设备完全的学校，才能担当此种艰巨的任务。兹逐条阐述如何重建西北及其与西北大学之关系：

1. 西北建设，交通第一

交通之与国家，犹如血脉之与人身，血脉不通，小则瘫痪，大则丧命。在西北对于此项需要尤觉迫切，不管我们从国防工业、经济流通或文化交换等哪方面来着眼，莫不亟需先开辟交通。倘交通依然闭塞，则一切无由完成。至交通上之技术及管理问题，自属西北大学所应研究之对象，乃至交通之整个计划，均由西北大学拟订后再送由交通主管当局审酌实施。这基于地理条件的优越，西北大学担负这一种任务最为适宜，因为在未来的西大工院中将经常由教授指导学生参加交通实习，这样所得的结果，一定较切实际。

2. 从调查工作中看

要建设西北，西北的调查工作必须作得确实。而调查统计需要长久的时间，充裕的经费，更要适当的人选。在这里我们觉得除经费一项需要政府拨发外，西北大学的地质、地理、矿冶、历史、边政五系师生几乎可以全部深入西北去做长期的调查工作，一切繁难问题当可迎刃而解。我们具有这种自信，一个具有伟大抱负的事业家，有自大学的知识基础，也就够了，何况又有无数富有经验的教授来作巡回指导呢。其交换疑问方法，或用无线电联系，或轮回交换，都是绝对可能而且必要的事。这是一个伟大的新事业的开始，我们深愿教育当局采纳我们的刍见，以促进西北建设的早日完成,并树立专家政治的良好基础。

3. 再从整个重建西北计划这方面来看

任何事情,盲目地或无计划地进行,必遭失败,这是千古不移的真理。因之,重建西北,必须有一套整个的"西北建设"计划,就其间轻重缓急,妥事安排。这计划的拟订,仍应由西北大学作为基干,其理由如下:1. 调查为计划的基础,西北大学,既能对西北作一详尽之调查,此计划的厘定当亦不成问题。2. 依西大学生的智识与教授的指导,我们敢保证,所订的计划定能较切实际。3. 我们更敢保证教育是清高的,我们受了国家多年的培养,我们只知道为国家着想,因而这计划将会打破一切为地方经济繁荣的狭隘观念,决不会以一省或数省,构成自足的经济单位,而置国家利害于不顾。

4. 从政治的改进上来看西北建设与西北大学的关系

政治局面的安定,有助于建设事业的发展。现阶段西北政治方面的情形,除因中苏盟约新疆问题已告解决外所有西北各省之政治设施,皆未尽如人意。为了奠定西北建设今后百年永安基础计,西北的政治的更进一步的修明实为当务之急:

第一,要深切体察边地之特殊情况,而对症下药。

中国历史悠久,土地广阔,不但省与省间有许多特异之点,即县与县间,亦不能一道同风。这种地方的特殊性,到了边省格外显著,如不另拿一种眼光相待,而与内地等量齐观,即任何法令都将扞格难行,任何计划,都成文不对题。抗战中政局虽颇统一,然因法令太繁,变动太多,地方各有环境,负责者辄以不能一一执行为苦,其在边疆,尤感困难。此点不特政府应予体谅,多为宽假,对边省政治,特许为特殊的措置;即一般在边地服务之人员,无论久暂,亦应充分理解地方的特质,加以重视。尤其宗教仪式,民族习俗,更应沿袭尊重,勿有违反,否则猜疑立起,主客交恶,大则损害政府威信,小则加重职务困难;此节若不办到,则建设纵有路基,其工作之进展亦必步步荆棘,难以推动。西北大学的边政系就是为减除上列各项障碍而设的。我们并不敢说西大边政系的学生个个都能善治边疆,但至少他们在这一项工作的准备上已经不折不扣地花了四年的时光。反过来想,现在从政边省的人员,谁会在这一项准备工作上下过四年的功夫呢?所以,我们敢保证西北大学边政系的学生,就是将来建设西北而又谙习西北一切问题的干部,以这一部分人来从政边疆最为适宜。

第二,要彻底消除宗族歧视,熔汉藏维诸宗教于一炉。

各个宗族,皆有其独特之宗教信仰,祭祀习俗,忽略了这一点西北的政治问题,将永无解决之日。尤其派赴边疆工作人员,决不可以"开发者"自任,而对其他文化经济落后的宗族加以歧视。西北大学具有担当这项工作的优势条件,因而要宗族问题合理解决就决离不开西北大学。

5. 从重工业的建立上来看西北重建与西北大学的关系

西北既据有上述各种工业资源,工业动力,则其重工业的建立,当属急于燃眉。西大工学院就是西北重工业建立的主要干部的渊薮。

6. 从发展农业上来看西北重建与西北大学的关系

西北据有比西南更大的腹地,这广大的腹地,除一部分情形特殊外,大部分均为发展农业良好的环境。如能再进一步地造森林、兴水利,以调节气候,改造地利,则西北之农业前途大有可观。郭沫若氏赴苏归来时曾云:"……余曾到中亚细亚沙漠一带观光,看他们怎样把沙漠改为绿洲,用人造硝石作肥料,产生人民需要的粮食蔬菜,塔什干的化学厂大极了……苏联人民的衣着,也是有保障的,中亚细亚的产棉区,苏联以埃及棉花与野棉花配种,使更能抗病,它们有黄色、绿色、淡黄色棉,织出布来不必染色。"这一段话使我们更能确信人能改造自然的实训。中国的西北土壤,难道还要比苏联中亚细亚的土壤更坏一些吗?为什么他们就能产生粮食蔬菜和品质良好的有色棉花呢?原因很简单,他们已经利用了科学方法,控制了自然。中国将来要发展西北农业,科学方法是不可不学习的。例如,造森林、兴水利、制肥料、用机器,都是以科学作为基础的。西大农学院不仅包括了森林、水利、农业经济等系,而且对于植物病虫害的研究更是注意。这是多么伟大的合作啊!真正合理的教育,是应走向这一步,或接近这一步的。我们应该认为:中国的西北,就像苏联的中亚细亚(其地理位置及土壤均极相似);西大农学院类如苏联塔什干的化学厂。

总之,在建国伊始的今天,西北建设问题又被冷落,我们不能不为国家前途忧虑,这是我作这篇文章的缘起。至于西北建设与西北大学之关系,无论在理论上与实践上,二者皆有绝对不能分割的道理,但这一点也被时人所忽略了,因而我们又重新提起。期望国人予以注意!

西北大学在现实意义上来说,就是中国整个大西北重建蓝本的撰印所。重建西北缺少西北大学的指针,不会有圆满的成功;西北大学离开了这"处女地"的西北,一切所学,均将变为无用。

(《西大学生》1946年第6期)

四、大学生之修养

国立西北大学外文系 岳诚

"大学生"在现阶段的中国教育情形下,是一个多么被人艳羡被人重视的名衔!这个教育的象牙之塔的最高层的宠儿,便是社会的中坚,国家的主人,负担着继往开来发扬文化和为国家人民创造幸福的使命。在充满了鼓舞、教导、爱护的环境里,成长了这一大批富有活力富有热情与理想的青年,那么怎样才能使我们的活力发挥希望实现呢?这就不能不注意到修养问题了。修养可以说是走向我们人生的理想的标的途中逐步所得成绩的总和,也就是我们的人生态度和人生方式的交响,计划和实施的统一。当然人各殊志,而且人生是整个的,我们很难同时也不必来确定某种修养是理想的或合理的人生修养,本文所述不过将那具有普遍性和重要性的几点归纳起来,作为一个简短的检讨与介绍罢了。

首先,我认为我们需有高尚的人格,因为这是做人的第一个条件,也是成就大事业的最坚实的础石;一切的伟大,都要建筑在高尚的人格上面的。一个人的人生旅途,是往往充满了可怖的诱惑和层层障碍的,要开辟一条平坦的康庄大道,没有高尚的人格,来做我们生活的重心,是很困难而且很危险的。我们看历史上固然有许多气节凛然之士,轰轰烈烈地杀身成仁,舍生取义;但是像吴三桂、洪承畴一类的人,卖国求荣,遗臭万年,也是史不绝书啊!这种"失之毫厘,谬以千里"的极恶大罪的铸成,岂不完全由于一个人的人格不高尚吗?人格便是我们的第二生命。我们要成就伟大的生命,必须先树立高尚的人格。

其次,我们要有远大的抱负,一个人的抱负的远大与否,往往是决定他的一生成就大小的主要因素。古今中外,任何一个成大功立大业的人物,都是在少年或青年时代就具有远大抱负的。像范仲淹在为秀才时,便以天下为己任,终于实现了他的"先天下之忧而忧,后天下之乐而乐"的怀抱。像宗悫的"愿乘长风破万里浪"的对话,班超投笔从戎和祖逖闻鸡起舞的故事,都是何等的襟怀,何等的抱负!使我们不知不觉地起一种"见圣思齐"的向往与崇敬的心理。而且,一个人的抱负若能远大,自然在小小的人我或利害之间,不会斤斤计较,而可以做出惊天动地永垂不朽的大事业了。

再次,就是我们要有深刻的认识,一个人对于一件疑难大事,去留取舍之际,往往徘徊歧途,不能措置裕如,因而"一失足成千古恨的",真是恒河沙数,太多了！这种人是既可怜,复可恨的。因为他们缺乏一种慎思明辨审度大势的修养功夫,不能对某一事件具有深刻而透彻的认识,以致演成了悲惨的结局。像希特勒便是忽略了世界大势的主潮的德谟克拉西化,妄想以法西斯的黩武主义,征服整个世界,结果招致德国的覆灭,人民的流徙痛苦不堪,而他自己的野心也云消露散,化为南柯一梦而已。其实,像这种身败名裂的覆辙,在几百年前的拿破仑早已做了他的前车之鉴。他的这种不识时务的措施,岂不是既可恨更可怜吗?

复次,我们要有弘毅的精神。曾子说:"士不可以不弘毅,任重而道远。"《易经》上说:"天行健,君子以自强不息。"西洋也有句格言:"生活即是奋斗。"我们知道,弘毅精神就是自强不息的精神,也就是奋斗的精神。像国父在晚清的那种没落的卑污社会里,受到了多少的打击与失败的痛苦,终于获得了民主的中华;又像林肯在那种社会的传统的陈腐观念下,受到了多少的非难和毁谤,终究完成了那人道主义最高峰的解放黑奴的工作。这种精神,是何等值得我们青年效法!

再则,我们要有坚强的体魄。我国一般人对于身体的保健问题,向来是不大注意和重视的,因此才有"箪食瓢饮"和"胼手胝足"的赞美的记载。虽然也有道家的养生之说,但是影响所至,终究不及儒墨之言来得普及。西洋就不然了,他们普遍地相信着"健全的精神寓于健全的身体"这句格言,而提高了一般的健康标准。的确,一个人有健全的身体是一生最大的幸福。像兴登堡在八十多岁时,还能出任德国总统,来收拾第一次大战后的德国残局。又如美国罗斯福总统中年时身体曾患麻痹病,而由于他对身体的爱护和锻炼,终于弥补了他的缺陷而完成了他的伟业。这些不都是坚强体魄的赐予吗?

还有,我们要有广博的学识。广博的学识是发展人类才能培养人类智慧的唯一工具;尤其在这个二十世纪的大时代里,"物竞天择,适者生存"的学说,已经成了铁一般的事实,而世界的进步更是一日千里。我们若不求得广博的学识,是永远要落后,永远赶不上这个时代的潮流,永远不能应付这个时代的。我们看现今进步的国家,都已经由"电"的世纪,一跃而迈进了"原子"的世纪,再反观我们的社会,仍旧在"牛车农业"的世纪里缓步而行,心中真有无限的感慨!我们怎样才能赶上这个时代呢?那就必须有广博的学识了。

最后,我们要有深厚的同情心和道德力。以前英国的罗素先生,来中国讲学,住有很长的时间,对于中国的一般人士和一般社会情形,是有着相当深刻的认识的。他最后曾批评中国普遍地有三种病态,而最大的便是"缺乏同情心";同时他更根据了历史的演化,而指出了这个病态的形成,便是长期的帝制的高压政治下的必然产物。我们再客观地分析一下自己,不可讳言的,我们是没有心理建设的。我们看八年来的民族的英勇抗战,有血,有泪,有光荣,有赞美。但是相反地,那些黑暗、卑污、堕落的事件,依旧在我们的社会里骇人听闻的层出不穷,这还不是因为我们的社会上没有一种共同的道德的准绳,更缺乏一种共同的道德力的表现吗?那么这种转移风气力挽狂澜的大任应该由谁负呢?我们这一批天之骄子的大学生,是不能推诿的。

现在我们胜利了,在欢腾鼓舞的庆祝声中,我们自省自察不能不更加奋勉。胜利的光荣,已经加在我们头上了,而建国的大任不更重重地压在我们的肩头吗?我们要认真地去做,我们要彻底地去做,我们将来能否完成发扬文化和为国家人民谋福利的伟大使命,全看我们在受教过程中的准备工作如何了。

(《西大学生》1946年第6期)

第十四章 高等教育专题文选

第一节 李蒸①等论师范教育

一、李蒸有关师范教育的三篇序文

1938年6月1日于城固西北联大教育学院时的序文

　　自卢沟桥事变发生,暴日入寇,故都沦陷。本校教职员学生,不避艰险,不畏强暴,间关绕道,跋涉数千里,遄赴西京,参加奉令合组之国立西安临时大学,百凡草创,弦歌重兴。今春敌犯晋南,陕东告急,寇机复不时侵袭西安,扰乱我后方,妨碍我教学,临大同仁同学不得已再迁汉中。按照行军编制,师生分组三队,抵宝鸡后,徒步出发,沿途运输膳食警卫诸事,一一分工合作,共同负责,精神奋发,秩序井然。比及月余,黉舍重整,教学载赓,含辛茹苦,甘之如饴。此种勤苦耐劳之精神,殊足为诸君他日求学任事之助,望珍重爱惜,发扬而光大之,必有以动心忍性,增益其所不能者。

　　诸君于国难严重、学校播迁之今日完成大学学业,服务社会国家,其责任之重大,实倍蓰于平时。现阶段的教育,以抗战建国为中心,国家民族之危难日亟,各级教师之责任愈重,教学成功,训育尽职,不过责任之一部分,欲完成救亡复兴之

---

① 李蒸(1895—1975)字云亭,河北唐山人。中国近代教育史上有影响的教育家之一,早年留美,主修乡村教育,获哥伦比亚大学哲学博士学位。自20世纪30年代起先后出任北平师范大学和西北师范学院院长10余年。1937年起,历任西安临时大学、西北联大常委,西北联合大学师范学院院长。1939年8月,任国立西北师范学院第一任院长。

· 1389 ·

大业,必须训练全国民众,团结而组织之。如何灌溉民众常识,指导民众训练,使全国同胞激发国家民族之意识,充实抗敌御侮之能力,皆各级教师义不容辞分所当为之事。古人言:"士不可以不弘毅,任重而道远。"教育救国,良师兴国,皆赖此弘毅之精神,以达到任重道远之目的,诸君宜服膺先哲名言,身体而力行之。

  本校为全国唯一之高级师范教育学府,亦为全国师范教育之渊源,创始于前清光绪二十八年京师大学堂附设之师范馆,旋改为优级师范科及京师优级师范学堂。民国元年改为北京高等师范学校。民国十二年改为国立北京师范大学。民国十六七年之间,政局遽嬗,学校改组,本校隶属屡更,名称迭易。至民国十八年政府明令本校独立为国立北平师范大学。民国二十年本校奉令与国立北平大学女子师范学院合组为国立北平师范大学,至是全国造就高级师资之机关集于一校,一切规模骎骎乎渐臻完备。不幸倭寇侵凌,摧毁我文化教育机关,无所不至,本校始迁西安,继移汉中,虽组织稍有变更,而各系教育课程之教学,参观实习之注重,仍保持原有专业训练之精神,以期培养抗战建国之优良师资。

  寇深矣!时亟矣!诸君毕业后个人对于社会国家民族之责任,日益艰巨,宜如何激励奋发,以负荷此艰巨之责任,完成此救国兴国之伟业,愿诸君力行何如耳!庄周有言:"不累于俗,不饰于物,不苟于人,不忮于众。"国难时期之教师,尤须有此坚苦卓绝之操守,谨以此数语为临别之赠。

1943年于城固西北师范学院时的序文

  我国高级师范教育,创始于40年前,其间时代演变制度更张,综计可分为四大期。当前清末叶,政府变法维新,创设学校,至光绪二十八年京师大学堂(附设师范馆),其后逐渐演变为优级师范科及优级师范学堂,是为萌芽时期;民国元年革命政府成立,优级师范改为北京高等师范学校,未几沈阳、南京、武昌、成都、广州各高师亦先后成立,开全国师范教育分区设置之先声,是为发展时期;民国十一年全国教育行政会议开会于北京,高等师范改为师范大学,各地高师先后改称师大,更由师大改为普通大学,其始终保持师大名称者惟北平师大一校。是时国内学者,政府官吏,纷纷建议,高级师范学校不宜独立设置,只就普通大学毕业生授以一年或二年之师资训练,即可充任中等学校教师。此种主张,风靡一时,忽视专业训练之精神,影响师范教育之发展,是为消沉时期;七七事变以来,政府感于抗战建国,兼筹并顾,责任至为艰巨,师资训练实为抗战建国之基本工作,毅然改订高级师范教育制度,划分师范学院区,分区设校,先后成立者有国立师范学院九校,是为复兴时期。

本院于民国二十八年奉令由前西北联合大学之师范学院改组成立,实为北平师范大学之后身。本期毕业同学入校肄业,适当师范教育复兴之际,诸君毕业之后,同负继承师大精神,验证师范教育制度效果之双重责任,允宜竭忠尽智,同心协力,为母校争光,为国家民族服务,以期完成诸君所负之神圣使命,此一义也。

本院地处西北,辖区包括豫陕甘宁青新绥七省,幅员甚为辽阔。西北为我国古代文化发祥之地,在今日更为国防重心,故开发西北为抗战建国之第一急务,开发工作首赖教育。诸君毕业之后,当以西北为服务领域,下定决心,争先恐后,同在西北工作,以符政府分区设立师范学院之本意,一以奉行中央开发西北国策;切不可仍蹈故常,竞赴通都大邑,求交通之便利,图个人之安逸,而忘国家民族之大计,此二义也。

近来教育救国、良师建国之声浪甚高,专业训练之重要,渐为一般人士所认识,轻视师范教育之主张,因之销声匿迹。今后诸君在社会服务成绩之表现,训练青年之效能,益足坚定此种信念,使全国师范教育从此稳定基础,继续发展,此三义也。

诸君行将离校实习,特述我国师范教学之变迁,及本院与师大之历史关系,并将以上三义为临别之赠言,愿与诸君共勉之。

1944年于城固西北师范学院的序文

民国三十二年度,为本院民国二十八年度入学同学毕业之年,是为1944级。民国二十八年度以前,本院尚为西北联合大学之一院,民国二十八年八月,奉部令:西北联合大学改为西北大学,国立西北师范学院,及国立西北医学院,于是本院始独立设置,然则本年度毕业同学虽属第二届,实为本院独立设置后之第一届毕业同学也。

然溯及全史,则自前清光绪三十四年(1908)于北平厂甸改设京师优级师范学堂始,历民国元年之改称北京高师,民国十二年之改为北京师大,民国十七年改属北平大学内为一师院,旋夏称师大,民国二十年之与女师大合组为国立北平师范大学,以及民国二十六年之西迁而为西安临时大学三校院合组之一成分,民国二十七年之颁新制而为西北联合大学之一院,民国二十八年之独立设置,迄于今兹,逐年皆有毕业同学,而本年度之毕业生实为第三十二届也。若并北平厂甸设校前之京师大学堂师范馆及优级师范科计之,则本年度之毕业生实为三十五届矣。更溯往古,爰有或均经师人师,于焉毕业,则本年度之毕业同学,更不知其应为第若干届,而承先启后,继往开来,凡我毕业同学,皆宜肩负巨大宏远之历史任务者也。

际此抗战方酣,建国伊始,教育建国,良师建国,群伦共认,薄海同心。况本院西北辖区,包括七省,文化发祥之地,交通冲要之途,熔铸民族,精诚团结,训练经年,智能优秀,斯乃毕业诸同学不容辞之义,无旁贷之责。兹于诸君行将离校实习之时,特述本院之历史任务与环境关系,临别相赠,期共勉之。

二、今后教育建设之路

李 蒸

抗战时期,"军事第一",建国时期,"教育第一"。这是国家元首的昭示,也是事实之所必然。现在抗战胜利,国家将逐渐走上建设之途径。无疑的,教育的建设将决定民族之盛衰成败。战争胜利不能保障国家的富强,必须促成国家现代化,工业化,而走上宪政的道路,方能真实地使国家跻于现代列强之林,这一切的一切,都是要靠提高人民的知识水准,与普及教育文化的设施,方能成功。本文谨就教育现状观察,及今后教育建设方针,略述所见,以供研讨。

(一)战时教育评价

过去八年的战时教育,是非常时期的教育设施,有许多缺点,也有许多特殊成就。我们现在检讨一下:

第一,在教育政策方面,抗战时期之教育设施有可称道者五点:1.政府虽在战时仍多方设法筹措大笔经费,维持教育事业之进行,尤其是在高等教育方面,欧美各大学均停止正常活动,改为战时训练机构,而我国专上学校独能照常进行,其数量且较战前增加甚多,且设立贷金制度救济学生,此足证教育当局之努力。2.创设国立中学、师范及职业学校,吸收大批沦陷区青年,不但救济青年得免失学失业,且为国家保存民族正气。3.注重师资训练,创设师范学院及师范专科制度。战前高级师范教育制度甚形动摇,仅北平师范大学为全国惟一之师范教育最高学府。抗战时期先后成立师范学院九所,且分区设置,顾到全国各地中等学校师资之培养,对于国家教育政策之推行关系甚大。4.创设技艺及医学专科学校,培养专门技术人才,此项农工医等专门人才为国家建设之基础。入学各学院偏于高深学术之研究,且数量甚少,需要年限较长,故专科学校之设置最能适应国家战时及战后之迫切要求。5.树立导师制与学校训导制度,此亦为战时一重要政策,虽在实施方面难免有流弊滋生,但能注意学生生活与道德修养问题,实为我国教育一革新之举。

第二,在战时教育之事实表现方面,就观察所及,则感觉有其收获,亦有不少缺陷。就好的方面说,政府支出大笔经费,增加学校数量,发展大后方各省教育,提高教职员及学生之爱国情绪与刻苦精神,均为战前之所不及。但其缺陷我们亦能立刻指出,学校质的方面水准降低,师资、设备及学生程度均远不如战前,尤其是大学教育程度降低情形更为严重。我们评价战时教育总括来说,在德智体三育都有进步,亦都有退步。德育方面:进步在民族意识与爱国精神之发扬,退步在社会道德之堕落,影响青年之思想行动,以致难免时有错误。体育方面:进步在养成吃苦耐劳习惯,与劳动服务精神,而退步之处在战时营养不良,卫生习惯不能养成,以致学生体格多不健全。智育方面:学生课业虽呈普遍退步现象,但战时学生因生活经历多从解决实际问题而来,对于社会人生之认识,现实状况之了解,实较战前学校教育大有进步。今后应本战时教育之经验,继续发扬其优点,努力革除其缺陷,则教育将逐渐走上建设之途径。

(二)教育复员问题

抗战胜利之后,全国上下均在准备复员,教育复员自然是整个国家复员要项之一。更因其中问题甚多,所以有详加研讨的必要,舆论界对此问题曾发表许多高见。教育部为此一重要问题曾召开教育善后复员会议,出席的大学校长、教育厅长、教育专家及民意机关代表等二百余人,系抗战胜利后第一次盛会,可见教育复员中包含着许多困难问题,必须集思广益方能解决。其他方面的复员问题大半属于交通、经济及技术方面的应有计划一类,而教育复员问题则除此之外,尚有使教育合理化之一项,即教育机关之调整,与所谓合理分布之理想,期于此次复员时能获得实现。按理所谓复员应当是由战时恢复到平时,即是战前的教育机关因战事关系迁移后方,现在抗战胜利应当仍迁回原处。仅在战时新成立之教育机关,于胜利之后斟酌需要,决定裁撤或保存,其设立地点亦可根据需要加以调整。但是战前很久就有人批评,我国高等教育机关集中在沿海沿江各大都市之未尽合理,故教育当局拟趁此抗战后迁移到后方各省之机会,加以调整重新分布,这也是可以考虑的一点,因此教育复员,就自然发生了问题。原在沿江沿海一带交通便利、文化发达的大都市之学校,如令其战后仍留在后方,应当根据什么标准? 何校应当回去？何校应当留下？这都是问题。还有在战时成立的新的学校，何者应当继续办理？何校应当裁撤？如在战时成立的各国立中学有二十多所，按理中学应由省办为宜，但战时情形特殊，平时是否应将国立中学一律改为省立？哪一个中学应当划归哪一省？这也有不少问题。但是，现在关于这许多问题，此次善后复员教育会议大体均已有原则上之决定，今后就看如何筹措经费，便利交通，使今后教育建设能走上发展的途径，这是要切实施行而不须再加以讨论。现在谨将个人对于教育复员问题的意见，提供教育界同仁之参考。

第一，要精神复员。我们都知道各级学校教职员在被敌人压迫离开原来的学校时候，精神上都受了严重的打击，都有严重的损失。现在抗战胜利，应当给教育界人士以精神上最大的安慰。如果他们愿意，或者要求仍然回到原来的岗位上去，无论如何政府应当满足他们这种欲望，以增进其忠党爱国之信心，同时使其亲见旧日生活环境之光复，以增进对于人生真义之兴趣。这是精神方面的损失得到了补偿，在教育界人士看来应是最大的代价。

第二，要学校复员。凡抗战前原来有基础的学校，现在愿意回到原来的地方去，应请政府用种种方法使其回去。因为这些学校迁到后方来，是因战事发生不得已之举，个人于胜利之后都要回老家去，学校是一有机体，当然也要回老家去。如果原有的校舍设备遭了破坏，也应请政府拨款救济，或者要敌人赔偿损失。原来有基础的学校，或有在抗战期间改组，变了名称，变了制度，但是其使命未变，性质未变，学风未变者，应当一律恢复旧观。

第三，延续学校历史。学校历史最为宝贵，历史愈久者，其贡献愈大，这是古今中外的学府莫不皆然的。欧美各大学多有三四百年历史者，我国大学中有四五十年历史者已不多见，所以我国有历史的学校，必须使其继续发扬而光大之。最高学府为国家文化知识之源泉，应多方维护使其发展。延续学校历史，就是尽先将有历史的学校从速复员到固有之环境。其在战时所受的不良影响，如有妨害其自身发展者，应于复员时予以改正。

第四，奖励学校成绩。教育复员应特别注意到有成绩的学校。这种所谓成绩自然包括许多方面，而特别要考察的是毕业生服务成绩的表现。在学校自身方面的考察，应当特别注意教学管理是否认真，教员学生是否合格等项。至于校舍设备如何，当然视经费之多寡以为断，并不一定是办学者自身的成就。在战前已有成绩的学校，历艰苦抗战八年的长期时间而未降低标准者，尤为难能可贵，应请政府特予奖励，首先帮助其复员。

第五,扩充学校发展教育。这一项意见就是指在抗战期间在后方各省从前教育不甚发达地方。现在教育事业增加很多,一旦复员之后,有历史有成绩的学校都要回到他们原来的地方去,岂不是使后方各省又受了不良影响。同时,已经在后方建立起来的许多新的校舍废而不用,或改作其他事业都是不适宜的措置。所以应请政府筹拨大量教育经费,就后方已有的基础添建新的学校,对于在后方的学校教职员,政府应视其交通及生活方面之困难,予以特别补助,以资鼓励。后方交通建设为教育建设之必需条件,应请政府加速完成铁路建筑计划。

(三)民主化与专业化

所谓教育民主化,亦即教育三民主义化之另一说法。其实我国三民主义的教育较英美民主政治的教育更为"民主",因为三民主义中民族主义之目的在求民族之独立自由平等,而不欲剥夺其他民族之自由,故帝国主义之殖民政策我国无之。民权主义之目的在求民权之普遍发展,以期实行人民与政府权能之适当分配,而非议会政治所能企及。民生主义之目的在求民生之充裕康乐……教育民主化之宗旨,在以民主思想为中心而求个人实际问题之解决。美国为当代民主国家之代表,其教育目标之规定,系经全国教育专家根据教育民主化之宗旨而拟订。兹译其要目如次,以供我国之参考。

第一目标:自我实现

1. 增进求知欲望;

2. 能清晰地说、读、写祖国语文;

3. 能计算及解答算题;

4. 有注意听讲能力及观察技术;

5. 明了关于健康及疾病的基本事实;

6. 能保护自己及家人的健康;

7. 愿努力改进社会公共卫生;

8. 愿参加及参观各种游戏及娱乐活动;

9. 能利用闲暇时间;

10. 能欣赏美感;

11. 负责指导自己的生活。

第二目标:人的关系

(甲)朋友与邻居

1. 亲善处人为首要;

2. 享受丰富的、诚实的及多变化的社交生活；

3. 能与他人一同工作或游戏；

4. 注意社交行为的礼貌与礼节。

(乙)家庭及亲属关系

1. 了解家庭为一社会机关；

2. 保存家庭优良传统；

3. 有组织家庭的技能；

4. 能维持民主的家庭关系。

第三目标：经济效率

(甲)生产者

1. 认识好的制造成品；

2. 了解各种不同职业，或工作所需的条件及机会；

3. 选择自己的职业；

4. 在选择的职业上获得成功；

5. 维持及改进工作效率；

6. 了解其工作之社会的价值

(乙)消费者

1. 计划自己的经济生活；

2. 订定经济支出之标准；

3. 为一有经验及有技术的购买者；

4. 有保护自己利益的适当方法。

第四目标：公民责任

1. 能感觉到人的分歧复杂；

2. 有纠正不满意的情况之行动；

3. 寻求了解社会机构及社会程序；

4. 能防范宣传作用；

5. 尊重不同的意见；

6. 根据对于一般人民之福利以衡量科学之进步；

7. 为世界社会之一能合作分子；

8. 尊重法律；

9. 了解经济；

10. 接受社会责任；

11. 对于民主政治的理想有不动摇的忠实行动。

民主化教育目标有如上述。今后我国教育之改进应参照以上各项目标选定教材，研究方法，充实设备，配合教师，以期能于学校教育阶段完成之。关于教育民主化之最大争执在所谓"思想自由"与"控制思想"问题。普通以为民主化的教育要提倡思想自由，其实思想之发生既无绝对"自由"，而"控制"之义更属于严格的科学方法。在心理学上说，思想有两极端：A. 当面对一需要立即解决之实际问题时，在我们心里边发生思想为进行解决此问题应有行动之预备；B. 幻想或梦想以满足不需要行动之个人欲望。因此我们知道第一种思想是受实际问题的控制，而第二种则无法控制。更进一步说，所谓"控制的思想"，是集中心力研求实现某一计划之方法，一切科学之发明创造多属于此类，这完全是好的意思。有人批评教育"不民主"而指责到"控制思想"，大概是关于"讲学自由"或"学习自由"的问题。今后提倡教育民主化当然要主张"讲学自由"，但是讲学自由亦不应违背立国之根本精神。民主国家如英美等国之讲学自由亦限于民本主义理想之范围，其他不同主义可在学理上作比较研究，但亦不应有作破坏性之宣传。今后吾国教育民主化之"思想自由"问题，当亦应以三民主义之立国精神为范畴，亦如英美之以民本主义精神为范畴，此实无背于教育民主化之真义。

今后教育走上建设之路，必须实现教育专业化。所谓专业化，即由专家或专门人才主持之意。教育之需要专家，正如工业之需要工程师，医药事业之需要医药师一样。过去的错误在任何人皆能高谈教育，以为教育是一种常识而非专门学问，此为不科学之头脑，无怪教育之不能进步。教育这一门学问虽尚不能如物理、化学等自然科学之严格客观，但其中有许多部门实已达到科学化之境地。最明显者如教育心理、教育行政、课程编制、教育统计、师资训练等，均系各国教育学者经过多年之研究实验而得到之结果，均能以客观事实验证其价值，绝非教育门外汉所能以常识判断者。

所谓教育专业化，除关于知识技能方面须经过严格训练外，尚有所谓专业精神之培养。教育事业是精神事业，从事教育事业者须先养成专业精神，然后能安心服务，不至见异思迁。从事教育工作之代价亦属于精神方面为多。教育的对象为活泼的儿童与天真的青年，富有浓厚的情感，教育者必须能发挥爱的精神，以培育而滋长之，此种教育专业精神必须在生活环境中自然养成。所以，师资专业训练必有其特殊之环境，国家办理师范教育，即为布置适当的专业训练环境，无论师范大学、师范学院及师范学校,其生活环境与方式均应与普通学校有所不同,不但在课程方面有专业化之讲习,在生活行动与做人方面亦须能发挥示范之作用。

以上所谈为国家今后教育建设之路。我教育界同人应根据战时教育之经验与时代潮流,努力教育民主化与专业化之实现,以奠定国家富强康乐之基础,则幸甚矣。

中华民国三十四年十一月二十八日于陪都
(《国立西北师范学院学术季刊》第 2 期,1946 – 01 – 31)

三、职业与师范教育的当前问题

杨思明

抗战进行阶段中,固曰军事第一,胜利第一,然与抗战并列的建国使命,其间政府的设施、人才的供应也具有同等的重要性,尤其关于新县制的推行需要大量的基层干部人员,关于生产建设事业的兴起,需要大量的生产建设人员。这批人才的供应,无疑需要职业与师范教育的合理制造,大量产生,但查现时职业与师范教育的发展,事实上窒碍颇多,与中学教育比例看起来,更有畸偏过甚,相形见绌之慨。

缘我国自兴办中等教育以来,中学校、职业学校及师范学校原注意按社会之需要设立,但随后基于传统的观念及政治社会与职业师范教育本身的因素,形成中学校的过度发展,而职业与师范教育的设立,在遇到有形与无形的困难。教部为补偏救弊起见,在各省中等教育经费的支配原则中,明白规定中学教育经费至多不能超 40%,职业教育经费,至少不能少于 35%,师范教育经费,亦应达于 25% 左右。按此项经费支配比例,原在限制中学教育的畸形发展,与积极地提倡职业及师范教育,用意盖至为明显。依照规定,似乎职业学校数目,与中学校数目之设立,理应相差不远,几乎有平衡发展的趋势,师范学校的数目,按 40% 与 25% 的比例,亦应为数可观。然考诸事实:各省中学校之设置,有如雨后春笋,反之,职业与师范学校,则仅寥寥无几,有些省份,甚至只有一校,或并一校而无之。所以如此者,自有其困难之缘由在。

首先感到的,是招生的困难。大凡职业学校与师范学校招生,报考的人数,总不甚踊跃,即或续招二三次,仍有招不足额之虞,此类情形,抗战时期尤为显著。盖以抗战期中为适应战时的需要,充分发挥中学、职业与师范教育的功能起见,职业师范与中学的课程,益形分化,为求升学之便利,大多数基于传统观念而有志深造的青年,自然群趋中学避免职业与师范;同时现有国立中学、公立中学及私立中学之战区学生,类多享有贷金待遇,贫寒优秀子弟升入中学事实上与升入职业与师范有同等之方便,为避免将来报考大学困难,又为为乐于报考中学之自然现象,识是之故,赴考职业与师范的学生,类多报考普通中学不取,或资质较差之青年;不然,就是资质可取,只以迫于家境,而思假道职业与师范出身的学生。此类事实,办理职业与师范教育者,感触尤深,报章或口头,也不时可以听到或看到这类困难的呼声。学生来源的素质既差,因之影响职业与师范教育的效果不少,□□地妨碍到职业与师范教育的发展。

其次感到的是师资和设备的困难——职业学校师资,往往需用专门人才,或受有专业训导的人员,而此项专门人才,通常求之不易。虽有专科大学毕业的学生充任,亦不见得胜任愉快,不如普通中学教员来源的广阔与容易罗致。同时职业学校的设备,亦远较普通中学为困难,工业学校的工厂,农业学校的农场,开办费与设备费之浩大,往往非一县或私人团体能力所能主办,因之使创议或倡办者,有畏难不愿进行之慨。而因设备之简陋与教员之滥竽,致使职业学校不容易办好,卒以影响职业学校的效能。此项师资与设备的困难,师范学校虽云比较好些,但附属小学的设置,参观实习的开支与指导,多少要比普通中学麻烦些,繁重些,也是促使一般人乐办中学,忌避师范的一个原因。

以上所述,尚为发展职业与师范教育最表面,尚不难控制的困难,实际骨子里,另有其最根本最主要的困难在:

第一,是传统观念的错误——传统的社会观念,认为士系四业之首,"万般皆下品,惟有读书高"之思想,深入人民脑筋;读书即所以谋升官发财,升官发财之道,必须假手于读书。正统的中学,即为达此途径之要图。至于升入职业学校,仅为中级的干部人员,而非高尚的领袖阶级;升入师范学校,仅为平庸的清寒生活,而非阔绰的舒适享受。因此,智慧之士,大多相率裹足不前,此项传统观念为阻碍职业与师范学校招生一方面的原因,亦为发展职业与师范教育一方面的困难,其尤要者,尚为下面所述:

第二,是生产事业未能与职业教育配合的困难。狭义地说,也可说是学生出路的困难——考察职业教育发达的国家,大抵系先有生产事业的发达,然后为适应生产事业知识的需要,才有教育的发达。例如,英国为生产发达最早的国家,18世纪开始了产业革命,各类新式生产的方式,慢慢代替旧日家庭与手工生产的制度。为适应新兴的生产知识,遂有职业教育的兴起,这是先有了生产事业,然后才有职业教育发达的先例。又如德苏意等国,生产制度的改革不如英国之早,职业教育的发达,尤在英国之后,但他们为迎头赶上新兴的生产方式,一方极力扶植生产事业的发展,一方极力提倡职业教育以为之适应,这又是生产事业与职业教育同时配合发展的前例。由于英德苏意诸国职业教育发展的情况,可得如下之结论:"即职业教育的发达,必须先有生产事业的发达,纵不然,也必须生产事业与之同时发展才行。前者如英,后者如德意诸国,可为明证"。反观我国则产业落后,旧式的农业既丝毫未加改良,新式的工业,更未积极的兴起。教育宗旨,政府当局,虽云一再地倡导实利教育与职业教育,但基于经费的枯竭,人才的缺乏,宗旨是宗旨,政策是政策,生产事业仍未能茂盛的发达,职业教育既找不到对象,于是职业教育的内容往往不能切实用;职业学校的学生,更是谋不到出路;毕业后,直接找不到生产机关,间接地走向普通政界、教书生涯等其他方面;而与其他方面准备的教育发生冲突,发生矛盾。似此生产事业不能与职业教育相配合,卒之用非所学,学非所用,社会上才难之叹与毕业即失业之呼声,也随之掀起。职业教育本以指导学生谋生的技能,予学者以职业之路,然其结果如是,难怪学者不愿意学,办者不愿意办,此其所以为大困难也。

至就师范学校方面言之,亦有相似的现象,师范生出路的漫无保障,及待遇的寒酸微薄,在足以使有志者丧气,有心者裹足,发展之困难此殆其主因也。

抗战与建国的双重使命中,干部人员,既不能不仰赖于职业与师范教育的大量供给;然其发展之困难,已概如上述,则谋所以解决之道,实为今日当务之急。作者不敏,愿陈管见于次:

(甲)实施计划发展职业学校办法——实业的发展,必须按各地产物的实际情况,将全国分成若干实业振兴区,切实按总理所定"必择地利之宜,必适时势之需,必求利润之大,必期时效之速"之原则,分别举办各类生产事业。然后,针对此项生产事业人才之需要,分别办理农工商各类职业学校,如此职业教育庶可与生产事业互相呼应,不致各不相谋,以解决职业学校学生之出路。关于分区发展各省职业与师范教育计划,教部已有具体规定,但愿此项计划用有效方式,切实施行,以期早日实现。

(乙)提高技术人员待遇——技术人员特制上之报酬,应比照公务人员薪俸提高若干成,舆论政令,亦应设法对技术人员予以精神上之鼓励,以示技术人员待遇之优厚,而收吸引优秀青年乐于从事之效,此关于解决职业教育发展之困难者。

（丙）保障师范学生出路——严定小学师资检定办法，限制小学师资务须师范学生担任，其任用与任期均由政府以法令切实保障之。

（丁）优定小学教师待遇标准——小学教师待遇标准，教部最近虽有具体规定，但所谓二倍或三倍个人生活费用办法，为吸引优秀青年乐于从事教育，严格言之，仍未妥当。盖倘使其他中等学校或职业学校之出路或优于此二倍或三倍个人生活费用之小学教员薪金，则仍未能罗致青年，乐此一途，故应另定标准；最好按其他中等学校或职业学校毕业学生待遇之平均数，更提高若干分之几，作为小学教师待遇标准。如此，则视学师范为无出息之观念，或可逐渐打破。

（戊）实行年功加俸及其代抚恤金养老金等优待办法——此项办法应切实规定，分令各县市遵行，并以省款切实补助之，此关于解决发展师范教育之困难者。

（巳）此外尚有为师范与职业学校所须共同注意者——即优待在学学生是也，优待也举，近今各级师范学校，类多施行。但膳宿学杂之外，应另定奖学金办法，以吸引并鼓励特别优秀青年前来就学。至于职业学校学生，除适用奖学金办法外，在提倡鼓励期内，不妨照师范学校待遇，豁免学膳宿杂各费，藉广来学；纵经费困难，此项办法，一时容或未能实行，亦当多设免费名额，尽量开放穷苦学生升学之路，而收推广职业教育之原旨。

上述解决办法，或为政府已在计划，或为正在筹谋，作者但予以补充，兼促关心职业与师范教育者之注意，卑之虽无甚高论，诚能一一实施，则于职业与师范教育的当前问题，不难迎刃而解。

（《城固青年》3/4 期）

第二节　李蒸等论西北高等教育

一、略谈西北文化建设

李　蒸

文化建设为一切建设之基本，文化建设之目的在于增进知识，培养人才，以促进社会生活，实现文明境界，各种事业非人才莫举，更非有丰富知识不能发生实效。文化就是人类所有精神的、物质的各种创造、各种成就的总和。文化建设工作包含教育与研究事业，文学与艺术的创作，及新闻与出版事业三大方面。大部分属于心理建设，而与伦理、社会、政治、经济各种建设都有重要关系的生活活动，所以我们说文化建设是一切建设的基本。

关于教育与研究事业之促进，我们认为在西北地区是基本建设中之基本。过去西北的教育太不发达，研究工作更未提倡，这是因为西北交通不便，生活比较困苦，不但外界人才不肯多来，而本地人才亦多外流，同时政府亦因利趁便发展东南及沿江沿海一带，所以西北不幸而落后，西北各省曾不断遭受天灾人祸，致使一般人民不能安居乐业，更无人从事天然富源的开发，所以形成一种偏枯的现象。抗战以来，东南华北各地人民逐渐迁移内地，来西北者日渐增多，自西南国际路线封锁之后，西北开发与建设之声浪益高。此诚千载一时之良机，今后教育与研究工作的推动，可大量进行。

教育事业的促进，可分质与量两方面，质的方面首先须注意师资训练，中小学师资的专业训练，应为西北文化建设之根本。小学师资的训练当由各省教育的计划设置中等师范学校办理，教育部亦已斟酌地方需要，设立国立师范学校，以补各省之不足。至于中等学校师资之培养，则由教育部设立之西北师范学院负责办理。所谓师资专业训练包含修习普通及专门学科、专业学科、教学实习及生活训练四方面。凡能胜任之教师，必须有丰富的常识，对于社会科学、自然科学、人生哲学及体育、艺术等均有基础学习。其在中等学校任教者，更须修习一种专门学术，如现时师院之分系研究，但以中学课程所需要者为主体。关于专业学科，大半为教育一类课程，如教育原理、教育心理、教学法、教育史、教育统计等，凡为教师者必须有深刻之了解，然后方能在专业精神与技术方面有所成就。教学实习在附属中小学之参观，见习与试教，此为预备教师之应有的训练，其用意与习医者之在医院，习工者之在工厂相同。至于师范生之生活训练，亦应与普通科学生有所不同，须有严格管理，养成守纪律、重秩序之习惯，及奉公守法之精神。此外关于师资训练方面质的改进，应注意各师范院校图书仪器设备之充实，与教材选择及编辑。在平时教学方面，应注意学生课业之督促，凡此有关教学方法与设备之运用，实为学校当局首应注意领导之事项。

教育上量的扩充亦为促进文化建设之要项，中国失学民众约占人口百分之八十，失学儿童亦占学龄儿童之多数。西北各省失学民众的比例数恐更大，非加速增设学校不可，比较简而易行的为扩充国民教育，增设中心小学，务以达到教育部规定标准，至少确保能有一校；其次为大量办理民众学校及应用社会教育方式，以求成人教育之补习。社会教育不拘一定形式,在短时期内能使多数民众受教,实为抗战期间最有效果的教育设施,在交通不便地区广大之西北,如能利用电化教育及巡回教导之方法,则在最短期内即可收到普及识字及公民教育之效。

西北各省为研究工作之丰富地区,因吾国固有文化发源于西北,从事考古学及史地方面之研究者能得到许多宝贵资料,自然科学方面亦以地下蕴藏甚富需要研究,农田、水利、矿产、畜牧等项均为西北一带重要研究对象,须由专家从速探讨,以开发研究工作与教育工作相辅而行。高等教育机关自应负一部分研究责任,独立设置的研究机关,如中央研究院、北平研究院等至少应在西北设立工作站以资倡导,西北地区亦应特设研究机关,如中英庚款会之科学教育馆之性质者,如能由中央各部会联合设立,更能收互助合作之效,研究工作需要高级技术与完善设备,能与国际学术机关合作收效益宏。

文学艺术创作关系人生精神上的发扬与高尚娱乐的提倡,亦为文化建设之重要部门。社会上流行的小说、戏剧、歌曲、诗词等均能影响风气,改进人生,至于艺术更能陶冶性情,增加审美观念,浓厚人生兴趣。西北各省流行的民间文学与通俗歌曲甚富有民族精神,各级学校西北学生亦多保有文学兴趣,而古代艺术作品之保存,尤有特殊之贡献,近年中央特别重视西北文物之发扬,与古物之保管。敦煌艺术研究所业经成立,此后艺术方面将有许多整理与发明,就此基础进行创作,文化建设当有长足之进展。

新闻及出版事业亦为促进文化建设之重要部门。战前,上海为全国新闻及出版事业之中心。其次为平津、南京。当时全国教育文化最发达的地方,也就是这些城市。战后,新闻及出版事业逐渐分散至内地各省,刺激了内地文化之发展。

西北各省出版事业比较更不发达。兰州只有两家日报,定期刊物为数寥寥,虽有几家印刷所,但其规模甚小。出版事业与文化促进有密切关系,今后西北各省应大量增设出版机关,此为最重要的文化建设工作之一。我们旅行欧美日本,每见早晨一般职工商人等乘地道车上班时皆手持报纸阅读,象征文化水准之高,令人欣羡。西北各省交通不便,地广人稀,过去教育又不发达,所以新闻及出版事业之发展,当更困难。虽然教育与出版事业互为因果,此二者必须相辅而行,然后文化建设之工作,方能有所成就。

西北各省今后文化建设之途径,应就上述三方面同时推进,但最重要者为人才之培植与延揽。由教育建设途径以培养人才自为根本之图,但短时期内难望有大量的成就,所以设法招致各地人才来西北工作,实为当务之急。西北各省当局及地方人士当早注意及此,惟招致人才来西北工作,不但应优厚其待遇,且应布置适当生活环境,使来西北者留住西北,在精神物质两方面均能安心工作,满意生活。否则,全国各地均在竞争人才之吸引,西北环境比较困苦,人才容易外流。

现当全国重视西北建设之际,一般人士多注意交通、工业、农田、水利、矿产、林牧等事业,而少谈一般文化之提高,此正如建筑高楼大厦而忽略基石之坚固者,其结果为表面的繁荣,而有随时倾覆之虞。西北地区当然需要经济建设,增加生产,开发富源,救济旱荒,而修筑铁路至兰州以通新疆,以沟通欧亚两洲,尤为建设之首要,但社会风气闭塞,教育水准低落,一切建设均不能顺利进行。西北过去在文化方面有良好基础,今后努力之方向在发扬固有,创造未来,愿我教育文化界同人勉力以赴。

(《西北学报》第 3 卷第 1 期,1944-01)

二、西北建设与青年

陈石珍[①]

……"建设就是我们革命的目的。我们革命,就要来建设一个三民主义的新国家,建设一个新国家,当然要从种种方面努力。"现在我们中国最严重的问题,就是在抗战的艰苦的过程中,如何才能建设一个新中国。要解决这个问题,至少有两个条件:其一为尽量开辟地利,其二为尽量利用人才。一般人都知道西北的地方地利未辟,人才不多,所以国家的资源缺乏,有时候不得不仰赖外力的接济,因此也可知道建设西北,实为国人当前的急迫任务。近年以来,注意建设西北的人渐渐多了,可是实行建设的人还是很少,这是什么原因呢?可以说青年对于西北建设还没有十分的热情,还未十分了解西北建设的重要,惟其如此,所以我现在把西北建设与青年这一个问题提出来讨论一下。

从历史上观察,我国有史时代,从黄帝算起到现在不下四五千年,西北一向占着重要的地位,因为我们古代的文明,是发源于黄河流域上流。流域所经过的青海、甘肃、宁夏、陕西等省,在我国历史上都占着重要的一页。青海的省会西宁,自汉唐以来,即为西陲重镇。甘肃的兰州、临夏、平凉、固原、泾川、天水等地,都是古时有名的城市,甘肃的敦煌石窟,藏有古西夏图籍及手写佛经,当时该地文化发达

---

① 陈石珍(1892—1981),江苏江阴人。1940 年 10 月至 1942 年 3 月任国立西北大学代理校长。

的情形,可以想见。宁夏是西夏故都,灵武在唐时很有名,安禄山之乱玄宗出走时,肃宗即是在灵武继位。陕西人才更盛,西京自古即为帝王之都,周秦汉唐均用为根据地以统一中原。汉中盆地,沃野千里,四塞险固,在历史上为用兵必争之地。至如新疆蒙古,为西北藩篱,历代均曾加以经营。元代英雄成吉思汗,崛起蒙古,用兵如神,当时版图至跨欧亚二洲,武功之盛,莫与伦比。

从地理上观察,西北地势高峻,人口稀疏,蕴藏矿物,至为丰富。例如铁矿在西北各省均有蕴藏,煤、油在甘肃、新疆、陕西各省都已发现油源,新疆的和田玉矿也很有名。其他如药材、皮货等,也是西北各省的重要出产。假如交通便利,物资必可多量开发,增加我国的富源。

国父实业计划中关于西北建设者有下列数端:一、移民西北。二、建设西北铁路系统包括蒙古、新疆与甘肃一部分的区域。三、建设高原铁路系统包括青海、新疆之一部分与甘肃。四、发展水利灌溉蒙古、新疆及西北一带。在国父草拟实业计划的时候,航空事业尚未十分发达,所以建设航空线的计划,尚未列入,今后如建设西北,应当加入航空建设一项。

总裁曾经说过"青年为革命之先锋队,为国家之新生命,举凡社会之进化,政治之改革,莫不有赖于青年之策动,以为其主力"。我们革命的目的,既是在建设三民主义的新国家,则诸凡建设的事项,青年应当肩负起来,当仁不让;尤其生长在西北的青年,在西北受教育的青年,应当以建设西北,为终身的工作。现在我们谈西北建设,可以说千头万绪,无论在交通建设方面,或在经济建设方面,或在社会建设方面,或在教育建设方面,总需要千千万万富有热情的青年,埋头去做建设的工作,去实现国父伟大的实业计划。

今日之大中国,大时代已经降临,我们一方面要外抗侵略,一方面要内固国本,青年在大时代的潮流中,再不能徘徊歧路,再不能颓丧悲观,或只求享乐;青年应当要坚定志向,共同团结,一致努力从事建设。我们要知道西北的地方很大,陕甘宁青新五省的面积,比德国本土要大 7 倍,比日寇本土要大 9 倍,比意国本土要大 11 倍,比英国本土要大 13 倍。德、日、意、英都是比较强的国家,可是他们本国的国土比我们西北各省要小得多了。德国因能国内建设得好,所以他的力量特别大,这次欧洲的战事,德吞奥吞捷亡波亡比亡荷败法侵南,军力之盛,为举世所震惊。虽然德国□武主义,与我们中国立国的精神不符,可是德国民族忍劳耐苦,果敢沉毅的精神,值得我们青年效法。德国自 1918 年停战后,军备被限制,殖民地被割让,还要赔偿巨额的赔款,可以说国势危殆已极,但是不到二十年功夫,因为德国青年埋头建设的结果,国势复振。在我们中国也有同样的故事,越王勾践败于吴国后,十年生聚,十年教训,也不过二十年工夫,卒将吴国灭亡。所以说我们要复兴国家,并不是一件十分困难的事,只要看青年如何坚定信仰,克服困难。站在学术或技术的岗位上为国家去努力。西北的建设问题,需待青年解决的很多,青年要抱定在西北建设的志愿。国父曾经昭示我们"人生应以服务为目的",又说"青年要立志做大事",希望青年能牢记这两句话。

(《城固青年》第 1 期)

三、论我国西北高等教育之建设

沈灌群

(一) 西北概述

我国幅员至广。自海通以来,强邻环伺,国步日以阽危,疆域日以削蹙,敌侨即强占我东北膏腴之地于先,复图侵我腹心,以覆灭我整个国家,奴役我整个民族;今此中日全面战争之绵亘五六年而未获已者,良有以也。瞻念往事,横逆之所以频频加于我者,实缘近百年来国人之勇于私斗,安于故常,祖宗贻我之大好河山不知珍惜,蕴储地下之无尽宝藏不知开发,遂致遭敌觊觎,坐受鱼肉。历史教训盖在在警惕吾人对于西北处女地带之芫积极开发,不容再令迟缓不前矣。

国人所称西北,其范围言人人殊,此属本国地理学分内事,吾人不欲置喙,今姑假定其范围包有陕西、甘肃、绥远、宁夏、青海、新疆六省。良以新疆远居西北边陲,青海、宁夏、甘肃据我全境西北,地阔人稀,开发西北之中坚地也。陕西区域,半属中原地带,然境内荒凉景象,不减甘肃,与介在陕北之绥远,同为经营西北之基础。盖内西北之根基既固,外西北之经营自易。此一广大地区,以政治区划论,虽仅包有六省,以言面积,则此六省区,共为 3 356 261 平方公里,约占全国总面积 30.29%;以言人口,六省区合计仅有 24 459 000 人,约占全国总人口 5.45%,与江苏全省人口 3 600 万人相较,尚差约 1 154 万人。以论人口密度,则西北六省,平均每平方公里仅有 7.29 人,以与江苏全省 10 万平方公里面积内每平方公里平均有 360 人之密度相比,疏密之势,奚啻沃壤。据专家计算全国人口密度,平均为每平方公里 40.45 人,亦超过西北六省几达 5.55 倍。兹将六省面积人口,表述如后:

西北六省面积、人口统计表

省别	面积（平方公里）	人口
陕西	200 000	10 000 000
甘肃	380 000	6 000 000
宁夏	202 451	978 000
青海	728 191	1 196 000
新疆	1 641 754	4 202 000
绥远	204 058	2 083 000
六省合计	3 356 261	24 459 000
全国总计	11 081 007	448 245 957

在此地广人稀之庞大区域内，山川郁苍，物产繁复，如以地质区分，实包有秦陇丘陵、塞外草原暨塔里木准噶尔盆地，有肥美之平原，可以垦殖；有广漠之草场，可专畜牧；更有无尽之宝藏，可供采掘。如此富源，实为我列祖列宗弥足珍贵之遗产。盖此占全国总面积几达1/3之广大土地，实系宜农宜牧之地带，尤系最适宜之工业区域。现代工业所最需要者，为煤、为铁、为五金、为石油。西北煤藏之富，最足惊人，仅在陕西省境之已经调查者，即占全国储量30%，仅次于山西，居全国之第二位（山西煤储量占52%），而甘青绥新诸省，亦均产煤。以言铁及金铜矿之在甘青新诸省者，储量亦多，据专家估计，仅甘肃祁连山一带，即有800万吨良质之铁矿；以言石油，复为西北著名宝藏，储量尤富。如此富厚矿藏，正合于现代工业之需要。吾人如能充分采掘此天然富源，以发展西北之重工业，中华民国富强之基，盖可由此奠定。他如棉毛诸产，可利以发展轻工业者，西北几亦无不有之，诚能相辅而行，亦可供应国人需要，而农牧事业之发展，最足以直接安人民生活，先天富厚之西北六省，其有助于中华民族之飞腾，世界蔚为举世中坚者，盖已不待辞费。故今日之言建设西北者，当从发展农牧建立工业入手，而此大量农工技术干部之作育，胥属高等教育分内事。故论建设西北高等教育，其应致全力于高等农业教育暨工业教育者，殆为至当不易之理。兹为讨论便利起见，请先阐述今此西北高等教育之现状及西北境内设置专科以上学校之目标。

（二）西北高等教育现状及其建设目标

抗战军事发生以前，数十年新教育事业所致力者，均位于沿海交通便利文化水准已有相当高度之省区，如北部之沈阳、北平、天津；如中部之上海、南京、杭州；如南部之厦门、广州、昆明。腹心地带高等教育设施之可称数者，仅武汉、长沙、重庆、成都诸地而已。抗战军兴，平津不守于先，京沪陷落于后，集中于文化首都北平之专科以上各校院,纷纷南迁;京沪武汉各校,亦多随中央政府之迁川而西上。其迁入西北各省者,亦有国立北平师范大学(改组为今之国立西北师范学院)、国立北平大学(改组为今之国立西北大学及国立西北农学院、国立西北医学院)及国立北洋工学院(改组为今之国立西北工学院)等数校院,又山西省立山西大学近亦由晋入秦。据三十年度第一学期统计,全国专科以上学校一百零九所中,设于陕西甘肃新疆诸省境内者,凡十四所。其中陕西一省,即有八所,甘肃五所,新疆一所,青海宁夏绥远诸省均一所而无之。以与今之四川一省设有公私立专科以上学校凡三十八所之多者,不逮远甚。而此设于西北诸省之专科以上学校院,又多集中于陕南汉水渭水之间,未能深入西北。最近国立西北师范学院之由城固西迁甘肃省会兰州,实为一重要合理之措施。兹将抗战以还西北诸省先后设立之专科以上学校,表述其所在地及所设院系科别如后,以为后文讨论之依据。

抗战以来西北专科以上学校所设院系科别

校名	设校地点	院系科别
国立西北大学	陕西城固	文学院:中文、外文(英、俄)、历史三系;理学院:数学、物理、化学、生物、地质地理气象等五系;法商学院:法律、政治、经济、商学等四系
国立西北工学院	陕西城固	土木、机械、电机、化工、矿冶、纺织、水利、航空、工业管理,研究所(矿冶学部),工程学术推广部等十系三部
国立西北农学院	陕西武功	农艺、植物病虫害、农业经济、森林、畜牧兽医、农业水利、农业化学等七系,农业经济专修科及研究所农田水利学部
国立西北医学院	陕西南郑	
陕西省立医学专科学校	陕西西安	
陕西省立商业专科学校	陕西西安	工商管理、会计统计、行政管理
私立西北医学专科学校		
山西省立山西大学	陕西宜川	文学院:历史、外文二系;法学院:法律、政治经济二系;工学院:土木、机电二系;医学专修课
国立西北师范学院	陕西城固、甘肃兰州	国文、英语、史地、数学、理化、教育、体育、家政、公训、博物、初级部、劳作专修科、师范研究所等十系一部,一科一所
国立西北技艺专科学校	甘肃兰州	农业经济、森林、畜牧兽医、农学、农田水利等五科,
国立西北医学专科学校	甘肃兰州	在筹备中
甘肃省立甘肃学院	甘肃兰州	法律、政治经济二系,医学专修科,银行会计专修科

续表

校名	设校地点	院系科别
新疆省立新疆学院	新疆迪化	法律、政治、经济三系，暨语文专修科
国立敦煌艺术学院	甘肃敦煌	在筹备中

上表所举十四校院，合科系及研究所数比较：以国立西北师范学院最多，国立西北大学次之，工农二学院又次之。就各校院学生数比较，则以西北大学最多，该校三十年度在籍学生几达千人；工学院次之，为847人；师范学院又次之，为596人；农学院又次之，为525人。若甘肃学院，若新疆学院，其学生数最少，各仅六七十人耳。兹将西北六省现有之专科以上学校学生，因其科系辅类，表述于后，以资比较，并觇其在全国所占地位焉。

总计文理法商农式比较表

学科类别	学生级别	大学生 西北六省	大学生 全国	专科生 西北六省	专科生 全国	专修科生 西北六省	专修科生 全国	总计 西北六省	总计 全国
文	学生数	234	4 795	—	1 164	—	192	234	6 151
文	百分比	4.88	100	—	—	—	—	3.8	100
理	学生数	241	5 698	—	197	—	188	241	6 083
理	百分比	4.23	100	—	—	—	—	3.96	100
法	学生数	635	11 607	—	—	—	—	635	11 607
法	百分比	5.47	100	—	—	—	—	5.47	100
商	学生数	131	5 146	128	846	—	585	259	6 577
商	百分比	2.55	100	15.13	100	—	—	3.94	100
农	学生数	525	3 612	254	605	98	328	877	4 545
农	百分比	11.45	100	41.98	100	2.989	100	19.29	100
工	学生数	897	10 913	—	1 492	—	189	897	12 594
工	百分比	7.1	100	—	—	—	—	7.12	100
医药	学生数	201	3 989	255	552	41	67	497	4 608
医药	百分比	5.04	100	46.19	100	65.19	100	10.79	100
师范	学生数	596	2 778	—	150	36	449	632	3 377
师范	百分比	21.45	100	—	—	8.02	100	18.71	100
教育	学生数	5	1 898	—	248	—	194	5	2 340
教育	百分比	0.26	100	—	—	—	—	0.21	100
总计	学生数	3 465	50 436	631	5 254	175	2 142	4 277	57 882
总计	百分比	6.87	100	12.01	100	8.17	100	7.39	100

观于上表所述，可见民国三十年度全国 57 882 个专科以上学校学生中，就学于西北六省者仅 4 277 人，适占 7.39%。假定此四千余学生均属西北六省省籍，则在西北每 784.7 平方公里内，始得专科以上学校学生一人，以与全国平均每 191.4 平方公里中即有专科以上学校学生一人之情形相较，尚差三倍；如与河北江浙诸省比较，所差更大。此系历来地广人稀教育落后所致，初不足怪；但如衡诸建设西北之客观需要，殊有难以供应之感。再就专攻科别论，则西北各校之 4 277 中，工科学生最多，计 897 人，仅当全国工科学生总数 7.12%；农科学生次之，计 877 人，当全国农科学生总数 19.29%；法科师范科学生又次之，各约 630 余人，前者当全国总数 5.47%，后者当全国总数 18.71%；医药科又次之，计为 497 人，当全国医药科学生总数 10.79%；文理二科最少，各约 230 余人，各当全国总数 4% 而弱。吾人分析上表，固不当即据以衡量今后西北高等教育设施之重心，但如文理科学生减少，实有酌量增加其比额之必要。良以建国大业之完成，专家固系必要，通人尤不可少。又如工农诸科学生数，就西北六省内各校各科学生数比较，似远较他科为多，然实科人才最为建设事业所迫切需要，而应配合西北建设干部所需之实际数量以谋作育之计；又如师范医药及法科人才，亦莫不如此。针对实况以为补偏救弊之计，盖为当务之急。

西北各省资源之丰厚，前已约略言之。国人诚能出全力为谋建设，前途经难限置。首兴水利以使可溉之地获得可引之水，并因科学技术之精进，水电工业之创设，实施电气灌溉，则农产可以增益，水运可期改善。水利兴而后可语足食，水运便而后教化易施，故水利工程暨农田水利人才之培养，当为要图之一。西北为林牧宝库，我国此半壁河山，既属辽阔之畜牧区域，其于足衣足食，宜有重大之贡献。西北高原之崇山峻岭如祁连山脉一带，长林茂草，久为著名林区，苟造伐有道，则材森木不可胜用。故在西北各区，于兴复农业外，尤当致力于林垦牧垦诸事业，从而农艺森林畜牧人才之作育，尤当主致焉。基于西北农牧事业之倡导，经营棉作与精制皮毛，今后皆当有大量之发展，应运而生之轻工业如棉纺毛纺工业，亦当有远大之前途。论者谓我国陆地兰州有成为最大羊毛业中心之希望，"天时不如地利，地利不如人和"，制革纺织技术人才之作育，有助于此亚洲最大羊毛业中心之建置者至巨。西北矿产之富，前已述及，盖山间地层？往而非重工业命脉所系之煤铁石油诸宝，徒以人谋不减，匪特此蕴藏地下之珍宝未能大量开发，即初步调查勘测工作，亦属事方经始，所知过少。故论西北建设，地理地质之调查研究及勘测工作，最为要图，从而地质学人及矿冶工程专家之作育，实应齐头并进，而不可偏废焉。在发展农工开掘资源之同时,尚有不容忍视者,是即商业之提倡。西北甘宁青诸省,地居黄河上流,在商业上俨然自成系统,而以兰州为其最大焦点,出其天然资源及工业成品,以内与国外各地贸迁有无,外与欧亚诸国经营国际贸易,故商业及管理人才之训练,又属急务。系因人口之加多与工商业之发展,医药卫生人才,须谋所以供应之计。西北僻壤,民智未开,教育文化水准,尚有待于积极提高,是则师资之训练,亦属刻不容缓。故言西北高等教育建设目标不外二端:其一为倡导学术研究,其又一则为配合建设需要。具体言之,则为"文科、实科同等重视,通材专家同时作育"是矣。据此原则,请进论今后西北高等教育建设之计。

(三)大学校园之建设

大学以"研究高深学术,养成专门人才"为职志,大学教育之成败得失,不仅系乎民族文化之兴替,尤与国家富强之计息息相关。我国自清季兴学以来,公私立大学之设置,颇不在少,然其所在地点,既如上文所述,集中少数都市,西北广大地区大学校院之寥若晨星,正与本区之荒凉景象,两相照应。而此筚路蓝缕之西北区域,不仅庞大丰富可资学者穷研精讨之问题繁多,数千年来中华民族惨淡经营之历史陈迹,尤在在为学术方面不可多得之珍贵资料。广宇自荒,已堪惋惜,采掘考古诸事,任令外人恣意研讨,尤为本国学人之羞,故大学校院之计划设置,使就所在区域各建为学术文化之中心,当为计之得者。兼之西北各省人口密度既如上文称述之情况,吾人如择定适宜环境建为学府,广招国内学子研讨其间,弦歌既盛,人口随以增益,欧西常有荒漠地带因学府之建置,遂假而蔚为大学城者,此于西北人口之调节,亦系一助。如因大学设备不易,学生招致困难,教授延聘无由,似可由中央教育行政当局就战区迁来后方之国立大学校院中,指定三数具备相当规模,而又密集于一二省区内。其迁建后之基础尚未确立者,给以充分经费暨各种便利,使再集体迁至西北适当地点,以解决就西北新建大学校院时设备及师资方面之恐慌。至于学生来源,亦可由中央限制西南各省内专科以上学校之招生名额,奖励男女投考西北各校院,录取以后,并给以旅费使赴西北入学。他日毕业复免其就西北各省为国家服务,乃至结婚生子,并定养于服务所在地,是则学生来源可畅,移民实边之计亦可因以推动矣。

关于西北区内大学校院之建立,自应本于"重质不重量"之原则,而其分布地点,尤应遍及各省,不可局于一隅。就国家当前之物力人力而论,尚难在西北六省普设大学院校,故□业已设在陕西省境之国立西北大学当为进一步扩大与充实之计外,甘肃新疆二省,原均由省款设有独立学院一所,前者为甘肃学院,设在省会兰州,计有二系一专修科,学生五十余人;后者为新疆学院,设在省会迪化,计有三系一专修科,学生不满七十人。两院规模之小,盖可概见;而其科系性质又多属文类,理工农等实类科□,固均未尝计及。故当今日如在甘新二省建立大学,似可就二院之基础,增加文、理、工、农、医药诸院系,俾成西部中国之文化轴心,而以陆邻兰州统摄全局,良以兰州居全国中心(全国之几何中心在凉州,而兰州为最接近此一中心之大都市)。实业计划中东方大港塔城线之大铁道,全长约一千英里,而兰州适居其中程,利此地理优势,以建立最高学府,谁曰不宜。以言新疆,辖地之广为全国最大省区,在此辽阔地区内不有伟大充实之学府,安足以言乐育菁莪? 更又何以语夫开发边疆? 故论西北高等教育,似应就陪都西京,陆都兰州暨西陲重镇之迪化,各有院系完整、设备充实、人才荟萃之大学学府一所,以研究高深学术,养成建设西北所需之通人与专家。

以言独立学院之设置,西北现已设有之国立农、工、医三学院,当续为扩展与充实之计,而其设置地点,似仍有斟酌余地。就现状言,国立西北农学院设在武功,国立西北工学院设在城固,国立西北医学院设在南郑,三地均在陕西,而以农学院之在武功最为适当,城固南郑相距最近。盖武功适在陇海线上,地当西京之西,处泾渭之间,渭水所经为陇南财富之区及汉中繁富之境,而为陕西甘盆地膏腴地带,麦、棉、麻、蓝诸农作均适宜;陕西土质轻松天气干燥,栽植美棉,最为相宜,而长安渭南所栽美棉织维细长而有光泽,称为上品。陕西全省合关中棉区、汉中棉区、榆林棉区计算,面积达成 1 401 184 亩(93 412.27 公顷),年产棉化 2 513 614 担(约 12 568 万公斤);长安之麻品质最优:淡黄光泽,适于织布之用,至于安康镇安延长延川绥德诸县滨流之地,麻产均富,全省产麻总额 31 300 余担(约 156 万公斤)。陕甘盆地均属小麦带,陕西小麦品质优良,仅渭河流域小麦产区,面积达 24 000 方里,玉蜀黍产量 92 万余石(约 4 600 万公斤),面积 1 246 000 亩(83 066.67 公顷),向以余粟接济甘肃,而渭北之蓝草可供染料,兼可与小麦为适宜之输种。至于果树园艺,陕甘均多可称,渭南之桃、富平之柿、邠县之梨、大荔之瓜、安邑之枣、南郑之橘柚枇杷、及甘肃之瓜果桃李,随处皆有,其有待于技术上之讲究,品质上之改良者,当不在少。至如各县官荒,陕西全境达 900 余公顷,渭河沿岸荒滩复约 1 500 余公顷,甘肃荒地亦多,而未垦山地约居半数。甘肃熟地,据官册所载达 2500 余万亩(166.67 万公顷),然十之九为旱田,年仅一熟,至于高原硗薄之田,仅年始能一种,凡此垦荒之计及农田水利农业工程之基本要图,固均有赖于农学院之辅导研究并培植人才以指导此占本区十之八九的吃苦耐劳之农民。至秦、陇丘原之牧畜，在陕西多马牛羊骡，在甘肃富牛羊骆驼，而平凉固原之间，最适于军马之养成，是则畜牧兽医之学，属农学院责无旁贷之研究改进工作。故设于武功之国立西北农学院所负西北农业改进之责任，甚为艰巨，而应就其现有规模，力为充实与扩展之计。

工业教育重心之宜置于矿产丰饶或可能发展的工业地带，盖为至当不易之理。今此国立西北工学院设于陕西城固，地当汉水流域，矿藏相当丰富，石油、煤铁、铜、银、金沙诸矿均有相当储量，纺织制革诸业亦有相当发达，造纸工业并有可观，据该院既有规模，以为充实发展之图，当无不可。又设在南郑之国立西北医学院，密迩城固，如可移设甘肃东境陇海路上之天水，或可蔚成西北医学教育之核心。已迁兰州之国立西北师范学院，地点适中，既有规模，国内各师范学院中，可称首屈一指，如能继续予以充实及发展，对于西北中等教育之改进，贡献必多也。

（四）专科学校之建设

专科学校之使命，在于"教授应用科学，养成技术人才"。在建国大业中，如以大学毕业生负部分领导主持之责，专科学校毕业生实为企业上之技术干部，建设过程中所需此辈干部最多，高等教育方面，实应大量设置各类型专科学校以应建设之需。夷考事实，则过去教育上之发展，往往有头重脚轻之感，大学校院多而专科校数少，大学生多而专科生少，据上文所列数字，三十年度全国专科学校学生仅当大学生数 9.08%，西北六省之专科学生又仅当全国 5 254 个专科学生之 12.01%。故论西北高等教育之建设，除如上述，致力于三大学科独立学院之设置及质量上之改进外，应以大量经费，就西北各适当地点，设置专科学校，而兹所谓适当地点者，盖应农牧工矿事业开展上必要之配合而言，按照当前资源分布及他日产业方面可能发展之形势而论，在西北六省内，盖可建立合农工诸科于一校之技艺专科学校数所，其校址似以陕西省之肤施，甘肃省之武威酒泉，绥远省之包头，宁夏省之银川，青海省之西宁，及新疆省之吐鲁番等处为适当。兹请略陈其理由及内容如次。

绥远省当处草原之西部，今日如言□边，绥省最占形胜，幅员之阔，既如前述，沃野千里，尤属脍炙人口，大抵北境宜牧而南境宜农，河套平原之经济价值，自古称道于今。境内矿产之已发现者亦有数种，经地质学家翁文灏氏估计，察素齐北山煤田内仅珠儿沟、大西沟及万家沟等三沟煤田所有无烟煤储量即有 65 000 万吨，去包头之东约百里之五当沟所有有烟煤储量，则有大铁矿床，估计矿量约达

130 000 万吨，他如煨炭、石墨、石棉、水晶、锡、□、□之属，亦均丰富，故如就平绥铁道重镇之包头，设立技艺专科学校一所，以训练农牧、矿冶、化工、水利及商业人才，既得因地施教之便，复受建教合作之效。

宁夏省为南北高中部低之盆地，农田均均，赖河流之雪水以代灌溉，有塞上天府之称。省内地层土质，较后套尤为肥美，汉唐盛世，引水溉田，大获其利，宋、元、明、清以还，代有经营，所垦地亩，达 21 733 公顷，除历经荒芜核减不计外，□此宁夏、宁朔、平罗三县垦殖之地亩，仅 6 534 公顷，其荒芜者仅为 15 199 公顷，盖由河渠淤成，不事疏浚，水流不到，以至废弃；他如金积、□武二县秦渠、汉渠灌溉之地亩，在昔以 2 000 余公顷，今只浇田数百顷而已。故今日急务，在建设方面当亟于垦殖及水利诸事，而教育方面，亦当致力于此类人才之培养，大抵宁省物产，东南部农产富饶，产物以小麦最多，米、大麦、小米次之，富庶过于河套；西北部全为游牧之区，盛产牛、马、羊、骆驼等，药材则以甘草为主，枸杞子次之，皮货中之滩皮，驰名全国，为本省特产。根据产业现状，如从教育方面致力，当可兴办技艺专科学校一所于省会宁夏，以训练农艺、畜牧、兽医、化工（包括制革、制□）、毛纺织、制药及农田水利诸科。

青海高原居我国全境之中心，形似秋叶，颇有高屋建瓴之势。就全境言，东北宜垦，西南宜牧，近山之地，可兴森林之业。大概言之，全省可耕而未开之田亩，当在 600 万公顷，省境西南草木畅茂，实为吾国最良牧场，如善因势利导，必可成为工业原料供给之区。而青海山麓天然森林之繁，不亚于我国东北，森林既茂，寄生之野兽遂多，如野马、野牛、黄羊等无不有之。至于药品之出产，尤为丰富，如犀黄、鹿茸、麝香、人参等上产，驰名全国；牲畜方面，据调查青海全省年产马 12 万余匹，牛 2 万余头，羊 220 余万只，青海羊毛，集于西宁，西宁毛每年出口 10 万担（500 万公斤），兽皮 1 000 万元，此项羊毛织维富有光泽，品质为全国之冠；青海草地之马俗称"西口马"，高大雄骏，□牛毛可织布，力能负重。矿产方面，如青□年产 200 万公斤，金银年产各 1 万英两，铅锡铜煤，出产均多，硝及硫磺，亦颇不少；矿产储量丰富，久为外人所垂涎，以调查勘测不力，至今尚未能群其底蕴，此一大原料场，至今工业尚无可称，货弃于地，至堪痛惜。中心能开发此处女地带以经营农牧、垦殖、毛织、制革、制药及其他工业，对于国本民力之增厚，几于不可限量。故作者主张，当此建设西北之初，□在青海省之西宁，建立技艺专科学校一所，药学专科学校一所，以分别训练开发青海所需之技术干部。

新疆高原居吾国西北边陲，系出昆仑山脉与天山山脉环抱而成，平均高度为

4 000 尺,面积广漠,可耕之田多在河干,自有清康熙间屯垦以还,土地之已垦辟者甚广,据民国七年政府报告,新疆现有耕地为 120 万 2 000 饷(56 万公顷,每饷七亩),而可垦之荒地有 253 万 9 000 余亩(16.93 公顷)。地旷人稀,沃田多用作牧场,即有用作耕田者,亦采用□纥旧法,不知改良生产技术,故农产品粗劣,产量亦微,而其可耕之地,大抵多在天山南路,盛产小麦、玉蜀黍、稻米、野菜、棉花、胡麻、高粱、大豆之属。牲畜方面,以草原繁衍,河流错出,牛马驼羊,均甚蕃息,塔坡一带哈萨克人之马,即历史上著名之"天马",多输出俄国,□□泰羊之出产最多,每年输出额达 5 万头,伊犁河流域之羊产,约 15 000 头,由塔城输出之骆驼毛,年产 15 万公斤;野兽皮之输出尤多。又伊犁河、乌鲁木齐河、额尔齐斯河鱼产均富,乌鲁木齐河之渔业尤盛。以言矿产,北疆为产金名区,阿尔金矿为世界产金区之一,塔城哈图山金矿,储量亦多;南疆产金之区,借均用古法开采。天山南北,石油储量均富,煤、铁、铅亦均有出产。北疆之□,产量极多,徒以交通阻断,于□利无所经营;此外石炭储量亦多,但正式开采者甚少。又南疆产玉甚多,名驰古今中外。凡此富源,如拟充分采掘利用,均有待于专门技术人才之培养。故除上文曾主张就迪化建立国立大学一所以训练文、法、理、工、农、商、医药诸种人才外,目前宜即就天山南路吐鲁番等地择一适当地点,建立技艺专科学校一所中,其范围当较前述各校为大,使任训练开发新疆干部之责。故如农业、畜牧、兽医、水利、制革、纺织、矿冶、以至电机、机械、化工、土木诸科,几乎均应设置,若以招生不易,国家未始不可以类似强迫兵役之方式,招致各省青年前往国家生命线所系之西陲就读也。

关于专科学校之设置,秦陇二省,尚宜设置多所。请先言陕西:依上文所述,既在陪都西京设立大学,武功、城固复设有工学院及农学院各一所,均设在泾渭汉水及黄河流域,故如计划本省专科以上学校之设置,似尚有设立专科学校一所于陕北之必要。陕北各地,石油储量甚富,其油区北迄葭县、米脂,南达宜君、同官,西抵安塞,东至黄河,长 350 余公里,宽 150 余公里,现在油苗存在之地,有 35 处之多,主要产油之地,则在延长、肤施一带。又榆林、横山、肤施等地,产煤亦多。陕北□滩,在榆林、绥德、米脂、蒲城、富平等地,产量甚多;神木之碱,年产 8 600 余吨;白河、宜川所产硫磺,年出 140 余吨。凡此丰富而珍贵之矿藏,均可资为工业上重要原料。似宜以肤施为中心,设立技艺专科学校,使训练矿冶、化工、纺织、陶业等科技人才,以为发展此一地区工矿事业之需。甘肃省内所藏煤油矿产皆富,与陕西省相同并宜建为大工业区;省境南部宜农,北部一带,则牧农兼收,武威、酒泉诸地,畜牧盛富,羊毛、牛皮、驼绒诸物,年产均多,而平凉、固原之间,复宜于军马之养成,前已述及;玉门、酒泉、敦煌一带石油藏量尤富,全省储煤前则约1 000兆吨。从此简略叙述,可以概见甘肃省如获正常培育,必成农牧工矿诸业之中心,而此项人才之造就,除由大学校之农工诸学院负责外,似可就武威、酒泉两地,各设技艺专科学校一所,从事训练。至于偏在省境西部之敦煌,复可因其历史文物之遗绪,建立艺术学院或艺术专科学校一所,以为专门研究之计。

(五)研究院所之设置

数十年来,高等教育事业中,以研究院所发展最为迟缓,国内独立研究院之卓著成绩者,仅北平研究院及中央研究院而已,前者设于文化首都北平,后者设于政治首都南京,抗战以来,均已南迁。在西北境内可资专家潜心研究之资料及问题最多,而规模完备之研究院,则尚阙如。有之,亦仅国立西北农学院之农科研究所农田水利学部,国立西北工学院之工科研究所矿冶学部,国立西北医学院之医科研究所,及国立西北师范学院之师范科研究所等数处而已。故论建设西北高等教育,宜在兰州筹设国立西北研究院,其规模当与北平、中央二研究院相埒,其研究中心,则当以西北全般问题为其对象,至于拟在西北设立之大学校院,均宜充其经费,使积极筹设研究院所,广罗学术专家主持其间,用为发扬西北学术文化之计。

(六)结论

西北诸省为中华民族发祥之地,秦、陇丘原之上,先民曾发挥其优越智慧,建为光辉灿烂之伟业。嗣以时移势迁,始形衰落,然实藏千万,至今有待国人开展,边势环境,初未因子孙之不肖而遂转变。际此忧思之世,国家民族存亡绝续之数,其间不能容□,诚能急起直追,则祖宗荣誉可由此而发扬光大,西北荒漠地区,可恢复汉唐盛世之旧貌。惟建设大计系于人才之培育,□而西北高等教育之建设,乃为民族兴衰国家隆污之所系,否则侈言建设,亦仅相当于海市蜃楼已耳。至于建设西北高等教育之要图,实当因地利以建置校院,视需要以造就人才。如以学生无来源,则密集西南各省之青年,可劝导乃至强迫其就学西北,遗在战区之青年,可招致并资遣其就学西北。"建教合作""文实并重"实为今兹言西北高等教育建设者所当遵奉之金科玉律也,谫陋之见,尚祈国人指政焉。

(《高等教育季刊》1942年2卷2期)

四、西北最高学府的风光

刘志聪

随着战事的扩大,战区各专科以上学校,为避免不必要的牺牲,并使学生得以安心上课起见,均纷纷迁移后方或其他安全地带,平津京沪的学校,有的向西北迁移,有的向西南迁移,有的向香港迁移,有的向租界内迁移,在战区继续上课者占极少数,就最近统计后方显然有三个大学区,第一是南郑区,第二是昆明区,第三是四川区。这三个地方中的学校比较任何地方为多,俨然是中华民族文化的三大堡垒。西北文化堡垒的发生和发展是这样的:"建设西北"的口号,早经国人提出,直到抗战发生,平津不守,房舍播迁,国人眼光始渐向西北转移,西北遂成了民族复兴的根据地,西北各院校也就在"建设西北""完成国防根据地"这个要求下设立起来。

抗战以后,首先在西北诞生的最高学府是西安临时大学,系由平津迁到西安的师范大学、北平大学、北洋工学院和焦作工学院等合组而成的,二十七年三月因河防吃紧,临大奉令迁至陕南,易名为国立西北联合大学。同年七月奉部令将北洋工学院、平大工学院、焦作工学院和东北大学工学院合并设立西北工学院,将平大农学院与西北农林专科学校合并设立西北农学院。至二十八年暑假,当局为确立西北高等教育之基础计,又将西北联合大学内之师范学院与医学院,改设独立学院,名国立西北师范学院、国立西北医学院,将联大仅存之文学院、理学院与法商学院改组为国立西北大学。

西北大学、西北工学院、西北师范学院,都设在城固,西北医学院设在南郑,相距咫尺,彼此联络很密切,惟有西北农学院独设在武功。提起汉中的名儿谁都知道的,汉中富有历史意义,境内有汉水流入其中,汉水源出宁羌县北嶓冢山,流经地域甚广。抗战军兴后,该地益形重要,握着西北西南交通之枢纽,成了民族复兴的根据地。

城固位于秦岭巴山之间,汉江清水,纵横交错,相传当年诸葛亮的总兵站,就设在城固,气候温和,水利发达,盛产橘子、枇杷,大有南方的风味,没有西北的一点气息。城固名胜古迹很多,值得称述者有凿空西北的张骞墓,已经由西大考古室证实了。城北三十里有唐公昉碑一石,为我国仅存的珍贵汉碑。还有张骞使西域与胡妻及堂邑父回来后所筑的胡城;虞舜所居的妫汭;湑水河侧的汉王城;白云山上的张良辟谷处；武侯屯兵拒魏的赤土坡；城北一百里有"通关势"，高百余丈，旧有城方五里，沟堑三重，汉高祖北定三秦，萧相国独守汉中，欲修北道以通关中，故名通关势。

（《西北学报》第 1 期）

五、建设大西北首在研究西北

王雷鸣

在战时，"西北"成了一个极响亮与稔闻的名词，如："开发西北""建设西北""固守西北"及"繁荣西北"等等，不一而足。所以关于西北文化部门产业部门以及交通部门的建设与改进的谠言宏论，也就到处琳璃，美不胜收了。

西北，这是中华民族的发祥地，许多的中国文化都是从这个摇篮里发轫或滋荣起来的。但是，随着新文化区域的拓展及政治中心的转移，这个曾经孕育过灿烂文物的摇篮便渐渐地被后人忘弃了。

宋以后，"西北"便开始为人忽略，宋明的外患多是从北方或东北方来的，西北益不为政府所重视。直到清朝末叶，俄国的势力从中国整个的北疆（包括东北西北）侵入，朝野人士才开始注视了西北问题，曾国藩、左宗棠、曾国荃、张之洞、曾纪泽、薛福成等先后都感觉到西北的重要性。因为他们有了新的地理的常识，并相当地理解了世界的大势。他们觉得"诸夷环伺，鹰瞵虎视"，所以对于"路迢民稀，疆事堪虑"的西北异常关切。不过那时外患纷至，朝廷腐败，所以西北问题便也搁浅。

民国成立之初，西北还停滞在封建的状态，中原军阀角逐，殊无宁日，社会人士既忽略了西北，政府又"难得无事"，总理目击心伤，焦灼不已。他觉得西北的重要性，不亚东南，所以作了整理西北的具体的缜密的策划，在建国大纲及实业计划里已反映出来总理对西北的重视。

十七年北伐成功之后，政府即着手开展西北的建设工作，遣西北科学调查团、西北产业调查团，及西北学术调查团等，及"九一八"难作，社会人士才因那重大的刺激而警觉着西北的重要性，对建设西北作了普遍的呼吁。

抗战军兴以来，中央更具体地积极地展开了西北的建设工作，现在西北已经负起支持抗建大业的巨任，而成了中华民族复兴的堡垒。在目前，几百万的英勇将士在广大的战场上筑起了雄伟的血肉的屏障，壁垒，来掩护大西北的建设工作，政府在百政纷繁的时会,还努力于大西北的整个发展;领袖日理万机,但还殷切地注念着西北,西北的建设事业是千头万绪的,每个角落,每个工作部门都需要开辟与充实。

在目前,关于使西北赶上时代的口号,我们已听到很多,现在的问题是怎样使这些口号加紧地实现,与如何使这些工作积极地扩大。

西北上需要做的事情太多了,也太庞大了,这需要动员广大的人力,与财力、物力。对于这些艰苦重大的工作,我们应该积极地从研究西北着手。如谈到西北的国防和交通,我们便需要研究西北的物产,山川地理形势;谈到开发西北,我们便需要研究西北矿产的蕴藏,森林的散布,以及土壤的组成,再对于西北的气象,西北的农作物的物质统统作深刻的研究,方可着手发展西北的产业;如谈到提倡与改良西北的牧畜,则须对西北畜种,畜疫以及草种土质等作一番研究;如谈到改良西北的社会,则非研究西北的农村及市镇的风俗习惯及生活情形不可。此外关于西北政治教育的改进,须研究西北的宗教问题及了解西北文化进步的情形。

研究西北是我们建设西北的里程碑。它虽则不是我们的目标,但我们必须对于这个里程碑有正确的估计与建立。这样才可保证我们目标的正确完成。

我们不要不合要求的号召与盲目的动作,我们要分别对建设西北的千头万绪的事业,作一番精湛的研究与了解,配合着政府建设西北的伟大计划,发扬光大我们民族的摇篮。

(《西北学报》第 1 期)

第三节　李建勋①等论教育行政

一、师道论

李建勋

（一）师之重要

无论古今中外，师，是看得非常重要的。就中国论，在科举时代，有"天地君亲师"一说，天地亲主养，君司管卫，师掌教，一般人看得至高无上。闻南方诸省，各家多有"天地君亲师"之牌位，推崇之深，可以想见。

近时教育虽收归国有，而实行国家教育政策，及训练所需之公民，仍惟教师是赖。若考诸外国，教权无论掌自教会或国家，目的无论在读《圣经》或作公民，教师地位之重要，则为有识者所公认。观普之胜法，日之胜俄，他们不归功于参加战争的英勇的官兵，反归功于小学教师，可了然矣。

（二）师之困难

师，既是看得这般重要，是否人人都可以做教师。孟子云："人之患，在好为人师。"东汉郭林宗言："经师易得，人师难求。"一则恐其自足，学问不能进修；一则视人格较学问为尤重。盖以师生关系，如影随形，师有丝毫的错误，许多后生都随之错误，小则牺牲青年前途，大则影响国家社会。必学问与道德兼备，始可以为师也。

中国除孔、孟、程、朱、陆、王外，合乎理想师资之条件者，殊不多觏。即就西洋论，对于师资的培养已有二百余年之历史，然考其训练目的及方针，虽屡有改进，但仍不无缺点，师资之难，于此可见矣。

（三）师之条件

师之困难，既如上述，而师之条件，可分述之如下：

---

① 李建勋（1884—1976），河北清丰人。1908年毕业于北洋大学（今天津大学）师范班；1921.10—1922.11任北京高师（今北京师范大学前身）校长；中国教育行政研究的拓荒者。1937年起历任西安临大、西北联大、西北师院教育系教授兼系主任。

1. 健全人格

人格二字,含义至广,何为健全,其说不一。吾之所谓健全人格,则重视以下三点:

第一,要有儒家的气节。这种气节,存乎心则为浩然之气。孟子曰:"其为气也,至大至刚,以直养而无害,则塞于天地之间。"又曰:"其为气也,配义与道,无时馁也。"发于事则为富贵不能淫、贫贱不能移、威武不能屈。教师为社会之先知先觉者,必须具有此气节,始能养成社会成仁取义之习尚。

第二,要有国家思想、民族意识。人不能离群而独立,群之组织,以国家民族为最有力,教师负有维护国家生存,促进民族文化之使命,若无国家思想、民族意识,自然不能称职。

第三,要有健强体格。教师为一种艰苦事业,而且责任重大,如身体不强健,则内不足胜职业之繁剧,外未能御敌国之侵侮,不但事业难成,亦无以作学生表率。

2. 职业道德

社会职业,种类虽多,凡能自力存在而日趋发展者,除知识技能外,必有其共同遵守道德以维护其间,教师何独不然。惜吾国对此尚少注意,遂致师道凌夷,为世人所诟病。兹将美国全国教育联合会教师服务道德规程,择其重要者,介绍于下,以资参考。

第一,教师与学生和社会的关系

A. 学校不应作为宗教的或私人的宣传处所,教师固应享受其公民一分子的一切权利,但他对于各种足以减低其教师地位的争端,应当避免。

B. 教师不应利用其教育业务来参与政治的活动,图谋个人的利益,或作其他各种自私自利的宣传。

第二,教师和业务的关系

A. 教师的私人生活,应表示教育的尊严。

B. 教师不应当利用报纸的宣传及其他不合正当职业行为的方法,来图谋学校或个人的利益,并须避免对于继任或前任者的讥讽,或批评。

第三,教师和同事的关系

A. 除为学校福利计,向学校当局正式陈述意见外,教师须避免对于其他教师的不良批评,但是有关学校福利的事件,如不向有关的负责当局报告,这也是一种违背职业道德的行为。

B. 教育行政当局和教师应保持合作的态度,这种合作,应建立在彼此同情的基础上。教师应遵守行政当局的领导权,而行政当局也应当承认教师的自我发表权。

教师和教育行政人员与其部属处理公务时,也应保持一种职业上的谦和。

C. 一种契约既经签订,在双方未曾同意解约前,双方应忠诚的遵守不渝,如遇意外事件发生,双方对于这种契约,应加详细的考虑。

3. 专业精神欲发挥此种精神,须具备以下三事:

A. 敬业:对于教育要有崇高的信仰。在此抗战建国期间,教育负有重大使命,为教师的应当负起这个舍我其谁的责任,进行抗战建国的工作。

B. 勤业:勤业就是对于所学,始终不懈努力求进步的意思。盖以学术日新月异,求学如逆水行舟,不进则退。夏禹之惜寸阴,商汤之勤昧爽,孔子之学而不厌,均是勤业的榜样,精进的良法。教师更不可不勉。

C. 乐业:教育事业,虽云清苦,如能深入,自有真乐。孔子之诲人不倦,孟子之乐得天下英才而教育之,即形容此中况味者也。近人之作教师而不感乐趣者,殆未深入乎！盍学孔孟！

4. 科学头脑

所谓科学头脑者,即对于一切事物,以科学的态度及方法处理之之谓也。其特质如下:以事实为根据,不轻信,不盲从,不武断,一也。对于一切问题,用分析的方法,以审思明辨,二也。铲除偏见,不为感情所诱惑,三也。寻求真理,重视证据,四也。

5. 专门学识

就中等学校师资论,此处所谓专门学识,包有二义:一为专科学力,一为教育知识;前者指各系专习的课业,后者指专业的科目,无前者则学无专长,自难胜教师重任;无后者则教育原理不明,教学方法不精,亦不能为优良教师,必二者兼备,始为全材。

6. 领导能力

就职业上言,教师不应教育少数学生遗弃社会;地位上论,教育界尽属知识分子,社会所推崇,故领导社会之责任,教师似不能辞,既负有此责,则领导能力当为优良教师条件之一。

(四)师之训练(指高级师资训练机关言)

教师应具之条件,既如是艰巨,然究应如何训练,始能满足此条件乎？兹分述之：

1. 课内的：为满足上述条件，则应学习之科目虽多，然就其性质言之，可分为四类：

一曰修养科目，如哲学，伦理学，政治，经济，文化史等。

二曰基本科目，如国文，外国文，生物，社会等。

三曰专业科目，如教育概论，教育心理，教学法，教育测验与统计，中等教育等。

四曰专门科目，即各系之专习科目也。

对此四类科目如能分配适宜，教学合法，则应具备之学力，不难获得矣。

2. 课外的：教育不仅限于课内之教学，而课外活动尤关重要，惜吾国对此甚少注意，故其成绩亦无可观，倘能照上述条件，确定其目标，健全其组织（如导师制），规范其行动（如精神训练、体格锻炼、学会组织、艺术陶冶），并能以身作则，认真实施指导、督促、考核、奖惩各办法，则今后师资必能改观，师道庶可树立也。

（《教育通讯》周刊第3卷第7期，1940年2月24日）

二、专科以上学校训育问题

李建勋

关于专科以上学校之训育，若仅为敷衍公事，则似无甚问题；认真办理，实事求是，则问题孔多。其尤以带有先决性者，非谋根本解决之方，无以收事半功倍之效。兹择其最重要者五个，分述之如下：

（一）大学生是否需要训管

1. 主张无须训管者，其理由有三：

A. 大学生之年龄为二十左右，不仅已达到成熟阶段，且在中小学受过十二年的严格训练，按能力说已能自治，无须乎训管。

B. 大学为领袖教育，欲达此目的，必须予以自动及创造的机会，使其自由发展。

C. 欧陆大学，如法、德等国，完全采取放任主义；德行固不论，即如上课，除欲得学位者，有固定限制外，其他均极端自由，故人才辈出。盖以在极端放任中而获得自强自信自治之能力者，方为真才也。

2. 主张需要训管者则反是：

A. 大学生之年龄虽已达到成熟期，然阅历尚浅，血气方刚，感情冲动往往大于理智支配；如无训管，极易越出轨范。证以民国二十一年七月行政院所发之整顿教育令，可以了然矣。其原令如次："十余年来，教育纪律愈见凌替，学校风潮日有所闻。学生对于校长则自由选举，如会议之推选主席；对于教授，则任意黜陟，如宿舍之雇用庖丁。甚至散传单以漫骂，聚群众以殴辱，每有要求，动辄罢课以为挟持。及至年终，且常罢考以作结束。弦歌停歇，黉舍毁塌。谈者每扼腕而叹息，国外将传播为笑柄。如此等事件，其关系方面，实为思想最优秀之知识阶级，与爱国最热烈之求学青年。此而无法解决，则将何以言吏治之澄清，将何以责军纪之整饬……"。

B. 大学虽为领袖教育，然此种领袖，在有计划的领导下养成，总较在极端放任下造出为易。况所谓管束或指导，是使其从善除恶，并非剥夺学生自动创造之机会乎？

C. 欧陆大学之目的与英、美不同，前者专重知识的传授，后者兼重品格之陶冶。美国各大学多有学监之设置，负指导学生生活之责，而英国之牛津与剑桥两大学，在行为指导上有导师制之实施，在环境布置上有教堂、运动场、学校园、宿舍、饭厅等，一入其校，即觉气象严肃，精神活泼，学术机关而为道德空气所笼罩，诚不能不令人佩服英国教育之特色（品格养成）也。观英国人之创造力及刚毅性，当知其所由来矣。吾国大学教育如不专重知识之传授，对于学生自当有训管之设施。

3. 作者意见

上述1.2.两项主张，虽均持之有故，言之成理，然以后者为胜。盖以吾国自五四运动后，前者之主张盛行，学生自治会纷纷成立，名虽自治，实则多受人利用，而干涉学政拟致学风嚣张，纪律荡然。行政院之整顿教育令，实慨乎言之也。矧值此抗战建国期间，无论何人，生活须恪守纪律，精神须倍加振奋，工作宜力求效率，大学生居表率地位，更责无旁贷乎？但此非受有严格训练及有计划的指导者，未能表现。

（二）教育目的与训育目的是否完全一致

1. 认为不一致者：

A. 就各级学校所定之教育目的言，训育目的不过为教育目的之一部分，即所谓德、智、体三育中之"德育"是也。

试观：

①《小学校法》第一条："小学应遵照中华民国教育宗旨及其实施方针，以发展儿童之身心，培养国民之道德基础，及生活所必需之基本知识技能。"

②《修正中学规程》第二条："中学为严格训练青年身心，培养健全国民之场所。依照中学法第一条之规定，以实施下列各项之训练：

    锻炼强健体格；

    陶融公民道德；

    培养民族文化；

    充实生活知能；

    培植科学基础；

    养成劳动习惯；

    启发艺术兴趣。"

③《中华民国教育宗旨及其实施方针》之乙项第四条：

"大学及专门教育，必须注重实用科学，及充实科学内容，养成专门知识技能，并切实陶融为国家社会服务之健全品格。"

所谓"培养国民之道德基础""陶融公民道德""养成劳动习惯"及"陶融为国家社会服务之健全品格"等，均为训育之目的，而与其他关于智、体等育之目的并存者，显然为教育目的之一部分，而非其全部。

B. 就学校组织论，有教务与训导之分，教务管理教学、注册、图书各事；训导司掌生活指导、军事管理、体育卫生等职。性质显然不同，职务各自划分，焉能以一部分之训育事，概教育之全部乎？

2. 认为一致者：

A. 就目标言似无二致，如《三民主义教育实施原则》第三章（高等教育）第四项所规定："训育应以三民主义为中心，养成德、智、体、群、美兼备之人格。"此与整个之教育目的何以异乎？

B. 就事实论，教务与训导不易划分，知识所以辨明是非曲直，以范围人之行为；体育活动含有道德成分（如各种竞赛规律），而德育之功能，则为完成知识、体魄、教学效率之保证，智、德、体在实践上既相互作用，在训导上自须兼顾并及。如是，教育与训导合而为一，其目的自完全一致也。

3. 作者意见

教育本为整个的，所谓教学、训管、或智、德、体等育，殆不过谋行政之方便，及施教之效用而已；而其对象则为具有可教性之人，其终极目的则为智、德、体具备之健全人格。训育虽在行政组织上负有管训之责，在施教范围内偏重道德训练，然试问训管能否脱离教学？智、体运用是否需要道德？训育目的是否为德、智、体具备之健全人格？当能了然教育与训育目的之一致矣。故训育之意义，就狭义言似为教育之一部分，就广义言应为教育之全体。

（三）各项训育规定极不一致，究应何去何从

关于各级学校训育之规定，见于部令者，共有50余个，前后以缺乏连贯，内容亦颇嫌重复，如二十七年九月十九日教部高壹7第7306号训令内（一）"令国立私立各级学校务各制一特有之校训及校歌以资感发。"二十八年五月一日又令各校将"礼义廉耻"四字制匾悬挂作为校训，是对于校训先认为系特殊性，后又认属共同性矣。又如《青年守则》在《青年训练大纲》内，（二十七年教部通令）为训练要项中德行之实施要点，在训育纲要内列为道德之概念，在二十九年十月十四日教育部召集训育会议中，又决定为专科以上学校训导要目。同一《青年守则》也，在各项规程中之地位各异，而其所占之重要性亦不同。如各规程均有效，则嫌重复，如择一而用，则将何取？再就专科以上学校论。

关于训育之规定，有《三民主义教育实施原则》之9条，《青年训练大纲》（二十七年二月二十三日），《导师制纲要》（二十七年三月二十八日），《青年守则》（二十七年十月十九日），《训育纲要》（二十八年），五种全用，则嫌复杂而无体系，择一，又觉片断而欠完整，办学者将何去何从乎？推其原因，或由于求治过急，以致对于办学者之困难，未暇详审周虑耳。为今之计，应聘请专家根据现有规定，定一有系统而完整之训育标准，通令各校施行，庶几轻而易举。

（四）党团部与训导处应保持若何关系

若明了此种关系，须研究有关章则及当局意见，就章则论（《专科以上学校训导处分组规则》，二十八年五月十六日教部第11453号训令），大学训导处分下列各组；独立学院或专科学校训导处亦得按需要分设之：

1. 生活指导组——设主任一人，由训导长或训导主任兼任之，其职权之第六项为关于党部或三民主义青年团之委托事项。

2. 军事管理组——设主任一人，由主任军事教官兼任之（职权从略）。

3. 体育卫生组——设主任一人，由体育主任或校医兼任之（职权从略）。

就当局意见言，中央组织部部长对于学校党务的诠释（见《大公报》二十四年七月七日《学校党务之鹄的》）是"可以协助学校行政"的；教育部对于三民主义青

年团的解释(见二十八年八月三日部编《全国高等学校概况》74页)是"足以协助学校训育"的。对学校曰"协助",对训导处曰"委托",显然与学校分立而成三个独立机关矣。党团部与学校在组织上既无统属关系,在活动上自可各自为政,于是学校遇政出多门之困难,学生有一国三公之观感。

无论党团部之鹄的如何正大,纪律如何森严,在事权统一之行政原则上讲,总觉不适。况组织部长与教育部之解释只言其利未言其弊乎?学校之党、团部应否设立,有关党国大计,此处不必深论;如应设立,应参照军事教育办法,归训导处指导,以便统一事权而提高行政效率。

(五)导师制在实行上困难殊多应如何克服

大学如需要训管,导师制比较可行,惟其间之困难问题颇多,不谋彻底解决,恐难收预期效果。兹将其比较重大之困难问题及其解决办法,分述之如下:

1. 人选问题

理想之导师,除专门学识外,应具有健全人格、职业道德、专业精神、科学头脑及领导能力(参考拙著《师道论》,载《教育通讯》第三卷第七期)。然遍观各大学教授中具备此项条件者,实不多觏,人选之困难可知矣。欲解决此困难问题,除对于教授严格选聘外,应一面崇高其地位,一面充实其能力。关于前者,政府与学校对于导师应特别尊敬,并利用假期,分别招至首都或适当地点集会,报告并讨论政治、经济及教育问题,藉以明了政府努力之方向,及个人岗位应尽之职务。关于后者,由教育部会同专科以上学校,组织高等教育促进会,对于学术、道德、训导等问题,分别研究,努力实行,以谋青年研究兴趣之增进,及专业精神之提高,则大学导师庶几可藉人重达到自重,由经师进于人师乎?

2. 钟点问题

查《大学及独立学院教员聘任待遇暂行规程》第11条(二十九年八月教育部公布),规定"教员以专任为原则,应于学校办公时间在校服务,教授、副教授、讲师授课时间,每周以9小时至12小时为准,不满9小时者,照兼任待遇,担任行政事务或实际上须以充分时间从事实验或研究者,经学校允许,得酌量减少授课时数。……"。

然按诸实际,大学教授每周任课之时数,多在10小时以上,门类有四五种,每日搜集材料,编写讲义,有时尚须参与各种会议,已有无暇研究之感,再加以导师职务,焉有余力能顾及乎?故大学导师每学期能同学生举行修学旅行及个别谈话一次,已属难得(间有与学生未见过面者),至于认识学生,了解学生个性,根据观察而为适当之指导者,恐为例外中之例外耳。欲解除此弊,教育部应明令各大学,凡担任导师职务之教员,应减去授课时数两小时,则导师制之实施,庶克有济乎?

3. 设备问题

环境可以影响人生,教育在乎控制环境;所谓设备者,乃在布置适当之环境,使生活于其间者,于潜移默化之中,达到教育目的者也。

自抗战以来,战区各大学相率迁移后方,校址校舍,非租借民房庙宇,即借用各该地之中小学,间有稍事建筑者,亦只顾眼前实需,无永久计划;其截长补短与因陋就简之情形,可想而知矣。非特无教员宿舍,使得与学生时常接触,藉收潜移默化之效,即导师之个别谈话室,亦付阙如,其他尚堪问乎?处此抗战期间,理想的设备,固谈不到,但至少限度须有教员宿舍之设置(有家眷者亦在内),藉以增加导师与学生见面之机会,以利考查而便指导,望当局者注意及之。

4. 经费问题

经费为一切事业之本,教育自不能例外。教育部明令各校实行导师制,并未增加是项活动所需之经费,学校又以物价继续增高,常年经费永感不足,以致应有措置(如减少导师授课钟点),未能举办,许多活动(如远足旅行、团体谈话等)因而停止或减少,此岂当局设导师制之本意乎?校舍建筑、图书购置等需费较大,当另案办理无论矣。但关于实行导师制所需之各种活动费,应令学校切实预算,经教部核夺另发,则导师制庶不致因受经费之牵制,而减少其效率也。

(《教育通讯》周刊第4卷第23期,1941年6月14日)

三、论教育行政之改进

李建勋

教育行政机关之功能,概别之有五:

一曰领导,包有实况之研究,对症之方案,事业之提倡,疑难之解决等项。

一曰法权,包有发布命令,订定规程,及处理教育诉讼等项。

二曰统合,指划一标准,统一方策等而言。

一曰会商,指对于办学人员参考其经验,及获得其了解而言。

一曰合作,指对于非直属各机关,取互助态度,以图教育事业之圆满进行尔。

吾国教育行政机关之活动,若加以分析,大部分属于统合及法权的(约占80%),而领导的实少(不及10%)。一般人对于教育行政机关之工作,讥为"等因奉此"制造所,不无因也。夫一行政区域之教育制度,如一人之身。教育行政官厅,头脑也;其他学校与社会教育机关,肢体也;头脑清晰,肢体俱得其用,则事举。头脑颠顶,肢体失其常态,则事废。如缺乏领导的工作,尚得谓之头脑清晰乎！欲革此弊,必须自健全其组织,以俾发挥其功能,延用专业人员,以充实其力量人手。兹将其改进办法,分述之如下:

1. 组织 所谓健全的组织者,则包有二部焉。一为建议的,一为执行的。前者司研究、计划、报告等事,后者司决定、推行、督促等事。无前者则行政无科学的方案,先觉的领导;无后者则行政无彻底的实验,进步的改革;二者正如车之有两轮,鸟之有双翼,相辅而行,不可须臾离者也。

吾国教育行政机关内,向无建议的部分之设置,故其计划未能科学化者,职是故耳。

此后之改革,宜一方面设研究的部分(中央称所,省区称科,市县称股),聘请深于教育理论、富于教育技术者主之。设协商或教育委员会(中央地方相同),罗致各级学校与社会教育机关之有声望者组织之,以完成领导与会商之功能。一方面将行政事务,按性质分职,因职用人,以完成其统合、法权及合作之功能。如是,教育政策及计划于未定之先,有充分的研究;既定之后,有切实的履行,较之以前,自可以收事半功倍之效矣。

2. 用人 行政处理、教学指导、教育研究三者,在教育行政机关内,同样重要。欲此三者充分发挥其效能,非得有受过专业训练者主持之不可。故理想的教育行政机关人员(书记除外)至少须有百分之九十为大学毕业者,且大部分为学教育者。吾国教育行政机关之人员,合于此项资格者,恐不及三分之一,专才既少,效能自减矣。国联教育考查团批评吾国教育行政机关之人员有云:"此种人员,所受之训练,实不足以应付其工作,且缺乏创造力。"诚哉是言也。故今后教育行政机关之改进,必须对于富有教育研究之人,广为罗致,重加任用,以使其行政渐臻于专业化。

(《教育通讯》周刊第4卷,第36、37期,1941年9月27日)

四、吾国督学制度之缺点及其改进

李建勋

查督学之设,一为沟通教育界,以谋精神之统一;一为督导学校及社会教育机关,以增行政之效率;一为辅助教员,以促教学之改进。故理论上应有"行政视察"及"教学视察"之分。吾国督学之职务,照部章所规定乃合二者而一之。事务既繁,责任不专,员额又少,其未能收效也固宜。兹将吾国督学制度之缺点及其改革方案,分述于后:

(甲)缺点

1. 地方教育,种类不一。高等教育、中等教育、初等教育、师范教育、社会教育,以及地方教育行政与学校内之种种设施,皆责一人详细考察,其人非具有各项教育之完全知识不可。此项万能督学既不可得,势必迁就任用。敷衍因循,自所不免。此就职能上言,不得不改革者一也。

2. 视察日期,除部章规定各学校休业日期外,每年约八个月;加以出发后风雨之阻隔,路程之周转,又约须数十日,实际视察仅有五个月内外。部督学无论矣,若就省督学言,一省约有百县左右,平均所设督学仅四人至六人,每人视察约二十县,平均计算,每县不过八日。不过八日之时限,而责其遍历全县城乡各校,负规程内所规定各项任务,其不合理,更何待言。故其结果,多潦草塞责,而所报告,非失之脱略,即失之错误。此就人数上言,不得不改革者又一也。

3. 凡事,责专则事举,熟察则有获。吾国督学制度,既无学校及科别之划分,又无视察区之规定。督学踪迹所至,不但因时间短促,无法熟察,所指各点多不切实,更因前后难资比较,有进步与否亦无从判断。以致国家虽有督学之设,而各地得其实惠者甚少,良可忧也。此就分配上言,不得不改革者又一也。

(乙)改革

1. 视察应分为行政视察与教学视察。而行政视察复有地方教育行政机关,社会教育机关,及初等教育、中等教育、高等教育等各级学校之不同。教学视察,亦有初等、中等、高等各校及各校中各种科目之区别。兹列表并举办法大要如下:

行政视察分为:地方教育行政机关——省教育行政机关,由部督学视察;县教育行政机关,由省督学视察;部督学亦得择要视察。社会教育——视其所属之范围及性质而定。初等教育——以县督学为主,省、部督学,亦得择要视察。中等教育——以省督学为主,部督学亦得择要视察,但县立中学校则以县学为主。

高等教育——以部督学视察之,但省立高等以上学校,则以省督学视察为主。

师范教育——师范学院以部督学为主,初级师范以省督学为主,简易师范以县督学为主。其他特种教育——视其性质而定。

上项行政视察,以常任人员为主,遇必要时亦得临时聘请。

教学视察分为：

初等教育——分公民、国语、算数、社会、自然、劳作、音乐、体育等；

中等教育——分公民、国文、算术、英文、理化、博物、史地、劳作、音乐、体育、军训、童子军，及其他职业等科目。

高等教育——临时定之。

师范教育——加教育科目，余与同等之学校同。

其他特种教育——临时定之。

上项教学视察人员，初等以常任为主，中等以常任与临时聘请并用，高等及特种教育，以临时聘请为主。

2. 督学名额。按照部章规定，教育部六人至十人，各省四人至六人，各县则由各该省自定，大多数只有一人。以如此人数责之以行政视察尚可，若兼教学视察，不但人数不足，而学力亦成问题，此所以有上述之弊端也。改进之道，则在依照各级学校设科性质，加增长于各该科之教学视察人员，或称为各科教学辅导员，每县至少增加五人，每省增加十五人（中等学校十人、小学五人），中央应增加之人数须视大学所设科目而定，但可临时聘请，勿须固定设置。

3. 视察既有行政与教学之分。人员又复相当增加，似乎可收预期之效果矣，然犹有未尽也。盖以吾国幅员广大，一省几等于欧洲一小国，欲其政令推行尽利，下情可以上达，非仅督学之数日考察，及几道公文之往返所能奏效。必派有专人分驻各地，作长期之考察为亲切之督导而后可，故分区尚焉。其分区办法，中央可择定国立大学区（此后国立大学宜分区设立），各省择定省立师范区，各县择定学区（教育委员可一律改为督学常驻学区），每区设一督学办公处，负各该区教育行政督导之责。至于教学视察人员或各科辅导员，则轮回驻区，驻区时间，每区至少在一月以上。如是责任既专，考察又详，上述第2项之弊病，庶可免除矣。

（《教育通讯》周刊第2卷第7期，1939年2月11日）

五、如何使学校教育民主化

李建勋

现时整个世界的潮流，已进入民主时代，反观我们当前政治、经济及社会环境，与国民对民主的认识及修养，还远落在潮流之后。铸成此落后事实的原因，主要应当归咎于往日的教育，欲期快马加鞭与人齐头并进，亦端赖今后民主教育实施之成效。在改进的历程中,当以学校教育关系最重大。所以,今天愿藉此机会提出这个题目与各位研讨。

如何使学校教育民主化？拟分五段来说明：

（一）民主意义；

（二）民主特质；

（三）学校制度；

（四）学校行政；

（五）学校课业。

现依次缕述于后：

（一）民主意义

——"民主"一词的含义,常被人误用着,其真义究竟是什么？我们新颁的《宪法》第一条："中华民国基于三民主义,为民有、民治、民享之民主共和国。"其中之"民有、民治、民享",可说是民主意义最适切的诠释,此诠释并非中国所固有,在美国宪法中亦有此一条："Government – is instituted of the People, by the people & for the people"。此意义的引申,可云政府为人民的利益而存在,若危及最大多数公众的利益,可随时推翻,另组新政府。在我国古代,圣君贤相,莫不以民为重。孟子曾云："民为贵,社稷次之,君为轻。"又云："得天下有道：得其民,斯得天下矣。得其民有道：得其心,斯得民矣。得其心有道：所欲,与之、聚之；所恶,勿施尔也。"可是,像孟子一般人所说的"民",乃官是官,民是民,官民并不一致。所以,他们那一套话,只可作为治人者的施政方针,并非民主的真正涵义。简言之,民主的意义,即民有、民治、民享。

（二）民主特质

——简要提出六点来讨论：

1. 民众至上（Principle of Popular Sovereignty）——即服从众意,如法律应由人民代表订定,法律即民众意志之体现,无论人民同官吏,在法律之前,应是同等的遵守。美国的社会较民主,所以国民都认法律为神圣,其他可以类推。

2. 人人平等（Principle of equality）——不论种族、男女、贫富、社会地位诸差别,一视同仁。我国政体虽号平等,但国民仍存有阶级观念,略注意日常生活及社会现象者,可找到不少实例。

3. 公正态度（Principle of Fair—Play）——绝不以多数人欺压少数人,或以强凌弱,在相同的机会下来竞争。我国人民的投机取巧,以强凌弱诸习性,都是缺乏民主修养的表现。

4. 公共利益（General Welfare）——个人日常行为不仅为个人利益，同时应顾到公众的利益，应为别人设想；

当个人利益与公共利益冲突时，应牺牲一己利益，在民主社会中，是先公众而后个人，更培育为公众利益而服务的旨趣。此种民主德性，在我国今日社会中，非常需要。

5. 公民自由（Civil liberty）——人尊重对方应有之自由及权利，个人应自由，同时应尊重别人自由。所谓"自由"，绝非任性妄为，一个民主国家的公民，对于对方行使其职权时应当尊重。

6. 重视理智（the Appeal to Reason）——无论何事，大则国际间之纷争，小则私人间之不和，皆可诉之理智以解决，莫意气用事，更不应用暴力胁服。如美国之南北战争，若在今日，绝不会演成此同类相残的惨剧。

以上六原则与教育有何关系？欲了解此，须先问学校教育是什么？我们知道，各级学校教育目标即国家社会之教育政策，国家社会如欲确保上列原则，加以培育发扬，须责成学校依此作为实施教育之目标来培养学生（下一代国民）成为民主的国民，以圆满造成国家社会的教育政策。

即：养成服从多数，热心公益，尊重他人及重视理智之思想及习惯，并保证人人教育机会均等，且获得充分之发展。学校教育欲往这方面走，还须注意下列有关的问题。

(三) 学校制度

——分两点说：

1. 学制　民主学制最重要的原则，就是适应各个人的需要。打开我们的《宪法》，就可以看到很多不足处，如：何种学校应归中央办或地方办？中央或地方对教育应采取何种态度？集权？分权？抑均权？这些都是应该规定而付诸阙如的。在规定此等问题时，应以上段之结论为遵循之原则。试观现行的学制，过重"升学"的目标，而每年毕业升学者却占极少数。据统计结果，小学毕业入中学者，约占总数百分之二十；中学毕业入大学者，不及中学毕业生总数百分之十，各级毕业生，大多数无有着落，在学制上尚没有对他们给以适宜的安排。我们想，一个大学毕业生，起码须具备下列几个条件：(A) 聪明且学说有根底；(B) 身体健康；(C) 家庭经济宽裕；(D) 有学习志向；(E) 不需要照管家务。由此，可以看出，要想人人均由小学至中学而大学毕业，在事实上根本不可能。所以，若学制仅顾及到升学一个问题,为败策。照理讲,小学阶段应人人必须受,小学毕业无力升中学者,应入职业学校,但今日中学与职业学校并无有机的衔接,学制过于硬性,使转学转业都发生困难。

在美国,有所谓多科制中学,有七科以上多至十数科,包括中学、师范及各种职业科等,各科间可互相转入转出,富有弹性,易于适应个别差异。且教育是一年一个段落,能努力到哪一个段落就到哪一个段落,凭资质、志趣、环境而得向最适宜的方向发展。这样,学制富伸缩性、流动性,才易达到民主教育的理想。

说来我国教育真可怜,由于过去科举思想之遗毒,小学毕业无力升学者又不愿入职业学校,中学生不能入大学者又不愿准备就业。固然,我国产业落后,尚未走上工业化,职业学校毕业生的出路有问题。

然而,旧思想之遗毒与社会上残留的封建体制,却是最大的阻力。这些阻力,都是民主学制应当歼灭的。民国十一年颁布的新学制,在这方面有不可泯灭的贡献,今后当使学校与社会打通,建立适应人人需要,富有伸缩转动性能的新学制。

2. 编制　我国在科举时代,尚有励才之道,才智高者,十几岁可以典为状元,才智平庸者,到晚年还中不了秀才。现今的编制,却按学年依次递进,无论才智如何高,亦不能躐等;才智低者虽常被拖着走而也不降级。这样,只注意年级而不重才智,只重制度而牺牲个人,恰是反民主的措置。在英、美民主国家,尤其是美国,将跳级降级问题,当作专门学问研究,视为学务调查中的特有技术。在编制上,他们真切地注意每一个儿童的发展情势。春秋皆有始业,才智高品学特优者随时可以向上一级跳,资质平愚成绩较差者,随时核实降级。各学级都有较客观的标准,中学、大学多以学分制来伸缩年限,使每每一个受教者,均能依其能力,作最适宜的发展。

像我国"压抑才者,助长愚者"的死硬编制,弄得才智商者不能得充分的发展,平庸者老被拖着跑,使同级学生良莠舛差甚大,欲行民主教育,对这种病象,应急加矫治。

(四)学校行政

仅提出较重要的三点来讨论。

1. 事务分掌　在新教育的实施下,教员已非雇工,其职责已不仅上课教书。每一教师,应将整个学校的事作为自己的事,分掌学校行政及教导学生,已为必有的权责。若克尽此权责,须经常明了整个学校情形,否则,就难尽职守。事务由各教师分掌,通力分工合作,人人有权,人人有责,尊功易宏,此其一。再者,校长虽为整个学校的领导人,能力常较强,但若加上各教师的才能,自可补一己之缺,而得圆满之效果,此其二。基于以上两点理由,欲使学校行政绍济而有效,必须实行校务分掌的民主办法。

2. 行政公开　所谓公开,即民主学校校政的推行有教务、训育、事务等会议,每种会议,请校内各有关教职人员参加。重要事件,使多数人有机会参加意见和参与讨论,大家决议,大家实行,一反过去统统由校长独断独行之作风。可是这样的公开做法,可能有一个问题存在,即有时候教职人员,常藉集会的机会,故意通过使校长无法执行的案件。于此,校长应再三审虑,若确认此决议案碍于现实环境及各种内外条件不能照办,或无力照办或不应照办时,当席其对外代表本校,对内代表上级教育行政机构的身份,坦诚申述困难,并提出新意见,交付会议"再议";再议结果,如仍持原案,校长在维护整个学校的利益与荣誉下,应予以"否认"。不过,此乃万不得已之法,不可常用。

3. 用人唯贤　关于人事任用方面,教育界较之他界还算好,但事实上仍不免有政党、权势、情面、关系诸成分掺杂在内。这些靠非正常关系而获得职位的人,尝自觉有所恃,在能力上多不称职,又不听命,直接减却事功,间接还影响整个工作人员情绪,实为今日教育上的大病。

民主教育的实施,要因事择人,以工作成绩作考绩的标准,靠著作,靠特殊贡献诸条件以升进,用人唯贤,方有事功。在英国,各级政府常务人员,多靠文官考试以得职位,依年资及工作成绩而逐次升进,不受政潮影响,工作有保障,自然可以安心工作,努力上进。

(五) 学校课业

——分课内课外两方面述之：

1. 课内

A. 尊重学生人格——即所谓"儿童本位的教育",依个人需要使之得充分的发展。英、美民主国家的民治教育,皆以个人能力之充分发挥为主,尊重受教者人格,不因制度而牺牲个人。反之,德、日之法西斯教育,以教育作政治的工具,以制度来约束受教者的思想,不能使之自由发展,故为反民主。民主与集权主义之教育的主要差别即在此。

B. 布置学习环境——过去各级教育的实施,是学生靠先生,先生靠书本,这样的教与学,不会收丰硕效果的;要扩大教学的效果,最重要的就是学习环境的布置,教育者要善用环境以激发受教者作自动的学习,期得充分能力之发展,在环境

(学习情境)的布置上,要多种多样,以适应个别差异。

C. 提倡自动学习——在此,我愿拿在美国实地参观过两个学校教学的实例来作说明,或较具体切实些。

(甲)Horaelman School——这个学校低年级教室里的布置,桌椅只占教室之半,四周放满儿童读物及参考书。在参观时,教师正在宣布一项活动,让儿童在书架上任意自择一本认为最有兴趣的书,阅读10分钟,然后放下书本,集合在前面(教室内之另一半空地),指名听取阅读报告,别的儿童若看过该书,可随时提出订正。一一报告完了,教师询其能否用一句话说出阅读之重要内容,然后互作批评讨论,最后由教师补充总结。下课后,儿童均和颜悦色愉快天真地走出教室。对别人善意的批评均能虚心接受。这样,不但所学的是生动的有用的,而且在学习过程中,亦能自然地表成观察、思维、发表、批判、容忍不同意见等民主的基本修养与态度。

(乙)Speyer School 的一堂理科教学——学年开始时,教师先提出自拟的一个计划,征询儿童在此计划之外,是否另有其他较好的计划或意见,待儿童说出各自的意见后(如有愿学飞机的、潜水艇的、汽车的等),由教师加以整理,按相近者分组,责令学生分别负责研讨并按期报告心得(教师坐在后面),互作批评讨论,最后由教师加以指导和总结(教室、实验室、及图书均在一处,在研讨时,教师在该处指导)。

上述两个实例,都可作自动学习的示范,从这里亦可认识所谓自动学习的真义。

本人在日本就学时,闻一日籍教授曾言:"美国大学生四年学的东西,在日本可以二年学完,但美国人是永久继续不断的学着,日本人学完则停止了。"此语颇为中肯。盖以平日多凭讲义教授,学生完全是被动,所学的不能完全消化,不能自动学习,致不能养成学习的习惯也。

我国注入式的教授,教师只作留声机式的传授,从不指定参考书及研究问题,让学生课外自动学习,当然所获学习的成果是可悲的。自动学习的好处,就是养成学生自动学习的习惯及兴趣,及继续研究的态度与能力。

2. 课外一略述要点如下:

A. 提倡体育活动,培养公正态度——在体育的活动中,最益于民主德性的修养,如 fair play 精神,合法取胜的习性,胜勿骄败勿馁的情操,合作进取的态度等。

B. 养成法律头脑——重理智,不意气情感用事。

C. 培植服务观念——公而忘私，立己立人。

D. 养成自治习惯——服从多数，尊重异见。

（《教育杂志》第 33 卷第 9 号，1948 年 9 月）

六、当前教育行政效率问题的商榷

杨思明

抗战军兴，国家教育，力谋革新之道：举凡战前所未见，所不能办者，战后□能再接再厉，次第见诸实行；固证敌寇之凶猛，不足以毁灭中华民族悠久之历史，而敌忾同仇之信心，更足以促使我教育界人士淬砺奋发之精神，此其于抗建前途，欣幸何如也。

所谓教育革新之道，抗建期内，已不一其端；其见诸成效者，亦所在多有。就现行教育行政言，为适应当前严重时期，加增行政效率，窃以为有不能不急待于商榷者，爰举二端于次：

首为省教育厅之政令到县教育科之推行及呈报上之效率问题——此其影响于行政效率者，盖以旧日县设教育局，局为独立机关，局长由县长推荐，由教育厅委任，教育厅有直接指挥与直接撤换教育局长之职权；而教育局长，亦有秉承教育厅长意旨与谨遵教育厅命令之义务。故目省教育行政方面言之：凡有关全省教育福利之法令，或使利某县之教育事宜，或厅长个人对某县教育之特殊见解，教育厅均可直接指挥教育局，令其如限遵办上报；而县教育局方面，以局为独立机关，局长可自为主体，商酌县长，自由拟订教育计划，设法筹措教育经费，教育行政上之困难，局长且可直接呈请教育厅核示；县长热心教育兼具教育之修养者，局长固可相得益彰，藉以顺利推行；即县长对教育为门外汉，甚或漠视教育，尚不至受重大影响，使一县教育，根本无法推行。

今则新县制实施，县府合署办公，教育局并为县署之一部分，局既改为科，科长由县长任命指挥，教育厅遂失其任命指挥之权，教育科长仅对县长负责已足，不复能直呈教育厅，明白意见。于此，则省教育行政效率所生之影响，势必有如下述：

县教育科长，既对县长个人负责，则一切县教育行政，一以县长之意旨为依归。如县长无教育之修养，乏教育之兴趣，则教育行政势必废弛，教育计划，势必流入空疏，此就教育人进言所受影响者一。

行政系统上，虽之教育厅亦可指挥监督县长，但县长由民政厅委任，非由教育厅委任，县长之视教育，远不若视民厅之尊严；为奉行民厅政令，省教育法令，势必有奉行不力之弊，此就指挥监督言，所受影响者二。

厉行新县制，县政诸端亟待更张，县长政务繁重，以一人之精力，决难兼顾教育，使之臻于至善之境，此就精力兼顾言，所受影响之三。

教育局时代，教育厅命令，可直达教育局，局长可直接秉承办理；局长容有疑难，亦可径呈教厅核示祗遵，时间上殆无阻滞之弊。今教厅命令仅达于县府，来往文件，概须县长批核，科长纵有意见，不能越级直陈；是直接负教育行政责任者，虽为县署教育科，但教育厅与教育科之间，平添县长一层，核办须时，承递复多一层手续，公文迟滞，自为必然之结果，此就承迟速度言所受影响者四。

夫教育厅者，一省教育行政之总动力。县教育科实为接续此动力者定，或教育目的之基层机构。倘二者间之联络未善，运用未尽，整个省教育行政效率，遭受重大影响，殆无疑义，此其所以亟待于商榷也。

补救之法，本以恢复旧有之教育局独立制度为是。但今既改为新县制，则更张之际，似未宜轻言变易；惟根据新县制实施之情况，针对行政效率上所发生之影响，姑言补救办法如次：

（一）严定县长之资格——充任县长之资格，除现行法令已有之规定外，最好进一步规定以曾经修习教育，或修习其他科目，而至少从事教育职务二年以上者为原则；纵此项资格，容或规定过严，然仍须以该县长对教育是否有明确认识，能否热心教育为任用标准。

（二）严定考成制度——县长办理教育，应严加规定其考成标准。平日办理情形，县长固应按期据实呈报，教厅已应随时派员切实考核；如查有奉行不力，敷衍塞责等事情，应于考成标准上，严加考虑，作为惩处之根据，以便按照情节轻重，分别予以记过、查办等处分。

（三）加强视导组织——教育厅视导人员，必须亟予扩充，务按行政视导、教学视导之性质，依视行政督察区之划分，规定驻区视导人数，切实对所属县份施以翔实之视察，与可能之指导，以期尽量减少县长外行，或奉行不力，或漠视教育诸弊端。

此外，如宽□县教育经费，慎任县教育科长，及尽量利用科学方法处理公文手续等，亦为解决此项困难时，所应同时注意民主。

次为现制教育厅组织不完备，对行政之影响效率问题——按现制各省教育厅之组织,由各省省政府自行规定上,中央并无划一办法,惟依立法原则,省政府所发布之法规,应限于"不抵触中央法令范围内"(见修正省政府组织第二条),是故虽或略有差别,然大体仍趋一致。现制各省教育厅大抵不外分设督学室、秘书室及第一第二第三科,或加设第四科。各科职掌之划分,如河北省教育厅之规定,有如下述:

第一科　掌管关于高等教育学术团体及留学事项。
第二科　掌管关于普通教育及地方教育行政等事项。
第三科　掌管关于社会教育及地方教育行政等事项。
第四科　掌管关于收发□印校对统计庶务及其他不属于各科事项。

大抵各省教育厅如河北、如湖北,如浙江、湖南诸省,均以第二科掌管普通教育及地方教育行政等事项。此所谓普通教育包括中等教育、师范教育、职业教育、小学教育及义务教育。即或不以第二科掌管普通教育之省份,亦通常以中等、师范、职业、小学、义务教育归并,由一科掌管,并不从中划分,分由二科掌管。似此普通教育包括之范围过广,事务之繁剧,责任之重大,远非其他各科所可企及,一科之职能,殊未能推行尽善,此其影响于行政效率者一。

社会是进化的,教育为欲使人类适应此进化的社会,故教育也应是进化的。教材为达到教育目的的唯一工具,自然亦应随地方性,随时间性而各有差异。所谓社会的需要,个体的需要,为编制教材的两大标准,实至当不移之论。我国幅员广大,匪惟气候之寒暖,土壤之肥瘠各有不同,即风俗人物,亦大异其趣,是全国教材不能过于划一,为显然之事实。夷考现行中小学各科教材,类多由少数个人,或少数谋利书店,根据一己之见解,一地之需要,自为编制,经过教部一厅审定,即为遵行全国之教材,美其名曰标准划一。教材划一,则其不切实用,不合需要,稍具常识者,类能遵之。省教育行政当局为推行教育达成教育目的之有力机构,且亦为审察,适应社会及个人需求之良好单位,教材编制,何者不适合？教育措施,何者未尽善？省教育厅应具改良研究编制之责,乃令之省教育厅组织过于简单,研究机关既付阙如,编审委员会亦多虚有其名,大多编审一二刊物,点缀门面,已为可观；大规模之编审读物或教材,遍查各省,未之前闻。

又如中央教育政策,省教育法规章则,推行各县,成效几何？各级学校经费支配,教学设备,教材使用,课程排列之合理情形若何？在需人视察考核,需人实地指导；查现制教育厅督学,三五人而已。一学年内求其遍历全省各县,作消极的走马看花之视察,已为不可能；欲求其积极的作详尽之指导,尤属戛戛乎难；矧三五省学,绝非全能专家,教学行政,不能兼求作适切之视导乎?

夫以教育之重大,教育行政机构欲自尽其领导,会商、统合、合作、法权等诸种效能,使发挥光大之,则现制组织之简单,影响行政效率实莫大焉?此亦不能不亟待于商榷者也。针对时弊,作增加效率之图,下述方法,窃以为可供采择。

(一)扩四科为五科,改一、二、三、四科之名,而以专有名词名之。——现时军需浩繁,国库支绌,固难望补助,省库艰苦,亦难望有巨额的拨付,故教育厅组织,时下欲为大量之扩充,谅为事实所不许。为节省经费,减少开支起见,拟此照修正教育部组织法(民国二十九年十一月十六日公布)第四条规定写有之普通教育司,中等教育司与国民教育司之办法,将教育厅第二科掌管之普通教育事项,析为中等教育与国民教育二科,合原有各科为五科,而废除旧日第一二三四科之名称,分别以总务科、高等教育科、中等教育科、国民教育科、社会教育科名之。于此,盖有如下之意义。

1. 教育部之普通教育司,既已扩为中等教育司,国民教育司,则为适应教部之组织,便于推行政令计,作比照的扩充,自为应有之手续。

2. 第二科掌管之普通教育析为中等教育与国民教育二科,由一科扩为二科,则事务可以分担,责任可以分负,教育行政效率,自可善为发挥。

3. 原有第一二三四科之名称,无甚意义可导,而前后次序之规定亦漫无标准,不如直称总务科、高等教育科……既以明定各该科之职守,亦以示并无轩轾轻重其间。

(二)设置教育研究机关——设法网罗或聘请省内外教育专家及公正绅士,并与省内学术机关(如大学)切实合作,组织教育研究机关,分别研究本省之教育政策,教员薪金标准,判断教学效率及校长、教育局长优劣之标准,以及其他有关学术文化之事宜,作为策动全省教育之整个原动力,俾便蔚为省教育行政之灵魂。

(三)充实编审委员会——聘请专家组织中小学教科书编审委员会,所有教科书,在符合部颁课程标准范围之内,尽量使之适合地方性,或就已有之教材,剔去其不合地方性之部分,或另定单元,重新编制,近乎理想之教材。

(四)改良督学制度——首在增加督学人数,务按现时行政督查区制度,每区分配督学三人至四人,改驻厅办公为驻区办公,区设主任督学一人,总核全区视导事务,并分教学视察与行政视察,分别派定职责,于一学期内,务到所属各县教育行政机关及所辖各级学校作详密之视察与指导。其定有指办证者,并应定时复核,察其遵办情形。学期终了,各区督学详具报告,呈送教厅;其有困难问题者,并送研究机关，从事研究。

行政效率之增加，固在任用之得人，与运用之有方；然组织之合理健全，机构之灵敏便当，亦为行政效率增加之先决条件；有健全之组织，灵敏之机构，配以适当之人选，严格之督导，则效率未有不倍增，事功未有不可期者。愚见所及，窃自忘谫陋，爰笔为商榷，愿以就正于教育界先进明达。

（《城固青年》1941 5/6 期）

第四节　章文才等论农业教育

一、今后我国农业教育之使命

章文才

我国在数千年前，虽已开始固定之农业生活，然历代相传，子以继父，仅有农业劳动而少农业技术。科学化农业教育之开始，迄今不过四十余年。在此四十余年之中，外受列强之环攻，内因政治之腐败，教育行政缺乏整个计划，教育经费未能普遍独立。农业教育因系新兴事业，未获上下人士一致之重视，而在本身方面，复受经费人才之限制，除少数大学农学院埋头从事于研究试验与推广示范之外，大多尚未达到农业教育应有之使命。

查我国对外贸易，抗战之前，本属入超，战后农业破产，工业不振，向所恃以抵补入超之丝、茶、桐油、猪毛、钨、锑等天然产品，质量低减，外销迟滞，几陷停顿。而进口数字，迅速增加，除利用特殊方法走私运入物质不计外，据六月份海关报告，进口与出口比例，为十三比一。美商务部于其所发表之美国准出口统计报告中称，本年上半年之中美贸易，中国入超二亿八百万美元之巨。京沪平津一带衣食住行均须仰给舶来品，我国对外贸易，既大部以农产品为之抵赎，则此种惊人之入超，足证我国农业生产，亟待增加。

在农民本身方面，因历年来之天灾人祸及地方秩序之紊乱，均失掉小农之稳定生活，渐至谋生困难，而投入高利贷之深渊。据本院农业经济系调查三十四年十二月间陕西关中区农家负债者，达百分之八七、八（87.8%），而每户平均负债数额达到五七、四四八、九元之巨，其乡村借贷利率平均达月息百分之一三、三

（13.3%）之高。夫农家负债之多与利率之高，为农村衰落之直接结果，政府农贷资金有限，无济于农民迫切需要，足证我国农民生活，亟待改善。

复次，目前我国朝野上下，不乏提倡农业教育或亲身从事农业教育之人士，徒以数千年来士大夫教育之遗毒，深入人心，农学生在校求学，每不屑躬亲农事，毕业之后，往往用非所学，以是数十年来之农业教育，尚未与实际农民生活发生联系。农业为我国大多数人民之职业，并为国家财富之主要泉源，故农业教育之目的，并非单纯，其对各方面之关联，极为密切，因是农业教育之能否发挥其最高效能，对于今后人民之生计与国家之生存，所关至巨。用敢将今后我国农业教育应有之使命，胪列于后，藉求海内贤达之教正。

（一）农业教育应配合农业工业化与机械化之推行

数千年来之我国农民，保持其原始生产方式，虽亦从事家庭手工业，然概属个别经营，彼此缺乏联系。自资本主义经济势力侵入农村以后，原有之手工业均告崩溃。今后我国农业教育，应努力于农产制造知识之灌输，并谋组织农民合作生产，合作加工，俾农民以原始生产物为原料，举行加工工业。夫然后原始生产方面，虽被报酬□减律所限制，而农产制造方面，则可沐报酬□增律之惠泽，使整个企业克收成效也。夫农业极富季节性，农民从事生产，半年劳动，半年休闲，如举行农产制造，庶可缓和此季节性，使其终年不致休闲，仍有利事业，赓续可作也。惟推行农民合作生产合作加工时，其规模须大，其资本须丰，由其经营上观之，须多使用机械。考近世工业发展之主因，不外机械生产，即美国农业之所以丰裕，推其根源，亦在乎是。是以欲图全国农业之改进，实有待于农业之工业化，尤其是机械化。故农产制造与农业机械人才之培养，实为今后农业教育之迫切要图。

（二）农业教育应着重经营之企业化与分配之社会化

农业系百业之一，不论其经营之大小，均须以企业为原则，方得致富于国家。我国农民，墨守陈规，胼手胝足，终年劬劳，而衣食犹感不周者，以其不按企业经营之原理也。美国之农业，向以企业化经营著于世，罗斯福总统应选之初，农村不景气最深，各项农业企业颇难维持，于是创行新政，设置各种农业管理局，以期节制资本，调剂产销，并努力提倡贮藏运销，农产制造及工业利用等企业，藉以配合生产，救济农村，农业之不景气，逐渐形消减。第二次世界大战爆发，农产品销路广大。各项农业企业，为适应增产需要，重新调整，经营方式，较战前亦有剧烈之改变，由少数私人经营之大企业，转变而为无数之公营小企业，以期化整为零，达到分配社会化之目的。今后我国农业研究，农业教学，乃至农业之推广示范，均莫不当以经营之企业化与分配之社会化为对象,方能使我国农业逐渐改良。

(三)研究、教学、推广三部事业之应密切联系

今考农之为业也,原极富于地域性,甲地适宜之品种与方法,移之乙地未见适宜。故他国种植之优良品种,输入我国,仍须举行区域试验,以决定其适应性;异地通行之栽培方法,只能供吾人以参考,而不能视为绝对有效也。因此,国内外著名之各大学农学院,对于研究工作,莫不特别重视,研究经费恒占全部经费半数以上。盖必需加强研究工作,则教学始可日新月异,推广始有实际材料;在教学方面,因有针对当地农业实况研究所得之材料与方法,其所培养之人才,始可趋乎实际;在推广方面,有研究所得材料与教学所得之人才,则推广始可顺利推行而深合当地农业之需要;其在推广工作所遭遇之困难问题,即以之为进行研究之良好材料,复以研究所得而施之于教学,则研究与教学,亦可不至落空。是故农业研究,教学与推广,实为三位一体,互有其连环性,缺一不可。为教学与推广而研究,亦为研究与推广而教学,复为研究与教学而推广,三部事业之应密切联系,实为从事农业教育者所应力行不渝者也。

(四)农业生产、制造、贮藏、运销之应综合发展

在前所谓之农业,仅达生产而已,即汉书所载"开土植谷曰农"者是也。盖在封建社会时代,农民各自生产,各自消费,农产品可供出售者,仅属极小部分,农民耕田而食,凿井而饮,开土植谷之农业,即已满足其生活之需要。迨后封建社会发展而为资本主义社会,因工商业之迅速发达,农业形态亦随之丕变,农产物之经营,由自足植物而趋向于原料植物,由多种经营而趋向于以商品为主之单纯经营,农民于收获之后,须大部出售,而另由市场购买其日常所需之工业成品。因之农民乃遭受工商资本家之层层剥削,农业经营遂属无利可图,农民生活益感艰难困苦,往往终岁勤劳,难资温饱。故今后欲改善我国农民生活,从事农业教育者即不能仅以达到"开土植谷"之境地为止,生产、制造、贮藏、运销应综合发展,从整个过程之中,培养人才,协助农民,使农民脱离工商资本家之束缚,而获得合理之最高利润。是故农产制造,农产贮藏与农产运销,均不能摒诸农业范围之外,而应视为农业教育中不可或缺之一部门,有志青年,应致意焉。

(五)农业教学研究与发展工业及外销特产之需要相配合

今后我国之应工业化,已为举国一致所公认。惟发展轻工业所需之原料,无一不仰给于农业,必须在农业上先树立良好之基础,始可以言工业之发展;同时必须使工业资本改变为民族资本,则工业发展之后,生产工具始不至操诸少数人之

手。故欲完成中国之产业革命,首重在经济组织之完成,农业教育应使中国散漫之农村,进入有组织状态,庶几一切经济活动如生产、消费、贸易、分配均达成社会化之途径,藉以避免资本主义国家于产业发达之后,所造成社会上种种之病态与罪恶。战后国防建设,首在发展重工业,但在最近数十年内,我国所需一切重工业材料,大部须仰给于舶来品,故农业教学与研究,应积极发展经济作物,俾能增加生产,改进品质,并减低生产成本,达到标准化与商品化,高价输出,易取重工业机器进口。此为我国发展工业之先决条件,亦即今后农业教育与工业需要不能分离之主因。

(六)实事求是之教学与整个国家技术人员之需要相配合

近年我国高等农业教育机关之数额,随建设之需要而迅速发展。惟农业建设,事烦责重,所需之人才,数量既须庞大,品质复须优良,因之人才之增加与训练,实为目前刻不容缓之事。兹以全国一千九百余县计,平均每县任用二十人,即需四万人,再加中央省级农业行政与改进机关以及各级农业教育机关所需之行政、技术及师资人才,统计不足四万人。我国目前曾受高等教育之人才,全国不过五千余人,在量的方面,距离应需数量尚远,在质的方面,未能适合应有标准,而在用的方面,亦多未能人尽其才。查经费与人才,为事业成功两大要素,然有人才而无经费,尚可设法筹措,有一文钱作一文钱之事;有经费而无人才,经费亦将流于滥用,而无补于事业之进行。农业教育之职责,在于训练农业建设人才,人才数量之缺乏与品质之窳劣,证明农业教育本身尚未克尽厥职。今后农业教育,首重实事求是,以国家建设之需要为对象,培养优秀之技术人员,俾建教彻底打成一片,教学更能深合需要。

美国在创国时期,二十人中十九人业农,百年之前,十人中八人业农,现今十人中不过二人业农,然每年所产之农产品,除供自用外,尚可大量向外输出。在第二次世界大战期间,不但军粮民食,供应无缺,即由租借法案输出之农产品,一九四四年间,达 1 875 000 000 美元之巨。我国农民占全人口百分之八十以上,而农民终岁勤劳之所出,不足以供自身之温饱,以致每年衣食所需,大批自外购入供应。是美国一人业农,可供四人之需而有余,我国四人业农,仅供一人之需而不足,其相差为何如乎? 我国自许以农立国,以衣食不周之国家,实际已失却其立国之道,谓为以农为业则可,以农立国,殊觉汗颜。一切事业之推动,人才为其主要之原动力,农业建设未能达到预期效果,且有每况愈下之势,足证农业教育方针确有切实改革与重新厘定之余地。翁文灏先生谓我国当以农立国,以工建国,是我国战后之工业建设,当先由发展农业入手,此实赋予农业教育同仁以无比之重担。凡我同仁,均当深体职责之重大,努力俛俛,时不我与,速起图之!

(《西北农报》第一卷第一期 5-8)

二、农业、农学与农学生

王 绶

(一)农业之范围极广,包括动植物生产、利用与运销等三项,三者对于整个农业发展有等样重要,譬之一个等边三角形,缺了一边,就不成形,三者之中尤以生产为最重要。所以,生产为三角形之底边,没有生产就谈不到利用,亦更谈不到运销。不过三者必须平衡发展,方可达到发展整个农业之目的,就如等边三角形之三边,必须同时伸长方可达到增加等边三角形之面积。

(二)农业建设之整体应包括农学、农政与农事三方面,这三方面对于农业建设之整体,亦有等样之重要性。此三者也适成为一个等边三角形,农学为主,农事农政为辅,三者性质虽有不同,而其重要性却是相等。农学是研究生产利用运销之原理与改进,农政是规划生产利用与运销之方针与策略,农事是实施生产利用与运销之方法与步骤。

(三)我国为农业古国,但农业现况仍保持数千年前之原始状态,其不进步之原因就是因为农学、农事与农政三者脱节,不能互相配合。农学成为纸上谈兵,不切实际;农事成为士大夫所不屑一顾,知其当然不知其所以然之愚民的事业,固步自封不知进步;至于农政,更是一塌糊涂,莫知所云,主持农政者,只以做官为前提,并不知所谓农学与农事为何物,三者脱节,自古已然,盖不自今日始也。积痼既深,遂使数千年之农业古国,成为农业落后无食无衣之乞丐国家。

(四)农学院负农学之使命,在整个农业建设上负担重要的一环,我们所要学习与研究的对象不是仅限于动植物生产、利用与运销等项,并且对于农事与农政亦须加以研究与学习,使将来农业建设应备之条件,有个合理的配合与联系。

(五)我们应该学习的范围如此广泛,但是我们精力有限,学习的时间亦有限,不能每一个人都能对于整个农业之各部门作精密的学习,因此在农学院中就分了农、林、园、畜、兽医、经济、水利、农业化学、植物病虫害、农产制造与农业机械等若干系。分系的办法,是要缩小我们学习的范围,减少我们困难的不得已之办法,并不是应该的。每一系所开的课程,都有相互的关系,对于整个农业建设都有他的贡献,并没有此重彼轻的分别。所以,我希望大家要认清这一点,各系对于整个农业建设责任与贡献都是等样的重要。学农艺的人不可看轻了畜牧,学经济的人亦不可看轻了化学,选择系列,应该以个人之志趣为前提,以我能够贡献为目标,不可以出路为前提。这是我所希望于农学生第一点。

(六)农业的范围既如此之广,农学家应有之知识也就须博,尤其是普通学科,如物理、化学、生物、数学等基本科学,必须要有良好的基础,在良好基础上,才能竖立起伟大的建筑。所以农学院第一年都学的是基本课程,对于这些基本课程,绝对不可忽略,因为这是基本的训练,在第一学年之内,如果学得好,那就算奠定了良好的基础,如果学得不好,那就没有好的基础,将来也就不会有好的结果。这是我所希望于农学生的第二点。

(七)农业是应用的科学,应用科学与纯粹科学不同。应用科学包括两方面:一方面是原理,一方面是实施,所以农学院的课程,都是有讲授与实习。讲授是告诉原理,实习是告诉应用,讲授与实习是并重的,每一人学到四年之后,都须要成为具有科学头脑与农夫身手的完全农业家,理论与实际决不能脱节。这是我所希望于农学生的第三点。

(八)农业是自然科学,受环境的限制很严,在学校所学的课程,只能告诉一点原则,不能当它是一成不变的指南针,须随时随地的观摩考察;中国是农业古国,虽然进步很慢,但是老农夫的经验,确实丰富,他们一切措施,都是父子相传,经验累积,我们应该随时随地观察,好的经验须要采纳,不好的习惯须要铲除,参考所学的原理与故有的经验,决定适合国情的农业改良方案。所以我曾说农业问题,不是在课室里,或实验室里所能解决的。我所希望农学生的第四点,就是要请大家睁开聪明的眼睛,在广大的农业社会里求农业知识,不要仅限于课本之内,希望有机会要多与农民接触领教,因为这样才可以锻炼成实地有用的农学家。

(九)农业改良是极艰巨的工作,非有毅力有魄力,不能担任这样的工作。大家既然决定志愿来学农,所以我要请大家自今日起,负起"中国农业不改良就是自己的罪恶"的责任。古人"稷思天下有饥者犹己饥之也,禹思天下有溺者犹己溺之也"。后稷、大禹是何等负责,我们学农的人,都应效法后稷、大禹的精神。中国农民之饥寒贫困,我们负责解决,不要轻易推卸我们的责任,我们要立志"做大事不做大官"。这是我们学农的人应有的态度,这是我所希望于农学生的第五点。

(十)诸君在不久的将来,都要成为农村领袖,要知农村领袖必须具有下列各条件:1. 品行端正——为民模范。2. 体格健全——能吃苦耐劳。3. 勇于负责——

不避艰困。4.有服务精神。5.有领导组织的能力。6.有研究求知的兴趣。农学生在校四年之内,除了课程知识修养之外,更要注意精神的修养。这是我所希望的最后一点。

（十一）总之,农业是国家的基本,国家富强还是贫弱,完全要看农业是否振兴。试观现代最强盛的国家,没有不是农业最兴盛的国家。譬如美国、苏联都是我们好的榜样,他们都是工商业化的农业国家,以农为上,以工商为副,农业为工商业之母,工商业须靠农业供给其原料,才可以发展;若欲振兴工商业,必须先振兴农业,这是天经地义的说法,也是现在大家所公认的事实。

我国的农业问题,综错繁杂,千头万绪,但是农业落后的主要原因,不外三点:

1.农村社会没有组织:农村社会毫无组织,每一个农家就是生产、利用与运销活动的独立单位,力量非常薄弱,当然不能与企业化有组织相抗衡,而归于淘汰,是理所当然之事。

2.政府对农业缺乏整个政策:因为没有政策,所以就没有计划。机关因人而设,亦因人而废,朝令夕改,无所适从,以致机关林立,互不联系。政出多门,事业重复,互相牵制,彼此倾轧,种种毛病,层出不穷,因此事业进展大受妨碍,更加经费支绌,每一机关经费不足维持办公费用,对于业务无法推进。

3.技术人员不称共职:农业技术人员,有的训练不够,有的训练虽够而忙于宦海,对本身应办之事置之脑后,因此农业技术感到贫乏,对于整个事业进展,大受影响。

总而言之,过去事实已为陈迹,今后跃进全在现在青年,尤其学农的青年责任更加重大,谨贡献数点意见,深望农学生在此四年之内,对于理论实用与品行等都能有深刻的修养,每一个人都能成为将来农业建设之柱石,则国家幸甚!

(《西北农报》第一卷第四期 3-5)

三、农业教育与社会改造

曹秉国　孙涤华

方今世界多乱,人心不古,国家互相欺侮,农村濒于破产,欲行拯救,惟有提倡教育,改造民风,使社会及人心逐渐向善,农村及人民逐渐富庶,乃能谈及建设新中国复兴民族之大业。中国文化落伍已极,遍地匪类滋扰,无处无流氓纵横,欺压弱小,相演成风,贪赃舞弊,司空见惯,何法足以救亡图存？其道无他,惟有宣扬学术,提倡教育,以学术,足以改革一切恶风,以教育,足以建设现代社会,行之日久,未有不见成效者。况全国各地不乏睿哲之士,倘能以改革风气为己任,以建设社会为中心信念,不断研究探讨,以求学术实现与教育进步,则文化复兴可以指日而待。吾人致力于学术之研究,当先由改善风气开始,进于文化复兴,终于建设新农村新社会新民族新中国,此种见解正确,此种责任亦为知识界所应负。古人昭示后人云:大学之道,在明明德,在新民,在止于至善。明德是宇宙真理,新民是改造社会人心,止于至善是建新农村新社会新民族新中国。凡是研究大学之道者,宜致意于此。

在《中国之命运》一书中,蒋主席曾昭示:"今日社会风气,如不改造,无有笃实践履的精神,则建国工作仍难期其完成,而社会风气的转移,常系于少数政治家与学者的倡导和努力,历史上的先例如此,在国家治乱之会,民族存亡之际,只要这少数人士有天下兴亡,匹夫有责的信心,以救国家救人民自任,即可以转移风气的枢纽。无论聪明才力的大小,只要立志救同胞,决心救国家,力行实践,则行之于一乡可以转移一乡之风气,行之于一县可以转移一县之风气,推之于一国莫不皆然"。又曰:"政治风气之转移,尤赖于社会风气之改造,而教育实为改造社会风气之动力,须知学术之讲授与政治之变迁,息息相关,为国家命运之所系,历史之教训具在,无可置疑。"又曰:"中国主权荣辱生死存亡的命运,不决定于战争结束时期的国际会议,乃决定于全国上下能否自力更生,尤在于社会风气与国民生活能否涤旧更新,不愧为现代的国民。"又言:"此次战争,若不失败于侵略主义者之魔手,则人类文明即将刮垢磨光,而中国文化亦必发扬光大。"

中国社会之污秽恶浊,以及人心之卑劣诈伪,是中华民族之污垢,此污垢早已遮蔽民族固有之光辉。现在侵略已相几失败,从今以后,要极力涤去社会污垢,加以切实改革,使中华民族重现光华,庶几不愧为中华民族。

有人云:中国社会患贫弱愚私四种大病。因为贫,以致哀鸿遍野;因为弱,以致外患频来;因为愚,以致科学落伍;因为私,以致内乱迭起。事实如此,无可置辩。中国社会既患诸般重病症,固有道德和博爱精神,早被淹没,至于能否刮垢磨光,恢复本来面目,则看刮磨之法是否有效,是否有人负责去刮磨,社会污垢即是恶风败俗,逐渐弥漫于社会人心,使天理隐没,有如阴云蔽日,人类灵性亦被遮瞒,如同尘垢遮盖明镜。天理与灵性既不彰显,社会人心自然日陷于黑暗污恶,因而趋货利,沉酒色,贪名利,争权位,强凌弱,众暴寡,尚奸诈,图贿赂,贪赃舞弊,结党营私,甚至杀人放火,奸淫抢掠,发动战争,戕害生灵,无恶不作。

丹麦之农村教育,以及国际教育,是基于阐明人生意义及建设人心,提高人格。其方法不外宣扬学术与提倡教育两途,所以丹麦之农村得以复兴,合作精神得以养成,至今丹麦之农村教育及合作事业,名闻全世,引为美谈。丹麦之国际教育,亦能引起强国之敬重和时刻景羡,丹麦以区区小国,存立于数大强国之间,不恃军备而能发挥其国格者,非偶然之事。我国于抗战胜利之后,开始建设新中国。疮痍满目,元气难复,尤其在农村方面,更凋敝已极,如何能恢复广大之农业国,是目前最切要问题。促进乡村教育是复兴农村首要工作,征之丹麦农村复兴实例,毋庸置疑,我国能否恢复民族原有之荣誉及安存于各大强国之间,全视教育是否能阐明人生之意义及趋重人心人格之建设,倘若教育之改进得使人人了解人生之兴趣,奋力于人格之修养,则农村虽已凋敝,不难复兴,社会虽极污恶,不难涤新,国运虽极贫弱,不难富强。

我国以农立国,幅员广大,人口繁庶,土壤肥沃,气候温和,一切条件均利于生产以维系生存。若从事发展农业,可以牢固国本,复兴农村,亦即可以复兴民族。若发展农业而忽略农村教育,是只顾经济建设而缺乏精神培养,仍难期于民族复兴,是故促进农村教育,乃是复兴民族工作,社会上一切不良风气,均可由人心向善渐渐消失,更不必虑及学术不振,实业不兴,政治不良等问题。

或云:办教育若能像传教士传道那种热心,必能成功,此话甚为有理。吾人当想为何吾人不能如传教士热心?传教士为何能自动热心?其中缘故,吾人何不追求探讨。吾人办教育不热心,是因为缺乏一种生气和动力,此生气和动力在传道者心中不是出于一时狂热,乃是发现人生真意义和教人真意义,认清一条自助助人之平安路径,不惜努力以赴。教士理想中有一新社会新世界,可以努力实现,教士以为人心污恶,可以用真理改善;在普通人认为无趣事,教士认为趣味浓厚,在普通人认为做不到事,教士以为可以成功,此生气和动力,亦即传教士之宝贵精神。

丹麦农村教育得以成功,端赖此生气和动力,创办者能以宗教中关于人生真理介绍于青年,使青年精神勃勃,对于学习有用课程,格外努力,举办有用事业,也有兴趣,所求学术与所办事业,均为福国利民。丹麦之农村经济与文化,素为世界所称赞,考其原因,实与九十年前,古伦维与柯尔特等所创之民众高等学校有直接关系。此种民众学校,现已风行于欧美各国,在十九世纪初期,丹麦人民还是很守旧执拗,不喜试验,不知合作,在今日乃成为最进取最乐观,有科学思想,能运用合作之农民矣。德国诗人歌德说:"品性感应品性,丹麦以一个小小之爱国团体,凭教育之力量,转移一国农人之品性。"吾人基于内心之觉悟,本于天下兴亡匹夫有责之信心,且念及国家民族之急切需要,并遵照蒋主席之恺切提示,愿联合同志,共致力于农村教育之改进,择定陕西武功、扶风、盩厔、郿县一带,成立农村教育促进会,以作初步试验,俟有成果当再向外发展,以期与全国各地之农村教育同志,互相联合,以实现预期之效果。诚以陕西自古为我国文化策源地,后稷教民稼穑于武功,奠定民生;文武肇创文化于镐京,开畅国运;老聃讲学于盩厔,著《道德经》;张载倡教于郿县,作东西铭;其他贤哲不胜枚举。近年来贤明元老,创设国立西北农学院于武功,以培育农业人才而备,发展全国农业。然单纯发扬农业技术,未必即能复兴我国之农村,必须倡导农村教育,以改革社会风气,俟人心向善,然后采纳有效之科学方法,以发展农工商业,而解决民生问题,将来新农村新社会新民族新中国不难依次实现。

(《西北农报》第二卷第二期 47-48)

四、大学农学生治学之精神及方法

王植璧

诸位先生,诸位同学,我因职务关系到西北来,因为久仰贵校是全国规模最大的农学院,承贵校当局要兄弟讲话。刚才沈学年先生说,棉花是我的好朋友,我承认的,青年是我的好朋友,我也承认的。我一向承认棉花和青年是我的两位终身好朋友,所以我愿意和诸位见面。

中国是一个农业国家,中国的农业问题很多,万万不是少数人可能做得了的,必须靠着学农的全体同志共同合作。今天得与诸位学农的同志见面,很愿意地讲一个公共的题目,讲一讲不过我自己所知道的农的范围很少,现在我尽可能将我个人的一点意见或说我个人的一点经验提出来供大家参考。

我讲这个题目的理由,第一点,此地是农学院,诸位是农学生;第二点,个人的经历从小学、中学、大学以至读到研究院,觉得中学到大学这一个阶段思想方面有很大的转变,大学不是中学,农学生不是文科学生,大学农学生治学的精神及方法应和中学生及大学别个学院的学生不同。

一、大学农学生应有的治学精神大要的说来有后面的几种。

1. 要有自动的精神:大学与小学中学第一个不同的地方是自动的精神。小学生读书老师教这么多就学这么多,离开先生的督促很少自动地读书,但读到大学就不同了,试想你为什么要进大学,又为什么要进农学院,这是由于我们自发自动的精神,我们愿当地这种自动的精神发扬起来。

2. 要有精益求精的精神:不限于教室书本及先生所教授的范围。

3. 要有实验的精神:农学是一种科学,科学就应当注意实验。

4. 要有创造的精神:大学是最高学府,是学术的源泉。我们应当以所学的农学作基础,才能有所创造,此点与中学也不同。

二、大学农学生应有的治学方法可分四项来说

(一)读书:上学当然是读书,现代的治学方法固不限于读书一项……我们必须靠我们的经验以得知识,但人生是有限的,有限的人生过程中,要想得很多的经验,是不可能的。虽然古人说:"尽信书不如无书"。但是,"书者人类经验之记载也"。我们相信结果竟是前人经验的积累。为节约我们的时间和精力起见,需从书中求得知识。我们研究的农学问题当然也不能离开书本,现将读书的方法分几项说明:

1. 读书的程序

(1)工具:在大学里头一个要紧的是读书的工具。

A. 本国文:不通本国文不能读书,我勉励诸位青年同志,这一点应该特别注意。要文字写得通顺,不写错字,并不一定要写出八股的味道,四六的句子,但是应用文应常注意。

B. 外国文:因为现在世界的交通发达,求知识的范围扩大,大学农学生至少必通一种外国文,看得懂写得好,最普通的当然是英文。不要怕,越学越好,不学是不会有长进的,看书要能看得懂看得快,最好一点钟就看 10 pages。第一种外国文之外,最好还要学第二种外国文,适合大学农学生的最好是德文,其次法文俄文日文也很好,每种要能顺利地阅读书籍方可。总之,中国文外国文都是大学里读书的工具,一定要学得好才是。

(2)基本科学:基本科学的学习也是大学生和中学生不同的地方,我听说的基本科学大都是 pure science,大学农学生的基础科学,如动物、植物、化学、地质等等,譬如学农艺的未学过地质就不能够学土壤,未学化学的就不能够学肥料。又如,作物学的基础是植物学,读育种学一定要知道遗传学等等,不及一一举例。我要告诉诸位一句话,"基本科学愈好的将来对学术上的贡献就愈大",这好比盖大楼,要想稳固,基础一点也不可马虎。许多人都说我到美国康奈尔去学棉花,我实在告诉诸位,我在康奈尔却未曾学一个字的棉花,我学的是基本科学,以我个人研

究的学问对象来讲,如遗传学、细胞学、植物生理学,等等。可是有许多中学生和中学毕业生便认为他们的化学读够了,我常常向他们讲,你们到底知道多少,勉励他们继续努力。同时,我还要告诉诸位,农学生和老农夫有什么区别呢?就是老农夫不懂得基本科学,所以不能发明创造和研究科学,如老农夫可以是农学家,那么中国便有三万万的农学家了。

（3）农业的一般科学:有些课程是农学院各系学生都要学的,譬如说农业经济一课,农艺园艺畜牧森林等哪一系能不学呢?

（4）主系及副系课目:有些大学分主系和副系,主系课目的重要不必讨论,副系课目是与主系有关的他系课目,例如学农艺的学点畜牧园艺等课目,诸位如有功夫一定要学些副系功课,将来可应用无穷。我学棉花的有时需参考麦子的育种,即使栽树养鸡等等,我们也不能不求了解一点大意,现在研究学问的标准对于一般有关的科学,务求懂得,不应当光棍式地专限于很狭小的范围,但也不要忘记了自己的本行。总之,基本科学求其广,主科求其高,有如一个金字塔的构成一样。

2. 读书的方法

（1）听讲与笔记:从中学到大学头一个要感到最难应付的是听讲与笔记。我过去进南高的时候,先生要教我记笔记,可是中学时代一个字也没记过,所以当时就有这样的感觉。关于听讲和笔记,我做过学生也做过老师,就个人的经验讲一句公平话"有利也有弊"。

利的方面,假如先生预备的充足,可以节省先生的讲义的工夫,参考很多新的材料,作成 outline,详细地讲给学生听,这是最经济的办法;又因为用课本时,课本时时改变,不断地增订改版,譬如说,美国南部守旧的农学家 Brown 先生所著的 Cotton 一书现在已再版了,其他如 Sinnotd Dunn 之 Principle of Genetics 第一版和第二版大有不同,第三版和第二版又不相同,Hays Garber 的 Breeding crops plants 第二版变更也很多,用书有困难故采用笔记办法是有利的。

我过去读书时,在教室中即将笔记记下,不再整理笔记,利用整理笔记的时间去看书,时间并不多费,又记过笔记的材料脑中印象很深,考试时可以不必预备,也是一个好处,所谓"难过日子好过年"就是这个意思。

弊的方面,笔记的内容,不管先生讲得多么好,学生记得多么详细,数量上究属有限,所以非另看参考材料不可。

（2）看参考材料:这也是大学生和中学生不同之点,此地不说书而说材料,是包括杂志、报纸、单印本等等而言,诸位在大学时代,要养成多看参考材料的习惯,一个大学生应该自动地去发掘知识的宝藏,不应限于先生所指定之范围。

(3)读书要了解:应该读的书很多,读书还要记忆的当然也很多,要能记忆就必须了解,所以书要真正看过,更须真正了解。每读一门功课,每读一个 chapter,究竟记得多少,要把它重新组织一下,如作成"摘要""笔记",消化了书的内容,方可收融会贯通之效。

(二)实验:学科学的基本精神,是实验精神,目前谈社会科学的,策划一种新的社会制度,尚要经过实验然后推行,而况学自然科学,当更离不开实验了。农学是自然科学的应用,当然要注意实验。就我个人来讲,中学是进的浙江第七中学,这是一个很好的中学,设备很完全,我当时看过女生在讲台上做的实验,也看过许多标本,不过因为自己没有做过,所以仍是莫名其妙。但自从进了南高,确实做过许多实验,方体会到实验的好处,记得我头一学期日记上写到:"到南高半年,最得到益处的是在实验室内,显微镜下,画图纸上"。做过实验之后,以前不清楚的地方可以清楚。有些人讨厌画图,但画图仅是实验的一部分,不是一切实验都有画图,如化学的实验,生物统计的计算,地质土壤的野外考察,农业经济的调查,植物昆虫的野外采集等等。实验的种类是很多的,各种实验的基本要求为力求准确,此种精神即:

1. 要忠实:不能假造□□□,得出一个曲线结果,不能硬把它改成直线。

2. 要精确:不能草草从事,应该尽可能求其精确。

(三)实习:记得我在南高第一年农场实习时侯,我的老师某先生教我们刻苦地工作,挑水、挑粪、挖泥、开河、种菜,冬天还要搓草绳、割草菜,有时候还要筑泥墙,等等。现在回想起来,晒太阳、浴风雨、盖烂泥、施肥料,一切学会能够亲自动手,倒也不无用处。例如,我在南通农场任场长时,一次要施肥许多,许多男工女工都不肯做,我就以身作则,亲自动手,他们就都做起来了。又如一次一个朋友在郑州农场做场长时,四周工人罢工不得已,就自己带一个助手和长工自己去锄草,锄了两天,罢工的人见无法要挟,就自动地复工了。举这两个例,不过略以说明实习的好处,可以学得亲自动手的技能,有时很有用处的。另外再举几个例子,譬如说这个中耕器的使用,自己没用过怎么能教农夫呢? 要指导农夫耕田技术,你马上给他做一个样子就容易指导了。我在江苏第一农校时,便是这样教学生,不过也不是要个个农学生每天每一个钟头都要做苦工,我说一句公平话"农场实习是一门顶难教顶难学的功课,先生教得好学生学得好是很有用处的"。如能把求得技术和练习吃苦两个目的平均发展,而且都达到乃是实习最重要的收获。

（四）研究：研究本是大学毕业以后研究院学生做的,现在国内大学农学院的学生,也做点研究,这虽嫌过早一点,但是一个很好的风气。做研究最早应从大学三年级起,顶好到四年级,当然有些研究是必须在三年级时即开始做的,不过这需要解释,就是诸位决不要轻视研究,五四以后有些中学生,高谈研究,究竟做的研究在哪里。研究是困难的事情,研究必需的条件是：

1. 必有良好的科学基础；

2. 必有相当的设备,田间试验还易办,例如生理和细胞的研究,非有良好设备不可。

3. 要有确能指导的老师。

总之,大学生为发挥创造精神,研究是可以做的,但不可轻视研究。

最后要说明"大学农业教育的目的"，"我国大学农学院应该训练出怎样的人才"，现在还没有共同一致的结论。我个人的见解,以为"一个大学农学院毕业生要有科学的精神,能运用科学的方法作科学的研究,利用个人的思想及知识解决农业的问题,贡献给国家民族,以至于全人类。换言之,做能够造福全体大众的工作"。

在某一个时期,我国办了几个劳农学院,我当时就说"劳农非学院,学院非劳农"。那时候有些人就认为知识分子"四体不勤、五谷不分"，拼命教学生做苦工,可是纵然能比老农多赚几个钱,又怎样呢？我以为这是初级农校的教法,而不是大学农学院的教法。还有一点,大学农学院不应当只教会农学生个人生活的技术,毕业后到社会上种一千亩棉花,或开一个乳牛场,或办一个果树园……只能自己发财,这样大学农学院所造就的人才影响太小了。我希望的是大家能够做造福全体的工作。我是学棉的,就棉举例说,现今陕西关中推广四号斯宇棉,每亩比小洋花增加50—80个籽花,大家算一算,关中全部该增加多大收入。这岂不是学农的人经过实地试验的结果。这才是大学农学生应当取法的例子。总之,大学农学生是要解决农人所解决不了的问题,创造农人不能创造的成绩,而不是仅仅以学到老农为目的。

（《国立西北农学院农艺学会丛刊》,中华民国二十九年七月）

第五节　青年教育与修养

一、青年教育内容

李　蒸

所谓青年系指自十三四岁至二十二岁的男女,正当中学时代及大学的前期,其所应受之教育内容,根据国家民族及其自身之需要,应包括下列各项:

(一)使青年均成为良好的公民

青年教育目标第一项应当是公民训练。青年因为太热心负责而同时又缺乏实际经验,如不受适当的公民训练,一旦欲望不能满足,难免有出乎规范的行为。所谓良好的公民在平时必须忠于国家,尊重国旗,能投票选举,及纳税守法,在战时须能参加保卫国家的工作,所以必须具有研究政治,社会及经济问题的能力与兴趣,及有参加团体活动的经验与训练。良好的公民须能与人合作,以谋公共福利,为谋解决团体问题,须有最大的忍耐性及最少的感情作用,必要时并须牺牲个人主见以求目的之实现。良好的公民是由学校教室内外许多方面经验培养成功的,由经验中获得需要的知识,理想,态度,技能,与习惯,以谋个人及团体的最大福利。良好的公民虽然不是完全由学校培养出来的,但是学校教育很关重要。各中等学校除授有关的公民训练教材外,整个学校生活环境必须是实施公民训练最好的场所。以往青年教育多偏重知识技能之灌输,对于公民训练不甚重视,现在抗战建国紧要关头,看清楚公民训练最为重要。如果主持青年教育者不实施公民训练,则青年,受过教育之后究竟往哪一方向走恐将无法控制,这是极危险的事,应首先予以注意者。

(二)使青年均成为良好的家庭分子

家庭为团体生活的基本,社会福利多半由健全而有效的家庭组织中产生出来。家庭是实施婴儿与幼儿教育最重要的机构,亦是培养品行最重要的场所,与身体健康的第一道防线。家庭经济是社会经济的基层,因为各种生活必需品大都消耗于家庭之中。家庭观念不仅是烹饪,□□,与育儿的工作场所,而是男女两方互相尊重与帮助的团体生活。青年临近组织家庭的前夕,其所受教育的内容应对于如何成为良好的家庭分子特别有所指示。

（三）培训继续学习的兴趣与准备技能

一般中学对此项目标虽均知加以注意,但亦尚未作到尽善地步。中学时代应使青年增进其在小学时代已获得的求学技能,并努力养成继续到达成人生活的各种学习兴趣。如只知注意教材之灌输,而经过考试后即要忘掉,是于青年无益的。就是注意准备升学的智能,而不知注意准备自己研究的兴趣与习惯的养成,也不是正确的教育。

（四）使青年获得身心的健康

一般中等学校对此不如对课业之重视,但是身心健康关系一生事业,岂可忽视？健康注重预防,学校应实施健康教育,医术检查,及先期注意身心的缺陷与疾病。心的健康与身体健康同等重要,心理学家、精神病学专家及许多医生都承认促进身心健康与社会健康有密切的关系。欧美统计学家调查患精神病的人数与患者身体各机关病症的人数是相等的。担负设立收容罪犯机关及精神病院所费甚大,再加以工作效率之减低,人生快乐之丧失损失尤多。实施健康教育以维持身体之健康,与精神之完整,亦为养成完全人格之基本。

（五）准备从事职业之技能

青年受教育之目的就个人之立场说,即为寻得一谋生的职业以提高自己的地位与享受。各种职业需要工作效率之逐渐增进以谋发展。工作效率由训练而增加,不但各种专门职业需要训练,即使普通公务人员,工厂的一般劳工,以及农人商人,无不需要相当的技术以提高其工作效能,故青年教育对此方面当加以重视。

（六）养成善用闲暇的习惯与兴趣

人生除工作与睡眠之外,尚有一部分闲暇时间,如不能正当利用,无论对个人及社会均可以发生不良的影响。无论何人对于娱乐活动无不喜欢参加,因其对于单调而机械的职业活动可以有所调剂,因而发生快乐与兴趣。寻求正当的娱乐,不涉足不正当的娱乐场所,是一般青年都要养成的习惯,所以,在受教育时期必须得到正当的指导,此种良好的习惯才能养成。同时,社会生活环境亦必须有正当的布置,如广设公园,运动场,图书馆,及博物院等,均为切要之图。

青年教育的内容须包括以上六大方面的设施,然后方能适应国家及青年自身之需要。但是,我们以此标准来评判现有的青年教育极关,就是一般誉满全国的中学恐怕也会使人失望,因为面面都能顾到并且作到有效的地步是很困难的工作。况且,许多中学都是以准予升学为目的,并未注意到青年教育之本质。所以,笔者特别提出这一个问题来,希望教育当局及负直接训练责任的同志们认清方向,就师资培养,课程修订,设备充实,与环境改善各方面,共同谋适当之解决,则国家未来的主人翁可以日臻,健全的、民族的前途当能发扬光大,事之重要,实无过于此者。

(《城固青年》第 1 期)

二、论青年修养

澹 庵

近日,国人论及民族前途,每多责望于次代国民,而一般青年亦多自负不凡,以担当国事为己任。盖以青年岁月方长,事业未定,苟其教养得宜,对国家民族具强烈之意识,抱负兴之宏愿,则将来出膺国事,成就之大,复何限量。譬之人家多佳子弟,又能爱护其家庭,则家运之隆,不问可知。今者复兴运动,既已开始,事之成功,实国人所热望,则此未来之生力军者,素质如何,一般风气如何,殊应加以检讨。望之既奢,则责之不得不重,作者窃以为有不能已于言者。

(一)今日青年有抱功利主义之倾向,请以选择学问之态度证之。近年来大学招生,入工科者比率特高,已成彰明之事实,其选修科目,根据于个人之志趣者,固不乏人,首先考虑将来出路者,实居多数。就业较易,待遇较优,则群趋之,非顾及社会需要与个人天才也。去年暑季,忽又纷纷选习政治经济,风气转移之速,岂尽缘于志向,学问须无所为而为,陈义过高,未可期之人矣;然人趋近利,则治学必失之简陋,仅此一端,所关已大。其余言行,苟事关权利,每易表出此等倾向,纵不能一概而论,试潜心观察,当知此言之有由,学风简陋,将无以养成伟器;偏重功利,则谁复力任艰巨。

(二)青年每不满现实环境,人而有勇于改进之精神,原未可厚非;然能养成实事求是之风,则思想不蹈空幻,见解易于实践,若每闻高论,但爱其新奇,立即接受,初不深究其是否切于实际与需要,则空论日多。每见人经事既多,思想渐就平实,辄悔其早年言行,而青年殊不知如是方是脚踏实地,事业之成,实基于此。现代青年此等过重理想之风,最为可虑。

(三)现代青年类多有志学问与事功,此好现象也。然前人事业之成,必以其火热之感情,控之以坚强之意志,动心忍性,百折不挠。今之青年似对控制感情最欠努力,遇事易起兴奋,遭困难气馁,或抱悲观,或转浪漫,或失颓废。环境不良,每与青年以打击,无以慰其热情,固情有可原……如满天风雨,前路尚遥,正应坚强抵抗,以期达其宏愿。若情志不协调,乏坚忍之精神,则将何以克服艰巨,此不能不责之于英挺青年者。

（四）近日青年每重学问而忽德性之修养,此事应由任教育责者负其过失。平日教育青年,倾重知识之授予及技能之练训,对德性之陶冶既欠注意,而以身作则,人格感化,尤未能做到。青年受此等教育,知能之增加可期,德性之修养易忽,一切任事虑人必需之品德未备,则影响其前途者又岂浅鲜？

凡此四端,虽言近空泛,窃以为差中时弊。……对症下药,必矫之以下列种精神。

（一）自期既高,则选择所业,着眼必须远大。首问所业是否为国家社会所需要,再计自身才力是否能胜任,不走捷径,不求速效,锲而不舍,务期有成。既具充实之能力,则社会国家需用正切,不计功利,而功利即在其中。

（二）担负重大使命,首须慎求正确之理论,方不致迷失方向,误入歧途。三民主义为总理一生精力之结晶,青年应奉为行动最高之原则,具坚定之信心,在统一领导之下,整齐步调,努力前进,则民族复兴之大业定可实现。

（三）既得正确之理论,尤须有炽热之感情与优良之德性。……青年对自身感情,应痛下陶铸工夫,使之热烈而沉着,而应有品德,亦务求美,不畏却,不躁进,坚定果毅,如百炼精钢,方无坚不破。

以上之所论,多老生常谈……至理或寓于庸论。苟青年皆循此途径,以自修养,以自期望,用鲜活之新血,注衰老之民族,则复业伟业,指日可期……

(《城固青年》第 1 期)

三、漫谈青年修养问题

伯 子

中华民国三十年的五月四日,是五四运动第二十二周年纪念日,也是我们第三届的青年节,以五四运动纪念日定为青年节,我觉得至少有如下两种意义：

第一,五四运动是中国青年运动史上最光荣的一页,曾经唤醒中华民族的国魂,发出雄狮的猛吼,使国内军阀丧胆,官僚敛迹,使国外帝国主义者感觉中国有人,不可轻侮。一方面更因拒签巴黎和会的《凡尔赛分域条约》,显示出中国不可屈服的国格,获得翌年华盛顿九国公约的订立。这虽不是一个绝对平等的条约,但藉此可稍敛日本帝国主义者侵略的野心,使我们得以从容完成第一期的国民革命。从这点看来,五四运动是青年对国家很有力的贡献,不但值得纪念,而且应该效法五四时代青年的精神,来完成这次抗战建国的大业,这可以说是定五四运动纪念日为青年节的第一个意义。

第二,五四运动的背景,虽由于国内军阀政府与国外帝国主义者交相逼迫而构成,但其效用不仅在唤醒民众,争取正义的同情,并且更结了新文化之果。因为随五四青年运动而发生的新文化运动,对于时代思潮的输入,国民思想的改造,都有不可磨灭的功劳。这是近二十年来中国新文化的根源,也是推动中国走向现代化国家的一大助力。为了完成建国的使命,青年们不应该仅仅保守着五四运动以后的一点文化遗产即感满足,更应该继续不断研究,创造与宣传,以发扬中国的新文化。这是以五四运动纪念日作为青年节的第二个意义。

凡是中国的青年,都应该了解青年的意义,而以行动来纪念这光荣的节日,使五四时代的青年精神,得以发扬光大。何况目前中国正处在时代潮流剧烈的动荡之中,一方面强敌压境失土未复,一方面建国大业亟待进行。现代中国的青年,其责任之重大,不言可知!所以,青年们都应该想到如何贡献自己的力量来救国建国,才不辜负时代所赋予的使命。

我对于现实世界中一切不满人意的现象,常常自信到了我们青年立身社会以后,便可消除,可是这个念头也常为一些事实所打破,令我们不能如此乐观,因此,我觉得现代中国青年要能负起改造社会的责任,还应该首先注意心理的建设。这有两方面的意义:

第一,青年们不应该把自己看得太渺小,以为自己的生活对于国家社会没有什么影响,更不要把改造社会、革命建国的责任委诸他人,自居于第三者的地位,而妄肆批评,坐观成败。

第二,青年们不应该把自己看得太伟大,以为除去自己以外,再也没有别人能够救国,更不能忽略了历史上的经验与教训而乱作胡为。故所谓心理建设,便是要求青年不自卑、自傲而能自尊、自信。人人抱有"复兴民族,建设中华"的志愿,人人具有"服务社会,舍己为群"的决心,人人能够"自强不息,精进不已",才不愧为一个现代中国的青年。

因此,我们又感觉到"自我教育"对于青年修养的重要,青年们要具有上述的修养,须负起改造社会的责任,只靠有自信、自尊的心理,还不足以达成任务,必须能养成自我的教育的习惯与能力,随时把握教育的机会,力谋充实自身的修养,非但在受教育期间要注意养成自我教育的能力,离开学校以后,更要保持着自我教育的习惯,才能自强不息,精进不已。

青年要实行自我教育,必须多做自省的工夫,方能增进身心的修养,惟欲自省必须悬拟一个理想的标准作依据,方见切实。下面愿意提出一个现代中国青年的自看标准,藉供青年从事自我教育,增进身心修养的参考。

甲、关于道德方面的:

(一)铭言

1. 君子道者三:智者不惑,仁者不忧,勇者不惧。——孔子

2. 富贵不能淫,贫贱不能移,威武不能屈。——孟子

(二)自省:

1. 我能实践"忠孝仁爱信义和平"八德及"礼义廉耻"的教训否?

2. 我有坚强的意志,坚忍的精神与奋斗的勇气否?

3. 我能律己严谨而不苟,待人宽恕而诚挚否?

4. 我能爱国爱群重视公众利益否?

乙、关于思想方面的:

(一)铭言:

1. 生活的目的在增进人类全体的生活,生命的意义在创造宇宙继起的生命。——总裁

2. 人生的每一时刻都应当有他高尚的目的。——高尔基

(二)自省:

1. 我对于国父遗教有透彻的了解与忠诚的信仰否?

2. 我对己、对人、对家庭、对社会、对国家民族、对世界人类有合理的认识,并具有革命的人生观否?

3. 我有拥护公理,主持正义的精神否?

4. 我能祛除私见接受合理的指导或根据正确的认识指导他人思想否?

丙、关于体格方面的:

(一)铭言:

1. 健全的精神寓于健康的身体。——洛克(Locke)

2. 健康为人生一切事业的资本。

(二)自省:

1. 我有合理的卫生习惯以保持体格的强健否?

2. 我有运动的兴趣,并能选择一种运动每天练习以锻炼身体否?

3. 我有吃苦耐劳,负重致远的体力否?

4. 我能不沾染各种戕贼身体的恶习,并设法戒除已有的恶习否?

丁、关于智能方面的:

(一)铭言

1. 学而不思则罔,思而不学则殆。——孔子

2. 知识即权力。

(二)自省:

1. 我有一技专长以作服务社会独立生活的工具否?

2. 我有逐日读报,浏览杂志,写作日记及读书札记等充实知能的习惯及兴趣并持之以恒遂行自我教育否?

3. 我能把握工作或生活环境中各种学习的机会虚心学习而不故步自封一得自矜否?

4. 我能留心困难问题,以观察、比较、访问、实验等法研究解决,并有发表研究结果的能力否?

戊、关于服务方面的:

(一)铭言:

1. 人生以服务为目的,不以索取为目的。——国父遗教

2. 青年要立志做大事,不要立志做大官。——国父遗教

(二)自省:

1. 我已选定一种工作立志终身从事,以为社会造福否?

2. 我能以事业为重,服从合理的指导,牺牲一己的成见,与同事合作否?

3. 我能不计待遇之厚薄,不顾工作之难易,不图生活之舒适,而忠实为社会服务否?

4. 我对事业进行之计划方法步骤等,能随时研究改进藉增工作效率,并力求本位向上否?

上列自省的标准,或不免理想过之高处,然本诸"取法乎上"的态度,则未尝不可以之为厉行自我教育,促进身心修养的参考。所以,藉这青年节的机会,发表出来,供有志青年的转纳。

(《城固青年》2期 14-16)

四、青年训练与六艺教育

范 理

青年训练,为吾国当前最迫切的工作,更为抗战建国最基本的工作。我们都知道:青年是国家未来的主人翁,是社会的中坚分子,是群众的前锋队;同时也知道:青年时期,是人生最宝贵的时期,亦是最危险的时期,因为人之为善为恶,为优为劣,为贤为不肖,都以这一个时期为最大的关键。……有鉴于兹,对于全国青年除施行正当教育外……灌输青年所需要的知识,与培养其人格道德及其强壮的体魄,并使之信仰三民主义,提高民族意识,加强国家观念,能够负荷捍卫国家和复兴民族的使命,成为国家最健全最优秀及最忠实勇敢的青年,此种意义,实是何等重大与深切。

本来训练与教育没有多大的区别,不过教育为整个的基本的,训练是教育的一部分和一种方法,可知二者的关系是非常密切的。因此,对于青年训练,除遵然中央已经详明规定的各种训练,如组织、宣传、服务、青运及其举办夏令营各种技术训练等等的工作,我在此地暂且不谈外,现在只略谈谈六艺教育与青年训练的关系。

所谓六艺教育,本是我国发明最早而施行最普遍最完善和最切实际的一种教育,又是我国古先圣贤一贯相传的教育,亦即是立国最基本的教育。我国所以有五千年来的优美文化,就赖有此种的教育,时至今日,我们正好将此种教育更加发扬光大,以为实现三民主义之一种伟大的助力。兹将六艺要义简述于下:

(一)礼

所谓"礼",即是有条有理有秩序及有组织之谓。我国自古以来就以"礼"为治国之大本,最讲究礼节与礼让,所以称为"礼让之邦"及"文明古国"。对于世界诸友邦,总是"讲信修睦""厚往薄来",毫无侵略压迫之企图,故能维护人类和平,发扬东方伟大之文化。但至现代,教育落后,民不知重礼,不知守法,以致被外国人讥为无组织的国家,甚至被人欺侮侵略,濒于灭亡,这种耻辱和危险,必须洗雪与挽救。所以我们现在必要恢复"礼"的教育,务使一般国民与青年了解"礼"的精义,从小做起,推而至于大,无论饮食起居,一举一动,一言一语,莫不循规蹈矩,守秩序,有条理,乃至遵守团体纪律,服从国家法令,扩张至于社会国家,各种业务,各级机关,无不组织完密,井井有条,秩然不紊,以发挥其效能。这皆是"礼"

之功用。

（二）乐

所谓"乐"，即是音乐歌曲之类，可以和乐心胸，陶淑性情，振奋精神，激发志气，以及慰藉劳苦，调畅生活。其于个人之功效已如此，推而至于社会风俗之厚薄，国家气象之隆替，均与"乐"的关系很大。我国近几十年来，人心浇漓暴戾，国家生气衰败疲惫，就是失掉"乐"之效用，所以现在要提倡"乐"的教育，要以和乐清越之音乐，及雄壮激昂之歌曲，以振奋人心，鼓励一般国民与青年向上之精神，充实其优美的人生与培养其高尚的人格，以及转移社会颓丧不良之风气，均于此是赖。

（三）射

所谓"射"，即是武艺之一种，为人之所必需具备的。在我国古时为射箭，一般国民与文士，皆能学习娴熟，一旦遇着外侮，能执干戈以卫社稷，国家因之强盛。现代进步为射击，而一般国民与文人多不谙习，以致国弱不振，因此，中央近年来提倡文武合一的教育，即是恢复古代"射"的教育之精神，使全国国民与青年，均知兼习武事，以增强自卫能力及抵御外侮之精神也。

（四）御

所谓"御"，亦是武艺与技术之一种，即是骑马驾车之类，古代文士多有这种技能，如孔子周游列国，其驾车的人就是他的门生，如樊迟御等是。现在一般读书之士，鲜能骑马与驾车，至于驾驶轮船、汽车与飞机等，更是成为一种专门技术了。所以，现在要训练全国青年与国民，具有驾车的技术及骑马习武的精神，方能成为现代国民与青年也。

（五）书

所谓"书"，就是关于书写、撰作及文学等是。我国古代之士，对于书法讲求最精，规律甚严，而文学作品更是意义宏深，结构完密，故能流传久远，价值益大。降及近代，崇尚欧美文化，仅能得其皮毛，而于本国文字，更多忽视与反对，以致文法字义，均欠了解，陷于极大之错误。所以，必须训练一般青年与国民，知道对于书写，应该笔画清楚、一目了然，对于文学作品，应能文从字顺，明体达用，此为最低限度之要求。

（六）数

所谓"数"，就是计算数目之类，为人人日常生活所必须应用之一种技能。古代教育，对此已甚注重，尤其至于现代，科学进步，机器工业发达，一切事物莫不多赖于精确之数目字,以资记载统计与测量等等之用,故如不知数学,小之则无以治生,大之则无以抗战建国,其为应用诚属至为重大者也。

  由此可知,六艺教育为吾国现代教育之根本,更是青年训练之要件。我们观察一个国家与其一般国民,如不知重礼乐,则必成为野蛮凌乱暴躁浮薄之状态,知之则成为文明秩序纯厚温和之风。次之则为射御,如不知重射御,则必成为衰弱颓败闭塞无状之形态,知之则成为强盛武勇奋发有为之国家。复次则为书数,如不知重书数,则必成为贫乏简陋文物落后之景况,知之则成为富强优美文化进步之气象。因此,可见礼乐之有无,则为文野之分界;射御之有无,则为强弱之分界;书数之有无,则为进步与落后之分界;所以,我们必须发扬六艺教育,提倡有关六艺之各种训练,使全国青年,人人俱能知礼乐,娴射御,通书数,如此始能使教育与训练,兼施并重,发挥极大之效用,以建设三民主义的新中国。

(《城固青年》3/4 期)